HISTORIA GENERAL DE MÉXICO

Obra preparada por el
Centro de Estudios Históricos

Daniel Cosío Villegas (†), coordinador (El Colegio de México)
Ignacio Bernal (Instituto Nacional de Antropología e Historia)
Pedro Carrasco (State University of New York at Stony Brook)
Lilia Díaz (El Colegio de México)
Enrique Florescano (Instituto Nacional de Antropología e Historia)
Bernardo García Martínez (El Colegio de México)
Luis González (El Colegio de México)
Andrés Lira (El Colegio de México)
José Luis Lorenzo (Instituto Nacional de Antropología e Historia)
Jorge Alberto Manrique (Universidad Nacional Autónoma de México)
José Luis Martínez (Academia Mexicana de la Lengua)
Lorenzo Meyer (El Colegio de México)
Carlos Monsiváis (Instituto Nacional de Antropología e Historia)
Alejandra Moreno Toscano (El Colegio de México)
Luis Muro (El Colegio de México)
Berta Ulloa (El Colegio de México)
Susana Uribe (†) (El Colegio de México)
Josefina Zoraida Vázquez (El Colegio de México)
Luis Villoro (Universidad Autónoma Metropolitana)

HISTORIA GENERAL DE MEXICO

TOMO 1

El Colegio de México

Primera edición (5 000 ejs.) 1976
Segunda edición corregida (15 000 ejs.), 1977
Primera reimpresión (10 000 ejemplares), 1981
Tercera edición (100 000 ejemplares) 1981

Derechos reservados conforme a la ley
© 1976. El Colegio de México
Camino al Ajusco 20, México, D. F.

ISBN 968-12-0080-2
ISBN   968-12-0135-3

Sumario

ENRIQUE FLORESCANO E ISABEL GIL SÁNCHEZ

LUIS VILLORO

JORGE ALBERTO MANRIQUE

Nota preliminar

Daniel Cosío Villegas

El interés de El Colegio de México en la historia nacional es tan viejo como El Colegio mismo. En efecto, el primer "Centro" que creó fue el de Estudios Históricos, y en él la enseñanza y la investigación se orientaron predominantemente a nuestra propia historia. Quienes fundaron y dirigieron El Colegio durante sus veinte primeros años, pensaron que cada uno de los Centros (en la actualidad de Estudios Lingüísticos y Literarios, de Estudios Internacionales, de Estudios de Asia y África del Norte, de Estudios Económicos y Demográficos y de Estudios Sociológicos) debía tener una revista propia que recogiera los trabajos de sus profesores y estudiantes, así como los de otras instituciones dedicadas al mismo campo de estudio. Por eso se creó *Historia Mexicana*, que muy pronto cumplirá sus primeros veinticinco años de vida. Más aún: El Colegio ha publicado un buen número de libros, resultado de investigaciones originales de sus profesores y estudiantes avanzados. Pues bien, el número de los de historia, y en especial de historia nacional, es claramente mayor que el de los otros Centros, tanto por ser el de Estudios Históricos el más antiguo, según se dijo ya, como por la constante actividad de sus miembros.

Desde hace algún tiempo, sin embargo, El Colegio ha buscado que algunos de sus libros de historia nacional alcancen a un público lector mucho mayor que los que han tenido sus publicaciones anteriores, por su carácter erudito. El primer paso fue la *Historia mínima de México*, libro de escasas ciento sesenta y cuatro páginas, redactado de modo especial para quien desea iniciarse en el conocimiento de nuestra historia y aquel otro que, habiendo leído tiempo atrás, quiere recordarla y tener una versión moderna de ella. Aparte de buenas cantidades de ejemplares impresos que han llegado al lector, con sus textos se hizo una *Telehistoria de México* que fue exhibida en tres canales distintos, de modo que cabe suponer que llegó a un público aún más numeroso.

A ese mismo propósito de amplia difusión corresponde esta *Historia general de México*, destinada a un lector más maduro, pero de ninguna manera "culto" o "ilustrado". Por eso justamente se le ha llamado "general": primero, por ser completa, pues va desde la llegada del hombre al continente americano hasta nuestros días; y segundo, porque se ofrece al lector general, o sea al que no tiene una preparación especial para leerla y apreciarla.

Cada uno de los capítulos o partes de esta *Historia general* ha sido redactado por una persona que tiene un conocimiento especial del tema a ella encomendado; pero en el entendimiento de que su texto no sería en manera alguna erudito o abstruso; por el contrario, de fácil lectura y asimilación.

Esta circunstancia, añadida al buen número de participantes, planteó el problema de la inevitable diversidad, no sólo de "estilos" en su redacción, sino aun el del modo distinto de tratar la historia. Mientras unos, digamos, se inclinaban a una presentación un tanto escueta de los hechos, otros propendían más a presentar un panorama interpretativo. Un segundo problema, asimismo inevitable, surgió también. El autor de una época determinada tendía a presentar los antecedentes de esa época en la creencia de que de otro modo no se entenderían de manera cabal sus explicaciones. Se inclinaba también a trazar las consecuencias que en la época siguiente habían tenido los hechos estudiados en su propia época. Así se invadían, para atrás y hacia adelante, los límites de una época determinada, produciéndose algunas repeticiones y aun ligeras variantes en la apreciación de ciertos hechos.

Por un momento se contempló la posibilidad de que una tercera mano reescribiera estos traslapes, a fin de evitar repeticiones y aun variantes de interpretación. Además del tiempo y el esfuerzo que semejante tarea imponía, se resolvió dejar los textos como se presentaron, con la esperanza, por no decir la certidumbre, de que el valor y la originalidad de la obra no sufrirían mayor cosa.

Queda, pues, esta *Historia general de México* en manos de un lector que, hoy quizás como nunca, apetece conocer y entender nuestro pasado, entre otras cosas porque siente la necesidad de apreciar con mayor seguridad el presente y el porvenir inmediato del país.

Consideraciones corográficas

Bernardo García Martínez

La realidad humana tiene por lo menos dos dimensiones: una temporal y otra espacial. Un consenso seguramente universal asigna a la historia y los historiadores absoluta soberanía en los dominios del humano tiempo. No así sobre la dimensión espacial del hombre. Aquí, el territorio de la geografía es a menudo disputado. Las dos dimensiones deberían estar tan estrechamente unidas en el conocimiento como lo están en la realidad; por eso, algún día debiera la historia conquistar ese territorio de la dimensión espacial. La historia ha probado ya su capacidad de objetividad sin rechazar por eso la subjetividad. La geografía, objetiva como ha sido siempre, raras veces se ha afrontado subjetivamente. Si esto se lograra a menudo, y se lograra bien, razón de más para proponerse no separar nunca más el tiempo del espacio. Las páginas que siguen y que describen la realidad geográfica de México en el momento actual son objetivas pero también subjetivas. En esta subjetividad está su mayor nexo con el resto del contenido de este libro. No deben, pues, tomarse ni como introducción ni como conclusión. El conocimiento que se desprenda de ellas debería estar incorporado, fundido, íntegro, en el material histórico. Es la imperfección de nuestro conocimiento actual de lo humano y de nuestra técnica científica lo que nos obliga a dejarlo aquí de lado, simplemente aparte.

Reúnen estos capítulos diversas impresiones surgidas más que nada del íntimo contacto con la geografía mexicana. A lo largo del recorrido que las describe y comenta se percibirán muchos altibajos: algunas regiones motivarán temas de reflexión; otras serán pasadas casi de largo. Hubiera sido imposible en tan poco espacio dar lugar a todas las reflexiones sobre el hombre o la historia que cada palmo de terreno puede hacer surgir. Pero no se entienda que en la mayor o menor atención que reciba una región cualquiera va implícita una alusión a su importancia o su extensión. Se trata de algo meramente circunstancial y de que ha parecido preferible este tratamiento matizado que no el extender una luz pálida uniforme sobre todo el conjunto.

Se han incluido un par de mapas con sólo los trazos más esenciales, especialmente para ilustrar la delimitación de las regiones. Será necesario tener siempre un mapa cualquiera más completo a la vista si se quiere llegar, con ayuda de estas páginas, a comprender la geografía mexicana.

Suponía Aristóteles que todas las tierras eran más calientes conforme estaban más cerca del Ecuador, y tanto que llegaban a estar totalmente calcinadas e inhabitadas. Fueron necesarios los viajes de exploración por el mundo en los siglos xv y xvi para demostrar que no era así, sino que el clima de un lugar depende también de muchos otros factores. En las tierras que, como la mayor parte de México, se hallan comprendidas dentro de una latitud tropical, el elemento fundamental es la elevación sobre el nivel del mar. Los primeros europeos que vinieron a América percibieron el fenómeno, si bien no pudieron dar una explicación muy convincente. Acosta, historiador, geógrafo y naturalista, decía que "si preguntamos agora por qué los llanos de la costa en el Pirú y en Nueva España es tierra caliente y los llanos de las sierras del mismo Pirú y Nueva España es tierra fría, por cierto que no veo qué otra razón pueda darse, sino porque los unos llanos son de tierra baja y los otros de tierra alta". Lo que sí no podía dudarse es que el hecho era evidente. En observar la gran variedad de climas que encerraba el territorio mexicano coincidieron casi todos los viajeros europeos hasta el siglo xix. Desde las tierras más calientes hasta las nieves eternas, toda la gama de climas impresionaba a estos hombres venidos de tierras menos heterogéneas. Leyendo sus observaciones parece como si la geografía mexicana estuviera hecha a base de climas, del mismo modo que a uno se le puede ocurrir pensar que la de Suiza está hecha a base de montañas y la de la cuenca amazónica a base de ríos.

Concebir una geografía hecha a base de climas puede parecer algo meramente simbólico. Pero la geografía de un país está, de cualquier modo, determinada por una serie de elementos que interactúan entre sí: las montañas, por ejemplo, señalan vertientes y marcan el curso de los ríos, al tiempo que las corrientes de agua, con el paso de los siglos, van modelando el relieve, modelamiento que es más fácil o más difícil según el tipo de suelo, la vegetación predominante, la pendiente del cauce y mil otros factores. Así pues, puede suceder que algunos de los elementos de la geografía estén en una situación más sólida que otros frente a la acción de los demás: los suelos calizos, digamos, son precarios y la acción del agua los destruye fácilmente. Aquí cabe justificar nuestra consideración sobre el clima. Éste, que esencialmente depende de la temperatura, los vientos, la humedad y la presión atmosférica, es un elemento muy precario en las zonas tropicales de nuestro planeta. El clima de cualquier región tropical, que por la naturaleza de la latitud tendería a ser cálido, se ve afectado por su elevación, por su distancia del mar, por su orientación, su vegetación, la dirección de los vientos y otros factores, al grado de llegar a transformarse totalmente. Con dificultad se afectaría de modo tan profundo el clima de una latitud extratropical.

Pues bien, la mayor parte de México está dentro de la zona tórrida, y es un país cuyos puntos están a alturas diferentes, a muy variadas distancias del mar, orientados de muy distintos modos, poblados de diferente vegetación y sometidos a vientos procedentes de diversas direcciones (alisios, contraalisios y perturbaciones ciclónicas). Todos los elementos de la geografía dejan, pues, su huella en el clima, y la combinación de todos hace de México un mosaico de climas. Regiones vecinas pueden tener climas opuestos.

La cuestión del clima nos lleva a la geografía humana. De todos los factores que modifican nuestro clima, el más importante es la altitud. La clasificación tradicional de las tierras mexicanas las divide en calientes, templadas y frías, adecuando la división a los grados de elevación y temperatura que hay de la costa al altiplano, y esta clasificación tiene inclusive su lugar en la cultura popular. Habrá muchísimos mexicanos que no tengan idea de la configuración de su país ni de su orografía u otras características físicas, ni tengan siquiera una idea clara de la situación de su terruño dentro del conjunto nacional. En cambio, es del domino de una mayoría que hay una tierra fría y otra caliente, y es el camino hacia arriba o hacia abajo el que lleva a una u otra. Pueden encontrarse alusiones a esta realidad, a esta combinación de climas y alturas presente en la mayor parte de México, en el habla cotidiana, por ejemplo, a propósito de la procedencia de los frutos. Todo aquel que ha tenido contacto con el campo ha percibido esa necesidad de comparar las tierras donde un fruto "se da" y donde "no se da". "Más arriba ya no hay naranjas, pero hay duraznos", podría ser el resumen de la descripción popular de un paisaje rural mexicano. El habitante del México tropical tiene así una conciencia geográfica: percibe, mediante la combinación clima-altura, una situación geográfica que puede identificar y comparar, aunque no la explique científicamente. La conciencia que tiene de ese juego de climas y alturas, de ese juego de tierras de diferente "temperamento", sólida en tanto que responde a su necesidad humana de ubicarse espacialmente, es su conciencia geográfica. Así, para él, la geografía de México está hecha a base de climas.

Todas estas afirmaciones tienen, sin embargo, que ceder ante realidades que las rechazan. A lo largo de las páginas anteriores hemos pensado sólo en el México central, pero dentro de las latitudes tropicales del país hay extensas zonas en que esa combinación de temperamentos geográficos no significa nada. Yucatán, por ejemplo, es una planicie bastante homogénea. Para miles de habitantes de las llanuras costeras la montaña es algo demasiado lejano. También hay cientos de comunidades aisladas en las montañas, en Oaxaca sobre todo, cuyo radio de acción no es lo suficientemente amplio para abarcar dos ámbitos diferentes; y así, pueden citarse excepciones. Por otra parte, no todo México está dentro de una latitud tropical y, en consecuencia, afectado por este tipo de fenómenos. El norte, situado por arriba del Trópico de Cáncer, se ve mucho más condicionado por la circunstancia de la latitud, sin que la altitud juegue un papel determinante, y por eso toda la geografía se matiza allí de otro modo. La complejidad de la geografía de México es evidente, aun sin salir del capítulo de los climas.

Así, pues, hay una parte de México donde la geografía ha brindado al hombre oportunidades, que éste ha aprovechado, de desarrollarse en tierras de diferente "temperamento" que se acomodan y complementan a maravilla como hombre y mujer, y permiten el intercambio espontáneo y cotidiano de hombres y productos. Asimismo, una segunda consideración lleva a admitir que en otras partes del país el resultado es diferente, bien porque la geografía es demasiado homogénea, o porque no permite el juego de climas y alturas; o bien porque el hombre, demasiado aislado, no ha aprovechado todos los recursos que aquélla le brinda. Una tercera consideración lleva a obtener una conclusión y derivar de ella un esquema estructural de la geografía mexicana. Tal esquema permitirá distinguir y agrupar las diversas regiones de que hablaremos individualmente más adelante.

Se ha dicho que no hay uno sino muchos Méxicos. Suponiendo que fuera así, aún cabría preguntar si todos ellos, en tanto que elementos geográficos, entran en el conjunto en un plano de igualdad o no. Porque si hay algún elemento dominante, ése ha de ser el que defina una estructura fundamental. Suele decirse que en México hay una estructura geográfica de base, muy sencilla, que en algún momento se deshace. La mayoría de los geógrafos modernos ve en el corazón de México un elemento desgarrador que un buen día introdujo el caos. Un verdadero nudo de tierras y climas. Los geólogos pueden situar este complicado nudo a lo largo del paralelo 19 y llamarlo Eje volcánico. Pero para el observador terrestre esa alineación resulta muchas veces inadvertible. El Eje volcánico fue formado en la era terciaria por violenta actividad tectónica y suavizado y destruido en parte por la acción del viento, las aguas y nuevas erupciones en los tiempos subsiguientes, de modo que resulta ya muy quebrado y hasta destruido en partes, demasiado complejo para ser percibido por alguien que no sea un geógrafo. En efecto, el Eje volcánico, denominado por los científicos con infinidad de nombres (Sistema Tarasco-nahua, Eje Neovolcánico, Sierra Volcánica Transversal, etc.) no existe en el lenguaje de los hombres comunes como existe la Sierra de Puebla, el Bajío o los Altos de Chiapas. A pesar de ser un elemento estructural bien importante del territorio mexicano desde cualquier ángulo que se le mire, no existe, de hecho, como región. Ese inmenso conjunto de montañas y valles que se apoyan en ellas puede, si acaso, conceptuarse como el México propiamente dicho; o la espina dorsal del mismo, y no en balde, pues los nombres corresponden a las realidades humanas, y en ese sitio ha estado —haciendo acaso salvedad de los tiempos olmecas y prehistóricos— el corazón del país. La geografía humana no puede pasar por alto este hecho. La explicación de la naturaleza se tiene que amoldar a la perspectiva hu-

12

mana, cosa que por cierto se ha venido haciendo con sólo hablar de "geografía de México".

Se ha considerado casi siempre a México como una continuación de las grandes cordilleras norteamericanas. Se le suele explicar geográficamente desde el norte, como una dependencia. El nudo central es calificado de intruso en la hermosa línea continua de montañas que va desde Alaska hasta la Tierra del Fuego. Pero la geografía de México no es una geografía de continuación interrumpida, sino que tiene su estructura propia, su centro, su origen. Concebido como espina dorsal del México propiamente dicho, ese gran Eje ígneo no puede seguir siendo un corte, un elemento desgarrador en la geografía mexicana. El Eje volcánico pone una nota dominante sobre el México central. Su surgimiento durante la era terciaria determinó la configuración actual del relieve, y las fallas geológicas que están asociadas a él son la causa de los desniveles más profundos que tiene el territorio mexicano. Relacionado con estos fenómenos tectónicos está el hecho de la considerable elevación del altiplano. Situado en una latitud tropical, el conjunto resultó de una configuración tal que las tierras bajas y las altas se encuentran próximas unas a otras, permitiendo que el hombre, acomodado sobre ambas y privilegiado por su situación en esas tierras fértiles, ricas y variadas, realizara plenamente ese intercambio espontáneo y cotidiano de hombres y productos que hemos observado.

Esa combinación de "temperamentos", aprovechada por el hombre, es, pues, característica de la parte nuclear y medular de México. Hemos señalado el elemento dominante que define la estructura fundamental de la geografía mexicana y que nos permitirá distinguir y agrupar las regiones del país. Es claro que esta parte nuclear y medular de México tendrá que dividirse atendiendo a la realidad del Eje volcánico y las consecuencias de su surgimiento, ya que su importancia es capital. Se encuentra así un *México central*, corazón histórico y corazón geográfico, conjunto de valles y cuencas apoyados a gran altura sobre el Eje ígneo; y con dos vertientes, una a cada lado de ese conjunto central, en que se desarrollan concéntricamente, en forma escalonada, tierras templadas que bajan al Golfo y al Pacífico. Se habla aquí de vertientes no en un sentido estrictamente hidrográfico, sino atendiendo a que el concepto sugiere la idea de tierras que descienden hacia el mar. Las calificaremos como *Ver-*

Mapa 1

Estructura básica de la geografía de México

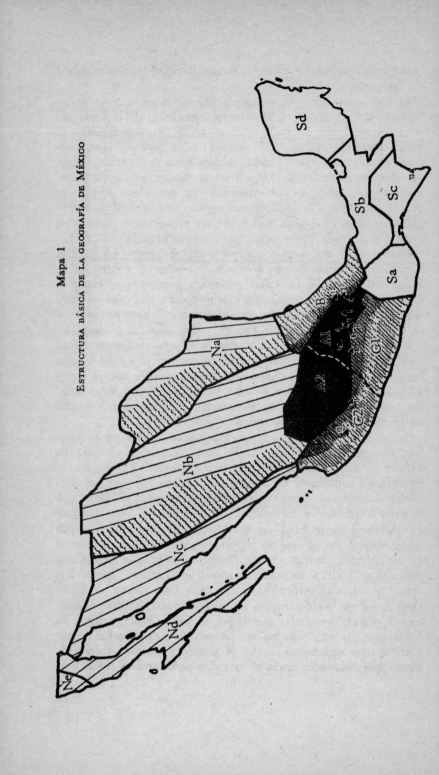

MÉXICO NUCLEAR: A-*México central:* A1-Porción de los valles centrales
A2-Porción occidental

B-*Vertiente del Golfo:* ⎱ Vertientes vitales

C-*Vertiente del Pacífico:* C1-Porción oriental
C2-Porción occidental

VERTIENTE DEL NORTE: Na-Noreste
Nb-Altiplano del Norte
Nc-Noroeste ⎱ Vertiente de expansión
Nd-Baja California
Ne-Zona de clima mediterráneo

(Las áreas sombreadas con línea ondulada corresponden a la Sierra Madre Occidental, a la Oriental y a la del Sur)

SURESTE: Sa-Oaxaca
Sb-Llanuras aluviales
Sc-Mosaico chiapaneco
Sd-Yucatán

CUMBRES DE MÁS DE 3 800 M. DE ALTURA SOBRE EL NIVEL DEL MAR:

1-Cofre de Perote
2-Citlaltépetl (Pico de Orizaba)
3-Sierra Negra
4-La Malinche

5-Tláloc y Telapón
6-Iztaccíhuatl
7-Popocatépetl
8-Ajusco

9-Jocotitlán
10-Chicnauhtécatl (Nevado de Toluca)
11-Tancítaro
12-Nevado de Colima y Volcán de Fuego
13-Tacaná

tientes vitales puesto que la vida de intercambios que ha definido al conjunto no podría existir sin ellas.

Este conjunto del *México central* y sus *Vertientes vitales* tiene realidad en la geografía humana desde hace muchas centurias. Ha sido el núcleo del país, el México nuclear. La facilidad de intercambiar productos, y el disponer, dentro de un reducido espacio, de gran cantidad de ámbitos geográficos complementarios, han sido señalados como dos de los factores que más influyeron en el desarrollo de las grandes civilizaciones prehispánicas del altiplano. La expansión del estado mexica estuvo orientada fundamentalmente hacia esas tierras diferentes a su centro que producían lo que éste no producía. En la época de la Conquista el estado mexica tenía una estructura equilibrada ecológicamente, y la Colonia, al asentar su cabeza sobre la misma capital del imperio indígena, heredó esa situación. La exportación de productos tropicales de las tierras bajas, y la inmigración negra, tan íntimamente ligadas, fueron claves en la formación económica y social de ese México colonial tan identificado con el altiplano, y lo mismo debe decirse del establecimiento de las rutas marítimas. Tierras calientes, templadas y frías han seguido complementándose. Los hombres de unas tienen conciencia de la existencia de las otras porque entre ellas se han realizado durante siglos intercambios de hombres y productos.

La expansión de la sociedad colonial y la consolidación de la nación mexicana atrajeron al conjunto nacional a otras tierras diferentes. Algunas, como el Bajío o parte de las vertientes, cupieron dentro de esta estructura básica; pero otras no. Y son las que, al hacer la segunda consideración páginas arriba, se encontró que no podían acomodarse al marco geográfico original.

Las grandes extensiones al norte caen fuera del mundo tropical. Pero su situación, su orografía, su estrecha relación con las diversas regiones del México nuclear, les permitió convertirse en un área ideal de expansión. La conformación de las diversas regiones norteñas es tal, que ha abierto rutas muy claras por donde se ha volcado una población ávida de un medio geográfico aún más amplio. La realidad geográfica y la histórica se amoldaron una a otra y el resultado fue la conformación de una región de estructura tan armoniosa como la del México nuclear. En el sentido humano el *Norte* constituye una tercera *Vertiente*, ya no vital sino *de expansión*, y como tal se estudiará aquí.

16

Y las otras regiones tropicales, al sur y al este, por estar más o menos desligadas del Eje volcánico y del armonioso conjunto del México nuclear, tienen que considerarse también como regiones aparte. No teniendo ellas un eje común, una espina dorsal propia, y siendo en buena parte tierras en las que por una u otra razón no se puede percibir un conjunto articulado de tierras de diferente temperamento, u otro conjunto cualquiera que tenga significación geográfica, su regionalización es difícil y mayor su fragmentación.

El México central

La cumbre del Citlaltépetl, la más alta de México, nos deja ver el armazón del país. A nuestro alcance está el mundo tropical en toda su plenitud: el paisaje comprende nueve kilómetros cuadrados cubiertos de glaciares, más kilómetros de laderas nevadas, y un mundo de bosques de todo tipo, arroyos, ríos, cañadas, valles con todos los climas y productos, y zonas desérticas. Más allá se distinguen cadenas montañosas y regiones enteras. Por un lado, el altiplano; por otro, las llanuras y el mar cálido. De este lado del mar la vista casi siempre se oculta: las nubes que se originan en él y son llevadas al interior por vientos húmedos chocan contra las laderas y se vierten por los balcones del México central. Por eso la sierra y la costa son siempre muy húmedas. Del otro lado, en cambio, las nubes no pasan, a excepción de las muy altas que se van de largo y no se condensan sino muy adentro. Las laderas occidentales son secas y así son todas las tierras que están al abrigo de los vientos húmedos del Golfo en el extremo oriental del altiplano. El fenómeno se percibe aun en el lejano Valle de México, pero es particularmente notorio en la región de Puebla e Hidalgo. A veces una simple loma es seca de un lado y húmeda del otro, de modo que la mera orientación de una ladera determina el clima. Como la barrera a los vientos húmedos es frente al volcán muy grande, la zona seca tras él es extensa: comprende los Llanos de San Juan y el "Seco" o Salado poblano, cubiertos de pastizales y lagunas salobres. La atmósfera seca permite distinguir los detalles. El hombre ha buscado asentarse en las laderas más favorecidas por la humedad, que son las que miran al oriente.

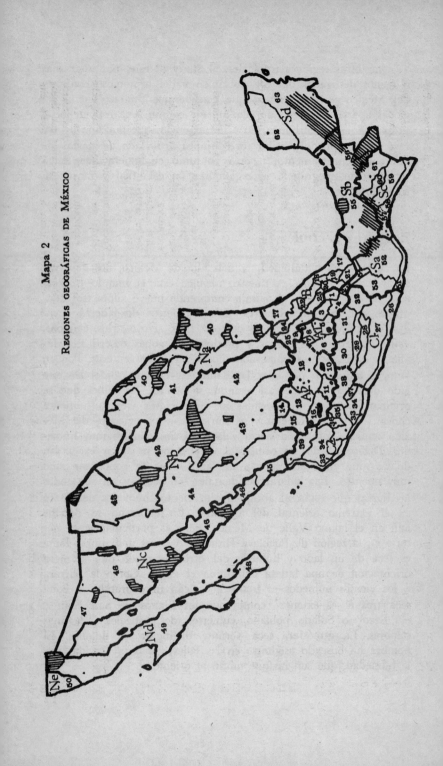

Mapa 2

REGIONES GEOGRÁFICAS DE MÉXICO

1. El Seco o Salado poblano y Llanos de San Juan
2. Valle de Tehuacán
3. Llanos de Apan
4. Valle de Puebla
5. Valle de México
6. Valle de Toluca
7. Llanos del Cazadero o Plan de San Juan
8. Valle del Mezquital
9. Vega de Metztitlán

10. Bajío moreliano
11. Meseta tarasca
12. Bajío y cuencas adyacentes
13. Altos de Jalisco
14. Región de Aguascalientes
15. Región de Yahualica
16. Región tapatía

17. Llanura costera del Golfo
18. Región de Jalapa
19. Región de Orizaba
20. Región de las cañadas
21. Sierra de Zongolica
22. Sierra Norte de Puebla
23. Bocasierra del Norte de Puebla
24. Sierra de Hidalgo, o Huastecas hidalguense y potosina
25. Bocasierra de Hidalgo

26. Costas Chica y Grande
27. Sierra Madre del Sur, porción guerrerense
28. Valle alto del río Balsas
29. Vertiente norte del río Balsas
30. Región de Zitácuaro o del río Cutzamala y cuencas adyacentes
31. Región morelense o de los ríos Atoyac y Nexapa y cuencas adyacentes
32. Mixteca Baja

33. Costas de Jalisco y Michoacán
34. Sierra Madre del Sur, porciones jalisciense y michoacana
35. Valles colimenses
36. Cuenca de Sayula y cuencas adyacentes
37. Tierra caliente de Michoacán
38. Región de Uruapan o del río Cupatitzio y cuencas adyacentes
39. Región de Ameca y Tepic

40. Llanura costera del Noreste y zonas adyacentes
41. Sierra Madre Oriental
42. Región de los bolsones y salados del Norte
43. Porción central del altiplano del Norte
44. Sierra Madre Occidental

45. Llanura costera del Noroeste. Porción sur o de Nayarit
46. Llanura costera del Noroeste. Porciones central y del norte, o de Sinaloa y Sonora
47. Desiertos de Sonora

48. Región de La Paz
49. Desiertos de Baja California

50. Región de Tijuana

51. Costa de Oaxaca
52. Región zapoteca
53. Mixteca Alta
54. Mixteca oriental, o Cañada de Quiotepec

55. Llanuras aluviales del Golfo
56. Lacandonia, o selva de Chiapas

57. Costa de Chiapas. Región de Tehuantepec
58. Costa de Chiapas. Región del Soconusco
59. Sierra Madre de Chiapas
60. Valles centrales de Chiapas
61. Altos de Chiapas

62. Yucatán noroccidental
63. Selvas de Yucatán y Campeche

Los límites gruesos y las letras corresponden a los componentes básicos del territorio, explicados en el mapa 1. (Las áreas sombreadas con líneas verticales corresponden, en el Norte, a zonas de riego que pueden considerarse regiones de por sí, y en el Sureste, a zonas modificadas por desecación o drenaje. Las áreas sombreadas con líneas diagonales corresponden a zonas despobladas de dudosa integración. Los círculos señalan a las tres mayores ciudades, y cada punto corresponde a una ciudad o población importante.)

Los Llanos de San Juan y el Salado poblano constituyen una cuenca interior de suelos muy fértiles pero secos. Su agricultura es muy pobre, excepto en pequeñas áreas regadas. Las adormecidas poblaciones tuvieron un cierto florecimiento cuando eran postas en el camino a Veracruz. Perote era famoso por su fuerte, muy estratégicamente situado a la entrada del altiplano y que aún se puede ver como una especie de gigantesco fantasma. Nopaluca, en el extremo más occidental y más húmedo, rodeado de campos verdes, era considerado como el "mayor y más hermoso" pueblo de la zona. Aflora en esta cuenca la naturaleza volcánica del México nuclear: extensas regiones de "malpaís", o sean lavas cortantes cubiertas de nopales que conforman uno de los terrenos más hoscos de México; cráteres de explosión o volcanes embrionarios, llamados xalapazcos (vasijas de arena) cuando no tienen agua y axalapazcos (vasijas de agua) cuando sí la tienen y dan lugar a lagos muy característicos; grietas en las montañas con emanaciones de gas. La presencia del hombre en estas tierras es un poco fantasmal, como el fuerte de Perote, y muchas veces se duda que sean reales los arrieros solitarios que se deslizan como sombras, cuando el sol está bajo, por las orillas de la laguna de Totolcingo.

Desde el Citlaltépetl aún puede verse mucho más del México central. Por ejemplo, el desarrollo del Eje volcánico, que es su espina dorsal. De su extremo, donde están el Cofre de Perote, el propio Citlaltépetl y la Sierra Negra, tuerce al occidente y serpentea entre diversos recintos geográficos hasta perderse de vista. La Malinche, el Popocatépetl y la Iztaccíhuatl dan forma al Valle de Puebla, que es el segundo de esos recintos.

Este valle tiene una situación excepcional dentro del México central. Prácticamente toda esta parte medular de México está comprendida dentro del altiplano, dentro de la tradicionalmente llamada Mesa central; pero el Valle poblano no. Si atendemos a criterios orográficos o hidrográficos, el Valle es uno de tantos que se abren para verter sus aguas en la gran depresión del Balsas, semejante por su situación a los de Morelos y a otros que se desprenden al sur del Eje volcánico. Pero no puede equipararse a éstos por una razón fundamental: su altura, de unos 2 000 metros sobre el nivel del mar, que lo hace diferenciarse y parecerse más al altiplano en clima, productos y paisajes. A más de esto, las razones fundamentales para considerar al Valle como parte del México central son de tipo humano y cultural: su estrecha vida de relación con la capital mexicana, su papel tan importante en las comunicaciones que ésta tiene con la vertiente oriental, su tipo humano, sus construcciones y muchos elementos más, de sobra conocidos. Los Valles de Puebla, México y Toluca forman un pequeño conjunto inseparable de inmenso significado dentro de la realidad mexicana.

El valle en sí, como elemento del relieve, es poco importante y reducido. Un geógrafo meticuloso podrá distinguir dentro de él valles menores (como los de Cholula, Tepeaca, Tecamachalco y Tecali), pero para el observador del paisaje las elevaciones del relieve que separan a esos pequeños valles entre sí son tan modestas que no le privan de la sensación, un poco ilusoria, de encontrarse en una ancha cuenca. Sin embargo, si el observador es tan meticuloso como el geógrafo, advertirá, una vez que ha descendido al valle, que un lomerío aquí y otro allá le ocultan a menudo la vista de las montañas que lo limitan. Esta disposición de altos y bajos, de hondonadas y recodos, da al Valle cierta variedad de paisajes, además de dar ocasión a que los vientos ejerzan muy variadas influencias y resulten en un mosaico de climas y productos. Así, no es posible identificar al Valle de Puebla de un plumazo con un solo tipo de cultivo.

Como escenario de la historia, por su riqueza de experiencias y de acontecimientos, este Valle de Puebla no le va a la zaga a ninguna otra región del país, y si el de México ha descollado más ha sido a fuerza de hegemonía política. Cholula es, como bien se sabe, la ciudad que quizá más larga historia ha tenido en todo México. La importancia prehispánica de la región explica por qué la impronta española fue tan marcada. La Puebla de los Ángeles es, desde su nombre mismo, una fundación ciento por ciento española. La población de la zona en general es mestiza, de un mestizaje en que la mezcla de lo español y lo indígena resultó equilibrada y al mismo tiempo muy particular. Como excepción, los rasgos indígenas son sobresalientes en la población de la zona más alta y septentrional del Valle, la de Tlaxcala, y en la de la vertiente oriental de los volcanes, abandonada secularmente.

El Valle, por su situación, su topografía suave y la variedad del paisaje que rompe toda monotonía, se presta al trazado de muchos caminos. Desde la época colonial los de México a Veracruz pasan por Puebla, y era ésta la primera gran ciudad del interior que encontraban los viajeros procedentes del Golfo. Hoy día Puebla es la salida para el Sureste y para casi toda la costa del Golfo, del mismo modo que Querétaro lo es para el Occidente y el Norte. Véase qué poca importancia tiene el hecho de que el Valle pertenezca a la vertiente hidrológica del Pacífico: esto no impide que se vuelque hacia la vertiente humana opuesta.

Se pueden estudiar los aspectos más interesantes del Valle de Puebla a lo largo de la vía del actual ferrocarril de Puebla y Oaxaca. Recapitular sobre el ferrocarril es entrar en materia de geografía económica e histórica: el Valle vivió la era del ferrocarril de modo relativamente superficial. Su desarrollo ferroviario se vio limitado por una causa muy sencilla: la dificultad de tender vías directas hacia el Valle de México. Por eso el Ferrocarril Mexicano, de la capital a Veracruz, ignoró la ruta tradicional y tendió sus vías por los Llanos de Apan, aunque extendió un ramal de Apizaco a Puebla en 1869. Inaugurado aun antes de que se construyera la línea troncal, éste fue en realidad el primer gran ferrocarril del país, cuya ruta era recorrida hasta hace poco por una autovía.

Pero no debe confundirse con éste el mencionado tren de Puebla y Oaxaca. En un principio su vía era parte de una segunda ruta a Veracruz, la del Ferrocarril Interoceánico, inaugurado en 1886 con el añadido de muchas líneas menores que dieron por resultado un trayecto defectuoso y largo. El paso por Puebla constituía un rodeo inconveniente y se suprimió con la inauguración de un trazo nuevo por los Llanos de Apan en 1902. Quedó así el Valle al margen de las principales rutas ferroviarias mexicanas, y esto a pesar del importante papel que ha jugado siempre en las comunicaciones. En la actualidad la vía en cuestión se usa por los trenes que van a Oaxaca. Éstos entran al Valle por su extremo noroccidental: zona sembrada de pinos y magueyes en la que se advierte la mezcla de todos los elementos climáticos del altiplano: el clima seco, árido, de las mesetas, el húmedo y frío de los montes, y el suave y verde de sus pocas tierras privilegiadas. Este paisaje de transición ha de haber sido muy frecuente hace años en las tierras que están, como esta entrada al Valle de Puebla, alrededor de los 2 400 metros sobre el nivel del mar. Hoy escasea ya porque los bosques han desaparecido en su mayor parte y subsisten sólo a mayor altura. Pero aún quedan ejemplos, y pueden recordarse otras regiones similares: los alrededores de Villa del Carbón y Jilotepec, a orillas de la cuenca de México, y la zona de Tetela de Ocampo en la bocasierra del norte de Puebla. Las tres son zonas pulqueras por excelencia: una provee a gran parte de la población otomí del Estado de México, otra a los mexicanos de la Sierra en Puebla y Veracruz, y ésta que cruzamos aspira nada menos que a proveer al mundo, pues en Nanacamilpa, pueblo situado en el mero parteaguas entre el Valle y los Llanos de Apan, está una planta que enlata el pulque que se venderá, cuando se encuentre el modo de preservarlo, en Nueva York y París.

Como este rincón hay otras extensas zonas del Valle de Puebla aisladas secularmente en la vertiente oriental de los volcanes. Calpan, Tochimilco, Huaquechula y muchos pueblos más —célebres por su arquitectura colonial— están dentro del Valle y a la vez al margen de él. Aún más aislado es su extremo sur, el Valsequillo, por Huatlatlauca y Chigmecatitlán. ¿Cómo es posible la existencia de economías tan primitivas en una región tan cercana al corazón del país? En la geografía mexicana hay miles de sitios que han quedado al margen de las corrientes de tránsito y por eso se han estancado. No sólo se trata de comarcas pequeñas: el caso más evidente es el de Oaxaca, cuya prosperidad recibió fuerte golpe cuando resultó más conveniente rodearla que cruzarla. Puebla, con una capital muy española en medio de una zona mestiza, y que en su época más brillante dependía del comercio con España y el Perú, atendió al desarrollo de grandes vías de paso y se desentendió de su propia región. Apenas hoy empieza a borrarse esto.

Después de San Martín Texmelucan el tren entra en la parte medular y más extensa del Valle. Es la región más fértil y poblada, con una gran producción de frutales. Pero es necesario el riego, sobre todo hacia el este y el sur, por Tepeaca, Acatzingo y Tecamachalco, que en tiempo de secas son realmente desoladores. La preponderancia de la ciudad de Puebla es manifiesta, y muy evidentes los lazos de esta zona del Valle con ella. El crecimiento industrial de Puebla, que casi ha abandonado sus tradicionales manufacturas textiles para dedicarse a industrias más modernas, la ha hecho crecer en población y absorber sus alrededores. La Angelópolis fue sin duda alguna la más espléndida de las fundaciones europeas en el continente por su arquitectura

23

y su traza urbana. Sus habitantes están ahora empeñados en convertirla en un pueblote cualquiera, destruyéndola sistemáticamente. Puebla es tal vez el mejor ejemplo de la incapacidad de los mexicanos para conservar la belleza y el valor cultural de las cosas que les rodean.

No se puede abandonar el Valle de Puebla sin hacer una consideración sobre Tehuacán. Pertenece a otra vertiente fluvial muy distinta, la del Papaloapan, pero sus lazos con el Valle de Puebla son tales que, una vez más, habrá que pasar por alto la hidrografía. La situación de Tehuacán es de lo más interesante por estar en la orilla del México central, dando la mano a la Vertiente del Pacífico, a la del Golfo y a Oaxaca, sirviendo de nexo entre ellas. En efecto, por Tehuacán se entra a la Mixteca Baja, se entra también a Orizaba y a la Sierra de Zongolica, y se entra a Oaxaca por uno de sus dos caminos tradicionales. No es extraño, pues, que Tehuacán tenga una considerable actividad comercial.

Completando el círculo alrededor de La Malinche están los Llanos de Apan. Semejantes en mucho a la cuenca del Salado poblano, son sin embargo más secos y polvosos. Las lagunas que tenía han desaparecido casi totalmente. El terreno es todavía más llano y no tiene ningún accidente de interés. La ocupación humana presenta, en cambio, unos de los tipos de sociedad más peculiares y atractivos: el del pulque. Con un suelo fértil, pero seco, el único cultivo redituable desde la época colonial ha sido el del maguey, que comparte el suelo con un poco de maíz de temporal. La escasa población se concentra en localidades muy antiguas, como Apan, Tepeapulco, Otumba o Calpulalpan, pero más bien en las aisladas y solitarias haciendas que apenas se distinguen dentro del paisaje en medio de una minúscula área regada. Muchas de las antiguas haciendas han desaparecido y sus cascos convertídose en casas veraniegas. Otras se han dedicado a la cría de ganado fino, como Mimiahuapan, y llegan a contarse entre las mejores del país. Sin embargo, el paisaje dominado por el maguey permanece inmutable. Hoy día la industria pulquera está en decadencia, pero si se piensa que en el siglo XVII entraban a la ciudad de México entre 2 000 y 15 000 arrobas de pulque al día para una población de no más de doscientos mil habitantes, y que la bebida era consumida por todas las clases sociales y lo siguió siendo hasta mediados del siglo XIX, se com-

24

prenderá que tuvo una época de verdadero auge, que explica la fastuosidad de muchas de las construcciones, y la grandiosidad de otras, en esta tierra de pulqueros. Tal vez los Llanos de Apan sean la región cuya fisonomía ha cambiado menos que ninguna otra dentro del México central a lo largo de muchos años, excepto por el ferrocarril. Como los llanos son extensos y bastante planos, sobre ellos se trazaron muchas rutas, principalmente las de Veracruz, y corren trenes de muchos tipos desde los rápidos hasta los mixtos pulqueros, llenos de gente que sube y baja en cada estación. En la parte norte de los llanos el tren sigue siendo el medio de transporte más popular, y algunas estaciones tienen una animación rara en nuestros días.

El paso de los Llanos de Apan al Valle de México es prácticamente inadvertido. De hecho, ambos forman parte de una misma cuenca interior, como el Salado poblano y los Llanos de San Juan, sólo que al Valle de México se le hizo desde el siglo XVI una salida artificial hacia Tula y los afluentes superiores del río Pánuco. Como todas las cuencas interiores, la de México tuvo sus lagos, de los que quedan unos restos en Texcoco y Zumpango. Rodeados ambos de tierras bastante secas y salitrosas, no ayudan a formar una idea del paisaje antiguo del Valle, con lagos extensos de agua dulce y salada que tenían a sus orillas tierras verdes, fértiles y densamente pobladas. Quien recorra hoy la parte medular del Valle, donde se levanta la ciudad, y vea las laderas desforestadas y los árboles prácticamente secos, no puede imaginar que los antiguos mexicas escogieran semejante lugar para asentar su sociedad. Pero es que el medio natural ha sido modificado terriblemente, un poco durante la Conquista —aunque no sabemos exactamente cómo— cuando se talaron muchos montes y se provocó el descenso del nivel de los lagos, y un mucho en lo que va del presente siglo, en que se ha destruido casi todo, dejando apenas rasgos del ambiente propio de esta parte del Valle. Algo puede encontrarse en ciertos huecos no urbanizados de la ciudad. Por el rumbo de Iztacalco o por el de Xochimilco unos pocos charcos que sobreviven en medio de una tierra plana y fangosa hacen recordar que la parte más meridional del Valle, cubierta de lagos, y éstos cubiertos con chinampas o parcelas flotantes, era un vergel del que salían hortalizas y flores en gran cantidad.

Aparte de la zona lacustre, todo lo que es hoy el sur de la

ciudad estaba cubierto todavía a principios de siglo por campos y surcado por ríos o canales. Por Contreras y San Ángel, y por Coyoacán, aún afloran algunos arroyos que se han salvado de ser convertidos en viaducto. La cantidad de agua que bajaba de la Sierra del Ajusco, en la parte sudoccidental del valle (que por su orientación es la más húmeda) era más que suficiente para mover fábricas y regar campos. Había también manantiales para abastecer a una población grande, pero no monstruosa. Las laderas de los montes estaban sembradas de frutales, y las calzadas bien sombreadas, bordeadas de árboles.

Por el rumbo del norte es más fácil encontrar testimonios de lo que fue el paisaje del Valle. Como es una parte que se ha urbanizado de modo muy irregular, quedan muchos huecos donde todavía se ven espacios sembrados de maíz o legumbres, poblados con árboles inmensos, como los ahuehuetes, que poco a poco se secan conforme disminuye la humedad del suelo. Aunque no tanto como ahora, esta parte fue siempre más seca. No hubo aquí cultivos de chinampa ni hortalizas, y sí algunos espacios casi desérticos. Yendo al norte empiezan a aparecer rasgos del paisaje más o menos seco que prevalece en el resto del Valle, desde Tlalnepantla a Zumpango y a Pachuca: pirús, magueyes, nopales y, desde luego, el maíz, alrededor de los caseríos grisáceos. La excepción son los ricos campos de riego sembrados de alfalfa para la alimentación de las vacas que proveen de leche al Distrito Federal.

Todo lo que se diga de la ciudad, especialmente a propósito de la geografía, tendrá que referirse al cambio ecológico. Los tres o cuatro casos concretos que se han indicado son apenas muestras, pues sería demasiado larga la lista más escueta de atentados contra la naturaleza. Casi sin remedio, el crecimiento de la ciudad va a desembocar en el exterminio de la flora y la fauna naturales y en la casi destrucción del medio ambiente propio del Valle. Aun queriéndolo, no se podría estudiar su configuración geográfica desde lo alto de una montaña, pues el aire contaminado que cubre a la ciudad no dejaría ver la superficie. Donde agoniza el Lago de Texcoco se pretende ahora construir una serie de laguitos cuadrados: así, la naturaleza no podrá percibirse ni en las siluetas.

El asunto más serio es el del agua, dado el no menos grave de la sobrepoblación. Toda el agua se dedica virtualmente al consumo de los habitantes de la ciudad, y como no alcanza la que hay en la zona, se le quita sin ningún miramiento a las regiones vecinas, tengan éstas necesidad de ella o no. El principal sistema de abastecimiento es el que conduce agua de las fuentes del río Lerma, en el Valle de Toluca, desde 1951; ahora es insuficiente y se busca en otros lados, dejándolos secos. Añádase al problema concreto del agua el no menor de sacarla después de haberse usado. Mantener el desagüe del Valle ha sido labor constante de siglos, estudiada ya en muchos volúmenes.

Pero hay que ver otros aspectos de la geografía del Valle. El viajero interesado en descubrir diversos matices de la vida y el paisaje puede recorrer infinidad de caminos vecinales poco conocidos. Entre Amecameca y Pachuca, o sea del extremo sur al extremo norte, hay algo más de cien kilómetros que reúnen una amplia variedad de paisajes. Al sur, Amecameca, 2 400 metros sobre el nivel del mar y algo por encima del nivel medio del Valle, es una población de clima frío y muy húmedo. Situada al abrigo de los vientos del Golfo, su temperamento debería ser más bien seco. Pero el clima de estas tierras tropicales es de lo más juguetón. Por una parte, en las regiones alejadas del mar, como el Valle de México, el contraste entre las vertientes húmedas y las secas es poco pronunciado; por otra, y esta es la razón más importante, Amecameca y sus áreas aledañas se benefician por la cercanía de los grandes volcanes, el Popocatépetl y la Iztaccíhuatl, cuyas enormes masas cubiertas de vegetación boscosa, nieves persistentes y uno que otro glaciar, influyen mucho en la humedad ambiente. En esta zona, lógicamente, el tipo de construcción es muy peculiar dentro del Valle, impuesto por las exigencias de un clima casi alpino: las casas son abrigadas y bajas, con techo de dos aguas. La benéfica influencia de los volcanes sobre el clima, evidente en Amecameca, no lo es menos en otras regiones; y buenos son también sus suelos de naturaleza volcánica. Esto explica en buena parte ese proverbio español de "si a morar en Indias fueres, que sea donde volcanes vieres".

De Amecameca, bastan unos cuantos metros de desnivel hacia abajo y unos pocos kilómetros en dirección opuesta a los volcanes para que el paisaje cambie notablemente. Se trata de la región de Tenango del Aire, Chalco, Ayotla y Texcoco, notoriamente más cálida y más seca. La desforestación ha sido por aquí muy intensa: los cerros boscosos de que hablan documentos y crónicas

27

están ahora pelones. A 2 250 metros de altura, en toda esta área, los cultivos de frutales y de trigo ceden lugar al maíz y las legumbres. Chalco fue en la época colonial uno de los principales abastecedores de granos de la ciudad, y su producción es notable aún hoy.

En algunas poblaciones, como Ayotla o Chimalhuacán, se siente la cercanía de la capital. La ciudad de México, con su crecimiento, está ya encima de ellas, lista para devorarlas como ha devorado a muchas pequeñas poblaciones para convertirlas, si bien les va, en colonias, y si no, en tugurios. Cierto es que hay de todo: Chimalhuacán ya casi ha sido atrapado por la ciudad, pero a menos de cinco kilómetros tiene a Coatepec y a San Francisco Acuautla verdaderamente apartados del mundanal ruido y universalmente desconocidos. Texcoco aún no ha sido devorado por la ciudad, pero sí por la gente de la ciudad, que ha establecido granjas y que va a comer "carnitas" los domingos. En todo el Valle ha de haber más de cien pueblos, todos igualmente sucios, que viven de esta actividad semanal. Mientras que la vida rural es relativamente próspera en las faldas de los volcanes, esta parte más baja da la impresión de decadencia. Un motivo es la disminución de los recursos de agua por los desajustes ecológicos —y la succión— que ha provocado la ciudad; otro, la atracción que ésta ejerce sobre la población de estos pueblos olvidados. Esto es muy claro en los alrededores de Texcoco, y se puede ver recorriendo Coatlinchan (al que le quitaron el Tláloc que adorna el museo de México), Huexotla, Tepetlaoztoc, Tezoyuca y muchos más. Hasta hace poco eran tan prósperos o tan decadentes, según se quiera ver, como casi cualquier pueblo mexicano, pero ahora son, en muchos aspectos, pueblos contraídos y parásitos. Estas zonas débiles del Valle son destruidas por la sola presencia de la ciudad.

La influencia de ésta se deja sentir menos a medida que se avanza al norte. Pasando el pequeño valle de Teotihuacán, en que se repite el paisaje de Texcoco, la tierra es cada vez más seca y poco a poco llegan a dominar las cactáceas y el chaparral. Sólo las laderas de los cerros, y esto rara vez, tienen algunos pinos. La población disminuye; los caseríos están cada vez más separados unos de otros. Sin embargo, a pesar de su evidente pobreza y abandono, dan la impresión de tener un poco más de vida que los pueblos de Texcoco. Aquí el polo de atracción no es México, sino Pachuca, una ciudad ciertamente menos avasalladora que su vecina. Sus glorias mineras ya pasaron y hoy tiene un papel local muy reducido. En esta zona norte del Valle domina el tipo de construcción más común en las tierras secas del altiplano: la casa de adobe casi sin ventanas y techo plano o ligeramente en declive. El aspecto de los pueblos es gris, máxime que se usa poco la teja de color, que ofrecería mayor contraste. Las calles o aceras polvorientas y las paredes de adobe, que no forman entre sí ángulos rectos sino una curva irregular, parecen todo de una pieza. Asoman por las bardas de los patios nopales, pirús, macetas y, a veces, magueyes. Pocas paredes están pintadas o encaladas.

Los Valles de Puebla y México forman con el de Toluca una trilogía. Son muy distintos entre sí, pero los une el hecho de ser los recintos geográficos que enmarcan el corazón del México central. El Valle de Toluca, la región más elevada de todo México, tiene una configuración muy sencilla. Es un verdadero valle estrecho y alargado, orientado de sureste a noroeste. Por este último punto se comunica con el Bajío, que es su continuación. Por los otros lados está rodeado de montañas de las que se descuelgan infinidad de barrancas y arroyos que desembocan en el río que corre por la parte más baja del Valle, a un nivel promedio muy regular de 2 600 metros sobre el nivel del mar: el río Lerma, eje del Valle, aunque poco caudaloso, tiene un lecho extenso que lo hace parecer enorme y formar algunas extensiones pantanosas. Toluca es la única gran ciudad del Valle; ninguna otra población compite con ella en sus funciones de capital regional. Sin haber sido en el pasado una ciudad de gran relevancia económica, ha desempeñado consistentemente su papel privilegiado dentro de la economía local, y hoy día su industria es poderosa. Prácticamente todas las rutas convergen en esta ciudad, y los habitantes de todo el Valle acuden a ella para comerciar, arreglar asuntos administrativos o seguir estudios. Autobuses van y vienen constantemente por todos los caminos y aún queda gente para llenar los trenes. El tránsito interior, de y hacia Toluca, es copiosísimo, e impresionante la cantidad de rutas de transporte. A pesar de que el Valle de México tiene una capital de nueve millones de habitantes, no tiene una cohesión interna ni mucho menos un equilibrio comparable al de Toluca. En comparación, y haciendo a un lado las actividades cosmopolitas de la capital nacional, el Valle de Toluca tiene una vida de relación más activa y equilibrada.

También tiene su gran volcán el Valle de Toluca, el Chicnauhté-

29

catl o Nevado, y también representa éste un elemento de capital importancia para el clima y el régimen de lluvias. De hecho, el régimen hidrológico de la parte sur del Valle, que es la más poblada, depende del Nevado. El norte, hacia Temascalcingo por ejemplo, es algo más seco, excepto en los alrededores de las montañas. El fenómeno es muy simple: el Nevado, el Jocotitlán y otras cumbres importantes, tienen bosques muy densos que favorecen la aparición de manantiales en las tierras más bajas y propician la precipitación pluvial. Excepto en la parte sur del Valle, donde las poblaciones tienden a ser ribereñas, los pueblos se agolpan en las húmedas laderas de las montañas. Basta visitar Lerma en el sur, Jocotitlán, Jiquipilco o Acambay en el norte, para tener muestras muy claras. Esta diferencia de situación entre los dos tipos de poblados significa mucho en el aspecto de los mismos. Sobre todo, los techos son diferentes, y como el tejado de las casas es uno de los elementos que más pesan en el paisaje, las aglomeraciones de las laderas tienen un marcado aspecto serrano que les da el necesario techo de dos aguas.

Otomíes y mexicanos compartían antiguamente el territorio de esta región. Los otomíes se concentraron desde un principio en las partes más elevadas y apartadas, sobre todo al noreste, en las serranías, tierras muy frías y altas pero productivas. Este apartamiento de la población otomí, que data de tiempos anteriores a la Conquista, ha garantizado su supervivencia como sociedad. Los mestizos se adueñaron pronto de la parte central del Valle, apropiadísima para el cultivo de los cereales y para la ganadería, y absorbieron poco a poco a la población nahua. De ella quedan muy pocos rasgos en la actualidad. En cambio, los otomíes, que no fueron molestados, subsisten y conservan comunidades más o menos sólidas. Se encuentran en los límites mismos del Distrito Federal, y sobre todo más al norte, en una zona bastante aislada, entre Ixtlahuaca y Villa del Carbón (que está fuera del Valle).

Al norte de los recintos de México y Toluca, muy comunicados con ambos, hay otros valles que bajan hacia el norte y que convergen en el río Moctezuma. Hacia ellos se abrió artificialmente la cuenca de México para dar salida a sus aguas. Estos valles, aunque no están recargados sobre el Eje volcánico, son parte medular del México central y proporcionan algunas de las vías de salida más importantes hacia la Vertiente del Golfo. Se trata de una zona con características bastante diversas. Poco se puede decir que valga para toda ella, salvo que en general es seca, cosa comprensible dada su situación al borde occidental de la Sierra Madre.

La porción occidental, que en su mayor parte es conocida con el nombre de Llanos del Cazadero o Plan de San Juan, es a la vez salida al norte, al Golfo —por Xilitla— y al Bajío. San Juan del Río, la población principal, fue fundada en 1532 en lo que era entonces la frontera de la tierra conquistada y prosperó mucho como centro ganadero. Por ahí precisamente empezó la expansión hacia el norte. Pero históricamente se ha ligado más al Bajío, al grado de que muchos consideran que esta región empieza en San Juan. Es evidente que San Juan del Río tiene muchos de los rasgos del Bajío: una población blanca de poca sangre indígena que tiende a concentrarse en sólidas agrupaciones urbanas; pero el área en que se asienta constituye, especialmente entre Polotitlán, Huichapan y Tecozautla, un cinturón de población otomí que une a Toluca con el Mezquital. Éste, o sea el valle del río Tula, es menos difícil de enmarcar. Asiento principal del pueblo otomí, esta árida región ha sido el símbolo y la muestra de la pobreza del medio rural mexicano.

Las pequeñas sierras de Jilotzingo y San Andrés son un parteaguas del mundo otomí. Estas alturas forman el límite oriental del Valle de Toluca, y desde ellas se puede apreciar cómo la población otomí se descuelga por las dos vertientes. Por un lado cae dentro del Valle; por el otro, se acomoda a lo largo de varias cañadas que, más abajo, se reunirán en el río Tula. Estas cañadas son muy húmedas y tienen una vegetación arbórea casi lujuriosa. Los otomíes viven del maíz y del pulque, en medio de poblaciones mestizas que se han reservado los mejores sitios, como Villa del Carbón. Más abajo, con mejores vías de comunicación, estas poblaciones mestizas son más y más grandes y tienen una actividad comercial considerable dentro del plano local. Jilotepec, en medio de una zona ganadera secularmente importante, tiene un mercado dominical de gran tamaño.

Poco a poco, insensiblemente, se entra en terrenos más llanos, que se elevan a 2 000 metros sobre el nivel del mar, y que constituyen el Valle del Mezquital. Por esta parte superior de su curso el río Tula recibe las aguas negras y excedentes de las regiones vecinas que, almacenadas en dos presas, Endhó y Requena, riegan una extensa zona a ambas márgenes del río. Esta zona regada y relativamente bien comunicada es el Mezquital verde y rico. Los

31

alrededores de Tula y Mixquiahuala se ven cubiertos, sobre todo, de alfalfa: no hay que olvidar que esto es parte de la cuenca lechera de México. La población tiende a aglomerarse en las pequeñas ciudades, como Mixquiahuala, que en muy pocos años han crecido enormemente. La población indígena, desde luego, está excluida de estas áreas fértiles. Ciertos rasgos de este paisaje anticipan lo que se verá fuera del México central, en el norte: la vida depende del riego, y sin él no hay posibilidad alguna de un cultivo regular o seguro. Esta oposición brutal entre los oasis y el desierto, típica del altiplano norte, se ve aquí en las laderas de los cerros, adonde el agua del riego ya no llega.

Siguiendo el curso del río Tula, y pasando Mixquiahuala, la zona de riego termina porque el río se encajona por unos cuantos kilómetros para abrirse después en una segunda porción del Valle, situada a una altura igual a la primera, pero más cerca de la Sierra Madre Oriental, de modo que es más seca. En adelante sólo hay pequeñas áreas regadas. Es el Mezquital pobre y blanco, cubierto de mezquites y cactáceas. En cierto modo, el Valle se pierde: ora se ensancha, ora se angosta, de tal modo que no es fácil percibir la forma de la región. Sólo se ve la Sierra Madre al norte, más imponente de lo que en realidad es, a causa de la transparencia del aire, como una corona de montañas que cierra el Valle: el río Tula a duras penas se abre paso por un estrecho cañón para caer luego dentro de la profunda barranca del río Moctezuma y echarse por la Vertiente del Golfo. La configuración de este Mezquital seco no se puede apreciar sino desde las alturas de la Sierra Madre: es una especie de estrella de cinco puntas. Éstas se extienden por varios kilómetros, serpenteando en medio de una topografía bastante quebrada, y constituyen áreas muy aisladas entre sí: Actopan, Chilcuautla, Alfajayucan, Tasquillo y Cardonal. El centro es Ixmiquilpan. El paisaje es todo seco, blancuzco, aunque se aprecian oasis de riego. El mayor es el de Ixmiquilpan, pero los hay por todas partes de la estrella excepto en una, la de Cardonal. Como Cardonal está en la parte más alta y más próxima a la Sierra, su área es la menos irrigable y la menos lluviosa. Es también la que tiene una mayor proporción de población indígena, muy esparcida, porque la tierra no puede sostenerla de otro modo. Hay algunas actividades mineras, pero, en general, la artesanía suple como medio de vida a una agricultura demasiado precaria. Situado al pie de la Sierra, Cardonal hace pensar cuán determinante es la existencia de esta corona de montañas. No sólo priva al Mezquital de humedad, sino que, como cierra bruscamente el valle, impide en gran medida la posibilidad de simbiosis y de complementación con las tierras bajas. Apenas hay una salida, muy difícil, la que va rumbo a Tampico por Zimapán y Tamazunchale, pero es insuficiente a pesar de su importancia.

Vecina al Mezquital, pero mucho más aislada, hay una pequeña región difícil de enmarcar: es la Vega de Metztitlán, un oasis alargado que forma el río de los Venados, afluente también del Moctezuma. Su situación geográfica es semejante a la del Mezquital, y su riqueza proviene del riego. Aunque no es una zona pobre, estuvo muy aislada hasta hace poco tiempo. Muy recientemente, modernas carreteras la han acercado tanto a la Huasteca que sería posible colocarla, con ella, entre las regiones de la Vertiente del Golfo. Pero es mejor dejarla en este lugar. Al igual que la zona de Cardonal y otras de los puntos más encerrados del Mezquital, se ha visto privada de la posibilidad de complementación, lo que la convierte en una especie de enclave del norte de México en este mundo de confrontaciones tropicales. Subiendo a la Sierra Madre se ve que del otro lado hay otro mundo, pero muy difícil de alcanzar.

Lo que falta por recorrer del México central admite una denominación general: *Occidente*. El México propiamente dicho, el de los tres Valles de Puebla, México y Toluca y regiones adyacentes, ha quedado atrás. El Occidente se liga a él de modo muy íntimo por su estructura geográfica y sus rasgos humanos y culturales. Pero aun siendo parte del mismo conjunto, uno y otro se distinguen claramente.

El México de los tres Valles tiene un carácter más íntegramente tropical. No sólo sus lazos con las Vertientes vitales del Golfo y del Pacífico son muy estrechos y el contraste que se establece con ellas muy marcado, sino que él mismo ofrece muchas otras contradicciones y contrastes. Lo caracteriza una complejidad fascinante. El Occidente, en cambio, es tierra más suave y dulce. Su altura sobre el nivel del mar es menor, y disminuye a medida que avanza al oeste y se aproxima a su Vertiente, como si buscara hacer menos brusco el paso entre las tierras frías y las calientes. En la parte que se recarga sobre el Eje volcánico, donde el contraste podría ser mayor, los intercambios son pocos. Tan es peculiar al Occidente esta relación más suave y gradual con la Vertiente que le corresponde (que es sólo una, mientras que el conjunto de los tres Valles tiene dos), que se percibe también una porción occidental, peculiar, dentro de la Vertiente del Pacífico. A más de esto, el Occidente tiene una configuración suave, abierta, de una complejidad mucho menor, y también una realidad humana más sencilla. El Occidente puede concebirse y hasta nombrarse como una unidad, que no es posible hallarla en la otra mitad del México central.

El camino de Mil Cumbres, extrañamente trazado, encaramado sobre el Eje volcánico, permite pasar de Toluca a Morelia y entrar por ahí al Occidente.

La naturaleza volcánica del México central es más que evidente en la Región tarasca de Michoacán. Desde el volcán de San Andrés, casi a la salida del Valle de Toluca, al Tancítaro, en el otro extremo de la región, pasando por el Quinceo, los volcanes de Zacapu y el Paricutín, los edificios volcánicos de formación reciente —en términos geológicos y aun históricos— pueden contarse por decenas. En rigor, la zona tarasca está prácticamente dentro del Eje volcánico, y eso explica la variedad de sus paisajes. Dentro de ella se pueden hacer dos divisiones: el Bajío moreliano y la Meseta.

Ese Bajío es una serie de cuencas lacustres de desagüe interior, la principal de las cuales aloja el lago de Cuitzeo. Hidrológicamente, pues, no tiene nada que ver con el Bajío propiamente dicho, aunque hace poco se ha dado al lago de Cuitzeo salida artificial hacia el Lerma. Se le llama Bajío moreliano para diferenciarlo de las tierras altas de la Meseta tarasca, y porque está más o menos a una misma elevación y muy bien comunicado con el verdadero Bajío, del que ninguna barrera lo separa. Pero en el lado michoacano la población es mucho más antigua y tiene raíces prehispánicas. Zacapu, cuya fundación se remonta a principios de la era cristiana, es una de las aglomeraciones humanas más antiguas del Occidente. Morelia data de los inicios de la época colonial, pero fue asentada en una zona de viejo poblamiento indígena. Sembrado literalmente de cerros y volcanes aislados, el Bajío moreliano regala al viajero con infinidad de perspectivas. Los cereales y el maguey dominan el paisaje vegetal. Con ayuda del riego, se levantan cuantiosas cosechas de trigo desde la época de

34

época en que *Vasco de Quiroga* tejió alrededor de él las redes de pesca en el lago de Cuitzeo. Este, de poco fondo, de extensión muy variable según la época del año, hace pensar en los lagos de la cuenca de México, que debieron de haber presentado un aspecto muy semejante a fines del siglo pasado. Cuitzeo, como Texcoco, está cruzado por una calzada; pero basta recorrer una y otra para advertir, por la sola presencia humana, que el de Texcoco es un lago muerto, mientras que el de Cuitzeo, a pesar de su fragilidad, tiene vida. Por lo demás, agricultura, ganadería y pesca han cedido recientemente a la industria moderna, establecida en Zacapu, el lugar de la actividad económicamente más importante. Morelia tiene una industria antigua y tradicional muy diversificada, y es una ciudad que parece saber vivir el presente sin destruir el pasado.

La Meseta tarasca, con una elevación media de 2 400 metros, tiene también una hidrología predominantemente endorreica, y de sus depósitos el más importante es el hermoso lago de Pátzcuaro. De todos los lagos mexicanos éste tiene el paisaje humano más rico, y es el único alrededor del cual se desarrolla una vida de relación estrecha e intensa. Las riberas del lago en sí podrían inclusive formar una pequeña región. Ciertamente lo fue en la época en que Vasco de Quiroga tejió alrededor de él las redes de su labor civilizadora, cuya cosecha aún se recoge. Sólo el lago de México en la época prehispánica pudo haber tenido una ocupación humana comparable, pero aun entonces la sociedad tarasca, recogida en el acogedor Pátzcuaro, tenía más cohesión que la fragmentada nación mexicana.

Por lo demás, la Meseta tarasca es una zona boscosa de topografía accidentada y rincones relativamente inaccesibles. Fuera de algunas ciudades importantes, como Pátzcuaro, la mayoría de las poblaciones carecen de vías modernas de comunicación. El aislamiento ha sido uno de los factores que han contribuido a preservar con bastante pureza muchos de los rasgos de la cultura tarasca entre los habitantes indígenas de la Meseta. Como está situada bien dentro del Eje volcánico, no es más que un paso el que la pone en contacto con los balcones templados de la Vertiente del Pacífico. Así, entre la tierra fría de la zona tarasca y estas zonas escalonadas de clima benigno, hay varias rutas y una intercomunicación estrecha. A pesar de que está en la vertiente, Uruapan compite con Pátzcuaro como capital regional y tiene indiscutiblemente una hegemonía mayor en la porción oeste de las tierras altas.

Otra serie de cuencas interiores, similares a las michoacanas, se encuentra recargada en el extremo occidental de la cordillera neovolcánica. Casi todas son muy pequeñas, pero las de Zapotlán, Sayula, Atoyac y Zacoalco, cada una con su laguna propia, son lo suficientemente amplias y próximas para dar forma a una región, conocida por algunos con el nombre impropio de Valle de Sayula. Un poco encajonada entre montañas, dominada por el Nevado de Colima, esta sucesión de cuencas constituye una zona de transición muy suave entre el altiplano y las tierras templadas del Pacífico. Es una agricultura moderna y rica la que domina su vida económica, y la caña de azúcar, el cultivo predominante. Estas cuencas lacustres son el corredor natural entre Guadalajara y Colima, y las poblaciones se suceden una tras otra. Zapotlán o Ciudad Guzmán es la mayor de todas ellas, y no le falta mucho para convertirse en la próspera capital de una vasta zona.

Exceptuadas las cuencas interiores mencionadas, recargadas todas al norte del Eje volcánico, el Occidente del México central pertenece íntegro a otra cuenca, la del Lerma-Santiago. El Lerma es un río de curso sereno y cauce amplio. Desde su salida del Valle de Toluca hasta su desembocadura en el lago de Chapala, casi 400 kilómetros, desciende uniformemente no más de 500 metros. El río Santiago, más impetuoso, sale del lago y se encajona luego para descender por los escalones de la Sierra Madre hasta el mar. El Lerma tiene pocos afluentes por el sur, pero por el norte tiene muchos bastante importantes, como el de la Laja, el Turbio, el Verde y otros que provienen de la Sierra. El Lerma y sus afluentes determinan la conformación de las diversas regiones de esta porción del Occidente. Éstas son, fundamentalmente, cuatro: el Bajío, la Región tapatía, los Altos de Jalisco y, un poco más lejos, Aguascalientes. Cada una tiene sus características y límites propios, pero no hay ninguna barrera entre ellas, antes bien, se comunican y se interrelacionan intensamente a lo largo de un sinfín de rutas. El hombre del Occidente puede ser indistintamente de cada uno de esos componentes del conjunto: sus habitantes tienen un solo estilo cultural. Si acaso, Aguascalientes, que se asoma mucho al norte, podría caer fuera, pero sólo en ciertos aspectos.

El Bajío es la extensa llanura aluvial que forma el Lerma desde que sale del Valle de Toluca hasta que baja a una altura de

1 700 metros en las inmediaciones de La Piedad. En rigor, el nombre se debe aplicar sólo a las tierras que están al norte del río, habitadas antes de la Conquista por indios de guerra e incorporadas durante los siglos XVI y XVII a la sociedad mexicana; pero la costumbre lo ha extendido a la angosta faja que se desarrolla a lo largo de su ribera izquierda, y lo hace remontar muchos de los valles que lo alimentan por el norte, más arriba de la llanura. También se aplica el nombre de Bajío a la región moreliana, como se ha visto. Y, además, hay quienes llaman Bajío a parte de la llanura que se extiende a ambos lados del Lerma más abajo de los 1 700 metros. Los límites por ese lado no son muy precisos. Según el gusto, el Bajío puede hacerse llegar, sin mucha violencia, hasta la ribera occidental del lago de Chapala, cuidando de no superponerlo a la Región tapatía, que se distingue por su menor altura y por un poblamiento humano mucho más antiguo.

Cada uno de los afluentes que desaguan en el Lerma por el norte tiene su propio valle, separado de los vecinos por montañas o lomas. Algunos de éstos constituyen pequeñas regiones diferenciadas, pero dependientes del Bajío. En ellas, entre los 1 700 y los 1 900 metros, se asientan Querétaro, San Miguel de Allende, Silao, León y otras poblaciones, que, junto con Celaya, Salamanca e Irapuato, más próximas al Lerma, constituyen el corazón del Bajío. Guanajuato, población minera situada a mayor altura, constituye un apéndice íntimamente ligado a la región. Más al occidente, en tierra más seca pero con muchas características que la asemejan a la anterior, está la región conocida como los Altos de Jalisco, entre los ríos Turbio y Verde, donde no hay ciudades tan grandes pero sí un número de poblaciones de dimensiones considerables, como San Juan de los Lagos, Jalostotitlán, San Miguel el Alto y sus vecinas. Aguascalientes es una especie de apéndice superior que se comunica con el Lerma y la Región tapatía, bien a través de los Altos, bien a lo largo de otra subregión que aún se puede distinguir al occidente de los Altos, que es la que está entre los ríos Verde y Juchipila, y alberga a Teocaltiche, Nochistlán y Yahualica. La población en este extremo es cada vez menos densa hasta llegar a la Sierra Madre, casi inhabitada, que marca el fin del México central.

A lo largo y a lo ancho de este extenso conjunto hay, desde luego, variados tipos de paisaje, pero en general son poco húmedos, y el riego, si no es indispensable, es conveniente en todas

37

partes para lograr una agricultura próspera, trátese de sorgo, trigo, alfalfa o policultivo intensivo. Sólo el maíz dispensa el riego. La zona agrícola más importante abarca desde Celaya a León, y coincide con la zona de mayor densidad de población. Más que de campesinos, es una zona de agricultores, a menudo adinerados, que utilizan medios mecánicos modernos para el cultivo; pero no por ello debe entenderse que estén borradas las contradicciones sociales que predominan en México.

La población del Bajío, ciertamente, tiene rasgos que la individualizan. En la época prehispánica esta región y los Altos no tenían una población sedentaria. La frontera de los indios de guerra era, a grandes rasgos, la ribera norte del Lerma, aunque del río Verde al oeste la población era ya sedentaria. El descubrimiento de las minas de Zacatecas en 1546 empujó a los colonizadores españoles al norte y los movió a fundar poblaciones intermedias entre el México central y los centros mineros que se iban descubriendo. Esas fundaciones intermedias —San Miguel el Grande, Celaya, Silao, Aguascalientes, León, etc.—, reforzadas con grupos indígenas que penetraron en esas tierras pacificadas, fueron la base de una sociedad nueva y de un paisaje humano que fue cobrando forma durante los siglos XVI y XVII. El siglo XVIII encontró un Bajío opulento, agrícola y ganadero, ya formado e íntimamente fundido con el resto del México central. De la época colonial datan las haciendas y muchas de las rutas y de las obras hidráulicas, como los característicos bordos, que aún subsisten. Si bien la sociedad del Bajío es mestiza, en la mezcla predominó el elemento español. Eso se advierte aún hoy en ciertos rasgos, como la concentración de la población en núcleos urbanos grandes, bien trazados y de sólidas construcciones. Sólo en el extremo sur —piénsese en Acámbaro— la presencia indígena dejó una huella mayor.

El paisaje de la Región tapatía está dominado por la ciudad de Guadalajara y el lago de Chapala. Guadalajara es la capital de todo el Occidente. Privilegiada desde su fundación por su carácter de capital de la Nueva Galicia, la ciudad creció, sobre todo a partir del siglo XVIII, sin dejar lugar a que ninguna de sus vecinas próximas la igualara. La clave de la prosperidad de Guadalajara está en su equilibrio: tiene actividades gubernamentales, agrícolas, industriales, comerciales y de servicios, todas intensas, pero sin que ninguna sea dominante.

En cuanto al lago, no falta quien le haya puesto el nombre de mar Chapálico por ser el mayor del país; pero si por algo mereciera ese nombre sería por tener en sus extremos tierras muy diferentes. Al oriente el paisaje del lago es abierto en todos sentidos. Por ahí recibe las aguas del Lerma y alimenta al Santiago, pues Chapala es de hecho un almacenamiento de agua sobre el lecho de estos ríos. La Ciénega de Chapala, prolongación oriental, desecada, del lecho del lago, da lugar a extensos y fértiles campos sembrados de legumbres, cereales, garbanzos, frijol, papas y camote. Poblaciones agrícolas allí asentadas, como La Barca y Yurécuaro, conocieron la prosperidad a la sombra del ferrocarril. La Barca fue por muchos años considerada como la principal puerta de entrada a la Región tapatía: ahí celebraban los viajeros haber llegado, prácticamente, a Guadalajara. Alejadas un tanto del lago, Zamora y Jiquilpan —en lo que algunos llaman Bajío zamorano— son más independientes, pero igualmente prósperas gracias a la agricultura, el comercio y su modesta industria. Hacia el oeste y el sur, en cambio, la tierra es seca y más encerrado el ámbito humano. Una herradura de montañas encierra al lago de Chapala y lo priva de planicies aluviales como las que forman el lecho desecado de la Ciénega y el propio Lerma al oriente. Estos suelos poco apetecibles, donde a menudo no se encuentra más que roca a flor de tierra, no han tenido nunca relevancia económica. Sin embargo, cuando se piensa bien, el ingenio supera la escasez. El caso de San José de Gracia, en la orilla sur de la cuenca, es extraordinario hoy, pero puede llegar a ser típico. Condenado a una agricultura pobre, se decidió a probar suerte con la ganadería y la industria lechera, y con tanto empeño, que no se contenta con las pequeñas fábricas de quesos que posee, sino que aspira a ganar el mercado nacional.

La Vertiente del Golfo

Entre el altiplano y el litoral, obedeciendo a una estructura muy simple, se desarrolla el escalonamiento de las tierras templadas y calientes. Saliendo en avión del altiplano rumbo al Golfo de México se ve claramente cómo ese altiplano empieza a romperse bruscamente en hondas barrancas cada vez más numerosas y profundas, hasta que el relieve todo se empareja en las proximidades de la costa. Así es el paisaje desde el Pánuco hasta el Papaloapan.

39

Sólo en ciertos lugares se percibe una línea de elevaciones que bordea el altiplano antes de dejarlo precipitarse tierra abajo por las barrancas, elevaciones de modestas dimensiones excepto donde termina el Eje volcánico. Allí se levantan tres de las más altas cumbres mexicanas, marcando la presencia del altiplano por sobre todas las tierras bajas: el Cofre de Perote, el Pico de Orizaba y la Sierra Negra. A pesar de que este esquema estructural resulta tan sencillo, desde el avión mismo parece que desde el corazón de las tierras templadas sería imposible percibir otra cosa que un conjunto casi informe de montes y barrancas. En efecto, así es. Dejando de lado la costa, que es el peldaño más bajo de esta gran escalinata, las tierras templadas forman un conjunto muy abigarrado y de paisajes muy diversos. De ahí la variedad de nombres con que se les denomina. Sólo las partes más abiertas, las situadas entre los 800 y los 1 600 metros al pie de los tres volcanes, no tienen nombre propio. Vienen a ser los balcones o las estribaciones del Eje volcánico; están surcadas por profundas cañadas que bajan de los mismos volcanes, lo cual no impide que tengan valles amplios y proporcionen los pasos más fáciles entre la tierra fría y la caliente. Otras regiones, también entre los 800 y los 1 600 metros, pero de paisaje más cerrado y dimensiones más reducidas, abruptas y difíciles de penetrar, son las que se conocen con el nombre genérico de sierra. Al hablar de *sierra* en este sentido no se hace referencia a una cordillera, como la Sierra Madre, sino precisamente a esas áreas abruptas, al piedemonte quebrado y escalonado que constituye parte del gran farallón del altiplano. Hay aquí frente al Golfo tres zonas serranas: la Sierra de Hidalgo, llamada a veces Huasteca Hidalguense o Potosina, pues abarca parte del Estado de San Luis Potosí; la Sierra Norte de Puebla, y la Sierra de Zongolica. Cada una tiene una cuenca hidrográfica propia. La primera vuelca sus aguas al Pánuco, la segunda al Tecolutla y la tercera al Papaloapan. Y finalmente, por encima de las regiones mencionadas, entre los 1 600 y los 2 400 metros, hay una faja montañosa con características variadas, donde empiezan a abrirse las cañadas que se encuentran más abajo. Esta faja es muy pequeña y de poca población frente a la zona de los balcones o de los valles amplios. Se trata, propiamente, de las faldas boscosas de los volcanes. En cambio, frente a las zonas serranas de Hidalgo y Puebla se encuentra muy poblada. Es lo que frecuentemente se llama "bocasierra".

En la costa, tierra caliente frente al Golfo, se forma una llanura de dimensiones regulares, continua, pero casi estrangulada al centro, ya que penetra en ella, como cuña, el extremo oriental del Eje volcánico. Podría hablarse de dos regiones diferentes, y ciertos aspectos de la geografía lo justificarían, pero también hay razones para pensar en una unidad. Hasta hace poco tiempo, la costa era una llanura insalubre y, en consecuencia, poco habitada. La erradicación de muchas enfermedades tropicales no se alcanzó hasta bien entrado el presente siglo. Durante la Colonia los españoles evitaban vivir en ella, y apenas en el siglo XIX empezó el puerto de Veracruz a formar un centro importante de población. Se relacionaba a las enfermedades con las ciénegas que se estancan a lo largo de la costa, separadas del mar por una cadena de médanos. Así que el paisaje costeño resultaba, además de insalubre, desagradable: "arena, arena y más arena" era todo lo que podían decir de él los viajeros. En la porción al norte del paralelo 20, o sea al norte del estrangulamiento, hay tal vez menos arena, pero más pantanos.

Todos los inconvenientes tenían que ser soportados por una razón: la necesidad de comunicar a México con el resto del mundo por la única vía practicable, la marítima. Veracruz era el puerto de México y por sobre todas las desventajas contaba su buena situación. El establecimiento de comunicaciones terrestres con Estados Unidos, y aun dentro del mismo México, y el desarrollo de la aviación, le quitaron importancia. Pero éste es un fenómeno reciente, y la vida de la región ha encontrado en el presente siglo muchas otras motivaciones. La actividad portuaria misma ha cobrado una cierta diversificación. Tampico, gracias al petróleo, ha llegado a perfilarse en ciertas ocasiones como competidor de Veracruz. Pero sus comunicaciones con el resto de México son muy deficientes, y lo mismo valdría decir de Tuxpan, un lugar mejor situado pero mal acondicionado. De cualquier modo, la actividad portuaria mexicana es bien raquítica. El comercio es poco. La pesca es pobre y mal organizada, con escasos recursos y barcos inapropiados. No hay, en fin, una verdadera vida marítima, ni verdaderos hombres de mar.

La llanura costera propiamente dicha tampoco es una tierra de promisión. Cerca de la costa no deja ver más que un inmenso chaparral bastante arenoso y de aspecto desolador. La impresión se borra un poco en la porción central, entre Veracruz y Nautla, porque el piedemonte de la Sierra está ahí más próximo al mar y eso garantiza una mayor cantidad de lluvia. Pero la llanura en general es relativamente seca porque las lluvias se desparraman más adentro, al chocar con las elevaciones de la Sierra Madre; además, como los suelos son lateríticos, muy pobres en desechos orgánicos, la agricultura no encuentra allí un medio muy favorable. Por otra parte, hay grandes almacenamientos de agua pantanosa que baja de la Sierra Madre y no encuentra salida al mar.

A pesar de todo, hay algunas zonas privilegiadas. En la porción sur de la llanura, la cuenca del Papaloapan goza de mayor humedad, de control del agua fluvial gracias a una gran presa construida río arriba, y de una sociedad más sólidamente establecida que otras de la llanura. La cuenca se incorporó a la vida nacional con el cultivo de caña de azúcar. En el rincón más oriental, al pie del macizo volcánico de los Tuxtlas, Hernando Cortés la sembró por primera vez en México y construyó el primer ingenio. La producción azucarera decayó después, pero volvió a resurgir a finales del siglo pasado, centrada en las riberas del propio río. Aunque parece estar en decadencia, la producción fue tan grande que llegó a justificar la construcción de varios ingenios, entre ellos el gigantesco de San Cristóbal, cercano a Cosamaloapan. Otras áreas del extenso territorio agrícola se dedican al tabaco, el arroz, la piña, el mango y otros cultivos propios de la tierra baja tropical.

Antiguamente los productos encontraban su salida por la vía fluvial. El Papaloapan era un río verdaderamente navegable, como muchos de los ríos, hoy azolvados, de la llanura. Sobre el Papaloapan, unos kilómetros adentro, Tlacotalpan era un puerto de altura adonde llegaban barcos europeos que dejaban productos manufacturados a cambio del azúcar. Después se construyó una buena red de ferrocarriles y de carreteras que desviaron hacia el interior la riqueza de la caña. El gran proyecto de desarrollo de la Comisión del Papaloapan, creada en 1947, llegó a más: construyó la primera gran presa mexicana, la Alemán, para regular el cauce del Papaloapan. Su único éxito fue el control de las inundaciones, pero el proyecto en general se pasó de ambicioso y finalmente quedó estancado. Basta visitar Ciudad Alemán para encontrar el símbolo de muchos de los grandes proyectos nacionales: un fraccionamiento con atarjeas y arbotantes de cemento entre manglares y pantanos; calles rectas y bien trazadas; iba a ser la capital de un emporio agrícola e industrial: pueden verse unas cuantas casas y poca gente. Pero el aspecto de algunas ciudades, como Tlacotalpan, Cosamaloapan y Santiago Tuxtla, no deja lugar a dudas en cuanto a que hubo un núcleo viejo de población, y habla de una sociedad bien establecida. Hay una tradición arquitectónica evidente en las casas sólidas y con portales, que contrastan con la mayoría de las construcciones de la costa veracruzana, bastante frágiles y a menudo de madera. Ambos tipos de habitación son apropiados para el clima cálido y húmedo, pero corresponden a realidades sociales muy diferentes. Tlacotalpan, desde que el río dejó de ser navegable por obra y gracia de los fabricantes de paraísos, ha quedado reducido a un pueblo de pescadores. Sin embargo, posee al máximo esos rasgos de solidez de la vida asentada antiguamente. Toda la ciudad se puede recorrer bajo portales, curioseando las salas de las casas populares más limpias y elegantemente amuebladas de México.

El contraste con una población millonaria como Poza Rica, fea y mal hecha, no acepta ninguna comparación. Poza Rica está también en la llanura, pero tiene una actividad muy diferente: la explotación del petróleo, que abunda en toda la porción norte de la llanura costera, la región petrolera más antigua e importante del país. Poza Rica fue una creación del oro negro.

El viajero percibe, a poco de dejar la costa, la tibieza de las tierras templadas. Cualquiera de las dos grandes rutas tradicionales que llevan de la costa al altiplano, la de Jalapa o la de Orizaba, permite acercarse a ellas. A esta región escalonada que se extiende entre los dos caminos tradicionales cabe llamarla zona de los valles amplios o de los valles cordilleranos porque a pesar de que los ríos que bajan de las montañas forman profundas cañadas, dejan lugar a valles relativamente anchos, propios aun para una agricultura extensiva. Esto distingue a esta zona de las áreas serranas vecinas que, como se ha dicho ya, están mucho más encajonadas. Típicos valles cordilleranos son los de la zona cafetalera de Coatepec. Sus tierras son muy ricas y se han repartido entre el cultivo del café, la caña, el tabaco y el arroz. Los ríos forman, como en toda la zona de piedemonte, cascadas fácilmente aprovechables. Todas las poblaciones cordilleranas gozaron de energía eléctrica desde principios del siglo gracias a facilidades semejantes, y aún están en servicio varias plantas locales muy antiguas.

Entre Jalapa y Orizaba esta región de amplios valles está sembrada de aglomeraciones urbanas que forman dos conjuntos muy bien definidos y totalmente separados, pues no hay comunicación directa entre ellos: hecho frecuente en esta zona, las cañadas son tan profundas que no se les puede atravesar. La aglomeración jalapeña es la más pequeña de las dos. Jalapa prosperó durante la época colonial gracias al comercio. La insalubridad de la costa motivaba a los comerciantes acaudalados a reunirse en Jalapa para sus intercambios, pues aquí el clima era sano y agradable. Además, de las dos rutas a México, la de Jalapa era la más practicable. Se celebraban anualmente ferias comerciales en esta ciudad en el siglo XVIII. Hoy, la ciudad muestra una combinación, rara en México, de actividades administrativas y universitarias donde las segundas predominan y dan el tono a la ciudad.

La segunda aglomeración es mucho más extensa y compleja. Sus actividades son muy variadas, pues van de la ganadería y la agricultura por los alrededores de Huatusco y Córdoba, al turismo en Fortín de las Flores y a la industria en el conglomerado de Orizaba, Nogales, Río Blanco y Ciudad Mendoza. Este se extiende sobre un característico conjunto de valles, en el fondo muy similar al de Coatepec. Las condiciones naturales son muy semejantes, la elevación media la misma, y la posición al pie de la cordillera fácilmente equiparable excepto por la circunstancia de estar Orizaba justo sobre la ruta entre la costa y el altiplano. En esta situación tan favorable está la primera explicación del temprano florecimiento industrial de la zona, con sus fábricas textiles y de cerveza. Fundamentales para el desarrollo de esta industria han sido el ferrocarril y el aprovechamiento fácil del agua. La comparación de los dos conjuntos permite reflexionar sobre un hecho: la gran variedad de posibilidades de ocupación humana, formas de vida y desarrollo que tiene esta zona de los valles cordilleranos.

Las tierras que están por encima de estos valles son preponderantemente boscosas. Para el viajero que llega aquí procedente de la costa, que está a pocas horas de camino, el contraste del clima y la vegetación no puede ser mayor, a menos que se ascienda a las cumbres nevadas de los volcanes. Al comerciante alemán Becher, que visitó México en 1832, estas tierras frías le hicieron recordar el norte europeo. ¿Qué más prueba puede darse de las contradicciones que encierra el mundo tropical?: "¡La exuberante vegetación del sur ha desaparecido, y en su lugar la región adquiere un áspero y nórdico carácter! Los hombres llevan ahora ropas de mayor abrigo y sus viviendas ya no son las chozas construidas con cañas de bambú y hojas de plátanos, sino semejantes a las casas noruegas, de troncos ensamblados y techadas con madera." A Becher le dolía ver tan despoblado este paraíso. "Si algún día se poblara, la actividad humana pondría la corona sobre este fascinante edén."

En estas tierras templadas del centro veracruzano, la parte más baja, o sea la región de Jalapa y Orizaba, es la que domina el conjunto. La situación se invierte en otras partes de la Vertiente, donde el centro de gravedad está a mayor altura, cerca ya del altiplano. Las poco elevadas áreas serranas viven dominadas por las tierras más accesibles de bocasierra que tienen encima. La zona de bocasierra más interesante y mejor definida está comprendida entre Huauchinango y Teziutlán: es el principio de la bajada a la Sierra Norte de Puebla.

A pesar de no estar en el altiplano, la bocasierra debe considerarse casi como una región fría. La vegetación dominante es de coníferas, pero basta un pequeño desnivel para que la situación climática cambie y aparezca al fondo de las barrancas el bosque bajo tropical. Como el relieve suele ser muy recortado, a cada paso se ve el viajero entre una vegetación diferente. Las ciudades están en las partes altas y abiertas, que son las de más fácil acceso: es el caso de Huauchinango, de Zacatlán, de Tetela, de Zacapoaxtla y de Teziutlán. La arquitectura de estas poblaciones refleja su situación en las partes frías y abiertas: casas muy abrigadas, frecuentemente de madera, y con grandes techos y enormes aleros que cubren las banquetas para protegerlas de la lluvia. Para el conjunto del país la zona tiene poca importancia económica, a no ser por su producción de frutales y alguna que otra actividad minera. En cambio, resulta interesante estudiarla como un ejemplo de concentración de una economía local muy bien definida. Como la sierra propiamente dicha casi no tiene vías de comunicación ni ciudades importantes, sus productos se sacan a lomo de mula a las poblaciones de la bocasierra, que en cierto modo están jerarquizadas. Así, Teziutlán domina sobre Zacapoaxtla, que viene a ser un mero intermediario. Un poco más al noroeste, Huauchinango cobra una importancia cada vez mayor. Ambas deben su preponderancia a que están sobre dos carreteras de primer orden que bajan del altiplano a la costa. El desarrollo de Teziutlán es más temprano porque gozó desde hace mucho de las ventajas del ferrocarril. Zacatlán, en cambio, es el caso de una población que ha perdido importancia al quedar marginada de las principales rutas comerciales. En todas estas ciudades, como es natural, hay mercados indígenas semanales —tianguis— que se ven literalmente rebosantes de pequeños comerciantes.

La sierra es la región agreste y montuosa donde, como se ha advertido, los ríos se encajonan y apenas dan lugar a valles muy angostos. La bocasierra, que está por encima, es casi su única vía de contacto con el resto del mundo. En el lenguaje de la sierra, para salir de ella "se sube"; para entrar en ella "se baja", se baja a la sierra: no a la cordillera de la Siera Madre, se entiende, sino a los escalones de las tierras templadas. La sierra tiene una topografía tan compleja que a cada paso muestra un paisaje diferente. Una nota elocuente a propósito de esta topografía es que apenas se podrían encontrar en ella superficies planas horizontales. Por lo demás, el relieve es suave y redondeado a pesar de lo accidentado y de los desniveles tan frecuentes, a menudo de más de mil metros: las montañas tienen paredes rocosas, pero muy rara vez picachos o aristas.

Un viajero que vaya a la Sierra Norte de Puebla, desde el momento en que empiece a bajar, advertirá los síntomas tan avanzados de la erosión. La ocupación humana ha sido milenaria, y hoy día la densidad de población rural, de 100 a 180 habitantes por kilómetro cuadrado, y en algunos municipios hasta de más de 300, es de las más altas del país. Como no hay casi superficies horizontales, los cultivos se han tenido que hacer sobre las laderas de los montes, en pendientes cada vez más y más empinadas. Algunos cerros de no poca envergadura, como el Zotolo, ya en la orilla de la Sierra, están cubiertos hasta la cima por siembras de maíz, frijol, maguey, manzanos y cítricos. La agricultura es de técnica primitiva y no hay ningún sistema de terrazas. Los suelos han resistido mucho gracias a su constitución arcillosa. Pero la Sierra se vuelve cada vez más pedregosa —sobre todo en la parte oriental, que es la más baja— y eso significa que la última etapa de la erosión está por venir. La Sierra no se ha desforestado gracias al café, el cultivo principal de las partes más bajas y calientes. El café necesita sombra, y por tanto se alterna su cultivo con árboles. Esto ha sido un gran factor en la conservación del suelo. Los indígenas cultivan el grano en pequeña escala, para que luego sea transformado y transportado por un sinnúmero de intermediarios.

Hoy, la Sierra Norte de Puebla necesita de comunicaciones modernas. El ferrocarril nunca se atrevió a entrar, y se comprende. En una estación un poco al norte, Honey, la vía se termina de golpe y porrazo en una barda: del otro lado está la bajada vertiginosa. Las carreteras apenas ahora empiezan a dejarse ver. Sólo hay dos poblaciones bien comunicadas, que se han convertido gracias a ello en las capitales económicas de la sierra: Xicotepec o Villa Juárez, magníficamente situada sobre la carretera a Tuxpan, y Cuetzalan, un poco más aislada. Lo demás de la Sierra sólo ha conocido hasta hace pocos años la mula y la avioneta, que llega prácticamente a todas partes. En materia de comunicaciones tradicionales —caminos reales y puentes de piedra— la Sierra no está tan desprovista. Durante el auge del café, a finales del siglo pasado, se construyeron espléndidos puentes y caminos empedrados que comunicaban todos los pueblos a través de rutas inverosímiles, algunas veces practicadas sobre la roca viva.

Situados a la misma altura que Jalapa y Orizaba y con un clima muy semejante, los poblados serranos suelen ser muy pequeños, rara vez de más de tres mil habitantes, con sus sólidas casas mestizas, generalmente de comerciantes, aglomeradas alrededor de una plaza o mercado y rodeadas por habitaciones de campesinos indígenas. La topografía influye mucho en la disposición o trazo de los pueblos. Una población al abrigo de un cerro o recostada en una ladera, como Ahuacatlán o Xochitlán en la Sierra Norte de Puebla, tiene calles y manzanas irregulares, mientras que otra en la cima de una colina, como Iztepec, ofrece una disposición radial con manzanas indefinidas. Zapotitlán, que aprovecha un terreno ancho en la ribera del río Zempoala, es caso único en la Sierra por su trazado regular de calles rectas. Como en la mayoría de las zonas aisladas de economía tradicional, la población de la Sierra Norte de Puebla es fundamentalmente indígena, si bien casi todas las actividades de transformación y de servicios están dominadas por mestizos. Ninguna otra área indígena tiene una densidad de población tan alta como ésta. Aquí la población es nahua y totonaca, esta última en las partes más bajas. Hay inclusive enclaves otomíes.

Las otras áreas serranas no son iguales, aunque en lo sustancial hay infinidad de rasgos comunes. La Sierra de Hidalgo, o Huasteca serrana —con sus centros en Huejutla, Tamazunchale y Ciudad Valles— parece sin embargo, ser más abierta y tener más salidas y entradas no sólo para su bocasierra, por Tulancingo,

Atotonilco, Zimapán y Jalpan, sino también por la costa. No sería imposible incorporarle como un apéndice la Vega de Metztitlán, de que ya se habló antes. Viven en esta Huasteca serrana mexicanos, totonacos, huastecos y otomíes. La Sierra de Zongolica es más peculiar porque carece de un área de bocasierra, como no se considere a Tehuacán como tal, y está rodeada de tierras bajas casi por todos lados: la llamada Mixteca oriental y la llanura del Golfo. Así, parece estar más encerrada en sí misma. Desde Zongolica a Tehuipango y a Huautla, la aglomeración urbana no es sólo densa, sino étnicamente compleja: hay nahuas, mixtecos, mazatecos y cuicatecos.

Mestizos e indígenas conviven en estas áreas serranas, pero llevan una existencia totalmente separada. En las fiestas titulares de los pueblos, en la Sierra Norte de Puebla, por ejemplo, unos y otros comparten el entusiasmo pero cada quien por su lado, con su música. Ésta sigue en las calles y plazas hasta que cae la noche, que es oscura porque no siempre hay energía eléctrica, y es entonces cuando se muestra, brutal, la desigualdad social. Los indios tienen que irse con su música a otra parte, lejos, porque ya no se les deja seguir. El pueblo es conquistado por los mestizos y sus plantas de luz portátiles, y no es posible escuchar otro ruido que el de sus baterías y demás instrumentos del rocanrol triunfante.

La Vertiente del Pacífico

La Vertiente humana del Pacífico es equivalente a la del Golfo en su estructura geográfica y su relación con el México central. Se trata también de un conjunto de tierras calientes y templadas en que se suceden escalonadamente fajas de terreno de diferentes alturas, cada una con sus características propias de región bien definida. A semejanza de las que se descuelgan hacia el Golfo, se extiende longitudinalmente frente al México central. Sin embargo, la estructuración y el escalonamiento no son tan nítidos como de aquel lado porque la cuenca del río Balsas, en el corazón mismo de la Vertiente, rompe el declive y forma una especie de depresión interior muy extensa. En principio, y desde el punto de vista de la geografía humana, a la Vertiente del Pacífico le correspondería frente al México central un papel similar al de la Vertiente del Golfo: darle salida al exterior por una vía fácilmente practicable, complementar los recursos naturales y las actividades humanas, y abrir una posibilidad de intercambio mutuo de recursos naturales y humanos. Si se estudia la política de ocupación de la tierra, poblamiento y expansión de los conquistadores, se verá que lo entendieron así: Cortés, una vez establecido en México se dedicó a abrir el camino al poniente bajando del altiplano al litoral del Pacífico. Probó por Tehuantepec, Acapulco y Colima, siguiendo rutas de acceso entre tierra baja y altiplano semejantes a las de Veracruz. Luego de haber introducido en la Vertiente del Golfo el cultivo de la caña de azúcar, lo llevó también a las tierras templadas de los valles altos del Balsas. Lo mismo podría decirse de las plantas tintóreas y aun de las actividades mineras que intentó en la misma cuenca, particularmente en Taxco y Sultepec. A pesar de todo, la Vertiente del Pacífico no llegó nunca a establecer lazos tan estrechos con el México que la complementa, como la del Golfo, por varias razones; la primera, las características de la región misma. Su estructura relativamente compleja y su gran extensión la hacen más difícil de aglutinar que la del Golfo. Viene después una circunstancia de mucha trascendencia. Mientras que hacia el Golfo el altiplano virtualmente se derrama por las laderas de la sierra sin otro obstáculo que la pendiente misma, por este lado la columna vertebral del México central, el Eje volcánico, constituye una verdadera barrera que debe salvarse antes de iniciar el descenso, de modo que las comunicaciones con la costa por este lado son bastante más difíciles. Estas dificultades ciertamente son menores hacia el occidente, donde por esa razón las relaciones de intercambio entre las tierras altas y las bajas son más intensas.

Otro factor que ayuda a explicar la poca integración de la Vertiente está en lo que hay más allá. La Vertiente del Golfo mira a Europa, mientras la otra mira a una inmensidad oceánica al otro lado de la cual hay tierras que pueden ser perfectamente ajenas a la realidad mexicana. Así, el papel que la Vertiente juega como lazo de comunicación con el exterior queda reducido al mínimo. Después de la pérdida del comercio con China en el siglo xix, Acapulco perdió en cierto sentido su carácter de puerta trasera de México.

La Vertiente del Pacífico no sólo carece de una integración estrecha al conjunto mexicano, sino que también carece de unidad. Los proyectos de desarrollo económico global (como el de la Comisión del Balsas) son muy recientes y no pueden tener más que alcances parciales, y las comunicaciones internas son sumamente escasas. Debido a esto, y también como reflejo de la realidad del México central, pueden hacerse dos subdivisiones en este conjunto, separando una porción oriental de otra occidental.

La porción oriental corresponde *grosso modo* a los actuales estados de Guerrero y Morelos, con algo de los vecinos. La disposición de los elementos estructurales del relieve es muy sencilla. Hay una faja costera muy angosta que no puede denominarse propiamente llanura. Sigue después la cordillera, la Sierra Madre del Sur, con una vertiente exterior y una interior. En tercer lugar, el valle del Balsas con sus varios niveles de elevación, todos paralelos, pues el río corre de este a oeste en la misma dirección de la costa. Al final está el piedemonte del Eje volcánico, con numerosos valles profundos dentro de él, que hidrológicamente pertenecen a la misma cuenca del Balsas. Los más importantes son el del Cutzamala, que alcanza las inmediaciones de Zitácuaro; el del Amacuzac, que alberga a Morelos; el del Nexapa, donde se asientan Izúcar de Matamoros y Atlixco, y el del Mixteco, en el extremo oriental, asiento de la Mixteca Baja. El del Atoyac, o Valle de Puebla, es también tributario del Balsas, pero es más alto, frío y seco y por sus características humanas pertenece al México central. Al extremo occidental de este conjunto el Balsas tuerce bruscamente al sur para desembocar en el mar. Aquí puede marcarse el límite entre las porciones este y oeste de la Vertiente.

Fuera de Acapulco, la costa guerrerense —Costa Grande y Costa Chica, que se prolonga hacia Oaxaca— no tiene más que pequeñas poblaciones dedicadas sobre todo a una pesca bastante raquítica y a la explotación de la copra. La zona de Ometepec es notable por la población negra, que, abundante en México en tiempos de la Colonia, se conservó pura en este lugar gracias a su aislamiento. Más al oriente hay una zona indígena muy extensa y aislada, de población amusga y mixteca, centrada en Pinotepa Nacional. Hoy día el turismo ha sacado a la región de un encierro secular. Acapulco, por lo demás, se ha convertido en una entidad totalmente artificial.

50

La Sierra es una extensión inmensa y deshabitada a excepción del extremo oriental, donde una cadena de pequeñas ciudades —Tlapa, Olinalá, Chilapa, Tixtla— se extiende desde la región tlapaneca, asiento de uno de los grupos indígenas más marginados del país, hasta Chilpancingo, capital estatal y regional que se ha aprovechado de ser la única población bien enlazada con el México central. Esta sierra contrasta vivamente con las áreas serranas de la Vertiente del Golfo. Geológicamente los suelos son de muy buena calidad, pero el grado de deterioro a que han llegado es muy avanzado, pues la ocupación humana ha sido muy larga y los métodos de cultivo todavía son primitivos. En consecuencia los rendimientos son bajísimos y muy escasa la vegetación. Aun en las áreas más húmedas, ésta es poco menos que chaparral, y en las partes más secas es tan sólo xerófita.

La bajada desde la Sierra al valle de Balsas y al lecho mismo del río, de casi 500 kilómetros de longitud, no se diferencian mucho de la Sierra por su vegetación ni por su tipo humano. Sólo muy al occidente, en una área más favorecida, aparece un núcleo importante de población, pero por sus características y su economía pertenece más bien al piedemonte volcánico que al valle del Balsas.

Ese piedemonte, o sea el declive norte de la cuenca del Balsas, y que también puede denominarse como región de valles cordilleranos, es sin duda la región más importante de toda la sección oriental de la Vertiente del Pacífico. Aquí se puede apreciar el escalonamiento de tierras templadas de todo tipo, matizadas por numerosos valles profundos, poco poblados en su mayoría. El acceso al altiplano es bastante difícil, pues la cordillera volcánica presenta por este lado un verdadero farallón con desniveles muy considerables, especialmente frente al Popocatépetl y al Nevado de Toluca. En cuanto al clima, esta parte norte de la cuenca del Balsas constituye la región más favorecida de todo el conjunto pues está cara a los vientos húmedos del Pacífico y se aprovecha también del desagüe copioso de la cordillera y aun del deshielo de las altas cumbres que tiene sobre sí. Pueden verse algunas poblaciones situadas en la parte baja de estos valles. Son casi todas ciudades de desarrollo moderno que se dedican a cultivos de tierra baja tropical, como la caña de azúcar. Es el caso de Huetamo, Ciudad Altamirano, Arcelia, Teloloapan, Iguala y Huitzuco. Ciudad Altamirano, tal vez la más próspera, está en la ribera misma del Balsas, pero sus relaciones son con las tierras del piedemonte y no con la cuenca encañonada y despoblada.

Remontando los valles, a más de 1 600 metros la vegetación da lugar a encinos y coníferas y recuerda mucho el paisaje de la bocasierra de la Vertiente del Golfo. Ciudades como Ciudad Hidalgo, Zitácuaro, Valle de Bravo, Temascaltepec y Taxco, testimonian la multitud de ambientes y producciones que se pueden encontrar en esta parte alta y relativamente encerrada de la cuenca del Balsas. Su fisonomía está dibujada por casas de aspecto sólido y techos de dos aguas con grandes aleros. Al igual que Teziutlán o Zacatlán en el lado del Golfo, están mejor comunicadas con el altiplano que con las tierras más calientes que tienen por debajo. El destino de estas poblaciones ha sido a menudo el turismo. Taxco es el caso más notorio, pero no el único. Ella y Zitácuaro son las poblaciones más importantes de los valles altos, y su desarrollo ha sido bastante normal, aun cuando no sobresaliente. Zitácuaro y Ciudad Hidalgo, situadas sobre la vieja carretera entre Toluca y Morelia están muy ligadas a la zona del Lerma y al Bajío moreliano. Tal vez debiera de considerárseles poblaciones del México central, pero el desarrollo de las comunicaciones con la cuenca del Balsas y el trazo de rutas más directas entre México y Morelia las está haciendo revertir a su orientación natural. Esto se ha hecho evidente en Temascaltepec, que, de haber sido mero apéndice de Toluca, empieza a convertirse en la principal puerta de entrada a los nuevos caminos de acceso a la tierra caliente guerrerense.

Volviendo a los valles bajos, hay dos, tributarios también del Balsas, que merecen una consideración muy especial. Se trata de los valles del Amacuzac y del Nexapa, ríos que drenan las extensas zonas cañeras del Estado de México, Morelos y el suroeste de Puebla. Éstas guardan íntima relación de interdependencia con el México central, pero al mismo tiempo están muy diferenciadas. La simbiosis entre las tierras frías del México central y las templadas de las vertientes se ve tal vez más clara aquí que en ningún otro caso. La población está muy concentrada al pie del farallón montañoso. Siguiendo el curso de los ríos, valle abajo, la presencia del hombre casi desaparece hasta ser nada al llegar a la confluencia con el Balsas. Pero más arriba, especialmente alrededor de Cuernavaca, pero también en Tenancingo, Cuautla, Zacatepec, Jojutla, Atlixco e Izúcar de Matamoros, la concentración humana es la mayor que se pueda encontrar en las vertientes mexicanas. Esta ocupación intensiva hace que Morelos y sus áreas vecinas se distingan muy vivamente de las tierras de Guerrero: el viajero más distraído percibe ese cambio en la ocupación del suelo aun en relación con las zonas fértiles de Iguala, colindantes con Morelos y que no están poco pobladas. El campo de Morelos, al contrario del guerrerense, es un campo virtualmente "domesticado" en el que la topografía ya no presenta ningún obstáculo por salvar ni hay tampoco tierras desperdiciadas o inaccesibles.

Los problemas del monocultivo de la caña de azúcar son bien conocidos: la tierra se agota y la remuneración no es siempre satisfactoria; pero el sistema y la tradición se imponen, se hace necesaria la ocupación intensiva del suelo, y éste es el modo más viable. Hay que advertir, sin embargo, que no todo Morelos está condenado al monocultivo. Aproximándose al valle desde el altiplano por uno de sus accesos más fáciles, el de Ozumba, se ven sucederse cultivos de frutales, legumbres, cereales, que ceden terreno a la caña sólo en las partes más bajas.

La proximidad de la capital nacional ha enriquecido las actividades urbanas sin hacer palidecer algunas incipientes actividades industriales de primer orden. Los núcleos de población, desde Tenancingo hasta Atlixco, gozan de comunicaciones bien establecidas tanto con el altiplano cuanto con las zonas que se despliegan al sur. Así, su papel de intermediarios y distribuidores ha sido muy claro y sin rival en la zona.

Semejantes a estos dos valles en su situación de tributarios del Balsas, son otros que ocupan el rincón más oriental del conjunto y que también deben considerarse aparte. Se trata de la Mixteca Baja, zona indígena pobre y aislada que se vuelca hacia sus capitales, Acatlán y Huajuapan de León, situadas en medio de productivos cañaverales. Terriblemente erosionada, la Mixteca Baja está a punto de convertirse en un yermo inhospitalario. En pocos lugares la desforestación inconsciente y brutal alcanza proporciones tan alarmantes, pero se trata de una región tan abandonada que el hecho, a pesar de su gravedad, atrae poca atención. La Mixteca Baja ocupa un lugar muy peculiar como lazo de unión entre Oaxaca, el México central y la Vertiente del Pacífico, y si la hemos incluido dentro de esta última en atención a sus características geográficas, no por ello dejaremos de recordarla al hablar de Oaxaca.

53

La porción occidental de la Vertiente del Pacífico es casi tan extensa, si bien más angosta, que la oriental: comprende desde la desembocadura del río Balsas hasta la del Santiago. Como todas las vertientes vitales de México, es también una región de fajas escalonadas que se suceden longitudinalmente, correspondiendo diferentes climas a distintas elevaciones. Pero aquí esa disposición estructural es sumamente confusa, pues muchos valles profundos penetran por las estribaciones de la cordillera y rompen su continuidad, y luego se abren y tuercen en todas direcciones formando tierras bajas interiores. Ninguno de estos valles interiores tiene la extensión ni la regularidad del valle del Balsas. Así, la topografía es siempre complicada y las comunicaciones difíciles.

Esta porción de la Vertiente es el complemento vital del Occidente. Se relaciona no con los tres Valles centrales sino con la cuenca del Lerma-Santiago y se enlaza fuertemente con Guadalajara. Los nexos directos con la capital mexicana son muy recientes: el más importante es el de la electricidad. En la confluencia del Balsas y el Tepalcatepec, la planta generadora del Infiernillo produce energía para la ciudad de México. Pero las áreas de Colima y Tepic, que son las de mayor población, son más bien compañeras de Guadalajara. Por lo demás, sería mucho decir que la región, como conjunto, está estrechamente ligada al México central o a cualquiera de sus partes. La geografía humana es en esta porción de la Vertiente una geografía de núcleos separados y casi incomunicados entre sí, con verdaderos vacíos en medio.

A pesar de que la estructura del relieve es muy poco clara, debe intentarse la descripción de las fajas sucesivas del escalonamiento de las tierras calientes y templadas. La costa, desde San Blas hasta Playa Azul, parece estar aún más fuera del mundo que la guerrerense. En el remoto pasado, San Blas llegó a destacar como un puerto importante. Hoy, el turismo empieza a reclamarla, a construirle carreteras escénicas y a llenarla de hoteles. También se deja ver ya una gran planta siderúrgica en la desembocadura del Balsas, pero no pasa de ser un proyecto. En general, esa estrechísima faja costera a que da lugar la Sierra Madre del Sur, tan cercana al mar, no tiene, aparte de su belleza, nada relevante excepto por un punto: Manzanillo, que se aprovecha de la apertura hacia el interior que le dan los valles colimenses. Bien comunicado por dos rutas que convergen en Guadalajara —una por Autlán y otra por Colima—, podría esperarse del puerto algo más que la escasa actividad que lo mueve. Todavía bien entrado este siglo, cuando las comunicaciones con todo el Noroeste de México se hacían por mar, Manzanillo era un paso obligado, pero eso desapareció al establecerse lazos por tierra.

La Sierra Madre del Sur, primer escalón en el ascenso al altiplano, es aquí una cordillera informe. A veces se entrelaza con el Eje volcánico, y es difícil distinguir el trazo de la una y del otro. El Volcán de Fuego de Colima, por ejemplo, está en la punta de una prolongación del Eje hacia el sur que se mete como cuña dentro de la Sierra Madre. Alguna población que vegeta dentro de ella, como Coalcomán, en la parte michoacana, no es suficiente como para dispensarla del título de verdaderamente aislada y deshabitada.

La poca continuidad de la Sierra da lugar a varios valles de poca elevación. El primero es el valle del Tepalcatepec, la Tierra Caliente por excelencia. Se trata de un valle interior, porque es afluente del Balsas, pero su elevación media es inferior a los 400 metros. Es una región verdaderamente escondida, a la que sólo las más modernas comunicaciones han logrado enlazar. Por su recogimiento recibe poca humedad del Pacífico, que se evapora por el excesivo calor. Se trata, en efecto, de la zona más caliente de México, con temperaturas de 25 a 32 grados como promedio, y máximas, muy frecuentes, de 42. La vegetación, como en el valle del Balsas, es pobre, excepto en algunos lugares de la vertiente norte que están más expuestos a las aguas. Sus dos poblaciones principales, Apatzingán y Nueva Italia, son muestra de desarrollo reciente y rápido, gracias sobre todo al cultivo del algodón y el ajonjolí, arroz, melones y sandías. Al norte de la Tierra Caliente es posible percibir el ascenso escalonado al altiplano. Es bastante brusco, pero hay un extenso piedemonte —región de valles cordilleranos— que corre desde la serranía del Tigre hasta el río Tacámbaro y está muy relacionado con el altiplano que tiene detrás, o sea la Meseta tarasca, oculta desde abajo a la vista del viajero por la mole del Tancítaro. Cotija, los Reyes, Uruapan, Ario de Rosales y Tacámbaro son todas poblaciones agrícolas típicas de tierra templada, productoras de café, caña de azúcar, aguacate, arroz y cítricos, como sus hermanas de la Vertiente del Golfo. Más al oriente el piedemonte continúa sin interrupción al norte de la cuenca del Balsas, alojando a Zitácuaro y a otras poblaciones de las que ya se ha hablado.

Un segundo valle, el de la Región colimense, está abierto al mar. El valle de Armería, pues tal es su nombre, encuentra paso entre la Sierra Madre y se eleva gradualmente hasta alcanzar al México central en el borde del Eje volcánico. Así, es una región de escalonamiento muy claro, una especie de región de conformación sencilla en medio de ese maremágnum que es la zona occidental de esta Vertiente. Se ha hablado ya de Manzanillo, que con sus alrededores forma el primer escalón colimense. El segundo, ya fuera de la costa, es el de las tierras que se extienden entre los 400 y los 800 metros y forman la base de los valles colimenses propiamente dichos. Todos fluyen hacia el río Armería, y su vida se vuelca también hacia un punto: Colima. La región es en general cálida y lluviosa por obra de los vientos del sur y la brisa del Pacífico; azucarera, desde luego. Colima, la ciudad capital, es de las pocas muestras que ofrece México de asentamiento antiguo y estable en una área decididamente tórrida. El diminuto Estado de Colima parece querer demostrar que también de puro "trópico" se puede vivir. Más arriba, en el siguiente escalón, que es el piedemonte del Eje volcánico y tierra relativamente templada, los valles se angostan y se abren paso por la Sierra Madre y por la propia cordillera volcánica. Al fondo del principal de los valles que se abren hacia el oeste está Autlán, población agrícola que conoció, como casi todos los pueblos del piedemonte, sus veleidades mineras, y vive ahora del comercio gracias a la carretera de Manzanillo a Guadalajara. En el principal de los valles que se abren al este se agrupan Zapotiltic, Tamazula, Tuxpan y Tecalitán, prósperos productores de caña. La relación con Guadalajara es muy estrecha: en efecto, ahí está ya el borde del altiplano, a 1 600 metros. En medio de esas dos ramificaciones ascendentes, que pueden compararse con las dos rutas de acceso al altiplano desde Veracruz, están, al igual que entre Jalapa y Córdoba, los más altos escalones de la Vertiente: primero el activo Volcán de Fuego, y detrás el Nevado de Colima, la cumbre más alta del Occidente.

Región también de balcones o piedemonte, pero situada en un

lugar muy alejado del anterior, es la de Tepic. Por este lado el escalonamiento del altiplano es también de estructura muy sencilla. De la costa nayarita a Tepic hay un desnivel accidentado pero suave. Tepic está a 905 metros, una posición muy baja. Población moderna que aspira a dominar la puerta de la extensa llanura costera del Golfo de California, mira hoy día más hacia el Norte que hacia el México central con el que podría estar más ligada. Con el resto de su propia área geográfica, la Vertiente del Pacífico, tiene pocos lazos y muy nuevos. Puerto Vallarta es la avanzada hacia la costa jalisciense.

Acercándose al borde del altiplano, en ruta hacia Guadalajara, por la región de Etzatlán y Ameca, se nota que el ascenso es muy suave y tendido, trazado entre plantíos de caña de azúcar. Esto recuerda a Morelos, también una región de piedemonte de elevación similar. Pero el extremo occidental del altiplano es muy bajo por aquí, y permite abordarlo aun a menos de 1 500 metros. Por este lado ninguna montaña de grandes dimensiones marca la presencia de éste por sobre las tierras bajas tropicales.

La Vertiente del Norte

Cuando en los primeros años de la época colonial se hablaba del Norte, se hacía referencia a una tierra lejana habitada por unos cuantos indios nómadas. El límite de la población sedentaria estaba más o menos bien definido, a la altura del río Lerma-Santiago, con prolongaciones más al norte en las costas y en las áreas serranas. Ese Norte era una tierra diferente por su clima, más árido y frío conforme se avanzaba en latitud. Las costas del Norte, menos lluviosas, no tenían la exuberancia de las del sur de México.

La historia del Norte es peculiar precisamente debido a la naturaleza del medio en que se ha desarrollado. Su geografía se adivina detrás de cada uno de los fenómenos de esa vida de avanzada y de colonización, y las formas de vida predominantes, desde la que significa el aislamiento y la lejanía hasta la que implica la necesidad de mantener obras constantes de irrigación, han sido virtualmente condicionadas por la geografía.

Bajo las duras condiciones del ambiente norteño se fundaron y prosperaron las ciudades mineras y alguna que otra avanzada misionera. Otras ciudades surgieron de presidios o fortalezas. Casi todas las fundaciones importantes datan del siglo xvi: Zacatecas, Durango, Jerez, Saltillo, San Luis Potosí, Parral, Culiacán, Mazatlán, Monterrey, Chihuahua, Santa Fe de Nuevo México... Tenía que mediar la ambición de la riqueza, el celo misionero o la necesidad de proteger los establecimientos del Norte para que muchos hombres fueran a vivir a esas tierras nunca antes habitadas por una sociedad sedentaria. Con el paso del tiempo las fundaciones se fueron convirtiendo en ciudades y se rodearon de grandes latifundios ganaderos y de terrenos de regadío que proporcionaban los productos necesarios para el consumo de sus habitantes. Seguían siendo lejanas y apartadas, pues se necesitaban un mes, dos o tres, para llegar a la capital del virreinato. En el siglo xvii, con el auge de la minería, las ciudades del altiplano se hicieron muy ricas, y al mismo tiempo los ganaderos dominaban áreas extensísimas con sus propios ejércitos. Las costas, en cambio, decayeron mucho, pues no ofrecían ningún aliciente especial. Particularmente Tamaulipas fue una provincia muy poco apetecible.

La vida del Norte se constituyó como una vida de opulentos núcleos aislados, relacionados con México, pero muy poco entre sí. Las ciudades mineras del altiplano boreal casi no tenían contacto con las poblaciones de la costa. Las separaba una barrera montañosa virtualmente infranqueable, sobre todo por el lado del occidente.

El Norte fue siempre una tierra de ocupación, de colonización y de frontera. Conforme avanzaba el límite de la población sedentaria y se eliminaba a las tribus nómadas, todos y cada uno de los puntos de su territorio vivieron la experiencia de ser frontera: frontera viva, en avance, que sólo la falta de recursos humanos y las ambiciones de los norteamericanos hicieron retroceder. El Norte se define, o al menos se definió tradicionalmente, por ser frontera: todo aquello que ha sido frontera es Norte, y el Norte deja de serlo ahí donde nunca ha habido experiencia de expansión desde México, de colonización o de presencia de rasgos mexicanos frente a otros extraños.

El ferrocarril vino a modificar radicalmente la fisonomía del Norte. Hizo prosperar a ciudades como Monterrey y Saltillo y surgir a otras nuevas como Torreón, que estaban situadas en puntos estratégicos para el trazado de las vías. Por sobre todas las cosas, el nuevo medio de transporte acortó las inmensas distancias, reduciendo a dos o tres días el trayecto de meses, facilitando el tránsito de personas y la convivencia de miembros de distintas sociedades. Por lo que toca a las llanuras costeras, el ferrocarril fue menos importante y más tardía su influencia. La mayor comunicación que Sonora y Sinaloa tuvieron con el resto de México, ya entrado el presente siglo, seguía siendo la marítima entre Guaymas o Mazatlán y Manzanillo, porque ninguna ruta terrestre practicable alcanzaba el altiplano. Tamaulipas tenía una estructura social muy precaria. Y la Sierra, al occidente, permanecía impenetrable como siempre. En esta era del ferrocarril trató de establecerse por primera vez un nexo entre el altiplano boreal y las costas, pero el intento fracasó y las vías quedaron truncas en Chihuahua y Durango. La Sierra Madre Oriental no es una gran barrera y fue más fácil de brincar, pero en la llanura costera no había prácticamente nada. Si se tendieron vías a través de ella fue porque por allí pasaba la mejor ruta para alcanzar la frontera norte o para ir a Tampico.

Al mismo tiempo que se desarrollaban los caminos de hierro crecían las zonas de irrigación. Sin riego el Norte entero, a excepción de la Sierra Madre y de pequeñas zonas privilegiadas de Tamaulipas, Nayarit y Sinaloa, es en su mayor parte una estepa cuyos pastos reverdecen apenas en tiempo de aguas, y no es apropiada ni siquiera para cultivos de temporal. Pero con riego sus suelos castaños se vuelven ideales para una agricultura intensiva. La Región lagunera, en el corazón mismo del Norte, es el mejor ejemplo: se convirtió en un vergel gracias a las obras de irrigación, y explotaciones modernas industrializaron el cultivo del algodón. Otras áreas se dedicaron al trigo, la vid o la alfalfa. En Sonora y Sinaloa la agricultura también requería de riego, y en los distritos acondicionados empezó a producirse en gran escala el jitomate, el arroz, la caña de azúcar y el algodón. También Tamaulipas vivió una época de auge algodonero debido al riego. Toda esa agricultura del Norte fue desde el principio una agricultura a gran escala, dependiente del mercado nacional o del extranjero, pero no del consumo local. Así, los núcleos campesinos del Norte tienen un carácter muy peculiar. Se formaron con población inmigrante del México central o de las Vertientes de intercambio vital, pero no se repitió en ellos el esquema cerrado y de pequeños intercambios del centro. Un fenómeno paralelo es el de la industria, como en cierta medida lo había sido la minería. El siglo xx ve la decadencia de la minería al tiempo que proliferan las áreas de riego y se tienden kilómetros de carreteras pavimentadas. La industria moderna ocupa el lugar de la minería tradicional, aunque no exactamente, porque la minería era una actividad que estaba extendida por todos los rincones del Norte e impregnaba a éste de muchos aspectos de su fisonomía. La industria moderna, en cambio, está concentrada en menos lugares y en menos manos. Se podía decir, en la época de la minería, que el Norte era un país minero, pero no se puede decir ahora que sea un país industrial. Y en el fondo la industria es también ajena al Norte, por más que sus instalaciones se levanten en su territorio. La economía industrial es una economía nacional y, para la región en que se levanta, lo único que significa es abundancia de fuentes de trabajo. Pero no contribuye a formar la cohesión social de la población. Lo mismo puede decirse de la explotación de petróleo y gas en la llanura del Golfo.

También cobra forma en el siglo xx otra de las facetas del Norte: la vida fronteriza, basada en el comercio, el contrabando, las diversiones y el trabajo de los habitantes de uno y otro lado de la frontera. Paradójicamente, es una forma de vida muy bien definida a la vez que vacilante e inconsistente.

Toca ahora distinguir las regiones que constituyen esta gran Vertiente de expansión. Los elementos estructurales del Norte no irradian del México central como ondas sino como rayos. Así mientras que las dos Vertientes de intercambio vital —Golfo y Pacífico— constituyen una sucesión de escalones paralelos que bajan del altiplano a las costas, el Norte está formado por sectores más o menos convergentes que, partiendo del centro hacia el norte, se abren y amplían a medida que se alejan de su eje. Si todo México tuviera las características morfológicas del Norte, sería un país con una estructura radial muy simple, como una rueda de aspas o un molino de viento. Cada uno de esos sectores proporciona al centro una ruta de *expansión* prácticamente sin límites ni obstáculos, muy diferenciada una de otra. Estos sectores son cuatro: la llanura costera del Noreste; el altiplano bordeado por cordilleras —la Sierra Madre Oriental y la Occidental— de las cuales la segunda es tan grande que podría considerarse por sí sola como un sector aparte; la llanura costera del Noroeste, y la Baja California, que aunque está separada por mar del centro de donde irradia, corresponde perfectamente al esquema radial del Norte.

En apariencia el Norte tiene una estructura semejante al México que tiene al sur, y hasta parece ser continuación, sin más, de éste. La Vertiente tropical del Golfo, en efecto, se continúa orográficamente en el Noreste, que también tiene su farallón montañoso y su llanura. Entre el México central y el altiplano boreal no se interponen más que unas pequeñas cadenas de montañas, pero se trata del mismo altiplano que se prolonga hacia el norte descendiendo paulatinamente, como lo hacen notar casi todos los manuales de geografía. La Vertiente del Pacífico se continúa también en la Sierra Madre Occidental y la llanura del Noroeste. Pero esa continuidad es meramente morfológica y no debe engañarnos. Entre el México central y sus Vertientes vitales —que podemos denominar conjuntamente *México nuclear*—, y el Norte, hay un límite climático bastante claro, aunque no muy preciso, que es el que pone fin al mundo tropical. Pero las diferencias más importantes son de índole humana y estructural. La estructura del conjunto es diferente a partir de los límites señalados para el Norte. Tanto en el México nuclear como en el Norte hay tierras bajas y altas y un cierto escalonamiento entre ellas; pero en aquél esas áreas opuestas están estructuradas de modo que se complementan unas con otras y abren paso a la interacción humana en la forma que ya se ha señalado. Esta simbiosis no tiene lugar en el Norte. Aquí los bordes del altiplano no son simples escalonamientos, sino casi siempre verdaderas barreras, de modo que las áreas opuestas no pueden complementarse, o si acaso muy precariamente, y permanecen ajenas entre sí. Es el caso de las tierras a uno y otro lado de la Sierra Madre Occidental y de las partes más abruptas de la Oriental. Cierto que donde ésta es más baja hay tierras que, al mismo tiempo que están bien diferenciadas, es relativamente fácil y rápida la comunicación entre ellas. Pero mientras que las tierras bajas son ricas, las tierras vecinas del altiplano son tan pobres y áridas que no hay prácticamente vida humana en ellas, y queda por lo mismo nulificada la posibilidad de interacción. Por último, en el extremo más septentrional las barreras montañosas pierden altura, pero esto es ya bastante lejos de la zona tropical, y aquí pierden su significado las diferencias en elevación: las tierras altas y las bajas tienden a ser muy parecidas. Caso de haber interac-

61

ción, que de hecho no la hay, estaría planteada en términos muy diferentes a como se plantea en el México nuclear.

La falta de interacción entre las tierras altas y las bajas, del juego de climas y temperamentos que está siempre presente en el México nuclear, significa no tan sólo una carencia o una limitación en los intercambios económicos. La cuestión no es problema de comunicaciones. Lo que no hay es un intercambio espontáneo, cotidiano, tradicional, de hombres y de productos. Tampoco hay en el Norte esa conciencia que tiene el hombre del México nuclear de los diversos climas y temperamentos. Para el norteño la tierra alta o la tierra baja, según el caso, no es la tierra vecina cuyas características son más o menos conocidas y a cuyos habitantes se les atribuye un determinado carácter, sino algo que pertenece a un medio totalmente ajeno y la mayoría de las veces desconocido. Así, mientras que el México nuclear da lugar a una interacción de los elementos que lo integran, en todos sentidos, y muy particularmente a una interacción entre tierras cálidas, templadas y frías, el Norte solamente permite una expansión longitudinal. Es esto lo que más singulariza al Norte, y en función de ello debe interpretarse la acción de la geografía sobre el hombre. Además, la geografía norteña es de una dimensión mucho mayor. Al viajero no le es dado experimentar los cambios que a cada vuelta percibe en el México nuclear, porque los paisajes se extienden a lo largo de decenas y decenas de kilómetros. Las modificaciones notorias son artificiales, obra, por ejemplo, de los trabajos de riego.

Sin embargo, es evidente que muchas características del Norte pueden llegar a desaparecer con el paso del tiempo. Una población más densa o mejor distribuida y un desarrollo cultural y económico pueden crear condiciones de vida muy semejantes a las del México nuclear. Pero es algo que no se puede prever ni siquiera a largo plazo. Sin embargo, ha sucedido: el Bajío es de hecho una porción del Norte integrada desde muy temprano al México central, y razones históricas determinan su incorporación. Algo semejante une Tepic a la Vertiente del Pacífico y la región sur de Tamaulipas a la del Golfo. Aguascalientes también es muestra de un Norte incorporado, y es muy probable que una revisión de este esquema regional de la nación haga incorporar a Zacatecas y San Luis Potosí dentro del ámbito nuclear de México. Pero hay que pasar ya a recorrer este extenso territorio.

De todos los sectores del Norte, hay uno en que los rasgos norteños no se muestran tan acusados: el Noreste. En efecto, es de dimensiones relativamente reducidas, a pesar de albergar una de las llanuras costeras más extensas de México. Su superficie está matizada por diversas elevaciones, como la Sierra de Tamaulipas, la de Lampazos y otras, que dan al paisaje diversos grados de humedad y variedad de vegetación: la llanura en general es relativamente húmeda, de vegetación esteparia en su porción norte, y francamente seca a sotavento de las sierras. El Noreste tiene, además, un piedemonte en cierto modo comparable al de la región de Jalapa, de suerte que es posible percibir al menos dos peldaños relacionados entre sí. Mientras que la zona más baja es productora de algodón y caña de azúcar, siempre con riego, el piedemonte se dedica a los cítricos y a las legumbres de temporal, y hay intercambio frecuente de trabajadores. Más arriba ya no hay nadie, pero el escarpe de la Sierra Madre Oriental, con todo y alcanzar cumbres tan elevadas como el cerro Potosí, no es tan vigoroso que no permita uno o dos pasos de primera importancia. El principal es, desde luego, el de Monterrey.

Paradójicamente, este Noreste que tiene rasgos en común con el México nuclear y que es el más cercano a él, de todos los sectores del Norte, fue el que más tiempo tomó para poblarse, y no tiene prácticamente ningún establecimiento antiguo, excepto Monterrey, Monclova y otras poblaciones vecinas, que son casos que merecen una consideración aparte. Pero el Nuevo Santander, como se llamó a la porción más extensa del Noreste, fue una fundación del siglo XVIII. Tamaulipas no tenía a principios del presente siglo más de 200 000 habitantes, y esto incluyendo la región de Tampico, perteneciente al México nuclear. Tampoco estaba muy poblada la porción septentrional de este sector, hacia Nuevo León y Coahuila, bastante más árida y apartada. Tamaulipas, y en general el valle del río Bravo, sigue siendo una de las regiones menos integradas culturalmente al resto de la nación. A pesar de las comunicaciones a través de la Sierra, el sector permanece marginado porque la mayoría de las carreteras y los ferrocarriles no fueron hechos con el propósito de integrar la llanura, sino para comunicar al país con Estados Unidos. La marginación del sector es muy explicable económicamente. El algodón, gran éxito de los años cincuenta, fue cultivado para exportarlo cruzando la frontera. El petróleo, abundante, es una gran fuente de riqueza pero que no crea ningún intercambio social. Fuera de estas zonas de privilegio el sector tiene una economía natural muy pobre, limitada a pequeñas áreas de riego: Lampazos, Camargo, Doctor Coss.

Sabinas, Monclova y Monterrey, ciudades situadas al pie de la Sierra Madre, al fondo de valles tributarios del río Bravo, dan testimonio de una vida urbana muy desarrollada y relacionada con el resto del país. A primera vista, parece que esto modifica sustancialmente las características del Noreste. Estas ciudades deben su desarrollo a actividades industriales de carácter nacional, y su importancia dentro de la economía del país es indiscutible. A nivel regional, sin embargo, debe advertirse que ese desarrollo industrial difícilmente ha significado algo más que una fuente de trabajo. Ninguna de esas tres ciudades puede considerarse como una verdadera capital regional. El propósito de las fundaciones de Monclova y Sabinas fue el de crear puestos defensivos frente al ataque de los nómadas. Monterrey fue desde su fundación un caso especial de comunidad deliberadamente apartada. Su radio de acción natural es muy limitado y llega, a lo más, a Linares, pequeño satélite en decadencia. La importancia de Monterrey está en sus combinaciones industriales y en la posibilidad de enviar sus productos muy lejos, e igual la de Monclova, ciudad siderúrgica, o la de la cuenca carbonera de Sabinas. Su situación en el Noreste no basta para identificarlas plenamente con el sector, y sus lazos con el resto de México no significan más que lazos industriales a gran escala. Vale decir lo mismo de los centros petroleros de Tamaulipas. Ese virtual aislamiento, la poca relación humana con el México nuclear, la naturaleza artificial de los lazos más importantes, es lo que impide ligar a este sector con esa parte de México, aun a pesar de ser un caso muy peculiar dentro del Norte.

El Noreste tiene además una vida fronteriza sumamente activa, y no hay que olvidar que la frontera hace al Norte. Nuevo Laredo es el Veracruz terrestre de México. Se parecen ambos en lo desorganizado y lo decadente. Sólo que la decadencia de Veracruz es de orden administrativo y funcional, y la de Nuevo Laredo parece más profunda, pues vive con la cara al extranjero precisamente ahí donde el extranjero no es de lo más apetecible.

Brincando la Sierra Madre Oriental, con no mucho esfuerzo,

se pasa al sector central. El viajero que recorra este altiplano boreal experimentará, como en niguna otra parte del país, la sensación de inmensidad que surge de recorrer larguísimas distancias dominadas por un mismo paisaje. Si recorre los 650 kilómetros que separan Querétaro de Saltillo al pie de la Sierra Madre Oriental, el paisaje será casi desértico. La Sierra no es una barrera montañosa imponente ni mucho menos; tampoco un obstáculo serio para la comunicación con la llanura, pero sí un límite climático muy claro. Al poniente de la Sierra la precipitación es inferior a los 40 milímetros anuales, y, además, la constitución caliza del suelo no da lugar a escurrimientos ni a acumulaciones de agua. El recorrido entre el México central y Saltillo se hace, pues, a lo largo de cuencas bastante extensas situadas al pie de la Sierra, áridas, endorreicas, conocidas con el nombre de bolsones o salados. Corresponden en situación, aunque no en dimensiones ni características, al Salado poblano y a los Llanos de San Juan. Los bolsones del Norte son más secos y su economía más pobre. La recolección del ixtle y la lechuguilla es la fuente de vida casi única de quienes viven esparcidos en este inmenso territorio. En el pasado hubo poblaciones mineras prósperas, como Charcas o Catorce, pero hoy no dejan casi huella en el paisaje: en éste predomina una soledad tan extrema que casi es imposible imaginarse la vida de los aislados caseríos de los recolectores, perdidos en el polvo y, a menudo, a 30 o 50 kilómetros de la población más próxima. La situación de Saltillo dentro de la zona ixtlera es un poco artificial. Su importancia radica en sus comunicaciones con Estados Unidos, al igual que Monterrey, y en sus relaciones con la economía nacional. Sin embargo, es una ciudad próspera y foco de atracción para la población de toda esa zona, que apenas ahí encuentra incentivos para una vida menos dura.

Las condiciones de vida son más suaves y el asentamiento humano más sólido conforme se avanza al interior. A lo largo de una línea que pasa por San Luis Potosí, Zacatecas y Durango, se suceden viejas poblaciones mineras que tienen una situación menos angustiosa que las del oriente, lo que no quiere decir que su situación no sea muy precaria. Piénsese en la villa de Pinos o en Sombrerete. Aquí, más al interior, la naturaleza de los suelos permite la existencia de unas pocas corrientes temporales que pueden aprovecharse para el riego, de modo que, aunque limitada, existe la posibilidad de una vida campesina. Junto a las poblaciones mineras han podido surgir y vegetar, más que otra cosa, localidades como Nombre de Dios o Valparaíso. Pero también hay grandes núcleos urbanos. Es que éste es él viejo Norte, el área de las fundaciones opulentas del siglo XVI, como Zacatecas, San Luis y Durango. Aquí los núcleos urbanos representan una manifestación original de la forma de vida de la región. En primer lugar, son ciudades de fundación antigua, tradición urbana y estructura social muy sólida. Esto les ha permitido representar el papel de capitales regionales y de organizadoras del comercio: tales son las principales funciones económicas que desempeñan en la actualidad. Algunas de estas ciudades, San Luis Potosí y Fresnillo entre otras, han prosperado mucho recientemente con actividades de este tipo. Zacatecas, más estancada, tuvo en 1960 la misma población que en 1900, y contrasta con Durango, que por su posición más privilegiada y su mejor clima tiene una mayor variedad de actividades. Los campos, aunque en su mayor parte siguen siendo desolados, no se ven tanto ni tan despoblados como en la zona de los bolsones. La presencia humana se hace más densa en las inmediaciones de las zonas de riego. Finalmente, abruma en la gran Comarca lagunera, que es la mayor y más antigua —1850— de las regiones de colonización del Norte. La Laguna era, originalmente, un bolsón donde desembocaban los ríos Nazas y Aguanaval formando varias lagunas. El agua de los ríos se recogió mediante una serie de presas río arriba y se derivó por canales de riego sobre una superficie que hoy tiene unas 250 000 hectáreas dedicadas a una producción intensiva de trigo y algodón. No creamos, sin embargo, que es una región exenta de problemas, porque el sistema de abastecimiento de agua, del cual depende todo el conjunto, es muy precario, y el régimen de aguas muy variable.

La Laguna tiene una vida urbana muy desarrollada, de tinte moderno. Torreón y Gómez Palacio eran originalmente estaciones de ferrocarril que prosperaron gracias a su situación dentro de la red ferroviaria, en un cruce importante, y crecieron como capitales de una gran zona agrícola. La región de Delicias, dedicada al algodón y a la alfalfa, es un establecimiento similar, pero de menor escala. Las zonas de riego, cada una con su centro urbano, son más o menos independientes entre sí, pero recorriéndolas todas se verá que el modelo básico se repite. No son excepciones las grandes ciudades de antigua fundación como Chihuahua y Ciudad

Juárez, que hoy día viven no sólo de esta agricultura moderna, sino de la ganadería que prospera en tierras más al oeste.

En su extremo norte la Sierra Madre Oriental se desvanece y permite la comunicación abierta del altiplano con la llanura costera, dejando salida a las corrientes de agua y aminorando las diferencias climáticas entre ambas vertientes, al grado de hacerlas una. Pero el paisaje, a uno y otro lado de la cordillera, es cada vez más seco y vacío. Excepción hecha de los pequeños oasis irrigados, aquí se encuentran las zonas despobladas más extensas de México.

La Sierra Madre Occidental no presenta más que una serie de suaves escalonamientos en la cara que mira al altiplano. Aquí la humedad es mayor porque la tierra recoge y vierte una gran cantidad de lluvia. Dentro de ella se abren valles que tienen una vida agrícola muy precaria, en parte porque la población es poco densa y en parte porque tienen muy poca posibilidad de intercambio, a no ser con las poblaciones más cercanas al pie de la cordillera, siempre dentro de la misma Vertiente. También hay zonas madereras, y centros mineros que han corrido la suerte de todos los centros mineros. En la primera categoría estarían Jalpa, Jerez y Santiago Papasquiaro; en la segunda El Salto; en la tercera Tepehuanes y Parral. Más al norte el paisaje cambia porque la Sierra se hace menos voluminosa y da lugar a vastas praderas dedicadas a la ganadería. Esta actividad se esparce por toda la porción septentrional de la Sierra, en Chihuahua y Sonora, en un territorio incomunicado y agreste. El ganado en su mayor parte se exporta en pie a Estados Unidos.

A los 2 000 metros sobre el nivel del mar, más adentro, la Sierra Madre es una cordillera de profundas gargantas y poblada de coníferas. La habitan algunas poblaciones indígenas explotadas por los madereros y los ganaderos, y se ven restos de prósperos reales de minas. El ferrocarril de Chihuahua al Pacífico y la carretera de Durango a Mazatlán, más otras pocas rutas, no significan prácticamente nada dentro de esa inmensidad. La avioneta y la mula, en cambio, permiten penetrar en la Sierra en busca de comunidades aisladas. Por su lado occidental, cae bruscamente formando un farallón inmenso, escalonado y cortado por barrancas muy profundas. El desnivel va de los 2 500 metros a los 500, que marcan el nivel interior de la llanura del Pacífico. La Sierra está de este lado todavía más despoblada que en su otra vertiente, excepto en las zonas indígenas de Nayarit y Sonora. La infranqueable barrera hace que las tierras que están a sus pies, entre la cordillera y el Golfo de California, constituyan el sector más diferenciado de todo el Norte.

Se llega así al tercer sector. El Noroeste es una llanura costera recta e ininterrumpida que se extiende por más de 1 500 kilómetros desde la desembocadura del río Santiago hasta la frontera norteamericana. Como es angosta, basta seguirla a lo largo para apreciar todos los aspectos de su geografía. Quien recorra este sector empezando por el sur, verá sucederse tierras de cultivo bajo tropical muy parecidas a las que se encuentran en las vertientes nucleares de México, estepas semiáridas cubiertas de chaparral donde la agricultura es posible sólo con riego, y, finalmente, un verdadero desierto, el único que tiene México. La razón de esta sucesión de condiciones climáticas está en la latitud. La gran longitud de la llanura permite apreciar el fenómeno con una claridad que hubiera sido difícil lograr en otros sectores del Norte. La degradación del medio tropical de lluvias de verano se realiza muy progresivamente hasta llegar a los desiertos propios de las latitudes medias en todo el mundo. Más al norte aparecerán los climas de tipo mediterráneo con lluvias invernales.

Si bien la estepa semiárida cubre la mayor parte de la llanura, la imponente sierra garantiza un desagüe copioso y constante que da origen a ríos que se han aprovechado en su mayoría para crear distritos de riego y agricultura intensiva en gran escala. Cada valle, cada distrito, tiene su especialidad, y su capital. Culiacán vive de las verduras y la caña de azúcar, Los Mochis del trigo y las verduras, Ciudad Obregón del trigo, Hermosillo y Mexicali del trigo y del algodón. El recorrido por estos núcleos de población patentiza una ocupación humana reciente comparable a las otras zonas de riego del Norte y aun a la de algunas zonas pioneras del Sureste. Aquí, como en todo el Norte, la mayor parte de la población es nueva. También hay una copiosa migración interior, que tiene como meta el extremo norte y los atractivos inciertos de la vida fronteriza. Culiacán es ejemplo de una típica ciudad de modernos agricultores. Grande, ostentosa en algunos sitios, un poco desarticulada, tiene sus residencias de lujo, pero está en su mayor parte ocupada por barracas —como casi todas las ciudades del Norte— lo que demuestra que esta agricultura moderna, con lo mucho que tiene de industria, crea un proletariado urbano cada vez mayor.

Junto a la agricultura intensiva, la otra gran actividad del Noroeste es la pesca. Económicamente es muy importante porque representa tres cuartas partes de la producción camaronera mexicana destinada sobre todo a la exportación, y en México casi lo único que se pesca es camarón. Mazatlán, el principal puerto del sector, tuvo una gran importancia comercial cuando las comunicaciones de esta parte del Norte con el México nuclear se hacían por barco, por la vía de Manzanillo. Los viejos comercios de Mazatlán —como las típicas ferreterías alemanas— son testigos, o restos, de esa floreciente actividad comercial. Hoy se respira el ambiente de un puerto pesquero relativamente próspero y activo, pero con pocas perspectivas de mejoramiento.

Por último, la península de la Baja California constituye una prolongación al oeste, mar de por medio, de los desiertos sonorenses y de las estepas semiáridas de Sinaloa, con la diferencia de que la península no es plana, sino que una cadena montañosa la recorre a lo largo. El aislado extremo sur de Baja California, la región de La Paz, da una idea de lo que sería la vida de Culiacán u otra población similar de no tener la panacea del riego en gran escala. La mayor parte de la península, de extremo a extremo, está casi vacía. La porción septentrional, frente al Pacífico, hacia Tijuana, es diferente de todo el resto de México por su clima de tipo mediterráneo de lluvias en invierno y temperamento templado, absolutamente ajeno al mundo tropical, que permite el cultivo de la vid y el olivo con cierto éxito. Pero es una zona desperdiciada de México, entregada como ninguna otra de las áreas fronterizas de la nación a las veleidades de los gringos.

El Sureste

La mayor parte de México está constituida por un conjunto articulado de tierras de diversos temperamentos, climas y productos, muy relacionadas entre sí, pero sobre todo entre tierras altas y bajas que son opuestas al mismo tiempo que complementarias. Hay un centro de gravedad que, en sí, es muy complejo: es el México central, alto y frío, de ocupación muy antigua y grandes aglomeraciones urbanas. De él irradian dos Vertientes humanas complementarias, constituidas por escalonamientos de tierras templadas y bajas que son vitales para la conformación de lo mexicano. Irradia también una área de expansión muy vasta que abre caminos amplios sobre tierras nuevas no tropicales de variadas características. Estas áreas guardan entre sí una armonía no sólo en sus funciones sino también en su estructura geográfica. Pero el territorio nacional comprende otras áreas que son ajenas a ese esquema estructural. Tierras que forman conjuntos aparte, más pequeños, que no irradian del núcleo central; que aun siendo tropicales se interrelacionan de modo diferente. Esas áreas geográficamente diferenciadas se hallan al sureste de México y se conocen, precisamente, como el Sureste.

La geografía tradicional considera que el Sureste comienza a partir del istmo de Tehuantepec, donde las cadenas montañosas del continente norteamericano parecen terminar y se abre una especie de intermedio que pone fin a un sistema orográfico y da principio a otro que se continúa por la América Central: el de las montañas de Chiapas. Yucatán queda un poco al lado, pero se incorpora también al Sureste.

Pero aquí se deben tomar en cuenta muchos otros factores además del orográfico y el morfológico, y considerarlos todos en conjunto. Allí donde la geografía no se acomoda más a la estructura fundamental de México es donde debe ponerse el límite, aunque haya realidades aisladas —orográficas, climáticas o económicas— a las que no les corresponda ese límite. La continuación de las cadenas montañosas hacia Centroamérica, y la posibilidad de que haya o no una estructura básica centroamericana de la que a México le toque una punta, es algo que no debe tomarse en cuenta en este esquema geográfico, como no lo afecta la continuación dentro de Estados Unidos de la Sierra Madre y del altiplano. Al querer hacer una "geografía de México" nos hemos marcado unos límites morfológicamente absurdos, pero mientras estemos de acuerdo en hacer geografía de México tendremos que ser consecuentes con ellos. Por eso incorporamos Oaxaca al Sureste, cosa que no tiene nada de extraño siendo que, en efecto, se halla en esa dirección. El Sureste dista de ser un conjunto articulado o dispuesto en torno a un centro o una línea bien definida. Más bien se presenta como un conjunto de regiones geográficas diversas unidas por razones históricas y culturales, pero que no tienen, por lo que respecta a México, una estructuración geográfica natural. Que a ese conjunto de regiones tan diversas como Chiapas y Yucatán se agregue otra, no menos diversa, que es Oaxaca no parece nada violento.

Oaxaca

Para los que gusten de la simetría, México tiene el altiplano, bordeado por ambos lados por cadenas montañosas que bajan y dan lugar a sendas llanuras que terminan en el mar. Para los que prefieran el caos, hablando siempre de geografía, México tiene a Oaxaca.

Los geógrafos no se han puesto de acuerdo sobre la estructura morfológica de Oaxaca. Ha perdido adeptos la idea del "nudo" del que partían diversos elementos estructurales que se manifestaban en el resto del país, y hoy se acepta más bien la de que ese maremágnum orográfico, al que alguien llama "Paquete Montañoso", corresponde a la confluencia de la Sierra Madre del Sur con la prolongación meridional de la Sierra Madre Oriental. Pero ésta es una consideración meramente orográfica. Por lo demás, Oaxaca no pertenece propiamente a la región del Pacífico a pesar de su extenso litoral, porque la vida de su costa es insignificante; ni tampoco a la del Golfo, pues aunque buena parte de la cuenca del Papaloapan se desarrolla a sus pies, éste y el corazón de Oaxaca se dan la espalda. Tampoco hay un altiplano oaxaqueño.

Sin embargo, Oaxaca se considera corrientemente como parte del México nuclear. Si ha de entenderse éste como un conjunto articulado en la forma descrita más arriba, salta a la vista que Oaxaca comparte muchos de sus rasgos, pero no entra en él.

Sus límites son difíciles de precisar. Ninguna cordillera la enmarca nítidamente, como al altiplano, ni tampoco ningún río caudaloso. Oaxaca es un área montañosa que en sí misma contiene todos los grados de elevación y de variedad de las tierras tropicales desde el nivel del mar hasta cimas de casi 4 000 metros de altura. Cuál es la más alta a ciencia cierta, probablemente nadie lo sabe. La del famoso Zempoaltépetl, desde luego, no lo es; pero sí tal vez la del cerro Flandes o Nubeflán cerca de San Pedro Mixtepec Miahuatlán. Tan montañosa como es, Oaxaca carece de una meseta o altiplano, pero tiene extensas zonas densamente pobladas a alturas superiores a los 2 000 metros y que son virtualmente frías. La región está, como el México central, a horcajadas sobre dos vertientes hidrográficas opuestas. Dicho de otro modo, sin ser altiplano, también tiene rasgos del altiplano. Pero por encima de todas estas semejanzas y diferencias, la estructura general del conjunto es

71

muy particular. En el México nuclear el centro de gravedad está en los valles altos que se apoyan sobre el Eje volcánico; en Oaxaca, al contrario, está en los valles bajos, a 1 550 metros como promedio, altura que correspondería a las tierras templadas de las vertientes.

Esta consideración lleva a observar un rasgo fundamental, el que más distingue a Oaxaca del México nuclear: Oaxaca está volteada sobre sí misma. Las tierras que la componen, tierras calientes y frías, exceptuada la costa marginada, están cara a cara, viviendo las unas para las otras. Las que son ajenas, esas son totalmente rechazadas. Sucede así con las tierras más bajas y tórridas. Hacia el sur, hacia la costa del Pacífico —que es muy abrupta, pues la Sierra Madre llega hasta la orilla misma del mar sin dejar lugar para una llanura— la población casi desaparece cuando el litoral se aproxima: ésta es la más abandonada de las abandonadas costas mexicanas. Hacia el norte la población se detiene ante la cuenca del Papaloapan, que ofrece un descenso escalonado, pero no utilizado, hacia la llanura aluvial. La Sierra Madre del Sur marca al poniente un alto que, en lo general, se respeta. Hacia el oriente, la bajada a Tehuantepec tiene un poblamiento muy ralo y la misma Sierra dificulta la expansión. Así, Oaxaca le da la espalda al mar, a las tierras bajas de la Vertiente del Golfo, a las del Pacífico y a Tehuantepec. Tiene, sí, un mínimo de contactos y continuidad de población con otras tierras templadas a orillas del Eje volcánico, el mínimo necesario para establecer una comunicación necesaria con el México nuclear a lo largo de las dos rutas tradicionales, por Tehuacán y Teotitlán del Camino una, por Izúcar y Huajuapan la otra. Aquí cabe señalar un contacto con la Mixteca Baja que coloca a ésta en una posición intermedia muy peculiar. Por eso, podría integrarse al conjunto oaxaqueño si no fuera porque sus características físicas la hacen más afín a la Vertiente del Pacífico. De un modo u otro, la Mixteca Baja es una región tan aislada que su incorporación al conjunto oaxaqueño no la modificaría en lo esencial. Cierto que las modernas carreteras federales han creado vías de comunicación con las tierras bajas, la costa y el Papaloapan. Pero de los caminos vecinales, que son los que más reflejan la estructura de la población y sus intercambios, casi ninguno traiciona su introvertido carácter oaxaqueño para descolgarse fuera del conjunto.

En Oaxaca pueden distinguirse cuatro zonas. Las dos más importantes son la Región zapoteca o de los valles centrales y la Mixteca Alta, cuyos nombres deben tomarse en sentido geográfico y no para delimitar una área cultural. La primera aún podría dividirse, pues cada uno de los valles que la componen tiene sus propias características y se abre a diferente vertiente, pero está más o menos concentrada alrededor de una gran ciudad, Oaxaca. Puede establecerse una comparación muy lejana con el Mezquital, cuyos valles forman una estrella. Sólo que en Oaxaca las puntas de la estrella estarían hacia el centro y se abrirían, como estos valles, hacia afuera. La población, sin embargo, no se extiende siguiendo el curso de esos valles, sino que los remonta para concentrarse en el parteaguas. Estos valles son el del Atoyac o de Oaxaca, el del río Grande, el del Cuañana, el de Yalalag y cinco o seis menores. La Mixteca Alta, más dispersa y con una topografía endemoniada, se arremolina alrededor de varias poblaciones, unas veces en los valles y otras en las laderas de las montañas; apenas Tlaxiaco y Putla pueden pretender una posición central. Una tercera zona, menos importante, es la llamada Mixteca oriental o Cañada de Quiotepec, recinto bajo y encerrado que tiene por capital a Teotitlán del Camino. La cuarta es la costa, estrechísima faja apenas poblada de quinientos kilómetros de largo.

Oaxaca tuvo un comercio muy próspero durante la época colonial y el siglo XIX. Decayó con el advenimiento de los ferrocarriles porque crearon rutas alrededor, y no a través de ella, que comunicaran a México con Chiapas y Guatemala. Perdió allí un renglón importante de prosperidad. La razón fueron las dificultades que presentaba la accidentada topografía del territorio. Ciertamente, Oaxaca invita al aislamiento.

La ocupación humana ha sido sumámente larga. Las fases más antiguas de la cultura zapoteca datan de los tiempos de Cristo, pero los primeros pobladores de los valles centrales probablemente se habían asentado dos mil años antes. Técnicas primitivas de cultivo han agotado los suelos más fértiles: en la actualidad sólo pueden mantener una agricultura de subsistencia muy precaria, que es, de hecho, lo único que hay en Oaxaca. El fenómeno de la desforestación es más reciente, pero no menos grave, sobre todo en la Mixteca Alta, que ha visto cambiar su paisaje en pocos años. De no remediarse, dará muerte a toda posibilidad de agricultura en Oaxaca.

A pesar de su precaria situación económica, las numerosas poblaciones oaxaqueñas tienen una vida de relación muy activa, manifiesta en tianguis semanales y en la jerarquización de poblaciones, que va de las pequeñas comunidades indígenas a las cabeceras distritales —Oaxaca es el único Estado que se divide prácticamente en distritos— y los centros regionales como Tlaxiaco y Nochistlán en la Mixteca Alta; Miahuatlán, Ejutla, Ocotlán, Zimatlán, Tlacolula y Villa Alta en los valles centrales; Teotitlán del Valle en su estrecha cuenca. En su mayoría, estas poblaciones, mestizas en medio de un mundo indígena, han acaparado para sí las pocas actividades, aparte de la agricultura de subsistencia, que Oaxaca puede mantener. La propia ciudad de Oaxaca, a pesar de sus dimensiones y su monumentalidad, vista a nivel local no pasa de ser un centro regional muy importante, pero de poca significación para muchas localidades oaxaqueñas que no tienen más capital que la de su región.

La población de Oaxaca tiene muy poca movilidad social y es muy arraigada. El Estado, a pesar de su pobreza, es de los que menos emigrantes envía a otras tierras. Y dentro del propio conjunto oaxaqueño, a pesar de su sobrepoblación, aún hay territorios casi vírgenes. Esto da a Oaxaca una posibilidad de expansión muy saludable: hacia las tierras bajas de las vertientes, tanto por el lado del Golfo, sobre la cuenca del Papaloapan y la región de los mixes, inmensa y deshabitada, como por el del Pacífico sobre la Sierra y algunos valles cálidos que se abren al mar. La Costa Chica ha empezado a desarrollarse notablemente en la Vertiente del Pacífico gracias a las comunicaciones. La experiencia de Ometepec y Pinotepa Nacional puede repetirse a lo largo de la costa oaxaqueña. Pero en ese caso, ¿qué será de los amusgos, los chatinos, los tequistlatecos? Éstos y otros pequeños grupos indígenas han sobrevivido gracias al aislamiento, del mismo modo que los esclavos huidos que se iban a refugiar en la zona de Ometepec, donde nadie los podía encontrar. Lo menos que se puede hacer es darles su lugar, aunque sea en una geografía.

Las llanuras aluviales

Más al este de los Tuxtlas, desde el río Coatzacoalcos hasta la Laguna de Términos, la Vertiente del Golfo se convierte en la más húmeda región de México, asiento de población muy nueva que en parte ha inmigrado hacia allá. Es una zona de expansión, un Norte sureño. La llanura es muy ancha y plana. La amplia y poco elevada cuenca del Coatzacoalcos la hace penetrar muy adentro en el istmo de Tehuantepec, de suerte que aún puede uno considerarse dentro de la llanura del Golfo teniendo el Pacífico a la vista. Más al este, la planicie ocupa todo Tabasco y aun penetra en territorio de Chiapas y Campeche. Tierra adentro la llanura termina, primero, en las estribaciones del conjunto oaxaqueño, al que da la espalda; después en el bajo parteaguas del istmo, y finalmente en las estribaciones del mosaico chiapaneco, con el que tiene una incipiente relación. La gran humedad de la llanura es su nota determinante. La causa está en la gran cantidad de vientos húmedos del Golfo que recibe directamente del norte, y en los escurrimientos que le caen de las barreras montañosas que, al sur, detienen los vientos y provocan la precipitación. Dentro de lo húmedo de la región, aun es particularmente húmedo el escalonamiento de la llanura hacia las montañas de Chiapas. Por lo demás, los suelos son arcillosos y muy apropiados para formar mantos superficiales de agua: todo se combina para dotar a la región de ríos caudalosos y de lagunas y pantanos.

Con toda esta humedad la vertiente no invita, antes rechaza, la ocupación humana e imposibilita las comunicaciones, la agricultura y la ganadería. En la región hay testimonios de civilizaciones muy antiguas, que tal vez florecieron en una época en que las condiciones eran menos extremas. Pero en tiempos históricos la ocupación de la región ha sido muy escasa y rala. A mediados del siglo XIX Coatzacoalcos no llegaba a los 500 habitantes, y San Juan Bautista de Tabasco —la Villahermosa de hoy—, a pesar de ser fundación del siglo XVI, era una de esas avanzadas de pioneros perdidas en los pantanos. Sin los incentivos mineros del Norte, la región quedó olvidada. Los proyectos de aprovechamiento del istmo de Tehuantepec, en la época en que se pensó hasta en abrir un canal, atrajeron la atención sobre Coatzacoalcos y culminaron con la construcción de un ferrocarril transístmico, pero eso igual dejaba en el abandono a la llanura. Más bien se hubiera deseado que se hundiera en el mar para facilitar el paso interoceánico. Por lo demás, todos estos intentos de comunicar océanos fracasaron, y con ellos la posibilidad de hacer del istmo una región particular. Aún hay muchos que piensan en él de ese modo; pero el hecho de que el istmo sea un angostamiento del continente y un lazo de unión entre dos regiones, y el hecho de que esté cruzado por carreteras y vías férreas, no lo convierte en región.

75

Al contrario, el petróleo sí hizo prosperar a Coatzacoalcos, y también hizo surgir alrededor de él a varios complejos industriales que hoy representan la mayor aglomeración urbana de todo el Sureste, Mérida excluida, con más de cien mil habitantes entre Acayucan, Jáltipan, Cosoleacaque, Minatitlán y Coatzacoalcos. La importancia económica de la región está en su producción de veinte por ciento del petróleo mexicano, de azufre y de productos petroquímicos. Por lo demás, ya se ha discutido el poco efecto que estas industrias de envergadura nacional tienen en la integración misma de una región, aunque aquí, cierto, no había nada y hoy algo hay.

Tabasco, que tenía ya una población antigua, ha logrado una gran integración gracias al control del exceso de agua. La gran presa Nezahualcóyotl, sobre el río Mezcalapa (afluente del Grijalva), es el más importante elemento del sistema de control, pues permite evitar que las tierras regadas por el río, y que constituyen la parte central de Tabasco, se aneguen. La presa ha permitido el establecimiento de una red densa de poblados pioneros y de comunicaciones, inclusive el paso ferroviario y carretero hacia Yucatán, la explotación de productos agrícolas, como el plátano y el cacao, y la intensificación de la ganadería. Cierto que muchos de los aspectos del Plan de la Chontalpa (el organismo técnico-administrativo que tiene a su cargo la cuenca) denotan un fracaso evidente desde la planeación, pero por lo menos la región no da ya al viajero la impresión de estar cerrada a la penetración humana. Aún quedan, sin embargo, muchos kilómetros de tierra cenagosa impenetrable en la cuenca del Coatzacoalcos y, más al este, en la del Usumacinta.

A excepción de las rutas que llevan a México, uniéndola con la Vertiente del Golfo, la inmensa llanura aluvial tiene pocas comunicaciones con sus regiones vecinas, y ninguna interacción o intarcambio. La llanura y Oaxaca se dan la espalda. Lo mismo puede decirse de la llanura y las tierras que la rodean en el istmo, y de la llanura y su vecina región zoque al occidente de Chiapas. Los inmensos territorios del extremo sureste de Veracruz —los valles altos del Coatzacoalcos, del Uspanapa, del Nocoapan, del río Encajonado— están en calidad de relleno, ignoradas por propios y extraños. En el piedemonte de las tierras altas de Chiapas es donde sí hay cierta interacción, intercambio y complementación.

Igualmente olvidado a pesar de estar en boca de todo mundo está el último rincón de la llanura: la cuenca del Usumacinta, mejor conocida como Lacandonia. Sin embargo, en este caso se comprende el aislamiento: la vertiente está cubierta aquí por la selva, y decir selva es entrar en un mundo aparte.

El mosaico chiapaneco

Todas las regiones del Sureste mexicano son zonas bien distintas y diferenciadas entre sí. Oaxaca y las llanuras aluviales tienen cada una características propias ya esbozadas, y la individualidad de Yucatán es aún mayor. En ninguna de ellas se completa la gama de climas y alturas, de diferencias y contradicciones, que constituyen el mundo tropical en toda su plenitud. Chiapas, la más meridional región del Sureste, se distingue por ser un pequeño conjunto que comprende todos los variados temperamentos de las tierras tropicales. Oaxaca tiene una topografía complicadísima y una estructura difícil de esquematizar, pero dentro de eso es bastante homogénea. Chiapas tiene una estructura muy sencilla, pero que aglutina tierras muy heterogéneas. Cada una de ellas merecería ser considerada por separado: la costa, la sierra y el altiplano. Pero como son muy pequeñas y se combinan bien entre sí, se verán todas de una vez.

La topografía es sencilla. Frente a la amplia llanura costera, que se extiende desde Tehuantepec hasta la frontera guatemalteca, se alza paralelamente un zona montuosa, la Sierra Madre de Chiapas, cuya altura aumenta de noroeste a sureste. Después hay una cuenca interior muy baja, de 400 a 600 metros sobre el nivel del mar, orientada en la misma dirección. Es la cuenca del río Chiapa o Mezcalapa, el más importante afluente del Grijalva, que es casi una cuenca interior, cuyo desagüe se logra casi de milagro a través del Sumidero, cañón angosto y profundo, impasable a lo largo y a lo ancho. Después de la cuenca hay otra serie paralela de tierras altas, el altiplano o Altos de Chiapas, cuya altura disminuye de noroeste a sureste; y luego otra vez el escalonamiento para abajo, por donde se sale del conjunto para penetrar en la llanura aluvial del Golfo, cuyo borde corre también de noroeste a sureste y con el que el conjunto tiene ya poca relación.

La entrada a la llanura costera se hace por Tehuantepec, si se viene de Oaxaca o del otro extremo del istmo. Éste ha sido tradicionalmente el punto de contacto entre Chiapas y el resto de la república. La zona de Tehuantepec, bastante seca, tiene una vida que depende de la pesca, el comercio y, sobre todo, de la agricultura tradicionalmente pobre pero renovada gracias al riego, que ha permitido el cultivo de la caña de azúcar, la alfalfa y la piña. El comercio y la pesca se concentran en Salina Cruz y las lagunas de la costa. En el recorrido por ésta no se encontrará otro núcleo de población importante hasta el otro extremo, la región del Soconusco, célebre antiguamente por su producción de cacao y hoy por la del café, que se cultiva en las laderas de la Sierra Madre, en una área donde la vegetación natural es más densa. Esta parte oriental de la llanura tiene lazos muy estrechos con Guatemala, y encuentra su perfecta complementación, más que en las tierras altas de la Sierra Madre que le son vecinas, en las de ese país. Guatemaltecos van y vienen, y para ellos la tierra caliente de Tapachula es su vital contrapartida. La población guatemalteca establecida en los alrededores de Tapachula es considerable. Aquí también, como en el México nuclear, hay un volcán que domina el intercambio humano de tierras altas y bajas, y ofrece un muestrario, tal vez el más condensado del mundo, de todos los temperamentos tropicales, pues en unos pocos kilómetros se pasa de los cero a los cuatro mil metros de altura. El Tacaná es, además, una montaña mítica para mexicanos y guatemaltecos, símbolo de la unidad de la población que se agrupa alrededor de ella. Ambos participan juntos en ofrendas y ceremonias tradicionales en su animada cumbre. Una estructura geográfica social muy clara y completa cobra forma desde la Sierra Madre de Chiapas hacia Centroamérica. Pero México se acomoda mal sobre ella. Excelente ejemplo de una frontera mal puesta.

Por la Sierra Madre, al sureste, en su parte más alta y húmeda alrededor del Tacaná, se continúa la región cafetalera. La mayor parte está ocupada por grandes fincas o haciendas que permanecen un poco apartadas del mundo pero que dejan sentir su peso sobre todo Chiapas. Es constante el subir y bajar de los indígenas —que vienen en su mayor parte de las tierras altas— a trabajar temporalmente en las haciendas, en condiciones, por cierto, infrahumanas. La bajada a la cuenca del río Chiapa se hace a lo largo de una vertiente suave y muy seca, donde hay pocas poblaciones aisladas en medio de extensos pastizales, base de una ganadería próspera. Tuxtla Gutiérrez, a 530 metros sobre el nivel del mar, no es mucho más que un centro administrativo que trata de atraer para sí muchos de los productos de la cuenca, muy frecuentemente vertidos hacia la costa.

Si se sube de Tuxtla a San Cristóbal de las Casas, 2 090 metros sobre el nivel del mar, capital de los Altos de Chiapas y de la densa población maya que los habita, el contraste no puede ser más brusco. Aquí se advierten, tal vez con mayor fuerza que en ninguna otra parte de México, las características de una población indígena decididamente mayoritaria. San Cristóbal es centro comercial y ceremonial de primer orden dentro del plano local, y también asiento de una vieja burguesía mestiza que ha conservado el poder económico en medio de su decadencia. La bajada a las llanuras aluviales por la vertiente norte de los Altos de Chiapas no es difícil. En general es una región poco poblada, que en partes está cerrada por la selva lacandona. Pero en la porción noroccidental hay una zona cafetalera un poco más habitada y que topográficamente está abierta hacia Tabasco. Recientemente, la construcción de una carretera de Chiapas hacia Tabasco, y el desarrollo de una red densa de comunicaciones en la llanura al pie de los Altos, han inaugurado la interrelación entre esas regiones diametralmente opuestas y tradicionalmente separadas. La presa Nezahualcóyotl, sobre el Mezcalapa, es otro elemento de unión entre Chiapas y la llanura tabasqueña. Pero esas grandes obras apenas permiten advertir un fenómeno muy incipiente de intercambio de hombres y productos. Con el tiempo, en pocos años tal vez, se puede llegar a lograr una plena complementación mutua entre el mosaico chiapaneco y las llanuras aluviales, por lo menos en la parte de Tabasco. En este caso, la estructura de las dos regiones tendrá que modificarse radicalmente.

Yucatán

De las regiones que integran la nación mexicana, ninguna es tan fácil de describir como la península de Yucatán. Orográficamente no presenta ninguna dificultad: se formó en la era terciaria al emerger del mar, y es una plancha calcárea virtualmente plana. No tiene ríos porque la naturaleza caliza del suelo lo hace permeable y el agua se deposita en mantos subterráneos que dan origen a los cenotes. El clima yucateco es sencillo de explicar: al noroeste de la península hay una porción con estación seca y vegetación natural pobre. Gradualmente estas características desaparecen para dar lugar al paisaje de bosque bajo tropical, de tierra húmeda sin estación seca, rico en maderas preciosas, que prevalece en el resto de la península. Este bosque está en retroceso porque las técnicas primitivas de cultivo, que implican el desmonte y la quema de los bosques, van poco a poco comiéndose sus orillas. Es posible observar una diferencia considerable entre el límite actual de esa vegetación y el que sabemos que tenía en el siglo xvi.

Yucatán forma un conjunto único independiente, que lo mismo vale considerar anexo al Sureste que como región con características propias, no sólo en el aspecto físico sino también en el humano. Muchas de las peculiaridades de la sociedad yucateca pueden considerarse producto del aislamiento. Hasta hace muy pocos años la única comunicación que la península tenía con el resto del país era por mar. Fue necesario el desecamiento de muchos pantanos en Tabasco y Campeche para permitir el paso del ferrocarril en 1950 y, posteriormente, de dos rutas carreteras. Por su parte, la península tenía dentro de sí una red de comunicaciones muy densa. Hasta hace poco, la vida de Yucatán estaba limitada al área noroccidental, donde vivió durante la época colonial una sociedad independiente y en buena medida autosuficiente. El siglo xix vivió el auge del henequén que prosperó de maravilla en el suelo semiseco de ese borde de la península. Gracias al henequén, Yucatán entró en comunicación con el resto del mundo —pero no con el resto de México— y conoció una gran actividad económica. Ese mismo henequén que había sido fuente de riqueza se convirtió en fuente de problemas cuando tuvo que luchar contra la competencia. Ésa es la situación de Yucatán hoy, que depende aún del henequén, y cuyas condiciones naturales le dificultan la diversificación de cultivos o la industrialización. Nuevas fuentes de vida se buscan al sur y al oriente de la península, así que Yucatán tiene una estructura radial propia muy evidente, con centro en Mérida, con brazos que se extienden cada vez más por todo su territorio.

En muchos aspectos, Yucatán es una tierra comparable a Oaxaca, a pesar de que sus paisajes son diametralmente opuestos. Ambas son regiones encerradas en sí mismas, con densa población indígena, sin áreas que las complementen o que permitan una interacción saludable. Cierto que Oaxaca tiene tierras bajas vacías y olvidadas hacia donde volcarse, mientras que Yucatán es demasiado homogéneo, casi igual por todas partes y rodeado por el mar. No tiene tierras templadas ni frías que le permitan intercambiar productos. El único medio ambiente diferente está en la parte sudoriental, pero es la selva, que permite una actividad económica relativamente diversificada, pero poco intensa, y está muy cerrada a la penetración humana.

Mérida es una capital, en todo el sentido de la palabra, sin par en el país. Ha sido siempre centro de gravedad indiscutible en la parte densamente poblada de Yucatán, pero no representa un peso excesivo. Todas las rutas convergen a Mérida, pero las demás ciudades —Motul, Izamal, Ticul, Valladolid, Tizimín— no carecen de comunicaciones entre sí. Así, Yucatán tiene una telaraña de relaciones muy característica. Mérida, a pesar de su estancamiento actual, es una ciudad activa y con gran riqueza humana.

En medio del conjunto yucateco, la ciudad de Campeche es una pequeña nota discordante. Como puerto de mar volteado hacia México, Campeche no ha tenido el aislamiento ni el separatismo de los yucatecos, y al mismo tiempo se ha apartado un poco del resto de la península. En medio de dos mundos, sin que se pueda decir a cuál da el frente y a cuál la espalda, amurallada, solitaria, la ciudad parece ser la más huérfana del país.

Las páginas anteriores llevan a recapitular sobre el Sureste. El conjunto, después de muchos esfuerzos, ha sido integrado a México, y esa integración aún no está terminada pero sí muy avanzada en lo económico y lo social. Pero el Sureste todavía no se ha integrado dentro de sí mismo. El Sureste no es algo dado con plenitud. Cierto que no tiene la estructura tan extraordinariamente equilibrada del México nuclear, ni la gama tan amplia de paisajes que éste reúne en su inmenso territorio, pero no carece de tierras altas y bajas contrapuestas, ni de mil modalidades del paisaje tropical que permiten una complementación y una interacción estrechas entre sus componentes. El incipiente caso de Chiapas y Tabasco, encontrándose por primera vez, hace pensar que otras zonas del Sureste, si no todas, pueden complementarse también, y que en este caso la estructura y la regionalización del conjunto tendrá que variar. Oaxaca puede encontrarse con las llanuras aluviales a que da la espalda, con su propia costa y con el istmo. Oaxaca podría inclusive llegar a incorporarse al México nuclear: ligándose estrechamente con la Mixteca Baja, y la cuenca del Papaloapan. En este sentido, es muy interesante observar cómo Tehuacán brinda un punto de apoyo, que parece estarse aprovechando, para la integración de la Mixteca. En fin, las zonas olvidadas y desiertas de los valles altos del Coatzacoalcos no están cerradas, de modo que tanto Chiapas como Oaxaca podrían extenderse sobre ellas y encontrarse allí. Yucatán quedaría en una posición excéntrica, pero ya no desligado. Todo esto cambiaría la estructura desarticulada del actual Sureste, que en algún momento definimos como un conjunto de regiones geográficas diversas y que puede convertirse en un conjunto armoniosamente estructurado, con una realidad común y una unidad cultural. La geografía ofrece una posibilidad, y es el hombre quien la tiene que saber aprovechar y estructurar.

Los orígenes mexicanos

José Luis Lorenzo

El viernes 12 de octubre de 1492, a las dos de la mañana, "...pareció la tierra". Un Nuevo Mundo, después llamado América, había sido descubierto. La idea de Cristóbal Colón de alcanzar el Oriente por el Occidente, de llegar con más facilidad a los lugares de gran riqueza en especias, metales y piedras preciosas, había sido cumplida. Es cierto que los seres humanos que se encontraron no eran precisamente los habitantes del Catay, de las Indias; que sus costumbres estaban muy por debajo de las que Marco Polo y otros viajeros narraron, y que tampoco sus riquezas eran extremas. Hubo de admitirse que lo encontrado era como un archipiélago, especie de defensa exterior del continente, que estaba más atrás, como se entendía por la multitud de informaciones que los nativos daban sobre tierras, más grandes y ricas, que estaban al Occidente. Se llegó también a tierra firme y en 1513 se descubría un mar, enorme, azul y tranquilo, al que se bautizó como Océano Pacífico pero que con mayor frecuencia era conocido como la Mar del Sur. Con ello se fue afirmando que lo descubierto, islas y tierra firme, no eran parte del Asia; de esto ya se tenían algunas nociones eminentemente cartográficas, pero resultaron antecedentes sin importancia ante la realidad de lo encontrado.

La existencia de un continente poblado planteó a los europeos estos serios problemas: ¿quiénes eran aquellas gentes?, ¿por qué y cómo estaban allí? Aquí vamos a examinar únicamente el problema de su origen.

La única explicación viable tenía que ser dentro de lo que el Antiguo Testamento señalaba. Entonces, debían ser una o parte de aquellas diez tribus perdidas de Israel. Es el padre José de Acosta quien la presenta con más claridad:

Y pues por una parte sabemos de cierto, que ha muchos siglos que hay hombres en estas partes, y por otra no podemos negar lo que la Divina Escritura claramente enseña, de haber procedido todos los hombres de un primer hombre, quedamos sin duda obligados a confesar, que pasaron acá los hombres de allá de Europa o de Asia o de África, pero el cómo y por qué camino vinieron todavía lo inquirimos y deseamos saber... Porque no se trata de qué es lo que pudo hacer Dios, sino qué es conforme a la razón y al orden y estilo de las cosas humanas.

Descarta la posibilidad de que hayan llegado navegando, pues no se ven en las culturas aborígenes de América indicios de que lo hayan querido hacer voluntariamente, ni capacidad para ello. También descarta la posibilidad de una arribada forzosa, pues no ve la razón por la cual hubieran olvidado el ser navegantes. A las posibilidades negativas de que hubiesen llegado por vía marítima, une también la imposibilidad de que hubieran venido junto con los animales que pueblan el continente, pues en este aspecto también la Sagrada Escritura es específica y no pudo haber dos Arcas de Noé. En cierto párrafo dice:

Este discurso que he dicho es para mí una gran conjetura, para pensar que el nuevo orbe, que llamamos Indias, no está del todo diviso y apartado del otro orbe. Y por decir mi opinión, tengo para mí días ha, que la una tierra y la otra en alguna parte se juntan y continúan o a lo menos se avecinan y allegan mucho.

lo que refuerza diciendo que

de estos indicios y de otros semejantes se puede colegir que hayan pasado los indios a poblar aquella tierra, más por camino de tierra que de mar, o si hubo navegación, que fue no grande ni dificultosa, porque en efecto debe de continuarse el un orbe con el otro: o a lo menos estar en alguna parte muy cercanos entre sí.

Niega la posibilidad de la Atlántida, por juzgar a ésta inexistente, empleando para esta aseveración una expresión lapidaria:

Sea como quisieren, haya escrito Platón por historia o haya escrito por alegoría, lo que para mí es llano, es que todo cuanto trata de aquella isla, comenzando en el diálogo *Timeo* y prosiguiendo en el diálogo *Cricia,* no se puede contar en veras, si no es a muchachos y viejas.

Llega, inclusive, a puntualizar algunos aspectos como verdadero precursor, como, por ejemplo:

86

que el linaje de los hombres se vino pasando poco a poco hasta
llegar al nuevo orbe, ayudando a esto la continuidad o vecindad
de las tierras, y a tiempos alguna navegación, y que éste fue el
orden de venir y no hacer armada de propósito ni suceder algún
grande naufragio, aunque también pudo haber en parte algo de esto.

Y luego:

> y tengo para mí que el nuevo orbe e Indias Occidentales, no ha
> muchos millares que las habitan hombres, y que los primeros que
> entraron en ellas, más eran hombres salvajes y cazadores que no
> gente de república y pulida.

Tampoco cree que hayan sido las diez tribus perdidas de Israel
y, frente a la opinión general, se pronuncia en contra, aduciendo
buenas razones. Acaba, pues, como partidario de un poblamiento
de gente primitiva y en fecha no muy remota, iniciado desde algún otro continente, con más seguridad cubriendo la distancia a
pie y, si acaso, con una pequeña navegación, descartando rotun-
damente la supuesta Atlántida y negando el origen judío.

Es posible que algunos autores posteriores se preocupasen por este
tema del poblamiento original de América; sin embargo no vieron
el problema con tanta claridad como Acosta y no hacen aportes
dignos de mención. Hay que esperar hasta mediados del siglo xix,
durante la intervención francesa en México, para encontrar algo
mejor en este campo. En los tres tomos que forman los *Archives de
la Commission Scientifique du Mexique,* publicados en 1865 el
primero y en 1867 el segundo y tercero, hay una presentación de
nuevas perspectivas dignas de tomarse en cuenta. El propósito de
la Comisión, expuesto en el primer tomo, había sido el de hacer en
México lo mismo que Napoleón había hecho en su campaña de
Egipto: llevar, como parte de la fuerza expedicionaria, un conjunto de sabios y artistas que obtuviera del país un conocimiento científico hasta entonces nulo o insuficiente. Desde luego, la ayuda del
ejército expedicionario se tomaba en cuenta. Interesa resaltar la
opinión del Comité de Ciencias Naturales y Médicas, que hacía notar la importancia del estudio de las cavernas para averiguar si el
hombre había vivido en una época geológica anterior a la actual,
y recomendaba la conservación de todos los restos humanos que se
hallaran en ellas. Un geólogo encontró pruebas de que América
había vivido la edad de piedra. Es curioso que en el programa del
Comité de Historia, Lingüística y Arqueología, firmado por Bras-

seur de Bourbourg, no se toma en cuenta el problema de la edad del hombre en América y se prestó atención exclusivamente a las etapas más tardías, a las civilizaciones superiores.

Las recomendaciones de la Comisión no pudieron llevarse a cabo, como es obvio, pues el sistema político que les hubiera podido servir de vehículo dejó de existir y era natural que después siguiera un cierto repudio a todo lo relacionado con él. Sin embargo, su fundamento motriz, el positivismo, quedó entroncado en la vida intelectual de México.

A principios del siglo xx aparece en el foro donde se debatía la antigüedad del hombre americano la destructora figura de Ales Hrlidčka. Cierto que hacía falta una persona de formación científica y conocimientos suficientes para poner en su sitio a una serie de ignorantes o impreparados que con grandes alborotos y sin base alguna propalaban la gran antigüedad de hallazgos de restos humanos o culturales. Mas la extremada rigidez de Hrlidcka lo hacía rechazar todo resto humano, negándose a reconocer rasgos primitivos. No prestó atención a los datos estratigráficos y, más bien, por el hecho de contener restos de hombres no primitivos, consideraba que los estratos "eran recientes". En cuanto a los artefactos que se sometieron a su juicio, también mantuvo la posición de que nada pasaba de ser producto de los indios modernos o de un pasado que no se podía remontar más allá de unos cuantos miles de años. Sin dejar de reconocer lo benéfico de su rigidez, el resultado fue el de esparcir un santo temor a contradecir a tan severo juez, y la prehistoria, que en México apenas comenzaba a esbozarse en el último tercio del siglo xix pero que con la influencia francesa iba por buen camino, sufrió una especie de congelación ante el temor de errar.

Pero a pesar de esta paralización, algunos geólogos, al margen de las influencias del severo Hrlidčka, hicieron aportaciones de interés. Engerrand, Díaz Lozano, Adán y Mullerried describieron una serie de artefactos líticos y faunas fósiles de diferentes lugares, y no pararon mientes en ver en ellas expresiones concretas de estadios muy primitivos. En este primer tercio del siglo xx, tan difícil para el país, en cuanto comenzó a serenarse la vida y a ser algo más estables las instituciones, no se dejó de trabajar. El primero en reaccionar, allá por 1934, fue García Payón: tras analizar las opiniones entonces reinantes, y sin tomar partido por ninguna de las rutas por las que el hombre hubiera podido poblar el continente

88

—sin por ello dejar de descartar algunas por imposibles—, pensó en la llegada de los primeros habitantes mediante "extensiones paulatinas" y no migraciones de grupos y, sin negar contactos transpacíficos posteriores, se pronunció por el desarrollo autóctono de las altas culturas americanas. Desde luego, estuvo de acuerdo en que por entonces no existían pruebas suficientes acerca del origen y filiación de los primitivos pobladores.

Con una metodología semejante, Martínez del Río produjo en 1936 la primera edición de su señero trabajo, el estudio del problema de los orígenes americanos, en sentido continental. No podía enfocar el problema de otro modo debido a la pobreza de los datos de México, ya que sólo existían los muy dudosos del Hombre del Peñón, el Hombre del Pedregal, el Hombre de Ixtlán y otros pocos materiales. En realidad, si en México no se había encontrado nada que pudiera atestiguar la gran antigüedad del hombre, tampoco en el resto del continente existía mucho de donde cortar. La segunda edición, de 1943, fue más descorazonadora que la primera, pues para esta fecha el Hombre del Pedregal y el Hombre de Ixtlán habían demostrado ser bastante tardíos. El autor expresaba la esperanza de que en el Norte de México aparecieran restos que pudieran relacionarse con los encontrados en algunos lugares de los Estados Unidos, como los que en aquellas fechas se llamaban de la cultura u hombre Folsom.

Así llegamos al momento crucial en la prehistoria mexicana: el descubrimiento del Hombre de Tepexpan. Es cierto que las serias deficiencias metodológicas de la excavación se manifestaron desde un principio, que fuera de México el hallazgo se vio muy escépticamente, y que la fecha que se le atribuyó, inferida de otras de carbono 14 obtenidas en la cuenca de México, era irreal además de exagerada. La verdad es que se trataba de una mujer y no de un hombre; pero tuvo un valor que sobrepasa el del hallazgo en sí, puesto que mostró la posibilidad de encontrar en el suelo mexicano materiales de gran antigüedad, y esto dio pie a la iniciación de trabajos científicos orientados a documentar la existencia de los primeros habitantes.

Los resultados obtenidos no son muchos, pues la primera fase ha sido de poca utilidad, dado que todavía se trataba de congeniar los nuevos datos con los esquemas previos. Tuvieron que pasar años de tanteos hasta que toda la actividad de quienes se orientaron hacia la prehistoria fue, primero, demostrar la invalidez de

89

la mayor parte de los trabajos anteriores, y después, integrar los nuevos y comprobados marcos de referencia. Puede decirse que esta fase aún no termina, pero ya existen aportes de importancia y revisiones de lo anterior que facilitan la tarea y alcanzan a presentar un boceto de la prehistoria de México. Es necesario aclarar que este concepto engloba las etapas anteriores a la invención de la agricultura y la cerámica, o sea, una etapa del proceso cultural en la que el hombre no es productor de sus alimentos, sino que vive de la recolección y la caza, tanto de lo terrestre como de lo acuático y marino.

Es necesario hacer notar que estos trabajos se enfrentan a un serio problema: el de la posición secundaria que ocupan en México, aún hoy, los estudios de su pasado más remoto. Ante los teatrales hallazgos arqueológicos de fechas más cercanas, la atención del público medianamente cultivado sólo toma en cuenta la visión unilateral de los grandes centros ceremoniales, con edificios monumentales, ricas tumbas y piezas de indudable valor estético.

El paso de Asia a América

Por mucho tiempo se ha discutido de dónde vinieron los primeros pobladores del continente americano, sus primeros y reales descubridores, y en qué fecha tuvo lugar este acontecimiento. Aunque todavía haya quien insista en ver huellas de negros, semitas, caucásicos y algunos otros, existe un consenso general en atribuir el descubrimiento y población original de América a grupos de carácter mongoloide. Es cierto que la presencia de determinados tipos de características físicas poco mongoloides, junto con la existencia de lenguas con elementos australoides y de objetos de tipo polinesio-melanesio, llevaron a buscar las rutas por las que individuos de esas regiones pudieran haber llegado. También ha habido quien, en función de rasgos culturales muy generales y primarios, trajera a los primeros pobladores desde Europa, pero es clara la afinidad física con Asia.

Venir desde Asia hasta América es relativamente fácil a través del Estrecho de Bering, pues ambos continentes están separados por poco más de 80 kilómetros. Llegar desde Australia es algo más complicado, pues aparte de tener que efectuar varias travesías marítimas de algo más de 1 000 kilómetros, hubieran tenido que caminar algunos otros miles por las inhóspitas tierras de la Antártida, con temperaturas muy rara vez superiores a los cero grados centígrados, y luego, por si todo esto pareciera fácil, hacer otra travesía de casi 1 000 kilómetros para ingresar al continente por su extremo sur. Los supuestos australoides hubieran tenido que resolver semejante problema, y eso sin contar con que eran muy poco afectos a la navegación y carecían de la tecnología suficiente para hacer los medios de transporte marítimo necesarios. Se hace difícil imaginar los motivos que los hubieran llevado a abandonar una tierra de clima templado por otras que en ese largo trayecto se cuentan entre las más frías del mundo. Es cierto que melanesios y polinesios son navegantes, sobre todo los segundos, pero esta capacidad parece que se desarrolló hace apenas unos 2 500 años; así, pueden descartarse. Con esto no se niega que en tiempos más recientes hayan podido llegar navegantes de diversas culturas, asiáticas y oceánicas, en arribada forzosa o como aventura; pero para entonces, indudablemente, América tenía ya una población que había venido antes por vía terrestre.

Como ya se ha indicado, la distancia entre el Cabo Dezhnev, el extremo más oriental de la península de Chukotka, en Siberia, y el Cabo Príncipe de Gales, la punta más oriental de la península de Seward, en Alaska, es corta, y además, casi a la mitad de la distancia se encuentran dos islas, la Gran y la Pequeña Diomede. En esa parte del Estrecho de Bering la cubierta de hielo invernal se forma en el mes de noviembre y dura hasta junio, si bien sólo se ve íntegra de noviembre a marzo. Esto quiere decir que la travesía, a pie, es factible en el invierno, si bien se corre el riesgo, siempre presente, de que alguna de las fuertes tormentas de esta zona rompa el hielo y haga el paso impracticable o provoque un accidente fatal. En los pocos meses de deshielo la travesía por agua también es posible, si se dispone de algún medio de navegación de cierta categoría, ya que a lo largo de la costa asiática corre hacia el sur una corriente marina, y por el lado americano hay otra que va hacia el norte. No es que las condiciones de travesía sean imposibles; lo que hay que tener en cuenta es el nivel de desarrollo cultural de la gente que pudo hacerlo y, de acuerdo con ello, las posibilidades reales.

Queda, por último, una probabilidad mayor. El tiempo geológico se ha dividido en una serie de unidades temporales con ciertas características propias. Ahora, aquella en la que vivimos y a la cual algo arbitrariamente se le ha dado comienzo 10 000 años atrás, es la llamada Holoceno. A ésta le antecedió el Pleistoceno, época que, de acuerdo con los últimos estudios, comenzó hace tres millones de años.

El fenómeno tan peculiar de las glaciaciones fue característico del periodo Pleistoceno, y sus alternancias de etapas frías y etapas templadas han dejado huellas por toda la superficie de la Tierra, bien sea por los procesos directos de las masas de hielo que se desplazaron, o por los indirectos, los que tuvieron lugar en zonas a las que no alcanzaron los hielos, pero que estuvieron influidas por las alteraciones climáticas mayores. La historia geológica de la Tierra nos muestra que hubo glaciaciones también en otros periodos.

Debe distinguirse entre las glaciaciones de montaña y las polares o de casquete. Las primeras se forman en lugares elevados en que las temperaturas reinantes están en cero grados o bajo cero, con lo cual todas las precipitaciones que esas zonas reciben caen en forma de nieve que al acumularse origina hielo. Cuando alcanza un cierto espesor comienza a deslizarse por las laderas, formando los glaciares. Las zonas tropicales o ecuatoriales sólo tienen glaciares en montañas de gran altura, pero según nos acercamos a los polos, la altura mínima necesaria para que una montaña esté glaciada, como se comprenderá en seguida, va disminuyendo. En los polos es natural la glaciación, debido a que por su posición reciben los rayos calóricos con una oblicuidad tal que llega casi a la luz rasante a los 90° de latitud. Esto contrasta con las zonas ecuatoriales, en donde el haz de rayos incide en ángulo recto. Ha de tomarse en cuenta, además, que en esas zonas hay una noche polar de seis meses sin sol, a la cual no compensan los seis meses de luz continua, por lo bajo de las temperaturas reinantes.

Aun así, queda en pie la pregunta de por qué hubo glaciaciones. La respuesta no es muy clara. Durante mucho tiempo se ha hablado de las posibles causas de las edades del hielo. Empecemos por exponer las teorías que existen acerca de los cambios climáticos que ha experimentado la Tierra, puesto que el crecimiento y la mengua del los glaciares está causado, en cada caso, por las circunstancias climáticas reinantes.

Pueden agruparse las numerosas teorías así: 1º, variaciones en la emisión solar; 2º, velos de polvo cósmico; 3º, variaciones geométricas de los movimientos de la Tierra; 4º, variaciones en la

92

transmisión y absorción de la atmósfera terrestre; 5º, movimientos laterales y verticales de la corteza terrestre y 6º, cambios en el sistema de circulación atmósfera-océanos. Ninguna de ellas explica totalmente por qué ha habido etapas de glaciación y de deglaciación y sólo con la suma de varias se puede entender todo el mecanismo. A pesar de esta inseguridad, ahora se ve que la quinta explicación ofrece mejores posibilidades, a saber, los movimientos laterales y verticales de la corteza terrestre.

A raíz de las orogenias mayores, a causa de la elevación de masas terrestres en forma de plegamientos que originaron cadenas montañosas, si éstas tuvieron la elevación suficiente dentro de la latitud en la que surgieron, es factible que aparecieran glaciares en sus partes más altas, pero quedan por explicar los glaciares de casquete. Para ello, los estudios más recientes acerca de los movimientos de las planchas tectónicas podrían tener la respuesta, en una curiosa combinación con una teoría que, tras un gran éxito inicial, cayó en descrédito por sus múltiples deficiencias. Ahora, y sin proponerse la rehabilitación de la teoría de traslación de los continentes, el estudio del fondo de los mares ha aportado conocimientos que obligan a replantear todas las ideas sobre la deriva de las masas continentales, que han estado deslizándose de un lugar a otro y ocupando áreas muy distintas a aquellas en que se encuentran ahora. Mediante procedimientos radiocronológicos ha sido posible fechar rocas cuyas partículas de hierro, además, tenían la peculiaridad de encontrarse orientadas de acuerdo con la posición del polo magnético en el tiempo de su consolidación, y se vio que había reversiones del orden de 180º, o sea que el polo magnético no sólo ha estado sometido a las deambulaciones ya conocidas, sino que en la historia de la Tierra ha habido etapas en las que se ha desplazado hasta una posición opuesta, cercana al Polo Sur geográfico. Del origen de estas reversiones no se puede decir sino que han sucedido, puesto que las rocas las han registrado, y de su causa, nada. Así pues, las masas continentales que ahora conocemos y aquellas otras que la paleoecología nos dice que existieron en el pasado, han tenido una existencia que podríamos calificar de nomádica. De este hecho, al parecer intrascendente para la existencia de las glaciaciones, puede resultar su real explicación.

Se ha dicho antes que los polos de la Tierra, debido a su posición, son lugares en los que el hielo se acumula naturalmente. Es cierto que en ellos la precipitación es muy baja y también es verdad que ésta, en forma de nieve que pronto se convierte en hielo, apenas sufre los efectos de altas temperaturas, ya que éstas no existen, y que, por lo tanto, el hielo se acumula y desplaza por gravedad. Ahora bien, el Polo Norte está en un mar, el Océano Ártico, y la masa de hielo no puede ser muy grande, pues las aguas mantienen mejor el poco calor que reciben en el verano; pero no sucede lo mismo con el Polo Sur. En éste se encuentra una gran masa continental, la Antártida, en la que el hielo se acumula en enormes cantidades, y no desaparece virtualmente a causa de las bajísimas temperaturas que imperan en esa parte del globo.

De acuerdo con lo que hasta ahora se sabe, la Antártida ocupa el lugar en el que ahora está, desde el Mioceno, hace unos 25 millones de años, y desde entonces, se ha convertido en un monstruoso congelador que envía frío hacia toda su periferia, por la atmósfera y la superficie de los océanos y mucho más allá, hasta las costas de Kamchatka, en el Pacífico, mediante corrientes de agua fría, más pesada que la caliente, que viajan pegadas al fondo. En el Atlántico solamente llegan un poco más allá de Río de Janeiro, donde se encuentran con las que bajan de Groenlandia. Se piensa que la presencia de una masa continental en cualquiera de los Polos desencadena automáticamente una serie de efectos de enfriamiento que desembocan en glaciaciones siempre y cuando la precipitación sea suficiente en las latitudes medias. Si en cierto periodo geológico los polos están ocupados por mar y no por continentes, los efectos del fenómeno quedarán circunscritos a una área más reducida.

La abundante precipitación que en tales circunstancias origina las glaciaciones sólo puede tener lugar cuando los mares tienen evaporación suficiente, y esto apenas acontece cuando la temperatura media está por encima de la normal. La interacción de todos estos elementos es desde luego muy compleja, pero por lo menos debe tomarse en cuenta que el enfriamiento producido por una glaciación llega en cierto momento a hacer descender la temperatura media, disminuye las precipitaciones y finalmente provoca una deglaciación. Pasado un tiempo el fenómeno se invierte y la deglaciación provoca una nueva glaciación. Así, pues, se trata de un fenómeno cíclico. Las huellas que han quedado de estos avances y retrocesos nos demuestran con claridad la existencia de cuatro avances mayores del hielo en Norteamérica, y huellas, muy escasas e imprecisas, de uno o dos más, anteriores. En Europa están claros un mínimo de seis avances.

El Pleistoceno se caracterizó porque durante su transcurso la Tierra sufrió una larga serie de glaciaciones, o sea que, por algunas decenas de miles de años, en las altas latitudes se desarrollaron enormes casquetes de hielo de tal tamaño que en el norte de Europa los hielos descendieron hasta más al sur de Berlín, formando un manto de centenares de metros de espesor en algunos puntos, y en el norte de América, un casquete semejante, que iba del Atlántico al Pacífico, alcanzó bastante al sur, hasta Kansas e Illinois. En el transcurso de esos tres millones de años hubo varios avances mayores, compuestos de otros menores con intervalos de mejoría climática, durante los cuales la masa de hielo permanecía estacionaria o sufría algunos retrocesos. Entre una y otra de las glaciaciones mayores hubo periodos en los que el clima era como el de ahora o algo más caluroso, lo cual provocaba la desaparición casi total de las masas heladas, que se reducían a las cumbres de las más altas montañas o a latitudes muy superiores, virtualmente los Polos.

De esta larga serie de glaciaciones que tuvieron lugar en Norteamérica, la última de todas, que se ha denominado Wisconsiniana, es la que tiene importancia para el problema que aquí se examina. El hombre ha de haber pasado a América en este periodo, lo cual no significa que se niegue que hayan llegado algunos hombres, u homínidos, en etapas anteriores, de lo cual no se ha encontrado ni la menor evidencia. De la glaciación Wisconsiniana, en cambio, hay restos claros y abundantes. Dentro de ese periodo cabe señalar una serie de subperiodos o subestadios, en los que el casquete de hielo polar avanzaba y retrocedía sucesivamente. Dichos subestadios se pueden estudiar en el cuadro 1.

Un fenómeno más debe considerarse todavía. Durante esas épocas de glaciación, el hielo, acumulado sobre los continentes en sus altas latitudes y en parte de las medianas, además de las altas montañas, era de hecho agua que se inmovilizaba y dejaba de participar en el ciclo continuo de precipitación, evaporación y condensación, y que por lo tanto se restaba a la masa de agua de los mares. Con ello, el nivel de éstos descendía en la proporción que marcaba la masa de hielo acumulada. Al comenzar una etapa glacial se iniciaba la substracción de agua al volumen total de los

Cuadro 1

CRONOLOGÍA DEL ESTADIO GLACIAL WISCONSINIANO
EN EL CENTRO DE NORTEAMÉRICA

AÑOS ANTES DEL PRESENTE		
0		
5 000		
10 000		7 000
	Subestadio glacial Valderense	11 000
	Subestadio interglacial Twocreekense	12 500
15 000	Subestadio glacial	
20 000	Woodfordense	22 000
25 000	Subestadio interglacial Farmdalense	28 000
30 000		
35 000		
40 000		
45 000	Subestadio	
50 000	glacial	
55 000	Altonense	
60 000		
65 000		
70 000		
75 000		
80 000	Interglacial Sangamon	
85 000		

mares y océanos. Según la glaciación avanzaba, el agua disminuía hasta llegar al punto en que la deglaciación se iniciaba y con ello volvían a ascender los niveles de los mares. Para entender mejor los resultados de este proceso baste decir que si ahora se fundiese todo el hielo que está almacenado sobre la Antártida, el nivel del mar subiría treinta metros.

El fondo del Estrecho de Bering es de escasos cuarenta metros, y hay pruebas fehacientes para asegurar que, cuando el mar ha descendido 50 metros o más durante una glaciación, ambos continentes han quedado unidos por una llanura en la que sobresalen las montañas que ahora son las islas Diomedes. Cuando el mar ha alcanzado su más bajo nivel, entre 100 y 110 metros menos, ha aflorado una masa terrestre de más de 1 000 kilómetros en su eje norte-sur, a la cual se ha dado el nombre de Beringia.

Así, pues, basta consultar de nuevo el cuadro mencionado, tomando en cuenta todo lo hasta aquí expuesto, para tener una clara visión de cómo y cuándo existieron las posibilidades de pasar de un lado a otro a pie enjuto. La posibilidad de llegar al continente americano por su extremo noroeste, cruzando por el puente emergido, queda bien establecida en el transcurso de un subestadio glacial.

La penetración en el continente

Los habitantes del extremo noroeste de Siberia eran gente habituada a vivir en condiciones árticas. Esto quiere decir que su cultura había sabido conformarse de tal manera que les permitía obtener de ese medio ambiente un máximo de resultados, al menos lo suficiente para subsistir. No es posible pensar en grandes presiones demográficas que hubieran ejercido en algunos grupos humanos un proceso de centrifugación hacia una periferia inhóspita. Es más natural aceptar que habían participado en un proceso cultural que era respuesta a la explotación de un complejo ecológico, particular de la zona ártica, igual a un lado y otro del Estrecho de Bering, así como a éste mismo cuando quedaba al descubierto. De esta forma, toda visión romántica respecto a la conquista o descubrimiento de un continente se anula ante la realidad de un desplazamiento de grupos nomádicos dentro del hábitat que su cultura explotaba mejor.

La orografía del noreste siberiano, junto con su gran latitud, hacía que, al instaurarse una etapa glacial, las cadenas montañosas de Gydan-Kolyma y de Oryak, por el sur, unidas por una serie de sistemas montañosos menores, se cubrieran de glaciares, al igual que las mesetas de Yukagirsk y Anadyr, aislando el noreste siberiano más extremo. De hecho, el territorio explotable por el hombre se reducía mucho, pero esta pérdida de área era compensada con el creciente territorio que abandonaba el mar. En el otro extremo del puente, en Alaska, la cadena montañosa de Brooks, hacia el norte, y al sur el Sistema Montañoso del Pacífico, también se cubrían de hielos que, en el extremo este, en la cabecera del río Yukon, se unían a la punta noroeste del casquete Laurentido, masa de hielo que cubría el centro del continente. De esta manera se delimitaba por el hielo un territorio aislado pero amplio, sometido, es cierto, al condicionamiento ártico, pero no mucho más extremoso del que previamente existía y al cual los habitantes del extremo nororiental asiático ya se habían acostumbrado.

Se ve cómo, durante un máximo de glaciación, se crea un impedimento real para que los primeros habitantes de América se puedan desplazar hacia los climas más benignos del sur. Para algunos autores, este cierre de horizontes no es tal, y aluden a la posibilidad de ir rumbo al sur a lo largo de una costa, ahora sumergida, que quedaba expuesta por el descenso del nivel del mar. Esta teoría es falsa en cuanto a que en esta parte del mundo existe un tipo de glaciar característico de ella, el glaciar de somontano, que se origina en las montañas Rocallosas y sale por los valles que desembocan en la costa. Siendo la precipitación muy alta en esta parte, las montañas emiten glaciares de muy grande tamaño y grandísimo volumen de hielo que se expanden en la llanura costera en forma de impresionantes abanicos. Todos los valles que van a la costa contenían un glaciar de grandes dimensiones y unos con otros se anastomosaban, dando origen a una orla de hielo prácticamente continua, que iba de las montañas hasta el mar. El transcurso de seres humanos a lo largo de una costa de semejantes características era prácticamente imposible, aunque estuvieran adaptados a una vida económica de explotación de recursos marinos, pues de hecho no había posibilidad de supervivencia para seres humanos en la superficie de la franja de hielo que bordeaba toda la costa, desde Alaska hasta más o menos la altura de Portland.

Otros aducen la existencia de un corredor entre el casquete Laurentido y los glaciares que descendieron de las montañas Rocallosas por su flanco oriental. Sí parece ser cierto que en algunos lugares no hubo cubierta total de hielo, pero no está demostrado el que ese corredor existiera simultáneamente en toda su longitud. Hubo algunos oasis que el hielo no alcanzó; éstos se encontraban separados unos de otros por grandes distancias. El espíritu aventurero del hombre es innegable, y quizá una de las razones de su ser, pero todo tiene un límite. La posibilidad de supervivencia en esta especie de islotes, inclusive en un larguísimo corredor entre grandes paredes de hielo, es, aun con mucho optimismo, bastante remota. Además, hay pruebas de que las pocas zonas que no fueron cubiertas por el hielo al pie oriental de las Rocallosas, estuvieron cubiertas por lagos, lo cual es lógico, ya que por estas zonas descubiertas forzosamente tenían que correr las aguas de deshielo que fluían del frente de los glaciares, y no se puede argumentar que no había fusión del hielo por la sencilla razón de que si éste no alcanzaba a cubrir una área, esto se debía a que en ella la fusión del hielo era superior al avance del hielo mismo.

La penetración hacia el sur de quienes primero ocuparon la cuenca inferior del Yukon debió tener lugar cuando los hielos se retiraron, siendo éste el resultado más aparente de una mejoría del clima, etapa en la que, a la vez, ocurría un ascenso del nivel del mar que volvía a separar Asia de América. La mejoría del clima supone, para la zona ártica, la paulatina diferenciación de varias zonas climáticas que, durante un máximo glacial, quedan unidas bajo el común denominador ártico. Era diversa la panorámica que se iba definiendo cada vez más ante el habitante de la cuenca baja del Yukon:

Al norte, una franja costera, casi desprovista de vegetación, pero con suficientes recursos marinos. Le sigue otra secundaria o de transición, formada por las colinas que constituyen las faldas de las montañas de Brooks, hasta aproximadamente los 1 000 metros de altura, en la que crecen algunos árboles enanos y que contiene pequeños mamíferos terrestres. Las montañas Brooks son la siguiente zona y, por su elevación, presentan vegetación escasa así como fauna pobre. Luego aparece el valle del Yukon, con vegetación arbórea dispersa y praderas de tipo alpino, relativamente rico en fauna terrestre y acuática. Este valle se convierte aguas arriba en un paisaje de mesetas intermontanas por las que se pasa al valle del Mackenzie, regiones también ricas en fauna y flora. Más al sur el gran macizo formado por el Sistema Montañoso del Pacífico, el cual desciende directamente al Océano Pacífico, a una zona costera mínima en área, pero de características propias. Desde el Mackenzie hacia el este se extiende por un lado la zona costera ártica e inmediatamente al sur la tundra, ésta con abundantes caribús. La tundra colinda por el sur con el bosque boreal de coníferas mediante una zona de transición, de bosque ralo de árboles de menor tamaño, a la que se le puede llamar taiga.

Tundra, taiga y bosque boreal de coníferas, junto con algunas praderas de tipo alpino, forman una serie de unidades, a veces entremezcladas, en cuya presencia y desarrollo se conjugaban factores diversos, debidos a las características del subsuelo, el drenaje, la altura, la exposición a los vientos o al sol; en fin, un conjunto de elementos complejos y de resultados diversos. Este mosaico, con muy distintos potenciales en cuanto a su aprovechamiento por el hombre, de inmediato plantea la diversidad de adaptaciones a las que debía someterse cualquier grupo humano que intentara transitar por ellas.

Todo lo anterior quiere decir que ante los hombres que iniciaban la marcha se abrían varias perspectivas, la explotación de cada una de las cuales exigía una transformación cultural. Es cierto que todavía no parece haber existido una gran especialización en los instrumentos, a juzgar por los pocos que de esa etapa han llegado a nuestras manos, lo cual no obligaba a alteraciones mayores, pues con cumplir unos pocos requisitos se cubrían las funciones básicas de percusión y corte, las más necesarias. Es indudable que conocían el fuego, ya que sin él no hubieran podido sobrevivir en las latitudes por las que andaban. Contaban con cordaje, redes, cestería elemental y, desde luego, preparación de pieles. El lasqueado de la piedra permitía obtener bordes cortantes y ángulos puntiagudos, con los cuales se abría la posibilidad de trabajar huesos y madera, aunque esto es una conjetura y más bien inferido por la falta de instrumental lítico suficiente para subvenir a las necesidades mínimas. No es posible decir si disponían de arco, siendo más seguro que hayan empleado armas arrojadizas directas, como dardos o jabalinas.

Resultan excesivas las conjeturas si intentamos describir el modo de organización social que hayan podido tener, aunque es posible decir algo. Indicar que su modo de vida era el de los cazadores-recolectores es engañoso, pues en realidad era mucho más importante la recolección que la cacería, debido a la poca eficacia de las armas de que se disponía, según se ha visto en los grupos humanos que hasta hace pocos decenios pudieron ser observados en semejante nivel de desarrollo tecnoeconómico. La simplicidad y la escasez de su ajuar iban unidas a una somera división del trabajo, por sexo y edad, aunque de hecho todos tenían que saber hacer de todo, si bien con desigual eficiencia, como es natural. La obtención de comida era la actividad más importante. Más bien

100

se diría que toda la vida se orientaba hacia ello, y esa comida, que se presentaba en muchas y diversas formas, había que ir a buscarla, de un lado a otro, dentro de un territorio conocido y de acuerdo con las estaciones, sobrellevando un forzado nomadismo. En ciertas ocasiones, ante la abundancia de determinado alimento, se establecerían campamentos en los cuales podían permanecer el tiempo necesario para aprovechar al máximo, hasta su virtual agotamiento, lo que los hubiera detenido en su organizado deambular. También es posible que una familia doméstica, unidad social básica, se uniese a otras en estos lugares ricos en alimentos, para formar bandas y organizar cacerías comunales.

La propiedad de los bienes de consumo era comunal, dispersa por un territorio al que se tenían derechos no exclusivos. Se compartía con otros grupos si era necesario. Nadie era lo bastante fuerte para poder defender, solo contra todos, una fuente cualquiera de alimentos o productos que en un momento dado se hicieran escasos. Además, es un hecho observado la generosidad de los recolectores-cazadores en cuanto a los alimentos: todos tienen derecho a comer de lo que hay, poco o mucho, pues saben que de este compartir lo que haya depende la supervivencia propia. La propiedad de medios de producción tan simples era también comunal, aunque existía la propiedad personal de algunos objetos, como armas o proyectiles capaces de causar la muerte de un animal, porque de la identificación de su propietario surge todo un proceso mágico respecto al animal muerto y la responsabilidad del que lo ha matado. Desde luego, al hablar así, se coloca uno en un terreno de extrapolación basado en lo que sabemos de los grupos llamados "primitivos contemporáneos".

Es necesario insistir en que la posibilidad de convivir varias familias en un mismo lugar dependía de la cantidad de alimentos que hubiese en sus cercanías inmediatas, porque cuando no eran abundantes, la reunión de muchas bocas era prácticamente imposible, salvo por tiempos muy cortos, y la obligada dispersión era inmediata para que cada quien buscase su comida por distinto rumbo. En los lugares y tiempos en que sobraba la comida, la permanencia era obligada, tomando en cuenta que las técnicas de conservación que podían conocer —salado, ahumado y secado— obligan a permanecer donde el alimento se almacena, por la imposibilidad física de cargar con todas las reservas. Debe pensarse también que dado el clima de la región también pudo existir la conservación por congelamiento, al menos durante bastantes meses del año. Además, es una práctica común entre cazadores-recolectores dejar escondrijos con comida en lugares inaccesibles para los animales, escondrijos a los que vuelven en épocas de escasez o que visitan durante su tránsito hacia otras regiones productivas.

Todo lo anterior, independientemente de lo que tenga de suposición, permite advertir que eran muy lentos los movimientos de este tipo de grupos, por lo cual la penetración hacia el sur, desde Alaska, tuvo que realizarse a lo largo de muchas generaciones, en el transcurso de las cuales era posible irse habituando a los nuevos paisajes y aprendiendo la mejor manera de explotar sus productos, de acondicionarse al medio. Es precisamente esa lentitud de desplazamiento la que permite ir transgrediendo complejos ecológicos en forma gradual, con adaptaciones menores, pero que a la larga suponen cambios muy serios. Lo curioso es que el hombre, al colonizar América, tuvo que habituarse a vivir en zonas climáticas tan distintas como las que van desde la ártica a la ecuatorial, y luego, al revés, desde la ecuatorial a la casi ártica que reina en la Patagonia, hasta donde llegó.

Existen pruebas fehacientes de la presencia del hombre en la parte norte de América hace unos 30 000 años, quizá más todavía, y concretas de que estaba en México hace unos 21 000 años, hace 16 000 en Venezuela, 18 000 en Perú, 13 000 en Chile y 12 700 en la Patagonia. Estas cifras, todas obtenidas por el procesamiento del Carbono 14 en materiales producto de la actividad humana o directamente asociados a ella, plantean otro problema: el de la fecha de su entrada por Bering. Se ha visto (véase el cuadro arriba mencionado) que el apogeo de la última pulsación mayor, del último avance importante de los hielos, se sitúa hace 18 000 años, pero que se inició hace 22 000. Es obvio, pues, que los primeros hombres entraron durante el anterior avance del hielo, o al menos es cuando pudieron hacerlo simplemente caminando por el territorio de Beringia. Si entraron en esta etapa, esto puede haber sido a partir de hace 60 o 50 000 años, o bien más tarde, hasta hace unos 40 000 años. Es indudable que los primeros habitantes de México, aquellos de quienes se han encontrado los restos de sus hogares junto con los huesos de los animales que en esos hogares asaron, y que se han fechado en 21 000 años antes del Presente, son los descendientes de esa primera oleada humana, pues la distancia que tuvieron que recorrer y la serie de adaptaciones que tuvieron que llevar a cabo en su cultura no son posibles más que en un largo tiempo.

El sitio de estos hallazgos es el promontorio rocoso conocido como cerro de Tlapacoya, en la cuenca de México, al norte de la autopista de México a Puebla y a orillas del antiguo lago de Chalco. Las laderas bajas del cerro fueron tomadas para construir el bordo que soporta la autopista en ese tramo y quedaron aparentes una serie de capas en las que afloraban algunos huesos de fauna pleistocénica, así como una zona de tierra amarillenta, enrojecida por el fuego. El Departamento de Prehistoria del Instituto Nacional de Antropología e Historia, en vista de lo que podía observarse, inició excavaciones en este sitio en 1966. Se localizaron dos hogares, de uno de los cuales se obtuvo carbón de madera suficiente para ser fechado, y la fecha obtenida, de 24 000 ± 2 000, fue una gran sorpresa. Junto a los hogares se habían encontrado huesos de animales de varias especies, amontonados y sin relación anatómica entre sí. Asimismo, algunos artefactos de piedra: unos cuantos fabricados con los cantos rodados de la misma vieja playa en la que se habían hecho los hogares y que provenían del cerro de Tlapacoya, y también algunos de obsidiana y uno de cuarzo. La obsidiana más próxima es la que se encuentra cerca de Otumba, a pocos kilómetros de San Juan Teotihuacán; y del cuarzo, por sus características, lo único que puede decirse es que no se obtuvo en el cerro de Tlapacoya. Así pues, podemos asegurar la presencia del hombre en este lugar hace unos 22-21 000 años antes del Presente. El hallazgo fue sensacional porque hasta ese momento sólo se disponía de una serie de restos, muy pocos de ellos fechados, que demostraban la presencia del hombre en México desde hacía unos 10 000 años, quizá algo menos. Pertenecía a eso que se ha dado en llamar "los cazadores de mamutes", expresión a todas luces incorrecta si tomamos en cuenta el tipo de armas que tenían. Que en ocasiones muy favorables hayan ultimado a un proboscídeo empantanado en las orillas de un lago, no permite hacerlos especialistas en caza mayor y mucho menos caracterizar una etapa cultural por una actividad que hubiera resultado suicida. Sin embargo, esta visión es la que por desgracia existe, apoyada en reconstrucciones artísticas que carecen de toda seriedad científica.

103

México en la etapa lítica

Como siempre sucede en estos casos, se exageró la significación de los primeros hallazgos hechos en México, a pesar de que fueron pobres en su valor intrínseco y defectuosamente trabajados y analizados. La verdad es que no se sabía dónde buscar y se dependía de las ocasionales denuncias de hallazgos provocadas por obras públicas o privadas. No había personal capacitado para que se trabajasen en forma debida y tampoco había quien efectuase los estudios interdisciplinarios requeridos, de modo que sería injusto criticar sus defectos. La exageración del significado de los hallazgos, que podría ser el defecto más censurable, tampoco lo es si se toma en cuenta el ardor de neófito entonces existente y, además, el que con aquella exageración se creó un ambiente propicio para este tipo de trabajos, tan alejados de lo que la arqueología siempre había hecho y significado en México.

Pasaron los años y fueron encontrándose más cosas, y aparecieron más estudios, tanto de nacionales como de extranjeros, que dejaron datos y conocimientos suficientes para pensar ya en algún sistema de organización, en la manera de situarlos en el tiempo y explicar su contenido y representación cultural. Había diferencias en los materiales mismos, variaciones en la manera en la que se presentaban, en lo que se refiere a relaciones estratigráficas y a asociaciones con materiales faunísticos, a la vez que en otros casos también existían similitudes en los aspectos mencionados. Se necesitaba, pues, establecer una metodología y un sistema para situar lo hallado en las tres coordenadas que la arqueología requiere: la espacial, la temporal y la corológica. La espacial estaba dada por la misma localización geográfica del hallazgo y adquiría importancia por la frecuencia en determinadas áreas o por su dispersión en otras. El tiempo en el que sucedió el fenómeno cultural podía establecerse por asociación estratigráfica o por comparación con otros hallazgos semejantes ya fechados, lo cual, a partir del final de la década de los cuarentas, era relativamente fácil de hacer por el sistema de fechamiento radiocronológico que proporciona el isótopo 14 del carbono. La dimensión corológica que nos dice del conjunto de la cultura, mucho más difícil, tendrá que irse mostrando en el mismo proceso de acumulación de materiales.

Por la naturaleza misma del tema, la periodificación, en sus dos aspectos, cultural y cronológico, se llevó a cabo por el procedimiento de extender hacia México lo ya conocido en los Estados Unidos. Allí se habían iniciado antes este tipo de estudios, y el sistema clasificatorio que se manejaba estaba basado en principios formalistas, construido sobre todo tomando en cuenta las diversas formas de las puntas de proyectil. La abundancia de algunas de ellas en determinadas áreas geográficas denotaba la extensión territorial del grupo o grupos que las utilizaban y, por los consabidos métodos estratigráficos y radiocarbónicos, se les daba temporalidad. A pesar de las incertidumbres propias de estos estudios, ya hay en México materiales bastantes para intentar una periodificación cultural general y atribuirle una cronología.

En el continente americano no es posible ni se deben aplicar términos clasificatorios empleados en otros continentes, v.gr. *Paleolítico*, pues no existe ni semejanza suficiente ni sincronía para admitir la equiparidad. Cuando todavía falta tanto trabajo de campo y de gabinete, no es posible, por la escasez de materiales disponibles, alcanzar refinamientos que serían falsificaciones. Inclusive, se desechó el concepto de "tradiciones", comúnmente aceptado en Norteamérica, pues su definición es muy incierta. Además, debe tomarse en cuenta que la forma del territorio mexicano, una especie de triángulo con la base hacia el norte y el vértice más o menos hacia el sureste, presenta un amplio acceso por el norte. En esta gran puerta se sitúan varias zonas ecológicas: la de la península de Baja California, la franja costera de Sonora, la Sierra Madre Occidental, las zonas desérticas y semidesérticas centrales con sus "bolsones" (restos de lagos que existían en la época de la penetración de los primeros hombres), la Sierra Madre Oriental y la planicie costera del Golfo. Luego, según se desplaza uno hacia el sur, se transgrede la línea del Trópico y, a la vez, se va ascendiendo en la zona central, al igual que ambas sierras también van alcanzando alturas mayores, lo que nos da forzadas variantes ecológicas. Desde luego, las costas se van haciendo cada vez más calurosas y húmedas. No hace falta ser perito en la materia para percibir que no es posible que esos hombres, en un tiempo tan largo, con las variaciones climáticas que marcaron esos milenios, y al haberse ido extendiendo por territorios de características físicas tan disímiles, hayan permanecido en un mismo nivel de cultura. Las características norteamericanas y la periodificación de su arqueología no pueden, en consecuencia, extenderse a México.

Por lo que a éste toca, los restos de cultura material nos han permitido encontrar diferencias dentro de un proceso evolutivo general, a la vez que cambios o variantes de carácter regional, debidos en ocasiones a modos de explotación de recursos específicos. Al no poder utilizar en México un método y un sistema de otras latitudes, hay que crear algo que cubra nuestras necesidades y que, al mismo tiempo, tenga la amplitud y flexibilidad suficientes para incluir futuros hallazgos, hasta poder disponer de elementos suficientes con los que poder mejorarlo.

La periodificación que aquí se presenta parte del principio de admitir la existencia de una gran etapa cultural, de gran extensión temporal y de la que se tiene noticia gracias a los hallazgos de sus restos, escasos y dispersos. Puesto que en su mayoría son artefactos líticos, cabe aplicar un criterio tecnológico y bautizar al conjunto como *Etapa lítica,* atribuyéndole las características culturales que algunos autores han llamado del salvajismo, o sea una etapa cultural en la que el patrón de vida consistía en la cacería y la recolección. Los componentes de carácter económico pueden inferirse a partir de los mismos artefactos, de los restos de alimentación encontrados en asociación y de otros datos obtenidos dentro del marco general del hallazgo; los de carácter social son conjeturas.

Dentro del sencillo y manejable concepto de Etapa lítica, las diferencias de sus componentes llevaron a establecer divisiones internas que se llaman "Horizontes", integrados de acuerdo con las características del material cultural y las fechas en que estos conjuntos o elementos se sitúan. Puede verse su distribución en el cuadro 2.

Bajo ningún concepto hemos de entender que el paso de un Horizonte a otro puede establecerse con la sencillez lineal que aparece en el cuadro. En forma quizá insuficiente, se ha tratado de demostrarlo mediante el empleo de líneas interrumpidas que separan los Horizontes, dando a entender que esos límites son fluidos y que en realidad existe una zona de transición. Es posible que sea más fácil entender el problema diciendo que sería mejor señalar el tiempo del apogeo, admitiendo entre apogeo y apogeo largas etapas de transición, pero la escasez de datos tampoco lo permite, aparte de que no es tan sencillo si se considera el espacio, el territorio en que todos esos procesos tuvieron lugar, pues es indudable que las cosas que significaban un cambio empezaron a configurarse en algún sitio, o en una pequeña zona, y que luego se

Cuadro 2

Periodificación de la Etapa Lítica en México

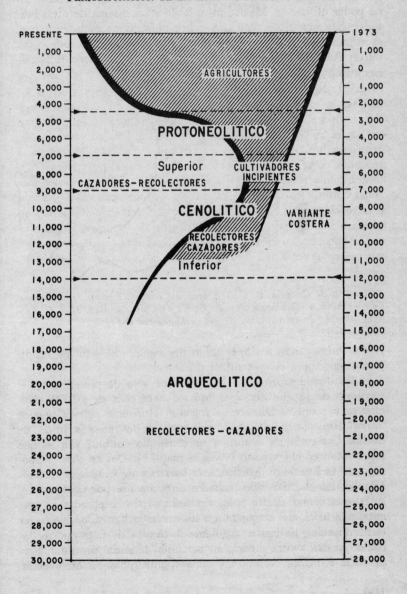

Mapa 1

LOCALIDADES DEL HORIZONTE ARQUEOLÍTICO,
30 000 (?) a 14 000 a. P.

1: Laguna de Chapala, B. C. 2: Cueva del Diablo, Tamps. 3: Tlapacoya, Edo. de Méx. 4: Caulapan, Pue. 5: Cueva de Chimalacatlan, Mor. 6: Teopisca, Chis. (3 y 4 fechadas por C-14)

fueron propagando a ritmos diferentes según una serie de condiciones que ahora es muy difícil percibir.

Hasta donde sabemos, el hombre hace acto de presencia en el territorio de lo que ahora es México hace más de 20 000 años. Con estos primeros hombres se inicia el Horizonte cultural que se llama *Arqueolítico*, del cual conocemos restos en seis sitios, de distinta categoría en cuanto a su contenido cultural y a lo que representan en el conjunto (véase el mapa 1). Dos de ellos, Tlapacoya, en el Estado de México, y la barranca de Caulapan en Valsequillo, Puebla, han sido fechados directamente por Carbono 14. A éstos se unen cuatro más, sin fechar, pero aceptados porque contienen artefactos semejantes a los que sí lo han sido. Suelen ser piezas grandes, las cuales, mediante la técnica de talla que se llama de piedra contra piedra, en percusión lanzada, presentan bordes más o menos cortantes y zonas puntiagudas en otros casos.

Aparecen también objetos de menor tamaño, inclusive con algunos bordes tallados en alternancia de golpes, de un lado y otro, que muestran un incipiente bifacialismo. Hay también lascas e inclusive navajas de piedra. Lascas y navajas son instrumentos de corte o de raído; a veces una lasca ha sido modificada en uno de sus bordes cortantes mediante muescas que dan una línea con entrantes y salientes, llamada denticulada. Es curioso el hecho de que no disponían de puntas de proyectil de piedra, sin que esto quiera negar la posibilidad de que las empleasen de otros materiales, tales como madera o hueso. De la primera no sería nada extraño, pues perduraron hasta tiempos muy tardíos, como lo revela el uso que

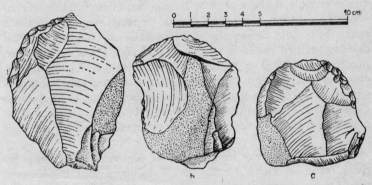

Artefactos característicos del Arqueolítico (de ? a 14 000 a. P.): a y b: Raederas. c: Raedera-raspador

se hacía en tiempos de la Conquista de las llamadas "varas tostadas", que los cronistas suelen mencionar, y que se hacían mediante el endurecimiento al fuego del extremo agudo de una jabalina o dardo. En uno de los sitios no fechados se ha creído ver puntas de hueso, sin que este dato sea muy fidedigno, aunque sí lógico. El conjunto de artefactos de que se disponía es bastante reducido en lo que se refiere a tipos representados, y éstos no muestran mayor especialización. No hay nada que se parezca a instrumentos de molienda, y puede pensarse que se trataba de un Horizonte cultural en el que se colectaban distintos productos, vegetales y animales, con poca dependencia de la cacería, aunque la practicasen. La unidad social, normada por el sistema económico de apropiación directa, no pudo ser muy grande; más bien debe pensarse

109

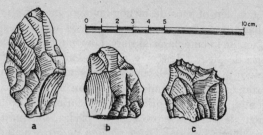

*Artefactos característicos del Arqueolítico (de ? a
14 000 a. P.): a: Artefacto bifacial (cuchillo). b:
Artefacto bifacial. c: Denticulado*

que el grupo mínimo supone la familia doméstica y quizá una integración superior, al nivel de banda, de relaciones muy débiles a causa de la baja demografía y del nomadismo obligado. El final del Arqueolítico puede fijarse en 14 000 años antes del Presente, pues para el 11 000 ya se cuenta con otro Horizonte cultural, mucho más complejo y bien caracterizado, que no puede haber surgido de la noche a la mañana. Nos referimos al que se ha llamado *Cenolítico*, o "nueva lítica", el cual se subdivide en inferior y superior. El inferior va de 14 a 9 000 y el superior de 9 a 7 000 años antes del Presente.

El Cenolítico inferior ha mostrado su existencia en bastantes lugares (véase el mapa 2). De los 19 hallazgos más importantes, once son de superficie, que se incluyen por ser de características formales tan claras que no hay dificultad para tomarlos en cuenta. Los de la Laguna de Chapala forman parte de un conjunto llamado de los raspadores abultados. Los demás son hallazgos aislados, de puntas del tipo acanalado, en concreto los de San Joaquín, Guaymas, Rancho Colorado, Samalayucan, La Chuparrosa, Puntita Negra, Rancho Weicker, San Sebastián Teponahuastlán, San Marcos y Tlaxcala. De los ocho sitios restantes, todos excavados, sólo uno, el de la Cueva del Tecolote, no ha sido directamente fechado, aunque se incluye porque en sus capas inferiores, en lo que se ha llamado el Complejo San Juan, hay elementos bastantes para afiliarlo a esta fase.

El Cenolítico superior está representado por 11 sitios (véase el mapa 3), de los que nueve han sido excavados y solamente dos, Presa Falcón y Mitla, son hallazgos de superficie. Fase en apariencia mal representada, es posible que en algunos lugares no haya

LOCALIDADES DEL HORIZONTE CENOLÍTICO (INFERIOR).
14 000 a 9 000 a. P.

1: *Laguna de Chapala, B. C.* 2: *Rancho Colorado, Chih.* 3: *Samalayucan, Chih.* 4: *La Chuparrosa, Coah.* 5: *Guaymas, Son.* 6: *San Joaquín, Terr. B. C.* 7: *Puntita Negra, N. L.* 8: *La Calzada, N. L.* 9: *Rancho Weicker, Dgo.* 10: *Cueva del Diablo, Tamps.* 11: *San Sebastián Teponahuastlán, Jal.* 12: *San Marcos, Jal.* 13: *Cueva del Tecolote, Hgo.* 14: *San Bartolo Atepehuacán, D. F.* 15: *Sta. Isabel Iztapan, Edo. de Méx.* 16: *Tlaxcala, Tlax.* 17: *El Riego, Pue.* 18: *Coxcatlán, Pue.* 19: *Cueva Blanca, Oax. (8, 10, 14, 15, 17, 18 y 19 fechadas por C-14)*

llegado a mostrarse con claridad y que, o haya permanecido tan semejante a la anterior que es difícil distinguirla, o bien que haya pasado a la fase superior, inclusive que la haya iniciado antes, razón por la cual tampoco sea factible su inclusión, salvo los casos en que se obtengan fechas directamente asociadas.

El Horizonte Cenolítico, en su conjunto, es de los mejor documentados por lo que respecta a hallazgos de materiales; pero en cuanto al territorio de México, hay gran insuficiencia de fechamientos, lo que se suple mediante comparaciones tipológicas que ya para esta fase son relativamente simples, pues los tipos primarios son muy claros, si bien es cierto que empiezan a proliferar las variantes. Quizá sea ésta una de las características del Horizonte.

Aparecieron en el Cenolítico puntas de proyectil de piedra, y entre ellas, como más típicas, las de forma foliácea y las acanaladas. A estas últimas se les hicieron, por talla, dos acanaladuras, una a cada lado, que permitían un mejor afianzamiento de la punta al astil. Es casi seguro que esta técnica se haya desarrollado en América, empezando por las llamadas puntas Clovis y terminando con las Folsom. Además están las llamadas Lerma, foliadas. Es característico el desbastar los bordes en el tercio inferior, en la parte por la que se unían al astil, lo que hace pensar que eran amarradas a él. La talla es ahora de piedra contra piedra, como en el horizonte anterior; pero también hay huellas evidentes de que se practicaba la talla golpeando con algún objeto más blando, tal como un bastón de madera, o con algún hueso grande, lo que producía un impacto difuso y lascas más delgadas, mejorándose de esta manera los bordes cortantes, menos sinuosos, y más efecti-

Mapa 3

LOCALIDADES DEL HORIZONTE CENOLÍTICO (SUPERIOR).
9 000 a 7 000 a. P.

1: *La Cueva Espantosa, Coah.* 2: *Presa Falcón, Tamps.* 3: *San Isidro, N. L.* 4: *Ocampo, Tamps.* 5: *Cueva del Tecolote, Hgo.* 6: *Cueva del Texcal, Pue.* 7: *El Riego, Pue.* 8: *Coxcatlán, Pue.* 9: *Mitla, Oax.* 10: *Guila Naquitz, Oax.* 11: *Sta. Marta, Chis. (1, 4, 6, 7, 8, 10 y 11 fechadas por C-14)*

112

vos. También ahora aparece la técnica de percusión lanzada con un agente intermedio, o lasqueado por presión en forma de punzón poco agudo, tal como lo puede proporcionar un fragmento de asta de venado, o uno de hueso, convenientemente preparado. La mejoría en la talla de la piedra produce una ampliación en el número de los objetos que se obtienen y con ello una serie muy grande de instrumentos para cubrir un rango muy diverso de funciones.

Éste es el momento en que se incrementan las navajas obtenidas de núcleos prismáticos, de tan amplias posibilidades de utilización y tal baratura que se usaron hasta la época de la Conquista. Según algún cronista, los españoles las empleaban como navajas de afeitar cuando no tenían de las de acero. Algunos objetos de hueso muestran claramente la técnica de abrasión, que permite el alisado y hasta el bruñido, para producir objetos de punción y corte de mejor acabado. La mejoría tecnológica pone en servicio más medios de producción y con ello hay también cambios en los modos, al menos los suficientes para disponer de más recursos humanos y así mejorar las técnicas adquisitivas. Esto puede aseverarse por vía indirecta, porque la cantidad de sitios de este horizonte es mu-

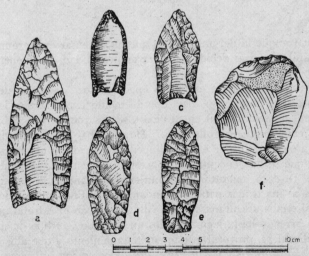

Artefactos característicos del Cenolítico inferior (de 14 000 a 9 000 a. P.): a: Punta Clovis. b: Punta Folsom. c: Punta acanalada. d: Punta Lerma. e: Punta Sandia. f: Raspador

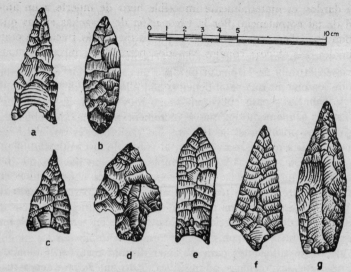

Artefactos característicos del Cenolítico superior (de 9 000 a 7 000 a. P.): a: Punta Dalton. b: Punta Lerma. c: Punta Meserve. d: Punta pedunculada. e: Punta Midland. f: Punta Gypsum Cave. g: Punta lanceolada

cho mayor que la del anterior, lo que hace pensar en un aumento demográfico quizás debido a la mayor posibilidad de obtener subsistencias.

Para muchos autores ésta es la época de los "cazadores de mamutes", pero como otro dice, "posiblemente encontraron [los cazadores] un solo mamut en su vida y se pasaron el resto hablando de él, como algunos arqueólogos". Hay pruebas fehacientes de que remataron algunos que estaban impedidos, heridos o enfermos. Los restos que se han encontrado, concretamente en las riberas del lago de Texcoco, muestran que murieron empantanados: la mayoría tenía una o más patas profundamente metidas en el lodo, con lo cual estaba asegurada su inmovilidad. Así, no es extraño que los hayan arreado hasta lugares en los que su peso y el tipo de sus patas, cilíndricas, provocaran este empantanamiento y que allí, ya inmovilizados, los rematasen. Pero estos datos no son suficientes para sostener que la matanza de mamutes era su patrón económico. Desde luego, con las puntas de proyectil a su disposición y tan sólo

114

con dardos, es materialmente imposible herir de muerte a un animal de tal corpulencia. Por la excavación de covachas en las que habitaron, sabemos por otro lado, que su dieta más frecuente eran animales más chicos: conejos, venados, berrendos y otros de tamaño semejante, o aun más pequeños.

Por algunos leves indicios se puede decir que usaban redes de carga, canastas, bolsas tejidas, lazos para trampas y otros tipos de objetos de fibras vegetales, además de otros de carácter ornamental, de hueso o concha, enhebrados en cordeles. Como se indicaba para el caso de la cacería de animales por arreadas, no es descaminado pensar en una organización sociopolítica más complicada que las anteriores, aunque todavía reducida. La agrupación de familias en bandas era ya posible, inclusive de familias algo mayores que la nuclear o doméstica. Por ahora es imposible decir si las bandas llegaron a formar tribus, si había clanes o si existían mitades o fratrias.

En términos generales, en el Cenolítico parece haber existido una desviación hacia la economía cazadora, que llega a tener mayor importancia que la que hasta entonces había tenido. No por ello la recolección pasó a ser secundaria. Los productos de la recolección son mucho más diversos y abundantes que los que puede proporcionar la cacería, pues incluyen todo el reino vegetal y mucho del animal, ya que obtener insectos, o sus larvas, y caracoles, no es precisamente cacería, como tampoco lo es atrapar reptiles o roedores debajo de las piedras o de sus agujeros.

El fin del Cenolítico inferior coincide con un fenómeno muy marcado de extinción de grandes especies de mamíferos, elevación del nivel de los mares, tendencia al calor y aridez en algunas regiones. La desaparición de las grandes especies, o su retirada hacia otras latitudes, influyó seriamente en los grupos humanos más apegados a la cacería. Durante el Cenolítico superior se observa una proliferación fantástica de puntas de proyectil. Si esto se debe a que la cacería se había refinado hasta requerir proyectiles especiales para cada especie, o si se trataba de elementos culturales distintos en sentido étnico, no hay forma de definirlo. El hecho prevalece, y a pesar de que muchas de las que se han clasificado como puntas con toda seguridad son cuchillos, es indudable que se empezaban a diferenciar grupos humanos con patrones culturales específicos, que sólo nos es posible captar en estos aspectos formales. Las puntas de proyectil con aletas, de complicada elaboración

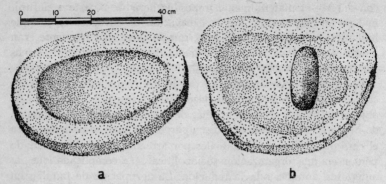

a   b

Artefactos característicos del Cenolítico superior (de 9 000 a 7 000 a. P.):
a y b: Muelas ápodas

y más funcionales, son las más abundantes en el momento, ya que las acanaladas han desaparecido por completo. La técnica del retoque por presión permite afinar la forma, sin que esto quiera decir que desaparecieran una serie de artefactos simples que se venían empleando desde muy antiguo. Es importante señalar que ahora aparecen los implementos de molienda, muelas y morteros, con sus respectivas manos. Comienzan con simples lajas, irregulares de contorno, de origen natural, sencillas piedras planas con una de sus caras lo bastante lisa para poder triturar y moler en su superficie mediante el uso del elemento móvil, un canto de río oblongo. Son abiertas, aun cuando el uso les produce una concavidad central ovalada. Los morteros, más tardíos, se obtienen excavando un agujero del tamaño requerido en alguna piedra, casi siempre de textura granuda, más fácil de trabajar. Con el tiempo se les da un acabado externo, inclusive por abrasión, hasta alcanzar bastante simetría. Al mejorar la forma del mortero, también sufren alteraciones las manos, que al principio son cantos de río más o menos cilíndricos, para adaptarse mejor a la forma interna del instrumento. De esta etapa se tienen canastas de muy buena calidad, tan buena que no sería extraño que las hubieran empleado para hervir en ellas harinas de granos triturados. Esto de hervir agua en canasta es tan extraño que requiere explicación. Cuando se hace una canasta con el tejido bastante cerrado y grueso, puede recibir agua, con poca pérdida, pues el mismo material se hincha al humedecerse y obtura las fisuras mayores. Desde luego,

116

no se puede poner al fuego, pero sí es factible poner en el fuego piedras medianas hasta que se calientan al rojo; entonces se cogen con una especie de pinzas, hechas doblando una rama verde, y se ponen en la canasta con agua; el agua se va calentando con las piedras que al irse enfriando se retiran y se cambian por otras al rojo. De esta forma se llega a hacer hervir el agua y lo que tenga mezclado. La predigestión que significa el hervir las harinas acarrea un gran adelanto en la dieta y la posibilidad de ampliarla. A esta mejora en la alimentación siguen otras, todas ellas benéficas para el individuo y su grupo.

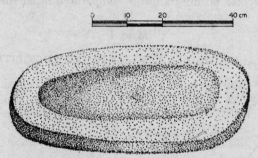

Artefacto característico del Cenolítico superior (de 9 000 a 7 000 a. P.): Muela ápoda

Al final del Cenolítico superior es ya claro el desarrollo de la especialización de la vida en la costa, de la explotación de recursos marítimos. En algunos lugares de las costas de México se han encontrado enormes amontonamientos de conchas marinas, y junto con ellas, huesos de animales y de pescados, además de hogares e instrumentos de piedra. Algunos grupos humanos supieron obtener su alimentación de una serie de productos marinos, aunque no se sabe si por todo el año o como recurso estacional. Sea lo que fuere, los deshechos de su alimentación son bien aparentes, ya que no es lo mismo comerse una o dos docenas de ostiones como parte de una comida, que alimentarse casi exclusivamente de ellos, para lo cual el consumo ha de ser de varias decenas, más bien cientos, por persona y por día. Este tipo de especialización perduró en algunos lugares y alcanzó hasta el siglo XVIII en otros, como en la Baja California. En ciertos sitios continuó como explotación estacional.

117

Estamos ya ante un nuevo Horizonte, el *Protoneolítico*, que está mejor representado, tanto por el número de sitios como por la riqueza de su contenido y la frecuencia de los casos que pudieron ser fechados (véase el mapa 4). Son 19, y de ellos el Complejo Repelo y el Valle del Guadiana no han sido aún excavados. Como participantes de este Horizonte sólo se deben tomar en cuenta los sitios donde existen pruebas inobjetables de que en ellos se consumieron plantas cultivadas o en proceso de domesticación. Es muy posible que la diversidad del medio ambiente mexicano, junto a los diferentes grados de desarrollo, hayan hecho de la agricultura un proceso no integralmente compartido, ni en sus inicios ni

Mapa 4

LOCALIDADES DEL HORIZONTE PROTONEOLÍTICO.
7 000 a 4 500 a. P.

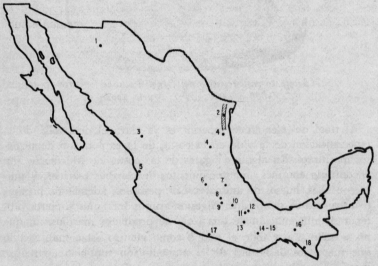

1: *Cueva de La Golondrina, Chih.* 2: *Complejo Repelo, Tamps.* 3: *Valle del Guadiana, Dgo.* 4: *Complejos Nogales, La Perra y Ocampo. Tamps.* 5: *Complejo Matanchén, Nay.* 6: *Cueva de San Nicolás, Qro.* 7: *Cueva del Tecolote, Hgo.* 8: *Chicolapan, Edo. de Méx.* 9: *Tlapacoya, Edo. de Méx.* 10: *Cueva del Texcal, Pue.* 11: *Cueva de Coxcatlán, Pue.* 12: *Cueva de Las Abejas, Pue.* 13: *Yanhuitlán, Oax.* 14: *Cueva Blanca, Oax.* 15: *Gheo-Shih, Oax.* 16: *Sta. Marta, Chis.* 17: *Puerto Marqués, Gro.* 18: *Chantuto, Chis. (4, 5, 9 a 14, 16 y 17 fechadas por C-14)*

118

en su posterior desenvolvimiento. De algunos de los lugares excavados tenemos pruebas de que en las primeras etapas de los cazadores-recolectores ya se aprovechaban algunos productos vegetales. Desde luego, las condiciones de preservación de la materia orgánica no se dan con frecuencia; sin embargo, en el sur y suroeste de Tamaulipas y en el sureste del Estado de Puebla, se encontraron cuevas y covachas que, aun en sus estratos más profundos, habían conservado abundantes restos de vegetales. Sabemos también que en el Cenolítico se consumían el aguacate, las semillas de mezquite, la chupandilla, una especie de mijo (Setaria), el amaranto y la omnipresente tuna. En el Cenolítico superior, posiblemente debido a mejores condiciones de preservación y por haber transcurrido menos tiempo desde entonces hasta nuestros días, los numerosos hallazgos de material vegetal indican que la alimentación dependía también del chile, la calabaza, el frijol, la ciruela, el cosahuico, varias especies de acacias y muchas variedades de jugosos frutos de cactáceas, así como la penca del maguey, quizá en forma de mezcal. El consumo del maíz silvestre o del teosintle pudo haberse iniciado a fines de este Horizonte. Muchas plantas valían por sus tallos u hojas y otras por sus frutos. De entre ellas algunas se hicieron predilectas, sea por su mejor sabor, por ser más fácil conseguirlas, o porque ya se había advertido su mayor potencial energético. En el tamaño de las semillas de diversos frutos es aparente una selectividad hacia los más grandes.

El tránsito de la recolección al cultivo debió pasar por una etapa de simple cuidado de ciertas plantas silvestres, individualizándolas y quitándoles competidores vegetales, aparte de protegerlas de los depredadores —entre los que se podían incluir otros hombres—, hasta obtener un mayor conocimiento de la flora y fauna local, y plantar semillas en el terreno apropiado y en la época propicia. Este acontecimiento, único, de aprender a producir lo que se va a comer, ha sido llamado Revolución Neolítica, y marca uno de los momentos fundamentales de la historia humana.

En el Protoneolítico, desde sus inicios y con una abundancia muy grande, se encuentra el consumo del maíz silvestre. Desde la segunda mitad de este Horizonte aparece el que se ha considerado primer maíz cultivado, semejante en todo al silvestre, salvo su mayor tamaño; debe admitirse que bien pudiera tratarse de un caso de selección en la recolección, al buscar las mazorcas de mayor tamaño, aunque tampoco puede negarse que quizá sea un incipiente

119

cuidado de las plantas, con algo de escarda a su alrededor, para disminuirles los competidores; de una búsqueda de aquéllas que crecían en mejores terrenos. El campo de las conjeturas es amplio, pero se reduce con la presencia, al final del Horizonte, de una forma ancestral de dos de las razas del maíz que se ha llamado prehistórico, que todavía se cultiva en ciertas zonas de México: el Nal-tel, en sus dos tipos, A y B, y el Pre-chapalote. No es posible otra cosa sino aceptar el origen del cultivo del maíz para estas fechas.

También para entonces se cultivan los frijoles, tanto el común y corriente como el ayocote y el escomite, y el haba blanca (Canavalia). Las calabazas, en sus distintas variedades, fueron utilizadas desde muy temprano, al parecer para consumir sus semillas, que contienen bastante aceite, pero con su cultivo sin duda mejoró la parte carnosa, permitiendo comerla. También hay pruebas del consumo de zapotes blanco y negro, sin que esto quiera decir que la fruticultura se inicie también en estos tiempos. De modo semejante y desde fechas más remotas se empleaban los guajes, con toda seguridad para contener líquidos.

El instrumental para el aprovechamiento de productos vegetales, morteros y muelas (metates) aumenta con el mayor consumo de aquéllos, y además ahora se fabrican con mayor cuidado y mejoran su función. Los morteros, más antiguos, van cediendo el paso a las muelas, lisas o cóncavas, sin que los primeros lleguen a desaparecer. Hay que advertir que la presencia de instrumentos de molienda o de determinados objetos de piedra no nos asegura la presencia de la agricultura, máxime que existieron, hasta bien tardíamente, una serie de grupos de recolectores que utilizaron el mismo instrumental pero carecieron de cultivos. Aquí se tiene un caso de disyunción cultural, con muy serias consecuencias, que tan sólo es perceptible en la categoría de las plantas consumidas.

Pero el cultivo de algunas plantas sí requiere del instrumental de molienda. También surge la necesidad de asentamiento fijo, al menos por unos cuantos meses al año y de la mayor parte del grupo. Esto se debe no sólo a la necesaria atención que exigían los plantíos para evitar que fueran esquilmados por depredadores de todo género, sino también a la dificultad de moverse cargando la cosecha, que había que guardar para consumirla poco a poco. Éste es el momento en que tuvo que pensarse también en la forma de preservar semillas, no alimentándose con ellas, para asegurar la siembra. Aunque el consumo de cultivos no desplazó las demás técnicas de adquisición de subsistencias, ni mucho menos, sí obligó a una serie de cambios en los sistemas sociales. Si no se ha alcanzado aún una vida precisamente sedentaria, al menos se ha llegado a una mayor estabilidad, con movimientos estacionales organizados. Cuando el territorio de que se dispone obliga a recorridos rítmicos, en tiempos que prescriben los cambios estacionales, se inicia el sentido de propiedad territorial, la posesión del área que la comunidad requiere para sobrevivir. Entonces puede haber conflictos por fuentes de aprovisionamiento, y también iniciarse sistemas de relación con otros grupos más o menos afines, con los cuales compartir, según ciertas normas, algunas de esas fuentes de producción cuando ésta es superior a la capacidad de consumo de un solo grupo. ·

Al coincidir por tácito acuerdo en alguna de estas zonas compartidas, sobreviene la relación social tan importante en el intercambio de productos, sean éstos materias primas o manufacturas. El encuentro con otras personas facilita la elección de parejas y no es dudoso que haya sido durante esta etapa cuando los grupos sociales hayan comenzado a encontrar afinidades entre sí, a establecer compromisos y entablar relaciones que condujeran a nexos familiares definitivos entre grupos que entonces ocupaban grandes territorios. Sobre esta base, es simple llegar al establecimiento de aldeas permanentes, al menos para una parte del grupo.

Las industrias líticas del Protoneolítico se caracterizan por una disminución de los tamaños y un retoque muy refinado, a la vez que funcional. Los objetos de piedra pulida, sobre todo los destinados a la molienda, incorporan un mejor acabado formal. La técnica de pulimento se aplica a diversos materiales y a numerosas piezas de las que formaban el ajuar de estos grupos. Conviene hacer hincapié en que la domesticación de plantas puede haber tenido lugar en muchos sitios, bien fuera por descubrimiento propio, como corolario de una larga experiencia en aprovecharlas, o como difusión de este fenómeno desde uno o varios de los lugares en que se había producido. No puede decirse qué tipo de plantas se cultivaban cuando no hay pruebas fehacientes de ellas, advertencia ésta contra la frecuente aberración de que "se cultivaban el maíz, el frijol, la calabaza y el chile", que se suele aplicar cada vez que se encuentran instrumentos de molienda o sus restos.

Con el inicio de la agricultura se cierra una etapa a la vez que

Mapa 5

LOCALIDADES DE LAS PRIMERAS CERÁMICAS.
4 500 a 3 500 a. P.

*1: Altata, Sin. 2: San Nicolás, Qro. 3: Tlapacoya, Edo. de Méx. 4: Purrón,
Pue. 5: Puerto Marqués, Gro. 6: Costa de Chiapas, Chis. 7: La Victoria y
Salinas La Blanca, Guatemala. (3, 4, 5 y 7 fechadas por C-14)*

se echan las bases de otra, que en sus inicios se percibe con otra
transformación mayor: la aparición de la cerámica. Por lo que
hasta ahora se sabe, parecen existir en México dos conjuntos claramente diferenciados de cerámicas antiguas, aunque los elementos
que forman cada uno de ellos muestran ciertas diferencias entre
sí, a todas luces normales si se toma en cuenta que se han encontrado a bastante distancia unos de otros y no hay razón alguna para
pensar que estuvieron en comunicación directa o que compartían
una misma provincia cerámica (véase el mapa 5). También es
lógico que la cerámica, en sus inicios, tenga bastantes elementos
en común, aunque tan sólo sea por su primitivismo, bien porque
se ha aprendido de otro grupo o porque se trata de un desarrollo
propio con base en patrones formales semejantes, pues se sale de
una misma base cultural compartida, en la que los recipientes se
copian con mucha frecuencia de los que ofrece la naturaleza.

122

El conjunto o complejo más antiguo es el que se conforma con los materiales cerámicos encontrados en el sitio de Puerto Marqués y los de la Fase Purrón. En ambos casos se trata de cerámica de pasta lisa, de formas subesféricas (tecomates), jarras con cuello apenas marcado y platos con bordes rectos y, más comúnmente, curvos. El segundo complejo cerámico, el Ocós, frecuente en Chiapas y Guatemala, se caracteriza por incluir un grupo de recipientes básicamente iguales a los del complejo previo, pero con ornamentación mucho más desarrollada y abundante, de motivos incisos o lineales, punteados, y de estampado hecho con el borde de una concha. Además de estas primeras cerámicas, algunas no tan primitivas, existen otras que podrían ser de gran antigüedad pero de las cuales no hay fechamientos directos ni indirectos. En un caso se trata de la que fue encontrada cerca de Altata, a la que se dio el nombre de "raspada", manifestación aislada, separada por completo de las cerámicas locales, aun de las más antiguas, y que se asocia siempre con lugares en los que se explotaban recursos marinos. La otra se encontró en la Cueva de San Nicolás, en Querétaro.

Sería caer en una posición teórica ya superada el sostener que existe un proceso continuo, regular y único de evolución. Hubo desde luego diferencias cualitativas en el transcurso de este desenvolvimiento que hemos relatado, diferencias que pudieron ser normadas por el hábitat o por el clima, pudiendo el segundo modificar al primero, aunque fuera a largo plazo. El hecho más demostrativo de estas diferencias cualitativas en simultaneidad temporal o en asincronía se da en una serie de grupos humanos que, conocidos en el siglo XVI y persistentes hasta bien tarde, se mantuvieron en el nivel cultural de la Etapa lítica. Antes de la llegada de los españoles, durante el tiempo de la alta cultura mesoamericana, también se habían mantenido marginados, coriáceos, resistentes a todo cambio. Constituyen un conjunto que puede llamarse Horizonte *Epilítico* para expresar un sentido de atemporalidad o situación epigonal independiente del factor tiempo.

Las causas por las que algunos grupos humanos se paralizaron primero y perpetuaron después en esa parálisis, pueden atribuirse a la imposibilidad de desarrollar dentro del hábitat en el que se encontraban fijados, el factor generador de las altas culturas: la agricultura.

123

Formación y desarrollo de Mesoamérica

Ignacio Bernal

Hasta el siglo pasado, la larga y suntuosa historia egipcia consistía, a los ojos del Occidente, en dos episodios. El instante en que Moisés ve las pirámides y el suicidio de Cleopatra. Moisés es la Biblia, antepasada del Occidente; Cleopatra es una señora griega que se complica la vida por un general romano. Así las historias de Moisés o de la Reina se refieren mucho más al mundo de Occidente que al antiguo Egipto. Herodoto, también un antepasado directo del Occidente, constituía una tela de fondo. En resumen Europa no veía en Egipto sino aquello que la atañía.

Caso similar ocurrió con el antiguo México. Salvo para algunos eruditos, su historia consistía en el episodio final del esplendor azteca, cuando Cortés da el golpe de gracia al imperio de Moteczuma. Las inmensas ruinas que siembran a México yacían incomprendidas porque el Occidente no había tenido intervención en ellas. Hasta bien entrado el siglo xx toda la información que se tenía sobre Mesoamérica era sincrónica o lo parecía, es decir, no tenía profundidad temporal. Fuentes españolas o indígenas del siglo xvi, códices pictográficos que no habían sido entendidos, monumentos y objetos, permanecían históricamente mudos. Sin estratigrafía resultaba imposible saber cuáles eran los más antiguos. Gracias a las excavaciones arqueológicas y a la ayuda de otras ciencias antropológicas, se ha podido colocar —por muchas dudas que haya— esos monumentos y los informes de esas fuentes en una secuencia temporal cada día más bien definida. Hemos podido avanzar en el entendimiento del largo proceso cultural de Mesoamérica descorriendo algo del misterioso pasado que se escondía tras la fachada azteca. Hay todavía tantos datos inciertos, tantas posibles interpretaciones a los mismos hechos y tantas teorías que tratan de explicar el nacimiento o el desarrollo de la civilización indígena, que en un estudio tan breve como éste apenas podrá esbozarse una propia interpretación personal de Mesoamérica así como sus consecuencias sobre este México que es su heredero. Aunque el término Mesoamérica se definirá con mayor claridad en las siguientes páginas, cabe anticipar que se trata de una región que abarca desde la actual Sinaloa y el área limitada al norte por los ríos Lerma y Pánuco, hasta Costa Rica, con todo el territorio mexicano y centroamericano comprendido dentro de esas fronteras.

Limitados a la civilización mesoamericana, no discutiremos, por definición, esos largos milenios de culturas inferiores durante los cuales el hombre de estas regiones llega a ser un agricultor sedentario que cultiva el maíz, el frijol y varias otras plantas comestibles o útiles. Vive ya en aldeas, hace cerámica, teje telas y cestos, labra la piedra, entierra con ceremonias a sus muertos. Ha creado una organización tribal y una magia que aún no es religión. Estos milenios son un antecedente muy importante pero no el corazón de nuestro interés, que se inicia con la revolución urbana y las consecuencias que produjo. Cuando menos en algunas áreas hacia 1300 antes de Cristo ya el hombre vive todo el año en poblaciones permanentes que el arqueólogo puede recobrar, iniciando así hipótesis sobre el desarrollo sociopolítico, económico y religioso de estas comunidades que estaban en el alba de la civilización. A partir de este momento empieza a dibujarse el área cultural que es Mesoamérica, y nacen los elementos básicos que le permitirán elevarse al rango de civilización.

Así Mesoamérica —como todas las civilizaciones de primer cuño— pasa por un largo período durante el cual, con desesperante lentitud, los hombres fueron complicando su cultura, elevando su nivel de vida y acumulando conocimientos y nuevas formas de pensar, iniciadores de esa diferenciación regional que sirvió de chispa a la futura civilización. Habrá que señalar ejemplos de rasgos comunes a varias áreas, y como se suceden unos a otros en diversas épocas, esbozando así la unidad de Mesoamérica y su trayectoria histórica. Como las diferencias entre una y otra área son más aparentes que reales, las similitudes caracterizan a esta civilización. Las diferencias señalan la coexistencia de culturas diversas dentro del marco común cuyas interinfluencias son precisamente uno de los requisitos de todas las civilizaciones que han existido.

Una civilización deberá contener una serie de elementos desconocidos para el mundo primitivo anterior y de complejidad sólo posible en un grupo que ha pasado a un estadio superior. Esto ocurre paulatinamente en la época que corresponde al florecimiento del mundo olmeca. Si carece de todas las condiciones de una civilización completa, indudablemente ya salió del patrón indiferenciado de los agricultores primitivos y de los grupos tribales.

El mundo Olmeca

A partir del siglo XIII antes de *Cristo* coexisten grupos muy disímbolos en cuanto al grado de civilización. Varios se conservaron dentro de los patrones antiguos y alcanzaron un estadio más alto en fechas tardías, por lo que no pertenecieron al mundo olmeca. Estaba éste formado por los olmecas mismos, habitantes de algunas regiones de la costa del Golfo (sur de Veracruz, norte de Tabasco y tierras circunvecinas). Formaban el área metropolitana que llevaba la delantera. A la vez, en Oaxaca, Chiapas y Guatemala, surgen culturas que pueden llamarse olmecoides, pues comparten rasgos olmecas con otros también muy avanzados pero de origen

Mapa 1

LOCALIDADES DE LA PRIMERA ÉPOCA

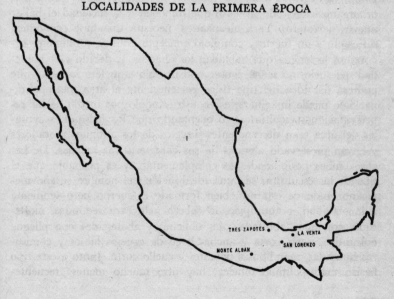

129

local. Esos rasgos locales marcan diferencias notables que distinguen a los olmecas de los olmecoides. Finalmente, se encuentran pueblos donde hubo colonización olmeca pero sobrepuesta a culturas locales que, por su retraso, absorbieron apenas aquellos aspectos más sencillos del mundo olmeca.

El área metropolitana olmeca comprende unos 18 000 km.², definidos por la cultura y por la geografía. Allí se desarrolla la historia de ese pueblo. Es una área bastante uniforme en elevación, con sólo un macizo montañoso que promedia 500 m. de altura, cruzada por grandes ríos perezosos que frecuentemente la inundan debido a la fuerte pluviosidad anual. La tierra sufre más bien por exceso que por escasez de agua, fenómeno único en Mesoamérica, que había de tener importantes consecuencias, no sólo económicas sino religiosas. Si la agricultura olmeca fue en general del tipo de roza, existía también una agricultura de humedad en las márgenes de los ríos y de los pantanos tan frecuentes en el área. Muchos centros de poblados están construidos en islas rodeadas de agua cuyo nivel baja y sube anualmente, lo que permite una irrigación natural y produce el fertilizante limo.

Aunque es imposible calcular con alguna precisión el número de habitantes de la región, puede pensarse en unos 350 000. Esta superior demografía, base de toda civilización, presenta problemas de organización y de sustento que imponen a la sociedad el hallar nuevos derroteros. Para alcanzarlos, necesita una base económica suficiente y un fuerte y complejo concepto político y religioso. Ignoramos la lengua que hablaban los olmecas, y, debido a la humedad del suelo, no se ha conservado un solo esqueleto humano que pudiera dar idea del tipo físico perteneciente al área metropolitana. Sólo puede imaginársele reconstruyéndolo por medio de las representaciones escultóricas, o aceptando que los habitantes actuales del área sean descendientes directos de los antiguos moradores y hayan preservado algunas de sus características raciales. De hecho, ambas posibilidades se complementan, y es probable que el tipo de las esculturas sea una idealización del hombre sureño mexicano: bajo de estatura, bien formado el cuerpo pero tendiente a la obesidad, braquitípico, la cabeza y la cara redondas, mofletudo, con nuca abultada, ojos oblicuos y abotagados con pliegue epicántico, nariz corta y ancha, boca de gruesos labios y comisuras hundidas, mandíbulas potentes y cuello corto. Junto a este tipo básico metropolitano olmeca, hay otro mucho menos frecuente-

Relieve de un altar de La Venta,
en que se representan figuras humanas

mente representado, que tiene nariz fina y labios delgados. Corresponde a individuos de mayor estatura y parece ser más reciente en el tiempo.

Entre los sitios olmecas explorados, La Venta resulta el de mayor importancia. Se levanta sobre una isla con superficie de 5 km.^{2} o sea menos de la mitad de Tenochtitlan. En la parte central, los edificios ceremoniales presentan una arquitectura no de piedra, debido a que no la hay en la región, pero inconfundiblemente mesoamericana. Ya erigían pirámides o basamentos sólidos que soportan, elevándolos, templos o habitaciones. Ya existía el talud corto que con el tiempo se va haciendo más grande, pero no así el tablero, que parece ser un invento teotihuacano. Los edificios adosados olmecas fueron precursores de los teotihuacanos, pero no trascendieron a Monte Albán u otros sitios. En La Venta los edificios adosados parecen construidos al mismo tiempo que las pirámides, lo que no fue el caso teotihuacano. El patio ceremonial de La Venta tal vez fue originalmente un patio hundido, caso en el cual sería claro antecedente de los grandes patios hundidos posteriores, y haría pensar principalmente en Monte Albán. Asimismo se diría que la plataforma oriente tuvo una banca o banqueta en un costado, origen, tal vez, de un elemento que se volvería tan frecuente después. Grandes columnas naturales monolíticas de basalto, pentagonales unas y hexagonales otras, cuyo peso varía entre 700 y 1 000 kg. cada una, se usaron a manera de "empalizada" de

131

piedra circundando un patio ceremonial. Con iguales materiales se construyó la tumba A de La Venta. Resultó una arquitectura inmensamente costosa y con pocas posibilidades. No hizo fortuna y no se continuó en Mesoamérica. Probablemente derivó de una antigua tradición nacida del uso de polines de madera con los que edificaban los olmecas muros y techos y aun reforzaban el exterior de las plataformas. Los monumentos de La Venta están colocados de acuerdo con una planificación rigurosa, a todo lo largo de la línea central que forma el eje de la ciudad. No es una calle como en Teotihuacan, sino una línea de orientación. Ambas de norte a sur como ocurre también en Monte Albán, aunque allí pudo deberse a la forma natural del cerro. La importancia de esta línea central consiste no sólo en que indica una cuidadosa planificación sino que demuestra ya una orientación ceremonial nacida del conocimiento de los puntos cardinales. También la costumbre de colocar ofrendas en relación sistemática con edificios o con una línea central, o con un patio, había de perdurar a lo largo de toda la historia de Mesoamérica.

Otros sitios olmecas más o menos explorados, como San Lorenzo o Tres Zapotes, no demuestran tanto rigor en su planificación, ni podrían colocarse al mismo nivel cultural que La Venta, de no ser por los numerosos hallazgos de grandes esculturas similares a los de esta última. En San Lorenzo también se nota, aunque imprecisa, la idea de orientar los monumentos en dirección norte-sur.

La posibilidad de considerar al mundo olmeca como el inicio de la civilización se deriva principalmente de su extraordinaria escultura. Cabezas colosales, altares, estelas y otras numerosas piezas no sólo expresan una gran calidad estética, sino también un adelanto técnico sorprendente. Recuérdese que las piedras necesarias para esculpir estos monolitos no se encuentran en el área, lo que subraya el esfuerzo y el grado de organización necesarios para traerlos desde lejos, colocarlos y esculpirlos. Así, los olmecas iniciaron el interés por la escultura que, salvo en el mundo maya, y por cierto en plástica muy distinta, no ha de realizarse de manera tan espléndida sino más de dos milenios después en el mundo azteca. Paralelamente aparece entonces la talla preciosista de figurillas de jade que representan, ya hombres o mujeres, ya seres monstruosos u objetos. Están hechos en el mismo estilo de los grandes monumentos y en ocasiones fueron encontrados en asociación con ellos. Con frecuencia presentan la combinación de rasgos felinos y humanos, así como una profusión de otras costumbres que continuarán a través de la historia mesoamericana: deformación craneana, séptum perforado, dientes mutilados, etc. Los monstruos, aunque menos frecuentes, seguirán representándose hasta muy tarde y en lugares lejanos inclusive en el Occidente de México, o sea en una área marginal. Todavía Moteczuma se rodeaba de enanos y corcovados, que en ocasiones eran considerados maléficos.

Los hallazgos arqueológicos demuestran la considerable difusión que alcanzó el estilo olmeca. Tal vez se debió a que el aumento paulatino de la población dentro del área ocasionó presión demográfica. Pero esta presión y esta difusión no son posibles sobre una simple economía agrícola, aun completada con la caza y la pesca. Se hace evidente la necesidad de otra base económica que va a ser característica en el futuro de toda Mesoamérica: el comercio exterior. Aunque sin pruebas directas, se conocen, en numerosos sitios lejanos de la zona metropolitana, objetos olmecas puros y la palpable influencia directa de este pueblo en los estilos olmecoides. Parece como si el comercio olmeca importara productos naturales que elaboraba localmente para exportarlos ya manufacturados. Sería lo que ocurre con las grandes piedras o con el jade, que no se hallaban en la región.

El comercio en Mesoamérica no era ciertamente el resultado de la paz, sino al contrario, el de la conquista violenta. Cuando menos en épocas posteriores, se sabe que sólo se atrevieron a traficar en gran escala aquellos pueblos cuyos ejércitos respaldaban su osadía. Era costumbre la conquista de una área o cuando menos la ocupación de algunos puntos claves para desde ellos establecer una red de transacciones comerciales y a la vez la imposición de tributos, que representaban una fuente segura de riqueza para la zona metropolitana.

De fijo, nada se sabe de los ejércitos olmecas o de sus posibles triunfos militares, pero puede imaginarse su función bélica. Comercio, guerra y tributo sugieren una organización tan avanzada que de hecho podría llamarse estatal. No por ello es necesario pensar en un estado olmeca, ya que pudo tratarse de varias ciudades-estado más o menos interdependientes. Las ligas o confederaciones de ciudades-estado parecen ser desde tiempos remotos una de las peculiaridades políticas de Mesoamérica, pudiendo haberse iniciado entre los olmecas, de donde pasaron al fin de la época a los dos grandes grupos en que se habría de dividir Mesoamérica, el grupo maya por un lado y el "mexicano" por el otro.

Aunque debió existir desde siglos anteriores un calendario en el área metropolitana, no aparece inscrito en piedra hasta fines del gran período olmeca, y asociado ya a la escritura. No es un invento directo olmeca sino más bien de los grupos olmecoides de los altiplanos de Oaxaca y Guatemala.

Otro tanto ocurre con uno de los rasgos esenciales de la religión mesoamericana: los dioses antropomorfos. Hay divergencia de opi-

Representación en piedra de un hombre-jaguar

niones sobre si los olmecas metropolitanos esculpían estatuas de divinidades, pues hay duda de que los monolitos o las figuras en piedra representen propiamente un dios. Sea como fuere, el culto principal era el del jaguar; hasta los altares mismos son jaguares. En la escultura en piedra lo más frecuente es el jaguar humanizado, un hombre-jaguar o un niño-jaguar. No se trata del animal sino de un monstruo considerablemente alejado de la representación realista, al que se han añadido elementos peculiares al hombre y aun en ocasiones rasgos de otros animales. Así, las cejas suelen tener plumas de ave y la boca lengua bífida de serpiente. Todo ello gira

134

alrededor del concepto del nahual. El jaguar parece haber sido el nahual de los olmecas. Simboliza el terror y el misterio de la jungla, de la vida y del más allá. Este culto especial continuará en Mesoamérica. Aún en la época azteca el dios Tepeyolohtli, símbolo de las entrañas de la tierra y de lo profundo de la noche, no era sino el felino que amenazaba con comerse al mismo sol durante un eclipse. Habitaba las cuevas de las montañas y era el corazón de la tierra. Estaba asociado al jade, asociación originalmente olmeca, que habría de perdurar hasta el fin. Quizás sea esa la razón que daba al jade un valor simbólico más precioso aún que el oro.

El Valle de Oaxaca es tal vez el mejor ejemplo de los grupos olmecoides. Recientemente se han descubierto allí no menos de tres fases que comienzan hacia 1200 a.c. y muestran claramente el proceso de este desarrollo en que una cultura local, bastante sencilla, recibe el fermento de la aportación olmeca. Una fase final prepara el gran período Monte Albán I, que se inicia hacia 900 a.c. Es equiparable al mundo olmeca por su grado de desarrollo, y presenta una serie de rasgos descendientes directos de estos olmecas, junto a otros tan desconocidos, que resultan innovaciones para el mundo metropolitano. He aquí cuatro de los inventos más notables:

Primero, hay cuando menos intentos de una irrigación creada por el hombre, y ya no simplemente el aprovechamiento de las ricas márgenes de los ríos.

Poco después, como segundo invento, surge en Monte Albán la estupenda arquitectura que ya no es de tierra o de barro, como la del mundo metropolitano olmeca, sino de piedra, es decir, una verdadera arquitectura con ilimitadas posibilidades, sobre todo en relación a la limitación que podía ofrecer la Costa del Golfo, con sus troncos de árboles y sus barros húmedos.

En tercer lugar, hacia el fin de la Época I de Monte Albán, se encuentran representados en los jeroglíficos y en las estelas asociados al Edificio de los Danzantes, una escritura y un calendario bastante desarrollados. Si no fue ésta la aparición más antigua de la escritura y del calendario en Mesoamérica, puede seguramente considerarse entre las más tempranas. De tales inicios había de formarse un calendario más completo cuyos primeros vestigios se ven en Guatemala y en Chiapas y después en la Estela C de Tres Zapotes. Aparentemente sería el antecesor del muy elaborado que habría de llamarse el Calendario Maya. Comprende esencialmente, para gloria suya, la Cuenta Larga, que supone el uso y, por lo tanto, el conocimiento del cero.

A diferencia del olmeca metropolitano, el habitante de Monte Albán I ya diferencia una serie de divinidades. Las famosas urnas, muestran algunas deidades que serán características de toda la evolución mesoamericana, como el dios de la lluvia. La magia tribal se está convirtiendo en una religión estatal. Así, el Valle de Oaxaca en estas primeras épocas —e igual ocurre en otros lugares, sobre todo en el área que más tarde será maya— no se conforma

Mapa 2

LOCALIDADES DE LA SEGUNDA ÉPOCA

con imitar más o menos acertadamente al mundo metropolitano olmeca, sino que parece tomar la avanzada cultural. Ya entra en juego ese rasgo característico de toda civilización en que diferentes regiones, con una base común, logran desarrollos locales cuyas cúspides se elevan más en un lugar que en otro. Se mezclan y por lo tanto fertilizan mutuamente.

El conjunto de todos estos pueblos y de todos estos adelantos es lo que forma esta primera importante etapa dentro de la historia de la civilización mesoamericana, que puede considerarse termi-

136

nada en el tercer siglo antes de la era cristiana. Gran parte de la Mesoamérica nuclear fue en diferentes grados marcada por esta cultura, con la excepción de la península yucateca.

Por analogía con lo ocurrido al finalizar la segunda gran época (como se verá más adelante), es posible que el ocaso del mundo olmeca se anunciara por convulsiones internas que denotan el primer quiebre en la línea ascendente de Mesoamérica. Desde luego, la zona metropolitana olmeca pierde para siempre su primacía, y la luz de ese gran foco de desarrollo se desplaza para iluminar otras regiones. Hay notables movimientos de habitantes en varias áreas debidos a cambios en los grupos dominantes, como sucedió en Oaxaca, o a influencias diversas que las afectaron, como aconteció en el altiplano central. Esta época de transición corresponde a los estados sucesores del mundo olmeca. Mil años más tarde, se verá cómo la gran época pan-teotihuacana terminará de igual manera, y tras otra etapa de confusión, surgirá una cultura nueva y final. Cuando decae el mundo olmeca estarán cimentadas las bases para el florecimiento del periodo siguiente.

La época clásica

La segunda gran época va desde el principio de nuestra era hasta el año 900, y marca el florecimiento máximo de Mesoamérica. Debemos dividirla cronológica y geográficamente. La primera etapa, hasta 650, está dominada por Teotihuacan; la segunda, por varios estados menos relacionados entre sí. La división geográfica se revela en la formación de dos grandes áreas surgidas de la primera época. Las diferencias, a veces considerables, no determinan, sin embargo, dos civilizaciones, ya que ambas áreas conservan una serie de rasgos derivados de su base común y siguen a todo lo largo de su desarrollo historias paralelas. Estas dos amplias áreas son la maya, al oriente, y la generalmente llamada mexicana, aunque tal vez fuera más apropiado llamarla teotihuacana, al occidente del Istmo de Tehuantepec. En esta sección de Mesoamérica, Teotihuacan, aunque circundada por ciudades rivales, pronto toma la delantera y se convierte en la indudable capital, tanto del Altiplano como de toda la región designada con su nombre. Aquí también es conveniente distinguir entre la zona metropolitana teotihuacana, relativamente pequeña, y el resto de Mesoamérica. La distinción es bastante clara, ya que tanto en el Valle de México como en el de Puebla, en Tlaxcala o partes colindantes del actual estado de Hidalgo, que forman el área metropolitana, durante aquella época no hubo sino una cultura, la teotihuacana pura, sin mezcla de productos locales. En cambio en el resto de la Mesoamérica occidental, la emanación teotihuacana se ejercía sobre innumerables grupos que conservaban formas propias de cultura, o sea que, repitiendo lo ocurrido en el caso olmeca, encontramos el ascendiente teotihuacano asociado a las culturas locales, que por lo general mostraron un vigor y una personalidad considerables, que no habrían de perder en el curso del tiempo.

Teotihuacán es la ciudad por antonomasia del mundo mesoamericano. Manifiesta una verdadera cultura urbana, que es la marca más evidente de una civilización. No solamente su tamaño, sino su distribución interna, señalan la existencia de diversos estratos sociales bien definidos. Todo sugiere la presencia de un estado surgido de la anterior sociedad tribal, que se sirve de un ejército y de un comercio extendido a grandes distancias geográficas.

Las más recientes excavaciones indican que la ciudad estuvo densamente habitada en toda su extensión. Otros estudios, tan recientes que en parte están inéditos, muestran con la misma claridad una estratificación social avanzada, así como grupos profesionales y artesanales o talleres de ceramistas y de lapidarios. Consta el intenso movimiento de materias diversas de un lado para otro, es decir, la actividad comercial. Tal vez ello explique la existencia dentro de la ciudad de barrios de extranjeros que le dan carácter internacional. Cuando menos, se sabe del barrio oaxaqueño, porque se encontró una concentración de objetos provenientes de esa región. Hay también indicios de un barrio maya y de otros aún no identificados. Tendrían que pasar mil años más para que Tenochtitlán recreara una situación urbana similar, aunque sin alcanzar jamás la importancia teotihuacana.

Su extraordinaria planificación era digna de la vida urbana. Un prodigioso centro, dedicado exclusivamente al culto, a las ceremonias y a la habitación sacerdotal, arrancaba desde el río San Juan a lo largo de la Calle de los Muertos y seguía hasta la Plaza de la Luna. Al sur colindaba con lo que tal vez fuera el mercado mayor, situado frente al templo de Quetzalcoatl allí donde una avenida este-oeste cortaba en cruz la Calle de los Muertos, que corría de norte a sur, dividiendo la ciudad en cuatro sectores. La misma idea será repetida en Tenochtitlan, donde el área ceremonial tuvo al centro su gran plaza, de la que salían cuatro calzadas en ángulo recto, mientras que el mercado estaba en Tlatelolco. Alrededor de la zona central teotihuacana se extendían los barrios de habitación. En algunos, verdaderos palacios, están congregados unos junto a otros, señalando la residencia de los altos personajes. Otros barrios corresponden a los artesanos, y más hacia las afueras, a los agricultores. Entonces, Teotihuacan, con sus probables 80 a 100 000 habitantes, representa no sólo un conglomerado urbano superior a cualquier otro habido en Mesoamérica en cualquier tiempo, sino la organizada división física y social de sus habitantes según el rango, la profesión o las ocupaciones.

Un ejemplo de la influencia teotihuacana se trasluce en la imposición de sus reglas arquitectónicas. El sistema de construir a

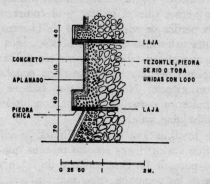

Sistema de construcción de un tablero típico
de los edificios de Teotihuacan

base de taludes y tableros se generaliza por toda Mesoamérica y se conserva hasta el fin del mundo indígena, abandonando la estética de los muros casi verticales característicos del mundo olmeca. La nueva arquitectura, sobre todo en las etapas más tardías, hace gala de una proliferación extraordinaria de pinturas murales cada vez más elaboradas. En ninguna otra parte del mundo teotihuacano son éstas tan complejas y tan bellas como en la capital misma, pero fueron pintadas en otros muchos sitios. Este gusto por el color —que continuará hasta nuestros días no obstante la sobriedad española— se extiende a la cerámica, y hasta la escultura mayor, tallada en piedra, estaba toda policromada.

139

El comercio tenía un papel importante. No se piense en los modestos traficantes del mercado local, sino en los grandes mercaderes internacionales que los aztecas llamaron "pochteca". Pertenecían a la clase superior y traían y llevaban sus mercancías desde regiones alejadas a la zona metropolitana. En gran parte gracias a ellos la cultura teotihuacana llegó a Oaxaca, Guerrero, Veracruz y hasta a lugares tan distantes como el Altiplano de Guatemala y el Petén, donde se han hallado no sólo objetos sino edificios de corte teotihuacano.

Esta vasta expansión no pudo lograrse sin el apoyo militar. Es verdad que se desconoce su papel en Teotihuacan, donde está para el arqueólogo, escasamente representado, al grado de sugerir que se trataba de un mundo esencialmente teocrático. Esto parece exagerado. Independientemente de la regla universal que impidió a las antiguas teocracias lograr estados imperialistas, si seguimos el ejemplo azteca vemos que el militar y el comerciante actúan de concierto y sin perder de vista el ideal de la expansión religiosa. De hecho resulta arbitrario dividir a Mesoamérica según nuestros cartabones, ya que allí el sacerdote y el jefe militar eran frecuentemente una misma persona, como sin duda ocurría en el caso de los emperadores aztecas. No puede uno basarse ciegamente en situación tan posterior para llegar a una conclusión, pero el argumento tiene indudable validez.

En la época teotihuacana queda definida la religión mesoamericana, como que varios dioses son los mismos que los del mundo azteca. Se sabe poco de las ceremonias o de la organización sacerdotal con que se les veneraba; sólo podrían reconstruirse a base de lo que ocurrió en Tenochtitlan, lo que resulta peligroso, por mucho que se crea que los aztecas —sin saberlo— habían heredado numerosos rasgos de la civilización teotihuacana.

Aparte de sus atractivos comerciales y sociales, Teotihuacan fue sin duda un lugar de peregrinaciones adonde acudía gente desde lugares distantes para ofrendar a los dioses poderosos que lograron ese esplendor. Tal vez de ello nació la leyenda de los soles y la creencia de que los dioses habitaban el sitio o que fue construido por ellos. Si el prestigio civilizador y la grandiosidad teotihuacana quedaron imborrables, la huella más obvia para los destinos de México fue haber establecido por primera vez en este valle el centro del poder, de la cultura, de la religión y de la economía. Para ello necesitaron someter no sólo todo el valle de México, sino también el de Puebla. Perder ese dominio fue la debilidad de toltecas y aztecas. Resultó catastrófico cuando Cortés se alió a Tlaxcala para así vencer a Tenochtitlan. La Colonia percibió esta situación, de donde provino el auge de Puebla como ciudad segunda del Virreinato.

Hay indicios de que Teotihuacan fue decayendo cuando el grupo dirigente se volvió cada vez menos creador y cada vez más opresor. Esto probablemente incitaría a revueltas o a escisiones internas que causaron un primer quiebre hacia el siglo IV y otro ya definitivo hacia 650 d.c., cuando la ciudad pierde su papel director en Mesoamérica. Tal vez la escisión interna propició la llegada de conquistadores venidos de fuera. La temprana caída de Teotihuacan, que tal vez confiaba demasiado en su grandeza realmente imperial y se había extendido en una llanura sin defensa posible, y el ocaso de Monte Albán pocos años después, causan hondas conmociones y cambios importantes. Producen la segunda etapa de esta gran época, pero no una nueva, ya que no suponen el fin del mundo teotihuacano, sino que, repitiendo la historia olmeca, una serie de otros estados continuaron viviendo y aun desarrollándose dentro de una cultura que podíamos llamar teotihuacana modificada, cultura que transmiten a la tercera gran época de Mesoamérica. En efecto, durante los años 650 a 900, cuando se inicia esta tercera gran época, esos estados, contemporáneos de Teotihuacan, le sobreviven. Se van alejando cada vez más del estilo puro que en parte los inspiró, elaborando formas importantes, pero cada vez más locales, que no tienen ya propiamente un sentido panmesoamericano. Así por ejemplo Xochicalco, el Tajín y los grandes centros del área maya, resisten a la honda conmoción dentro de un marco cultural que no es nuevo por muy modificado que esté. Igualmente el fin de la ciudad de Teotihuacan no supone la caída de toda la zona metropolitana, ya que Cholula, su segunda ciudad (México-Puebla de la Colonia), continúa floreciendo hasta la época azteca.

Deben ahora revisarse brevemente algunos de los acontecimientos en esos sitios fuera de Teotihuacan. En Oaxaca, el impacto teotihuacano aparece en forma avasalladora cerrando con ello la Época II de Monte Albán. Entonces se levantaron por primera vez los edificios de talud y tablero, se multiplicaron los murales polícromos —cuando menos en las tumbas— y Monte Albán adquirió predominio indiscutible sobre el valle de Oaxaca. Monte

Albán se convierte en la ciudad capital, y parece aún más religiosa de lo que fue Teotihuacan. Si ha de hablarse de una teocracia, Monte Albán sería un buen ejemplo. Toda su cultura está impregnada de una religión que se liga a un increíble espíritu necrofílico. De aquí la cantidad de tumbas, verdaderos edificios subterráneos, cuya usanza en todo el valle contrasta claramente con Teotihuacan, donde jamás hubo construcciones sepulcrales.

Tal vez por su excesiva religiosidad el Valle de Oaxaca no conoció propiamente el espíritu imperialista; por el contrario, los zapotecos se encerraron más y más dentro de sus fronteras naturales, de manera que al fin de la época habían erigido lo que pudiera llamarse una muralla cultural que los separaba de sus vecinos. El encierro oaxaqueño, que debió empobrecer sus posibilidades —y que nada característico es de las demás culturas mesoamericanas— combinado con la reacción producida por la caída de Teotihuacan, son quizás las causas primordiales del derrumbe de Monte Albán como capital, hacia el año 750.

En cambio otros sitios, como El Tajín o Xochicalco, fecundados felizmente por aportes culturales foráneos, siguieron ricos y fuertes y pudieron resistir durante bastante más tiempo al derrumbe teotihuacano. Sólo pierden su preeminencia durante el mundo tolteca o después. Así, el esplendor extraordinario de la cultura de El Tajín o de la región morelense con Xochicalco a la cabeza, sólo se doblega ante los pueblos que habían de formar la tercera gran época, a quienes transmiten sus conocimientos.

El occidente de México, zona marginal, empieza por primera vez en la historia de Mesoamérica a jugar algún papel, y allí se encuentran pruebas de la presencia de la cultura teotihuacana. Es curioso observar que el influjo teotihuacano fue mayor allí donde la influencia olmeca había dejado su huella, creando una continuación cultural y demostrando una vez más que, a través de dos milenios, estamos en presencia de una civilización ininterrumpida en su curso.

En toda la zona oriental de Mesoamérica, que ya puede llamarse maya, el desarrollo en términos muy generales ocurre paralelamente —de no ser así, no podríamos pensar en Mesoamérica como una sola civilización. Al igual que en la zona teotihuacana, hay en la maya considerables diferencias ecológicas que la dividen en dos áreas, según su elevación. Los mayas de las tierras bajas abarcan una vasta extensión que va de Palenque a Copán e incluye la península yucateca. En ellas florecen los centros más importantes, que en muchos sentidos, si bien no en todos, toman la delantera. Como en Teotihuacan, una brillante aristocracia lleva aquí la cultura hasta alturas antes desconocidas, pero a diferencia de Teotihuacan, no hay un foco principal de irradiación, sino un número considerable de lugares que se han denominado centros ceremoniales, en indudable relación unos con otros, y sin que alguno parezca haber dominado a los demás. Veamos en conjunto y brevemente sus mayores aportaciones a la civilización.

En primer lugar, no es frecuente el patrón urbano definido por Teotihuacan; de allí la dificultad de llamar propiamente ciudades a estos centros. Sin embargo es de creerse que, con algunas reservas, formaron ciudades, aun cuando, a la manera olmeca, eran más bien el centro político-religioso de la ciudad dispersa, es de-

Corte del Templo de la Cruz de Palenque,
mostrando la construcción de las bóvedas

cir, de un número de barrios separados que se agrupaban a su alrededor. Estos barrios rara vez han sido excavados, pero se tienen abundantes datos de los centros. Los hay monumentales como Tikal o mucho menores —pero siempre profusamente elaborados— como Palenque. En ellos se desarrolla una impresionante arquitectura religiosa y civil mucho más decorada que la teotihuacana. En vez de techar los edificios con polines de madera, se utiliza un tipo de bóveda —no arco— muy resistente. Por otro lado, la planificación es menos rigurosa, de tal manera que no se forman conjuntos espectaculares como los de la Plaza de la Luna o la gran plaza de Monte Albán. La decoración de las fachadas mayas poco a poco

143

va recargándose cada vez más hasta llegar a un verdadero barroco. La escultura pierde la monumentalidad olmeca y aunque frecuentemente de bulto redondo, parece concebida en su esencia como una superficie plana. La mayor parte de las estelas mayas son así. No por ello dejan de alcanzar una de las cimas del arte de

Estela 11 de Yaxchilán, Chiapas

Mesoamérica, sobre todo si se toman en cuenta sus inscripciones con fechas y datos históricos.

Es en efecto en el campo del calendario donde los mayas no tienen rival. Tal vez su constante preocupación por el tiempo los lleva a usar el sistema de cómputo general a Mesoamérica nuclear, así como a elaborar otro sistema heredado de los olmecas, que se conoce como la cuenta larga. Éste permite anotar cualquier número por elevado que sea y, por lo tanto, cualquier fecha por lejana que esté. Está basado en el viejo descubrimiento del cero sin el cual resulta imposible numerar por posición. Desde el punto de vista del cómputo del tiempo, el sistema consiste en partir de una fecha en el remoto pasado —más bien mítica que histórica—

144

y desde allí contar y anotar los días transcurridos hasta la fecha que se desea señalar. Así no se cae en la eterna confusión de los ciclos que se repiten cada 52 años, que tantos dolores de cabeza ha causado a los investigadores del centro de México. Junto a esto, la escritura jeroglífica permitió largas inscripciones que a veces tienen datos históricos. Su lectura aún no ha sido del todo descifrada, pero los considerables avances logrados permiten esperar que en un futuro próximo sea legible. Las inscripciones no sólo aparecen en las estelas, sino que acompañan a las pinturas murales y decoran numerosos objetos. Se conoce la existencia de muchos grandes frescos que se han perdido en su mayoría, pero los pocos restantes —como los de Bonampak— indican una maestría extraordinaria en el dibujo lineal y en la repartición de los colores.

Glifos mayas arcaicos. Placa Leyden

La base económica maya era, por supuesto, la agricultura, pero, cuando menos en las tierras bajas, las posibilidades eran menores. Se cree que, al igual que en el mundo teotihuacano, el comercio jugó parte preponderante, además de contribuir a las relaciones y tratos entre las distintas ciudades-estado, que posiblemente ya tendrían fronteras similares a las de época posterior. Es muy probable que rigiera la costumbre mesoamericana de un gobierno formado por sacerdotes jefes y por militares que combinaban sus

oficios civiles. El que no hubiese guerras en el área parece impro-
bable, aunque el espíritu bélico en general era menor, por mucho
que en los siglos finales la guerra existiera, tal vez con frecuencia,
como lo atestiguan los frescos de Bonampak.

Al igual que el Tajín o Xochicalco, los centros mayas sobrevi-
vieron cuando menos unos dos siglos después de la caída teotihuacana hasta que motivos muy similares (descontento interno y
presión externa) los destruyeron en la zona boscosa. En Yucatán,
transformados, continuaron hasta bien entrada la tercera gran
época.

Mientras el mundo olmeca arrancó a Mesoamérica de la oscu-
ridad primitiva, los siglos que le siguieron hasta el año 900 no
sólo llevaron la civilización hasta su máximo desarrollo sino que
cimentaron las bases que sólo habían de quebrarse con la conquista española. Ya habían ocupado el total del área mesoamericana, que peregrinos, soldados y mercaderes recorrían en todas
direcciones. Esta combinación de religión, guerra y comercio es
un aspecto peculiar de Mesoamérica que la distingue de otras
civilizaciones antiguas. Pero el rasgo distintivo por excelencia es
el ceremonialismo, ya plenamente desarrollado en Teotihuacan, que
subsistió y aun aumentará. Ceremonialismo no exclusivamente religioso, sino relacionado con muchos aspectos de la vida. Casi todas
las formas de convivencia son ceremoniales o se derivan de una idea
ceremonial. Lo mismo hay ceremonia para plantar el maíz que
para celebrar la fiesta del gran dios, y otro tanto acontece en la
vida privada, en la política, en el comercio o en la guerra. La
orientación de las ciudades, su planificación dividida en cuatro o en
otros números mágicos, el calendario y la escritura, las ciencias
y las artes, todo está enfocado y hecho dentro de esta premisa
básica. Tal vez sea ésta la causa del tan débil desarrollo de la
tecnología, que jamás pasó de un nivel primitivo.

Quizás la separación que se observa entre las varias áreas de
Mesoamérica durante los últimos siglos de la época clásica, se
deba indirectamente a la desaparición de Teotihuacan como gran
foco de irradiación cultural. Al caer la aristocracia teotihuacana
desaparecen aquellos comerciantes que formaban parte de ella,
interrumpiéndose así el vaivén de mercaderías y el intercambio de
ıdeas. En el área maya, como ha dicho Thompson,

> aceptando que la clase dirigente haya sido eliminada al fin del pe-
> riodo clásico, debemos asumir que estos grandes mercaderes fueron

liquidados al mismo tiempo. Con su desaparición, la red de rutas de comercio a larga distancia caería en desuso. De todos modos, ya no había demanda para los productos de lujo que antes viajaban a lo largo de esos caminos. Los jefes de los pueblos ya no tendrían la riqueza para adquirir esos objetos de comercio internacional como jades finos o tocados de plumas de quetzal. De hecho pueden no haberlos deseado, ya que los revolucionarios que imitan las costumbres de los que han derrocado pierden a sus seguidores.

Cortada la intercomunicación continua, cada pueblo pierde contacto con los demás, hasta con sus vecinos más cercanos; se encierra en sí mismo, se vuelve autosuficiente y debilita así la posibilidad de progresar y aun la de conservar los adelantos logrados antaño. Agotada la vieja cultura que no recibe nuevas fuerzas ni nueva sangre, sólo la combinación de antiguos y nuevos pueblos volverá a levantarla y construir otra gran etapa.

La época mexicana

Así llega la época que para simplificar llamamos mexicana, aunque de ninguna manera son los mexicas sus creadores originales, sino sólo sus últimos y más famosos herederos. Este tercer periodo precolombino se caracteriza en el altiplano central por los estados tolteca y mexica; en Oaxaca por el mundo mixteco que da su estilo a toda la época posclásica, estilo que se extenderá hasta partes del área maya, como Belice y Quintana Roo, mientras en Yucatán dominaban los itzá o más bien esos escurridizos putún que fueron los grandes comerciantes rivales de los mexicas. Tal vez fueron los que impidieron que la expansión azteca llegara a la península o más allá del Soconusco. Las demás áreas estaban habitadas por los pueblos que encontrará Cortés en el siglo XVI, y donde aún permanecen sus descendientes.

En el altiplano central, después de un tiempo de confusión, los toltecas fundan un imperio con su capital en Tula. Lo forman grupos venidos de fuera del área central, y pueblos antiguos herederos de Teotihuacan. Así, aunque disminuida se continúa la tradición cultural de la desaparecida Teotihuacan, que se convierte en la mítica ciudad de los dioses, en contraste con la ciudad viva que es Tula. La mezcla de pueblos combina rasgos viejos y nuevos, desde luego arquitectónicos y escultóricos, que caracterizan el estilo tolteca. En estas fechas aparece la metalurgia, que en realidad

147

LOCALIDADES DE LA TERCERA ÉPOCA

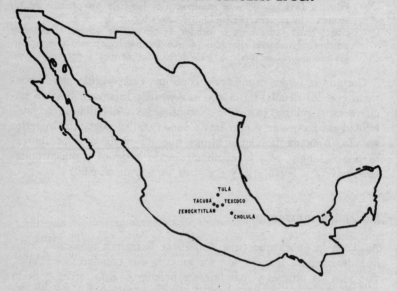

nunca jugó un gran papel y sirvió ante todo para crear maravillosos objetos suntuarios, por lo general de fino preciosismo, típico del estilo llamado mixteco. En él se hicieron los códices pictóricos del área poblana-mixteca, donde mayor número se ha conservado. Principalmente interesantes resultan esos libros que relatan la historia dinástica de la mixteca desde fines del siglo VII. Son ésos los únicos documentos americanos que han sobrevivido con datos históricos tan antiguos. No quiere decirse que por ser los únicos que poseemos sólo ellos existieran, ya que otra característica de la civilización mesoamericana es su interés por la historia y la importancia que se daba a su relato. Tanta, que por razones políticas los mexicas falsificaron datos para acomodarlos mejor a sus pretensiones hereditarias.

Tal vez los toltecas sean ante todo una fachada ilustrada por la figura insigne de Quetzalcoatl (Ce Acatl Topiltzin). El famoso imperio que los aztecas glorifican y desean heredar gobierna pocos territorios y, como dijimos atrás, ni siquiera domina el valle de Puebla. Pudiéramos considerar más bien que este conjunto de

148

El conquistador mixteco 8 venado captura a 4 viento.
Dibujo del Códice Nutall

diversos grupos con una cultura básica similar representó el primer acto de esta época cuyo estilo, repetimos, sería el de la Mixteca-Puebla. Tan importante es esta amalgama que a Cholula venían a coronarse los soberanos mixtecos.

Sea como sea, un grupo procedente de Tula —con o sin Quetzalcoatl— se instala en Yucatán, y portadores de cultura tolteca se encuentran regados en toda Mesoamérica. La caída de Tula en 1168 marca el fin político de este conglomerado que designamos como imperio tolteca, pero no el de su cultura, que continuará viva mucho tiempo. Tal vez más que nada porque Tula recogió la tradición teotihuacana de internacionalismo y supo acoger pueblos diversos que hablaban varias lenguas y enaltecían el ideal tolteca.

Tras muchos sucesos que llevan en lo político a la creación de los imperios chichimeca y tepaneca y que no cabrían en este estudio, Texcoco y Tenochtitlan logran la victoria en la dura guerra tepaneca (1428-1433). Obtienen la hegemonía sobre los valles centrales y un año después forman la Triple Alianza, asociando a Tacuba, representante de los vencidos. Tenochtitlan había de dominarla cada vez más. Aquí cabe hablar de un detalle importante porque caracteriza la posición mexica y diríase también la posición mesoamericana y la continuidad de su tradición cultural. En el momento de repartirse los títulos después de la victoria, el jefe

149

mexicano se da a sí mismo el de Culhuatecuhtli, señor de los culhuas, o sea el señor de los toltecas. Así reivindica en su favor la antigua herencia y transmite a su ciudad el prestigio pasado tolteca-teotihuacano. Esta insistencia en la sangre y en la historia es un rasgo típico mesoamericano.

El imperio mexica, que toma forma con Moteczuma I y dura hasta la conquista española, es en cierto modo la síntesis de Mesoamérica. Incluye elementos muy diversos heredados de sus lejanos y varios antecedentes, y como todo organismo vivo, los combina con otros rasgos provenientes de los pueblos contemporáneos que tiene subyugados. Así vemos cómo Tenochtitlan conserva restos de sociedad tribal (el calpulli), que es más bien rural (y la única que sorbevivirá al impacto de la conquista) supeditados a la sociedad imperial verdaderamente urbana. Sin embargo, tomando la civilización en su conjunto, es claro que palidece la división entre rural y urbano cuando se comprende que lo segundo no puede existir sin lo primero. Toda ciudad presupone un "tierra adentro" más o menos rural. Esta combinación forma la "región simbiótica", tan discutida hoy. Tenochtitlan continúa el mundo ceremonial y aristocrático uniendo la teocracia al militarismo por necesidades económicas, situación que parece remontarse hasta los lejanos días del pueblo olmeca. Desde entonces, una minoría muy reducida ha regido los destinos de Mesoamérica. Como los olmecas, Tenochtitlan logra una magnífica escultura monumental que pocos —tal vez los mayas clásicos— alcanzaron con brillo similar. El temperamento mexica combina un gran refinamiento con una brutalidad extrema cuando se trata de conquistar pueblos o de apaciguar con sacrificios a sus dioses.

No me detengo en esta última página de la historia indígena porque será estudiada en este libro con más detalle. Como es la etapa que mejor conocemos a la vez que la postrera, es también la que nos permite observar las conexiones con la Colonia española, que habría de seguirla, y también entre el antiguo México y el actual.

Mesoamérica y su civilización

Durante cerca de tres milenios, Mesoamérica estuvo formada por una zona nuclear superior y zonas marginales secundarias. En éstas no hubo escritura, ni ciudades planificadas; faltaban la gran escultura, los frescos murales, la organización política imperial y la religión elaborada. Sólo el imperio tarasco hacia el siglo xv constituyó una excepción, ya que obtuvo propios y principales rasgos nucleares, aunque se hallara enclavado en un área que hasta entonces había sido marginal.

Sin tratar de precisar fronteras tan elásticas como dudosas puede decirse que el área nuclear está limitada al noreste por la desembocadura del Pánuco. De allí se inclina hacia el suroeste para unirse al río Lerma y continuar hacia el Balsas medio, siguiendo su curso hasta el Pacífico. Incluye así el Estado de Guerrero, pero no el de Michoacán. Por el sur la frontera se inicia en la desembocadura del río Ulúa en el Caribe, y va hacia el sur incluyendo al lago Yohoa hasta llegar al río Lempa. Fuera ya de la República Mexicana, comprende Belice, Guatemala, el oeste de Honduras y El Salvador. Por Mesoamérica marginal se entiende todo el resto del occidente de México, tal vez hasta el río Yaqui. La frontera desciende y recorre la Sierra Madre Occidental. Hacia la mitad del Estado de Durango, tuerce al este para alcanzar al río Pánuco. Al sur incluye algo menos de la mitad de Honduras y las Islas de la Bahía, el resto de El Salvador y el costado pacífico de Nicaragua, hasta la Península de Nicoya en Costa Rica.

No siempre en el tiempo tuvo Mesoamérica la misma extensión y a lo largo de tres mil años sus fronteras variaron considerablemente, sobre todo en las zonas marginales. Este ámbito geográfico forma la superárea donde nace y se desarrolla la civilización mesoamericana; pero sólo podemos delimitar sus fronteras y caracterizarla mediante una serie de rasgos culturales que, o bien son exclusivos de ella, o bien comparte con otras áreas, pero que en ninguna aparecen agrupados como aquí ocurre. No todos, aun en Mesoamérica nuclear, se encuentran por todas las áreas si bien los que se señalarán a continuación son frecuentes o básicos a la mayor parte de ellas. Por otro lado, hay rasgos sumamente antiguos que se iniciaron desde antes de la constitución de Mesoamérica aunque continuaron después, mientras que otros se van añadiendo con el tiempo. Los que señalan una cultura superior comienzan con la época olmeca y en las siguientes se les acumulan otros, o se modifican los antiguos.

Como no sería posible ni útil enumerar todos esos rasgos, habrá que señalar sólo aquellos más destacados o definibles así como algunos que se advierten todavía en el México actual. La manutención se basó en la agricultura: maíz, frijol, calabaza, chile, cacao, muchos frutos y granos, como productos principales. La dieta se completa con algunos animales domésticos, perro cebado, patos, guajolotes y miel de abeja, aparte de productos naturales provenientes de la caza, la pesca y la recolección. La preparación de alimentos tiene refinamientos que deleitaban al paladar indígena. El maíz molido en el metate, cocido con ceniza y cal (mixtamal), logra las tortillas aún básicas en la dieta mexicana. Además hay tamales y varias otras formas de comerlo y aun beberlo. Característica es la chía, usada como bebida, y que también servía para dar lustre a las pinturas. Los hombres trabajaban el campo, siendo la coa el implemento general. Las técnicas agrícolas incluyen irrigación de varios tipos, uso de fertilizantes, chinampas, terrazas para cultivo, aprovechamiento de las riberas de los ríos y, a veces, siembras en pequeños agujeros excavados en la roca. También se plantaba maguey para obtener aguamiel y pulque, arrope y papel. Otros cultígenos de gran importancia son el algodón y el tabaco.

Los hombres vestían braguero de formas variadas y una manta o capa colgada del hombro. Desde el fin de la época olmeca había vestidos tejidos completos de una pieza. Llevaban sandalias, a veces con tacón. Las mujeres usaban falda enredada y una especie de blusa. Había gran variedad de telas y de técnicas y decoraciones, bordadas, coloreadas a veces, entretejidas con pelo de conejo o plumas. Para la cabeza, innumerables formas de tocados, incluyendo los turbantes, eran apreciadas desde el preclásico inferior. Rostros y cuerpos frecuentemente iban pintados o tatuados. Se adornaban con orejeras, collares, bezotes, narigueras, pulseras, anillos, pectorales, ajorcas de barro, de piedra, de jade y más tarde de metal. Varias deformaciones corporales eran admiradas, como la de los dientes y la cabeza.

Los alfareros produjeron millares de objetos de cerámica con técnicas y decoraciones variadísimas. Han resultado el mejor índice para que el arqueólogo distinga los periodos cronológicos. De cestería se tejían petates, canastas, etc., mientras de madera se fabricaba gran variedad de objetos de los que han sobrevivido tambores altos y con lengüetas, estatuas, canoas y remos, adornos, escudos y armas, mangos de cuchillo, etc., todo ello con frecuencia finamente tallado. El aprovechamiento de la obsidiana tuvo enorme distribución en América, pero la pulida, a veces con técnicas refinadísimas, es exclusiva de Mesoamérica. El tallador de jade y otras piedras logró las piezas extraordinarias que admiramos en los museos, así como espejos de pirita (muy antiguos) y una increíble cantidad de cuentas y otros adornos. No es necesario seguir la enumeración de las artesanías para comprobar la variedad, abundancia y calidad de los objetos manufacturados por manos hábiles y bien entrenadas. Esto tendría considerables repercusiones en la formación de Nueva España.

Si la arquitectura logró espaciosas casas que incluían hornos subterráneos y temazcales de piedra, rara vez llegaron a la magnificencia de los monumentos religiosos. Fueron característicos varios estilos estéticos que incluyen rasgos exclusivos de Mesoamérica. Particularmente notables son los basamentos piramidales construidos a base de talud y tablero, cuya aparición en el altiplano ya se mencionó y las cada vez más complicadas fachadas de admirable armonía del área maya con techo angular, aunque el arco no llega a completarse. Vastas superficies recubiertas de estuco son también exclusivas de la superárea. Pero si la arquitectura es espectacular y exclusiva, la planificación de ciudades o de conjuntos monumentales llega a alturas sin rival en América. Canchas para el juego de pelota se encuentran fuera de Mesoamérica, pero sólo aquí las hay con anillos de piedra y ninguna de las foráneas pueden comparárseles en amplitud y esplendor. De varias ciudades se abrían calzadas de piedra que las conectaban con otras ciudades o pueblos. Puentes colgantes cruzaban ríos y barrancas.

La escultura fue sobre todo un adorno o complemento de la arquitectura, en fachadas, escaleras o el interior de los santuarios, formando parte del conjunto. Con frecuencia representaba alguna deidad allí venerada. Sólo las pequeñas esculturas de piedra pueden considerarse como obras aisladas. La pintura mural, por definición, cae en el mismo rubro. Utilizada en muchas áreas, aunque en profusión y calidades muy variables, decoraba los muros interiores de casas, templos, y algunas veces recubría hasta los exteriores de los edificios, lo que debió haber representado un continuo esfuerzo de conservación. En ambas artes, nuevamente Mesoamérica destacó muy por encima de sus vecinos.

La familia natural era el núcleo de la organización social agrupada en clanes del tipo llamado *calpulli*. Éste combinaba la descendencia física —es decir que sólo pertenecían a él los nacidos dentro de él— con la propiedad comunal de la tierra. Tal vez desde La Venta, y seguramente desde Teotihuacan, la organización tribal había sido dominada por una organización estatal, muy probablemente de tipo imperial. Sostenida por considerable número de empleados públicos, suministraba las funciones necesarias al estado. La aristocracia imperial, prácticamente liberada de las reglas del *calpulli*, puesto que sus miembros poseían tierras individuales, estaba gobernada por los jefes políticos, militares y religiosos y los más poderosos comerciantes. Tenían esclavos y los llamados mayeques —teóricamente libres pero pertenecientes, más que asociados, a las tierras de los señores. Se trata, por tanto, de una sociedad clasista, aunque estaba abierta la posibilidad de subir de rango por medio del esfuerzo personal. En Tenochtitlan, el emperador era la cabeza de la pirámide humana; jefe supremo o sea "Tlacatecuhtli", a la vez que sumo sacerdote de Huitzilopochtli, el dios tribal. Los destinos de México estaban, ya desde entonces, en manos de un solo hombre, el eterno pero cambiante señor de los toltecas. Los privilegios de la nobleza, sobre todo los de la familia imperial, eran en parte compartidos por los sacerdotes superiores, los militares y los pochtecas. Estos últimos combinaban los papeles de grandes mercaderes, embajadores, a veces espías, mientras la mano militar acompañaba sus excursiones hasta remotas tierras. Los mercados donde se traficaba intensamente estaban subdivididos según las especialidades y todavía ahora se conserva en muchos lados la costumbre de verificarlos en días fijos de cada semana.

Este comercio a largas distancias —combinado con el cobro del

Pintura mural de Tepantitla, Teotihuacan

tributo impuesto a los pueblos conquistados— estaba protegido militarmente. Se conoce poco su estrategia, pero se sabe que seguían usando el viejo lanzadardos, aunque desde la época tolteca el arco y la flecha se habían convertido en el arma suprema. También empleaban el macahuitl, especie de espada de madera con cuchillos de obsidiana incrustados a ambos lados, y unas picas con puntas de metal. Para protegerse eficazmente, los aztecas usaban un peto forrado de algodón y llevaban escudos conocidos desde tiempos muy antiguos. Los que tienen dos manijas son exclusivos de Mesoamérica. En la época final se multiplicó la erección de fortalezas y aparecen ciudades amuralladas. En la guerra de conquista no se trataba de cubrir el territorio enemigo sino de apoderarse de puntos estratégicos, tomar la capital, incendiar el templo, y cambiar el gobierno local por otro sujeto a Tenochtitlan, que se encargaba de imponer un tributo. Este tipo de guerra daba por resultado un imperio diferente al romano, por ejemplo, ya que el mesoamericano no pretendía extenderse sobre todas las tierras conquistadas, sino que la sumisión se traducía en el pago del tributo y cierta ayuda obligada en casos especiales.

Altos jefes militares pertenecían a una de las dos órdenes militares (o a una tercera menos importante) de "caballeros águilas" y "caballeros tigres", que no se encuentran en otras culturas americanas y gozaban de privilegios y funciones especiales. Igualmente exclusiva de Mesoamérica es esa curiosa institución de la "guerra florida", cuyo objeto era obtener víctimas para el sacrificio. Estaba por tanto estrechamente ligada a la religión.

Porque por mucha importancia que el imperio azteca diera a asuntos temporales y fomentara sus bases económicas y sus ejércitos, seguía imperando la religión como antes, y constituía la base del *ethos* mesoamericano. Prueba de ello es que a ella estaba ligada la inmensa mayoría de los elementos culturales. Se conocen sus fundamentos principales, creencias, sacerdocio y ritual, de modo que no es necesario insistir en detalles. Sólo se mencionarán aquellas ideas o prácticas que fueron básicas a Mesoamérica, o no compartidas por otras áreas americanas. Entre las creencias cosmogónicas está la de un dios principal (Ipalmenohuani entre los mexicas) relacionado con el sol, que es también la pareja creadora, la dualidad femenina y masculina, el cielo y la tierra que engendra a hijos gemelos (los cuatro Tezcatlipocas o la pareja Quetzalcoatl-Xolotl por ejemplo). Se cree que la idea del gemelo y de la dualidad es muy antigua y también incluye muerte-vida. Según ella, el mundo estaba dividido en cuatro regiones (de aquí la importancia del cuatro), además del punto central, lo que hacía del cinco otro número mágico. Pero como hay un cielo y un infierno con cuatro regiones cada uno (la línea central es la misma a todos), se llega a $5 + 4 + 4 = 13$, otro número esencial. Además, cada uno de los cuatro puntos cardinales y el centro tenían un color que los representaba. La idea de creaciones múltiples al fin de cada una de las cuales todo moría para ser recreado formaba los cuatro soles (épocas) pasados y el quinto que todavía alumbraba a los aztecas. La historia estaba vista dentro de conceptos similares, es decir ciclos que se repetían, aunque cada creación o ciclo representaba un avance para la humanidad. Así se combinaba una idea simplemente cíclica y en cierto modo estática con la idea evolucionista o de movimiento, como ahora se entiende la historia.

Había múltiples deidades de importancia distinta, pero algunas, como Tlaloc —y tal vez el Huitzilopochtli azteca estaba alcanzando el rango sobresaliente de Ipalmenohuani— habían adquirido una personalidad propia, con atributos y culto especiales, y se representaban en imagen inconfundible. Muy importante fue el planeta Venus por la forma tan peculiar de su visibilidad para los hombres y por los peligros que supuestamente acarreaba su presencia a ciertas personas.

Escena de un sacrificio. Disco H del cenote de Chichén Itzá

En casi todas las religiones la sangre humana o animal tuvo valor ritual. De allí la frecuencia de los sacrificios en que se hacía correr. En Mesoamérica, mediante el sacrificio de sangre, el hombre se vuelve colaborador de los dioses, en el problema para ellos eterno de mantener en vida por medio de ese líquido vivo no sólo al sol sino al universo. Algunas formas de sacrificio son exclusivas de Mesoamérica, como la de quemar hombres vivos o aquella en honor a Xipe en que el sacerdote bailaba revestido de la piel del hombre desollado. Recordemos que la víctima representaba al dios, y como los sacerdotes tenían la costumbre de vestirse imitando la imagen divina, se ataviaba a la víctima también con similares vestiduras. En ocasiones se sacrificaban codornices, y los devotos hacían penitencia voluntaria sangrándose las orejas, la lengua, el pene o las piernas. Otras costumbres exclusivas con el uso ritual del papel, la celebración de fiestas al concluir algunos periodos fijos de tiempo y los días de buen o mal agüero. Dar a los niños el nombre del día de su nacimiento, el canibalismo ritual y la creencia en varios ultramundos tras un viaje difícil para alcanzarlos así como el célebre palo volador, todavía existente, tienen todos la misma exclusividad. Aunque aún con fuertes resabios de magia tribal desde la segunda gran época, creó Mesoamérica una religión politeísta formal, con creencias y dioses ordenados, un ritual fijo y un sacerdocio profesional, dividido en distintos grados, en contraste al viejo *shaman* de la tribu.

Pero el rasgo que coloca a Mesoamérica dentro de las civilizaciones universales es el de la escritura, por limitada que haya sido. No se difundió fuera del área nuclear, aun cuando sus inicios correspondan por lo menos al siglo v a.c. Los "documentos" más antiguos que se conocen consisten todos en inscripciones incisas en piedra, que en sus albores probablemente tallaran en madera. Después hay escritura en pinturas murales y otros objetos. Durante la tercera gran época aparecen (o cuando menos sólo desde entonces se han conservado) en verdaderos libros. Los monumentos antiguos, y sobre todo las espléndidas inscripciones del área maya, utilizan jeroglíficos, mientras los correspondientes al área mixteca-mexicana son de estilo representativo y por tanto más fáciles de descifrar, aunque más limitados en su expresión. Estos libros, que genéricamente llamamos códices, fueron pintados sobre largas tiras de papel de amate dobladas a manera de biombo. Los hay de varios tamaños y de diferentes temas: religiosos, históricos, geográficos, calendáricos y económicos. Las vicisitudes nos han conservado apenas una pequeña parte de los muchos que existieron, pero bastan para formar un cuerpo de documentos único en el continente e inagotable para la investigación. Probablemente gracias a esta posibilidad de escribir —y debido también a notables conocimientos astronómicos y matemáticos— se desarrolló un calendario muy preciso basado en la cuenta de días agrupados en 18 meses de 20 días cada uno más cinco adicionales para formar el año solar (los mayas lograron la corrección del bisiesto) a la vez que usaban otro calendario para el ritual religioso, de 260 días,

Detalle de un manuscrito pictórico azteca

cada uno con su nombre especial formado por la combinación de 13 números y 20 nombres. La combinación de ambos cómputos formaba el "siglo" de 18 980 días, equivalentes a 52 años. Los mayas añadieron el sistema llamado de la cuenta larga, descrito antes, para señalar cifras infinitas gracias a la utilización —descubrimiento asombroso para el tiempo— del cero y, por tanto, la posibilidad de numerar por posición. Recordemos que no solamente fue ignorado por todas las civilizaciones de primera generación, sino que tampoco lo conoció la sociedad helénica.

A pesar de peculiaridades y variantes, la unidad de Mesoamérica y su historia paralela no sólo quedan demostradas por el arqueólogo, sino por los datos que proporcionan la etnografía, la antropología física y la lingüística. Las numerosas lenguas habladas en el México antiguo han sido en gran parte estudiadas y asignadas a grupos de idiomas, pero representan una clasificación relativa en cuanto a que las fronteras entre los grupos y las lenguas mismas sólo pueden reconocerse por las divergencias mayores o menores entre ellas. Las familias lingüísticas de Mesoamérica nuclear pertenecen a tres grupos: Macro-Mixteca, Macro-Maya y Macro-Nahua. Salvo en el caso de esta última, casi todos sus habitantes quedaban dentro de las fronteras mesoamericanas, y así han permanecido durante numerosos siglos. El nahua tiene muchos parientes en el Occidente y el Noroeste, con lo que demuestra haber llegado después. En el Occidente, además, hay varios idiomas distintos, algunos aún no clasificados y otros independientes de los grupos antes mencionados. Por ejemplo, el tarasco señala otra prueba de la diferencia en historia y cultura entre la Mesoamérica marginal y la Mesoamérica nuclear.

El antiguo México formó una de las rarísimas civilizaciones casi independientes en su origen y desarrollo. Y se dice casi porque es posible que existieran mayores relaciones con la civilización andina de las que ahora conocemos. Por otro lado, las muy discutidas influencias transpacíficas o trasatlánticas, o bien son meras conjeturas, o bien son de una importancia menor en el desarrollo mesoamericano. Hay indudables paralelismos sumamente curiosos con Asia sobre todo en el campo de las ideas filosóficas y religiosas. Este viejo tema, que por motivos muy distintos se origina con la conquista española, ha hecho correr mucha tinta desde entonces y no parece haber llegado el momento definitivo de decidirse por alguna de tantas tesis. Consideramos que, cuando menos en sus líneas principales, la civilización mesoamericana se desarrolló por sus propias fuerzas y a lo largo de líneas *sui generis*. Al filósofo de la historia o al que busca un concepto de historia universal, esta independencia americana ofrece luces extraordinarias para el estudio del hombre.

Más importante que las posibles influencias mencionadas son las necesarias relaciones —voluntarias o no— entre Mesoamérica y sus vecinos de cultura inferior, así como la herencia milenaria que vino arrastrando desde la época previa a la formación de la superárea. De hecho, varios antiquísimos rasgos culturales aparecen todavía en el siglo XVI entre esos pueblos de cultura inferior, al norte de Mesoamérica. Ninguna civilización obviamente vive en un total aislamiento cultural, por mucho que sea tan frecuente —y no sólo en este caso el concepto de "nosotros" y los "otros", "nosotros los hombres", en el sentido tan conocido de nosotros los griegos *vs.* los *barbaros*. *Nosotros* es siempre el centro del mundo,

159

el Anáhuac azteca. Con todo y este sentimiento de superioridad respecto de sus vecinos, éstos existen y no pueden olvidarse ya que afectan el curso de "nuestra" historia.

No es posible aceptar la versión simplificada de las "invasiones bárbaras" venidas del norte destruyendo los sucesivos imperios centrales. Como se ha tratado de mostrar, éstos se debilitaron antes por acción corrosiva interna, y así facilitaron el ascendiente e influencia que en muchos aspectos recibían de los "bárbaros". Éstos se alineaban —en distintos niveles culturales— a lo largo de la frontera norte de Mesoamérica. Son pueblos que no se estudian aquí, pero es evidente que en diferentes momentos ideas y objetos mesoamericanos se esparcieron entre ellos y aun alcanzaron indirectamente regiones que hoy son parte de los Estados Unidos. Por otro lado, colaboraron mucho en la historia de Mesoamérica al enviar en distintos momentos huestes empeñadas en la destrucción de los estados centrales, y dejaron rasgos culturales como el arco y la flecha. Este incesante ir y venir a través de fronteras mal delimitadas produjo la creación de ese "proletariado externo" que en la filosofía toynbeana tanta parte tiene en el fin de las civilizaciones.

No cabe duda de que hay que colocar a Mesoamérica entre las civilizaciones de primer cuño o de primera generación, es decir, que no descienden de otras sino arrancan de una matriz primitiva. Por tanto, sus triunfos o sus derrotas sólo pueden compararse con los triunfos o las derrotas de civilizaciones del mismo tipo, como las que florecieron en Egipto, China, Sumeria-Babilonia, India o la minoica y la andina. Salvo la última, las demás tuvieron contactos más o menos estrechos entre sí como lo demuestran algunos rasgos que comparten. De donde se deriva que comparar las civilizaciones del Viejo Mundo con la andina o la mesoamericana, no es enteramente válido. Además, no debe olvidarse que las dos civilizaciones americanas empiezan su carrera cuando ya estaba agotándose el aliento de las asiáticas antiguas. Sin embargo, en todas encontramos, por definición, una serie de adelantos comunes. Se ha tratado de indicar con ejemplos lo más característico de Mesoamérica, lo que no necesariamente supone siempre que sea privativo de ella. Es evidente que en algunos aspectos llegó bastante lejos mientras en otros se quedó muy atrás.

Supervivencias del mundo prehispánico

La conquista española termina propiamente la historia de Mesoamérica; sin embargo, la máxima expansión de algunas ideas mesoamericanas y de su lengua franca —el náhuatl— ocurren en el siglo XVI como consecuencia de la propia conquista. Para el fin del mismo siglo, la civilización mesoamericana sucumbió totalmente. Toda ella había estado en manos de una minoría aristocrática que regía sus destinos y su fin fue el de su civilización. Esto, unido a otras causas, produjo una disrupción profunda en la economía, debida también a la aparición de nuevos productos europeos y nuevos métodos de producción, y al gran cambio en el interés hacia numerosas mercancías —sobre todo las de lujo y las relacionadas al ceremonial indígena— que perdieron su significado. Dejaron de ser llevadas de un sitio a otro y los pochteca desaparecieron como profesión. Pero no sólo desaparecieron por la falta de interés en el comercio de sus peculiares mercancías, sino porque, como miembros de la antigua aristocracia, desaparecieron con ella. Esta disrupción recuerda la ocurrida al fin de la época clásica, cuando la muerte de la clase superior teotihuacana produjo un aislamiento entre las diferentes áreas de Mesoamérica, aislamiento particularmente notable en el valle de Oaxaca. La conquista española produjo también el aislamiento de numerosas comunidades indígenas sobrevivientes no sólo durante la Colonia, sino hasta nuestros días. Al desmoronarse la organización de los antiguos estados, las poblaciones revierten a una situación tribal de infinitos corpúsculos prácticamente independientes y con poca conexión real de los unos con los otros. Lo que queda hoy de vida indígena refleja la cultura rural antigua más o menos diluida, pero los rasgos de cultura superior murieron al advenimiento de la nueva civilización llegada de España. Ésta era, a su vez, bien compleja. La España renacentista de la Reina Católica, a diferencia de otras naciones europeas, acarreaba, además de los viejos pueblos aborígenes, la herencia romana, un cristianismo exacerbado y fuertes dosis de cultura islámica y judía. Era una verdadera caldera que todavía la distingue del resto de Europa —como también distinguía a Mesoamérica del resto de América. Y estas diferentes herencias, si bien en grados diversos, habían de marcar a la Nueva España y al México que le sigue.

Sin pretender entrar aquí en detalles, hay que recordar brevemente cómo las causas y formas de la Conquista habrían de continuar afectando a la naciente Colonia. La aparentemente imposible facilidad con que Cortés domina al imperio de Moteczuma se vuelve más inteligible si se piensa en sus numerosos aliados indígenas, aquellas naciones que se rebelan, no en favor de Cortés sino contra el imperialismo mexica. Ven en Cortés el libertador de un yugo ya insufrible. Los conquistadores buscan no sólo oro, sino varias indudables ventajas materiales y también implantar el cristianismo. Para ello aprovechan, aún más que los recursos naturales, la mano civilizada del indígena, capaz de construir las iglesias plateresca o de sembrar la tierra según las nuevas técnicas. El indígena aprende el pastoreo de animales hasta entonces desconocidos para él, sufre en el trabajo de explotación de un nuevo tipo de minas, y, a mediados del siglo, muere en espantosas epidemias causadas por enfermedades que no podía soportar. Poco a poco se van formando áreas españolas y mestizas, mientras los indígenas cada vez más alejados de ellas se encierran en parajes fuera de las rutas comerciales. Éste es el origen de los grupos indígenas aún sobrevivientes que, como se ha dicho, apenas conservan la cultura rural de sus antepasados.

De la civilización, los rasgos superiores son los que pronto desaparecen, ya sea por acción voluntaria de la Colonia, ya porque su función fue suplantada por otros rasgos que vinieron de España. Por razones obvias, la religión y todo el mundo ceremonial ligado a ella y que formaban la esencia de Mesoamérica, son los primeros en sucumbir. En cambio, algunas formas del imperio no sólo continúan a través de la Colonia, sino hasta nuestros días. Moteczuma revive en el virrey, y los presidentes del México independiente continúan esa imagen de caudillos personales más que institucionales. El gobierno es una persona, de poderes omnímodos y casi mágicos. Todavía, como ya se ha dicho, hay el amigo máximo rodeado de un círculo estrecho de amigos y favoritos que recuerda el círculo estrecho del Tlacatecuhtli. Los extraños al grupo son en cierto modo aliados y hasta enemigos, tal vez porque antiguamente formaban los pueblos conquistados por los aztecas y por ende realmente sus enemigos.

Y así el México moderno ha heredado muchos rasgos prehispánicos que realzan su individualidad. No se trata de caracterizar a México o al mexicano sino indicar algunos de los muchos rasgos que se consideran típicos de la cultura nacional y que derivan directamente o tienen una marcada influencia de la antigua Mesoamérica. No se hablará aquí de singularidades locales, de supervivencias en lugares aislados o superficialidades folklóricas, ya que nada de esto es mexicano en el sentido de no pertenecer a la mayoría de los mexicanos de hoy.

Nuestra lengua, para empezar, no sólo utiliza muchas palabras indígenas más o menos castellanizadas sino que ha transformado el sentido de palabras enteramente españolas. Basta hojear el enorme diccionario de mexicanismos para observar la cantidad de palabras y giros diferentes de los españoles. La semántica y aun la prosodia han sido alteradas, sin hablar del acento tan distinto que tenemos. Nuestra manera de expresarnos en diminutivos se deriva de otra característica indígena relacionada con las costumbres de cortesía ceremonial. Afectan nuestros modales la excesiva amabilidad indígena "pase usted..., ésta es su casa..., mande...", que recuerdan más la cortesía blanda del indígena que la rudeza clara del español. Pero esta cortesía indígena-mexicana encubre una violencia frecuentemente sangrienta que nos recuerda al azteca "hombre de piedra" que llevaba flores en las manos. Ello conduce hoy a un valor físico temerario y a un desinterés o desprecio por la muerte y a su presencia continua en numerosos aspectos ceremoniales y de la vida diaria, al no temerla y a la exacerbación del día de los muertos. Tal vez con esto se relacione nuestra costumbre de apodar de acuerdo con características físicas: el gordo, el güero, el manco, la chata... Parece ser parte de la seriedad o la solemnidad y aun la melancolía tan aparente en muchos actos públicos y privados. Hay una humildad, en realidad un orgullo, escondidos tras de la dignidad que contrasta con la altanería hispánica.

Nuestros gustos culinarios están ligados al antiguo paladar indígena. Tortilla, chile, frijol, guajolote, chocolate, tamales, aguas frescas, frutas locales y la manera de preparar muchos platos o de combinar sus ingredientes, recuerdan al México prehispánico. Asimismo objetos de uso doméstico diario, como metate, comales, bateas o jícaras laqueadas, baúles o equipajes, tienen una obvia ascendencia indígena. Igual ocurre con la forma de vender muchos de estos productos en mercados separados en grupos de especialidades, práctica asociada a la celebración de fiestas o peregrinaciones en días fijos.

Se ha mencionado ya la extraordinaria importancia de Teoti-

163

huacan como la cultura básica del área que gobernará el resto, en lo político, cultural, religioso y económico. Desde entonces los valles centrales se vuelven el eje. Tal vez sean muy antiguos aspectos básicos como el del ejido, que recuerda al antiguo calpulli, o el de las mayordomías y otras agrupaciones con funciones político-religiosas que han logrado un sincretismo cuya manifestación más evidente está en el culto nacional a la virgen de Guadalupe. Aun con tantas diferencias hubo desde el principio semejanzas entre la civilización española y la indígena. Por ejemplo, la intensa religiosidad, la cultura verbalista o las casas construidas con habitaciones alrededor de un patio central con el mínimo de aberturas al exterior.

A todo lo dicho mucho más podría añadirse como demostración de que la cultura nacional mexicana es la fusión de sus dos herencias ancestrales. Éste ha sido uno de los problemas fundamentales del país, pero también lo que le ha dado su individualidad, su cultura propia y, por tanto, sus mayores posibilidades de sobrevivencia independiente. El descender de dos auténticas civilizaciones ha sido un peso enorme, pero también su mayor timbre de gloria. Finalmente, es importante pensar que más allá de las viejas fronteras, Mesoamérica contribuyó con aportaciones muy concretas y valiosas a la cultura universal. Maíz, frijol, cacao o sea chocolate, jitomate, varias especies de chiles, frutos como el aguacate que, ahora, Europa importa de Israel, y el guajolote de las fiestas navideñas. Chicle y hule, fibras como el henequén, pita, ixtle y raíz de zacatón, así como ciertos colorantes, se han vuelto de uso universal. Y no olvidemos el tabaco, deleite y drama. Fuera de esta incompleta lista de productos naturales, el arte del México antiguo influye sobre el arte contemporáneo occidental, contribuyendo así a la gran corriente estética que marca los destinos de nuestra época.

La sociedad mexicana
antes de la Conquista

Pedro Carrasco

Los capítulos anteriores han presentado una visión general del desarrollo de la civilización mesoamericana según se puede colegir de los restos arqueológicos. Han definido asimismo el área cultural ocupada por los pueblos civilizados que los antropólogos han nombrado Mesoamérica. Los documentos que pudieran servir de base a una historia en el sentido estricto de la palabra están limitados por el carácter rudimentario de los procedimientos que usaron los pueblos mesoamericanos para registrar información. Los pueblos del centro de México usaron sobre todo pictografías, pinturas de los hechos que se quieren registrar con sólo un uso limitado de ideogramas o símbolos que expresan ideas y de signos con valor fonético. La civilización maya es la única que desarrolló un sistema más elaborado que por desgracia todavía no se ha descifrado más que en parte, principalmente los datos calendáricos.

Los documentos pictóricos indígenas de contenido histórico que han sobrevivido provienen del centro de México y de la Mixteca y, junto con las interpretaciones de algunos de ellos y con otras tradiciones escritas en alfabeto latino después de la Conquista, permiten hablar ya de historia en el pleno sentido de la palabra para los dos o tres siglos anteriores a la Conquista, si bien la densidad de información y la profundidad cronológica varían mucho de región a región según la cantidad de fuentes históricas disponibles. Se ha dicho ya que la cultura mexica se puede considerar como una síntesis de la civilización mesoamericana. Los mexica de México-Tenochtitlan se habían convertido en el grupo político dominante de todo el centro y sur de México al oeste del Istmo, e incluso se habían adentrado al Soconusco; de modo que el sistema político que ellos organizaron y la cultura de los

167

pueblos sujetos a su influencia, constituyen el antecedente inmediato anterior a la Conquista y explican tanto el curso de la guerra misma de Conquista como la manera en que el régimen colonial habría de usar las instituciones sociales aborígenes.

Este capítulo, por lo tanto, dará primero una visión somera de la complejidad de pueblos y culturas que existía a la llegada de los españoles en el territorio del México moderno, para concentrarse después en la sociedad y cultura del centro de México tal como era en la época del predominio mexica.

La complejidad de Mesoamérica

A la llegada de los españoles había una gran diversidad social y cultural en los territorios que habrían de constituir el México actual. La distinción fundamental era la que separaba a los pueblos civilizados de la zona cultural que llamamos Mesoamérica, de los pueblos cazadores y recolectores de la mayor parte del Bajío y el Norte de México. Esos recolectores desaparecieron poco después de la Conquista, aunque en las regiones más remotas del Norte la expansión de la Nueva España fue tardía. Estas sociedades aborígenes contribuyeron poco o nada a la formación de la moderna nación mexicana, si bien la existencia de una muy baja densidad de población en las regiones que ocupaban fue un factor importante para determinar el tipo de sociedad que se formó en ellas al desarrollarse nuevos recursos como la minería y la ganadería. La zona mesoamericana fue la que atrajo la conquista y la colonización españolas y por lo tanto constituye el antecedente indígena primordial para la formación de esa nacionalidad. Estaba poblada por sociedades que, mediante un largo proceso de desarrollo, habían alcanzado desde unos dos mil años antes de la Conquista el nivel llamado generalmente civilización, es decir, un tipo de cultura caracterizado por un sistema de producción con cultivos intensivos y artesanías desarrolladas, capaz de mantener un población numerosa en la que existía una división del trabajo que incluía la distinción entre ciudad y campo, entre un grupo de trabajadores dedicados principalmente a la producción de bienes materiales y otros dedicados a la distribución y el gobierno; una sociedad que podía producir refinamientos culturales como un sistema de mantener registros, si bien no fuera escritura alfabética, un calendario sumamente elaborado, edificios monumentales, artes primorosas y una religión muy compleja que demandaba la participación de sacerdotes especializados. Esta civilización comprendía una zona central, al sur de los ríos Pánuco y Lerma, que se extendía hasta la república de El Salvador. En esta región se encontraban los máximos refinamientos culturales de la tradición mesoamericana, como grandes construcciones, esculturas en piedra y códices pictóricos. Hacia el noroeste, hasta Sinaloa, y hacia el sureste, hasta Nicaragua y la península de Nicoya, había extensiones de la tradición mesoamericana, pero más sencillas, que no incluían los refinamientos culturales y la complejidad social de la zona central. Este nivel más sencillo de cultura mesoamericana se encontraba también en algunos enclaves dentro de la zona central, en lugares que por su aislamiento y menor potencial ecológico no constituían centros de desarrollo cultural. Eran regiones de refugio para pueblos que participaban de manera marginal en el desarrollo de los principales centros de cultura mesoamericana; zonas como la costa de Michoacán o algunas partes montañosas de Oaxaca, mismas que hasta hoy han estado al margen de los principales cambios sociales y culturales del país.

Mesoamérica se caracterizaba —la actual población indígena todavía manifiesta los mismos rasgos— por una gran diversidad lingüística y por la fragmentación de unidades sociopolíticas de reducida extensión geográfica. La complejidad lingüística es una de las más grandes del mundo: no solamente había un gran número de idiomas sino que pertenecían a familias lingüísticas muy disímiles. Una de las más importantes era la yutoazteca, que comprendía varios idiomas del occidente y el idioma nahuatl o azteca, con sus dialectos pipil y nicarao, hablados en Centroamérica. Esta familia incluye también idiomas de grupos lejanos en el suroeste de Estados Unidos. Otras en cambio, comprendían idiomas hablados casi exclusivamente por pueblos mesoamericanos. El maya de Yucatán con el huaxteco y con los idiomas de los altos de Chiapas y de Guatemala formaban la familia mayense, a su vez conectada con el totonaco y con el mixe y el zoque de la región ístmica, para formar un tronco lingüístico mayor, llamado macromayense. En el centro de México el otomí con el mazahua y el matlatzinca formaban una familia, que los lingüistas han denominado otomangue, junto con dos idiomas más

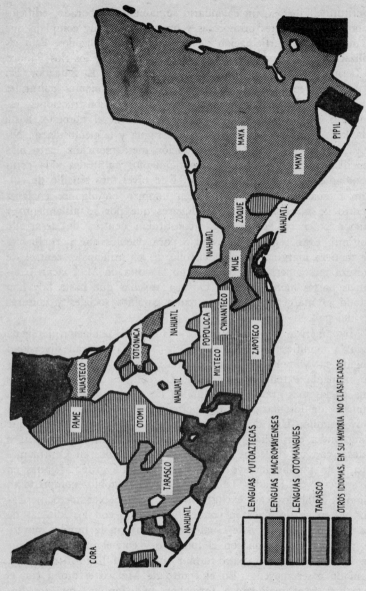

LENGUAS YUTOAZTECAS

LENGUAS MACROMAYENSES

LENGUAS OTOMANGUES

TARASCO

OTROS IDIOMAS, EN SU MAYORIA NO CLASIFICADOS

Pueblos y lenguas de Mesoamérica

remotos, el chiapaneco de la región de Chiapa de Corzo y el mangue de Nicaragua. Esta familia está relacionada a su vez con varias otras que comprenden la mayor parte de los idiomas de Oaxaca, principalmente el mixteco y el zapoteco, y forman todas un tronco denominado macrootomangue. Otro idioma importante era el tarasco de Michoacán, sin parientes lingüísticos cercanos. De menor relieve, hablados por pueblos marginales, eran el cuitlateco y el tlapaneco de Guerrero, y el chontal de Oaxaca, éstos dos últimos relacionados con los idiomas hokanos de Norteamérica. Además, había muchos otros idiomas de distribución geográfica reducida que se dejaron de hablar, remplazados generalmente por el nahuatl, durante la Colonia, y de los cuales no se sabe sino su nombre. Dentro de esta complejidad lingüística había unos pocos idiomas que dominaban las zonas de mayor importancia cultural y social: el tarasco, el mixteco, el zapoteco, el maya y sobre todo el nahuatl, idioma materno de la mayor parte de la población de los valles centrales, y lengua franca de muchas otras regiones. Junto con la gran diversidad lingüística las unidades sociopolíticas básicas eran de extensión restringida. Las unidades políticas de mayor extensión estaban poco centralizadas e incluían poblaciones de distintas filiaciones culturales y aun lingüísticas. Sin embargo, había una red compleja de relaciones entre las distintas entidades políticas definidas mediante alianzas militares, comercio, peregrinaciones religiosas e incluso la manera de hacer la guerra, que convertían la mayor parte de Mesoamérica en un sistema social efectivo a pesar de no tener unidad política.

Dentro de esta gran diversidad regional, en la época de la Conquista había una clara relación entre el potencial ecológico de las distintas regiones y el desarrollo demográfico, cultural y político alcanzado por cada una de ellas. La zona de cultivo de roza de Yucatán y el Petén, donde en periodos anteriores floreció la civilización maya, estaba en decadencia demográfica y cultural. Dividíase la península de Yucatán en varios señoríos independientes, en guerra los unos con los otros, donde no se construía ya nada que rivalizara con los monumentos de épocas anteriores. El centro cultural, político y militar de Mesoamérica estaba sin duda en los valles centrales del altiplano mexicano, y esta localización estaba claramente ligada a los mejores recursos naturales: en lo fundamental los cultivos de tipo permanente con riego; sobre todo las terracerías y chinampas del Valle de México, pero también las zonas de riego de Morelos y Cholula. Ésta era la zona de concentración urbana donde estaban situados los centros políticos y militares que aliados formaban el imperio azteca.

Pueblos y tradiciones históricas

Las tradiciones históricas sobre las épocas más antiguas se refieren principalmente a los toltecas, un pueblo que alcanzó un gran florecimiento en la ciudad de Tula, seguido por su decadencia y dispersión. Con ellos se relacionaban de una u otra manera la mayor parte de los pueblos de Mesoamérica que encontraron los españoles. Aunque estas tradiciones están mezcladas con la mitología y hay problemas en la localización de los lugares mencionados y la cronología de los sucesos narrados en las crónicas, es indudable que en torno a los toltecas ya es posible coordinar los datos de la historia con los de la arqueología. La Tula, capital tolteca, se puede identificar con la ciudad arqueológica de Tula en el Estado de Hidalgo, y las tradiciones históricas de los pueblos mayenses de Yucatán y Guatemala, que hablan de influencias de pueblos y de elementos culturales del centro de México, se confirman claramente en las semejanzas que ha revelado la arqueología entre Chichén Itzá y Tula.

Las tradiciones indígenas describen pueblos de distintos antecedentes culturales cuyas migraciones y transformaciones culturales constituyen el proceso principal en la historia social y cultural del centro de México. Los pueblos más antiguos mencionados en las crónicas reciben entre otros el nombre de olmecas y representan una tradición cultural de raigambre netamente mesoamericana. Se mencionan pueblos de este tipo como la población original de Cholula y Chalco, de donde fueron desplazados por pobladores más tardíos, pero no hay crónicas detalladas de sus historias. Probablemente son los mismos que según una tradición recogida por Sahagún poblaron el altiplano mexicano procedentes de Pánuco, adonde habían llegado por mar. También según esta tradición de Sahagún los pueblos nahuas del centro de México se extendieron hacia el norte para fundar Tula y alcanzar territorios de los pueblos cazadores y recolectores, a los cuales influyeron culturalmente y han de haber influido en las

172

unidades políticas que establecieron. Esta expansión de los pueblos mesoamericanos hacia el norte se comprueba con el material arqueológico que indica que durante el posclásico la cultura mesomericana abarcaba el Bajío, y su extensión era por tanto mayor que la que tenía en la época de la Conquista.

Por razones que ni la arqueología ni las tradiciones históricas permiten analizar, hubo un retraimiento de la frontera mesoamericana hacia el sur iniciado poco más de tres siglos antes de la Conquista, que provocó la vuelta hacia los valles centrales, y aun a regiones más meridionales, de los pueblos que habían ido a poblar las zonas norteñas de Mesoamérica. Junto con ellos, o inmediatamente después, entraron también a los valles centrales grupos de raigambre cazadora, si bien ya influidos por los mesoamericanos. Estos distintos tipos de pueblos fueron los principales actores en la historia de México tal como se conocía en el siglo XVI. Fundamentalmente las historias indígenas tratan de las migraciones de estos pueblos, su asentamiento definitivo en nuevas regiones de los valles de México y Puebla, la interacción cultural y social entre los pueblos de distintas tradiciones culturales, y el crecimiento de nuevas unidades políticas más estables que culminaron con la formación del imperio azteca.

Con los términos tolteca y chichimeca se suelen describir los distintos pobladores. La palabra tolteca define primordialmente a la gente de Tula, pero también se aplica a todos los pueblos de tipo cultural semejante, probablemente partícipes en un posible imperio encabezado por Tula; es decir, a los pueblos de antecedentes mesoamericanos antes establecidos en la extensión norteña de Mesoamérica donde se habían mezclado con la población local de cultura menos compleja. El término chichimeca se aplica a los pueblos de cultura cazadora en contraste con los toltecas mesoamericanos; pero también se puede aplicar, en contraste con la población más antigua como los olmecas antes mencionados, a los mismos toltecas que se habían relacionado con los chichimecas y de cuyo territorio se desplazaron hacia el sur. De este modo, Ixtlilxochitl clasifica a los pobladores del Valle de México como toltecas que habían permanecido en la región después de la decadencia de Tula, o como inmigrantes de ascendente tolteca, o como chichimecas de cultura cazadora. Las tradiciones históricas de Cholula hablan de una población original a la que llaman olmeca, a cuyo territorio llegan desde Tula los tolteca-chichi-

173

mecas de cultura mesoamericana que más tarde llaman en su ayuda, como auxiliares guerreros, a los genuinos chichimecas de cultura cazadora. Aunque los grupos de cultura chichimeca acabaron convirtiéndose a la cultura mesoamericana, continuaron llamándose chichimecas, nombre prestigioso por denotar el origen de los conquistadores que establecieron varios de los linajes reinantes en los señoríos del altiplano. De todos estos pueblos inmigrantes, tal vez los más importantes sean los colhuas, que se establecieron en Colhuacan, donde representan la continuidad de la tradición tolteca, y los

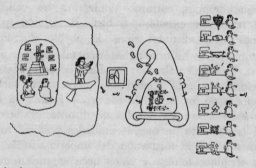

Viaje de Aztlan a Tecolhuacan. *Tira de la peregrinación*

recién mencionados tolteca-chichimecas, asentados en Cholula. Otros de origen también tolteca o tolteca mezclado con chichimeca son los tepanecas que poblaron el suroeste del Valle en Azcapotzalco, los otomíes que fundaron un reino en Xaltocan, los acolhuas que ocuparon Coatlichan y el este del valle, y muy especialmente los mexica, de importancia menor al principio pero que se impusieron finalmente como el pueblo dominante.

En el Valle de México, los pobladores chichimecas más importantes fueron los chichimecas de Xolotl, llamados así según el nombre del caudillo que los guió a poblar en la parte central y oriental del Valle; en la zona de Chalco se establecieron los totolimpaneca. En la región de Puebla, los chichimecas traídos por los tolteca-chichimecas de Cholula dieron origen a los linajes dominantes de todos los señoríos de los alrededores de Cholula: Totomihuacan, Cuauhtinchan, Tlaxcala y Huexotzinco. Todos estos pueblos chichimecas se establecieron como grupos políticamen-

174

te importantes debido a sus actividades militares. Ha intrigado a varios investigadores cómo pueblos de base material y demográfica tan endeble como la que depende de la caza y la recolección pudieron conquistar, según pretenden algunas crónicas e historiadores modernos, grandes extensiones de pueblos más numerosos y avanzados. Según se verá después, en el antiguo México distintos grupos étnicos se especializaban en el desempeño de funciones distintas dentro de la organización política. Es probable que el reino o reinos toltecas de la periferia mesoamericana hubieran tenido auxiliares militares chichimecas de la misma manera que más tarde los tuvieron los tarascos en la región de Acámbaro, o que los tlaxcaltecas tenían en sus fronteras a otomíes encargados de la defensa contra los aztecas. Estos chichimecas especializados en dar servicio militar a grupos toltecas bien pueden haber entrado a Mesoamérica al mismo tiempo que los toltecas de la dispersión y haber logrado establecerse como los linajes conquistadores en las regiones ocupadas. Por eso es especialmente importante la tradición cholulteca que claramente explica la llegada de chichimecas como auxiliares militares traídos por los tolteca-chichimecas. Sabemos que en todos los señoríos que fueron gobernados por linajes chichimecas también había otros pobladores de cultura más avanzada, y nada hace suponer que la mayoría de la población fuera chichimeca; al contrario, debió ser el resto de la población conquistada más antigua o pobladores más tardíos de cultura tolteca.

Las principales unidades políticas establecidas a consecuencia de estos movimientos de pueblos fueron al principio Colhuacan, que parece haber dominado gran parte de la región meridional del Valle; Azcapotzalco, cabeza de los tepanecas en el oeste y Coatlichan, capital de los acolhuas en el este. Estos tres reinos estuvieron en cierto tiempo aliados en forma que puede haber constituido un antecedente del imperio azteca. Los mexicas llegaron a formar parte de este sistema como uno de los señoríos dependientes, primero de Colhuacan y después de Azcapotzalco. Esta última ciudad se convirtió en la más importante del Valle durante el reinado de Tezozomoc a fines del siglo XIV y principios del XV, mientras que Colhuacan perdió su importancia convirtiéndose en una dependencia de México, cuyo linaje reinante se derivó de los soberanos colhuas. Gran parte de la población de Colhuacan se dispersó y fue a reforzar la población de tipo tolteca en los reinos estable-

175

Localidades y grupos étnicos del México central

cidos por los chichimecas en Tetzcoco y Cuauhtitlan. A la muerte de Tezozómoc de Azcapotzalco logró el dominio entre los tepanecas su hijo Maxtla, rey de Coyoacán, el cual trató de someter a su dominio directo a los mexicanos. Éstos, junto con los tetzcocanos, que habían sido sojuzgados durante el reinado de Tezozomoc, de-

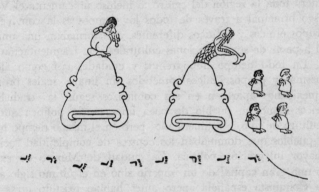

Dos etapas de la migración de los mexica. *Tira de la peregrinación*

rrotaron a los tepanecas y formaron hacia 1428 la alianza que se llama *imperio azteca,* en la cual las partes principales fueron México y Tetzcoco, con los tepanecas reducidos a un papel menor, ahora bajo el rey de Tlacopan. En la región poblana, la principal entidad política fue la de los tolteca-chichimecas en Cholula, que parece haber ejercido cierta supremacía sobre los señoríos chichimecas establecidos en su contorno. Éstos, sin embargo, cobraron mayor importancia, sobre todo Huexotzinco, que en cierto momento estuvo aliado con Tezozomoc de Azcapotzalco. Al formarse el imperio azteca la región poblana le resistió más tiempo que otras partes del centro de México. Huexotzinco fue sometido pocos años antes de la llegada de los españoles y Tlaxcala siempre mantuvo su independencia. Entonces, a la llegada de Cortés, el centro de México incluía una gran diversidad de pueblos con distintos antecedentes culturales y que no habían logrado su unificación política ni cultural. Sin embargo, los componentes de la población de cada uno de los señoríos eran básicamente semejantes y la región en su totalidad se puede tomar como una unidad desde el punto de vista de sus componentes culturales y sus instituciones sociales.

Al describir la sociedad del México antiguo se toma el centro de

177

México en su conjunto y se hace abstracción de las transformaciones sociales ocurridas en el periodo que aquí se abarca. Ha sido frecuente realzar la magnitud de la transformación social de los mexicanos presentándola como una evolución de tribu a estado imperial; pero esta interpretación es en lo fundamental falsa. Si se considera toda la región del centro, o incluso únicamente el Valle, el rasgo principal a través de todos los tiempos es la convivencia de grupos étnicos y políticos diferentes, que formaban una unidad social a pesar de sus distinciones culturales y la fragmentación política. En todo tiempo hubo reinos y ciudades, así como aldeas campesinas y grupos étnicos sometidos sin linajes reales propios. Los mexicanos aparecen en sus comienzos según las tradiciones históricas como un pueblo de poca importancia política aunque con cultura de tipo mesoamericano; pero en el mismo tiempo había otros pueblos que dominaban los centros de complejidad social y de mayor integración política. La ciudad de México no existió como una gran capital de un imperio sino en el último siglo antes de la Conquista española; pero antes habían existido otras ciudades como Colhuacan y Azcapotzalco, que si bien pueden no haber alcanzado la magnitud de México-Tenochtitlan, representaban el mismo tipo de organización. El análisis de las transformaciones sociales del pueblo mexica se puede comprender únicamente relacionándolo con las transformaciones de todos los demás pueblos del Valle, empresa que no cabe dentro de los límites de este libro. Aquí se presenta un cuadro de la antigua sociedad mexicana que muestra la integración y la interdependencia de sus instituciones, dando menor importancia a los conflictos y a los cambios sociales a través de su historia. Esto no quiere decir que no hubiera conflictos, pero ha parecido conveniente concentrarse en los rasgos generales que marcaron la existencia de la sociedad mesoamericana por varios siglos, aparentemente sin cambios fundamentales en su organización. Los conflictos que registra la historia social de Mesoamérica parecen ser principalmente entre regiones y grupos étnicos distintos, cada uno con tipos de organización diferentes pero mutuamente adaptados a la convivencia. Sólo en pequeña medida se puede pensar en conflictos del tipo "lucha de clases" que apuntaran a una transformación radical de la sociedad.

La cultura y la sociedad del centro de México es típica de Mesoamérica en general; es la mejor conocida de todas y era además la que había logrado abarcar en grados variables de .dominio la mayor parte del territorio que hoy es la mitad sur de la República Mexicana. La Conquista española se efectuó logrando la captura de los centros claves del imperio azteca, y la Colonia comenzó mediante la integración al imperio español de pueblos que bajo el imperio azteca ya estaban organizados bajo formas de dominio y tributación que los nuevos conquistadores pudieron utilizar.

La agricultura

La base material de la civilización mesoamericana era principalmente la agricultura. Los animales domésticos —el guajolote y el perro— fueron de importancia sumamente limitada, pero había, en cambio, una inmensa variedad de plantas cultivadas que satisfacían diversas necesidades alimenticias y proporcionaban materias primas para las artesanías.

De las plantas más importantes —maíz, frijol y chile— se cultivaba un buen número de variedades adaptadas a las distintas condiciones ambientales, de modo que prácticamente todas las regiones podían producir los alimentos básicos. El conjunto de estas tres plantas proporciona una dieta equilibrada. Otras plantas de cultivo, más exigentes, como cacao, algodón y varios frutales, tenían una distribución más apegada a condiciones ambientales determinadas, de manera que también había una especialización bien definida de distintas regiones en el cultivo de las plantas más apropiadas al ambiente local. Las técnicas de cultivo también eran muy diversas y adaptadas a los distintos ambientes, desde las rozas de las regiones boscosas —tanto en la selva tropical como en los montes fríos de las sierras— hasta el cultivo permanente con riego en los llanos o en las terrazas de las laderas, y las chinampas de las ciénegas y orillas de los lagos. Otra planta importante que se suele mencionar entre las fundamentales en todos los sistemas agrícolas americanos es la calabaza, de la cual hay distintas variedades; además de aportar como alimento la pulpa, las semillas y la flor, se puede utilizar para hacer vasijas. El chayote suministra tanto el fruto como la raíz. Como verduras se cultivaban, además, el jitomate, el miltomate, el huauhzontli y varias hierbas como el epazote. Entre las semillas era muy importante el huauhtli o alegría, especialmente en las tierras frías; se usaba para hacer una masa, el tzoalli, que como la del maíz se preparaba en forma de tamales

179

y atoles. La chía, a más de prepararse como harina (chianpinolli), daba un aceite usado para los pigmentos. Como tubérculos y raíces se cultivaban el camote, el guacamote (mandioca dulce) y la jícama. Había también gran cantidad de frutales: aguacate, chirimoya, mamey, distintos tipos de zapotes, capulín, tejocote, jocote (también llamado ciruela o jobo), guayaba, nanche, y las vainas de varios árboles: guamúchil, guaje (leucaena) y cuajiniquil. Una planta de uso típicamente mesoamericano era el cacao, de cultivo restringido geográficamente a zonas calientes y húmedas, pero que antiguamente tenía una difusión mucho mayor que hoy debido al uso de riego en regiones áridas como la cuenca del Balsas. La vainilla para perfumar la bebida de cacao es el fruto de una orquídea cultivada en la selva tropical. Conocidas, aunque de importancia limitada, eran dos plantas mucho más comunes hoy en México: el cacahuate (tlalcacauatl) y la piña (matzatli).

Entre las plantas de uso industrial, además de la fibra del maguey, era muy importante el cultivo del algodón, generalmente a base de riego, en las tierras templadas. Entre los colorantes sobresalían el xiuhquilitl o añil y el achiote, este último usado también como condimento. Para hacer vasijas se usaban además del calabazo (cucurbita), los frutos del guaje (lagenaria) y el jícaro (crescentia).

Característicos de Mesoamérica, especialmente del altiplano central, son el maguey y el nopal. Cultivaban distintas variedades de maguey para extraer el aguamiel, que fermentado se convierte en pulque y cocido adquiere la consistencia más espesa de la miel. El corazón, tallo (quiote) y pencas, asados bajo tierra dan un alimento dulce, el mezcal, que después de la conquista se empezó a usar como base de la bebida destilada del mismo nombre. Además la fibra del maguey, el ichtli, tenía un valor importantísimo para la cordelería y para hacer telas de vestir en regiones frías donde no se podía cultivar el algodón. Los quiotes y pencas servían también para la construcción de chozas, y las espinas como agujas. Del nopal se usaban las pencas tiernas como verdura y las tunas como fruta. Además en el nopal crece la cochinilla, que da un colorante de importancia. El maguey y el nopal se cultivaban cuidadosamente para su explotación más intensiva. También se plantaban como cercas que limitaban bancales y campos de cultivo o los patios de las moradas familiares. Igualmente se usaba para cercados otra cactácea, la pitahaya, que da un fruto semejante a la tuna. Además se usaban los productos de plantas silvestres semejantes. También se utilizaban árboles como el amate, de cuya corteza se hacía papel, los ahuejotes, que se plantaban para consolidar los bordes de las chinampas, y la madre del cacao, que se plantaba para dar la sombra necesaria al cultivo del cacao.

Mención aparte merecen las plantas estimulantes y alucinantes de uso medicinal y religioso. El tabaco, la más importante, se utilizaba para fumar o mezclado con cal. Para provocar visiones se usaba el ololiuhqui, así como plantas silvestres: el peyote y los hongos alucinantes (teonanacatl).

La recolección de plantas silvestres, la caza y la pesca también tenían importancia, y aportaban recursos distintos en diferentes regiones. De mayor valía era la caza de aves como patos y codornices, de conejos y de venados, y la recolección de tunas, pitahayas, y mezquite en las regiones más secas. Se recogía la miel silvestre; se extraía la resina de pino en los montes fríos; el copal, goma aromática de ciertos árboles, en las tierras secas templadas; el hule y el chicle (tzictli) en la selva tropical. La pesca se practicaba en los ríos y en las lagunas de la cuenca de México. Las plumas de aves se usaban en tocados y para adornar telas y cestos; especialmente valiosas eran las de quetzal traídas de Guatemala y Chiapas. El pelo de conejo (tochomite) se usaba también en tejidos. La piel de venado era la más abundante; la de tigre se usaba en atavíos de lujo.

Los animales domésticos de Mesoamérica usados como alimentos eran el guajolote y el perro. Criaban también una variedad de pato cuyas plumas se usaban en el arte plumaria. Se pueden considerar también como domésticos cierto tipo de abejas importantes en regiones cálidas y la ya mencionada cochinilla.

Si como domesticador de plantas el hombre mesoamericano alcanzó logros comparables a los de cualquier gran civilización, otros aspectos de la tecnología mesoamericana estaban menos desarrollados que los correspondientes del Viejo Mundo. No había grandes cuadrúpedos domésticos, de modo que no se podía contar con la aportación que estos animales dan al cultivo como bestias de tiro para el arado y como fuente de abono. Había animales domésticos —guajolote y perro— que suministraban carne, pero ninguno que pudiera dar leche o pieles en abundancia. Otro recurso técnico que faltaba era la rueda, con sus variados usos en el transporte y en máquinas como poleas, tornos, molinos o ruecas. Igualmente los me-

181

tales conocidos —oro, plata y cobre— se usaban principalmente para hacer adornos. El útil de metal más importante era el hacha de cobre para el desmonte y el trabajo de la madera. Las técnicas mesoamericanas hacían uso todavía fundamental de la piedra —pedernal y obsidiana— para instrumentos y armas cortantes. La coa (huictli), una combinación de pala y bastón sembrador, era generalmente de madera; como instrumentos perforantes se usaban agujas de espina de maguey y punzones de hueso.

Esta simplicidad técnica por más que haga resaltar la magnitud de los adelantos agrícolas, no dejaba de presentar problemas debidos a la carencia de fuentes de energía distintas al trabajo humano y de máquinas para la multiplicación y transmisión de la energía. El sistema productivo mesoamericano empleaba el trabajo humano en masa: la cooperación simple de gran número de trabajadores en todas las obras de construcción y transporte que requerían gran cantidad de energía. Por otra parte, usaban el trabajo muy calificado en las líneas más especializadas de la producción agrícola y artesanal. Los mayores logros de la agricultura se basan en el trabajo tanto calificado como intensivo de los cultivos, especialmente en los de riego y chinampa. Es general la selección cuidadosa de la semilla y la preparación de la misma, "curándola" para protegerla de los bichos e incluso haciéndola germinar antes de sembrarla; la siembra en hoyos abiertos separadamente para cada pequeño número de semillas; la resiembra de los campos de cultivo si después de las primeras aguas no nacía suficiente número de plantas; el cuidado individual de cada mata de maíz aporcándola y escardándola cuidadosamente para conservarle la humedad y protegerla contra los hierbajos. En cultivos más intensivos se usaban además almácigos para la germinación, trasplantados después a los campos de cultivo permanente —uso general en el cultivo del chile y el cacao. Como fertilizantes se usaban el limo del agua de riego y el lodo del fondo de las acequias que rodeaban las chinampas. El rastrojo, inútil como forraje dada la falta de ganado, se quemaba para abonar los campos.

El trabajo de las tejedoras y de los artesanos especializados en la talla de piedra y madera, el arte plumario y la orfebrería requería también mano de obra muy especializada y diestra en el uso de un instrumental sencillo. Las grandes obras arquitectónicas, pirámides y templos, logros imperecederos de esta civilización, muestran la combinación típica de la técnica mesoamericana: la fuerza bruta para la acumulación de los materiales de las pirámides mediante la cooperación simple de masas de trabajadores, aunada a la técnica muy refinida de especialistas calificados que esculpían la piedra, tallaban la madera y pintaban los murales, sin olvidar el trabajo igualmente calificado necesario para la planeación, tanto en los aspectos técnicos de la arquitectura como en la coordinación de los recursos humanos, las masas de trabajadores y artesanos que aportaban cada uno su parte a la obra total.

El predominio del centro de México en los aspectos políticos y militares se basaba en la mayor concentración de recursos naturales y en su aprovechamiento. Las buenas extensiones llanas de la Mesa Central con tierras de más potencial para el cultivo permanente que los suelos de las tierras bajas del trópico, eran la base natural para el cultivo de riego y chinampa. Los centros culturales de la Mesa Central estaban en las regiones de mayor productividad agrícola. La zona más importante de riego en el valle poblano era sede de la metrópoli religiosa, artesanal y comercial de Cholula. Las regiones más importantes de Morelos, como las llamadas Amilpas, literalmente "milpas de riego", se basaban en el cultivo intensivo, y producían grandes cantidades de algodón para las tierras más altas de la cuenca de México, donde el clima frío no permitía ese cultivo. En la cuenca de México se localizaba la mayor, si no única, extensión de cultivo de chinampas, el cultivo más intensivo de todas las técnicas mesoamericanas. Las chinampas, que todavía existen en la región de Xochimilco, son campos de cultivo obtenidos de terrenos pantanosos en los que se abren acequias extrayendo lodo que se acumula para formar las chinampas, que quedan a suficiente altura sobre el nivel del agua para estar en seco y permitir el cultivo. La humedad del subsuelo o el riego a mano hacen posible el cultivo constante aun en temporada de secas. La fertilidad de las chinampas se mantiene permanente con el uso de fertilizantes como el lodo y la vegetación de las acequias, cuya extracción es además necesaria para mantenerlas como vías de navegación. Las chinampas se consolidan plantando árboles en sus bordes, los ahuejotes, cuyas raíces afirman el subsuelo. Las lagunas de la cuenca de México ofrecían además a las ciudades y huertas asentadas a sus orillas un medio de fácil comunicación por canoa, especialmente importante ya que el único otro medio de transporte era a lomo de hombre. A la mayor productividad local y concentración de población en la cuenca se añadía así esta

183

comunicación que facilitaba el intercambio y la concentración de productos en las ciudades.

Pero las lagunas también presentaban problemas a los grupos que trataban de explotar sus recursos. La cuenca no tenía desagüe al mar; el nivel de los lagos estaba sujeto a fluctuaciones estacionales que en años muy lluviosos provocaban extensas inundaciones, dada la poca profundidad de las lagunas. Además, el lago más bajo, el de Tetzcoco, que era de agua salobre, al subir de nivel podía rebosar sus aguas hacia la zona chinampera de la laguna de México. Todo esto demandaba la construcción de obras protectoras contra las inundaciones. La zona en que se asentó México Tenochtitlan, al oeste del lago de Tetzcoco, se desarrolló como zona chinampera y de gran población merced a calzadas, con puentes para permitir el paso de canoas, que servían como vías de comunicación a pie, y a las albarradas que la protegían contra las inundaciones del agua salobre de Tetzcoco. La obra más importante desde este punto de vista fue el llamado albarradón de Nezahualcóyotl, que desde la orilla norte de la laguna al pie de la sierra de Guadalupe hasta la meridional un poco al oriente de Iztapalapa, separaba la laguna de México con sus ciudades y chinampas de las aguas salobres del lago de Tetzcoco. La ciudad de México, asentada dentro de la laguna, necesitaba además acueductos que trajeran agua potable desde los manantiales de la tierra firme. El gran potencial productivo de esta zona chinampera y la concentración de población en ciudades lacustres también se logró con la combinación del trabajo experto de los planeadores de obras hidráulicas y la necesidad constante de grandes masas de trabajadores. La magnitud y extensión de las obras requería una organización central que coordinara el trabajo, controlara todas las regiones afectadas por las obras y dispusiera del poder para reclutar masas de trabajadores. No es casualidad que las construcciones más ambiciosas fueran realizadas como empresas organizadas por el estado en los tiempos de centralización y poderío de Tenochtitlan y que las obras fueran dirigidas por altos personajes del imperio.

A base de todo esto se ha aplicado a Mesoamérica el modelo del "modo de producción asiático", sugerido por *Marx* como uno de los modos de producción precapitalistas, y que ha sido desarrollado por *Wittfogel,* quien también le aplica el nombre de sociedad hidráulica. Es típico de este modo de producción que la eco-

184

nomía está dirigida por el estado que organiza y controla la producción y que se apropia el excedente económico determinando políticamente las líneas fundamentales de la distribución. Su rasgo característico en los medios materiales de producción es la existencia de grandes obras hidráulicas realizables sólo por el estado y que ponen a éste necesariamente en control de un recurso clave para la producción. Indudablemente el riego era esencial para la agricultura intensiva de las zonas claves de la Mesa Central. Explica la gran productividad agrícola y la existencia de la civilización. También está claro que Tenochtitlan, la ciudad que logró mayor centralización interna y mayor extensión en sus dominios, estaba situada en la zona donde se realizaron las obras hidráulicas más avanzadas. Todavía no se conoce en detalle la historia de las obras hidráulicas en la cuenca de México. Parece que las zonas norte y sur de la cuenca desde donde fluyen las aguas a la laguna de Tetzcoco fueron explotadas mediante sistemas de riego y de chinampas regionales desde antes de las construcciones más extensas del periodo mexica y que no requerían la existencia de obras más allá del ámbito regional. Al desarrollarse, con la hegemonía de México, las obras en la parte occidental y de más bajo nivel de la laguna central, se ganó para el cultivo una gran extensión y se creó la necesidad de obras de mayor envergadura como el albarradón de Nezahualcóyotl. La localización de México en la parte más baja de la cuenca expuso a los mexicanos al peligro de las aguas que bajaban de los lagos del norte y del sur. Los mexica controlaban políticamente las entradas a la laguna central por su dominio del reino de Ecatepec, en el lugar donde entra al lago de Tetzcoco el desagüe de la parte norte de la cuenca, y los de Huitzilopochco, Mexicaltzinco, Colhuacan e Itztapalapan, situados en el paso de la laguna de Xochimilco a la de México, pero no está claro si habían llegado a construir obras que controlaran efectivamente las aguas de estas otras lagunas combinando todo el sistema lacustre en un complejo único regulado artificialmente por una autoridad central. Desde luego los dominios de los mexicanos y sus aliados tenían una extensión más amplia que la de cualquier zona de riego, y el control económico y político era bastante fragmentario. Por esto *Wittfogel* define las obras hidráulicas del México antiguo como de tipo disperso, caracterizado por la existencia de varias zonas de riego inconexas y geográficamente separadas, incluyendo además la zona agrícola regiones con cultivos de tem-

185

poral. Las obras de riego y de control hidráulico son elementos de la técnica que contribuyen a explicar la gran productividad agrícola y el control político de la economía, rasgo que, como se verá, es básico en la estructura social; pero claro está que no se pueden tomar como determinante único en el análisis de la organización económica y política del México antiguo.

Los datos arqueológicos demuestran que en lo fundamental la tecnología recién esbozada había ya caracterizado la cultura mesoamericana desde sus periodos constituyentes. En épocas posteriores hubo sólo cambios relativamente pequeños, como el comienzo del uso de metales, que data del periodo posclásico o tolteca, y probablemente la intensificación de las técnicas de cultivo intensivo, chinampas y obras de defensa contra las inundaciones lacustres que confirmaron a la cuenca de México como la región más importante de la Mesa Central.

La organización social

La organización social del México antiguo se caracteriza por varios rasgos fundamentales que atañen simultáneamente a diferentes aspectos de la sociedad, que conviene hacer resaltar de antemano porque habrá que considerarlos a lo largo de la exposición y porque constituyen en cierto modo una justificación del orden en que se presentan los datos. Hase visto que la base tecnológica en tiempos de la Conquista era una continuación de la alcanzada desde mucho tiempo atrás. Es de pensar, por lo tanto, que la naturaleza de la sociedad tal como la conocemos del periodo propiamente histórico, para el cual hay ya informes directos acerca de las instituciones sociales y la ideología, era también en sus rasgos generales la característica de los horizontes anteriores en el desarrollo de Mesoamérica.

La base material era ampliamente suficiente para sostener una sociedad populosa y compleja, con una división social del trabajo que incluía tanto especialización en distintas actividades productivas como estratificación social; es decir, una distribución desigual del poder económico y político entre los distintos sectores sociales, que establecía una diferenciación en cuanto a los derechos a los medios de producción y al control de los órganos de gobierno. Sin embargo, la división social del trabajo presenta varios rasgos de

186

tipo relativamente primitivo y característicos de las altas culturas arcaicas en las primeras etapas del desarrollo de la civilización.

La especialización en distintas ramas de la producción estaba relativamente poco desarrollada. La familia campesina producía no únicamente sus alimentos mediante el cultivo, sino que también atendía a sus necesidades con otras actividades, como el tejido a cargo de las mujeres, y la construcción de la casa familiar. Las actividades más especializadas se concentraban en la producción de artículos de lujo para los sectores superiores de la sociedad. La división del trabajo en gran parte era parcial y temporera: la especialización comprendía únicamente parte de las actividades del especialista, y las distintas actividades se ejercían en tiempos distintos. En lo económico, esto quiere decir que parte de los artesanos eran al mismo tiempo labradores que dedicaban sólo parte de su tiempo a la actividad artesanal. En lo político había una especialización temporal en las actividades militares, ceremoniales y gubernamentales. Los funcionarios menores, por ejemplo, se turnaban en el desempeño de sus funciones como mandones de los solteros del común o de los sacerdotes que cuidaban los templos; los funcionarios superiores desempeñaban además actividades militares y religiosas.

A pesar de la existencia de mercados y de bienes, como cacaos y mantas, que se usaban como medios generalizados de pago, la economía del México antiguo era básicamente una economía natural, es decir, se fundaba en el sistema de dar pagos en especie o en trabajo. Se encuentra este procedimiento en el trueque que se practicaba en los mercados, pero lo de mayor importancia era el sistema de prestaciones en especie y trabajo como parte de la relación entre los distintos estamentos. El productor plebeyo contribuía su excedente en forma de productos y de servicios personales. Los señores del estamento dominante cumplían con sus responsabilidades dando pagos en especie y en fuentes de productos, es decir, tierra y trabajadores. Dada la existencia de una economía natural, la acumulación de excedentes requiere organizar separadamente la colección de las prestaciones de cada tipo de producto y la organización de los servicios personales para cada una de las actividades productivas en que se van a emplear. La falta de animales domésticos para el trabajo y de máquinas basadas en la rueda obligaba al uso directo de la energía humana: el sistema productivo requería el trabajo conjunto de masas de trabajadores

187

dedicados a una misma obra —la cooperación simple— como la única manera de realizar trabajos que exigían el uso de grandes cantidades de energía, muy especialmente en las obras de construcción y en el transporte. Los excedentes de los trabajadores individuales y de los hogares campesinos eran de cantidad limitada y de naturaleza variable. Para acumular grandes excedentes era necesario juntar los pequeños excedentes de un gran número de productores.

Todos estos rasgos requerían el control de grandes masas de productores, bien fuera para extraer los excedentes en especie o para organizar la cooperación para las obras públicas. El hecho de que la especialización fuera de tipo temporal requería también una organización del tiempo: las distintas actividades se tenían que realizar cada una a su tiempo y las variadas tandas de trabajadores necesitaban cada una su tiempo en que prestar su trabajo.

Parte del carácter limitado de la división social del trabajo es lo que puede llamarse "fusión institucional", característica de sociedades primitivas y arcaicas, en las que aparecen combinadas actividades que en sociedades más complejas se desdoblan en instituciones claramente separadas. Las actividades económicas, políticas, militares y ceremoniales estaban íntimamente conectadas en cuanto a las instituciones y el personal que las emprendía. La economía estaba dirigida por el estado; las relaciones económicas en la producción y distribución de bienes se basaban en las relaciones políticas de sujeción y dominio. Parte fundamental del excedente económico se destinaba a obras públicas y a los gastos ceremoniales de las instituciones políticas y religiosas. El militarismo y el ceremonial religioso estaban íntimamente relacionados con el culto guerrero. Los altos personajes del gobierno se dedicaban a actividades tanto civiles como militares y religiosas y dentro de cada uno de estos campos se combinaban los aspectos legislativos y judiciales.

El control político de los medios de producción en condiciones de economía natural se manifestaba de manera muy principal en la asignación, por el soberano, de tierras y de tributarios a instituciones o individuos. El soberano sólo en parte hacía sus pagos en especie con los bienes que obtenía como tributo, o de sus tierras y artesanos. La norma era asignar las fuentes mismas que habían de producir esos bienes, o sea tierra y tributarios, lo cual significaba una cesión de autoridad sobre la gente y una segmentación del territorio, es decir, una descentralización política.

Todas las entidades políticas estaban formadas mediante la integración de distintos segmentos sociales o territoriales. Esto era en parte consecuencia del sistema de asignación de tierras y tributarios que producía nuevos señoríos o parcialidades dentro de una entidad anterior más uniforme. Era asimismo el resultado de la unión parcial de pueblos y territorios originalmente separados, del establecimiento de colonias en nuevas regiones, del poblamiento de grupos extranjeros acogidos para constituir nuevos segmentos, y de la dominación de señoríos extranjeros en distinto grado de sometimiento político y con distintas exigencias para el pago de tributos. Las unidades políticas mayores, como el llamado imperio azteca, eran alianzas fluctuantes, con funciones limitadas, de unidades políticas autónomas y más perdurables, las cuales estaban a su vez subdivididas en segmentos que eran sobre todo señoríos territoriales, aunque también podían estar ligados a poblaciones de origen étnico particular y al desempeño dentro de la organización política de funciones especiales. A base de esta especialización de funciones o de su origen étnico, un grupo dado podía tener lazos especiales con elementos semejantes de otros señoríos, de modo que había un entrecruzamiento de las fronteras étnicas, políticas y económicas que integraba en un conjunto mayor regiones geográficas más amplias que las definidas por las fronteras políticas de un señorío particular. Aunque no hubiera unidad política en la zona náhuatl, como en Mesoamérica por lo general, sí había lo que se podría llamar un derecho internacional con usos bien definidos de cómo mantener relaciones económicas, ceremoniales, y aun de cómo hacer la guerra que establecía una unidad sociocultural más duradera que las unidades políticas formales.

Los segmentos político-territoriales que constituían un señorío estaban conectados con el sistema de estratificación social en tanto que unos grupos podían incluir las familias nobles políticamente dominantes mientras que otros se componían de modo total o preponderante de plebeyos. Pero los segmentos solían estar internamente diferenciados entre nobles y plebeyos de modo que el estamento dominador tomaba la forma de un grupo de jefes que eran los señores naturales de sus súbditos con los cuales estaban ligados mediante lazos étnicos e incluso de parentesco. Las divisiones estamentales estaban en unas ocasiones reforzadas por distinciones étnicas, como en los lugares donde la gente común era otomí y la nobleza de origen náhuatl o nahuatizada; pero los lazos étnicos cortaban a través de las distinciones estamentales, incluso dentro de un mismo señorío, el cual puede aparecer entonces como un concierto de grupos distintos cada uno con sus propios señores. Estos segmentos político-territoriales, con población a menudo de origen étnico particular, son los que se denominan en nahuatl calpulli (plural, calpultin) a veces castellanizado en calpul. Se ha debatido mucho la naturaleza del calpul sobre todo si era o no un clan. De hecho, en náhuatl el término calpulli se aplicaba a los segmentos en que se subdividía la sociedad en sus distintos niveles de organización territorial. Se usa para designar desde las llamadas a veces en español tribus nahuatlacas (mexica, tepaneca, xochimilca, etc.) hasta barrios o aldeas que comprendían un pequeño número de familias. La importancia del factor étnico o de parentesco para definir la pertenencia al grupo era distinta en estos varios casos. Más importante que determinar si la pertenencia al calpul se reglamentaba mediante el parentesco, es determinar la función del calpul dentro de la estructura social. Los calpules eran subdivisiones político-territoriales que funcionaban como unidades corporativas en distintos aspectos —económicos, administrativos, militares y ceremoniales— de la organización social. El aspecto corporativo se manifiesta muy principalmente en los derechos colectivos a la tierra y en la obligación colectiva de desempeñar ciertas funciones sociales.

Los segmentos corporativos —llámense calpules o de otro modo— participaban en la división social del trabajo de diferentes maneras. Podían ser grupos dedicados a actividades diferentes, como distintas artesanías, o el culto de diversos dioses; bien fuera actuando todos al mismo tiempo, cada uno en su tarea como en las artesanías, o bien turnándose para que cada grupo asumiera la responsabilidad de sus distintas actividades cada una a su debido tiempo, como era en parte el uso en la organización del culto a los varios dioses, cada uno de los cuales se celebraba en fechas distintas y por distintos grupos de fieles. El principio de turnos era también muy importante cuando grupos distintos se encargaban de las mismas actividades, asumiendo cada uno la responsabilidad durante una temporada distinta. En la época colonial, cuando se continuó usando el mismo procedimiento en la prestación de servicios, se usaba la expresión "por su rueda y tanda", es decir, los

190

trabajadores se agrupaban en tandas que se iban rotando de modo que un grupo dado trabajaba nada más un tiempo limitado sin que nunca dejara de haber alguno trabajando. En la sociedad prehispánica este principio se usó intensamente no sólo en la organización económica, como en las obras públicas, en la rotación de servicios domésticos y bienes de consumo diario que los renteros daban a su señor, o en el turno de distintas provincias para abastecer cada una por temporadas los palacios reales o los templos, sino que también se turnaban los nobles y los mayordomos que daban sus servicios administrativos en palacio, los jóvenes de las casas de solteros que acudían a la casa de cantos, o los sacerdotes que se turnaban en el servicio de los templos. Las tandas de trabajadores formaban cuadrillas, con una organización semejante a la militar, puestas a las órdenes de sus mandones o capitanes encargados de reclutarlos y dirigirlos. Los mayordomos y otros funcionarios estaban organizados de manera semejante. El sistema de turnos supone la coordinación de distintos grupos de gentes, generalmente cada uno con su territorio, que se dedican a actividades determinadas en periodos definidos de tiempo. La organización social se ve como un conjunto de grupos estructurados según principios ordenadores que relacionan espacio, tiempo, gente y actividad. La visión mesoamericana de lo sobrenatural se basaba en estos principios y proporcionaba modelos ideológicos para la organización social. Esta visión estructuralista, como hoy se diría, de la sociedad mesoamericana tiene su base bien marcada en la división social del trabajo.

Para examinar el tipo de estratificación social que existía en Mesoamérica no es el mejor modelo el tipo de clase social que existe en las sociedades modernas, donde rige la igualdad de todos los ciudadanos ante la ley y la posibilidad teórica de alcanzar libremente las distintas posiciones sociales. Es más adecuado utilizar el concepto de estamento, como categoría jurídica que combina todo un conjunto de funciones económicas, políticas y sociales, distintas para cada estamento. Todo individuo pertenece por necesidad a un estamento dado y, por lo tanto, tiene los derechos y obligaciones de ese estamento. En lugar de libertad de acción e igualdad ante la ley, el individuo actúa según su adscripción a un estamento determinado. La organización estamental constituye otro ejemplo de la fusión institucional de los distintos aspectos de la organización social. Los derechos de propiedad, a menudo considerados como condición previa a la formación de clases sociales, son de naturaleza diferente para cada estamento y están vinculados a las distintas posiciones sociales políticamente definidas. Las posibilidades de movilidad social están circunscritas dentro de un estamento dado, o bien toman la forma de cambiar de estamento, todo ello según cauces predeterminados en la estructura formal de la sociedad. En el México antiguo, la masa campesina y artesana que formaba el estamento plebeyo estaba agrupada en unidades corporativas, los calpules, organizadas colectivamente para el desempeño de sus funciones sociales. Los miembros de los rangos más elevados en el sistema estamental formaban los consejos superiores de la jerarquía política y ceremonial que funcionaban como cuerpos colegiados encargados colectivamente de las distintas esferas de gobierno. Incluso en las funciones no desempeñadas por consejos numerosos, eran frecuentes equipos de cuatro a dos funcionarios. En estos casos, como en los consejos, cada uno de los funcionarios podía representar una división territorial, o estrato social, o bien tener distintas asociaciones ceremoniales. Si bien se ha tratado de presentar los rasgos sobresalientes de la estructura social mesoamericana fundamentándolos en sus raíces tecnológicas y sus consecuencias en la división social del trabajo, la descripción de las instituciones sociales tal como estaban estructuradas en la sociedad mexicana requiere examinar desde luego la organización estamental.

El estamento dominante en el centro de México incluía tres rangos fundamentales designados cada uno mediante una palabra náhuatl de uso general. El rango más elevado era el del rey o tlatoani (en plural tlatoque o tlatoanime), que literalmente significaba hablador, mandón o gobernante. Era el soberano de una ciudad o señorío. Casi todas las unidades políticas estaban subdivididas en parcialidades político-territoriales. Era entonces frecuente que en una ciudad hubiera varios señores con título de rey, cada uno el soberano de una parcialidad o cabecera. También era normal que bajo la autoridad suprema del tlatoani de una ciudad como México o Tetzcoco hubiera varios otros señores del mismo título, jefes de ciudades dependientes. Esta distinción se marcaba llamando huey tlatoani o gran señor al de mayor autoridad, como lo era Moteczuma en relación con los señores

de otras ciudades dependientes directamente de Tenochtitlan: Colhuacan, Itztapalapa, Ecatepec, etc. El tlatoani era la autoridad
suprema de su señorío y combinaba funciones civiles, militares y
religiosas, judiciales y legislativas. Era también el centro rector
de la organización económica: recibía tributos y servicios de la
gente común, así como los productos de ciertas tierras, tlatocamilli o "milpas del rey", especialmente asignadas a su sustento,
que se rentaban o se cultivaban con los servicios del común. Podía además asignar recursos de tierras o tributos a otros señores,
a guerreros distinguidos, a los templos o a los barrios de la gente
común. El tlatoani era generalmente noble de nacimiento, miembro de una casa noble o teccalli, y como tal disponía además de
tierras patrimoniales aparte de las que tenía como rey. Un tlatoani gobernaba por vida y por lo general le sucedía un pariente.
El sistema de sucesión variaba. En algunos lugares, como Tetzcoco
y otros señoríos chichimecas, prevalecía la sucesión de padre a
hijo. En otros, y éste era el caso de Tenochtitlan, sucedía un
colateral, hermano, primo o sobrino del antecesor. En todo caso,
pero sobre todo en el sistema tenochca, el sucesor debía haberse
distinguido en la jerarquía político-militar alcanzando puestos que
lo señalaban como candidato a la realeza, y la selección se efectuaba en una asamblea de notables que incluía prácticamente a
todos los miembros del estrato dominante.

El segundo rango era el de señor, teuctli (o tecuhtli, en plural teteuctin o tetecuhtin). Estos eran títulos de estatus variable,
que podían haber sido creados por un tlatoani y que en todo
caso requerían su aprobación. El mismo tlatoani tenía también
título de teuctli. El rey de México, por ejemplo, era el Colhuateuctli, "Señor de los colhuas"; el de Tetzcoco, Chichimecateuctli, "Señor de los chichimecas". El teuctli era jefe de una casa
señorial, teccalli, dotada con tierras y gentes del común llamadas
teccalleque (gente de la casa señorial), que rendían sus tributos
y servicios al teuctli en vez de darlos directamente al tlatoani.
Un teuctli estaba a cargo de la administración de esta gente y
además ocupaba puestos de la organización política bajo el poder
supremo del rey. El título de teuctli con sus atribuciones y sus
bienes podía ser el resultado de una decisión política del rey, como
sucedió en Tenochtitlan después de la derrota de Azcapotzalco,
cuando el rey Itzcoatl creó varios títulos de teuctli que distribuyó
entre los miembros de su linaje. Por lo común, estos títulos se

transmitían mediante herencia siguiendo reglas semejantes a la sucesión a la realeza, si bien era necesaria la sanción del rey. Algunas fuentes dicen que el rey escogía al sucesor de entre los herederos del teuctli; otras, simplemente que el rey aprobaba la sucesión. De Huexotzinco se dice que a la muerte de un teuctli todos los nobles de la casa señorial se reunían para escoger al sucesor, de manera semejante a como se escogía en Tenochtitlan a un nuevo rey, en asamblea de sus parientes. En algunos lugares las distintas casas señoriales y sus jefes representaban linajes distintos, a veces de diferente origen étnico; el caso de Chalco es el mejor documentado. En otros casos, miembros de un mismo linaje ostentaban varios títulos de teuctli. Así era en Tenochtitlan donde todos los señores parecen haber sido miembros del linaje reinante y descendientes del primer rey, Acamapichtli.

El tercer grado en el estrato superior es el de noble o pilli (en plural pipiltin). Literalmente quiere decir "hijo", y se entiende este uso como el de infante o hijodalgo en castellano, porque era el rango de todos los hijos de un teuctli o tlatoani. De este modo, pipiltin es un término general para todo el estrato superior, puesto que reyes y señores eran también nobles de nacimiento; pero en sentido limitado, también se usa para los nobles que no han alcanzado rango de rey o señor. Como parientes de un señor, estaban relacionados con la casa señorial de uno de cuyos señores descendían, y tenían derecho a recibir sustento de los bienes de esa casa, bien fuera en especie o en forma de tierra. La de un noble se llamaba pillalli, "tierra del noble", y la trabajaban renteros que en nahuatl recibían el nombre de mayeque (en singular maye), literalmente "braceros". Además, los nobles tenían la obligación de prestar servicios a sus señores y al rey. Se les empleaba en los puestos inferiores de la organización civil y militar, y los más distinguidos y más cercanos parientes de un señor lograban subir hasta alcanzar el título de teuctli. Había diferentes rangos entre los pipiltin según el de sus padres. El hijo de un rey recibía el nombre de tlatocapilli, "hijo de rey"; el de un señor, tecpilli, "hijo de señor"; además se distinguía el hijo legítimo habido en una mujer de rango al que se llamaba tlazopilli, "hijo precioso", del habido de una concubina llamado simplemente calpampilli, "hijo de la casa". El rey podía castigar a un noble degradándolo al rango de plebeyo.

A pesar de la distinción tan marcada entre la nobleza de abolengo y la gente común, era posible que ésta alcanzara una posición privilegiada constituyendo un sector especial de la nobleza. De hecho, algunos puestos en la organización política estaban reservados a gente de origen plebeyo. La manera de ascender desde el común a la nobleza era mediante méritos militares. Los españoles compararon estos nobles de origen plebeyo a los caballeros pardos o caballeros villanos de la Castilla medieval; el nombre nahuatl era quauhpilli, literalmente "hijo de águila" (o "noble águila") expresión en que águila es también metáfora de guerra o guerrero. El ascenso social y militar se describe adelante en conexión con la casa de solteros (telpochcalli). El guerrero ennoblecido estaba libre de pagar tributo, recibía tierras y pasaba a formar parte del grupo de funcionarios. Sin embargo, estaban sujetos a algunas restricciones como la de no poder usar en sus atavíos militares ciertos plumajes reservados a la nobleza de abolengo. Los descendientes de estos meritorios también nacían con rango de noble o pilli, pero se les reputaba como de menor prestigio.

Se ve, pues, que los tres distintos rangos del estrato dominante, reyes, señores y nobles, no son niveles separados sino que están conectados entre sí mediante el parentesco y que es posible subir de un nivel a otro. El rey es el señor o teuctli de la casa señorial que ejerce el poder supremo. Los pipiltin son los descendientes de un señor. Entonces, una casa señorial es un linaje, encabezado por el teuctli, sucesor de los jefes anteriores, y que incluye a todos los que descienden de un señor de esa casa. Ser noble supone ser descendiente de una casa u otra, de la cual se obtiene rango, bienes y estatus político. El rango social se gradúa según la distancia al teuctli antecesor; un hijo de señor tiene mayor rango que un simple nieto. No está enteramente claro si este proceso de perder rango conforme a la lejanía del señor antecesor, llevaba a los parientes más remotos hasta el punto de ser considerados como gente común. Es de importancia notar que se atribuye a *Moctezuma el Viejo* haber aconsejado a sus numerosos hijos que, como no todos podían alcanzar la realeza, se dedicaran a otras ocupaciones como las artesanías. También sabemos que en Tlaxcala el señor de un teccalli daba tierras a sus "soldados, amigos y parientes", quienes estaban obligados a servirle en su palacio como "continos" y dar en reconocimiento aves, caza y flores. Éstos recibían el nombre de teixhuihuan, literalmente "nietos", lo cual indica que eran parientes remotos de sus señores. En todo caso, puede decirse que las casas señoriales eran linajes internamente diferenciados entre el señor y los nobles de distintos niveles, y que formaban grupos corporativos dentro de la organización económica y política. Desde el punto de vista del parentesco, sin embargo, un linaje dado podía controlar varias casas señoriales. Datos de Chalco muestran que un señor podía reunir varios títulos, los cuales podía después separar de nuevo trasmitiéndolos a sucesores diferentes. También se sabe que había casas nobles de distinto nombre y de distinta importancia. Por ejemplo, en Tlaxcalla y en Huexotzinco se distingue entre teccalli, "casa señorial", pilcalli, "casa noble", huehuecalli, "casa antigua", y yaotequihuacacalli, "casa de capitán". Algunas de estas últimas casas de menor rango pueden haber estado asignadas a miembros de un linaje señorial; en otros casos tal vez se trate de los títulos y bienes concedidos a guerreros distinguidos del común.

El rango de un noble dependía del estatus del padre y de la madre. En el México antiguo se practicaba la poliginia; un hombre podía tener varias mujeres. En el caso de la nobleza hay datos detallados que muestran cómo las distintas mujeres tenían estatus diferentes relacionados con el rango de sus padres, su lugar de origen y la manera en que se concertaba el casamiento. El rango y los privilegios de los hijos dependían de todos estos factores. La manera más estimada y más ceremoniosa de realizar un matrimonio suponía una negociación entre los padres de los contrayentes mediante el uso de casamenteras. Por este motivo la mujer así obtenida se llamaba cihuatlantli, literalmente "mujer pedida", que a veces se traduce como mujer legítima. Las mujeres de alto rango, de las que se esperaba que nacieran los hijos que ocuparían altos puestos y sucederían al padre, se casaban siempre de esta manera. Además, un señor podía tomar, sin el mismo ceremonial, mujeres de nivel social más bajo, las cuales tenían la categoría de mecatl, en general traducido por concubina. Los hijos de estas mujeres, los calpampilli, alcanzaban altos puestos sólo en casos excepcionales. La regulación del matrimonio también entra en el problema tan debatido por los antropólogos de si en el México antiguo existían la exogamia o la endogamia, es decir, reglas de casarse fuera o dentro del linaje. Los casos bien conocidos de las principales dinastías del Valle de México muestran que todo tipo de casamientos entre parientes eran posibles excepto entre padres e hijos y entre hermanos. El motivo principal para escoger mujer eran razones de estado: el deseo de concertar alianzas con otros señoríos y el de afianzar la posición política del contrayente.

En el linaje reinante de Tenochtitlan durante el periodo de su preponderancia imperial predominan los casamientos dentro del mismo linaje. Esto parece guardar relación con el sistema de sucesión colateral cuando un señor se casa con la hija de su antecesor. También se estila que un príncipe del linaje tenochca se entronice en un lugar que antes tenía dinastía propia; entonces el nuevo señor se casa con una hija del que remplaza, relacionándose así con la dinastía local. Otro uso es que si un rey tiene varias mujeres, el hijo de cada una de ellas se destina al señorío de sus ascendientes maternos. Todos estos tipos de matrimonios y sucesión pueden estar combinados. Véanse unos ejemplos. Moteczuma Xocoyotzin sucedió a su tío Ahuitzotl y se casó con la hija de éste, que era, por lo tanto, su prima paterna; al llegar los españoles el tlacatecatl y presunto sucesor de Moteczuma era Atlixcatzin, hijo de Ahuitzotl, que se había casado con Tecuichpotzin hija de Moteczuma, quien después recibió el nombre de doña Isabel de Montezuma. Un lugar donde se había entronizado un príncipe tenochca, era Itztapalapa, donde Itzcoatl estableció como rey a su hijo Huehue Cuitlahuatzin. Una hija de éste casó con el rey de México Axayacatl y un hijo de esta unión, Cuitlahuac, fue otra vez rey de Itztapalapa. Moteczuma Xocoyotzin también tomó por mujer a una princesa de Tula, hija de un medio hermano que había ido de señor a Tula; de ellos nació don Pedro Tlacahuepantzin, que recibió los derechos al señorío de Tula. También se encuentran en otras dinastías algunos de estos usos. Sin embargo, cuando predomina la sucesión lineal de padre a hijo no se practica el matrimonio con una agnada, es decir mujer del mismo linaje, sino que se establece una alianza con una princesa de otro señorío de rango igual o superior. De este modo se ve que los señores de los inmigrantes chichimecas siempre obtienen mujeres de los señores de estirpe tolteca, logrando así la ascendencia más preciada en el antiguo México. Más adelante los reyes chichimecas de Tetzcoco tomaron mujeres tenochcas, mientras que los señores de Teotihuacan, los más importantes de los sujetos a Tetzcoco, se casaban con hijas de su superior el gran rey de Tetzcoco.

Es claro que, hasta donde alcanzan los datos, tenía mayor

197

importancia la conexión por vía de varón; pero también se obtenían derechos por la ascendencia materna. También se ve que no se puede hablar de exogamia de linaje patrilineal, sino que, al contrario, en ciertos casos se prefiere el matrimonio con una agnada. En los casos de Tetzcoco y Teotihuacan predomina el casamiento con una no parienta o con mujer del linaje de la madre, pero también hay matrimonios entre agnados. En términos antropológicos parece ser entonces que los linajes nobles del antiguo México eran ambilineales, aunque con mayor importancia de la línea masculina y que no eran parte de la regulación del matrimonio sino que había distintos tipos de casamiento y se prefería uno u otro según las circunstancias políticas y las reglas de sucesión. El sistema tenochca de casamientos entre agnados y sucesión colateral parece estar relacionado con el hecho de que este linaje ejercía el poder supremo. Las reglas de sucesión colateral y las alianzas matrimoniales descritas permitían mantener como señores en varios puestos del reino a los parientes más allegados del rey de México, evitando la formación de linajes separados en otros señoríos que pudieran desarrollar intereses locales opuestos a los del rey tenochca.

El común del pueblo recibía el nombre de macehualtin (singular macehualli), del que proviene en la época colonial el término macegual. Los maceguales eran los gobernados y tenían la obligación de pagar tributos y servicios personales. Estaban organizados en las unidades territoriales llamadas calpules, barrios que poseían la tierra en común y que eran también unidades para la recolección de tributos y servicios. Dentro del común había cierta diferenciación social. Aunque los miembros del calpul tenían derecho a obtener parcelas para el uso familiar, no todos lograban igual cantidad de tierra, y los que no la tenían de suficiente extensión o calidad a veces la rentaban de otros miembros del calpul o de gente de otros calpules mejor dotados de tierras. Además, había la diferenciación basada en las distintas ocupaciones; los mercaderes y artesanos pagaban tributo en los productos de su oficio o daban servicios especializados y estaban organizados por este motivo en grupos de tributarios aparte de los de la generalidad de los labradores. Además tenían también cultos particulares con su organización propia. Una diferenciación importante se debía

198

a la naturaleza de la persona a la cual se destinaba el tributo de los maceguales. La generalidad de éstos debían sus tributos y servicios al rey o tlatoani; pero grupos de ellos, bien fuera barrios enteros o sólo fracciones, estaban asignados a los señores o teteuctin y recibían el nombre de teccaleque, gente del teccalli o casa señorial. Por otra parte, los nobles o pipiltin tenían renteros llamados tlalmaitl, "mano de la tierra", o mayeque, "braceros", que pagaban al noble parte de su cosecha, o bien le cultivaban otra parte de sus tierras, además de dar servicio doméstico. Los mayeques no tenían que pagar tributos y servicios al rey puesto que los daban al noble y trasmitían las tierras que ocupaban a sus herederos con las mismas obligaciones, pero sí debían servicio militar al soberano. Resulta difícil precisar en detalle las distinciones entre mayeques y otros grupos de maceguales, tal vez porque después de la Conquista se confundieron algunas de las categorías de la población dependiente, y porque había diferencias regionales todavía no bien estudiadas. También hay dudas de hasta qué punto estaban los mayeques fuera de la organización comunitaria de los calpules. Los maceguales estaban también organizados en cuadrillas de veinte hombres para la recolección de tributos y servicios; cada veintena tenía su cabecilla y varias de ellas estaban agrupadas en equipos más grandes, generalmente de cien hombres (5 veintenas) a las órdenes de otro mandón de mayor importancia. Los barrios más pequeños a veces coincidían con una de estas veintenas, pero las grandes divisiones territoriales incluían varias. Los mandones solían trasmitir su puesto por herencia. Cuando un macegual alcanzaba los 52 años de edad, duración de un ciclo calendárico, quedaba libre de tributo y servicios. Los "viejos del barrio" (calpulhuehuetque) ocupaban una posición importante en el ceremonial religioso y además el jefe del barrio les consultaba en todos los asuntos de importancia.

Los individuos llamados en náhuatl tlacotin (singular tlacotli) se suelen designar en español con el nombre de esclavos. Realmente la categoría náhuatl incluía diferentes grados de servidumbre. El caso más general era el de individuos que se vendían a sí mismos o a sus hijos a cambio de ciertos bienes, lo cual significaba simplemente la obligación de servir. En lo demás el tlacotli conservaba su libertad individual, podía tener bienes propios y aun esclavos. Se podía casar libremente y sus hijos no heredaban la condición de esclavo. A veces una familia podía obligarse a proporcionar permanentemente un esclavo, el cual era un miembro de la familia, que podía cambiar a través del tiempo; sólo entonces se puede hablar de trasmisión hereditaria de la servidumbre; es lo que en náhuatl se llamaba huehuetlacolli, "servidumbre antigua". Por lo general los esclavos prestaban servicio doméstico, las mujeres en moler y tejer, los hombres en el transporte, traer leña y además el cultivo. Parece ser que gran parte de estos esclavos formaban parte del hogar de sus amos; era posible que un hombre se casara con su esclava e incluso que una viuda se casara con un esclavo de la casa. Cuando un esclavo no se portaba bien, su amo lo regañaba públicamente, y de reincidir le ponía una collera y lo podía vender en el mercado. Un esclavo que había sido vendido así cuatro veces podía ser ofrendado en sacrificio. También había esclavos condenados a la servidumbre por ciertos crímenes; en algunos casos se trataba simplemente de la obligación de restituir mediante la servidumbre el valor de un robo, pero en otros parece que se les podía sacrificar.

Se tienen menos detalles de los usos matrimoniales entre los maceguales que entre la nobleza. Predominaban los casamientos dentro del estamento macegual, y la poliginia, si bien posible entre los maceguales, parece haber sido poco frecuente, aunque en algunas regiones era usual. En cambio, se dice que entre algunos grupos no náhuatl los maceguales tenían una sola mujer. A semejanza de la nobleza, la forma más prestigiosa de tomar mujer era la petición por las casamenteras; pero era muy frecuente el comenzar una unión juntándose libremente, lo que con el tiempo se convertía en un matrimonio formal. Entre los náhuatl no hay referencias a impedimentos para el matrimonio más que la prohibición de la unión entre padres e hijos y entre hermanos. En cambio, las reglas parecen haber sido distintas entre otros pueblos del centro de México, como los otomíes, que al parecer debían casar con una mujer "remota y no parienta", pero se ignoran los detalles. El barrio o calpul parece que no entraba en las prohibiciones matrimoniales. Una fuente antigua dice claramente que un joven se podía casar con una mujer "agora fuera de las de su barrio agora de otro" y el análisis de los libros parroquiales más antiguos después de la Conquista lo confirma.

La familia era una unidad económica en la producción y en el sistema tributario. El concepto nahuatl de familia se refiere a la residencia común en un grupo doméstico. Cencaltin quiere decir

200

"los de una casa", y varias casas relacionadas por el parentesco de sus miembros y la cooperación económica podían formar una unidad mayor llamada cemithualtin, "los de un patio", refiriéndose al hecho de que ocupaban un solar, con frecuencia cercado, con un patio común. Había bastantes diferencias regionales en el tamaño y la organización de la familia. Era frecuente que varios parientes casados vivieran juntos en la misma casa o patio, pero también había lugares donde este uso era menos frecuente y estaba casi limitado a casos en que un hombre casado seguía viviendo en la casa paterna. Estas diferencias estaban relacionadas con distintos sistemas de herencia y de tributación. Un buen informe sobre este asunto dice que en algunos lugares el hijo mayor heredaba toda la hacienda del padre y mantenía en ella a todos sus hermanos y sobrinos, expediente al que recurrían para evitar la división de la propiedad. El heredero y jefe de la familia pagaba los tributos de la familia entera conforme al uso local, bien fuera a base de la tierra o por cabezas. En otros lugares, al contrario, heredaban todos los hijos, repartiéndose entre sí la hacienda y pagando cada uno su tributo separadamente.

La familia campesina podía también incluir criados y esclavos. En el caso de un hombre que moría dejando hijos menores, su hermano cuidaba de los sobrinos hasta su mayoría de edad y conectado con esto se practicaba el levirato, es decir, que el hermano del difunto tomaba a la viuda como mujer adicional. Las niñas se criaban recatadamente bajo la autoridad materna; pero se pensaba que los muchachos se harían afeminados si crecieran en el seno de la familia, y antes de la pubertad entraban a las casas de solteros, donde residían aprendiendo las actividades varoniles en las obras públicas y en la guerra. De estas casas salían a edad variable para casarse, aunque podían tener mancebas antes de salir definitivamente. La edad del casamiento parece que variaba en distintas regiones; de los otomíes, por ejemplo, se dice que casaban muy jóvenes, mientras que en algunos lugares de habla nahuatl lo hacían de treinta y más años. Después del casamiento, la pareja se establecía en casa de los padres del novio donde prevalecía el uso ya mencionado de la primogenitura y la familia conjunta; en los otros, esta residencia en casa del padre del novio parece haber tenido lugar por un periodo de tiempo nada más y sería permanente sólo cuando el hijo heredaba la casa paterna.

La movilidad social era un proceso de suma importancia. Dentro del estamento superior consistía en el paso de uno a otro de los rangos de la nobleza y el logro de los puestos políticos. Igualmente, entre la gente común había posibilidades de subir de categoría y alcanzar puestos de dirigentes dentro de las organizaciones de plebeyos, como los barrios, y aun de obtener puestos públicos reservados a gente de origen común y llegar a constituir el inicio de nuevas familias nobles. Este proceso de ascenso social se efectuaba mediante hazañas militares y ceremoniales y en menor grado el comercio. Estaba además institucionalizado en dos tipos de residencias de varones, las llamadas telpochcalli, "casa de solteros", y calmecac, literalmente "hilera de casas", residencia de sacerdotes.

Las casas de solteros estaban destinadas a los muchachos del común y muchas de ellas se encontraban repartidas por los distintos barrios. Los muchachos entraban a la casa de solteros pocos años antes de la pubertad y allí recibían su educación para las obras públicas y la guerra. Entraban como muchachos (telpochtoton) y se ocupaban en tareas serviles como acarrear leña y barrer la casa. Al llegar a la pubertad pasaban a ser "jóvenes" (telpochtin), y se les llevaba al campo de batalla como escuderos de guerreros experimentados hasta que ellos mismos empezaban a pelear. El futuro del joven dependía de sus éxitos militares. El que lograba cautivar un guerrero enemigo recibía el título de "cautivador" (yaqui, tlamani) lo cual se marcaba mediante un nuevo corte de pelo y el derecho a llevar ciertas insignias. El renombre de un cautivador dependía del número de cautivos y aun del origen nacional de ellos, pues la captura de los enemigos más valientes, como los tlaxcaltecas, confería mayor prestigio que la de gente menospreciada como los huaxtecos. De entre los cautivadores se escogían los teachcahuan, mayorales de los equipos en que estaban organizados los jóvenes, y los telpochtlatoque, literalmente "mandones de solteros", jefes de los telpochcalli. La captura de un guerrero enemigo no era puramente una hazaña militar; el cautivador ofrendaba su prisionero para el sacrificio en una de las grandes ceremonias religiosas del año; para esto, pasaba un periodo de abstinencias y participaba en el ceremonial entregando su víctima a los sacerdotes sacrificadores. Después recibía el cuerpo de la víctima para un banquete caníbal que celebraba en su casa, al que invitaba parientes y amigos, si bien el mismo cautivador no podía comer de la carne de su preso. Los jóvenes agrupados en sus cuadrillas se turnaban para el trabajo en las obras públicas y para participar en las danzas que se celebraban todas las noches en la "casa de cantos" (cuicacalli) del centro ceremonial de la ciudad. Hacia los veinte años de edad los jóvenes salían de la casa de solteros para casarse y establecerse como jefes de familia. Se les apuntaba entonces en los padrones de tributarios y pasaban a las órdenes de los cuadrilleros de los barrios. La masa de los plebeyos que no hubiera avanzado en la jerarquía se retiraría de hecho de la vida del guerrero, aunque seguía sujeta al servicio militar.

La residencia sacerdotal, o calmecac, era para los hijos de la nobleza, si bien parece que algunos plebeyos destinados por sus padres al sacerdocio también podían ingresar. La educación del calmecac, mucho más que la del telpochcalli, se dedicaba al sacerdocio, pero también al adiestramiento en las artes como la pintura de libros, el trabajo de la pluma o los conocimientos históricos y calendáricos relativos a la religión y practicados por la nobleza misma o por los elementos inferiores de ella. Además, los sacerdotes del calmecac, o un sector de ellos, iban también a la guerra y por eso podían ascender en la jerarquía militar. Cuando un guerrero, fuera noble o macegual, había cautivado cuatro enemigos, recibía el título de tequihua (literalmente, "el que tiene un trabajo"), tlamacaztequihua si era además sacerdote. De estos tequihua se escogían los altos funcionarios. Los más participaban en el consejo de guerra del rey y se les describe como capitanes de la guerra. Algunos, que debían ser de origen plebeyo, recibían el puesto de ejecutores (achcacauhtin), encargados de llevar embajadas y aplicar las sentencias del rey. Otros puestos más elevados, ocupados unos por nobles y otros por plebeyos, eran los llamados generales tlacatecatl y tlacochcalcatl. En México el sucesor de un rey siempre tenía uno de estos títulos. También se daba a los gobernadores de ciudades sometidas. Los puestos más altos eran los de los jueces o tecutlatoque, que formaban parte de los consejos supremos, el tlacxitlan y el teccalco; estos señores tenían el rango de tlatoque o de teteuctin.

Un grupo especial era el de los guerreros valerosos que habiendo capturado prisioneros, formaban un grupo selecto semejante a las tropas de choque. Éstos hacían voto de nunca retroceder en el combate y tenían insignias especiales; recibían los nombres de qua-chic ("rapado") u otomí. Se les consideraba grandes luchadores, pero alocados e inhábiles para asuntos de gobierno. Los guerreros viejos, veteranos, recibían el título de cuauhuehuetque, es decir, "águilas viejas"; en castellano se les describe como maeses de campo, y además oficiaban en los funerales de los guerreros muertos en el campo de batalla.

Más adelante se verá la organización sacerdotal. Notemos aquí simplemente que la jerarquía de los ingresados al calmecac se organizaba en cuatro grados principales más o menos paralelos al de los guerreros. Los muchachos recién ingresados eran "sacerdotillos", tlamacaztoton, que trabajaban en la limpieza y mantenimiento de los templos. Subían después a ser jóvenes sacerdotes, tlamacazque, y más adelante ascendían a "dadores de fuego", tlenamacacque. De estos últimos se elegían dos sacerdotes supremos llamados "serpientes emplumadas", quequetzalcoa.

Las posibilidades de ascenso social existían también en los grupos más restringidos de mercaderes y artesanos. Los datos sobre los mercaderes son los más completos: eran miembros de ciertos calpules, estaban organizados como la generalidad de la gente en cuadrillas con sus mandones, e iban en expediciones comerciales al servicio de mercaderes experimentados. Cuando en el curso de sus expediciones tenían que pelear, se les presentaba la oportunidad de adquirir rangos militares a base del número de guerreros cautivados; pero en general el mercader ascendía en la escala social mediante la acumulación de riqueza que destinaba al patrocinio de ceremonias religiosas. En contraste con el guerrero que cautivaba a su víctima para el sacrificio, el mercader compraba un esclavo para la ofrenda; recibía entonces el nombre de "bañador" (tealtiani) debido a que el baño ritual de la víctima era antecedente obligado del sacrificio. Los mercaderes más encumbrados eran los pochtecatlatoque, "señores mercaderes", que formaban un consejo para el gobierno del mercado. Los "mercaderes viejos" (pochtecahuehuetque) gozaban de gran prestigio y participaban en las ceremonias de los mercaderes, de modo comparable a los viejos del barrio (calpulhuehuetque) y los soldados viejos (cuauhuehuetque). En el caso de los artesanos la información es muy fragmentaria; pero se sabe que también entre ellos se practicaba el patrocinio de ceremonias ofrendando esclavos para el sacrificio. En cuanto a los cazadores, se usaban los títulos de amiztequihuaque y amiztlatoque, "capitanes y señores cazadores" paralelos a los títulos usados en la escala jerárquica de otras actividades.

La organización política

La organización política del México antiguo presenta varios niveles de integración político-territorial difíciles de analizar por lo incompleto de los datos y por la complejidad misma de una situación caracterizada por el entreveramiento de distintos señoríos y la variabilidad de las relaciones de dependencia política. En el idioma nahuatl, como en la realidad política de aquel tiempo, no existe un término que corresponda al concepto de estado nacional. La idea de nación como grupo étnico, pero sin suponer ningún tipo de organización política, se expresa simplemente con la palabra tlaca, "gente". La idea de un grupo de gente organizado en un territorio se designa con altepetl, pueblo o ciudad, literalmente "agua y cerro". El concepto de estado se puede expresar con la palabra tlatocayotl —derivada de tlatoani, rey—, que se entiende por lo tanto como realeza, reino o señorío y que se aplica a unidades de distinta naturaleza. Para distinguir niveles de organización o grados de poderío se dice simplemente huey altepetl, huey tlatoani, huey tlatocayotl, "gran ciudad" o capital, "gran rey", "gran reino".

El nivel más amplio de integración político-territorial es el imperio azteca. El uso ha sancionado lo de imperio y se puede conservar el término para dar a entender que se trata de los organismos políticos de mayor amplitud en los que bajo el gran rey (o reyes) cabeza del imperio, había otros reyes subordinados de menor categoría. No se debe pensar que hubiera una administración uniforme ni centralizada de todas las partes del imperio; era fundamentalmente una alianza de tres grandes reinos, México, Tetzcoco y Tlacopan, con objetivos limitados. El segundo nivel es el representado por las tres partes constituyentes del imperio azteca. Cada una de ellas estaba encabezada por un gran rey (huey tlatoani) soberano de la ciudad capital del reino, el cual comprendía también varias otras ciudades con sus respectivos tlatoani, los cuales eran generalmente parientes del gran rey y formaban consejos que eran los órganos supremos de gobierno. El tercer nivel es el de los reinos o señoríos que formaban parte de lo que hemos llamado gran reino.

La ciudad-estado gobernada por un rey (tlatoani) se puede tomar como la unidad política fundamental, bien fuera la capital de un reino o uno de sus señoríos componentes. Comprendía una zona central que incluía los edificios públicos (palacios de gobierno y templos) rodeados de una zona de densa población de carácter urbano tanto por la densidad de las construcciones como por la ocupación de los habitantes, que eran los gobernantes con sus servidores, artesanos y comerciantes que debían de sustentarse de los productos agrícolas traídos desde fuera. Además incluía también zonas rurales de población campesina. Dentro de este tipo general había muchas diferencias locales. En primer lugar, la importancia relativa de la población urbana en comparación a la rural. Se ha estimado que la población de México podía haber llegado a las 300 mil almas, aunque es más probable una cifra menor y gran parte de esta población era de tipo urbano, concentrada en la isla donde estaba edificada la ciudad. Los señoríos de baja categoría tenían una proporción menor de gobernantes y especialistas, pero con sus centros de carácter urbano. También había diferencias en la forma física del poblado. Aunque había algunos templos y palacios fuera del centro ceremonial, era característico de Tenochtitlan y Tetzcoco que los palacios y los templos principales de los distintos grupos que componían la ciudad estuvieran agrupados en un recinto central. En el caso de Tetzcoco, había la tradición de que en una época anterior los distintos templos habían estado repartidos por el territorio del señorío y que fueron concentrados en una época de centralización política. Entonces las zonas puramente rurales estaban bastante apartadas de la zona urbana. En Tenochtitlan comprendían algunos islotes de chinampas cercanas a la ciudad y sobre todo colonias o estancias agrícolas en distintas partes de la tierra firme en las orillas norte, oeste y sur de la laguna. Una ciudad comprendía siempre varios calpules como unidades territoriales y administrativas. En Tenochtitlan, estos calpules estaban definidos territorialmente en la ciudad central, y por lo menos algunas estancias no eran calpules separados, sino colonias que comprendían gentes de distintos barrios de la ciudad.

Los datos que existen sobre la organización política de un señorío se refieren a ciudades como Tenochtitlan y Tetzcoco, que eran capitales de reinos; las ciudades dependientes por lo que sugieren los pocos datos disponibles debían tener una organización semejante aunque más sencilla. A veces, en lugar de un tlatoani hereditario, tenían gobernadores militares nombrados por el soberano, llamados en nahuatl cuauhtlato, "gobernante águila" o "gobernante guerrero".

Los barrios o calpules, además de ser subdivisiones territoriales, tenían multitud de funciones en la organización social, y se ha discutido también hasta qué punto podrían ser unidades basadas en el parentesco. El problema principal es que la misma palabra calpulli se podía aplicar a las distintas partes en que se subdividía la sociedad según sus distintos grados de organización territorial. La palabra parcialidad, a menudo usada en las fuentes, es, por lo tanto, un equivalente adecuado, precisamente por su vaguedad. Es como si en el México moderno usáramos una misma palabra para designar estado, distrito, municipio, pueblo y barrio. Los textos nahuatl usan la palabra calpulli como sinónimo del más frecuente altepetl (pueblo) para designar las que se han llamado en español tribus nahuatlacas (mexica, tepaneca, xochimilca, etc.). También la usan para las cuatro partes en que se dividía la ciudad de Tenochtitlan, y para subdivisiones menores, incluso barrios o aldeas integradas por un pequeño número de familias. Algunas otras palabras usadas para grupos llamados también calpulli, tienen un significado más definido. Tratándose de los pueblos nahuatlacas, el nombre altepetl, pueblo o ciudad, es algo más preciso. En cuanto a las subdivisiones mayores dentro de la organización política de la ciudad, lo que en español se llamaban a veces cabeceras, se usa tlayacatl, derivado de yacatl, "nariz" o "punta", y que se entiende como guía o delantera de algo. Por otra parte, las palabras tlaxilacalli y chinamitl ("cercado") también se usan como sinónimo de calpulli, pero se suelen referir a unidades más pequeñas y de menos categoría política.

El calpul era una subdivisión social que generalmente coincidía con una zona residencial o barrio y que controlaba ciertas tierras para el uso común o individual de sus miembros. Funcionaba como una unidad corporativa en distintas esferas de la organización social. Económicamente, no sólo poseía la tierra, sino que era también la unidad responsable colectivamente por el pago de tributos y servicios personales. En la división del trabajo había la tendencia a que los distintos grupos de artesanos tuvieran sus barrios particulares. Los escuadrones del ejército se componían de gente de un mismo barrio y llevaban sus banderas distintivas. En la organización judicial, los jefes de los calpules representaban a su gente ante los tribunales. De las casas de solteros se dice que las había en los distintos barrios y las residencias sacerdotales o calmecac de la ciudad de México muestran cierta correspondencia con los calpules originales según las leyendas históricas. Cada barrio tenía sus dioses patrones y sus templos, y funcionaba como una unidad tanto para el culto de ellos como para organizar la participación en los cultos generales.

Los calpules eran comunidades en posesión de la tierra desde el tiempo en que la habían ocupado cuando se establecieron en el país. Los campesinos miembros del calpul gozaban en usufructo de parcelas familiares que podían trasmitir por herencia a sus sucesores. Esta posesión, sin embargo, estaba condicionada por el cultivo efectivo de la tierra y por el pago de tributos y servicios personales. Si un campesino abandonaba su tierra para irse a otra comunidad, o si la dejaba de cultivar durante dos años, perdía sus derechos y las autoridades del calpul la podían asignar a otro miembro. Igualmente, si un campesino moría sin herederos, su tierra volvía al fondo común del calpul. Los enfermos y los menores de edad podían seguir en posesión de la tierra aunque no la cultivasen ellos mismos o miembros de su familia; se las podía cultivar otra persona hasta que ellos estuvieran en condiciones de hacerlo. No todos los calpules estaban igualmente dotados de tierras. En relación con la toma de posesión original, se decía que algunos habían llegado primero y ocupado grandes extensiones; otros, llegados más tarde, no encontraron tierras suficientes. Los calpules con más tierras las defendían celosamente de los extraños guardándolas para asignarlas a miembros del calpul en caso de necesidad, y para atender a las necesidades del común. Podían alquilar parte de ellas a miembros necesitados de calpules más pobres y usar las rentas para los gastos de la comunidad. Para atender a todas las distintas funciones del calpul había jefes que administraban las tierras y organizaban las distintas actividades. Algunos informes los consideran como un sector de la nobleza, el de los calpuleque (jefes del calpul), en tanto que formaban parte de los funcionarios y recibían servicios de los maceguales del barrio. Es preferible considerarlos como intermediarios en la estratificación social con un estatus doble: agentes inferiores de la jerarquía administrativa y representantes de sus comunidades. El jefe del calpul tenía pinturas de todas las tierras y de sus ocupantes. Decidía los cambios de posesión en consulta con los ancianos del calpul.

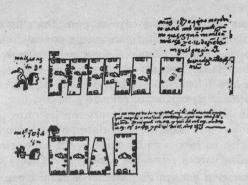

Fragmento de un catastro de tierras levantado pocos años después
de la Conquista. *Códice de Santa María Asunción*

Tenía su tierra familiar y se la cultivaban los miembros del calpul,
quienes también le daban otros servicios personales. Con esta ayuda
podía festejar a los miembros del calpul cuando se reunían en su
casa varias veces al año a discutir los asuntos de la comunidad.

Todas las funciones sociales del calpul y la solidaridad interna
de sus miembros estaban reforzadas por el hecho de que solían ser
gente de origen étnico y cultural distintivo. En el antiguo México,
la población de cualquier unidad política era un mosaico de elementos pobladores que habían llegado al país en épocas distintas
y con culturas diferentes, a veces incluso de idiomas separados.
Por este motivo se puede decir, citando la obra del oidor Zorita,
que es la principal fuente sobre el tema, que el calpul es "barrio
de gente conocida o linaje antiguo, que tiene de muy antiguo sus
tierras y términos conocidos, que son de aquella cepa, barrio o
linaje". Zorita, desgraciadamente, no aporta ejemplos concretos,
pero las tradiciones históricas de las crónicas indígenas los dan
muy claros. En la región de Tetzcoco, una de las mejor conocidas,
sabemos que se estableció gente chichimeca —cazadores y guerreros de origen— que llegó a constituir el linaje reinante. Encontraron restos de población sedentaria más antigua de raigambre tolteca no descrita en detalle. Poco después el señor chichimeca
Xolotl acogió a tres grupos llegados desde el oeste, tepanecas, otomíes y acolhuas; estos últimos se establecieron en Coatlichan y
dieron su nombre al Acolhuacan, región cuya capital fue después
Tetzcoco. Más tarde, en tiempos de Quinatzin, el bisnieto de Xolotl, llegaron dos grupos de gente que había estado en la Mixteca

209

y en Chalco: los tlailotlaque, cuyo dios era Tezcatlipoca, expertos en pintar historias, y los chimalpanecas, de origen chichimeca pero ya aculturados. Después, cuando se dispersó la gente de Colhuacan, el rey Techotlalatzin, hijo del anterior, acogió a otros cuatro pueblos de cultura tolteca que traían el culto de Huitzilopochtli y Tlaloc: los mexicas, tepanecas, colhuas y huitznahuas, cuyos nombres indican claramente sus conexiones con los otros pueblos civilizados del Valle. A base de estos distintos pobladores se explica la organización en barrios de las ciudades del reino tetzcocano, que siempre tenían barrios separados para grupos étnicos distintos.

La organización política de un reino se basaba parcialmente en la especialización de estos distintos grupos étnicos o calpules en distintas actividades de gobierno. Del recién mencionado Techotlalatzin del Acolhuacan, nos dice Torquemada que, después de aceptar los nuevos grupos de pobladores, organizó su reino nombrando cuatro oficiales principales entre sus deudos más cercanos. Uno fue capitán general y consejero de las guerras, y le dio por sus "acompañados" a los señores acolhuas; nombró a otro como embajador mayor encargado de recibir las embajadas de otros reinos, dándole como acompañados a los señores colhuas. Otro oficial fue su mayordomo mayor, dándole de acompañados a los señores metzotecas, otomíes o chichimecas. El cuarto funcionario fue su camarero, que tenía cuenta de todo lo interior de su palacio y que recibió como acompañados a los señores tepanecas. Continuación de la misma política es sin duda la organización de tiempos de su nieto Nezahualcóyotl, quien según se sabe, nombró a su hijo Acapipioltzin presidente del consejo de guerra con el cargo de huey tlacochcalcatl, mientras que el rey de Teotihuacan, uno de los señoríos de Acolhuacan, tenía el título de tlacochcalcatl. Techotlalatzin también decidió que los distintos grupos étnicos estuvieran representados en cada pueblo de su reino y ordenó cambios de población para lograrlo. Por ejemplo, si en un pueblo tepaneca había seis mil vecinos, sacaba dos mil y los pasaba a un pueblo metzoteca, y de éste sacaba otros tantos para llevarlos al pueblo tepaneca, haciendo lo mismo con los colhua y los acolhua. De este modo, como dice Torquemada, los señores de estos grupos no tenían todos sus súbditos en una misma parte, sino mezclados con otros grupos étnicos, para que si pensaban rebelarse, no hallaran apoyo en los otros. Esta descripción de Torquemada resulta especialmente clara y sistemática por presentárnosla como política consciente de Techotlalatzin, pero se encuentran situaciones comparables en otros lugares. En Chalco los distintos grupos étnicos parecen haber estado menos entreverados que en el Acolhuacan, de modo que cada señor étnico tenía mejor definido su territorio. En Tenochtitlan no hay datos acerca de una pluralidad étnica tan marcada como en Chalco o el Acolhuacan; pero los calpules originales pueden haber participado en una división del trabajo administrativo del mismo modo que estaban avocados al culto de los distintos dioses, y los diversos calpules estaban representados en las estancias rurales de Tenochtitlan en la tierra firme del Valle. En el norte del Valle de México la situación era más semejante a la del Acolhuacan, y en la zona poblana también había barrios étnicos, unos de origen tolteca, otros chichimeca.

Las conquistas militares también contribuían a este entreveramiento de grupos étnicos y unidades políticas. Como parte de sus conquistas, los señores de la triple alianza establecieron colonias en las regiones dominadas, donde los distintos grupos del Valle formaron barrios separados. Algunos de los pueblos derrotados huían a regiones lejanas en que eran acogidos como refugiados políticos, contribuyendo así también al desarrollo del mosaico étnico-geográfico. Por ejemplo, matlatzincas y otomíes de Toluca fueron como refugiados a Michoacán, mientras que otros otomíes de varias regiones fueron encargados de guarniciones fronterizas por los tlaxcaltecas. En casos como éstos los nuevos pobladores formaban calpules donde el origen étnico distintivo contribuía a reforzar la personalidad corporativa del grupo. Se ve entonces que las unidades políticas comprendían elementos étnicos distintos y que éstos participaban en la división administrativa y ceremonial del trabajo. Un elemento étnico dado podía estar representado en casi todas las unidades políticas, si bien era el grupo dominante en sólo algunas de ellas.

Mucho se ha discutido si el calpul era un clan, es decir, un grupo de parientes descendientes de un antecesor común. Los primeros antropólogos que discutieron el problema habían descubierto la importancia del clan en la organización social de los pueblos primitivos, y pensaron que también debía existir en México. De hecho, en lo que a los pueblos náhuatl del centro de México se refiere, no hay ninguna prueba. Es notable, sin embargo, que los escritores españoles del siglo xv^r hayan sabido describir clanes patrilineales exogámicos entre los pueblos mayenses de Yucatán y Guatemala, mientras que para los nahuas del centro de México, de los que se escribió mucho más, sus datos más bien militan en contra de que los calpules fueran clanes. Se puede hablar de linaje entre los nobles, aunque no había exogamia patrilineal, sino que, al contrario, en algunos casos se prefería el casamiento dentro del linaje. Del mismo modo, a pesar de dominar la conexión por vía de varón, se tomaba también en cuenta la filiación materna. Para pensar que el calpul era un clan, los indicios que deben considerarse son los del oidor Zorita quien dice que los calpules tenían cada uno su origen separado, los llama linajes y los compara con las tribus de Israel. Todo esto se puede aplicar al hecho de que los calpules en muchas regiones eran gentes de origen étnico distinto, lo cual es suficiente para explicar las afirmaciones de Zorita pero no indica la existencia de grupos que técnicamente se puedan denominar clanes. Zorita compara a los jefes de los calpules con los parientes mayores del norte de España. La expresión ha sugerido que se trataba del jefe de un grupo de parientes, pero realmente el término español se aplicaba a los jefes de linajes nobles, sin suponer que fueran también parientes de sus villanos. El mejor paralelo con la situación española medieval sería el de considerar parientes mayores a los jefes de los linajes nobles que habría dentro de las divisiones territoriales o calpules principales. La cosa es todavía más complicada porque el término calpul se aplicaba a subdivisiones sociales de distinto tamaño, desde una aldea o barrio de unas pocas familias a las llamadas a veces "tribus" nahuatlacas como los mexica, chalca, etc., y Zorita nunca dice de qué tipo de grupo hablaba.

Los tres reinos que conformaban el imperio azteca eran cada uno un conjunto de señoríos, encabezados por el más importante de ellos, cuyo rey era el soberano del reino en su conjunto. Los reyes de los otros señoríos eran por lo común miembros del mismo linaje, o de linajes emparentados, y además podían estar relacionados mediante alianzas matrimoniales.

México Tenochtitlan alcanzó la categoría de reino cuando Acamapichtli tomó el título de rey al formar un señorío sujeto a Azcapotzalco. Al constituirse el imperio azteca, el reino de México abarcaba la región sur del Valle de México que comprendía la antigua región de dominio colhua. México había remplazado a Colhuacan como ciudad principal, y su rey se convirtió en cabeza de reino mientras que Colhuacan pasó a ser una ciudad secundaria. con un rey dependiente del de México. Por ese motivo el reino mexicano se consideraba una continuación del de Colhuacan, de vieja raigambre tolteca, y el gran rey de México se titulaba colhuateuctli, señor colhua. Los reyes de las ciudades que formaban parte de este reino colhua-mexica eran parientes cercanos del rey de México, y parece que no se seguía entre ellos un orden fijo de sucesión de padre a hijo, sino que podían ser sucedidos por un colateral, pariente más cercano del rey de México. Los principales señoríos eran los llamados "cuatro señores" (nauhteuctin) de Huitzilopochco (Churubusco), Mexicaltzinco, Itztapalapa y Colhuacan, así como los señoríos de Xochimilco, Ecatepec, Tenayuca y otros lugares.

El rey de Tetzcoco tenía el título de chichimecateuctli, señor chichimeca, y era descendiente de Xolotl, el caudillo chichimeca que ocupó partes del norte y este del Valle en el siglo XIII. La región que controlaba era el oriente del Valle y recibía el nombre de Acolhuacan, de los acolhua, el pueblo que ocupó esa región en tiempos de Xolotl estableciendo su capital en Coatlinchan, al principio la ciudad más importante de esa parte del Valle, remplazada después por Tetzcoco. Comprendía también regiones al oriente del Valle hasta los límites con Tlaxcala, e incluía Tollantzinco, Cuauchinanco y Xicotepec. El reino de Tlacopan ocupaba la parte occidental y norte del Valle, con extensiones al oeste hacia Xilotepec y Toluca. El soberano tenía el título de tepanecateuctli, señor tepaneca, nombre del pueblo que pobló en tiempos de Xolotl la región oeste del Valle con su capital en Azcapotzalco. Antes de formarse el imperio azteca, los tepanecas eran el grupo más poderoso del Valle; al ser derrotados, ocuparon un lugar secundario al de los mexicanos y tetzcocanos y la capital tepaneca pasó a Tlacopan.

La región de Chalco, originalmente fuera del imperio, formaba otro gran reino, con un buen número de reyes de títulos distintos que aludían a los varios grupos étnicos que poblaban la región. Fuera del Valle también se pueden considerar como reinos de categoría comparable, aunque de extensión menor, a Tlaxcala, formada por las llamadas cuatro cabeceras, gobernada cada una por un rey, y a Cholula, dividida en seis cabeceras. Huexotzinco era otra unidad comparable, aunque se sabe todavía menos sobre su organización política prehispánica.

Los mejores datos sobre el gobierno de un reino son los referentes a la ciudad de México y a Tetzcoco. Se trata de las ciudades capitales, y los informes con que se cuenta se refieren tanto al gobierno de la ciudad en sí como al gobierno de todo el reino. Los datos sobre las ciudades que formaban señoríos dependientes dentro de uno de los reinos son muy limitados, pero puede decirse que seguían en líneas generales, si bien más simples, las formas de gobierno que se conocen de México y Tetzcoco. La autoridad suprema de un reino era el huey tlatoani o gran rey, quien combinaba funciones civiles y militares, judiciales y legislativas. El rey de Tenochtitlan era un miembro del linaje de Acamapichtli, el primero que tuvo el título de rey en el siglo xiv, bajo el dominio de Tezozomoc, el rey tepaneca de Azcapotzalco. Los primeros tres reyes sucedieron de padre a hijo, pero cuando Chimalpopoca fue muerto por órdenes de los tepanecas, comenzó la guerra contra el dominio de éstos y el nuevo rey fue Itzcoatl, tío de su antecesor. A partir de este rey los tenochcas siguieron la costumbre de elegir un nuevo rey de entre los príncipes del linaje de Acamapichtli, de modo que el sucesor nunca fue un hijo del difunto rey, sino un pariente colateral. Al mismo tiempo que elegían soberano nombraban otros cuatro funcionarios de entre los cuales se escogía generalmente el próximo rey; los más importantes eran el tlacochcalcatl y el tlacatecatl, descritos como generales. Estos puestos, como el mismo de tlatoani, no se heredaban de padre a hijo, sino que también pasaban a un colateral cercano. Sí se formó una línea de sucesión distinta en el caso del cihuacoatl, literalmente "culebra hembra", título de un segundo o adjunto del rey que tuvo gran influencia cuando ocupó el puesto el célebre Tlacaelel desde el tiempo de Itzcoatl hasta el de Ahuitzotl. La dualidad tlatoani-cihuacóatl parece tener una base religiosa en la que el rey representa al dios nacional Huitzilopochtli y el cihuacóatl a la diosa del mismo nombre, patrona de los colhua. Se ha discutido mucho las funciones y la importancia del cihuacoatl y quedan muchas dudas al respecto. Los reyes de Tetzcoco y de Tlacopan, en contraste con los de México Tenochtitlan, se sucedían por línea directa de padre a hijo.

Para la ciudad de México tenemos listas de los señores de rango

214

de teuctli, cada uno con título distintivo, que fueron creados inicialmente por el rey Itzcoatl cuando estableció la supremacía mexica después de la guerra de Azcapotzalco. Entonces confirió los títulos a varios miembros del linaje de Acamapichtli, y aunque esos títulos se repiten después en el curso de la historia mexica, no hay datos suficientes para determinar cómo se trasmitían, excepto en los casos del cihuacoatl, el tlacatecatl y el tlacochcalcatl. Estos dos últimos se describen como generales; es difícil determinar si había funciones bien definidas encargadas a los otros títulos. Los nombres sugieren a veces una actividad ritual o una conexión con un lugar o un templo. Las descripciones en las crónicas de cómo los reyes encomendaban varios asuntos a los distintos señores con título de teuctli, sugieren más bien que no había una división precisa de funciones y que el rey podía escoger para una misma actividad señores de título distinto. Por otra parte se ve que dominaba la costumbre de encargar las principales actividades a grupos de funcionarios responsables conjuntamente en el desempeño de su cometido. Para Tetzcoco no hay listas de señores (teteuctin) comparables a las de Tenochtitlan. Sí sabemos que había funcionarios equivalentes. Nezahualcoyotl nombró a sus hijos presidentes de sus consejos, pero hay tal falta de proporción en los datos, que resulta difícil decidir si había en este punto diferencias importantes entre Tetzcoco y México.

Uno de los mejores cuadros que se pueden obtener de la organización política, vista desde el centro de gobierno en la ciudad de México, es el de Sahagún, cuando describe los palacios de Moteczuma. Los datos sobre Tetzcoco que proporciona Ixtlilxochitl y el códice pictórico llamado Mapa Quinatzin presentan grandes semejanzas. Cada una de las salas de palacio era la sede de un consejo o ramo de la administración, de modo que la lista de estas salas constituye una enumeración de los principales órganos de gobierno.

Bajo la autoridad del rey había dos grandes consejos que sesionaban cada uno en una sala cercana a la residencia del gran rey. El consejo más importante se llamaba en Tenochtitlan el tlacxitlan que quiere decir "a los pies". No se tiene la lista exacta de sus miembros, pero se sabe que eran reyes y príncipes (tlatoque tlazopipiltin). El consejo correspondiente en Tetzcoco estaba integrado por los reyes de las ciudades del Acolhuacan dependientes de Tetzcoco y puede suponerse que el de Tenochtitlan incluía a los reyes

215

Palacio de Tetzcoco. Mapa Quinatzin

del señorío colhua-mexica antes mencionados. Este consejo trataba de los crímenes de los señores, y parece un tribunal de apelación superior para los maceguales. El segundo consejo se llamaba teccalco, casa de los señores, y como su nombre lo indica, lo formaban jueces de rango de señor (teuctli), aunque, por lo menos en Tetzcoco, también los había de origen plebeyo. Se describe este consejo como audiencia de causas civiles a la cual llevaban sus asuntos los plebeyos. Otra sala de palacio se llamaba tecpilcalli, o "casa de los nobles, hijos de señores" (tecpilli), experimentados en la guerra. El texto de Sahagún no describe la actividad de estos nobles, pues apenas dice que Moteczuma condenaba a los que cometían adulterio. Probablemente son estos nobles los que otras fuentes dicen que estaban en palacio a las órdenes del señor, quien los escogía para distintos asuntos que se le ofrecían, y que acudían en turnos. La sala del consejo de guerra se llamaba tequihuacacalli "casa de capitanes" o cuauhcalli, "casa del águila". Asistían en ella los generales (tlacateca y tlacochcalca) y los capitanes (tequihua) para discutir todo lo referente a la guerra. A la achcauhcalli, "casa de los mayores", acudían los achcacauhtin, funcionarios de origen plebeyo que actuaban como mensajeros y ejecutaban las sentencias de muerte. En la "casa del canto", cuicacalli, se juntaban los mandones de los solteros (telpochtlatoque) para ver en qué obras públicas los mandaban a trabajar. Además, se juntaban grupos de jóvenes todas las noches a bailar hasta la media noche y era el lugar donde se reunían en algunas de las ceremonias de los meses. El México calmecac, "hilera de casas", era la residencia principal de los sacerdotes, donde el rey se informaba de sus obligaciones y castigaba a los que se emborrachaban o amancebaban. Una parte muy importante del palacio eran los almacenes de todos los tributos que llegaban a la ciudad. Se llamaba petlacalco, "casa de los cofres", y el encargado de ella era el petlacalcatl. Los mayordomos o recolectores de tributos (calpixque, "guardacasas") se reunían en la calpixcacalli, "casa de mayordomos", también llamada texancalli o texomulco. Allí recibían del rey las órdenes acerca de los tributos que se debían de traer para atender a las necesidades del palacio. También allí se organizaban las obras públicas. En otro edificio, "la casa de cautivos", malcalli, había mayordomos que cuidaban de los guerreros prisioneros. La llamada "casa de los pájaros", totocalli, debía su nombre a que en ella había pájaros de toda suerte, así como otros animales silvestres, una especie de jardín zoológico. Comprendía además los talleres donde trabajaban los artesanos de palacio, orfebres, cobreros, plumajeros, pintores, lapidarios y entalladores en madera. La coacalli, "casa de los convidados", era donde se alojaban los señores aliados a los cuales siempre se colmaba de regalos.

Esta descripción de las casas reales sugiere varios principios de organización política. Los principales órganos de gobierno guardaban relación con los principales estatus sociales descritos al tratar de la estratificación social. Los reyes (tlatoques), los señores (teteuctin), los nobles (tecpipiltin), los capitanes, los mandones de las casas de solteros, formaban consejos que trataban sobre las actividades inherentes a cada rango. Todos ellos estaban a las órdenes del rey y en la enumeración de casi todas las salas se dice que Moteczuma castigaba a los funcionarios allí congregados mandándoles matar en caso de mal ejercicio de sus deberes. Parece que cada consejo combinaba funciones legislativas, ejecutivas y judiciales dentro de su esfera de actividad. En el caso de los consejos supremos, sus miembros parecen incluir la totalidad de personajes de su rango; los reyes y señores. Los consejos de nobles, guerreros, solteros y sacerdotes, estaban organizados en tandas que se turnaban al desempeñar sus funciones, a las órdenes de sus cabecillas.

La alianza de México, Tetzcoco y Tlacopan que constituía el imperio azteca tenía funciones limitadas y bien definidas. Fundamentalmente era una alianza para hacer la guerra y cobrar tributo de los lugares conquistados. El rey de México tenía la función de general de los ejércitos aliados y esto le daba dentro de la alianza una preponderancia que creció con el tiempo. Por otra parte, se describe al rey de Tetzcoco, Nezahualcóyotl, como legislador, poeta y constructor, lo cual puede ser no únicamente una caracterización personal, sino una especialización funcional de los tetzcocanos dentro de la alianza. Cada una de las partes aliadas podía hacer sus propias conquistas y tener sus propios tributarios, pero había también pueblos sometidos por la alianza que se repartían en lo particular entre los aliados o que tributaban conjuntamente a los tres, repartiéndose el tributo de manera variable, la fórmula más mencionada es la de dos partes a México, dos a Tetzcoco y una a Tlacopan. La alianza también se manifestaba en la organización del comercio a gran distancia con las regiones en los límites del imperio. Los mercaderes de varias ciudades en las tres partes del imperio tenían una organización común, con establecimientos en Tochtepec (hoy Tuxtepec, Oax.), base del comercio más distante. La autoridad suprema del imperio era el consejo formado por los soberanos de los tres reinos. Cada ochenta días se reunían por turno en las tres capitales. También estaban conectados por alianzas matrimoniales, y aunque algunos datos son contradictorios, parece que los hijos de princesas tenochcas sucedían a sus padres en Tlacopan y Tetzcoco, mientras que en México los reyes tenían madres de su propio linaje. La elección o confirmación de los soberanos de los tres reinos se hacía con la participación de los otros dos soberanos. El equilibrio del poder entre los tres reinos cambió en el curso de la historia con la tendencia al crecimiento del poder de los mexicanos, quienes en vísperas de la conquista española habían impuesto en Tetzcoco a su candidato Cacama como sucesor de Nezahualpilli. Los mexicanos también habían establecido señores dependientes directamente de ellos en lugares antes pertenecientes a los otros dos reinos. El imperio azteca alcanzó el mayor grado de extensión de todas las unidades políticas conocidas de las tradiciones históricas, sin tomar en cuenta la posible extensión de un probable imperio tolteca acerca del cual los datos históricos son sumamente nebulosos. El antecedente inmediato y modelo directo del imperio azteca fue el que tuvo como centro Azcapotzalco en tiempos del rey Tezozomoc. El reino tepaneca de Azcapotzalco comprendía una gran zona al oeste del Valle de México y regiones más occidentales, básicamente la región que después formó el reino de Tlacopan. Además, Azcapotzalco estuvo aliado con Colhuacan en el sur del Valle y Coatlichan en el este, formando de esta manera una unidad semejante a la del imperio azteca, si bien no llegó a lograr conquistas tan distantes como éste.

En territorios más apartados los mexicanos, solos o con sus aliados, exigían tributo de los señoríos sometidos. Lo recogían los calpixque o mayordomos de las distintas regiones, pero generalmente no cambiaban la organización interna de los señoríos dominados, aunque a veces forzaban cambios en el personal reinante introduciendo señores más manejables y concertando alianzas matrimoniales. En algunos lugares estratégicos establecieron colonias de pobladores llevados desde Tenochtitlan y otras ciudades del Valle que estaban gobernadas directamente por generales (tlacateca, tlacochcalca) mandados desde la ciudad de México. Algunas de las más importantes de estas colonias se asentaron en la región

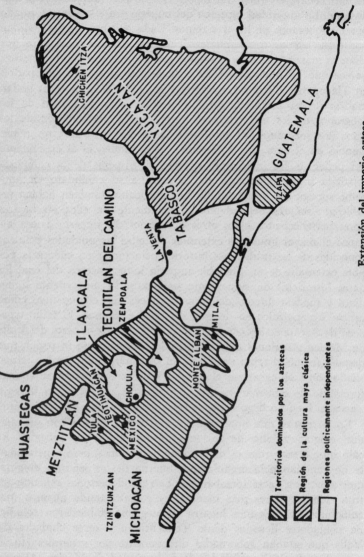

HUASTECAS

METZTITLAN

MICHOACÁN

TZINTZUNZAN

TULA

TEOTIHUACÁN

MÉXICO

CHOLULA

TLAXCALA

TEOTITLAN DEL CAMINO

ZEMPOALA

MONTE ALBÁN

MITLA

LA VENTA

TABASCO

YUCATÁN

CHICHEN ITZA

GUATEMALA

IZAPA

▨ Territorios dominados por los aztecas

▨ Región de la cultura maya clásica

☐ Regiones políticamente independientes

Extensión del imperio azteca

de Toluca, en Oztuma cerca de la frontera con los tarascos y en Huaxyacac (hoy ciudad de Oaxaca). Para solventar asuntos en las regiones lejanas del imperio se mandaban desde México comisiones de funcionarios del rango de teuctli que actuaban como jueces visitadores.

La vida económica

La descripción de los palacios de Moteczuma señala algunos rasgos importantes de la organización económica. En el palacio del rey se congregaba la totalidad del estrato dominante en su aspecto de funcionarios públicos; también trabajaban allí los artesanos de obra fina y las mujeres del rey, y todos ellos recibían sus mantenimientos. En los almacenes reales se acumulaban los tributos de todas las provincias, y con ellos se atendía las necesidades de todos los funcionarios y trabajadores de palacio. La economía doméstica de éste abarcaba en cierta medida la economía del reino entero. El organizar la hacienda pública a base de la economía doméstica del soberano es un rasgo de las sociedades estratificadas arcaicas, como lo es también el predominio de transacciones económicas en trabajo y especie, dada la falta del uso general del dinero. Igualmente se advierte la íntima ligazón de puestos y de actividades políticas con las económicas. En términos generales se puede decir que la economía del México antiguo era una economía política en el sentido literal de la palabra; el cuerpo político organizaba directamente los rasgos fundamentales de la economía. El gobierno controlaba los recursos fundamentales, la tierra y el trabajo; reglamentaba, e incluso participaba de modo inmediato en el proceso de producción, y decidía las líneas generales de la distribución de la riqueza.

Se ha dicho ya que cada uno de los rangos sociales tenía sus atribuciones económicas: derechos a cierto tipo de tierra o a sus productos, o bien, derechos a recibir prestaciones de cierta gente; y todos, de manera diferente según su estado, tenían obligación de dar bienes y servicios al organismo político. Usando la terminología moderna puede decirse que el sector público predominaba con mucho sobre el sector privado. Se puede hablar de la economía privada de la familia del labrador plebeyo que cultivaba la tierra y practicaba algunas artesanías para su pro-

221

pio consumo o para cambios en el mercado; pero debe subrayarse que la familia campesina recibía su parcela de las tierras comunales del calpul, el cual basaba su posesión en la ocupación original mediante conquista o donación de un señor. Las trasmisiones de tierra fuera de la herencia eran decisiones administrativas y no transacciones privadas, que requerían la sanción de las autoridades del calpul. El campesino, a cambio del uso de la tierra, tenía que pagar tributo y dar servicios personales, tanto para trabajos de su comunidad como para las autoridades superiores. La producción artesanal también se hacía dentro de la familia y en parte se basaba en la división sexual del trabajo, que entre otras cosas asignaba a la mujer el tejido. Las prestaciones exigidas de un campesino podían incluir tejidos o trabajo doméstico que aportaban las mujeres de la familia. Los artesanos tenían también la obligación de dar tributo y servicios en cosas de su oficio.

El mercado era un mecanismo importante para la distribución de los productos de la actividad familiar, pero su importancia resultaba limitada para proveer a los grupos dominantes. Los señores y nobles contaban entre sus dependientes labradores y artesanos que proveían sus necesidades básicas.

De este modo la producción hogareña de labradores y artesanos atendía a las necesidades propias directamente o mediante cambios en el mercado. La producción y la distribución a niveles mayores se basaba sobre todo en la organización, políticamente dirigida, para la extracción de tributos y la producción mediante los servicios personales de los plebeyos en las tierras y con las materias primas controladas por el organismo político. Se trata del tipo de organización económica que Karl Polanyi ha llamado redistribución; a base de una estructura social centralizada, hay una acumulación de bienes en el centro, seguida por una redistribución desde el mismo centro, de los bienes acumulados. Es preciso insistir, sin embargo, que lo fundamental es la acumulación en el centro, no tan sólo de productos, sino de recursos, o sea tierra y trabajo, que el centro "acumula" apropiándose los derechos sobre ellos y que "redistribuye" asignándolos a distintas unidades productoras. De este modo el concepto de Polanyi se debe aplicar tanto a la producción como a la distribución, y sólo puede decirse que una economía se basa en la redistribución cuando este mecanismo se usa para organizar la producción. El carácter político de la economía es uno de los rasgos que han llevado a caracterizar el México antiguo como un despotismo oriental o sociedad hidráulica en la que el dominio político de la economía se basaba en el control de las obras hidráulicas del Valle de México. Cierto que las grandes obras públicas para el riego y la construcción de diques y calzadas revelan que las autoridades políticas dominaban un recurso fundamental, pero el control político de la economía es también parte de lo que llamamos "fusión institucional", y se encuentra asimismo en partes de Mesoamérica donde las obras hidráulicas importaban poco.

La tierra era el medio de producción fundamental en el antiguo México por tratarse de una civilización agrícola. Todos los informes sobre la tenencia de la tierra indican que existían distintos tipos de tierras asignadas para el uso de los varios estamentos sociales. De hecho, cada uno se define según la entidad a quien se le concedía y la función social que el goce de esa tierra comportaba. La misma terminología nahuatl que usa de formas descriptivas define claramente la situación: el rey tenía las "tierras reales" (tlatocamilli); los señores, las "casas señoriales" (teccalli) o tierras de palacio ("tecpantlalli"); los nobles, las "tierras de los nobles" (pillalli); los macehuales de los pueblos, las "tierras del pueblo" (altepetlalli); y cada barrio en particular, las "tierras del barrio" (calpullalli). Otras tierras, productoras de tributos, se conocían según el uso a que se destinaban esos tributos. De este modo había tierras para la guerra (milchimalli, literalmente "rodela de sementeras") y "tierras de los templos" (teopantlalli). Algunos autores distinguen entre tierras del dominio público y tierras del dominio privado. De hecho ésta es una distinción del derecho romano que no se aplica bien a la situación mesoamericana. Las tierras que se han dicho de propiedad privada, las tierras de los nobles y de los macehuales, suponen el desempeño de una función pública: los macehuales han de dar tributos y trabajo, y los nobles deben prestar servicios a su señor o al rey en la guerra y en la administración, para eso se les da la tierra. Puede establecerse una distinción entre las tierras (pillalli) que todo noble tiene como miembro de una casa señorial que no escapan a la obligación general de servir en la cosa

223

pública, en contraste con las tierras asignadas a un puesto público determinado, cuyos productos gozaba el que lo desempeñara en un momento dado. De este modo se nos dice que había tierras señaladas a los jueces (presumimos que del teccalco), los cuales tendrían además las tierras que les correspondieran a base de sus estatus. Igualmente se habla de dos tipos de tierra bajo el dominio de los reyes de México: las adscritas al puesto de tlatoani y las llamadas en castellano patrimoniales que heredaban, antes de ser reyes, como nobles del linaje real. Estas últimas, como las parcelas de los maceguales, se podían enajenar únicamente dentro de un mismo estamento con aprobación de las autoridades y sin ignorar las obligaciones políticas del terrateniente. En todo caso las formas fundamentales de trasmitir la tierra parecen haber sido la herencia y las medidas administrativas del soberano, quien repartía tierras después de una conquista, las daba como premio a sus servidores, las quitaba como castigo a los delincuentes o las reasignaba para atender a las necesidades del momento.

La división sexual del trabajo establecía la base para la cooperación de los miembros del grupo doméstico como unidad de producción y consumo. Tocaban al hombre el cultivo y casi todas las artesanías. La mujer, además de los niños y la cocina (y el moler era una tarea muy laboriosa), tenía a su cargo el hilado y el tejido. De este modo la producción textil para el consumo de la familia plebeya se hacía dentro del hogar. Es difícil saber hasta qué punto las actividades especializadas ocupaban el tiempo completo de los artesanos; lo más probable es que una buena parte de los especialistas combinaran una artesanía con el cultivo, y que de este modo produjeran parte de los alimentos necesarios para su propio consumo. Sin embargo, en los principales centros urbanos había artesanos dedicados fundamentalmente a sus oficios, en particular los que trabajaban para el palacio. Las principales especializaciones incluían actividades extractivas en la caza, la pesca y recolección de productos forestales como resina, ocote o miel silvestre. Había especialistas de la construcción: los carpinteros iban al monte a cortar la madera y labraban las vigas para los edificios; los canteros sacaban piedra de la cantera y ellos mismos, o grupos más especializados, la labraban para la construcción y trabajaban como albañiles. Las manufacturas más importantes eran las de alfareros, petateros, canasteros, curtidores y huaracheros, que producían objetos de uso bastante general. De distribución más limitada, y en los lugares donde abundaba la materia prima, eran los artesanos dedicados a trabajar la obsidiana, hacer sal, papel, o construir canoas. Las artesanías de lujo que se producían en palacio eran el arte plumaria de los amanteca, el trabajo en metal de orfebres y cobreros, la lapidaria de los que hacían cuentas y otras cosas de piedras finas, la talla de la madera, y el arte de los pintores o escribanos que hacían libros históricos, religiosos y administrativos. Otro grupo importante, cuyos productos usaba principalmente el estrato dominante, eran los floristas, que hacían ramilletes y adornos de flores, y los tabaqueros que preparaban los carrizos con tabaco para fumar. Se distinguía entre los "artesanos caseros" (calla amanteca) que trabajaban en sus hogares, y los "artesanos de palacio" (tecpan amanteca), que trabajaban en el palacio. Puede suponerse que algunos artesanos caseros podían cultivar parte de sus mantenimientos, y que además participaban en los cambios del mercado. Los artesanos de palacio trabajaban con materia prima que les suministraba el señor, y recibían alimentos en el palacio. Algunas de las artesanías se enseñaban en el calmecac y eran practicadas por hijos de señores. Es probable que los artesanos de obra prima fueran parientes lejanos de los señores y que también de este modo hallaran cabida en el personal de palacio.

En los casos de mayor especialización, como en los grandes centros urbanos, se tendía a que los artesanos de un oficio vivieran en barrios propios; en otros casos se encontraban los artesanos de un oficio dado distribuidos por muchos barrios, si bien había mayor cantidad de ellos en los lugares mejor dotados de materia prima. Independientemente de poder residir en barrios determinados, los artesanos se organizaban en cuadrillas con mandones propios para la prestación de sus tributos y servicios en cosas de su oficio. De este modo se les reclutaba, en especial a canteros y carpinteros para las obras públicas. La cooperación, y aun cierta división del trabajo, dentro de uno de estos grandes equipos de trabajo, se realizaría a base de la organización tributaria de las cuadrillas y sus mandones. Los principales artesanos, como lapidarios, plumajeros, orfebres, petateros, pescadores y otros (sobre algunos no hay datos) tenían dioses patrones cuyo culto particular contribuía a la organización corporativa y a la solidaridad del grupo. De algunos artesanos sabemos también que tenían un origen regional o étnico particular, como los lapidarios de Tenochtitlan llegados de Xochimilco.

Si bien la plebeya, mujer de su casa, que tejía, era parte de la economía hogareña de consumo, había también tejedoras especializadas que producían para el mercado, y algunas de ellas se alquilaban para ir a tejer a la casa donde las contrataban. La producción textil de mejor calidad y la congregación de grupos de trabajadoras se daba en los palacios de los señores. Se basaba en la técnica superior de las señoras, relacionada seguramente con el hecho de que estaban libres de las actividades domésticas más onerosas como la molienda, y en que los señores podían tener varias mujeres y buen número de criadas. Sahagún da una lista de las ocupaciones de las señoras en trabajos textiles de calidad. Desde el punto de vista económico esta producción textil de las señoras se equipara a la de los artesanos de palacio; como ellos, trabajaban la materia prima llegada como tributo, y comían asimismo de la cocina de palacio.

Las unidades de producción eran, por una parte, el hogar del macegual; por otra, unidades políticamente integradas, que combinaban los derechos recibidos del soberano sobre la tierra y los servicios de los maceguales. Los reyes y los señores (teteuctin) tenían mayordomos para organizar a los maceguales en el cultivo de las tierras dominicales. Ya se dijo que en el palacio de Moteczuma trabajaban artesanos para las necesidades de palacio, elaborando la materia prima que llegaba como tributo. Para años posteriores a la Conquista, hay informes más detallados acerca de la administración de los bienes de un teuctli o señor, cuyos maceguales terrazgueros recibían parcelas de uso familiar. De éstos los labradores trabajaban la tierra del señor, le daban servicio doméstico, y algunos artículos de consumo como leña y guajolotes. Además, las mujeres hilaban para el señor; los artesanos le daban productos de sus distintos oficios o iban a trabajar en su casa, o bien le daban terrazgo en cacaos, lo cual supone que debían de haber vendido sus productos en el mercado para conseguir el cacao. También eran unidades productivas organizadas políticamente, entidades como las casas de solteros cuyos miembros cultivaban en común tierras destinadas a su mantenimiento,

226

y los barrios o calpules, que cooperaban para cultivar la tierra de sus jefes.

Las obras públicas representaban otro ramo importante de la producción organizado por los mayordomos del señor mediante el trabajo y el tributo de los maceguales. De este modo se construían palacios y templos en los centros urbanos, y en la zona lacustre de la cuenca de México las calzadas, albarradones, canales y acueductos. Para estas obras que exigían gran cantidad de trabajadores y de materiales de construcción, se explica la organización de los maceguales en cuadrillas según sus oficios, de manera que cada uno extraía y aportaba las materias primas de su oficio, como madera y piedra en la construcción, además de dar su trabajo para la elaboración final. Las distintas cuadrillas de tributarios se turnaban en acudir a los trabajos siempre a las órdenes de sus mandones. Esta organización de los tributarios que han de prestar servicios en grupos que se turnaban "por su rueda y tanda", se encuentra en toda suerte de actividades y niveles sociales y en grupos de magnitud variable. De este modo los terrazgueros de un señor se turnaban para dar el servicio doméstico; los maceguales de los distintos barrios y pueblos se turnaban para trabajar en las obras públicas. Parte del mismo principio es que distintos pueblos o provincias se turnaban en proveer de todos los productos necesarios a los palacios o los templos.

El macegual tenía la obligación de pagar tributos y servicios personales. Tanto el uno como los otros se llaman en náhuatl tequitl, que corresponde además en castellano a trabajo, empleo u oficio. Se aplicaba también al trabajo desempeñado por los funcionarios del gobierno, los guerreros en la batalla o los sacerdotes en sus ceremonias. Desde el rey al macegual todos daban su tequitl, es decir, su contribución a la sociedad. La función específica de los maceguales era sostener el aparato estatal y ceremonial. La base para tasar sus prestaciones variaba en las distintas regiones, pero en la náhuatl del centro parece haberse basado en la cantidad de tierra que poseía el tributario. También era variable la importancia relativa de pagos en especie y en trabajo; los labradores pagaban a veces en especie, otras en trabajo agrícola aplicado a las tierras destinadas al tributo. Todas las clases de maceguales estaban sujetas a servicios personales, en particular los exigidos por el soberano. Cuando se pagaba en especie, se dice que el tributo alcanzaba a la tercera parte del producto; en casos ya posteriores a la Conquista el terrazguero de un indio noble en Huexotzinco le debía cultivar una porción de tierra equivalente a una cuarta parte de la que recibía para su sustento. No había tasación fija de los servicios personales para las obras públicas y el servicio militar, sino que estaban al arbitrio del soberano quien los exigía conforme a las necesidades.

El pago en especie parece haber predominado cuando se trataba de mercaderes y artesanos, si bien no totalmente, así como el de labradores de las tierras más intensamente cultivadas en regiones de riego. Sin embargo, parece haber sido fundamental el pago en trabajo agrícola; se encuentra en todos los niveles de la organización económica: en los servicios usados para cultivar las tierras del rey, o para la tierra de un teuctli; y en el sistema de que un noble (pilli) podía dar parcelas de uso familiar a sus mayeques a cambio de la cual le cultivaban la que se reservaba para él mismo; igualmente, los miembros de los calpules cultivaban las tierras del jefe del calpul. Este sistema se relaciona claramente con la división de las tierras, en parcelas de uso familiar del macegual por un lado, y por otro en campos donde se cultivaban los productos para el señor de la tierra, el soberano mismo u otra persona que la recibía de él por su posición social. Resalta igualmente el hecho de que el recipiente de mercedes reales recibía no tan sólo tierra, sino también gente cuyos servicios usaba para cultivarlas. El procedimiento general del soberano para descargar sus obligaciones económicas, compensar o premiar a sus servidores, era asignar no tanto bienes en especie cuanto tierra y trabajo.

Un rey o un señor importante tenía sus dominios en lugares distintos, todos los cuales contribuían a la hacienda del señor, bien fuera atendiendo a sus necesidades locales o enviando los productos a su palacio. La Matrícula de Tributos ha conservado la lista de todos los productos que se pagaban a México como tributo y que se guardaban en los almacenes reales. Incluye grandes cantidades de productos agrícolas, principalmente maíz, frijol, huauhtli, chía, chiles y cacao; otros mantenimientos como miel y sal; materias primas, como cal, algodón, cochinilla, madera de construcción y plumas; otros productos tal leña, papel,

228

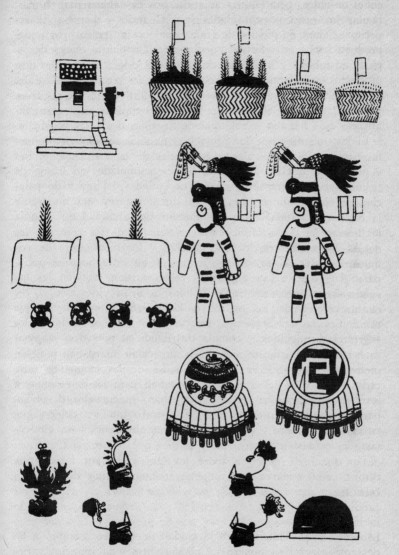

Una lámina del *Códice Mendocino*

copal, asientos, petates, jícaras y carrizos de tabaco para fumar. Hay además enormes cantidades de ropa, trajes y divisas militares y armas. También objetos de gran valor: oro en polvo o en tejuelos o ya hecho en adornos, cuentas de chalchihuite, pieles de jaguar; cascabeles y hachuelas de cobre. El origen de los distintos productos está claramente relacionado con las posibilidades locales de producción: ropa de henequén y huauhtli de las tierras frías, papel de amate y algodón de la tierra templada. Los mantenimientos más pesados y voluminosos llegaban desde las provincias cercanas, mientras que las provincias remotas mandaban productos exóticos de gran valor, como pieles de jaguar, chalchihuites y plumas de quetzal. Todos los bienes acumulados en forma de tributo servían para satisfacer las necesidades del rey y de palacio. La cocina alimentaba no únicamente al rey, sus mujeres y criados, sino a toda la capa dominante de la ciudad que acudía al desempeño de sus funciones: los señores de los consejos, los nobles, los ejecutores, los mayordomos y los recolectores de tributos, los jefes de los solteros, a más de los artesanos que trabajaban en palacio. Los almacenes reales surtían también las necesidades de alimentos, ropas y adornos distribuidos por el rey en las ceremonias, los regalos dados a señores extranjeros que acudían a las celebraciones, las divisas y adornos dados a los guerreros distinguidos, y comida distribuida al pueblo en algunas de las ceremonias de los meses. Los almacenes guardaban también productos para proveer las necesidades de las campañas militares. Algunos de los atavíos se prestaban para las ceremonias a los personajes que en ellas participaban, quienes los devolvían para ser usados la próxima vez. Se esperaba también del rey que en caso de hambre y escasez abriera sus almacenes para alimentar a la población en general, y se dice que Moteczuma, después de un hambre, rescató a todos los que se habían tenido que vender como esclavos para obtener mantenimientos de la tierra caliente.

El mercado de Tlatelolco en la ciudad de México asombró a los españoles por el sinnúmero de concurrentes y la inmensa variedad de mercancías que compraban y vendían. Todo señorío tenía su mercado; algunos también de gran tamaño que surtía una extensa región, como el de Cholula, otros de menor monta. Gru-

230

pos importantes de mercaderes profesionales (pochteca) existían también en todos los señoríos de importancia; habitaban barrios especiales, tenían su propia organización ceremonial y participaban de manera prominente en la vida económica, política, ceremonial y militar. Los mercados se celebraban generalmente cada cinco días, si bien los más importantes como el de Tlatelolco eran diarios, y todas las transacciones mercantiles se tenían que efectuar en el mercado, pues estaba prohibido hacerlo fuera. Los cambios se hacían a base de trueque, pero algunas mercancías se habían generalizado como medio de pago, funcionando en cierto modo como moneda: los cacaos se usaban como moneda de poco valor, ciertos tipos de mantas (quachtli), para pagos más considerables, y el oro en polvo o las plumas para los de valor excepcional. Gran parte de los concurrentes al mercado eran los mismos productores que llevaban a vender sus propias mercancías. Los artesanos de cada oficio con sus productos acudían en grupos a las órdenes de sus mandones. Además, había regatones que compraban a los productores para llevar los productos al mercado. Allí había siempre un grupo de jueces, los señores de los mercaderes (pochteca tlatoque), que juzgaban rápidamente todos los asuntos referentes al mercado. Las actividades mercantiles estaban sujetas a impuestos que pagaban todos los que llevaban productos al mercado.

Los mercaderes profesionales tenían una organización corporativa propia; sus barrios, en la ciudad de México y en otras ciudades del Valle, estaban relacionados entre sí para las grandes expediciones comerciales. Los pochteca estaban internamente estratificados; había entre ellos linajes nobles con sus teteuctin y pipiltin, de la misma manera que entre el resto de la población. Se ha sugerido que los pochteca tenían un origen étnico especial y se ve que predominaban entre ellos ciertos cultos particulares y que usaban determinados nombres de lugar para sus barrios y títulos para sus señores. Por ejemplo, tanto en Chalco como en Huexotzinco, la parcialidad de los mercaderes se llamaba Acxotla, y el título del señor principal era tecuachcauhtli, "el mayor señor". Es de notar, sin embargo, que la existencia de dioses patrones con cultos particulares es propia de todos los segmentos sociales, sobre todo de los artesanos; los pochteca participaban también muy activamente en las ceremonias de los dioses nacionales: el culto de Huitzilopochtli en México y el de Quetzalcoatl

231

en Cholula. Un rasgo especial de la estratificación social de los mercaderes es la posibilidad de ascender en la escala social mediante el gasto de riquezas en las ceremonias, invirtiéndolas en la compra de esclavos para el sacrificio, que equivalían a los cautivos apresados por los guerreros. Los pochteca tenían además sus casas de varones particulares, con la categoría de calmecac o residencias sacerdotales, y tenían sus propios mandones y señores (tlatoque). De este modo la estratificación interna era semejante a la de los nobles y maceguales, basada en la combinación de herencia y hazañas militares. La diferencia era que entre los mercaderes el avance en los negocios y la inversión de las ganancias en ceremonias sustituían a las hazañas militares, si bien no exclusivamente, pues también los mercaderes en sus expediciones podían pelear y alcanzar los mismos grados militares que la generalidad de la población. Lo importante aquí es que los grados sociales desde mancebo hasta señor mercader parecen haber servido de base para organizar las expediciones mercantiles. Los jóvenes comenzaban a salir en viajes a las órdenes de mercaderes experimentados, en forma paralela a la iniciación militar de los solteros no pochteca, e iban adquiriendo la posibilidad de organizar sus propios viajes y obtener ganancias al ascender en la escala ceremonial. Los mercaderes que iban en expediciones a las fronteras del imperio recibían bienes del rey para comerciar con ellos en país extranjero. Entonces actuaban como agentes comerciales del rey o como sus embajadores si iban a intercambiar presentes con señores extranjeros. En otros casos iban aparentemente como mercaderes privados, pero se dedicaban también a tantear el terreno y preparar las expediciones de conquista. Cuando los señores extranjeros los maltrataban o los mataban, el hecho constituía un "casus belli" que igualmente contribuía a la expansión militar y política de la triple alianza.

El auge de las expediciones mercantiles a larga distancia se relaciona en las tradiciones indígenas con la expansión del imperio que llevó sus puestos avanzados hasta las regiones cálidas del istmo y la frontera de los pueblos mayas, donde había productos exóticos y de lujo que codiciaban los señores del altiplano. En este comercio distante los mercaderes actuaban como agentes económicos y políticos de sus señores, mientras que en las regiones conquistadas, el tributo remplazaba al comercio como medio de obtener los productos locales. Todo parece indicar por

232

lo tanto que la importancia de los mercados y de los mercaderes no impide definir la antigua economía mesoamericana como una economía políticamente dirigida. La masa de la población que acudía a los mercados serían maceguales productores que cambiaban sus productos entre sí. Los señores obtenían la mayor parte de productos que necesitaban de los tributos. El gran comercio no era una actividad privada sino que lo dominaban los reyes de las ciudades de donde salían los mercaderes, quienes complementaban los ingresos basados en la tributación adquiriendo para los reyes materias primas o productos de lujo exóticos. Los bienes recibidos como tributos o manufacturados por los artesanos de palacio constituían el capital mercantil manejado por los pochtecas, agentes del rey. Por desgracia no hay datos concretos detallados acerca de las transacciones en los mercados para determinar hasta qué punto había libertad de mercado y qué determinaba el precio de las mercancías. Todo sugiere un fuerte control político de los cambios. Se ha mencionado ya la obligación de comerciar únicamente en los mercados; se dice, además, que las autoridades fijaban los precios, y, como se vio, los productores iban al mercado a las órdenes de sus mandones y todas las disputas se resolvían por los señores del mercado. Es también importante notar la ética económica manifiesta en el uso que hacían los mercaderes de su riqueza invirtiéndola en el patrocinio de ceremonias y en convites que les hacía subir en la escala social. Esto había de restringir el capital disponible entre los mercaderes privados para la reinversión, limitando sus posibilidades de acumular riquezas. Cuando esto no era suficiente, se dice que si Moteczuma veía que un mercader andaba muy ensoberbecido encontraba manera de incriminarlo para hacerlo matar y confiscar sus bienes.

Los convites que daban los mercaderes al patrocinar ceremonias que enaltecieran su rango no ilustran costumbres exclusivas de su gremio. Al contrario, constituyen un caso de tantos en la antigua sociedad mexicana, donde un uso semejante de la riqueza dominaba en todos los niveles sociales. El patrocinio de funciones sociales y la distribución de riqueza entre los participantes en las ceremonias, es uno de los rasgos típicos de las economías en que la redistribución desempeña un papel preponderante. Los principales sucesos de la vida de un individuo y las actividades públicas

233

de un funcionario, se acompañan de festejos para los que se junta gran cantidad de bienes que se gastan en la celebración y en regalos a los participantes, llegando a extremos de despilfarro. Cuando el celebrante ocupaba una posición de privilegio fijada por la herencia, el puesto estaba dotado de recursos económicos que hacían posible la acumulación y derroche de riquezas. Tal el caso de los reyes y señores, que organizaban grandes repartos de riqueza a base de los bienes acumulados por sus dependientes. La filosofía económica que dominaba era la del señor, liberal con sus riquezas, que debe atender a las necesidades del común y asombrar a sus rivales con convites y regalos. La manera de alcanzar rangos elevados de la sociedad, si estaban abiertos a la competencia individual, era acumular las riquezas necesarias para patrocinar una ceremonia y el derroche de regalos necesarios al asumir un puesto o título. También en este caso dominaba la filosofía económica de la liberalidad y el derroche. Ambos procedimientos existían en el antiguo México y se manifestaban en las ceremonias que marcaban el ascenso social, tanto de los privilegiados que así validaban sus derechos, como de los enriquecidos que al gastar sus bienes alcanzaban posiciones de privilegio. El caso tal vez más importante es el de los gastos y ceremonias para asumir el título de teuctli, por tratarse de un rango clave en la estructura social del México antiguo. La documentación de Motolinía se aplica a los señoríos de la región poblana donde se usaba un sistema de sucesión a los títulos de teuctli igual al de los reyes tenochca, es decir, que los nobles (pipiltin) de una casa señorial escogían entre ellos al futuro señor. Los parientes del futuro teuctli empezaban a juntar los bienes necesarios tres años antes de las ceremonias, que duraban todo un año durante el cual el candidato pasaba largos periodos de ayuno y se acababan de acumular los bienes para los festejos. A la fiesta final en que el candidato asumía el título, invitaban a sus amigos, parientes y todos los demás señores (teteuctin) y delante de cada uno de ellos y de acuerdo con su rango, amontonaban cantidad de regalos. Cada señor recibía mantas, capas y bragueros, sandalias, plumajes, orejeras y bezotes de oro o piedras preciosas. A los nobles y mandones de baja categoría les daban regalos de menor valor. Otro día distribuían ropa a los criados y artesanos. La comida era igualmente cuantiosa y se amontonaba también delante de cada invitado. Se dice que repartían de 1 200 a 1 600 guajolotes y gran cantidad de perros cebados y de caza, especialmente codornices, conejos y venados. Además, una enorme cantidad de tortillas y tanto pulque que, dice el informe, eran menester más tinajas que las del mercado de Zamora. También distribuían bebida de cacao, chiles, frutas, sartales de flores y carrizos de tabaco. Otro informe dice que acabada la celebración en que el teuctli había asumido el título, "venían los cuitados de los parientes suyos y sus maceguales y sobre que todo lo que había dado y gastado había salido de ellos, tornábanle a ofrecer a él de todo lo que tenían porque no le había quedado nada, porque habían piedad de él y porque se lo tomara él si no se lo dieran". Se trata, por lo tanto, de la cooperación de un grupo entero para la fiesta en que su señor toma un título. El mismo documento, sin embargo, nos dice que también los mercaderes, especialmente en Cholula, podían hacerse teuctli mediante ceremonias y gastos semejantes, aun cuando no les viniera de herencia, es decir mediante la acumulación individual de riquezas para alcanzar el título.

La religión

La religión es uno de los aspectos mejor conocidos de la antigua cultura mexicana.* Hay muchas razones para esto. Todas las fuentes de información destacan la importancia de la religión en la sociedad del México antiguo. El concepto del mundo dominado por fuerzas sobrenaturales, y la necesidad de celebrar ritos religiosos en todas las actividades humanas, sean éstas de índole tecnológica, social o política, sugieren la idea de que la religión era la fuerza que dominaba la vida de México. Los restos materiales más impresionantes de esta cultura son templos, ídolos, pinturas murales de dioses o ceremonias, y libros de temas mitológicos o rituales. Las tradiciones históricas indígenas, escritas después de la conquista española, mezclan mito e historia al hablar de los tiempos más remotos, explican el desarrollo histórico por causas sobrenaturales, y presentan la ideología religiosa como

---

* Al describir la religión del México antiguo se usan palabras como dios, ídolo, alma, cielo, infierno, etc., más o menos consagradas por el uso. Como es natural, no deben aceptarse las connotaciones que puedan tener estos términos desde el punto de vista partidista de cualquier otra religión.

motivo fundamental de las actividades sociales. Los cronistas españoles también se concentraron en describir la religión. Los conquistadores encontraron actividades religiosas —ídolos y santuarios embarrados en sangre, sacrificios humanos y canibalismo ritual— que al par que les asombraron por su esplendor, les convencieron de que habían encontrado una gente que vivía en las garras del demonio.

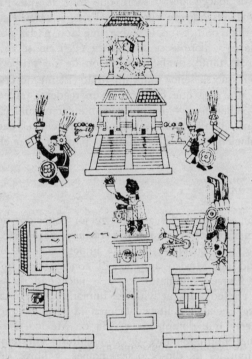

Recinto del Templo Mayor de México,
de un manuscrito de *Sahagún*

La política de conversión al cristianismo motivó la destrucción de templos y libros pictóricos, además de la prohibición de las prácticas religiosas indígenas, pero también creó el interés en la religión indígena y la necesidad de llegar a conocerla para lograr mejor la conversión y desarraigar toda sobrevivencia de idolatría.

Pueden escogerse dos rasgos como características principales de

236

la religión mesoamericana. Primero, era politeísta. Una muchedumbre de dioses, desde los etéreos o invisibles a los de forma material, humana o animal, explica la existencia del mundo, su creación y la naturaleza de sus distintas manifestaciones. Los dioses aparecen entre los hombres; hombres vivos personifican a los dioses en la tierra, y los muertos se suman a uno u otro de los mundos sobrenaturales. El hombre mesoamericano no creía únicamente en sus dioses; sino que los esculpía y pintaba, los personificaba en sus ritos, los mantenía dándoles de comer con sus ofrendas, y los mataba en el sacrificio de sus representantes en la tierra, al mismo tiempo que los recreaba y reforzaba enviándoles los sacrificios destinados a sumarse al mundo de lo sobrenatural. Y todo esto constituye el segundo rasgo de la religión mesoamericana, el desarrollo exuberante de una infinidad de ceremonias que relacionan al hombre con los dioses. Apenas existe actividad humana que no requiera su ritual correspondiente; la compleja serie de ceremonias que exige la participación de grupos numerosos de gente y el empleo de recursos materiales considerables no sólo relaciona a los hombres con los dioses, sino que constituye una parte importante del sistema de relaciones sociales que liga a los hombres entre sí. La visión antropomórfica de los dioses, las creencias de que los muertos se unían al mundo de los dioses, y el desarrollo exorbitante de las ceremonias que relacionaban a hombres y dioses, permiten concebir una estructura y una organización sociales más amplias, que incluyen en un sistema único tanto a los hombres como a los dioses. En torno a los dos aspectos de politeísmo y ceremonialismo se verán los elementos fundamentales de la religión mexicana antigua.

Los dioses de la religión mexicana antigua aparecen en un cuadro semejante al de otros sistemas politeístas como el de la antigüedad clásica, el antiguo Cercano Oriente o el hinduismo. El culto a los santos dentro del catolicismo también ofrece un buen número de semejanzas. En este sistema politeísta los dioses representan los diferentes elementos de la naturaleza y los diversos grupos o actividades humanas. De este modo, hay dioses de distintos astros como el sol, la luna, Venus, las estrellas o la vía láctea; dioses de la tierra; dioses de la lluvia, del viento, del agua, del fuego; dioses de plantas y alimentos importantes para el hombre, como el maíz, el

237

maguey, la sal, el pulque y varias yerbas medicinales. Algunos de los eruditos más prominentes, como Eduard Seler y sus discípulos, usaron el simbolismo astral como clave para la comprensión del panteón, los mitos y las ceremonias. Aunque a veces exageraron, no hay duda que ese género de ideas era parte esencial de la mentalidad religiosa mexicana. Pero es aún más importante ver que los dioses corresponden también a actividades humanas y a grupos sociales. El panteón mexicano es una imagen de la sociedad mexicana en el cual la división del trabajo, los estratos sociales y las unidades políticas y étnicas tienen sus contrapartes divinas. Se encuentran dioses patrones de todas las unidades nacionales o políticas: de los mexicas, de los xochimilcas, de los tepanecas, tlaxcaltecas, otomíes, etc. Hay además dioses patrones de ciudades, de barrios, de sacerdotes, de guerreros, de la gente de palacio, de las casas de solteros. Y hay asimismo dioses patrones de las distintas actividades humanas, bien sean naturales como el parto, las enfermedades y la lujuria, o culturales como la caza, la guerra, el comercio, el tejido, la orfebrería y demás artes. A menudo se combinan las distintas maneras en que existe esta división divina del trabajo. Por ejemplo, un dios que es patrón de una artesanía, lo es también del gremio, barrio o ciudad que la cultiva. O el dios de una artesanía está relacionado con un elemento natural que provee la materia prima; por ejemplo, entre las deidades del agua se encuentran los dioses patrones de aguadores, pescadores y salineros, así como de los petateros que usan los tules que crecen en terrenos pantanosos. También se cree que el dios de una actividad dada fue el primero que la practicó, o su inventor. Por ejemplo, la diosa del parto fue la primera mujer que dio a luz; la diosa de los mantenimientos fue la primera mujer que hizo tortillas; el dios de los pescadores inventó las redes y la fisga, etc. Los dioses nacionales aparecen a veces como caudillos ancestrales, como el de los dioses guerreros patrones de los mexicas, tlaxcaltecas y tepanecas. La mayor parte de los dioses tienen forma y personalidad humanas. Algunos tienen forma animal, como el dios de la tierra, que es una especie de dragón mítico, o la serpiente emplumada, una deidad compleja de muchos atributos y formas. Pero en general son de forma humana y las formas animales son manifestaciones especiales o el disfraz (nahualli) del dios.

De la misma manera que en la sociedad mexicana cada rango social u ocupación tenía ropas y adornos distintivos, entre los dioses cada uno de ellos tiene también una indumentaria característica: mantas o bragueros con decoraciones especiales, pintura facial, peinados, bezotes, etc. Todo esto da lugar a un sistema complicado de representar e identificar las deidades en forma de ídolos y pinturas, o en los atavíos de víctimas o sacerdotes que las personifican. Varios dioses se suelen representar con instrumentos o armas distintivas de las ocupaciones o grupos de que son patrones. Por ejemplo, el dios de los mercaderes se representa con el báculo que éstos llevaban en sus marchas, y la diosa de las tejedoras con un copo de algodón en su tocado. Los dioses aparecen a menudo como parejas de hombre y mujer, o se piensa que unos son hijos de otros, o son grupos de hermanos. Sin embargo, hasta donde alcanzan nuestros datos, no parece que haya existido un esquema genealógico bien definido que relacione a todos los dioses entre sí, como en los sistemas politeístas de la antigua Grecia o de Polinesia.

Otros rasgos de la sociedad mexicana también aparecen duplicados en la visión del mundo divino. De la misma manera que entre los hombres hay señores que gobiernan un lugar y tienen grupos de súbditos y criados, entre los dioses hay también señores de diferentes regiones divinas y de diferentes actividades llamados igualmente teuctli, que tienen a sus órdenes grupos de dioses menores que los ayudan en sus actividades. Los casos mejor conocidos son el del señor del infierno que reina sobre los muertos; el de la lluvia, señor del Tlalocan, a cuyas órdenes hay una multitud de diosecillos de la lluvia; y el del sol, a quien ayudan en su ascenso diurno las almas de los guerreros muertos. Pero hay otros casos semejantes. En general se puede decir que los servidores de los dioses son las almas de los hombres que mueren de una manera particular que los señala como servidores del dios a cuya corte se suman. De este modo los muertos son a la vez hombres y dioses. El paso de la existencia mundana a las distintas moradas sobrenaturales es semejante al paso a través de distintos grados sociales, que es parte tan importante de la organización social mesoamericana. Entre las diosas, como entre las mujeres, la principal división del trabajo se relaciona con la edad. Xochiquetzal es la diosa joven y hermosa; Tlazolteotl, diosa de la carnalidad, se asocia a las actividades de la mujer madura, y la diosa vieja Toci es la patrona de las médicas y comadronas. Es frecuente también que haya equipos de dioses, descritos a veces como grupos de hermanos, cada uno de los cuales puede tener sus secuaces; o bien se piensa en cuadrillas de dioses. Estos dioses o grupos de dioses pueden estar asociados a las direcciones cardinales y a periodos calendáricos, de manera que rigen distintas partes del mundo y diversos periodos de tiempo. De este modo se duplican los principios de la división del trabajo en la sociedad mexicana, donde hemos visto equipos de funcionarios que gobiernan conjuntamente o que se turnan en periodos sucesivos para el ejercicio de sus funciones.

Se desprende entonces que un dios puede tener una multitud de aspectos y funciones. Tanto es así, que a veces no es claro si se trata de un dios único o de un grupo de deidades relacionadas. En algunos mitos el sol, la luna o la tierra son ellos mismos las deidades; el astro es la forma que tiene o adquiere la deidad; pero en otros la deidad aparece más bien como el espíritu que habita un objeto, por ejemplo, el dios del cerro Tepeyolotl, cuyo mismo nombre nos dice que es el corazón o espíritu del cerro. En otros casos la fuerza natural es el producto de la actividad de los sobrenaturales. El dios del viento tiene una máscara picuda por la que sopla para hacer viento, o bien las ráfagas que preceden a la lluvia son el movimiento del aire que hacen una muchedumbre de diosecillos que van barriendo con escobas para abrir el paso a los dioses del agua que la vierten en forma de lluvia. Los dioses se representan en forma de ídolos; sus sacerdotes y las víctimas que se les sacrifica toman también su forma, y se les trata como al dios mismo. Pero ¿son el dios? En algunos casos puede pensarse que se trata de una relación tal entre un ser y su símbolo, que se presta a tratar a uno como al otro e incluso a confundirlos. O, forzando una interpretación sociológica, podría decirse que el dios es algo así como un puesto ocupado sucesivamente por una serie de funcionarios. En el caso de las víctimas sacrificadas que representan una deidad, está claro que se les considera como seres escogidos para sumarse mediante el sacrificio a la deidad o grupo de deidades a las que se les sacrifica. Los sacrificados al dios de la lluvia Tlaloc se convierten en los diosecillos de la lluvia, y los guerreros sacrificados van a servir al sol.

Los aspectos diferentes de una deidad se pueden relacionar con actividades diferentes o con periodos distintos de su existencia. Huitzilopochtli, el dios de los mexicanos, se menciona como uno de los cuatro dioses creadores hijos de la suprema pareja de dioses, pero generalmente aparece como dios nacional que protege y guía a su pueblo. Quetzalcoatl es también uno de los cuatro dioses creadores y dios del viento; además, es el sacerdote rey de la legendaria Tula y patrón de los sacerdotes y artesanos. Es posible que en el curso de la historia un dios determinado haya adquirido nuevas funciones y características en conexión, por ejemplo, con cambios en las actividades de los pueblos de quienes eran patrones. De este modo se puede sugerir que los dioses creadores Huitzilopochtli y Quetzalcoatl adquirieron nueva personalidad a consecuencia de su identificación con las actividades de su pueblo: Quetzalcoatl como patrón de las artesanías que florecieron en Tula, y Hitzilopochtli como patrón de los conquistadores mexica. Pero también se ha sugerido que Huitzilopochtli fue originalmente un dios nacional de poca importancia y que los mexicanos lo ensalzaron como uno de los cuatro creadores, después de obtener su preeminencia política y como forma de aumentar la importancia de su dios nacional. A falta de datos históricos detallados es difícil trazar las vicisitudes de las distintas deidades, aunque es evidente que la multiplicidad de aspectos de todas ellas facilita la transformación de sus atributos y funciones a través del tiempo.

Dioses creadores y mitos cosmogónicos

El panteón mexicano puede describirse en relación con las ideas acerca de la creación del mundo y de su forma. Los mitos cosmogónicos nombran a los dioses principales en su papel de creadores o creados, y mencionan su residencia y sus actividades, dando, por lo tanto, la base para una clasificación de las numerosas deidades según los propios conceptos de los antiguos mexicanos. Desgraciadamente, los mitos cosmogónicos conservados son pocos. Casi todas las versiones existentes son sumamente fragmentarias y varias de ellas muestran la influencia de algunas interpretaciones de los misioneros. Lo que existe es suficiente para ver que aunque casi todos los datos provienen de la zona del Valle de México y de Puebla, había un buen número de diferencias que no es posible armonizar en una versión unificada. Indudablemente distintos grupos étnicos tenían versiones diferentes de varios mitos, si bien los rasgos generales eran comunes a todos ellos.

El punto de arranque en la mitología era una pareja de dioses creadores que residían en el cielo superior, o treceno cielo, de cuyo

241

principio y creación no se sabía nada. Se llamaban Tonacateuctli, "Señor de Nuestra Carne (o Mantenimiento)" y Tonacacihuatl, "Mujer de Nuestra Carne"; o también Ometeuctli, "Señor Dos" y Omecihuatl, "Mujer Dos". Su cielo se llamaba el Omeyocan, el "Lugar del Dos". Esta pareja tuvo o creó cuatro hijos. El mayor se llamó Tlatlauhqui Tezcatlipoca, "Humo de Espejo Colorado"; el segundo fue Yayauhqui Tezcatlipoca, "Humo de Espejo Negro"; el tercero, Quetzalcoatl, "Serpiente Quetzal". El cuarto y más pequeño fue Huitzilopochtli, "Zurdo Colibrí", dios patrón de los mexicanos. Estos cuatro dioses se cuentan entre los de forma

Quetzalcóatl y Tezcatlipoca. *Códice borbónico*

más compleja en todo el panteón mexicano. En formas derivadas aparecen también en leyendas históricas y son caudillos guerreros o patrones de los pueblos más importantes.

Tezcatlipoca el Negro, dice la *Historia de los mexicanos por sus pinturas,* "fue el mayor y peor y el que más mandó y pudo que los otros tres, porque nació en medio de todos... Era el que sabía todos los pensamientos y estaba en todo lugar y conocía los corazones y por esto le llamaban Moyocoyani, que quiere decir que es todopoderoso o que hace todas las cosas sin que nadie le vaya a la mano". Además de ser un importante dios creador, era el patrón de los guerreros jóvenes, y como tal se le daban los nombres de Yaotl, "Guerrero" y Telpochtli, "El Joven". En las leyendas históricas aparece como uno de los causantes de la caída de Tula y más tarde era el patrón de los de Tetzcoco. Tezcatlipoca el Rojo se identifica también con Xipe Totec "Nuestro Señor Empellejado", celebrado en el mes Tlacaxipehualiztli, una de las ceremonias en que se sacrificaba mayor número de cautivos. Con el nombre de Tezcatlipoca el Rojo se le menciona como patrón de uno de los grupos más importantes de Chalco, los nonoalcas tlacochcalcas. Se le identifica también con el dios Mixcoatl o Camaxtli, patrón de los chichimecas del sureste del Valle de México y más especialmente de los tlaxcaltecas y huexotzincas. Quetzalcoatl parece ser una combinación de deidades originalmente distintas. Una, el dios creador mencionado y otra el Viento (Ehecatl), de nombre calendárico Chicnahui Ehecatl "9 Viento". Por ser patrón de los sacerdotes era también título del señor de Tula, Ce Acatl Topiltzin, y en las tradiciones históricas es el patrón de los toltecas. de los artesanos y de la ciudad de Cholula, donde se establecieron sus secuaces después de la caída de Tula. Huitzilopochtli, en el mito de la creación, recibe el nombre de Omiteuctli, "Señor Hueso", y Maquizcoatl, "Serpiente de Dos Cabezas". En las tradiciones históricas es el patrón de los mexicanos a los cuales habla durante su migración anunciándoles su destino. Según el mito nació en Coatepec cerca de Tula. Su madre, Coatlicue "Naguas de Culebra", lo concibió al guardarse en el seno una bola de pluma que encontró cuando barría. Nació todo armado y derrotó a los 400 huitznahua, sus hermanos, que querían matar a su madre por haberse empreñado a hurto.

La creación del resto del mundo y de los demás dioses fue obra de estos cuatro, si bien a veces se dice que comisionaron a dos de ellos, Quetzalcoatl y Huitzilopochtli, y en otras ocasiones se menciona también a la pareja suprema. Crearon una serie de nueve o trece cielos y una serie de nueve inframundos; la tierra se suele mencionar como el primero de los cielos o de los inframundos. Crearon también los dioses o seres que rigen en cada nivel y, según una versión, todo "fue hecho y criado sin que en ello pongan cuenta de año sino que fue junto y sin diferencia de tiempo". Crearon el agua y en ella un animal, Cipactli, a veces comparado con un caimán, otras con un pez espada, del cual se hizo la tierra. Ésta tiene el nombre de Tlalteuctli, "Señor o Señora Tierra", o Tonan Tlalteuctli, "Nuestra Madre Señora Tierra", y tiene la forma del monstruo del que se la formó. También se la personifica en forma de diosas relacionadas con la fertilidad que se mencionan más adelante. Crearon, además, los distintos cielos por debajo del treceno y sobre esto hay versiones distintas. Unas dicen que había trece cielos, otras que nueve y hay desacuerdo acerca de su naturaleza y de los seres que habitaban en cada uno. Crearon el fuego, cuyo nombre como dios es Xiuhteuctli, "Señor del Año", o "Señor Turquesa". El fuego se concebía a veces como perteneciente a la región celeste. Hay un cielo llamado Ilhuicac Mamalhuazocan, "Cielo del Taladrafuegos", nombre de una constelación; y en el cielo existían las xiuhcoatl o culebras de fuego. Pero el fuego reside además en el centro de la tierra en Tlalxicco, "Ombligo de la Tierra". Otros de sus nombres son Huehueteotl, "Dios Viejo", Ixcozauhqui, "Cariamarillo" y Cuezaltzin, "Llama". Del fuego, los dioses hicieron un medio sol, "el cual, por no ser entero, no relumbraba mucho sino poco".

Otro de los cielos es el Tlalocan, el lugar de los dioses del agua, para regir a los cuales crearon a Tlaloc, el dios de la lluvia y a su mujer Chalchiuhtlicue, "Naguas de Jade", diosa del agua. Los dioses crearon también el primer hombre y la primera mujer, llamados Cipactonal, "Día del Cipactli", y Oxomoco, nombre sin traducción, probablemente de origen no náhuatl. A él le encomendaron que trabajase la tierra y a ella que tejiese. Igualmente le dieron a ella granos de maíz para usar en las adivinanzas, y además crearon el calendario. Para reinar en el más bajo de los inframundos, el infierno, en mexicano Mictlan, "lugar de los muertos", crearon a Mictlanteuctli, "Señor del Infierno" y a su mujer Mictecacihuatl, "Mujer Infernal". Del primer hombre y la primera mujer nació un hijo Piltzinteuctli, "Señor Niño", y para que se pudiera casar, los dioses crearon, con los cabellos de la diosa suprema, una mujer, Xochiquetzal, "Quetzal Flor", nombre que se aplica tanto a esta mujer de Piltzinteuctli, como, a veces, a la diosa creadora.

Viendo que el medio sol que habían creado alumbraba poco, los dioses decidieron crear otro para que alumbrase toda la tierra. Refiriéndose a este momento, hay varias versiones, bastante diferentes entre sí, de lo que es uno de los rasgos generales de las mitologías mesoamericanas, la creencia en una serie de distintos soles, cada uno de los cuales rige una etapa distinta del mundo, que son creados y destruidos uno tras otro por la acción de los varios dioses. Una de las versiones más completas cuenta que Tezcatlipoca se hizo sol y los dioses crearon a los quinametin o gigantes, tan grandes y de tantas fuerzas que arrancaban árboles con las manos y comían bellotas. A estos gigantes se atribuye en algunos mitos la construcción de algunos lugares arqueológicos como Teotihuacan o la pirámide de Cholula.

244

Pasado cierto tiempo Quetzalcoatl pegó al sol con un bastón y lo derribó al agua. El sol Tezcatlipoca entonces se convirtió en un tigre (ocelotl) y mató a los gigantes. Esto sucedió en un día 4 tigre, que da nombre a este sol y la era correspondiente. Quetzalcoatl entonces se hizo sol y rigió durante un periodo en el que los hombres comían piñones. Le vino el fin cuando Tezcatlipoca, en forma de tigre, lo derrumbó de un zarpazo. Se levantó un vendaval que destruyó a todos los hombres, menos algunos que se convirtieron en monos. Esto sucedió en un día 4 viento. El próximo sol fue Tlaloc, dios de la lluvia, en cuyo tiempo los hombres comían la semilla de una planta acuática el acicintli, "maíz del agua". Acabó esta era cuando Quetzalcoatl hizo llover fuego del

Destrucción del segundo sol. *Códice Vaticano-Ríos*

cielo en un día 4 lluvia. Los hombres de esta era se convirtieron en pájaros. Como nuevo sol Quetzalcoatl puso a Chalchiuhtlicue, la mujer de Tlaloc. Durante esta era vivieron hombres que se alimentaban de teocentli, "maíz divino", un maíz silvestre. Acabaron convertidos en peces a consecuencia de un diluvio, tan fuerte que se cayeron los cielos, y que puso fin a esta era en un día 4 agua.

A partir de este momento hay un mayor número de mitos acerca de la reconstrucción del mundo, la creación del sol que alumbra el periodo histórico, y la creación de una nueva raza de hombres. Después de la caída del cielo los cuatro dioses creadores decidieron hacer cuatro caminos por el centro de la tierra para entrar por ellos y alzar de nuevo el cielo. Para que los ayudasen crearon cuatro seres, y Tezcatlipoca y Quetzalcoatl se hicieron árboles para ayudar a levantar y sostener el cielo.

245

Algunos hombres se salvaron del diluvio embarcándose en una canoa por consejo de Tezcatlipoca. Al acabar el diluvio salieron a tierra y viendo tanto pescado hicieron un fuego para asarlo. Tezcatlipoca castigó al que había hecho fuego sin su permiso convirtiéndolo en perro; es Chantico, "En la Morada", deidad del fuego del hogar. Según otro mito, Mixcoatl, nombre que tomó Tezcatlipoca, creó el fuego usando el mamalhuaztli o taladrafuego. En otro mito el hombre fue creado de nuevo por Quetzalcoatl, quien bajó a los infiernos por los huesos del hombre. En su viaje de regreso a la tierra le asustó el vuelo de una bandada de codornices y se le cayeron los huesos que se hicieron añicos. Fue preciso molerlos y amasarlos con la sangre que los dioses ofrecieron de su cuerpo para dar nueva forma al hombre. Hay también varios mitos sobre la creación o hallazgo del maíz. Uno, que de distintas partes del dragón Cipactli del que se hizo la tierra, se crearon las varias plantas que sustentan al hombre. En otro mito el dios del maíz Cinteotl nació después del diluvio y era hijo de Piltzinteuctli, hijo de los primeros hombres, y de su mujer Xochiquetzal. Según otros, el maíz estaba oculto en el Tonacatepetl, "Cerro de Nuestra Carne", o "Cerro de los Mantenimientos", y fue descubierto por una hormiga o una tuza y traído a los hombres por Quetzalcoatl.

El mundo estaba entonces alumbrado únicamente por los fuegos que se hacían y los cuatro dioses acordaron que se hiciese "un sol para que alumbrase la tierra, y éste comiese corazones y bebiese sangre, y para ello hicieron la guerra de donde pudiesen haberse corazones y sangres". La creación del sol y de la luna es probablemente el más conocido de todos los mitos del México antiguo. Según la versión de Sahagún, la más extensa, se juntaron todos los dioses en Teotihuacan y pidieron candidatos que aspiraran a convertirse en sol. Sólo se presentó el dios Tecciztecatl, "El del Lugar del Caracol Marino", y para tener otro candidato escogieron los dioses a Nanahuatzin, "El Buboso". Como preparación para la ceremonia encendieron un gran fuego y los candidatos pasaron cuatro días de ayuno y ofrendas. Tecciztecatl, que era rico, ofrendaba espinas hechas de piedras preciosas y de coral, ramos de plumas de quetzal, bolas de oro y copal. Nanahuatzin, pobre, ofrecía ramos de cañas verdes, bolas de heno (pachtli), espinas de maguey untadas de su propia sangre y en lugar de copal las costras de sus bubas. Para cada uno de los ofrendantes edificaron "una torre como monte", las pirámides de Teotihuacan. Acabadas las penitencias vistieron a los candidatos y los llevaron ante el fuego. El primer turno le tocó a Tecciztecatl, a quien los dioses ordenaron arrojarse al fuego. Cuatro veces lo intentó sin atreverse a dar el salto, y los dioses hablaron entonces a Nanahuatzin, quien cerrando los ojos se lanzó al fuego. Viéndolo, Tecciztecatl se decidió por fin y se arrojó también al fuego. De este modo Nanahuatzin se convirtió en sol y Tecciztecatl en luna. La menor luz de la luna se explica porque uno de los dioses le dio con un conejo en la cara ofuscándole el resplandor. Según otras versiones, se debe a que cayó en el fuego cuando ya estaba medio consumido, y por eso adquirió la luz cenicienta. Un detalle importante que añade otra versión es que el dios que se convirtió en sol era hijo de Quetzalcoatl y el dios luna era hijo de Tlaloc y de Chalchiuhtlicue. Hay también varias historias sobre el momento de la primera salida del sol y la manera en que comenzaron a moverse el sol y la luna. Los dioses decidieron morirse para ayudar a salir al sol; los mató Ehecatl, "El Viento", quien tuvo que perseguir a uno de ellos, Xolotl, "El Paje", dios de las cosas dobles, que se escondió disfrazado de maíz o maguey doble hasta que lo alcanzó a matar cuando se metió en el agua bajo forma de axolotl (ajolote).

Éste es el sol histórico que existía en el momento de la Conquista. Había, sin embargo, la creencia de que también había de llegar a un fin en un día 4 movimiento al producirse grandes temblores que lo destruirían y bajarían al mundo las estrellas (tzitzimime) hechas monstruos para devorar a los hombres. Después de la creación del sol histórico hay varias leyendas acerca de dioses que crean nuevos hombres, o tienen descendientes en la tierra cuyas aventuras se enlazan directamente con los antecedentes históricos de los pueblos y linajes reinantes del momento de la Conquista. Es un periodo en el que se pasa del mito a la historia, combinándose ambos de manera claramente comprensible desde el punto de vista de la cosmovisión mesoamericana, que no distingue entre lo sobrenatural y lo humano con que el historiador moderno pretende separar los hechos históricos reales del mito con que se han fundido. En algunos casos un mismo suceso aparece en una tradición como acontecimiento puramente humano, en otra como acción de los dioses.

Las moradas de los muertos y sus dioses

El destino de los muertos y demás ideas relativas a las cualidades sobrenaturales del ser humano son fundamentales para la comprensión del politeísmo y del ceremonial del México antiguo. Los seres humanos se originaban en el Omeyocan, donde los creaba la pareja de dioses supremos que los mandaba a nacer a la tierra. Al tiempo de su nacimiento todo individuo adquiría un tonalli, palabra que designa a la vez el concepto de día y el de suerte o sino. El tonalli tenía el mismo nombre que el día del nacimiento o el día en que se celebraba un rito con el recién nacido. Este signo determinaba la personalidad del individuo y su destino. Era algo así como un atributo espiritual, separable del individuo mismo, al que se podía rezar y que se podía perder, por lo menos en el caso de los niños, lo cual producía enfermedades que sólo se curaban mediante ritos que devolvían el sino a la criatura. La fuerza vital, los sentidos, la inteligencia, lo que generalmente entendemos por alma, pensaban que residía en el corazón; de hecho la palabra yolotl traduce tanto corazón como alma o espíritu. Aparece en nombres de dioses como Tepeyolotl, "Corazón del Cerro" y Tlalli Iyollo, "Corazón de la Tierra".

Los muertos iban a diferentes moradas según las circunstancias de la muerte. Cada una de estas moradas estaba conectada con dioses propios y la manera en que mueren los distintos individuos se puede entender como el medio con que estos dioses los incorporan a su séquito. Los hombres que sufrían una muerte normal, a consecuencia de la vejez o de enfermedades ordinarias, iban al Mictlan o infierno, literalmente el "lugar de los muertos", regido por los dioses Mictlanteuctli, y su mujer Mictecacihuatl. El infierno se asociaba por un lado con el norte —Mictlan es uno de los nombres del norte— y por otro se le consideraba como una serie de inframundos dispuestos en nueve niveles en el más bajo de los cuales residían los dioses del infierno y los muertos. El cuerpo de estos muertos se cremaba y con los restos se preparaba un bulto que enterraban en la casa del muerto. Junto enterraban varias ofrendas y objetos necesarios para que el muerto llegara a su destino en el infierno. El muerto tenía que cruzar un río, el Chicnahuapan, "Nueve Aguas", que corría por debajo de la tierra de occidente a oriente y conectaba las aguas del mar sobre el que estaba la tierra. Para el cruce era necesaria la ayuda de un perro que sacrificaban para enterrarlo con el muerto. Cuando éste llegaba al río le estaba esperando su perro para pasarlo a la otra orilla cargándolo en el lomo. El muerto debía también cruzar los vientos de obsidiana, Itzehecayan, donde soplaban vientos helados que cortaban como navajas de obsidiana; para esto se le enterraba con ropas de papel que lo cobijaran. Además, se enterraban con el muerto provisiones para su viaje y ofrendas para que las diera a su llegada a los dioses del infierno. Los muertos vivían en el infierno de manera semejante a como habían vivido en la tierra. Se les enterraba también con sus utensilios de trabajo y con las reliquias de las víctimas que habían ofrecido en sacrificio. En el caso de los señores, se sacrificaban además esclavos que les sirvieran en el otro mundo.

El viaje al infierno duraba cuatro años, durante los cuales sus parientes enterraban nuevas ofrendas a los ochenta días de la muerte y, después, en cada aniversario. Llegados al infierno, volvían a la tierra una vez al año durante el mes dedicado a los difuntos (Huey Miccailhuitl) cuando sus parientes subían a las azoteas de sus casas a dirigirles oraciones mirando hacia el norte. Los últimos tres días de este mes ayunaban los vivos por los muertos y salían a jugar al campo. Como se verá, una de las diosas de la tierra, Cihuacoatl, "Culebra Mujer", tiene aspecto de diosa infernal. Hay varias otras deidades que se describen como dioses del infierno. Un informe habla de cuatro parejas de dios y diosa, probablemente relacionadas con los cuatro puntos cardinales. Uno de los dioses del infierno era Yacateuctli, "Señor Guía", patrón de los mercaderes.

Otros muertos iban a la morada del dios de la lluvia, el Tlalocan. Eran éstos los que morían ahogados, matados por un rayo, o por enfermedades como la lepra, o la hidropesía que creían causadas por los dioses del agua y de la lluvia. Las víctimas sacrificadas a estos dioses también iban al Tlalocan como se desprende claramente de los ritos y el simbolismo de su sacrificio. No cremaban a los muertos destinados al Tlalocan, sino que los enterraban con semillas de bledos (huauhtli) en las caras, con un bastón en la mano y con los adornos de papel típicos de los dioses de la lluvia. El Tlalocan estaba situado en el primero de los cielos por encima de la superficie de la tierra, donde también estaba la luna. Pero, además, el Tlalocan se identificaba con el oriente. Asimismo creían que los dioses de la lluvia estaban en lo alto de las montañas, donde se juntan las nubes, o en el interior de ellas que creían lleno de agua. Varias montañas se identificaban con dioses locales de la lluvia; el cerro entre Coatlichan y Huexotzinco al norte de Río Frío, era el mismo Tlaloc; el Popocatepetl, la Iztaccíhuatl, la Matlalcueye (Malinche) y varios otros cerros eran igualmente deidades de la lluvia y el agua. El Tlalocan fue comparado por los misioneros españoles con el paraíso terrenal; era como un jardín abundoso de aguas y lleno de toda suerte de flores y mantenimientos. Una tradición cuenta que un rey de Chalco mandó encerrar a uno de sus jorobados en una cueva del Popocatepetl; cuando la fueron a abrir al cabo de un tiempo, encontraron al jorobado que describió cómo había llegado hasta el palacio de Tlaloc. Era éste un grupo de cuatro edificios orientados alrededor de un patio central. En cada uno había barreños llenos de distinta clase de agua. Aunque el informe no lo especifica, todas estarían relacionadas con una de las cuatro direcciones cardinales. Había un agua que hacía crecer las plantas y producía buenas cosechas; otra producía heladas; la tercera causaba demasiada humedad y podría o añublaba las plantas; la última producía sequía. El dios de la lluvia tenía una hueste de pequeños ministros o diosecillos de la lluvia, los tlaloque, a los cuales mandaba a regar de estas aguas por el mundo; cada uno llevaba en las manos un jarro con agua y un palo; cuando golpeaban el jarro con el palo producían el trueno y si se rompía el jarro, pegaba el rayo donde caía un pedazo. Estos tlaloque recibían también el nombre de "dueños del agua" (auaque) o "lluvias" (quiquiyauhtin). No eran los únicos diosecillos conectados con el tiempo; había además los "vientecillos" (ehecatotontin) o "culebras" (cocoa), servidores del dios del viento (Ehecatl). De éste se dice que era el caudillo y barrendero de los dioses de la lluvia porque les iba abriendo el camino.

Hay muchos dioses conectados con Tlaloc, el dios de la lluvia. La diosa del agua, Chalchiuhtlicue, "Naguas de Jade", era su mujer, según unas fuentes y según otras, su hermana. Hermana de los tlaloque era Huixtocihuatl, la diosa del agua salada y de la sal. También se cuentan entre los tlaloque, Nappateuctli el dios de los petateros y Opochtli, "El Zurdo", o "El Suriano", dios de los pescadores, además de los cerros antes mencionados. Como se vio, había la creencia de que la luna estaba en el cielo del Tlalocan. Con esto va de acuerdo el hecho de que el dios que se convirtió en luna era hijo de Tlaloc y Chalchiuhtlicue. Muy conectados con la luna están los centzon totochtin, los "cuatrocientos conejos", o innumerables dioses del pulque, de los cuales se conocen varios con su nombre individual y que se identifican con lugares, generalmente cerros, del Valle de México, Morelos o Puebla, como Tepoztecatl, Cuatlapanqui o Totoltecatl. Mayahuel, la diosa del maguey, también pertenece a este grupo de dioses del pulque. Según una leyenda era una mujer con cuatrocientos pechos a la que los dioses transformaron en maguey; otra tradición dice simplemente que era la mujer que primero agujereó los magueyes para sacar el aguamiel. Estos dioses conejos estaban relacionados con el sur. Como dioses de cerros, eran también dioses del agua, así como de los bosques y del desmonte, y se les representaba con un hacha en la mano.

Los niños que morían en la infancia iban al Tonacacuauhtitlan, "Árbol de los Mantenimientos", situado en el cielo de la pareja creadora, el Señor y la Mujer de los Mantenimientos. Era un lugar donde abundaba toda manera de árboles y frutos, y las almas de los niños andaban allá en forma de colibríes chupando flores. La relación de los niños con los mantenimientos se ve también en el hecho de que se les enterraba junto a la troje del maíz. En el' mismo treceno cielo de los dioses creadores, según otra tradición, estaba el Chichihualcuauhitl, "Árbol de la Mamazón", que destilaba leche para alimentar a los niños que morían sin uso de razón. Probablemente se puede asimilar también a lo que la tradición tlaxcalteca describe como el noveno cielo, residencia de la diosa Xochiquetzal, "Quetzal Flor". Como vimos, algunas tradiciones contaban únicamente nueve cielos en lugar de trece. Xochiquetzal es sobre todo la diosa joven del amor y de las tejedoras. Se la identifica a veces con la "Mujer de los Mantenimientos" (Tonacacihuatl) de cuyos cabellos se creó a la mujer del primer hombre Piltzinteuctli, llamada también Xochiquetzal. En la tradición tlaxcalteca fue mujer de Tlaloc y diosa del agua, pero la raptó Tezcatlipoca quien la llevó al noveno cielo. Vivía en un lugar muy deleitable donde abundaban fuentes, ríos y flores, servida de muchas otras mujeres y de enanos y chocarreros que la entretenían con músicas y danzas mientras ella se ocupaba de hilar y tejer. El patrón de estos músicos y danzantes era el dios Xochipilli, "Príncipe Flor". Se llamaba este lugar Tamoanchan Xochitlicacan, "Donde se yerguen las flores" y se localizaba tal vez en el oeste a diferencia de la localización oriental del Tlalocan. Tamoanchan fue también el lugar del nacimiento del Cinteotl, "Dios del Maíz". Otras deidades del maíz son Xilonen, "Madre

Espiga" y Chicomecoatl, "Siete Culebras", diosa del maíz, frijol, chía y demás semillas. Éstas se relacionan con el Tamoanchan pero también con el Tlalocan. Sahagún dice que Chicomecoatl era hermana de los tlaloques, y el canto de su fiesta se refiere al hecho de que se va a su morada el Tlalocan. Según Seler, el Tlalocan es la morada del maíz tierno y de la germinación de las plantas mientras que el Tamoanchan es la morada del maíz maduro.

Hay otras diosas que se asemejan a Xochiquetzal, pero que realzan otros aspectos de las actividades mujeriles. A veces aparecen como deidades claramente separadas con forma y con atavíos diferentes y rigen ceremonias distintas, pero en algunos relatos se las identifica. La diosa del amor carnal, o diosas, porque también se dice que eran cuatro hermanas, era Tlazolteotl, "Diosa de la Basura", también llamada Tlaelcuani, "Comedora de Suciedad", o Ixcuina, y a ella se confesaban los pecados sexuales. Se ha pensado que Tlazolteotl era originalmente una forma regional, tal vez huaxteca, de la diosa de la fertilidad y de la tierra. Como vieja, esta diosa de la fertilidad recibía el nombre de Toci, "Nuestra Abuela", Teteo Inan, "Madre de los Dioses", o Tlalli Iyolo, "Corazón de la Tierra". Se dice de ella, como de Xochiquetzal, que era la madre del maíz. Como patrona de médicas y parteras se la llamaba Temazcalteci, "Abuela del Temazcal" y Yohualticitl, "Médica de la Noche". Además era la patrona de los que vendían cal, ingrediente usado por las mujeres para cocer el maíz. También lo era de los tonalpouhque o "cuentadías", expertos en el calendario ritual que recibían las confesiones de los pecados sexuales dirigidas a Tlazolteotl. De este modo se ve la identidad de Toci con Oxomoco, la primera mujer que usó la cuenta de los días para adivinar y con Tlazolteotl.

Algunos informes fragmentarios y probablemente ya contaminados por ideas cristianas, comparan el Tamoanchan Xochitlicacan con el paraíso terrenal, y colocan en él una pareja que equiparan a Adán y Eva. Los nombres de esta primera pareja no son Cipactonal y Oxomoco, o Piltzintecuhtli y Xochiquetzal, como en otros relatos, sino Huehuecoyotl, "Coyote Viejo", del que se dice que fue "el engañado o el que se dejó engañar", e Ixnextli, "Caricenicienta", que es "la que pecó en cortar las rosas". A consecuencia de este pecado fueron arrojados del Tamoanchan. De otros dioses Ixquimil Itztlacoliuhqui, "Ojos Vendados Torcido de Obsidiana" e Itzpapalotl, "Mariposa de Obsidiana", se dice

252

que eran como Adán y Eva después de pecar y que anteriormente se habían llamado Cipactonal y Oxomoco. De Piltzintecuhtli, el primer hombre según otros mitos, se sabe que fue al infierno y que murió en el juego de pelota. Seguramente había todo un ciclo de mitos acerca de los primeros hombres o héroes, de los cuales no han quedado sino alusiones dispersas, y que eran probablemente semejantes a los mitos quichés del Popol Vuh.

Otro de los cielos era el ocupado por el sol. En él residían también los guerreros que morían en el campo de batalla o sacrificados, y las mujeres que morían de parto. Los guerreros estaban en la parte oriental de este cielo. Todas las mañanas recibían al sol que llegaba del occidente habiendo navegado durante la noche en el río del infierno. Lo saludaban con gritos de guerra y golpeando sus rodelas, y lo conducían hasta el centro del cielo. Los guerreros pasaban cuatro años de esta manera, al cabo de los cuales se convertían en colibríes y mariposas, forma en que andaban chupando las flores del cielo y de la tierra. Los mercaderes que morían en el curso de sus expediciones se equiparaban a los guerreros, y se creía que también iban al sol. No se les cremaba como a los que iban al infierno, sino que se les colocaba en una armazón expuesta en la copa de un árbol.

En el centro del cielo los guerreros entregaban al sol al cuidado de las muertas en la guerra y las muertas en parto quienes lo conducían hasta el horizonte occidental donde entraba al inframundo para reanudar su viaje al oriente por el río del infierno. Las muertas en la guerra eran las soldaderas, mujeres de vida airada que acompañaban a los guerreros a las batallas; su patrona era Xochiquetzal de la que se decía que había sido la primera mujer que murió en la guerra. Los antiguos mexicanos consideraban a la parturienta como equivalente al guerrero, comparando el dar a luz a la criatura con la captura de un prisionero. Las muertas de parto eran entonces equiparadas a los guerreros que morían en el campo de batalla; recibían el nombre de cihuateteo, "diosas" o cihuapipiltin, "princesas". Algunos días del calendario eran especialmente peligrosos porque en ellos, después de dejar al sol en el horizonte, descendían estas diosas a vagar de noche por la tierra, donde se les temía por causar enfermedades a los niños. Estas diosas se encontraban principalmente en las encrucijadas de los caminos y por ese motivo se les construía sus santuarios en esos lugares. Tampoco cremaban a las muertas de parto, sino que las enterraban en el patio de los templos a ellas dedicados. El esposo de la muerta y sus amigos tenían que ir armados al entierro y hacer guardia ante la tumba durante cuatro noches para evitar que fueran desenterradas por los buscadores de amuletos. Debido a la conexión de estas mujeres con la guerra, los guerreros jóvenes trataban de obtener reliquias de sus cabellos o el dedo mediano de su mano izquierda que creían les daría suerte en la guerra. Los brujos trataban de hacerse del brazo izquierdo de una de estas muertas con el cual podían entrar en las casas para robar y abusar de las mujeres mientras sus víctimas quedaban mudas y paralizadas por la virtud del amuleto.

Como en el caso de las diosas de la fertilidad del Tamoanchan, también aquí se asocia un grupo de diosas con el occidente. Por eso el nombre náhuatl del oeste es cihuatlampan, el "lugar de las mujeres". Las diosas cihuateteo eran semejantes a la diosa Cihuacoatl, "Culebra Mujer", o Cihuacoatl Quilaztli, de la que se dice que fue la primera en dar a luz, también llamada Ilamateuctli, "Señora Vieja". Esta diosa tenía forma de mujer, pero con garras de animal y cabeza de calavera. Era patrona de Colhuacan y se la describe también como mujer del dios del infierno. Es la diosa que expresaba la asociación de la tierra con la guerra y la muerte, en contraste con Xochiquetzal-Tlazolteotl que expresaba la sexualidad y la fertilidad.

Al llegar el sol al horizonte occidental, entraba en la tierra; durante la noche viajaba a lo largo del río del infierno guiado por el dios Xolotl, "El Paje", que actuaba como el perro que ayuda a los muertos a pasar el río. Durante su recorrido por el infierno, el sol recibía el nombre de Tlalchitonatiuh, "Sol de Abajo", y alumbraba el mundo de los muertos hasta que llegaba de nuevo al horizonte oriental, donde los recibían los guerreros que lo acompañaban en su subida al cielo.

Los sacrificios humanos

Los sacrificios humanos, uno de los rasgos sobresalientes del ritual mexicano, se hacen comprensibles a base de las ideas sobre el destino de los muertos. Todos los muertos se convierten en dioses (teteo), según la concepción náhuatl. El nombre teteo se

254

aplica a los muertos que van al Mictlan o infierno; las mujeres muertas en parto son las "diosas" (cihuateteo), y el cautivo sacrificado es el "dios cautivo" (malteotl). La manera de tratar durante las ceremonias a la futura víctima del sacrificio y la manera de darle muerte indican claramente que se la identifica con la deidad a la cual se la sacrifica, o que se va a sumar a la hueste de dioses menores dependientes de esa deidad. Las futuras víctimas del sacrificio se visten como los dioses a quienes se les ofrenda, y reciben su nombre. Durante un tiempo, que puede ser un año o tan sólo el día de la ceremonia, se les trata como al dios que representan, se les da el respeto debido al dios, se les festeja y se les pide favores. Su muerte en el sacrificio y la manera como se dispone de sus despojos simbolizan su destino de sumarse a la deidad. A los cautivos sacrificados en el mes Xocotlhuetzi los arrojaban a una hoguera de donde los sacaban luego para extraerles el corazón, sacrificio que recuerda la inmolación de Nanahuatzin para convertirse en el sol. A la víctima sacrificada al dios del infierno, Mictlanteuctli, la encerraban en una cueva, como si la metieran en el inframundo. A la esclava que representaba a Xilonen, la diosa del maíz tierno, la sacrificaban cortándole la cabeza de la misma manera que se corta la mazorca del maíz. El rito general de extraer el corazón de la víctima se entiende porque el corazón era el alma. El sacrificador que arrancaba el corazón del cautivo destinado al sol lo alzaba en sus manos dirigiéndolo al astro; los corazones de los sacrificados a los dioses de la lluvia y del agua se arrojaban a un remolino de la laguna para desaparecer rápidamente.

También se relaciona el sacrificio humano con la idea de que las víctimas alimentan a la deidad, sobre todo el corazón y la sangre. Los misioneros españoles repitieron a menudo esta idea de que los dioses, a quienes veían como demonios, comían corazones humanos. Sin embargo, no debe tomarse esto únicamente en su sentido literal o biológico. Se trata de un revigoramiento y renovación de la deidad a la que se incorpora la víctima que se convierte, ella misma, en parte de la deidad o de su séquito. Y si los dioses comían las víctimas a ellos ofrendadas, también las comían los hombres. El canibalismo es otro rito relacionado con el de los sacrificios humanos; pero también aquí debe verse que se trata de un rito religioso en el que los hombres consumen el cuerpo hecho dios del sacrificado. En realidad se trata de ideas semejantes a la de la comunión cristiana, con la diferencia de que los mexicanos consumían de hecho la carne del dios, representado por la víctima del sacrificio. En otros casos comulgaban con la imagen del dios hecha de semillas de bledos (tzoalli). En otros ritos la comunión con la deidad se realizaba vistiéndose la piel de la víctima desollada. Es el rito típico del dios Xipe Totec, "Nuestro Señor Empellejado", y de las diosas de la fertilidad.

Los sacrificios humanos estaban también ligados íntimamente con rasgos importantes de la organización social. Las víctimas ofrendadas eran prisioneros de guerra; los proporcionaban los mayordomos del palacio (calpixque) o guerreros que patrocinaban la ceremonia. Como ejemplo de víctima suministrada por los calpixques, está el caso del joven que durante un año personificaba a Tezcatlipoca hasta el día de su sacrificio en el mes Toxcatl. Tanto él como otros prisioneros que le servían de cortejo debían tener un cuerpo sin tacha. Los escogían los calpixques de entre los presos en la batalla, cambiándolos por esclavos que los guerreros apresores ofrendaban individualmente. Las víctimas que personificaban al dios Mixcoatl en el mes Quecholli y la diosa Ilamateuctli en el mes Tititl eran también proporcionadas por los calpixques.

Los numerosos cautivos ofrendados al sol en las ceremonias de Tlacaxipehualiztli y Xocotlhuetzi eran ofrendados por los guerreros que los habían hecho prisioneros. Se advirtió ya la importancia de cautivar enemigos como medio de ascenso social de los guerreros. El hecho se publicaba en estas ceremonias en las que el cautivador ofrecía su esclavo en sacrificio. En el mes Tlacaxipehualiztli el guerrero velaba con su prisionero antes del sacrificio y después usaba la carne de la víctima para un banquete en el que agasajaba a sus parientes y amigos, si bien él no podía comer la carne de su ofrenda. Al acabar la celebración erigía en el patio de su casa, como muestra de su hazaña un poste en lo alto del cual colocaban envuelta en papel de amate la canilla del sacrificado.

Si los guerreros ofrendaban cautivos, las demás personas compraban esclavos para el sacrificio. El caso mejor conocido es el de los mercaderes, cuya vida ceremonial está bastante bien documentada, pero sabemos de muchos otros casos. La práctica general era que los practicantes de un oficio comprasen un esclavo que personificara a su dios patrón al cual se le ofrendaba. De este modo, los petateros adquirían esclavos para su dios Nappateuctli; los aguadores y canoeros ofrecían esclavos a la diosa del agua, Chalchiuhtlicue; las médicas y parteras, la esclava que personificaba a la diosa Toci; los pulqueros, esclavos para Izquitecatl y Tlamatzincatl, dioses del pulque. Los amanteca o plumajeros tenían como patrón a Coyotlinahual. En este caso se sabe que a veces había un plumajero que personalmente patrocinaba la fiesta del dios comprando el esclavo para el sacrificio; en otras ocasiones, cuando no había un individuo que costeara todo el gasto, cooperaban todos los plumajeros para juntar el precio del esclavo. Aunque no hay datos sobre otros grupos de artesanos, puede suponerse que las víctimas se obtenían mediante estos dos procedimientos de patrocinio individual o de cooperación del grupo.

El sacrificio de prisioneros alcanzó su máximo desarrollo entre los mexicanos en los tiempos de su apogeo político y militar. Durante las grandes celebraciones del Tlacaxipehualiztli o la inauguración de nuevos templos, los reyes mexicanos invitaban a señores extranjeros, incluso a los enemigos, y el espectáculo de los sacrificios en masa ha de haber sido prueba evidente del poderío mexicano y medio de propagar su expansión.

El calendario

El sistema calendárico de Mesoamérica es distintivo de esta civilización y uno de sus grandes logros intelectuales, nunca igualado por pueblos de semejante progreso tecnológico. El calendario mesoamericano regulaba toda clase de actividades económicas y sociales, pero era de especial importancia en la ordenación del ceremonial religioso, y los conceptos básicos del calendario estaban estrechamente ligados a la visión del mundo sobrenatural. Aunque hay algunas diferencias entre los calendarios de los distintos grupos mesoamericanos, todos ellos tienen una base común, bien ejemplificada en el calendario mexicano, si bien éste no tenía algunos de los refinamientos, como la cuenta larga, especialmente desarrollados en la civilización maya.

El antiguo calendario mexicano consta de dos cuentas distintas: la "cuenta de los días" (tonalpohualli) y el año (xihuitl). El año tiene 365 días reunidos en 18 grupos de 20 días cada uno, más cinco días extras (nemontemi) añadidos al fin del año. Las veintenas se denominan en náhuatl con la misma palabra que también significa luna, metztli, lo cual justifica el aplicarles en español, como se hace a menudo, el nombre de mes. Aunque todavía se discute la cuestión, al parecer nunca se usó el bisiesto, de modo que todos los años y sus meses son de la misma duración y el número de días extras siempre fue cinco. Esto quiere decir que el año mexicano no podía estar bien coordinado con el año solar por un periodo largo de tiempo, retrasándose un día cada cuatro años.

La cuenta de los días, como nuestra semana, es un periodo que da nombre a los días consecutivamente sin referencia alguna a las estaciones del año. Todo día recibe un nombre que consta de dos elementos: un numeral, y un signo. Los numerales usados van del 1 al 13; los signos, que son nombres de animales u objetos, son veinte. Si un día tiene el numeral 1 y el primer signo, le seguirá el día de numeral 2 y segundo signo, etc.; al llegar el día 13 con el treceno signo, comienza de nuevo el uso de los numerales con el 1 junto al signo catorceno hasta que se llega al último signo con el numeral 7. Sigue entonces numeral 8 con una nueva tanda de los signos y así sucesivamente hasta agotar todas las combinaciones posibles de 13 y 20 o sea 260. Este periodo de 260 días estaba subdividido en veinte trecenas, cada una de las cuales comprende los trece días que tienen los numerales de 1 al 13. Cada signo tiene un dios patrón y está asociado a un punto cardinal. El cuadro 1 da la lista de ellos y el cuadro 2 todas las combinaciones de signo y numeral indicando el comienzo y fin de cada trecena.

Las dos cuentas, de los días y del año, se combinan en el sistema de dar nombres a los años. Cada año lleva un nombre que es el de un día determinado del año; los expertos no están de acuerdo sobre si este día que daba nombre al año es el primer día del año, como en el calendario maya, o si es el último día del último mes. De todas maneras, dada la duración del año y del tonalpohualli, el día que da nombre al año cambia de nombre al pasar de un año a otro. El numeral avanza *una* unidad, puesto que 365 (los días del año) dividido por 13 da 28 más un resto de uno; el signo avanza *cinco* lugares en la serie de veinte signos puesto que 365 dividido por 20 da 18 más un resto de cinco. Al

LOS SIGNOS DE LOS DÍAS Y SUS DIOSES PATRONES

Signo	Significado	Punto cardinal asociado	Dios patrón
Cipactli	Lagarto o espadarte, el animal mítico del que se formó la tierra.	E	Tonacateuctli, "Señor de Nuestra Carne", el dios supremo.
Ehecatl	Viento	N	Quetzalcoatl, "Serpiente Emplumada", uno de los cuatro dioses creadores.
Calli	Casa	O	Tepeyolotl, "Corazón o Espíritu del Cerro", dios del eco y dueño de los animales silvestres.
Cuetzpalin	Lagartija	S	Huehuecoyotl, "Coyote Viejo", el primer hombre.
Coatl	Culebra	E	Chalchiuhtlicue, "Naguas de Jade", diosa del agua.
Miquiztli	Muerte	N	Tecciztecatl, "El del Caracol Marino", dios que se hizo luna.
Mazatl	Venado	O	Tlaloc, dios de la lluvia.
Tochtli	Conejo	S	Mayahuel, diosa del maguey.
Atl	Agua	E	Xiuhteuctli, "Señor del Año", dios del fuego.
Itzcuintli	Perro	N	Mictlanteuctli, "Señor del Infierno".
Ozomatli	Mono	O	Xochipilli, "Príncipe de las Flores", dios de los palaciegos.
Malinalli	Cordel torcido	S	Patecatl, "El de la Yerba", dios del pulque.

Signo	Significado	Punto cardinal asociado	Dios patrón
Acatl	Caña	E	Itztlacoliuhqui, "Torcido de Obsidiana", dios del frío, o Tezcatlipoca, "Humo de Espejo", uno de los cuatro dioses creadores.
Ocelotl	Tigre	N	Tlazolteotl, "Diosa de la Basura", diosa del amor carnal.
Cuauhtli	Águila	O	Xipe Totec, "Nuestro Señor Empellejado", uno de los cuatro dioses creadores.
Cozca-cuauhtli	Zopilote	S	Itzpapalotl, "Mariposa de Obsidiana", diosa chichimeca.
Olin	Movimiento	E	Xolotl, "El Paje", dios de los gemelos y de los deformes.
Tecpatl	Pedernal	N	Chalchiuhtotolin, "Guajolote de Jade", o Tezcatlipoca.
Quiahuitl	Lluvia	O	Chantico, "En la Morada", diosa del fuego del hogar o Tonatiuh, "El Sol".
Xóchitl	Flor	S	Xochiquetzal, "Quetzal de Flores", diosa del amor.

Cuadro 2

LA CUENTA DE LOS DÍAS

Cipactli	1	8	2	9	3	10	4	11	5	12	6	13	7
Ehecatl	2	9	3	10	4	11	5	12	6	13	7	1	8
Calli	3	10	4	11	5	12	6	13	7	1	8	2	9
Cuetzpalin	4	11	5	12	6	13	7	1	8	2	9	3	10
Cóatl	5	12	6	13	7	1	8	2	9	3	10	4	11
Miquiztli	6	13	7	1	8	2	9	3	10	4	11	5	12
Mazatl	7	1	8	2	9	3	10	4	11	5	12	6	13
Tochtli	8	2	9	3	10	4	11	5	12	6	13	7	1
Atl	9	3	10	4	11	5	12	6	13	7	1	8	2
Itzcuintli	10	4	11	5	12	6	13	7	1	8	2	9	3
Ozomatli	11	5	12	6	13	7	1	8	2	9	3	10	4
Malinalli	12	6	13	7	1	8	2	9	3	10	4	11	5
Acatl	13	7	1	8	2	9	3	10	4	11	5	12	6
Ocelotl	1	8	2	9	3	10	4	11	5	12	6	13	7
Cuauhtli	2	9	3	10	4	11	5	12	6	13	7	1	8
Cozcacuauhtli	3	10	4	11	5	12	6	13	7	1	8	2	9
Olin	4	11	5	12	6	13	7	1	8	2	9	3	10
Tecpatl	5	12	6	13	7	1	8	2	9	3	10	4	11
Quiahuitl	6	13	7	1	8	2	9	3	10	4	11	5	12
Xóchitl	7	1	8	2	9	3	10	4	11	5	12	6	13

cambiar de cinco en cinco los signos dentro de la serie de veinte, no se usan más que cuatro de ellos que son calli (casa), tochtli (conejo), acatl (caña) y tecpatl (pedernal). En cambio, al avanzar los numerales de uno en uno se usarán todos los trece. De este modo el total de los nombres de años es el de las combinaciones de 4 y 13 o sea 52. Este periodo de 52 años se llamaba en náhuatl xiuhmolpilli, "gavilla de años". El cuadro 3 da los nombres de los 52 años del ciclo. Una vez en cada ciclo, en un año 2 caña, se pensaba que podría llegar el fin del mundo. Había entonces una gran ceremonia durante el mes Quecholli o en Panquetzaliztli cuando se sacaba fuego nuevo, y más tarde, al llegar el mes Tititl, se enterraba una gavilla de varas que representaba el ciclo. Un grupo de dos ciclos constituía un huehuetiliztli o vejez, pero era un periodo muy poco usado; se le consideraba como la edad mayor que podía alcanzar un viejo y de ahí su nombre. Los ciclos de 52 años se repetían uno tras otro, pero no había manera fija de identificarlos, de modo que es como si nosotros nombráramos un año según sus decenas y unidades pero sin indicar el siglo. Por este motivo es difícil determinar con precisión las fechas en que se colocan muchos acontecimientos en las tradiciones históricas.

El año solar indudablemente constituye la base natural del año mesoamericano, si bien la falta del bisiesto adelantaba al año mesoamericano respecto al solar. Eran de esperarse las divisiones en

Cuadro 3

Los 52 años del ciclo

1. Tochtli	1. Acatl	1. Tecpatl	1. Calli
2. Acatl	2. Tecpatl	2. Calli	2. Tochtli
3. Tecpatl	3. Calli	3. Tochtli	3. Acatl
4. Calli	4. Tochtli	4. Acatl	4. Tecpatl
5. Tochtli	5. Acatl	5. Tecpatl	5. Calli
6. Acatl	6. Tecpatl	6. Calli	6. Tochtli
7. Tecpatl	7. Calli	7. Tochtli	7. Acatl
8. Calli	8. Tochtli	8. Acatl	8. Tecpatl
9. Tochtli	9. Acatl	9. Tecpatl	9. Calli
10. Acatl	10. Tecpatl	10. Calli	10. Tochtli
11. Tecpatl	11. Calli	11. Tochtli	11. Acatl
12. Calli	12. Tochtli	12. Acatl	12. Tecpatl
13. Tochtli	13. Acatl	13. Tecpatl	13. Calli

periodos de veinte días en Mesoamérica puesto que todos los idiomas de la región tienen un sistema vigesimal, es decir, cuentan por veintenas y no por decenas. En náhuatl 365 es "quinceitrés (es decir 18) veintes y cinco", por lo tanto es lo "natural" que los 365 días del año se agrupen en 18 veintenas. La cuenta de los días, en cambio, no parece corresponder a ningún periodo natural.

El principio del año no era el mismo para los distintos pueblos del centro de México. Los relatos más detallados de la secuencia de meses como *Sahagún* y *Durán* ponen el comienzo en el mes Atlcahualo, pero el Códice Borbónico, que se supone pintado en la ciudad de México, lo hace comenzar un mes antes, en Izcalli (v. cuadro 9). Otros informes ponen el comienzo un mes después de Atlcahualo en Tlacaxipehualiztli, y además hay datos menos precisos que indican otros comienzos del año en meses más apartados. Está bien probado que el calendario mixteca comenzaba en el mes Atemoztli. Al empezar el año en meses distintos también se añadían los cinco días extras en distintas posiciones del año. Esto quiere decir que los calendarios de pueblos que comenzaran el año en fechas distintas no estaban perfectamente correlacionados uno con otro, sino que había durante parte del año una diferencia de cinco días. Como el año se llamaba según el nombre de un día determinado, resulta que el mismo año podía recibir un nombre distinto en cada uno de los calendarios con un mes inicial diferente. Todo esto ha complicado el problema de la correlación de los distintos calendarios indígenas entre sí y con el cristiano, así como la interpretación de las fechas de las tradiciones históricas. El cuadro 9 presenta la correlación establecida por *Alfonso Caso* para el calendario del Códice Borbónico hecho en la ciudad de México pero enumerando los meses según el orden más frecuente que los hace comenzar en Atlcahualo.

La cuenta de los días recuerda la astrología occidental. Cada día y cada una de las subdivisiones del tonalpohualli se consideraba favorable o desfavorable, en general o para ciertas actividades específicas. De este modo se usaba para adivinar y determinar el día preciso en que debiera emprenderse toda suerte de actividades. El día de nacimiento de una persona definía además su suerte o signo, y la predisponía a cierta personalidad y determinado destino. Estas características de cada día o periodo de tiempo están determinadas por un dios conectado con él. Cada signo, cada numeral, cada día, trecena, etc. está asociado a una deidad que rige los acontecimientos que suceden en su tiempo. Es como si los dioses se turnaran para gobernar el mundo de la misma manera que los grupos humanos se turnaban para desempeñar las funciones públicas. En el México antiguo, según sus cuentas calendáricas, había un tiempo para cada cosa, y todo se debía hacer a su tiempo. La cuenta de los días se representaba en libros llamados tonalamatl, "libro de los días", que usaban los adivinos llamados tonalpouhque, "cuentadías", para determinar la suerte de una persona o de un suceso, y decidir las actividades propias de cada periodo. Los pronósticos se hacían mediante conceptos variados que se combinan para producir variedad de interpretaciones.

Cada signo tenía cierta característica relacionada con el objeto que le daba nombre. Por ejemplo, las personas que nacían en los signos venado y conejo, serían tímidas como esos animales y aficionadas a las cosas del monte; las que nacían bajo el signo casa gustaban de encerrarse sin salir de su lugar mientras que los nacidos en viento serían mudables y amigos de viajar. Además, cada signo tenía un dios patrón (v. cuadro 2). Los numerales que forman parte del nombre de los días también tenían su naturaleza, buena, mala o indiferente, y un dios asociado, uno de los señores de los días, de los cuales damos la lista en el cuadro 4. Junto a cada uno de éstos existía también un ave. Había además una serie de nueve señores de las noches que se iban turnando uno tras otro repitiendo la serie dentro de la cuenta de 260 días. El último día de la cuenta tenía dos señores de la noche; de este modo cada día del tonalpohualli conservaba siempre el mismo señor de la noche, puesto que la serie de nueve señores cabe 28 veces en 260 con un resto de ocho que se completa en nueve añadiendo uno más al último día del tonalpohualli, para comenzar otra vez la serie desde el comienzo. El cuadro 5 da la lista de estos señores de las noches. Parece ser que un día estaba regido por el señor del día desde media noche a medio día, mientras que de medio día a media noche regía el señor de la noche.

El tonalpohualli se divide en veinte periodos de trece días que se denominan según el primer día que comienza por 1. Cada una de estas trecenas tenía uno o dos dioses patrones que daban ciertas características a la trecena en su conjunto, si bien cada día

264

tenía sus calidades particulares y definía ciertos acontecimientos. El cuadro 6 da la lista de trecenas según el primer día de ellas junto con los patrones de cada una y las fiestas más importantes celebradas en días de cada trecena. El tonalamatl, o libro de los días usado por los adivinos, incluía las figuras de los dioses patrones de la trecena y las figuras de cada uno de los días consistentes en el numeral con su signo. Además, para cada día se solía pintar el señor del día conectado con el numeral, el señor de la noche y el ave. El pronóstico de cada día estaba entonces relacionado con varios elementos. Todo recién nacido pasaba por una ceremonia, un baño ritual ante el fuego del hogar. El día de la ceremonia se determinaba según la cuenta de los días; si el

Cuadro 4

LOS TRECE SEÑORES DE LOS DÍAS*

1. Xiuhteuctli	"Señor del Año", dios del fuego.
2. Tlalteuctli	"Señor de la Tierra".
3. Chalchiuhtlicue	"Naguas de Jade", diosa del agua.
4. Tonatiuh	"El Sol".
5. Tlazoltéotl	"Diosa de la Basura", diosa de la carnalidad (o los Macuiltonaleque, dioses sureños con el numeral 5).
6. Mictlanteuctli	"Señor del Infierno".
7. Cinteotl	"Dios del Maíz" (o Tonacateuctli, "Señor de Nuestra Carne").
8. Tlaloc	Dios de la lluvia.
9. Quetzalcoatl	"Serpiente Emplumada".
10. Tezcatlipoca	"Humo de Espejo".
11. Chalmecateuctli	"Señor Chalmeca", un dios del infierno (o Yohualteuctli, "Señor de la Noche").
12. Tlahuizcalpanteuctli	"Señor del Alba".
13. Citlalinicue	"Naguas de Estrella", diosa creadora (u Ometeuctli, "Señor del Dos", dios supremo).

* En el tonalamatl del Códice Borbónico según *Paso y Troncoso* (variantes, entre paréntesis, según la *Histoire du Mechique*).

265

Cuadro 5

* Según Serna, Códice del Museo de América y Códices del grupo Borgia.

día del nacimiento era favorable, lavaban a la criatura en ese mismo día, de lo contrario se posponía hasta un día adecuado. Los días con el numeral 4, por ejemplo, eran malos, pero los del numeral 7 o 13 eran siempre favorables. El nombre de cada día podía ser el nombre de un dios que determinaba la naturaleza de ese día y además solía ser la ocasión para hacerle una fiesta. Por ejemplo, el día 2 conejo era el nombre calendárico de los dioses del pulque; los nacidos en ese día serían borrachos. El día 1 flor es de la diosa Xochiquetzal, patrona de las tejedoras y del amor; las nacidas en ese día serían buenas tejedoras y liberales de su cuerpo.

En las características de distintos días se ve claramente la conjunción de varios de los elementos determinantes. Por ejemplo, Chicomecoatl, "7 culebra", es el nombre calendárico de la diosa del maíz. Este día 7 coatl cae dentro de la séptima trecena de 1 quiahúitl, que en su conjunto tiene como patrones a Tlaloc y a Chicomecoatl (v. cuadro 6). Además, el numeral 7 está regido por el dios del maíz, Cinteotl, y en ese día 7 coatl, el señor de la noche es también Cinteotl. El numeral 7 aparece también en los nombres rituales del calabazo (7 ocelotl), de la pepita de calabaza (7 cuauhtli) y de las semillas que comían los hombres en edades de soles anteriores (7 malinalli durante el sol tigre y 7 tecpatl durante el sol lluvia). Otro ejemplo: Nueve es el numeral relacionado con Quetzalcoatl, dios del viento. 9 ehecatl es

Cuadro 6

LAS TRECENAS DEL TONALPOHUALLI

Trecena	Asociación cardinal	Dioses patronos principales	Fiestas más importantes
1. 1 cipactli	E	Tonacateuctli y Tonacacihuatl	
2. 1 ocelotl	N	Quetzalcóatl	Fiesta al Sol en 4 Olin. En 7 xochitl fiesta de los pintores a 7 xochitl y a Xochiquetzal.
3. 1 mazatl	O	Tepeyólotl	En 2 tochtli fiesta a Izquitecatl, dios del pulque.
4. 1 xóchitl	S	Huehuecóyotl e Ixnextli	En 1 xochitl sacrificio de Chantico. Regalos de los señores a los cantores y gente de palacio.
5. 1 acatl	E	Chalchiuhtlicue y Tlazoltéotl	En 1 acatl fiesta a Quetzalcóatl de Tula, patrón del Calmecac.
6. 1 miquiztli	N	Tonatiuh y Tecciztécatl	En 1 miquiztli fiesta de Tezcatlipoca.
7. 1 quiahuitl	O	Tláloc y Chicomecóatl	
8. 1 malinalli	S	Mayahuel	En 2 acatl fiesta a Tezcatlipoca Ome Acatl, dios de los banquetes.
9. 1 cóatl	E	Tlahuizcalpanteuctli.	
10. 1 tecpatl	N	Tonatiuh y Mictlanteuctli	En 1 tecpatl fiesta de Huitzilopochtli
11. 1 ozomatli	O	Patecatl	
12. 1 cuetzpalin	S	Itztlacoliuhqui	

267

Trecena	Asociación cardinal	Dioses patronos principales	Fiestas más importantes
13. 1 olin	E	Ixcuina	En 5 cipactli fiesta al dios suriano Macuilcipactli.
14. 1 itzcuintli	N	Xipe Totec	En 1 itzcuintli fiesta a Xiuhteuctli.
15. 1 calli	O	Itzpapalotl	
16. 1 cozcacuauhtli	S	Xolotl	
17. 1 atl	E	Chalchiuhtotolin	En 1 atl fiesta a Chalchiuhtlicue
18. 1 ehecatl	N	Chantico	En 9 itzcuintli fiesta de los lapidarios a Chantico.
19. 1 cuauhtli	O	Xochiquetzal	
20. 1 tochtli	S	Itztapaltotec	

el nombre del mismo Quetzalcoatl, Ehecatl, y este día cae en la segunda trecena regida en su conjunto por Quetzalcoatl. Por otra parte, Quetzalcoatl era el patrón de los hechiceros; los días apropiados para hechizar eran 9 miquiztli, 9 malinalli y 9 itzcuintli. Como en este último ejemplo, la cuenta de los días definía aquellos en que debían realizarse ciertas actividades. Por ejemplo, el día 1 coatl era el favorable para que los mercaderes salieran de viaje; el día 1 itzcuintli para instalar un nuevo rey. Los días exactos de actividades agrícolas, como la siembra o la cosecha, también se escogían de acuerdo con el tonalpohualli.

Los meses o veintenas regulaban actividades de toda suerte relacionadas con el ciclo natural del año. Definían, más que el tonalpohualli, el ciclo del culto público y servían para fijar las fechas de actividades sociales como el pago de tributos y las juntas de algunos consejos políticos. Las celebraciones del año solar estaban relacionadas con las estaciones ajustándose a los fenómenos astronómicos y al ciclo agrícola. Además se asimilaba el ciclo anual de las estaciones al curso diario del sol y, a base de la posición del sol en las estaciones y en las partes del día, se relacionaban unas y otras con los rumbos cardinales, lo cual constituye uno de los principios ordenadores fundamentales en el pensamiento mesoamericano. La división del año en cuatro rumbos se relaciona, a su vez, con la costumbre de hacer cosas cuatro veces al año, bien fuera el pago de tributos o las ceremonias de ciertas deidades.

Al examinar la asociación de los meses mexicanos con las estaciones, es necesario tener en cuenta que, debido a la falta de bisiesto, no se puede fijar con valor permanente la fecha de equinoccios y solsticios en el año mexica, sino que se iban adelantando un día cada cuatro años respecto al día del mes mexicano en que caían. Por otra parte, hay también el problema de que la correlación entre los calendarios mexicano y cristiano todavía presenta ciertas dificultades. Como correlación, por lo menos aproximada, se puede tomar la establecida por Alfonso Caso que es la que se incluye en el cuadro 9 con el año juliano 1519. Ha de tomarse en cuenta que el calendario juliano en esa época tenía diez días de desajuste respecto al año solar, lo cual fue razón para la reforma gregoriana de unos sesenta años después. Los solsticios y equinoccios caían en fechas diez días anteriores a las que hoy se consideran normales. Por otra parte, la mayor duración del año solar respecto al año mexicano quiere decir que durante el siglo anterior a la Conquista, que es la época de predominio azteca, los solsticios y equinoccios habrían ido cayendo a lo largo de un periodo de 25 días en fechas del año mexicano anteriores a las vigentes en el momento de la Conquista. La íntima conexión entre las ceremonias de los meses y los fenómenos solares sugiere la existencia de algún medio de ajustar el año mexicano con el solar. Ninguna de las soluciones propuestas es satisfactoria pero es posible que hubiera algún procedimiento que no se ha logrado descubrir. También es importante tener en cuenta la posición del sol a medio día. En la latitud de la ciudad de México, el sol pasa a esa hora por el cenit el 18 de mayo y el 25 de julio (o diez fechas antes en el calendario juliano). Entre esas dos fechas, el sol a medio día está al norte del cenit. Las observaciones astronómicas se harían fijándose a lo largo del año

269

en los puntos de salida y puesta del sol y en la longitud y dirección de la sombra en el curso del día. Algunas fuentes y restos arqueológicos indican la existencia de este tipo de observaciones. Por ejemplo, se dice que la fiesta de Tlacaxipehualiztli caía en el equinoccio estando el sol en medio del templo de Huitzilopochtli y que "porque estaba un poco tuerto lo quería derrocar Moteuczoma y enderezarlo".

El cuadro 7 indica la asociación de las estaciones del año con los puntos cardinales. El norte se asocia con el solsticio de verano, el día en que el sol sale por el punto más septentrional y en que alcanza al medio día la posición más al norte del cenit, mientras que el sur se asocia al solsticio de invierno, el día en que el sol sale en el punto más meridional y está más bajo y hacia el sur al medio día. Los equinoccios de primavera y otoño se relacionan entonces con los puntos este y oeste. Las estaciones del año se definen a base de los cambios graduales en el punto de la salida del sol. Después del solsticio de invierno, cuando el sol sale por el punto más meridional, el sol va saliendo cada vez más al norte hasta llegar al punto intermedio o equinoccial. Durante la primavera el sol continúa saliendo cada vez más hacia el norte hasta llegar al solsticio de verano. Desde ese momento, durante el verano, el sol retrocede en su salida hacia el equinoccio. A partir del equinoccio de otoño, su salida sigue cada vez más al sur hasta llegar a la posición más meridional en el solsticio de invierno. En el esquema mexicano cada estación se asocia al punto cardinal en que acaba con un solsticio o un equinoccio, ordenándose los puntos cardinales en dirección contraria al reloj (E-N-O-S). De este modo la primavera se asocia con el cuadrante NE y el N, punto en que culmina durante el solsticio de verano; el verano con el NO y el O; el otoño con el SO y el S; y el invierno con el SE y el E.

Las asociaciones rituales de los meses muestran también que el ciclo anual se equiparaba al curso diario del sol. El equinoccio de primavera se relaciona al este y la mañana. Los meses antes y después del solsticio de verano cuando el sol está más alto sobre el horizonte corresponden al medio día. La tarde equivale al otoño cuando empieza a disminuir la extensión del día. Los meses cercanos al solsticio de invierno son la época del año en que el sol a medio día está más bajo sobre el horizonte y cuando las noches duran más que los días; corresponde por lo tanto a la

270

Cuadro 7

ESQUEMA DE LAS ESTACIONES Y ASOCIACIONES CARDINALES

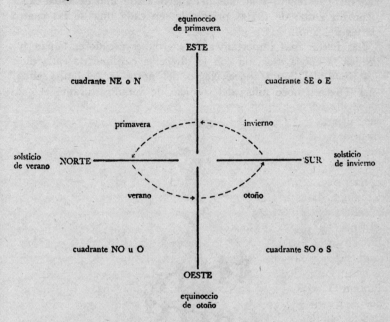

noche. Nótese que esta asociación, natural en la zona tropical, es la contraria a la europea que identifica el medio día con el sur.

El cuadro 8 coloca la secuencia de los meses mexicanos dispuestos en un círculo y a contrarreloj para que se pueda comparar con el esquema del cuadro 7. El cuadro 9 da la lista de los meses con los fenómenos solares que definen las estaciones y con las asociaciones cardinales, así como las fiestas más importantes que tenían lugar en cada uno. Los cuatro cuadrantes, asociados a las direcciones cardinales, comprenden sea cuatro o sea cinco meses de a veinte días cada uno; es decir que son periodos de ochenta o de cien días.

Se pueden identificar tres ciclos principales en las fiestas del año mexicano. Primero, el referente a los dioses celestes: los cuatro Tezcatlipocas creadores, junto con el sol y su séquito de guerreros y mujeres. Otro, el de las deidades del Tlalocan representantes del agua, la lluvia y los mantenimientos. En tercer lugar, el de los dioses del inframundo que incluye a los muertos y Mictlanteuctli así como a Cihuacoatl-Ilamateuctli, al dios de los mercaderes Yacateuctli y al dios del fuego. Cada uno de estos ciclos tiene un grupo de fiestas principales en cada una de las cuatro partes del año.

Las fiestas más importantes de los dioses creadores tenían lugar en la época asociada con la dirección cardinal de cada dios. La fiesta del Tezcatlipoca Negro del norte se celebraba en el mes Toxcatl, poco antes del solsticio de verano, durante el cual

Fiesta del mes Xocotlhuetzi. *Códice borbónico*

el sol pàsa por el cenit y empieza a estar al norte a medio día. La fiesta principal de Huitzilopochtli, el dios del sur, en el mes Panquetzaliztli coincidía con el solsticio de invierno. El Tezcatlipoca Rojo del este o Xipe se celebraba en el mes Tlacaxipehualiztli en el equinoccio de primavera. En una de las fiestas de la estación occidental encontramos otro dios conectado con los guerreros muertos y el sacrificio de presos de guerra, Otonteuctli o Xocotl, patrón de los pueblos del oeste, tepanecas, otomíes y mazahuas, que se celebraba en el mes Xocotlhuetzi. Tal vez se le pueda relacionar con un Tezcatlipoca Blanco del oeste. Las festividades del este y del oeste eran las que pedían el mayor número de sacrificios de guerreros cautivados, lo cual se relacio-

272

Cuadro 8

Cuadrante
NO u O

verano

solsticio
de verano

NORTE

Cuadrante
NE o N

primavera

OESTE

equinoccio
de otoño

Huey Tecuilhuitl

Tecuilhuitontli

Tlaxochimaco

Etzalcualiztli

Xocotlhuetzi

Toxcatl

Ochpaniztli

Huey Tozoztli

Tozoztontli

Teotleco

Tlacaxipehualiztli

equinoccio
de
primavera

Tepeilhuitl

Atlcahualo

ESTE

Izcalli

Quecholli

Tititl

Panquetzaliztli

Atemoztli

Cuadrante
SO o S

otoño

SUR

solsticio de
invierno

Cuadrante
SE o E

invierno

na con las ideas ya descritas acerca del destino de las almas de los guerreros como ayudantes del sol en su curso diurno.

Las ceremonias dedicadas a los dioses del agua y de los cultivos también estaban conectadas claramente con las estaciones y los puntos cardinales. Los dioses del agua, como vimos, residían en el Tlalocan, lugar que es uno de los nombres del este. Toda la mitad este del año (cuadrantes NE y SE) era la época de las principales celebraciones a los tlaloque, en las que se pedía agua, generalmente mediante sacrificios de niños. Comenzaban en Atemoztli, en el invierno, y se reanudaban después en Izcalli, continuando hasta culminar en los sacrificios al mismo dios Tlaloc

273

Cuadro 9

CEREMONIAS DE LOS MESES

Mes mexicano	Correlación con el año juliano 1519 (Según Caso)	Asociación cardinal	Fenómenos solares	Fiestas de los 4 dioses creadores, del Sol y de los guerreros	Fiestas de los dioses del Tlalocan y del Tamoanchan	Fiestas de los dioses de la Tierra, el Fuego y el Infierno
16. Atemoztli Bajada del agua	11 diciembre a 30 diciembre 1518	SE o E	Solsticio de invierno	1 de Atemoztli Sacrificio de perros al Sol.	Imágenes de cerros hechas de tzoalli	
17. Tititl	31 diciembre 1518 a 19 enero 1519 nemontemi 20-24 enero 1519	SE o E				Sacrificio de Ilamateuctli de Mictlanteuctli y de Yacateuctli. Ofrendas a los muertos.
18. Izcalli Crecimiento	25 enero a 13 febrero	SE o E			Sacrificio de niños a Tlaloc y Matlalcueye.	Fiesta de Xiuhteuctli. Cada cuatro años sacrificios en el fuego.

	Fechas		Festividades	Sacrificios
1. Atlcahualo Cesan las aguas	14 febrero a 5 marzo	SE o E		Sacrificio de niños en los cerros.
2. Tlacaxipehualiztli Desollamiento de Hombres	6 marzo a 25 marzo	SE o E	Equinoccio de Primavera 6 de Tlacaxipehualiztli	Fiesta de Xipe Totec: Sacrificio de cautivos a Huitzilopochtli y Xipe. Desollamiento de las víctimas. Sacrificio gladiatorio.	Sacrificio de niños en los cerros.
3. Tozoztontli Pequeña Velación	26 marzo a 14 abril	NE o N			Sacrificio de niños en los cerros. Sacrificio de Chalchiuhtlicue.
4. Huey Tozoztli Gran Velación	15 abril a 4 mayo	NE o N			Sacrificio de niños a Tlaloc. Fiesta de Chicomecoatl. Primicias del Maíz.

continuación del cuadro 9

Mes mexicano	Correlación con el año juliano 1519 (Según Caso)	Asociación cardinal	Fenómenos solares	Fiestas de los 4 dioses creadores, del Sol y de los guerreros	Fiestas de los dioses del Tlalocan y del Tamoanchan	Fiestas de los dioses de la Tierra, el Fuego y el Infierno
5. Toxcatl Sequedad	5 mayo a 24 mayo	NE o N	Paso del Sol por el cenit 4 de Toxcatl	Sacrificio de Tezcatlipoca y de Tlacahuepan. Imagen de Huitzilopochtli hecha de tzoalli.		Ofrenda a los muertos. Nacimiento de Yacateuctli.
6. Etzalcualiztli Comida de Maíz y Frijoles	25 mayo a 13 junio	NE o N	Solsticio de verano 18 de Etzalcualiztli		Sacrificio de Chalchihuhtlicue y 9 ehecatl. Sacrificios a Tlaloc. Ayunos y baños de los sacerdotes de Tlaloc.	
7. Tecuilhuitontli Fiestecita de los Señores	14 junio a 3 julio	NO u O			Sacrificio de Huixtocihuatl Sacrificio de Xochipilli.	

8. Huey Tecuilhuilt Gran Fiesta de los Señores	4 julio a 23 julio	NO u O	Paso del Sol por el cenit 12 de Huey Tecuilhuitl	Convites de los señores al pueblo.	Sacrificio de Cihuacoatl en el fuego.
9. Miccailhuitontli Fiestecita de los Muertos o Tlaxochimalco Ofrenda de Flores	24 julio a 12 agosto	NO u O		Sacrificio de Xilonen. Convites de los señores al pueblo.	Ofrendas a los muertos. Sacrificios de Mictlanteuctli.
10. Huey Miccailhuitl Gran Fiesta de los Muertos o Xocotlhuetzi Xocotl Cae	13 agosto a 1 septiembre	NO u O	Imagen de Xocotl hecha de tzoalli. Sacrificio de cautivos en el fuego.		Xocotl también dios del fuego. Sacrificios a Yacateuctli.

continuación del cuadro 9

Mes mexicano	Correlación con el año juliano 1519 (Según Caso)	Asociación cardinal	Fenómenos solares	Fiestas de los 4 dioses creadores, del Sol y de los guerreros	Fiestas de los dioses del Tlalocan y del Tamoanchan	Fiestas de los dioses de la Tierra, el Fuego y el Infierno
11. Ochpaniztli Barrimiento	2 septiembre a 21 septiembre	NO u O	Equinoccio de otoño 11 de Ochpaniztli		Sacrificio de Toci y otras diosas. Fiesta del nacimiento de Cinteotl.	
12. Pachtontli Pequeño Heno o Teotleco Llega Dios	22 septiembre a 11 octubre	SO o S			Sacrificios a Ometochtli. Sacrificio de Xochiquetzal.	Llegada de todos los dioses. Sacrificios en el fuego a Xiuhteuctli y Yacateuctli.
13. Huey Pachtli Gran Heno o Tepeilhuitl Fiesta de los Cerros	12 octubre a 31 octubre	SO o S			Ofrendas a imágenes de diosecitos (tepictoton), culebras (cocoa) y vientecillos (ehecatotontin). Sacrificios de va-	

				rios dioses tlaloques y del pulque.	
14. Quecholli Flamenco	1 noviembre a 20 noviembre	SO o S	Fiesta de Mixcoatl como dios de la cacería. Fabricación de armas en el templo. Batida de caza.	Sacrificio de los pulqueros a Izquitécatl.	Celebración de los dioses del infierno.
15. Panquetzaliztli Alzamiento de Banderas	21 noviembre a 10 diciembre	SO o S Solsticio de invierno 1 de Atemoztli	Fiesta del nacimiento de Huitzilopochtli. Consumo de su imagen hecha de tzoalli. Sacrificio de los huitznahua.	Sacrificio de dioses del pulque.	Sacrificios a Yacateuctli y otros dioses de los mercaderes.

durante Huey Tozoztli en el cerro que lleva el nombre del dios, y acabando en las celebraciones de Etzalcualiztli cuando los principales participantes eran los sacerdotes de Tlaloc en el calmecac. En lo referente al ciclo agrícola, la primavera es la estación de los cultivos de riego o de humedad, todavía llamados tonamil, "milpas de la estación seca". Por eso el mes Atlcahualo se llamaba también Xilomanaliztli, "Ofrenda de Jilotes", y se celebraban las primicias del maíz con el sacrificio a Chicomecoatl en Huey Tozoztli. La estación de verano asociada al oeste cae en la temporada de lluvias y corresponde al ciclo agrícola de temporal. Predominaban entonces las ceremonias dedicadas a las diosas del maíz y de la tierra conectadas con el Tamoanchan y con el occidente, llamado en náhuatl cihuatlampan, "lugar de las mujeres". Culminaba esta estación en el mes de Ochpaniztli, celebrado hacia el equinoccio de otoño, en el que además del dios del maíz, se celebraba a Toci, diosa de la tierra y madre del maíz, patrona también de las médicas y parteras. El otoño, asociado al cuadrante SO y su punto final el sur, era la estación en que se celebraba un grupo de dioses del agua que son también dioses del pulque. En este tiempo, cuando ha terminado la temporada de lluvias, se castran los magueyes que empiezan a rendir aguamiel para la elaboración del pulque. El mes Pachtontli era el apropiado para trasplantar magueyes. Los dioses del pulque recibían colectivamente el nombre centzontotochtin, "cuatrocientos conejos", que se refiere al signo calendárico tochtli, conejo, asociado al sur. Los dioses del pulque son además dioses de los montes; todos ellos se representan con un hacha en la mano. Se les debe considerar también dioses del desmonte y su celebración en la estación seca coincide con el tiempo de hacer las rozas. Uno de ellos, Tepoztecatl, lleva en la mano el hacha de cobre de los carpinteros; se dice que la madera para construcción se cortaba y labraba en los meses de Pachtontli y Huey Pachtli. También en esta estación tenía lugar la fiesta de los cazadores que se celebraba con una batida de caza.

Los meses en que acababa cada una de las cuatro partes del año, Tlacaxipehualiztli, Etzcalcualiztli, Ochpaniztli y Panquetzaliztli, eran también los usuales para el pago de tributos. Dos de éstos coincidían con periodos de cosechas, Etzcalcualiztli en el ciclo de tonamil y Panquetzaliztli en el de temporal. En conexión con las fechas de tributación, el rey de Tenochtitlan repartía divisas y regalos durante las ceremonias de Tlacaxipehualiztli y Ochpaniztli. Las fiestas de los señores, Tecuilhuitontli y Huey Tecuilhuitl, en que distribuían regalos al pueblo tenían lugar después de Etzalcualiztli cuando llegaban los tributos.

El culto a los dioses del infierno, del fuego y de la tierra también se concentraba en cuatro periodos del año. Recuérdese que el nombre del infierno, Mictlan que significa literalmente "lugar de los muertos", es uno de los nombres del norte. En Toxcatl el sol pasa a estar al norte del cenit, es decir, entra al Mictlan. Entonces se hacía ofrenda a los muertos y se celebraba el nacimiento de Yacateuctli. Al acabar el periodo durante el cual el sol pasa por el norte del cenit, se celebraban los meses Miccailhuitontli, "Pequeña Fiesta de los Muertos" y Huey Miccailhuitl, "Gran Fiesta de los Muertos". Se creía que entonces los muertos venían a este mundo desde su morada a visitar a sus parientes vivos y se hacían otra vez sacrificios a Mictlanteuctli y a Yacateuctli. En los meses correspondientes a los cuadrantes sur y este, las fiestas a los dioses de este grupo tenían lugar en Quecholli, Tititl e Izcalli, el periodo del año cuando el sol está más bajo sobre el horizonte y cuando las noches son más largas que los días, es decir cuando en el concepto mexicano el sol pasa la mayor parte del día en el inframundo. Por eso se celebraría entonces el culto del sol en su paso por el río del infierno. En el mes Atemoztli se sacrificaban perros al sol; los perros eran el sacrificio obligado para ayudar a los muertos a pasar el río del infierno. El mismo nombre del mes, Atemoztli, se puede entender también como "Bajada al Agua", es decir, bajada del sol al agua del infierno.

La organización ceremonial

La organización ceremonial era sumamente compleja y ligada estrechamente a la organización política y a la jerarquía social en general. Las grandes ceremonias religiosas requerían la participación de todos los distintos niveles de la sociedad. Había ceremonias en las que el mismo rey actuaba como el sacerdote sacrificador que extraía el corazón de la víctima para ofrecerlo a los dioses. En varias ceremonias había bailes y desfiles en que participaban grupos de nobles, de señoras, de los mancebos de la casa de solteros, o de los jóvenes sacerdotes del calmecac. En otras ocasiones se requería la participación de grupos profesionales como guerreros, mercaderes, médicas, etc. Y al mismo tiempo que en los templos se celebraban las grandes ceremonias públicas, podía haber celebraciones privadas en cada hogar, dedicadas a los dioses del altar familiar. De este modo la organización de la vida ceremonial se basaba sólo parcialmente en la existencia de un grupo de sacerdotes especializados. Era igualmente fundamental la participación de gente que desempeñaba toda suerte de funciones sociales, sobre todo políticas y militares, las cuales requerían actividades rituales bien fuera por ser parte integrante de esa función o porque la participación en el ritual y la actividad sacerdotal fueran etapas necesarias para el ascenso social del funcionario a través de una escala que combinaba puestos políticos y religiosos.

La preparación de los sacerdotes y la participación en las ceremonias de individuos que asumían temporalmente el papel de sacerdote se conectaba con las casas de varones, en particular con las residencias sacerdotales o calmecac. Ingresaban al calmecac los hijos de los nobles, si bien parece que algunos maceguales también entraban si sus padres habían hecho el voto de dedicarlos al sacerdocio. Las casas de solteros incluían asimismo actividades rituales, en especial las referentes al culto del dios patrón del telpochcalli, Tezcatlipoca, en su advocación de Yaotl Telpochtli, "El Joven Guerrero". Además, los jóvenes del telpochcalli podían pasar a la "casa de sacerdotes", tlamacazcalli. De hecho, desde el punto de vista ceremonial, tanto el calmecac como el telpochcalli tenían actividades rituales y sus miembros actuaban como sacerdotes, si bien en cultos distintos. Sabemos de la existencia en Tenochtitlan de siete calmecac cuyos nombres y dioses patrones se pueden relacionar con los siete calpules originales, según las tradiciones de la migración mexica. Además, había otras dos residencias de sacerdotes dedicadas a los dioses de los mercaderes.

Los miembros del calmecac pasaban por una serie de cuatro rangos que constituía una escala paralela a la de los grados de la jerarquía militar de los ingresados a la casa de solteros. Los muchachos recién entrados eran los "sacerdotillos" (tlamacaztoton) que se ocupaban de limpiar los templos y allegar las cosas necesarias para el culto. Los sacerdotes jóvenes se llamaban tlamacazque, término que también se aplica al sacerdote en general. Estaban organizados en tandas que se turnaban en velar y tocar las horas con el tambor durante la noche. Como grupos participaban asimismo en algunas de las grandes ceremonias de los meses, especialmente la de Etzalcualiztli, que era la fiesta de los sacerdotes jóvenes de Tlaloc, dios de la lluvia. Los jóvenes sacerdotes también podían ir a la guerra y alcanzar grados militares según el número de prisioneros que hacían. Algunos sacerdotes, sin embargo, se dedicaban tan sólo a actividades religiosas y recibían el nombre de cuicanime, "cantores". Estos sacerdotes mancebos tenían grados de preeminencia, y de cinco en cinco años subían a ellos conforme más o menos hubieran aventajado en su ministerio. No está claro si estos grados eran los cuatro rangos fundamentales antes descritos, o subdivisiones de ellos. De todos modos, el grado superior al de los tlamacazque era el de los tlenamacac (pl. tlenamacacque), "dadores de fuego", de los cuales parece que había varios dedicados al culto de dioses individuales. El nombre se refiere al acto de incensar los ídolos con copal, que se quemaba en unos braseros de mango largo llamados tlemaitl, "mano de fuego". De entre los tlenamacacque se escogían los dos sacerdotes supremos, los quequetzalcoa o "serpientes emplumadas": el Quetzalcoatl Totec Tlamacazqui, "Serpiente Emplumada Nuestro Señor Sacerdote", al servicio del dios nacional Huitzilopochtli, y el Quetzalcoatl Tlaloc Tlamacazqui, "Serpiente Emplumada Tlaloc Sacerdote", dedicado al dios de la lluvia. Otro grado sacerdotal era el cuacuilli (pl. cuacuacuiltin); había varios títulos sacerdotales conectados con distintos dioses que incluían esta forma, pero como término general parece que se trataba de los sacerdotes viejos. El algunos cultos se habla también de los "viejos" (ihuehueyohuan) de un dios o de los "viejos del calpul" (calpulhuehuetque) con papeles bien definidos en las ceremonias.

Es de suponer que todos los títulos del número considerable de sacerdotes entraran en uno u otro de los grados mencionados; pero por desgracia no se dispone de informes suficientes. Lo que sí describen claramente varias fuentes es que los sacerdotes estaban organizados en tandas que se turnaban en el ejercicio de sus deberes, y que un turno de servicio sacerdotal en el templo alternaba con periodos de residencia en sus moradas privadas. De modo que podían estar casados y vivir con sus familias, pero acudían al templo durante periodos en que, además de las ceremonias, se les exigían ayunos, velaciones y castidad. Uno de los misioneros mejor informados, fray Diego Durán, habla de los "sacerdotes de remuda" que había siempre en Tlillan Calmecac de la diosa Cihuacoatl. Un término más frecuente en varias descripciones es el de semaneros, porque se turnaban por semanas, si bien esas "semanas" eran, al parecer, al menos en algunos casos, los periodos de veinte días. El nombre náhuatl es tequipane, "el que tiene el oficio". Los que habían cumplido su servicio sacerdotal recibían altos puestos políticos. Esto se describe a veces como un paso más allá del sacerdocio, cuando a los sacerdotes viejos "los jubilaban y ponían en cargo de regimiento u otros oficios honrosos en la república"; otras veces se describe un periodo de servicio preparatorio en el templo antes de asumir un puesto político. De cualquier modo, se trata de una escala de actividades que combina puestos y deberes tanto políticos como religiosos. Esto no quiere decir, sin embargo, que hubiera una escala jerárquica única para todos los segmentos de la población. Las distinciones entre nobles y plebeyos, o entre las actividades civiles y militares, la existencia de varios calpules, distintas profesiones y cultos a los distintos dioses patrones creaban también una especialización de distintos grupos sociales en distintos tipos de culto con diversas organizaciones y jerarquías. Por ejemplo, dedicado especialmente al culto de Huitzilopochtli había un grupo de mancebos que hacían voto de recogerse por un año en la residencia sacerdotal del templo del dios; no habían de ser más de cincuenta y debían ser de sólo seis barrios de la ciudad. Debido a las penitencias a que estaban sometidos, recibían el nombre de "ayunadores de un año", mocexiuhzauhque. Conectado con el mismo culto había un grupo semejante de mujeres recogidas llamadas hermanas de Huitzilopochtli. Los guerreros nobles avocados al progreso en la jerarquía militar mediante la captura de prisioneros, formaban un grupo ceremonial dedicado al culto del sol dedicándole prisioneros el día 4 olin, nombre calendárico del sol; pero los guerreros también ofrecían sus cautivos en otras fiestas más generales, Tlacaxipehualiztli y Xocotlhuetzi. Los mercaderes celebraban fiestas según iban acumulando riquezas; además participaban de modo destacado en las ceremonias de Panquetzaliztli, el mes dedicado a Huitzilopochtli. Las médicas eran de las principales participantes en la fiesta del mes Ochpaniztli dedicado a la diosa Toci, y de la misma manera muchos otros grupos profesionales tenían sus cultos particulares o desempeñaban actividades especiales en las ceremonias generales.

Los calpules eran divisiones ceremoniales que de manera semejante entraban en la organización del ceremonial; de hecho, las tradiciones históricas de los mexicanos explican la existencia de calpules como grupos dedicados cada uno al culto de un dios distinto. Otro rasgo importante de la organización ceremonial, ya mencionado, es el de individuos que hacían votos o promesas de asumir cierta función en una ceremonia. Ejemplos adicionales son los de los enfermos de la piel que hacían voto de vestirse los pellejos de los sacrificados a Xipe, o el de las mujeres que hacían voto de preparar la comida en la fiesta de Tezcatlipoca en el mes Toxcatl.

Los aspectos económicos de la organización ceremonial también muestran la diversidad de los grupos participantes. Los almacenes reales proveían los bienes que se distribuían en algunas ceremonias, los atavíos que usaban quienes tomaban parte en ellas, y esclavos como víctimas para algunos sacrificios. Los templos podían disfrutar de tierras asignadas para producir lo necesario al culto. En otros casos un grupo de gente se cotizaba para obtener lo necesario; por ejemplo, se dice de los plumajeros que cuando no había un patrocinador de la fiesta, todos ellos se repartían el gasto, contribuyendo cada uno con una manta de algodón (quachtli) para comprar un esclavo que representara a su dios en el sacrificio. El patrocinio individual de una ceremonia con la riqueza propia era una manera muy importante de sostener el culto. En algunos casos, el patrocinador tenía bienes adscritos a su posición social que proveían lo necesario, como es el caso de los gastos para las ceremonias de los que asumían el título de teuctli. En otros casos el patrocinador acumulaba bienes antes de poder costear la ceremonia, como ocurría con los mercaderes y artesanos que compraban esclavos para el sacrificio. A veces la participación en la vida ceremonial exigía gastos que mermaban seriamente la hacienda del participante. De los ayunadores que entraban un año al servicio de Huitzilopochtli se dice que debían pagar varias cantidades de comida y de mantas con que comprar tea, tanto, que a veces tenían que vender sus tierras, o las perdían por no poder pagar el tributo.

Además de la organización esbozada que se conecta con las grandes ceremonias públicas, existían varios tipos de adivinos y curanderos cuyas actividades a veces se relacionaban con el culto público, como el de las médicas en el mes Ochpaniztli; pero que actuaban principalmente en las ceremonias familiares conectadas con episodios del ciclo de la vida. El grupo más importante era el de los médicos (ticitl), quienes adquirían sus conocimientos en una visión, interpretada como muerte transitoria o viaje al otro mundo, durante la cual la diosa Toci les daba instrucciones y los objetos que usaban en su oficio. Como la diosa, el mayor número de estos médicos eran mujeres viejas. Esta parte de la religión prehispánica es la que más sobrevivió después de la Conquista, y de hecho nuestros mejores informes se refieren a las prácticas que todavía prevalecían durante el siglo diecisiete.

Mesoamérica ante la Conquista

La naturaleza de la sociedad mexicana prehispánica y su distribución geográfica forma un antecedente fundamental para explicar el proceso de Conquista y colonización españolas.

La España del siglo XVI, como los demás países europeos en los comienzos de su expansión ultramarina, no iba en busca de tierras vírgenes donde establecer su población excedente. Buscaba países ricos en los que se pudiera comerciar, y de ser posible saquear y conquistar. Las zonas de poca población aborigen del norte de México, como California, o la Pampa, que también fueron descubiertas muy temprano, no atrajeron para nada a los descubridores. Fueron regiones como Mesoamérica, y poco después Perú, con su numerosa población civilizada, las que fueron metas de la Conquista y se convirtieron en los centros del imperio español en las Indias. La población mesoamericana había acumulado ya una riqueza sobre todo en forma de metales preciosos en los tesoros de sus soberanos, joyas de sus dirigentes, objetos de culto y adornos de los templos que pudieron ser apropiados directamente en la guerra de Conquista. La población mesoamericana era lo suficientemente numerosa y técnicamente avanzada para ser explotada después de la Conquista, utilizando el mismo sistema de producción de la civilización aborigen y apropiándose el excedente en forma de tributo. Más aún, la población indígena podía suministrar la mano de obra necesaria para las nuevas empresas económicas de los españoles, primero mediante varias formas de trabajo forzado y pronto también como asalariados libres. Y las nuevas masas sometidas avivaron asimismo el celo misionero de los españoles que santificaron su Conquista incorporándolas a la grey cristiana.

286

Facilitaron la guerra de Conquista algunos rasgos de la organización política prehispánica. Los pueblos indígenas vivían en sociedades estratificadas que tenían diferencias bien marcadas entre gobernantes y gobernados; las masas campesinas estaban acostumbradas a obedecer y pagar tributo, y las unidades políticas prehispánicas habían desarrollado organismos administrativos de dominación. Mesoamérica no estaba políticamente unificada; había gran número de unidades y formas graduales de reconocer el dominio de grupos extranjeros. Las guerras de saqueo y conquista eran corrientes entre los señoríos prehispánicos que repetidas veces caían bajo el dominio extranjero, viéndose obligados a pagar tributo, aceptar colonos y nuevas dinastías reinantes, así como adoptar distintos cultos religiosos. Los conquistadores españoles aprovecharon esta situación. La división política les permitió encontrar aliados indígenas para desbaratar el poderío tenochca, y una vez dominados los centros políticos, los señores locales y las masas campesinas aceptaron con facilidad a los nuevos dominadores. Ya consumada la Conquista, los españoles pudieron pretender que restauraban los derechos de los señoríos antes conquistados por los tenochcas, y lograron usar el estamento indígena dominante para un sistema de gobierno indirecto a través de los propios caciques indios. Una vez establecido el dominio español, los recursos de la región mesoamericana fueron la base para la expansión hacia las regiones más primitivas del Bajío y el Norte. Si bien los pueblos indígenas de esas regiones no tenían riquezas que atrajeran la codicia de los conquistadores, pronto se descubrió el potencial minero y ganadero del país. Para las nuevas empresas y ciudades que fundaron los españoles, los pueblos mesoamericanos del centro de México aportaron la mayor parte de los pobladores que, como trabajadores de las minas y como campesinos, hicieron posible esa expansión. Los mismos tlaxcaltecas, que habían ayudado a la conquista de Tenochtitlan, tarascos y otomíes, formaron la base para la colonización de regiones medio deshabitadas u ocupadas por indios pobres e indomables.

Se puede decir que Mesoamérica, en las condiciones del siglo XVI, era un país eminentemente conquistable para los europeos. Estaba lo suficientemente civilizado para atraer los intereses de la expansión española, pero no lo bastante avanzado en la técnica militar y la organización política para poder oponer una resistencia como la de los pueblos del norte de África y del Oriente que en los mismos siglos hicieron fracasar los intentos de conquista y colonización ibéricos. La población y la cultura mesoamericanas fueron, por lo tanto, un antecedente y componente fundamental en el proceso de formación de la nación mexicana. Durante toda la época colonial la población indígena fue la mayoría del país, principalmente de la masa campesina, y la cultura mesoamericana dejó su huella también en la cultura de mestizos y criollos. Desde sus orígenes el sentimiento nacionalista reivindicó los antecedentes prehispánicos como base de la personalidad cultural de la nación y la revolución ensalzó el indigenismo como parte de la redención de los campesinos.

El crecimiento gradual de la población criolla y mestiza y la asimilación de gran parte de la población indígena, relegó a la población estrictamente india a un papel marginal, pero continúan vigorosos los componentes indígenas de la cultura mexicana moderna. La preservación de las reliquias del pasado, la inspiración indígena en el arte contemporáneo, las danzas y artesanías de los indios actuales, se fomentan cada vez más para la exaltación de los valores nacionales y el consumo del turismo.

El siglo de la conquista

Alejandra Moreno Toscano

La conquista de México-Tenochtitlan

La expedición de Cortés, la tercera que enviara el gobernador de Cuba Diego Velázquez, con fines de exploración y comercio, toca tierras mexicanas en la costa de Yucatán. Allí los hombres de Cortés encuentran a Aguilar, un español que se había perdido en una de las expediciones anteriores y que durante su convivencia con los indios había aprendido la lengua maya. Luego de algunos enfrentamientos más o menos afortunados con los indígenas, la expedición continúa bordeando la costa. En Campeche, junto con muchos otros obsequios que los indígenas envían a Cortés, el capitán recibe a la india Malintzin. La Malinche hablaba náhuatl como su idioma materno y conocía el maya por haber vivido en esa zona largo tiempo. Cortés se ha hecho de sus mejores armas. Por las traducciones sucesivas que pueden hacer Malintzin y Aguilar del náhuatl al maya y luego al español y viceversa, Cortés se inicia en el conocimiento de la tierra.

En un punto de la costa decide establecer una base: funda la Villa Rica de la Vera Cruz. Recibe obsequios que le envía el señor más poderoso de esa tierra: Moctezuma. Obsequios que se acompañan de una petición reiterada: que se vaya Cortés, que no siga el camino. Cortés responde a esas embajadas con despliegues de fuerza: los caballos corren, se disparan los cañones. Los indios regresan con Moctezuma y le dicen que los recién llegados montan enormes venados que les obedecen como si fueran uno solo jinete y montura, pero, sobre todo, le dicen que los nuevos llegados tienen el dominio del fuego. Cortés no se detiene. Inicia su marcha hacia el interior. Algo percibe, por medio de las traducciones sucesivas, de la existencia de fuertes rivalidades entre los pueblos indígenas.

Aprende luego cómo aprovecharlas. Llega al territorio de Tlaxcala. Después de derrotar a Xicoténcatl establece una alianza con su pueblo. Las embajadas continúan. Cortés decide proseguir su camino rumbo a Tenochtitlan. Escoge la ruta de Cholula y pretextando tener noticias de una posible emboscada, se adelanta a dar a los indígenas un castigo ejemplar. Luego de la matanza de Cholula, Cortés continúa su camino rumbo a México. Es recibido por Moctezuma a las puertas de la ciudad. Moctezuma le entrega simbólicamente la ciudad y lo aloja con toda su gente en sus palacios. Lo colma de regalos. Hace que le muestren los libros de tributos y los mapas de la tierra.

Mientras eso sucede, el resguardo que Cortés había dejado en Veracruz envía un mensajero a avisarle de la llegada de una expedición capitaneada por Pánfilo de Narváez, con órdenes de prenderlo y devolverlo a Cuba. Cortés decide salir a combatirlo. Antes, sin embargo, se asegura haciendo prisionero a Moctezuma. Cortés sale de México después de dar órdenes a Pedro de Alvarado para que mantenga segura la ciudad. Sorprende a Narváez y lo derrota. Los hombres de Narváez pasan a engrosar las filas de los conquistadores bajo las órdenes de Cortés. Entonces recibe la noticia del levantamiento de los mexicanos en Tenochtitlan.

Limitados por el lenguaje, no podemos recuperar el episodio de la conquista. Dejaremos la palabra a quienes lo vivieron. La voz de los españoles la llevará Cortés (*Cartas de Relación*;) la voz de los defensores de México se recoge entre los informantes de Sahagún y los redactores de los Anales de Tlatelolco.

el mensajero... me trujo cartas del alcalde que
ahí había quedado, en que me hacía saber cómo
los indios les habían combatido y que aún los tenían cercados...

por veinte días el Tonatiuth nos ha asesinado durante el viaje del capitán a la costa...

Alvarado, que había permitido la celebración de una fiesta religiosa, intentó despojar a los indígenas de las joyas de sus vestidos ceremoniales y con cualquier pretexto desencadenó lo que conocemos como la Matanza del Templo Mayor. Cortés se apresura a regresar. Entra en una ciudad desierta. Se hace fuerte en las casas de Moctezuma.

> a su llegada no se le recibió hostilmente, entró con
> absoluta paz...

vi poca gente por la ciudad y algunos puentes de
las encrucijadas y traviesas de las calles quitadas,
que no me pareció bien, aunque pensé que lo
hacían de temor de lo que habían hecho y que
entrando yo, los aseguraría...

> sólo al día siguiente, cuando fuimos perseguidos.
> estalló la guerra...

se perdía la mejor y más noble ciudad de todo
lo nuevamente descubierto del mundo; y ella perdida, se perdía todo lo que estaba ganado, por ser
la cabeza de todo y a quienes todos obedecían...

Los mexicanos mantienen sitiados a los españoles. Cortés intenta
apaciguar la rebelión utilizando a Moctezuma. Pretensión inútil
que acaba con el asesinato del emperador. Cortés decide entonces
romper el sitio.

da sobre nosotros tanta multitud de gente por
todas partes, que ni las calles ni las azoteas se
aparecían con gente; la cual venía con los mayores alaridos y grita más espantable que en el mundo se puede pensar; y eran tantas las piedras que
nos echaban..., que no parecía sino que el cielo
las llovía... por muchas partes nos pusieron fuego... hasta que lo atajamos cortando las paredes...

La artillería hacía mucho daño... por donde llevaba el tiro diez o doce hombres se cerraba luego
la gente, que no parecía que hacía daño alguno.

de cansados nos retrujimos a la fortaleza.

Después de varios intentos infructuosos por romper el cerco, Cortés
construye unos puentes portátiles que le permiten cruzar las acequias. Sale de noche y es descubierto. Apenas logra salir de la ciudad. Pierde gente y su gente pierde casi todo lo que había acumulado como botín. Los mexicanos lo persiguen. Es la derrota: la
Noche triste.

hice hacer una puente de madera que llevaban
cuarenta hombres... de todos los de mi compañía fui requerido... que me saliese... todos o
los más estaban heridos... no podían pelear...
acordé de hacerlo aquella noche.

Cuando llegó la media noche salieron los españoles en compacta formación... y también los tlaxcaltecas todos. Los españoles iban delante y los
tlaxcaltecas los iban siguiendo, iban pegados a sus
espaldas cual si fueran un muro se estrechaban
con ellos

desamparada la fortaleza me salí lo más secreto
llegando a las puentes se echó la puente de madera
que yo traía hecha con poco trabajo porque no
hubo quien la resistiese...

llevaban consigo puentes portátiles de madera: los
fueron poniendo sobre los canales: sobre ellos iban
pasando...
cuando llegaron al de Mixcoatechialtitla fueron
vistos...

ciertas velas que en ella estaban...

una mujer que sacaba agua los vio y al momento
alzó el grito

apellidaban tan recio

y dijo: Mexicanos; andad hacia acá, ya se van
ya van traspasando los canales vuestros enemigos!... se van a escondidas!

que antes de llegar a la segunda puente

luego un rumor se alza luego se ponen en plan de
combate los que tienen barcas defendidas se lanzan
contra ellos

estaba infinita cantidad de gente de los contrarios
combatiéndonos por todas partes peleando recia-
mente era sin comparación el daño que los nuestros
recibían

294

De un lado y de otro había muertos. Eran tocados por las flechas los españoles

habían muerto muchos españoles y caballos

eran tocados los tlaxcaltecas

perdido todo el oro y joyas y ropa y toda la artillería

Pero también eran tocados los mexicanos.

me fui en la rezaga peleando con los indios hasta
llegar a una ciudad que se dice Tacuba

fue entonces cuando murieron en el canal de los
tolteca y que los obligamos a dispersarse.

algunos estropezaban unos con otros y caían y
aquellos morían

con ellos el canal quedó lleno, con ellos cegado
quedó y aquellos que iban siguiendo sobre los
hombres, sobre los cuerpos, pasaron y salieron a
la otra orilla.

Cortés inicia su difícil retirada hasta refugiarse en tierras de Tlaxcala.

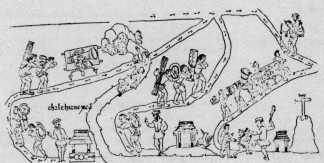

Transporte de armas para los españoles. *Lienzo de Tlaxcala*

295

la gente no sabía dónde ir ya no había caballo,
de veinticuatro que nos habían quedado que pudiese correr, ni caballero que pudiese alzar el brazo.

Fueron a detenerse en Otoncalpulco. Allí se refri-
geraron, allí tomaron descanso.

se halló por copia que murieron ciento cuarenta
españoles cuarenta y cinco yeguas y caballos

allí restauraron sus fuerzas y recobraron el aliento.

dos mil indios que servían a los españoles todos
los otros señores que traían presos

Allí vino a darles la bienvenida el jefe de los de
Teocalhueyacan.

En el camino a Tlaxcala los españoles son atacados continuamente por grupos indígenas. En un encuentro cerca de Otumba, los
españoles logran vencer a los indios. Mientras tanto, en México, los
indígenas se dedican a reconstruir su ciudad.

Salimos sin saber camino ninguno ni para dónde
íbamos

de todas partes se recrecía gente de los contrarios
concerté allí la de los nuestros, y la que había
sana para algo hice escuadrones repartí caballos

luego que se alzó la aurora fueron acarreados los
tlaxcaltecas y los de Cempoala y los españoles que
se habían despeñado en el canal de los tolteca. A
todos éstos desnudaron, les quitaron cuanto tenían:
los echaron allá sin miramientos.

a los españoles en un lugar aparte los colocaron,
los pusieron en hileras. Cual los blancos brotes
de las cañas, así de blancos eran sus cuerpos

y siempre nos seguían de una parte a otra los
enemigos gritando, llegamos a una población y

como llegamos, la desampararon así heridos como
sanos, venían muy cansados y fatigados y con mucha hambre y sed.

Allí donde fue la mortandad, todo cuanto pudo
hallarse se lo apropiaron. También las armas de
guerra allí fueron recogidas arcabuces, espadas,
lanzas, arcos de metal, saetas de hierro.

la gente de los enemigos nos seguía por la rezaga

se lograron cascos de hierro

peleamos tanto

escudos de cuero, escudos metálicos, escudos de
madera

salí yo muy mal herido en la cabeza, hirieron
cuatro o cinco españoles y otros tantos caballos

cuando se hubieron ido los españoles se pensó
que de una vez se iban, que para siempre se habían ido.

nos mataron un caballo que aunque Dios sabe
cuánta falta nos hizo y cuánta recibimos con ha-
bérnoslo muerto, porque no teníamos, después de
Dios, otra seguridad si no la de los caballos, nos
consoló su carne porque la comimos sin dejar cuero ni otra cosa de él.

Otra vez se aderezó, se compuso la casa del dios.
Fue bien barrida, se recogió bien la basura, se sacó
la tierra.

salimos este día que fue domingo a 8 de julio, de
toda la tierra de culhua.

Al salir los españoles derrotados, la ciudad de México-Tenochtitlan
fue invadida por la peste. Un negro de la expedición de Narváez,
enfermo de viruela, había iniciado el contagio. Así, mientras Cortés se repone en Tlaxcala, los de Tenochtitlan son diezmados por
la peste. Mueren miles, y entre ellos, Cuitlahuac, el emperador que

297

sustituyó a Moctezuma. Cuando comienza a desaparecer la epidemia, llega la noticia de que los españoles vuelven sobre la ciudad.

> Cuando se fueron se difundió entre nosotros una gran peste. Una enfermedad general. Gran destruidora de gente.

y como la traición pasada y el gran daño y muertes de españoles estaba tan recientes en nuestros corazones, mi determinada voluntad era volver sobre los de aquella ciudad que de todo había sido la causa.

> muchas gentes murieron de ella. Ya nadie podía andar, no más estaban acostados.

> A muchos dio la muerte pegajosa, apelmazada, dura enfermedad de los granos. Muchos murieron de ella, pero muchos solamente de hambre murieron ya nadie tenía cuidado de nadie, nadie de otros se preocupaba esta peste duró sesenta días sesenta días funestos.

28 de diciembre, día de los inocentes me partí con toda la gente puesta en orden

> Así las cosas, ya vienen los españoles, ya se ponen en marcha hacia acá.

comenzamos a ver todas las provincias de México que están en las lagunas y en torno dellas. Y aunque hubimos mucho placer en las ver, considerando el daño pasado que en ellas habíamos recibido, representósenos alguna tristeza por ello y prometieron todos de nunca della salir sin victoria, o dejar allí todas las vidas. Y con esta determinación íbamos todos tan alegres como si fuéramos a cosa de mucho placer.

Cortés recorre las lagunas y cierra poco a poco las posibilidades de abastecimiento de la isla. Envía a algunos capitanes a recorrer las tierras del interior y establece alianzas entre los pueblos contra los mexicanos.

298

deseábamos mucho llegar a Tacuba entrámosles la
ciudad los echamos fuera della

> se va a Tlacopan y se viene a meter en el palacio.
> Después entraron todos: el chiuhnauhtecatl, xalto-
> camecatl, quauhtitlancalcatl, tenayocatl, azcapot-
> zalcatl, tlacopanecatl y coyoacatl, todos éstos en-
> traron aquí

los indios nuestros amigos comenzaron a saquear y
a quemar toda la ciudad

> Pelean 7 días contra nosotros únicamente allá, en
> Tlacopan

y esto se hizo porque cuando salimos la otra vez
desbaratados de Tenochtitlan, los naturales della
nos hicieron muy cruel guerra y nos mataron muchos españoles

El cerco avanza lentamente, por agua y tierra.

> Se establecieron en Tetzcoco. De allá pasó a Xochi-
> milco. Allá pereció gente tlatelolca

mi intención principal había sido procurar de dar
vueltas a todas las lagunas, por calar y saber mejor la tierra

> Cuando ellos se hubieron establecido en Tetzcoco
> entonces los Tenochca empezaron a matarse mu-
> tuamente.

tomamos muchos avisos para poner el cerco a Tenochtitlan por la tierra y por el agua

> En el año 3 calli mataron a sus príncipes: *Ci-
> huacoatl, Tziucpopocatzin, Cipactzin, Tencuecue-
> notzin*; mataron a *Axayaca* y *Xoxopeualoc*, los
> hijos de *Moctezuma*.

acabados los bergantines el 28 de abril hice alarde
de toda la gente hallé ochenta y seis de a caballo
ciento diez y ocho ballesteros y escopeteros setecientos y tantos peones de espada y rodela

299

Al haber llegado a la desdicha en esta forma, los Tenochca empezaron a hacer pleitos entre sí y a matarse mutuamente.

Por esto fueron muertos los nobles

tres tiros gruesos de hierro

suplicaron, cuando hablaron al pueblo para que se juntara maíz blanco

quince tiros pequeños de bronce

con esto daba tributo el pueblo

diez quintales de pólvora.

los sacerdotes, pontífices y jefes fueron los que mataron a los soberanos cuando se enojaron

yo y toda la gente estábamos apercibidos y de camino para ir a cercar la gran ciudad de Tenochtitlan.

Se reunieron otra vez y lucharon contra nosotros

como yo les había mandado acordar de ir a quitar el agua dulce que por caños entraba a la ciudad que fue muy grande ardid

donde primero comenzó la guerra los persiguieron los guerreros y no murió ni un mexicano

hubieron muchos encuentros con los de la ciudad de que fueron heridos algunos españoles y muertos hartos enemigos

me metí en los bergantines y nos hicimos a la vela y al remo conocieron que yo estaba en la laguna y de improviso juntose tan grande flota de canoas

los guerreros en barcas atacan. Llevan sus barcas
bien guarnecidas lanzan dardos

comenzaron con mucho ímpetu a encaminar su
flota hacia nosotros

sus dardos llueven sobre los españoles

pero a obra de dos tiros de ballesta

luego se metieron

quedaron quedos.

Después de que ellos hubieron luchado contra nosotros diez días él abandonó su barco.

hice sacar en tierra tres tiros de hierro grueso hice
asestar el un tiro por la calzada hizo mucho daño
en los enemigos

Pasaron veinte días en constante batalla entre unos
y otros en Nonoalco.

era tanta la multitud que por el agua y por la tierra no veíamos sino gente y daban tantas gritas y
alaridos que parecía que se hundía el mundo

Se pusieron en fila llevando los cañones. Los pre-
cede el gran estandarte de lienzo. No van prisa,
no se alteran. Van tañendo sus tambores, van to-
cando sus trompetas. Tocan sus flautas sus chirimías y sus silbatos.

los encerramos hasta las primeras casas de la ciudad.

entonces los huexotzinca y tlaxcalteca levantaron
tiendas en los dos lados del camino

no osaban llegarse a nosotros y mostraban más temor y menos orgullo que solían

de un lado y otro hay muertos de un lado y otro
hay cautivos

había infinitos dellos peleando con mucho corazón
desde las azoteas

Fue entonces cuando los tenochca se mataron mutuamente

nuestros amigos dan en pos dellos hasta los encerrar en el circuito de sus ídolos

Dijeron entre sí "¿Dónde están nuestros principales? Sin duda ellos los expulsarían de nuevo
¿Quién es el que nos inspira valor? Porque ya son
cuatro los que fueron llevados y matados. Mataron
al Quauhnochtli, el superior de Tlacateco y a Cua-
pan, superior de Uitznauac

mostraron mucho desmayo viendo entrar por su
ciudad, quemándola y destruyéndola y peleando
con ellos los de Texococo Chalco y Xochimilco y
los otomíes

Escena de la conquista. *Lienzo de Tlaxcala*

mataron a los sacerdotes del incienso: al sacerdote del incienso de Amatlan, al sacerdote del incienso de Tlalocan.

se gastaron casi todas las saetas y pelotas que los
escopeteros llevaban

302

los mexicanos cuando vieron, cuando se dieron cuenta de que los tiros de cañón o de arcabuz iban derechos, ya no caminaban en línea recta, sino que iban de un rumbo a otro, se hacían a un lado y a otro, huían del frente. Y cuando veían que iba a dispararse un cañón, se echaban por tierra, se tendían, se apretaban a la tierra.

crea Vuestra Majestad que era sin comparación el peligro en que nos veíamos.

Emplazaron la artillería en medio del camino. Desde Tecaman la dirigieron sobre el camino. Cuando hicieron fuego, se derrumbó en Quauhquiauac.

con tiros de ballesta y escopetas matábamos infinitos pensábamos que de cada hora se moverían a nos acometer con la paz, la cual deseábamos como a la salvación

Entonces todo el Tenochca se puso en marcha. Llevaron en sus brazos el Uitzilopochtli. Lo pusieron a salvo en Tlatelolco. Lo colocaron y lo encerraron en el telpochcalli de Amaxac

y aquel capitán que estaba conmigo que se dice Antonio de Quiñones, díjome: "Vámonos de aquí, y salvemos vuestra persona pues sabéis bien que sin ella ninguno de nosotros puede escapar"

En ese tiempo los mexica-tenochca vinieron a refugiarse en Tlatelolco. Era general el llanto. Muchos maridos buscan a sus mujeres. Unos llevan en los hombros a sus hijos.

comienza luego el estruendo. Persiguen a los españoles, los acosan.

en este desbarato mataron los contrarios

los atemorizan

treinta y cinco o cuarenta españoles

atraparon a quince españoles

y más de mil indios nuestros amigos

cuando completaron dieciocho cautivos tenían que
ser sacrificados allá en Tlacochcalco.

todos los españoles vivos y muertos que tomaron
los llevaron a Tlatelolco

Del todo los dejaron desnudos luego así ya convertidos en víctimas, los sacrifican

desnudos los sacrificaron y les sacaron los corazones lo cual los españoles pudieron ver

y sus congéneres estaban mirando desde las aguas
en qué forma les daban muerte

disimulábamos nuestra flaqueza así con los amigos
como con los enemigos viendo como éstos de la
ciudad estaban tan rebeldes con la mayor muestra
y determinación de morir que nunca generación
tuvo

no tenían en toda la tierra quien les pudiese soco-
rrer ni tenían de donde haber maíz, ni carne, ni
frutas, ni agua, ni otra cosa de mantenimiento.

acordé que como fuésemos ganando por las calles
de la ciudad fuesen derrocando todas las casas del
un lado y del otro que no fuésemos un paso adelante sin lo dejar todo asolado

nuestros enemigos se apoderaron de las cosas haciendo fardo de ellas. Van tomando cuanto hallan
por donde van pasando, todo lo que sale a su paso

conocimos que los indios de la ciudad estaban muy
amedrentados se morían de hambre salían de noche a pescar por entre las casas de la ciudad andaban buscando leña y yerbas y raíces que comer.

304

de cuatro partes de la ciudad las tres estaban ya
por nosotros así cercados y apretados no tenían
paso por donde andar sino por encima de los muertos ni tenían ni hallaban flechas ni varas ni piedras con qué nos ofender y era tanta la mortandad que en ellos se hizo por la mar y por la tierra
que aquel día se mataron y prendieron más de cuarenta mil ánimas

Malintzin les dice: Venid, el capitán os quiere
preguntar ¿qué piensan los mexica? ¿Es Cuauh-
temotzin todavía un verdadero niño? ¿No tiene
compasión para los niños, para las mujeres, si pe-
recen de esta manera los viejos?

Ya nosotros teníamos más que hacer en estorbar
a nuestros amigos que no matasen ni hiciesen tanta crueldad que no en pelear con los indios la cual
crueldad nunca en generación tan recia se vio ni
tan fuera de todo orden de naturaleza, como en
los naturales destas partes

Ya están aquí los señores de Tlaxcala, Huexotzingo, Cholula, Chalco, Acolhuacan, Cuauhnahuac,
Xochimilco, Mizquic, Cuitlahuac y Colhuacan

nosotros éramos obra de novecientos españoles y
ellos (nuestros amigos) más de ciento y cincuenta
mil

y ya tenían tan pocas casas por donde estar, que
el señor de la ciudad andaba metido en una canoa
con principales.

desamparen al tenochca para que perezca solo.

quedó concertado que habíamos de entrar otro día
por la mañana

Entonces perecieron todos los habitantes de los pueblos

los de la ciudad estaban todos encima de los muertos

> nosotros los tlatelolca levantamos andamios de ca-
> laveras

y otros en el agua y otros andaban nadando y
otros ahogándose

> Fue entonces cuando pereció el Tlatelolcatl el gran
> tigre, el gran jefe. Desde entonces la guerra se ex-
> tendió revolviendo todo.

era tanta la pena que tenían que no bastaba juicio a pensar cómo lo podían sufrir

> Fue también entonces cuando se batieron las mu-
> jeres de los tlatelolca.

y por darse priesa al salir unos a otros se echaban
al agua

> cuando asestaron golpes, y cuando hicieron prisio-
> neros. Andaban vestidas con insignias de guerre-
> ros, alzaban sus faldas para poder perseguirles me-
> jor

no se entendió sino en quemar y allanar casas, que
era lástima cierto de lo ver

> Ya marchan los españoles, cautelosamente van ca-
> minando.

> A su espalda van en fila los tlaxcalteca

los de la ciudad decían a nuestros amigos que no
hiciesen sino quemar y destruir que ellos se las harían tornar a hacer de nuevo si ellos eran vence-
dores y si no que las habían de hacer para nosotros.

> los tlaxcalteca se hacen muy valientes, mueven al-
> tivos sus cabezas. Van cantando ellos pero también
> cantando están los mexicanos.

de la ciudad de las ocho partes teníamos ganado

las siete y sobre todo la grandísima hambre... que
entre ellos había

> hemos comido palos de colorín, hemos masticado
> grama salitrosa piedras de adobe, lagartijas, ra-
> tones, tierra en polvo, gusanos.

por las calles hallábamos roídas las raíces y corte-
zas de ios árboles

> Comimos la carne apenas sobre el fuego estaba
> puesta.

> Cuando estaba cocida la carne de allí la arreba-
> taban en el fuego mismo la comían

hallamos las calles llenas de mujeres y niños que
se morían de hambre y salían traspasados y flacos
era la mayor lástima del mundo de los ver

> Hoy vi que todo fue arruinado que no hay nadie
> de aquellos que se llame Tenochca, que ya los unos
> se hacen pasar por Cuautitlanca, los otros huyen
> a Tenayuca, a Azcapozalco, a Coyoacan

bien sabía estaba solamente en el señor y otros tres
o cuatro principales de la ciudad porque la otra
gente deseaba verse fuera de allí

> y todo el pueblo estaba plenamente angustiado.
> Padecía hambre, desfallecía de hambre. No bebían
> agua potable, agua limpia. Nada hay como este
> tormento: tremendo es estar sitiado. Dominó total-
> mente el hambre.

la respuesta nos dieron con venir con grandísimos
alaridos diciendo que no querían sino morir nos
mataron un caballo con un dalle que uno traía hecho de una espada de las nuestras.

> Ya tomáis mexicanos, la voluntad de Huitzilopoch-
> tli, la flecha. Inmediatamente la hacéis ver por el
> rumbo de nuestros enemigos. Y si acaso uno, o
> dos, hiere este dardo, aún tenemos cuenta de vida,

aún un poco de tiempo tendremos escapatoria.
Ahora, ¡como sea la voluntad de nuestro señor!

del agua salada que bebían y de la hambre y mal
olor había dado tanta mortandad entre ellos que
murieron más de cincuenta mil ánimas los cuerpos de las cuales porque nosotros no alcanzásemos
su necesidad, ni los echaban al agua ni los echaban fuera de su conversión

Así sucedió con nosotros. Esto fue lo que vimos,
lo que vimos con asombro digno de lágrimas, digno de compasión.

hallábamos los montones de los muertos

En los caminos yacen dardos rotos, los cabellos están esparcidos. Destechadas están las casas, enro-
jecidos tienen sus muros

que no había persona que en otra cosa pudiese
poner los pies

Gusanos pululan por calles y plazas y en las paredes están salpicados los sesos. Rojas están las
aguas, están como teñidas, y cuando las bebimos
es como si bebiéramos agua de salitre.

plugo a Dios

Golpeábamos en tanto los muros de adobe.

que un capitán

y era nuestra herencia una red de agujeros

que se dice Garci Holguín prendiera

con los escudos fue su resguardo pero ni con escudos puede ser sostenida su soledad

a aquel Cuauhtemoctzin y a aquel señor de Tacuba y a otros principales

308

¡Han aprehendido a Cuauhtémoc! es cercado por la guerra el Tenochca, es cercado por la guerra el Tlatelolca!

preso este señor, luego en ese punto cesó la guerra
martes, día de San Hipólito 13 de agosto de 1521 años

era el día 1-serpiente del año 3-casa

La noche triste

La ciudad había sido prácticamente destruida. Poco tiempo después, Cortés puede decir que ha dominado el antiguo imperio mexicano en toda su extensión geográfica.

Ésta sería la narración de los hechos, pero los hechos esconden procesos más complejos que los historiadores han tratado de descubrir para explicarlos. Así, retomemos algunos hilos de esta narración que pueden ayudar a comprender el por qué de todo esto.

En primer lugar la lucha de Cortés por legitimar su conquista. Cuando Cortés llegó a Veracruz y fundó la Villa Rica, dio un paso necesario para legitimarse como autoridad principal de la conquista. Durante todo el proceso de descubrimiento y conquista del Nuevo Mundo, la corona española, que no podía financiar los gastos de las expediciones, estableció una serie de convenios con particulares —las capitulaciones— por medio de los cuales les permitía financiar y llevar a cabo las expediciones. La corona se reservaba el dominio de las tierras descubiertas y un quinto de los beneficios materiales. A cambio de ello, daba al capitán que realizaba la conquista una serie de beneficios y derechos sobre las nuevas tierras y quienes las habitaban. El caso es que quien había recibido los derechos para realizar las entradas en territorio de México no era Cortés, sino Diego Velázquez, el gobernador de Cuba. Así, cuando Cortés establece una Villa, una ciudad, no solamente desconoce abiertamente los fines originales de su expedición —los fines ideados por Velázquez— de mero reconocimiento y trueque, sino que instituye una nueva fuente de donde derivar su autoridad. Dentro de la antigua tradición municipal española, al fundar una ciudad los hombres debían elegir a sus representantes y constituir un ayuntamiento. Así, los hombres de Cortés se convirtieron en sus propias autoridades reconociendo sólo como superior a la corona española. De esa nueva autoridad, creada por él mismo, Cortés recibirá los derechos para conquistar las nuevas tierras. Para Cortés era, pues, muy importante que la corona reconociera el nuevo papel de ese ayuntamiento. Y con él, su nombramiento de capitán elegido por la voluntad expresa de los vecinos de la nueva ciudad. Por ello su primera preocupación será enviar a un procurador (escoge a Portocarrero) para establecer una comunicación directa con la corte y no depender más de las decisiones emanadas desde las Antillas. Sabe Cortés que si recibe la aprobación real, Velázquez no podrá reclamar para sí ningún derecho sobre la conquista.

Por ello también, cuando se encuentra en México-Tenochtitlan y recibe noticias de que su viejo conocido Pánfilo de Narváez —juntos habían luchado en la conquista de Cuba— acababa de llegar a las costas de Veracruz con orden de aprehenderlo, deja la ciudad. Abandona su conquista pacífica y sale a enfrentarse a quien seguramente consideraba como su principal enemigo.

Esto expresa claramente cómo la conquista de México no fue obra de un grupo que alguna vez actuara sin conflictos internos. Basta leer las *Cartas de Relación* para registrar anécdotas de conspiraciones descubiertas, de enfrentamientos y represiones violentas entre los españoles. Ahí quedó registrada la historia de aquel a quien Cortés obligó a comerse una hoja de papel en donde estaban escritos los nombres de los españoles que querían desconocerlo como capitán. Ya volveremos a referirnos a esos conflictos.

De mayor trascendencia fue la división entre la nobleza indígena, que se manifiesta desde la llegada de los españoles. Cuando Moctezuma reúne en consejo a su sobrino Cacama y a Cuitláhuac, su hermano, para pedirles su opinión sobre la manera más conveniente de recibir a los españoles —entonces ya a las puertas de México—, Cuitláhuac sostiene la opinión de quienes pensaban que los españoles no debían ser recibidos de ninguna manera. Cacama, a quien Gómara describe como "mancebo feroz de ánimo y honra" sostuvo otra opinión, alegando que si los españoles estaban a las puertas de la ciudad debía recibírseles como embajadores que eran de otro monarca. Pensaba Cacama que si los españoles, una vez en México, intentaban cualquier cosa que molestara a Moctezuma, "les podían enviar a castigar su osadía teniendo tantos y tan valerosos hombres como tenía". Moctezuma aceptó el parecer de Cacama y Cuitláhuac lanzó una última sentencia: "plega a nuestros dioses que no metáis en vuestra casa a quien os eche de ella y os quite el reino, y cuando lo queráis remediar, no sea tiempo". Cuando Moctezuma vio que muchos otros señores daban muestras de aprobar la postura de Cuitláhuac, le ordenó que fuera él precisamente quien recibiera y alojara a los españoles en Ixtapalapa, para evitar cualquier manifestación pública de disidencia.

De la misma manera, la antigua rivalidad entre Ixtlixóchitl, hermano de Coanacoch, y Cacama por el reino de Texcoco, se agudizó con la presencia de los españoles. Ixtlixóchitl había mantenido una actitud hostil contra su hermano al grado de que "tenía gente de guarnición en las fronteras" y a la llegada de los españoles decidió aliarse abiertamente con Cortés. Según un antiguo texto reco-

311

gido en el *Códice Ramírez*, Ixtlixóchitl invitó a los españoles a visitar Texcoco. La tradición cuenta que Ixtlixóchitl, para sellar su amistad con Cortés, recibió el bautismo "y se llamó Hernando" y que su madre, Yocotzin, al conocer la noticia dijo: "que había perdido el juicio, pues tan pronto se había dejado vencer de unos pocos bárbaros que eran cristianos". Cortés escribió al rey que don Hernando Ixtlixóchitl "tenía mucho amor a los españoles y conocía la merced que en nombre de vuestra majestad se le había hecho en darle señorío habiendo otros que le precedían en el derecho del". Por su parte, Cuauhtémoc llegó a poner precio a la vida de Ixtlixóchitl llamándole traidor. Fue gracias a la colaboración de Ixtlixóchitl que los españoles reconocieron y apresaron a Tetlepanquétzal, heredero del reino de Tlacopan, a Tlacahuepantzin, hijo de Moctezuma, y a Papantzin, mujer de Cuitláhuac, que habían tomado el partido de la defensa de los tenochcas. Con razón escribió Cortés: "Bien podrá V. M. considerar lo que sentirían los de Temixtitan en ver venir contra ellos a los que tenían por vasallos y por amigos y por parientes y hermanos y aun padres e hijos".

Estas divisiones en la casa reinante pueden ayudar a explicar por qué Tzihuacpopocatzin, el Cihuacoatl, enviado por Moctezuma para encontrar a Cortés en las faldas de los volcanes, intentó suplantar al emperador para evitar que los españoles llegaran a México. Es posible también que esas divergencias entre la nobleza mexica expliquen ciertas actitudes titubeantes de Moctezuma que generalmente se han atribuido a su solo carácter. Sus dudas y titubeos reflejan una lucha interna, la descomposición de un grupo dominante que no llegó a ponerse de acuerdo acerca de la política más apropiada frente a los españoles.

Como lo expresara Cuitláhuac, para muchos tenochcas el hecho mismo de que los españoles fueran recibidos en México significaba la derrota. Un episodio recogido por los informantes de Sahagún sugiere la existencia de una duda generalizada sobre si se estaba siguiendo la política adecuada frente a los españoles. Relata el texto cómo algunos hechiceros y adivinos, enviados por Moctezuma a detener a Cortés cerca de Chalco, encontraron a un hombre que se detuvo a increparlos: "¿qué es lo que hacer procura Moctezuma? ¿es que aún ahora es un infeliz miedoso? Ha cometido errores, ha llevado allá lejos a sus vasallos, ha destruido a las personas: unos con otros se golpean, unos con otros se amortajan, unos con otros se revuelven, unos con otros se burlan. ¿Por qué en vano habéis

312

venido a pararos aquí? ¡Ya México no existirá más! ¡con esto se acabó para siempre!" Según el relato, los hechiceros comprendieron el significado de esas razones y volvieron a México diciendo "no era un cualquiera ése... ése era el joven Tezcatlipoca".

La ruptura de una parte de la nobleza indígena con su soberano se manifestaría pronto en una resistencia más o menos hostil a sus órdenes. Alojados los españoles en las casas de Moctezuma, ordenó éste que les dieran provisiones; pero "los principales a quienes mandaban esto, ya no le hacían caso, sino que estaban airados, ya no le tenían acatamiento, ya no estaban de su parte, ya no era obedecido". Ese sentimiento de rechazo no era de ninguna manera unánime, pues otros señores se encargaron de abastecer a los españoles: "les entregaban cuanto habían menester, aunque con miedo, lo entregaban". Cuando, después de la matanza del Templo Mayor, Itzcuauhtzin, rey de Tlatelolco y prisionero con Moctezuma, intenta pacificar a los mexicanos, el desconocimiento de la soberanía de Moctezuma será definitivo: "¿qué es lo que dice ese ruin Moctezuma?, ya no somos sus vasallos".

Al romperse la unidad de la nobleza indígena se inicia, por el proceso mismo de la guerra, una nueva dirección política entre los mexicanos, que no habrá de consolidarse al sobrevenir la derrota. El pueblo bajo, refugiado en Tlatelolco durante los últimos días del asedio, termina por hacerse responsable de su propia defensa: "poco nos queda, no hacemos más que guardar nuestras casas... lo que para vosotros guardaba vuestro rey... es vuestra propiedad". Durante ese proceso comienzan a surgir algunos capitanes que ganarán su posición por la sola fuerza de sus acciones en el combate. Como Tzilacatzin, vencedor de los bergantines en Xocotitlan, que acostumbraba disfrazarse para que no le reconocieran los enemigos; como Tzoyectzin y Temoctzin a quienes "nada les importaban los enemigos y ningún aprecio tenían de sus propios cuerpos". El mismo Cuauhtémoc, durante los días más difíciles del sitio de México, concedió las insignias de Ahuizotl y el grado de capitán a Opochtzin, "tintorero de oficio", que sólo por ello encarnaría "la voluntad de Huitzilopochtli". En una de las múltiples ocasiones en que Cortés intentó parlamentar con los guerreros tenochcas, preguntó si "estaban allí los señores que les mandaban", la respuesta que obtuvo expresa bien los cambios que habían sobrevenido en la ciudad. Los guerreros respondieron que "todos aquellos combatientes que miraba eran los señores de México". Esas divergencias, que estamos muy lejos de conocer, explicarían mejor la serie de textos indígenas que repiten reiteradamente cómo, durante el asedio de la ciudad, "los mexicanos comenzaron a hacer pleitos entre sí y a matarse mutuamente".

Pero si hubo divergencias entre el grupo gobernante, las hubo también entre los señoríos sujetos y la capital del imperio. Moctezuma lo sabía bien cuando le dijo a Cortés:

> muy bien sé todos los que vos han ofrecido de Champotón acá... no creáis de aquellos que son mis enemigos, y algunos dellos eran mis vasallos y hánseme rebelado con vuestra venida.

Cuando se fractura el poder de los mexicas comienza el proceso de desintegración de las antiguas alianzas. Los antiguos aliados abandonan a los de Tenochtitlan para que "solos y por sí mismos vayan pereciendo". El temor de ser reconocidos como aliados de México se apodera de muchos pueblos. Los mismos mexicanos "como gente de Cuautitlan, como de Tenayuca, de Azcapotzalco o de Coyoacan se hacen pasar". Antes de que terminara el sitio de México se habían aliado con Cortés, además de los de Cempoala, Tlaxcala, Huexotzingo, Cholula y Texcoco, los de Chalco, Acolhuacan, Cuauhnáhuac, Huexotla, Coatlinchan, Otumba, Nautla, Tizapan, Xochimilco, Mizquic, Culhuacan. Cuando Cuauhtémoc es presentado ante Cortés en Acachinango, lo acompañan solamente Tetlepanquetzal, de Tlacopan, Coanacoch de Texcoco, Oquiztzin de Azcapotzalco, Panintzin de Ecatepec, y Tlacotzin, el Cihuacóatl de Tenochtitlan, el mismo que lo traicionaría en Acallan y que con el nombre cristiano de Juan Velázquez sería nombrado por Cortés, a la muerte de Cuauhtémoc, señor de México.

En los años siguientes a la conquista, el haber auxiliado a los españoles durante el sitio de México, se convirtió en una frase retórica más o menos utilizada por los grupos indígenas que pedían algún favor al rey de España. Entre muchísimos otros, por ejemplo, en una carta fechada en 1563, los caciques de Xochimilco alegan entre sus méritos haber ayudado a Cortés: "le dimos dos mil canoas en la laguna, cargadas de bastimentos, con doce mil hombres de guerra... como los tlaxcaltecas estaban ya cansados... el verdadero favor, después de Dios, lo dio Xochimilco". Mientras duró el asedio de Tenochtitlan, Cortés envió a algunos capitanes a someter a los territorios del interior. Entre 1521 y 1524 la conquista del antiguo imperio mexicano pareció concluida.

Cortés mismo, una vez tomada México, salió rumbo a Pánuco para llegar a un acuerdo con Garay sobre el dominio de esa región.

Entre las primeras conquistas regionales estará también la de Coatzacoalcos (1521), territorio sometido por Gonzalo de Sandoval. En 1522 Cristóbal de Olid encabezará la entrada a los reinos de Michoacán y a la zona de Zacatula. Parte de su expedición se desgaja para dirigirse a Colima, pero al ser derrotada, debe salir de nuevo Sandoval a pacificar la tierra (1523).

Es interesante observar la dirección de esa primera sujeción del territorio. Tres de esas conquistas iniciales se dirigen a los puertos. Salidas en el Golfo (Pánuco y Coatzacoalcos) o en el Pacífico (Zacatula) que responden al viejo sueño de buscar un camino hacia el oriente o a la necesidad concreta de asegurar una liga con la metrópoli. Esas conquistas regionales no se realizaron de la misma manera. Algunos sitios, los más, se entregan pacíficamente a los españoles, y Cortés explica al rey la razón de ello:

> porque ellos eran súbditos de aquel señor Moctezuma de poco tiempo acá. Y como por mí tuvieron noticia de Vuestra Alteza y de su poderío, dijeron que querían ser vuestros vasallos, y me rogaban que los defendiese de aquel señor Moctezuma que los tenía por fuerza y tiranía.

Como los de Cempoala y los de Tlaxcala, los de Huexotzingo, Huaquechula, Acatzingo e Izúcar se aliarán con los conquistadores. Como muestra de ese pacto darán hombres para engrosar el ejército que comandaba Cortés. Las descripciones fabulosas de huestes indígenas que se movilizan para ayudar a la destrucción de la ciudad de México, que Prescott pintó con tan vivos colores, son recordadas amargamente por los informantes indígenas de Sahagún al explicar las razones de la derrota de los mexicanos.

Pero si Cortés recibe embajadas de Tehuantepec, Pánuco, Tuxtepec y Huatuxco, Nautla y Tuxpan que deseaban establecer alianza contra Moctezuma, cuando sale derrotado de México esos mismos aliados toman partido contra los españoles porque, como explica Cortés: "querían ser a viva quien vence". En otros sitios bastará con un pequeño enfrentamiento contra la guarnición mexica para que los señores locales reconozcan el nuevo señorío. Pero también se encontró resistencia. Resistencia violenta opusieron los pueblos de Malinalco y de las provincias de Matalzingo y Atlixco. Al grado

315

de que en algunos sitios como Xaltocan, Yautepec, Xilotepec e Ixtapalapa, la conquista se logró con la destrucción física del poblado y la dispersión de sus habitantes. O su aniquilación total, como en Yecapixtla, donde los guerreros al verse derrotados prefirieron arrojarse desde los cantiles, "y fue tanta la matanza dellos despeñados de lo alto, que todos los que allí se hallaron afirman que un río pequeño que cercaba casi el pueblo, por más de una hora fue teñido de sangre".

Así, pues, las conquistas regionales, la disgregación del imperio que sigue a la caída de Tenochtitlan, muestran, como en una negativa, el grado de cohesión que integraba a los diversos componentes de esa unidad política.

Quizás no esté de más, entonces, recordar que la expansión del imperio de los mexicanos se había iniciado hacia 1428. Es decir, fue contemporánea de las primeras expediciones de descubrimiento realizadas desde Europa por los navegantes portugueses (entre 1416 y 1432 se descubren Madera y Azores). Vistos desde esa perspectiva parece como si se tratara de dos movimientos expansionistas que se enfrentan en 1519. Cuando los españoles llegan a las costas de México, los aztecas acababan prácticamente de incorporar a su dominio el territorio de su imperio. Desde 1428 y hasta 1440, Itzcóatl inició la expansión mexicana. Fue entonces también cuando Tlacaélel dio una mística a esa expansión. Entre 1428 y 1440 sucumbieron al dominio mexica Coyoacan, Cuitláhuac, Xochimilco, Chalco, las tierras de los lagos, el sur del estado de Morelos, Cempoala, Oaxaca y Chiapas. Son, pues, menos de tres generaciones las que separan a esos pueblos de su antigua condición "independiente" y algunos no habían sido dominados, como Tlaxcala, que no era "súbdito de nadie... ni había tenido señor, antes había vivido exento y por sí de inmemorial tiempo acá".

Por ello algunos historiadores han querido ver en Cortés el instrumento de un cambio de vasallaje hacia el de un rey más poderoso que logró vencer a los mexicas.

Pero esa rapidez con la que se somete el territorio es muchas veces aparente. Las conquistas son poco duraderas. En Pánuco el sometimiento realizado por Cortés se termina con un levantamiento de indios. Volverá Sandoval para pacificar la tierra en 1523 y esa historia se repite. Ya se mencionó el caso de Colima. De igual manera, los chiapanecos sometidos por Luis Marín entre 1521 y 1524 se levantarán en 1527 y saldrá Mazariegos para una nueva pacificación. Nuño de Guzmán dirige la conquista de Nueva Galicia entre 1529 y 1530. Los cazcanes se levantan en 1541 y tendrá que salir el virrey de Mendoza a pacificarlos. Es decir, que todavía al mediar el siglo una de las preocupaciones del virreinato será la de organizar "entradas de pacificación" para someter a los indios levantados. Tampoco esa fecha marcará el fin del proceso de conquista en todas las regiones porque el problema del sometimiento de algunos territorios indígenas al poder central permanece vivo al iniciarse el siglo XX.

Con la destrucción de la ciudad de México y de la estructura de poder político de los tenochcas, se inicia un largo periodo de dominación colonial definido a partir de la acción concreta de un pequeño grupo de aventureros que fueron, a la vez, los conquistadores y los primeros pobladores.

Conquistadores y primeros pobladores

El fin de la reconquista y el inicio de los descubrimientos y conquistas en el Nuevo Mundo no están muy alejados cronológicamente. Por ello, la reconquista —la guerra justa contra los infieles— parece revivir en la conquista de México. Los procedimientos materiales de poblamiento de las tierras "fronteras" en la vieja España aparecen como "el gran ensayo" de la colonización del Nuevo Mundo. Desde esta perspectiva han podido identificarse instituciones nacidas durante la reconquista española trasplantadas al nuevo mundo; se ha creído reconocer en las actitudes de los conquistadores la herencia de aquella lucha: al grito de "¡Santiago!" se lograron las mayores victorias sobre los moros; se "apellidaba Santiago" durante los encuentros con los indios. La voz de Santiago dejó su huella —casi arqueológica— en el nombre de un sinnúmero de nuevas poblaciones en América. La conquista de México mantuvo vivo el carácter providencialista que se reconoce en la reconquista española. Hernán Cortés declara entusiasmado en sus *Cartas de Relación* que el éxito en las batallas no se debía atribuir a los conquistadores, sino a la "mano de la providencia... y a los caballos". En más de una ocasión, Bernal Díaz relata cómo algunos conquistadores creían ver la figura del apóstol Santiago precederlos en las victorias contra los indígenas.

Además de ese sentimiento providencialista, el conquistador aca-

317

rrea consigo toda la tradición del romance español al Nuevo Mundo. El viejo romance de Calainos se recupera en el habla de los soldados de la conquista. Dice Bernal Díaz que cuando la expedición de Cortés se dirigía rumbo a San Juan de Ulúa,

> yendo navegando con buen tiempo, decíamos a Cortés los que sabíamos aquella derrota "Señor, allí queda... el gran río Guazacualco... y las muy altas sierras nevadas... y la isla verde... y la de Sacrificios"... y acuérdome que se llegó un caballero que se decía Alonso Hernández Puertocarrero e dijo a Cortés: "Paréceme, señor, que os han venido diciendo estos caballeros: Cata Francia, Montesinos; cata París, la ciudad, cata las aguas del Duero, do van a dar a la mar... yo digo que mire las tierras ricas, y sabéos gobernar luego" y Cortés... respondió: "Denos Dios ventura en armas, como al paladín Roldán... que en lo demás, teniendo a vuesa merced y a otros caballeros señores, bien me sabré entender...

Además de ese sentimiento providencialista, de esa participación en la tradición de hazañas romancescas, el conquistador parece movido por un sentimiento de amor a la fama y a la honra. Cortés puede escribir a Carlos V que él solo le ha dado más reinos que los que había recibido de sus antecesores. Los humildes soldados hipotecan sus bienes, armas, caballos o sus personas y se aventuran en busca de honra y provecho.

Hombres ambiciosos de fama y honra, partícipes de hazañas extraordinarias, seguros de ser instrumentos de la providencia, grandes andariegos, caminantes incansables movidos a la "ventura", que no se conforman nunca con las hazañas realizadas: he ahí la imagen que los conquistadores nos dejaron de sí mismos; pero sin duda tiene mucho de mitología.

Cuando nos referimos a "los conquistadores" se nos vienen a la memoria los nombres de unos cuantos. Ahí están Cortés, Montejo, Alvarado, Narváez, Diego de Ordaz, Alonso de Ávila, Vázquez de Tapia, quizás otros... y sin embargo, sabemos que sólo en la conquista del centro de México participaron, por lo menos, los dos mil individuos que han podido recoger los estudios recientes. Incorporados a Nueva España en oleadas sucesivas, cada vez más numerosas, esos "conquistadores" a la vez que primeros pobladores, acabaron por diluirse en el anonimato. Oscuro destino para quienes, en busca de fama y honra, se habían lanzado a la aventura colectiva de formar la primera sociedad colonial.

Pero como gentes transformadores del destino de una sociedad, tuvieron un papel tan importante los brillantes capitanes como los más ignorados peones. Así, pues, es válido preguntarse, al hacer la historia de nuestro siglo XVI, ¿quiénes eran? Si asimilamos esos grupos de conquistadores y primeros pobladores a las listas de control de pasajeros a Indias hechas por la Casa de Contratación de Sevilla desde 1509 y más adelante por el Consejo de Indias· podemos hacernos una idea general de los orígenes geográficos y sociales de nuestros conquistadores y primeros pobladores. Esa asimilación, sin embargo, debe hacerse con cautela, porque quedan sistemáticamente fuera de esos registros todo tipo de salidas ilegales al Nuevo Mundo —muy numerosas durante la primera mitad del siglo XVI— pero, sobre todo, porque las listas conservadas tampoco son completas. No hay información para los años de 1518, 1520-25, 1530-32, 1541, 1543 y 1547. Falta, pues, información de años claves en la historia de los futuros conquistadores y pobladores de Nueva España. A pesar de todo, algo ha podido sacarse en claro con la acumulación y el análisis de las cifras que proporcionan esos registros.

En primer lugar algo se percibe de las oleadas, de los ritmos de salidas de viajeros rumbo a Indias. Habrá siempre afluencia de emigrantes después de llegar a la península las noticias de alguna rica conquista. El aumento de salidas de españoles rumbo a Indias entre 1533 y 1539 (3,902 individuos en los veinte años que van de 1509 a 1529 contra 8,000 sólo en esos 6 años) se explica por el interés despertado por las nuevas tierras luego de la caída de México-Tenochtitlan. De la misma manera, entre 1540 y 1549 las oleadas de emigrantes tomarán rumbo a un nuevo destino entonces prometedor y brillante al conocerse las noticias de la conquista del Perú. Nueva España perderá casi todo atractivo para los emigrantes hasta mediar el siglo. Entonces, el descubrimiento de las minas, primero en Taxco y en Zacatecas después, cambia el destino de las oleadas de emigrantes y de las colonias. Vemos, pues, llegar a nuestros primeros pobladores en oleadas sucesivas. Esto es importante porque esas llegadas ininterrumpidas de nueva gente contribuirán a dar un carácter particular a la sociedad que comenzaba a formarse. Habrá recién venidos que logren desplazar a grupos ya establecidos en las principales actividades económicas. Habrá otros que, encontrando los mejores sitios ya ocupados, prueben suerte yéndose a establecer en nuevas tierras, contribuyendo con sus personas a abrir continuamente "las fronteras" sucesivas del poblamiento español en el siglo XVI.

Los conquistadores de Nueva España provenían, según las investigaciones recientes, de Andalucía (29.3%), Castilla la Vieja (19.3%), Extremadura (18.3%) y Castilla la Nueva (7.8%). Esa fue la España que dio los primeros hombres a América, y con ellos, transmitió muchos de los rasgos de su cultura local.

Se ha dicho, con razón, que el prestigio de los grandes conquistadores pesó mucho en la decisión de sus coterráneos por seguir sus pasos. El éxito de las primeras empresas de conquista influyó directa o indirectamente, en la decisión de otros hombres de probar fortuna en tierras de América. Pero esas decisiones personales se encuentran enmarcadas en procesos más profundos. Todos esos sitios se caracterizan por desarrollos semejantes. Luego de la reconquista, la meseta castellana asistió a un enorme desarrollo de la ganadería y al consecuente empobrecimiento de su agricultura. Esto, asociado a la tendencia agudizada de concentración de las propiedades rurales dedicadas a la cría de ganado y a la consecuente ruina de los pequeños propietarios agrícolas. Es precisamente en esos sitios donde, a partir de los últimos años del siglo xv, comienza una emigración masiva a las ciudades. Y los emigrantes son los pequeños agricultores arruinados o los solariegos emancipados por la corona. Los centros urbanos crecen rápidamente y, al parecer, nuestros futuros conquistadores saldrán de esas oleadas de emigrantes, para quienes la solución americana se ofrecía como la única posibilidad de romper con la condición de marginados que les deparaba la sociedad española. Además, con el establecimiento de las oficinas reales en Sevilla, este puerto se convirtió en el único centro de enlace con las posesiones americanas. A Sevilla (esa "Babilonia de España") llegaba gente de todas las regiones del interior y se establecía ahí por algún tiempo, atraída por el oropel del Nuevo Mundo que se estaba descubriendo. Pasados los años se consideraban sevillanos o se hacían pasar como tales. Sobre todo si eran extranjeros o aragoneses o navarros a quienes, por razones políticas —la conquista se consideró siempre una empresa exclusiva de la Corona de Castilla— se limitaba el paso a Indias. Así de Andalucía, Badajoz, Cáceres, Murcia y Albacete se desprenderían la mayoría de esos primeros pobladores. Casi todos los que salieron —y pidieron luego licencia de embarque— pertenecían al grupo de hijos "segundones", algunos ni siquiera podían considerarse "hijosdalgo", más bien eran "criados y allegados" de las casas locales. Era ese mismo grupo el que había alimentado los ejércitos de las guerras de Italia y el norte de África, pero que había encontrado cerradas, de pronto, esas vías de ascenso social en la metrópoli.

Entre esos primeros venidos quedan incluidos quienes participaron en "entradas" de pacificación o conquista. Y aunque no habían tenido ninguna experiencia militar previa en Europa, algunos, como Cortés o Pánfilo de Narváez, la adquirieron en los encuentros y "sacas" de indios en las Antillas. Fueron ellos, sin embargo, quienes inauguraron con su experiencia la primera guerra de dominio colonial de los tiempos modernos, que en poco o nada se parecía por su estrategia y táctica a las antiguas guerras europeas.

Eran todos muy jóvenes, en su mayoría solteros que apenas sabían firmar de su nombre y que no se atrevieron casi nunca a alegar, en sus relaciones de méritos y servicios, condición alguna de hidalguía. Por ello, todavía en 1554, el virrey don Luis de Velasco podía escribir:

> que no es el menor mal en que esta tierra hay estar poblada de gente común y haber muy pocos caballeros ni hijosdalgo.

Podría agregarse que con todos estos primeros llegados también se registran algunas mujeres (10% de las licencias de embarque entre 1509 y 1538), las más casadas que partían a reunirse con sus maridos, pero que nunca llegarán a reunirse con ellos y van a poblar los primeros conventos femeninos o ciertas casas públicas de las que existe constancia documental desde 1526 en la Isla Española.

El grupo de nuestros "conquistadores" llega también a México en oleadas sucesivas. La conformación social de los grupos de llegada resulta, por lo mismo, muy diversa. La gente que se alista con Cortés no había recibido encomiendas en Cuba. Bernal los describe como quienes tenían poco o nada que perder y podían lanzarse a la "ventura" de descubrir tierras nuevas. Pobres y endeudados, se embarcan con hermanos y parientes formando asociaciones "a semejanza de las órdenes de caballería". Como contraste, el grupo que llega con Narváez, enviado por Velázquez a someter a Cortés, estaba formado por gente ya acomodada en las islas. Casi todos eran protegidos del gobernador. Éstos llegaban a defender sus propios intereses; muchos de ellos, después de la derrota, preferirán volver a Cuba y no arriesgar lo ganado en una nueva empresa. A estos dos grupos se irán asimilando poco a poco, antes de la toma de México, otros contingentes: los derrotados de Garay, los extraviados en otras expediciones. Desde su formación, pues, el grupo de los conquistadores resulta heterogéneo. Pero si nos atenemos a lo que dicen los libros de historia, parece como si los conquistadores hubieran actuado como un bloque monolítico, sin rupturas ni enfrentamientos hasta constituir el grupo de encomenderos que se benefició con la Conquista.

La verdad es que ese bloque monolítico no existió nunca y las pruebas son que Cortés tiene que ir personalmente a las Hibueras a pacificar a Cristóbal de Olid —uno de los capitanes en quien había depositado mayor fuerza durante el asedio de México— que se le "levanta con la tierra", y que el mismo Cortés tiene que mandar ejecutar a Villafaña por conspirador, al iniciar el sitio de México. La diversidad de intereses, los enfrentamientos de grupos se notan más claramente cuando encontramos que muchos de los conquistadores premiados por Cortés con repartimientos de encomiendas de indios o mercedes de tierras, pierden todos sus bienes por decisión de la Audiencia encabezada por Nuño de Guzmán. Apenas conocemos la existencia de diversos grupos de poder, de opinión o de interés que se enfrentan en el interior de ese grupo de conquistadores y que nos explicarían mejor el proceso de consolidación de la nueva sociedad.

Estudios recientes nos han permitido conocer los destinos individuales de los conquistadores del Nuevo Mundo que como destino colectivo habían contribuido a dominar. El estudio de esas trayectorias personales ilustra también, directamente, la compleja estructura de la sociedad colonial que entonces se gestaba. Entre esos conquistadores hay quienes terminan pronto. Un buen número de ellos fue muerto por los indios, en combates armados o sacrificados a los dioses mexicas durante el asedio de México. Ahí está el relato de Cortés que dice haber encontrado escritas a mano, en la pared de un templo indígena, las tristes palabras: "aquí estuvo preso el sin ventura de Juan Yuste". Otros fueron muertos por los mismos españoles. Cermeño y Escudero fueron ahorcados en Veracruz porque querían volverse a Cuba después de que Cortés había decidido "quemar sus naves" (curiosamente Escudero era el mismo que había aprehendido en Cuba a Cortés, por órdenes de Diego Velázquez). Cristóbal de Pinedo, también criado de Velázquez, fue ejecutado porque se "intentó pasar al campo de Pánfilo de Narváez". Alonso Hurtado sería quemado, en 1528, en la plaza mayor de México, "por judaizante". Otros no detienen su vida en México. Muchos continúan expediciones de conquista o descubrimientos: como Pedro de Alvarado y Mora, que marchan a la conquista de Guatemala; como Pedro de Guzmán que se va al Perú cuando llegan noticias de la conquista del imperio incaico; como Alonso de Herrera o Diego de Ordaz que terminarán su vida explorando el río Marañón.

Nos dicen mucho de una sociedad todavía no constituida, esos movimientos de personas a enormes distancias. Búsqueda continua: exploración, descubrimiento, todo por el deseo de realizar una conquista brillante. Esa misma inestabilidad que se refleja en los movimientos geográficos de los individuos, la encontramos manifiesta en conflictos de conciencia personales. Muchos de nuestros conquistadores originales terminarán su vida como religiosos. Sindos de Portillo, el conquistador, no dejará memoria, pero con el nombre de fray Cintos será recordado por su importante obra evangelizadora en Durango. Esos conquistadores que mueren religiosos parecen seguir una trayectoria de vida semejante. Después de la Conquista reciben encomiendas, abren ventas en los caminos, especulan con los productos comerciales venidos de la metrópoli, se hacen comerciantes, alcanzan a hacer grandes fortunas... y luego, todo lo abandonan para entrar en una orden. Un Alonso de Aguilar y un Lencero dejaron sus nombres en las ventas de Aguilar y del Encero en el camino de Veracruz, como testimonio de sus actividades mundanas; luego se hicieron frailes. Dentro de esta perspectiva el caso de Gaspar Díaz no carece de interés. Abandona a sus indios de encomienda y se convierte en ermitaño en "los pinares de Huexotzingo", y dedica el resto de sus días a salir a predicar a los caminos, como tantos otros que le siguen rápidamente y que con sus actitudes personales muestran un rechazo a la injusticia y violencia de la sociedad que habían contribuido a crear. Otros, como el soldado Lerma, después de heredar su nombre a un río, aburrido de la vida entre los españoles, cansado de Cortés, escoge al mundo de los vencidos, se va con los indios y nunca vuelve a saberse nada de él.

Podemos reconstruir a grandes rasgos las direcciones del primer poblamiento español marcando los sitios de residencia de los conquistadores. Entre 1520 y 1530, se establecen cerca de las costas.

Las primeras fundaciones de ciudades tendrán un sentido estratégico: Veracruz, Pánuco, Coatzacoalcos. Lugares clave para la comunicación con la metrópoli. Asegurado ese poblamiento, la fundación de ciudades se vuelca hacia la costa del Pacífico. Durante los primeros años del siglo XVI, residir en el Pacífico significaba mantener abierta la posibilidad de alcanzar el comercio con Oriente. La ruta buscada por Colón siguió siendo motivo de atracción para estos hombres. De los "puertos" del Pacífico saldrán esporádicamente pequeños navíos a explorar las costas del noroeste. Con Cortés, los conquistadores llegarán al mar de California. Más tarde, comenzarán a surgir los primeros centros mineros al sur de la cordillera volcánica: Sultepec primero, Taxco después. Ahí irán a residir esos conquistadores que se dedican a explorar las viejas minas de los indios, agotando las vetas superficiales o lavando oro en los ríos. Prefiguración del gambusino que encontraremos continuamente a lo largo de la historia mexicana.

La década de 1530-40 es testigo de una relocalización del poblamiento español. Los conquistadores se vuelcan de nuevo sobre el Altiplano. La fundación de Puebla, con su particular significación social, atrae a un grupo numeroso de individuos que, como Alonso Caicedo, dedican sus esfuerzos a levantar las primeras explotaciones agrícolas de los valles de Puebla y de Atlixco. Esos antiguos conquistadores harán del Valle de Puebla el primer centro de agricultura comercial en América, el "granero" de México durante el siglo XVI. Los más, sin embargo, prefieren quedarse en la ciudad de México. Todos son hombres de ciudades, desde donde dominarán al campo circundante. Hacia las ciudades atraerán los recursos de las zonas rurales adyacentes. Vivir en la ciudad les da oportunidad de obtener algunos cargos públicos y mantener privilegios, como corregidores o regidores (Arqueta en Puebla, Antonio de Villarreal o Ruy González en México), como procuradores (Álvarez Chico, Alonso de Ávila o Portocarrero) recibirán salarios y prebendas de las cajas reales. En la ciudad pueden concentrar poder económico, poder social y, sobre todo, poder político. Francisco de Terrazas, encomendero de Tulancingo e Igualtepec, mayordomo y capitán de la guardia de Cortés y su pariente cercano, sostiene en su casa de México a cuatro hijos de su primer matrimonio, cinco hijos de su segunda mujer, 3 hijos naturales, caballos, armas, "familiares" y "muchas otras personas que han ido a servir a su Magestad".

El poder concentrado por los hermanos Ávila en la ciudad de México —donde llegaron a dominar las principales actividades de comercio, la recaudación de diezmos, la contaduría de las transacciones particulares y donde manejaban una importante clientela personal constituida por conquistadores encomenderos y algunos hombres poderosos— llegó a convertirse en un verdadero problema para la consolidación del poder de los virreyes. Por ello, cuando aparecen mezclados en la conspiración de Martín Cortés, las autoridades virreinales se decidirán por su ejecución pública, como símbolo último del final que esperaba a las aspiraciones señoriales de los conquistadores. Viven en la ciudad los ricos hombres, dueños de solares urbanos, encomenderos o comerciantes, prestamistas o administradores de bienes ajenos (Hernán López de Ávila hizo, sólo con ello, su fortuna), pero viven también los viejos conquistadores que no encontraron la posibilidad de hacer fortuna y que retoman el antiguo oficio que posiblemente ejercieran sus padres: conquistadores-albañiles, conquistadores-plateros, con-

Un encomendero y un fraile. *Códice Osuna*

quistadores-mozos de arriería. Todos esos españoles —quizás los más— no alcanzaron a "hacer la América". Todos, con sus destinos individuales nos muestran que, como siempre, son muy pocos quienes se benefician de las guerras de conquista y, entre ellos, casi nunca se encuentran los soldados. Por eso uno de ellos, Bernal Díaz, escribe su historia, "la verdadera", para que los que no encontraron fortuna o fama, no se pierdan sin memoria.

La conquista espiritual

Si la conquista militar de Nueva España parece estar influida por el fenómeno de la reconquista española, la conquista espiritual llevará como marca definitiva el peso de la contrarreforma. Fray Juan de Torquemada, historiador de principios del siglo XVII dice al referirse a Fray Martín de Valencia que

> la capa de Cristo que un Martín, hereje, rompía, otro Martín, católico y santo [cosía]

agregando a la iglesia un número mayor de fieles de los que había perdido. La Conquista de América no significa solamente la incorporación de nuevas extensiones de tierra a los dominios de la corona española, significa también la incorporación de los indígenas al mundo cristiano de occidente, incorporación que no fue sólo un resultado, sino una condición. La justificación del dominio de las nuevas tierras, la justificación del sometimiento de sus antiguos señores a la corona de Castilla, la justa guerra, se estableció por la necesidad e importancia de convertir un mundo de infieles a la fe verdadera. El propósito religioso de convertir a los paganos fue el verdadero título de la expansión jurisdiccional española. Así, pues, el problema de la cristianización e hispanización del indígena o, en última instancia, de su "occidentalización" estuvo siempre ligado a la necesidad de justificar la expansión imperial europea. Esa justificación se construyó sobre dos ideas fundamentales que arrastraron con ellas todas las corrientes de pensamiento de la cultura occidental cristiana. Esas mismas ideas, aunque expresadas en forma diversa, se mantuvieron vigentes mientras duró la expansión imperial de los tiempos modernos. Una defendía que la base de todo dominio se derivaba de la condición religiosa de los hombres, la otra sostenía que la base del dominio se derivaba de la superioridad de una civilización.

La discusión sobre si la base del dominio provenía de la condición religiosa o de la condición racional de los hombres enfrentó las ideas de los seguidores del Ostiense a las de los discípulos de Santo Tomás. Para los primeros, cualquier título legítimo que hubieran tenido los indios sobre sus tierras había terminado con el advenimiento de Cristo. Cristo había sido soberano temporal y espiritual, y el Papa, como su vicario universal, tenía potestad sobre cristianos e infieles. Ningún reino, de los recién descubiertos, tenía independencia frente a Roma. Los indios poseían tierras sólo de manera momentánea, hasta que Roma quisiera recuperarlas. Si los indios no abrazaban la cristiandad y no se sometían al dominio de los cristianos, la guerra que se hiciera contra ellos tenía una causa justa. Por el contrario, Santo Tomás y quienes le siguieron, admitieron que los infieles podían tener dominio y posesiones lícitas. Pensaban que el dominio era un derecho inherente a toda criatura racional, independientemente de su condición religiosa. Es decir, que el derecho divino (la distinción entre fieles e infieles) no anulaba el humano, que se fundaba en la razón. La justificación de la guerra de conquista debía establecerse en otros términos, el reconocimiento del derecho de conquista como dominación de los hombres prudentes sobre los bárbaros.

Nacida de Aristóteles, sostenida por Orígenes y apoyada por San Agustín, la teoría de la servidumbre natural se sustentaba en la afirmación de que existían diferencias entre los hombres, en cuanto a su uso de razón. Se sostenía en ella que las jerarquías sociales obedecían a un orden natural que iba de lo imperfecto a lo perfecto. Así, los hombres prudentes dominarían a los bárbaros, y para los bárbaros, la servidumbre era una institución justa. Toda guerra que se hiciera para implantar el dominio del hombre prudente sobre el bárbaro, también lo era.

Fue así como, durante los primeros años del siglo XVI, quedaron definidas las ideas fundamentales que justificarían toda expansión colonial: las diferencias de racionalidad entre los hombres, la aceptación de que algunas provincias eran aptas para la servidumbre y otras para la libertad, la obligación de civilizar y cristianizar a los bárbaros. Todas, ideas de servidumbre por naturaleza, que buscaban justificar el trueque del beneficio civilizador por las riquezas materiales de las nuevas tierras. Toda esa "ideología culta" de la conquista —estudiada por Zavala— recibirá su expresión más acabada en el *Democrates Alter* de Ginés de Sepúlveda (1547). A esas ideas, sin embargo, se enfrentaron dramáticamente otras, surgidas de corrientes estoicas y cristianas que recogieron de Séneca la idea de que el alma de todos los hombres era libre, aunque su cuerpo permaneciera esclavo. De esta corriente surgirá el pensamiento de todos aquellos que actuaron en defensa de los indígenas. Desde Luis Vives, que pensaba que el hombre es, por naturaleza, libre y amante del derecho y por lo tanto hostil a toda manifestación de servidumbre, hasta todos aquellos que, desde las universidades de Salamanca y Alcalá, se opusieran a Ginés de Sepúlveda. Como fray Bartolomé de las Casas que en sus angustiosos alegatos contra las tesis de la servidumbre natural, llegó a afirmar que los indios no eran ni irracionales, ni bárbaros, ni siervos

327

por naturaleza porque de serlo, la Divina Providencia habría cometido un error al crear al hombre.

Durante el siglo XVI se enfrentarán continuamente esas corrientes de pensamiento, al mismo tiempo que se desarrolla, en forma inmediata y frente a problemas concretos, el esfuerzo de evangelización, cristianización y dominación política más espectacular de los tiempos modernos.

Con Cortés llega el primer religioso, fray Bartolomé de Olmedo. Antes de que hubiera concluido el sitio de Tenochtitlan habían llegado otros tres misioneros mercedarios. En 1523 desembarcan en tierras de México los primeros franciscanos: Johan van der Auwera, cuyo nombre fue hispanizado como Juan de Aora. Johan Deker, conocido como Juan de Tecto y Pierre de Gand, Pedro de Gante. Los dos primeros salen con Cortés un año después rumbo a las Hibueras. Morirán durante la expedición. Pedro de Gante inicia su labor evangelizadora prácticamente solo, se encierra en Texcoco y se dedica a aprender la lengua náhuatl, logrando alfabetizarla. En 1524 llegará a Nueva España la primera misión franciscana. Los llamados "doce", que cual nuevos apóstoles inician la conversión de los indios. Entre esos doce misioneros llegaron hombres excepcionales: fray Martín de Valencia, fray Martín de la Coruña (evangelizador de los indígenas de la zona de Michoacán), fray Toribio de Benavente, "Motolinia", fray Luis de Fuensalida y fray Francisco Jiménez.

Las primeras misiones llegan amparadas con grandes privilegios. El papa Adriano VI, en una bula dirigida a Carlos V, cedía a las órdenes mendicantes su autoridad apostólica en cualquier sitio donde no hubiera obispos o donde se encontraran éstos a más de dos jornadas de distancia. Esto es importante porque significa que durante los primeros años de la conquista espiritual los misioneros podían actuar con toda libertad. En esos años se tomaron decisiones de acción que en otras circunstancias hubieran quedado sujetas a aprobación episcopal. Durante estos primeros años, los misioneros pueden actuar con carta blanca. Aplicar todos los métodos y recursos que les aconseje su experiencia para lograr el fin último de convertir masivamente a los indígenas a la religión católica. Estas primeras libertades, estos años de acción independiente de cualquier autoridad seglar estarán en el origen del surgimiento de serios conflictos de autoridad que enfrentarán, años después, a las órdenes religiosas y a las autoridades episcopales.

Si los franciscanos llegaron primero, otras órdenes seguirán después. En 1526 llegan a Nueva España los primeros dominicos, aunque su labor comience propiamente hasta 1528. Los agustinos llegarán en 1533. Un recuento de 1559 indica que hacia esa época había en toda Nueva España 380 franciscanos en 80 casas; 210 dominicos en 40 casas; 212 agustinos en 40 casas.

De la misma manera como los conquistadores se extendieron desde los primeros años por todo el territorio entonces dominado, los conquistadores espirituales extenderán su dominio hasta las regiones más apartadas. De la misma manera como los pobladores cubren el territorio en oleadas sucesivas, la ocupación territorial de las órdenes religiosas quedará marcada por su tiempo de llegada a las tierras nuevas.

Los franciscanos habían actuado como señores de la conversión de los indios durante casi cuatro años. Por ello plantaron misiones sobre un amplio territorio: el centro de México (Texcoco, Teotihuacan, Tlaxcala, Huexotzingo), el occidente (los antiguos reinos de Michoacán), y la zona de Jalisco, que les dejará abierta la extensión hacia el norte del país. Los dominicos extienden sus misiones por otros rumbos, hacia la mixteca y las tierras de los zapotecas, hasta cubrir con sus casas la zona de Oaxaca. Los últimos en llegar, los agustinos, se establecen en terrenos no ocupados por las primeras órdenes; por eso las casas implantadas por ellos aparecen más dispersas. El papel que desempeñaron fue el de cubrir vacíos, cerrar huecos de la evangelización. Habrá conventos agustinos principalmente hacia el noreste, pero también en Michoacán, en algunas zonas del estado de México, rumbo a Guerrero o por el camino a la Huaxteca y Pánuco. Cada una de estas órdenes dejó en esos territorios impresa su huella, que se manifiesta, más que en los estilos de sus construcciones arquitectónicas, en los procedimientos de evangelización y aculturación de los indígenas. Si se analiza en conjunto la acción de estas tres órdenes se podrá percibir un proceso muy semejante en el dominio de sus territorios particulares. Todas establecen tres tipos de fundaciones: las misiones de ocupación, de penetración y de enlace, que estudió Robert Ricard en su libro clásico y que relatan la historia de la "conquista espiritual".

La extensión territorial de estas órdenes religiosas ilumina sólo la superficie del proceso. Las huellas de dominio todavía pueden verse hoy en sus restos físicos, en monumentos y construcciones.

Huellas espléndidas en la arquitectura de casas de fundación o conventos, huellas impresionantes en la ingeniería de represas, lagunas artificiales y acueductos. Huellas perceptibles en el paisaje con la incorporación de cultivos antes no practicados en las zonas. Testimonios silenciosos de una labor compleja que cambió profundamente las estructuras mentales de los dominados durante el siglo XVI. Desde la perspectiva de la cultura occidental, la conquista espiritual del nuevo mundo fue más que nada un dilema, una crisis de conciencia y una oportunidad de reinterpretar la condición de los hombres.

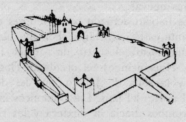

Perspectiva del convento de Izamal

Desde un principio, la conquista espiritual de Nueva España, y en América toda, se enfrenta con dos grandes corrientes de pensamiento. Para establecer y facilitar la comunicación entre el misionero y el grupo humano que se intenta convertir, hay que crear un lenguaje común a todos. Para hacerlo, son dos los caminos que pueden seguirse. El primero sería intentar traducir a la lengua indígena los conceptos propios de la nueva religión. El segundo, mantener en el idioma de los conquistadores esos conceptos fundamentales y hacerlos aprender con su significado y contenido específicos a los futuros conversos. Para seguir el primer camino es preciso tener un conocimiento muy profundo de las lenguas indígenas y del contexto histórico que pudieran conservar ciertas palabras, máxime cuando éstas traducen conceptos religiosos. Esto era difícil de lograr para los misioneros del siglo XVI; contaban con poco tiempo y existía la premura de una conversión masiva necesaria para la justificación de la conquista. El segundo procedimiento tiene la ventaja de evitar cualquier peligro de hetero-

330

doxia. Si al traducir se corre el riesgo de que las palabras conserven parte de su antiguo contenido, si la traducción podía significar la amalgama de ideas cristianas con ideas que no lo eran tanto, la traducción de los conceptos fundamentales de la religión cristiana debía evitarse. Sin embargo, este segundo procedimiento supone también un riesgo. La desventaja a largo plazo es que las nociones de la nueva religión, los conceptos del cristianismo, se presenten siempre con ropaje, con lenguaje extranjero, con la lengua del dominador. Es posible que con ello, esos conceptos no traducidos perduren en la mente de los conversos como algo extraño, que se produzca lo que Ricard llamó "una civilización de sobrepuestos". El individuo que acepte en esos términos la nueva religión, corre el riesgo de sentirse traidor a su propia cultura. Ése fue el riesgo que se corrió durante el siglo XVI. Y aunque en muchos casos se produjo esa "civilización de sobrepuestos", los misioneros y los conquistadores se cuidaron bien de destruir paralelamente todos los medios de transmisión de la antigua cultura a las nuevas generaciones.

Así, pues, los misioneros españoles del siglo XVI prefirieron la seguridad de la ortodoxia a cualquier riesgo de traducción de conceptos en lenguajes que les tomaría todavía algunos años dominar. Es sabido, por ejemplo, que nunca se tradujo la palabra Dios por la palabra indígena de *teotl*. Como a los sacerdotes indígenas se les conociera con el nombre de "Papas", se prohibió desde un principio toda referencia al Papa con ese nombre, utilizando siempre para dirigirse a él el nombre de Pontífice. Conceptos como la Trinidad, la Encarnación, la Resurrección, etc., se conservaron siempre en lengua española. No se traducen los conceptos, pero sí los textos. Durante esta primera etapa de la evangelización de los indígenas, los esfuerzos de los misioneros se centran en la traducción de pasajes de los evangelios, de algunas oraciones, de vidas de santos y otras lecturas ejemplares en lengua indígena. Durante estos primeros años de conquista espiritual se tomó el partido de las lenguas indígenas, se las estudió, se las conservó, se tradujo a ellas los textos de tradición europeo-cristiana. Pero este esfuerzo duraría muy poco, ya veremos por qué. Alrededor de los años que marcan la mitad del siglo este impulso decaerá, llegando un momento en que toda traducción de textos será prohibida.

Volvamos a los primeros años de la conquista espiritual e imaginemos las dificultades y trascendencia del enfrentamiento inicial de dos culturas. La historia de esta conquista en Nueva España es muy rica en ejemplos concretos de las dificultades que trae consigo la conversión de un pueblo a otra cultura. Hay que imaginar la situación en que se encontraron los primeros misioneros a su llegada al Nuevo Mundo. Sin conocimiento de la lengua —o mejor dicho de las lenguas, en un territorio de variedad lingüística impresionante— había que comenzar de cero. Ahí encontraremos a nuestros misioneros durante los primeros tiempos intentando todos los procedimientos de evangelización imaginables. Se intentó, por ejemplo, predicar a señas. Los religiosos se paraban frente a un grupo de indígenas, en cualquier lugar concurrido, y para explicar la existencia del cielo y del infierno señalaban con las manos hacia la tierra y procuraban con señas dar a entender que había fuego, sapos y culebras. Alzaban los ojos al cielo y trataban de transmitir a señas la idea de que sólo Dios se encontraba allá arriba, y que allá irían a parar los buenos. Así andaban esos frailes por los mercados, por las plazas y los caminos, y seguramente causaban cierta curiosidad entre los indios que no comprendían lo que significaban tales ademanes.

Un misionero, que se recuerda solamente con el nombre de fray Juan de la Caldera, para pintar a los indígenas los horrores del infierno, ideó poner una caldera sobre el fuego y echar dentro varios animales —imagen en vivo del infierno que esperaba a malos e infieles—. Otro misionero llegó al grado de arrojarse a sí mismo a las brasas encendidas para demostrar que la carne era débil y flaca y que no podía soportar el fuego eterno al que quedaría condenada. Cualquier posición extrema parecía actitud titubeante a esos hombres angustiados al no poder comunicar ni hacer comprender a quienes vivían en un error la verdad de la que eran portadores. Movidos por un misticismo apocalíptico heredado de los últimos siglos medievales, los franciscanos alcanzaron un entusiasmo misionero tal, que Mendieta llegó a escribir:

> en penitencia, mengua y estrechura... San Francisco que viniera de nuevo al mundo no les hiciera ventaja.

Aunque evidentemente esos procedimientos iniciales no los llevaron muy lejos, la experiencia y el tiempo transcurrido en contacto con los indígenas permitieron a los frailes la aplicación de procedimientos más racionales. Uno de ellos sería la educación sistemática de los niños indígenas hijos de principales.

Desde 1513 las leyes de Burgos enfocaban el centro de interés de los misioneros en la educación de los hijos de los indígenas principales, "pues convertidos los mayores de la república cosa fácil es convertir a la gente común". Estos niños, hijos de principales, contaban con el peso de la autoridad de sus padres y llegaron a dar órdenes de que se juntaran sus parientes y vasallos para recibir la doctrina. La evangelización de niños, para que más tarde fueran ellos los evangelizadores, fue apoyada por Cortés, que mandó en 1524 que todos los principales de los poblados localizados a veinte leguas a la redonda de la ciudad de México envia-

Fraile bautizando a un indio. *Códice Azcatitlan*

ran a sus hijos al colegio de San Francisco. Estos niños se convirtieron en un medio eficaz para la promoción del apostolado y al mismo tiempo en una terrible arma ofensiva contra la religión y tradiciones prehispánicas. Salían de las escuelas cientos de muchachos a romper, y desde adentro, la sociedad de sus mayores. Como relatan las crónicas recogidas por J. M. Kobayashi, andaban estos muchachos en cuadrillas de 10 y 20, jubilosos destructores de templos de ídolos, delatores de idolatrías clandestinas (en una ocasión llegaron a apresar hasta 200 infieles). Sus mayores los veían "espantados y abobados" y "quebradas las alas del corazón" romper a sus dioses y arrojarlos al suelo. Motolinia recogió el relato de la muerte de un sacerdote del dios Ometochtli en Tlaxcala, sacrificado a pedradas por estas cuadrillas de muchachos cristianizados:

todos los que creían y servían a los ídolos quedaron espantados...
en ver tan grande atrevimiento de muchachos...

La observación de todos esos procesos y resultados en la lucha
por la conquista espiritual del nuevo mundo produjo una mecánica de enfrentamiento, observación y aprendizaje que revolucio-
naría muchos de los métodos tradicionales de evangelización. Como los indígenas usaban de "pinturas" para transmitir sus historias, los misioneros, aun antes de conocer las lenguas, comenzaron
a predicar valiéndose de cuadros. Todavía podemos ver algunos
en las iglesias o los museos. Cuadros que pintan escenas de la vida
de Cristo, del Triunfo de la Fe, del infierno y del purgatorio, escenas del paraíso. Pinturas "en serie" hechas por artífices indígenas copiando modelos europeos, flamencos o italianos, y que inau-
guran también nuevas formas de aculturación: como podemos
ver, a su nivel minúsculo, el uso de imágenes sucesivas que describen la secuencia de un Ave María en los códices testerianos.
De la misma manera se aprovechó el gusto por el baile y la música de los indígenas para dirigirlos a una nueva cultura ("más
que por las predicaciones se convierten por la música" decía Zumárraga). Pedro de Gante escribió:

> toda su adoración de ellos a sus dioses era cantar y bailar delante
> de ellos... y como yo vi esto y que todos sus cantares eran dedi-
> cados a sus dioses, compuse metros muy solemnes sobre la ley de
> Dios y de la Fe.

Para hacer todo ello, fue necesario tener intérpretes, instrumento
capital de la dominación. Los religiosos procuraron atraerse a todos los que tenían facultades para serlo. Los buscaron entre esos
pequeños niños españoles traídos o nacidos en las tierras nuevas
que compartían sus juegos con sus amigos indígenas (fray Alonso
de Molina puede ser el ejemplo clásico), o entre los niños indígenas, "maestros de los evangelizadores", que al compartir sus juegos infantiles con los frailes inventaron métodos de aprendizaje
y enseñanza de las lenguas:

> [Los misioneros] dejando a ratos la autoridad de sus personas, se
> ponían a jugar con ellos con pajuelas o pedrezuelas, los ratillos que
> tenían de descanso, y traían siempre papel y tinta, y en oyendo el
> vocablo al indio lo escribían y el propósito que lo dijo. A la tarde

334

> juntábanse los religiosos y comunicaban los unos a los otros sus escritos y conformaban aquellos vocablos al Romance

Niños indígenas que se recogían y criaban dentro del convento y que luego, ya cristianizados —como diría años después Torquemada— "tanta fue la ayuda que... dieron, que ellos llevaron la voz y sonido de la palabra de Dios... a todas las partes donde los mercaderes naturales llegaban y trataban..." Muy pocos años habían pasado desde la llegada de los misioneros y ya fray Domingo de la Anunciación pudo escribir un breve sermón en castellano, hacerlo traducir por alguna "lengua", aprenderlo de memoria y salir a declamarlo por los mercados. Sin embargo, la limitación de la lengua traía problemas más complejos. La predicación, bien que mal, podía hacerse, pero los cristianos no contaban todavía con los medios para cumplir con el precepto de la confesión. La confesión no podía hacerse por medio del intérprete.

El conocimiento de las lenguas indígenas era una condición necesaria para lograr una evangelización efectiva. Ya la reina Doña Juana y luego Carlos V habían alentado el estudio de las lenguas indígenas entre los religiosos, los sacerdotes y los niños,

> porque los que dellos viniesen a ser sacerdotes o religiosos o a tener oficios públicos en los pueblos pudieran mejor doctrinar y confesar los indios y entenderles las cosas que con tratare: pues siendo tantos no se puede dar orden por ahora como ellos aprendan nuestra lengua.

Más que nada, el aprendizaje de las lenguas indígenas fue impuesto por la situación real y concreta en que se encontraron los misioneros.

Así, pues, siguiendo las fronteras de su expansión geográfica, los franciscanos se especializan en el estudio del náhuatl y del tarasco, los dominicos deben aprender el mixteco, el zapoteca y el chontal, además del otomí y el pirinda. Los agustinos tendrán que dominar el náhuatl, el otomí, el tarasco, el huaxteco, el matlaltzinca, el totonaca, el mixteco, el tlapaneca y el ocuilteca. Sabemos que ya en 1540, el prior de San Pablito Pahuatlan (Sierra de Puebla) predicaba y confesaba en náhuatl, otomí y totonaco. Entre los misioneros se encuentran los nahuatlatos más distinguidos: fray Luis de Fuensalida, fray Francisco Jiménez, fray Alonso de Molina y fray Bernardino de Sahagún. Entre quienes alcanzaron un dominio absoluto del idioma tarasco tenemos a fray Pedro de Garovillas, fray Juan de San Miguel y fray Maturino Gilberti. Durante esta primera etapa de la conquista espiritual, los trabajos lingüísticos se complementan con la impresión de obras en lenguas aborígenes. Había que poner en manos de los evangelizadores libros que facilitaran su labor de enseñanza. Se publican por ello un buen número de obras (Ricard llegó a inventariar 109) divididas en dos categorías: las de Artes (gramáticas y vocabularios) y las de Doctrina (catecismos, traducciones del evangelio, de las epístolas, vidas de santos). La mayor parte de ellas se perdió para nosotros. García Icazbalceta en el siglo pasado encontró sólo 40. Alguna que otra, que corrió manuscrita, puede yacer entre el polvo de los archivos conventuales. Casi todas fueron quemadas por órdenes del Santo Oficio.

Los misioneros españoles estudian las lenguas indígenas y dejan la huella de su actividad en todos los terrenos. En el paisaje rural, por ejemplo. Los misioneros provocaron, al estudiar y dominar el náhuatl, una extensión del uso de esta lengua como segunda lengua de la dominación. Mucho de lo que no se traduce al español se traduce al náhuatl. Los nombres de los sitios, algunos cerros, valles o poblados serán nombrados en náhuatl... por los españoles. Con ese nombre llegarán a nosotros. De esa manera, el náhuatl acabó por predominar en lugares donde era únicamente la lengua franca en tiempos prehispánicos. En 1559 fray Rodrigo de la Cruz escribía lo siguiente: "A mí paréceme que V.M. debe mandar que todos aprendan la lengua mexicana porque no hay pueblo que no la sepan o aprendan sin trabajo. Es lengua elegantísima y entre nosotros hay frailes que la saben muy bien". El estudio de las lenguas indígenas abrió a los misioneros el mundo de una nueva cultura, su descubrimiento los llevaría a estudiarla. Por eso la labor de los misioneros del siglo xvi produjo lateralmente una serie de estudios que hoy se califican de etnográficos. Los misioneros españoles inventaron y desarrollaron toda una serie de métodos de encuesta y análisis —antes apenas utilizados en Occidente— que se perfeccionarían en forma paralela a la extensión de los imperios coloniales en los tiempos modernos. En el siglo xvi surgen, con el dominio colonial, los métodos de investigación que llegarán a formar el cuerpo de las disciplinas antropológicas. En este sentido, la labor de fray Bernardino de Sahagún fue ejemplar.

Bernardino de Riveira, de origen gallego o portugués, había nacido en el pueblo de Sahagún. Hizo sus estudios en Salamanca y llegó a México en 1529 con 19 frailes de la orden franciscana. Murió en 1590 sin haber vuelto a salir de México. Dedicó su vida en Nueva España a estudiar la historia y costumbres de los indígenas. Sahagún pensaba lo siguiente:

> El médico no puede acertadamente aplicar las medicinas al enfermo sin que primero conozca de qué humor o de qué causa procede la enfermedad... Los predicadores son médicos de las ánimas. Conviene que tenga experiencia de las enfermedades espirituales.

> Muchos otros pecados hay entre los indios además del hurto y la borrachera, muy más graves y que tienen necesidad de remedio. Para predicar contra estas cosas y aun para saber si las hay, menester es saber cómo las usaban en tiempo de su idolatría, que por falta de no saber esto en nuestra presencia hacen muchas cosas idolátricas sin que los entendamos...

Sahagún y sus hermanos de orden comprendían bien el problema que para la evangelización significaba el desconocimiento de las antiguas costumbres de los indígenas, de su significado cultural y social. Problema delicado como pocos. La religión de los indígenas incluía ciertas formas de culto, ceremonias y creencias que presentaban analogías con las practicadas por los cristianos. Huitzilopochtli fue concebido en Coatlicue virgen, existía un tipo de comunión (el comer la carne del sacrificado o la costumbre de tomar alimentos hechos de pasta, con la figura de Huitzilopochtli), había un lavatorio de recién nacidos muy semejante al bautismo de los cristianos, un tipo de confesión. Sin embargo, las semejanzas eran formales y las diferencias esenciales. La confesión, por ejemplo, tenía efectos de justicia temporal; por ello, los indios, luego de confesarse, solían pedir una cédula firmada para mostrarla a los justicias y probar que habían hecho penitencia. El paraíso de los indígenas no se alcanzaba por la manera como se hubiera vivido, sino por las circunstancias específicas en que los individuos morían. Estas semejanzas formales fueron explicadas por los misioneros. Vieron en ellas una especie de *parodias diabólicas* de las prácticas cristianas. Existían por consejos del demonio. El haber encontrado esas prácticas entre los indígenas resultó más un obstáculo para la evangelización que una ayuda. Había, pues, que romper radicalmente con ese pasado. El cristianismo no podía presentarse como un perfeccionamiento de las antiguas religiones, sino como algo fundamentalmente distinto. Pero todo aquello pudo saberse, y realizarse su destrucción, gracias a los estudios de los misioneros. Reflexión y acción. Utopía y realidad. El sueño de que renaciera en el nuevo mundo el cristianismo primitivo ya corrompido en occidente se materializó en los hospitales-pueblos de Vasco de Quiroga. En el de Santa Fe, encomendado a fray Alonso Borja, unos treinta mil indígenas llevaron una vida comunitaria y casi monacal resintiendo apenas las presiones de la violencia del mundo que los rodeaba.

El sueño de que los indígenas se incorporaran plenamente al mundo de occidente, con los mismos derechos, con la misma capacidad de acción y de creación, apenas se mantuvo vivo algunos años en el Colegio de Santa Cruz de Tlatelolco. Fundado en 1528, con el apoyo de fray Juan de Zumárraga y del virrey Antonio de Mendoza, en 1536 el colegio tenía 70 muchachos indígenas que estudiaban gramática y facultades, con la idea de que llegaran más tarde al sacerdocio. Muy pronto, en 1540, se dejó de apoyar al Colegio, y en 1555, cuando se prohibió ordenar a indios, mestizos y negros, Tlatelolco terminó por ser una escuela de barrio entre otras muchas. Antonio Valeriano, Alonso Vegerano, Pedro de Buenaventura, Diego Grado y Bonifacio Maximiliano, los brillantes alumnos de la primera generación del Colegio de Santa Cruz de Santiago Tlatelolco pasaron a la historia como la expresión de una posibilidad que no llegó a cumplirse. Porque esos misioneros que predicaban con el ejemplo, que lucharon contra "los españoles" amantes de oro y joyas, que vivieron como "pobrecitos" (Motolonia en náhuatl significa "pobrecito"), y en quienes los indígenas encontraron apoyo "porque andan pobres y descalzos como nosotros, comen lo que nosotros, asiéntanse entre nosotros, conversan entre nosotros mansamente", fueron sin quererlo el instrumento definitivo de la dominación. Dice Sahagún:

todo cesó por la venida de los españoles, y porque ellos derrocaron y echaron por tierra todas las costumbres y manera de regir que tenían estos naturales, y quisieron reducirlos a la manera de vivir de España, así en las cosas divinas como en las humanas, teniendo entendido que eran idolátricas y bárbaras, perdióse todo el regimiento que tenían. Necesario fue destruir todas las cosas idolátricas, y todos los edificios idolátricos, y aun las costumbres de la república que estaban mezcladas con ritos de idolatría y acompañadas de ceremonias idolátricas lo cual había casi en todas las costumbres que te-

nían en la república con que se regía, y por esta causa fue necesario
desbaratarlo todo y ponerles de otra manera de policía...

Al desarticular el equilibrio de un sistema de vida coherente,
estructurado, contribuyeron más profunda y radicalmente que los
conquistadores a destruir el mundo que quisieron defender.

La primera sociedad colonial

Cuando en 1523 Cortés recibe la orden real que prohíbe el establecimiento de encomiendas en Nueva España, cuenta con el poder efectivo para desafiar a la Corona y proteger la institución.
La encomienda le parece estratégicamente necesaria: sin ella no
habría alicientes materiales para la "conservación de la tierra".
La actitud de Cortés dibuja a grandes trazos la sociedad que trataron de imponer los conquistadores durante la primera mitad del
siglo XVI: una sociedad de "conquista" cuyo premio fuera la explotación sin límites de los dominados, aun contrariando las decisiones de la Corona. La sociedad de "conquista" nació de la lucha
militar. Sus primeras jerarquías se establecen precisamente en proporción a la participación y triunfos en empresas de conquista. Los
rasgos de militarismo de esa sociedad original no permitieron, como señala Gibson, que se definiera ningún límite al abuso de la
institución que la sustentaba: la encomienda. Nacida de modelos
peninsulares, durante el periodo antillano de la dominación, la
encomienda se convirtió en el principal medio de control privado
de las poblaciones indígenas. Más tarde, encuentra en México una
nueva definición al incorporar la institución prehispánica del tributo.

En principio legal, la encomienda se presentó como una institución benéfica para la cristianización de los indios. Se consigna-
ba un grupo de indígenas a un español —el encomendero—, quien
tenía derecho de recibir tributo y servicio de los indios a cambio
de doctrina y protección. De esta manera se trasladaba a los particulares el costo de la cristianización del indígena que no podía
cubrir íntegramente la Corona; pero, además, la encomienda tuvo
otros fines más concretos y específicos. Fue la forma de premiar a
los conquistadores por los servicios prestados a la Corona durante
la conquista. Al concederles encomiendas, se aseguraba el poblamiento —proporcionando la fuerza de trabajo que requerían sus

339

empresas económicas— y se consolidaba la dominación. La encomienda resultó un medio eficaz para controlar la organización social indígena. La recepción del tributo, por ejemplo, se calcó de la antigua estructura de dominio prehispánico. Las cabezas de encomienda se situaron en los sitios de antigua residencia de los *tlatoani*. Con ello, el encomendero se situó, simplemente, en el escaño más alto de la antigua pirámide social: era el señor de los señores indígenas y de sus súbditos indios.

Pero sobre todo, la encomienda resultó un mecanismo efectivo de control político del grupo español. Si en un principio se obtenía por el derecho de haber sido "uno de los primeros conquistadores", para conservarla importará menos esa condición original que la relación política que se mantuviera con cada uno de los grupos que ejercieron sucesivamente el poder en representación de la corona. Gonzalo de Salazar lo expresa claramente cuando aconseja a la Audiencia que no permita el repartimiento perpetuo de las encomiendas, puesto que si lo hacía,

> no serían tan señores, ni los tendrían en tanto acato los conquistadores, con decir que no les podían dar ni quitar más indios y de otra manera los tendrían siempre debajo de su mano y podrían dar y quitar a quien quisieren y serían muy ricos y poderosos.

La encomienda permitió el surgimiento de jerarquías sociales bien definidas dentro del grupo de conquistadores de Nueva España. La desigual distribución de encomiendas —por un mecanismo circular que beneficia a quienes ya habían sido beneficiados— define algunos de los diversos grupos que conforman la primera sociedad colonial novohispana.

En su estudio sobre *Los conquistadores y la primera sociedad colonial*, Víctor M. Álvarez logró establecer que de los 1 200 conquistadores residentes en Nueva España en 1540, sólo 362 (30.2%) disfrutaban de encomiendas. Las encomiendas se habían repartido considerando la "calidad" de las personas y los "servicios" prestados a la Corona durante la conquista, de tal manera que las mejores encomiendas se repartieron entre quienes, por tener una experiencia militar previa, jugaron un papel importante en la guerra de conquista y entre quienes hicieron aportes económicos considerables para sostener la empresa. Es decir, los grandes capitanes. Entre los 53 conquistadores que recibieron encomiendas que producían anualmente más de 1 800 pesos (4.4% del total de conquistadores) y que pueden considerarse como los beneficiarios de la conquista, se destaca un pequeño grupo de 18 conquistadores cuyas encomiendas producen más de 3 000 pesos anuales (1.5%). En este grupo encontramos a los grandes capitanes. A Cortés, con sus 27 000 vasallos (además de lo que significaban sus encomiendas de Texcoco, Chalco, Otumba y Coyoacán); a Pedro de Alvarado, que recibía tributos y servicios de sus 20 000 indios encomendados de Xochimilco; a algunos de los 30 encomenderos del Valle de México que recibían hacia 1530 el tributo de 180 000 indios.

Ese mismo grupo de grandes capitanes recibe el mayor número de mercedes de ventas, molinos y estancias, desempeña los más altos cargos públicos en la administración colonial (adelantados, gobernadores, procuradores) y al actuar como regidores de la ciudad de México se reparten entre sí los mejores solares urbanos. Es el grupo de conquistadores que llega a cumplir una función económica, acumulando capital, invirtiéndolo en nuevas empresas comerciales; que controla el abastecimiento de víveres de la ciudad y la recaudación de diezmos. Son Dávila, Cerezo, Jaramillo, Vázquez de Tapia, los hermanos Ávila. Este grupo supo, mejor que ninguno, aprovechar el papel que les deparaba su condición de dirigentes de una sociedad colonial. Son al mismo tiempo altos burócratas y empresarios privados. Por una parte representan a la Corona, por la otra, son sus informantes. Llegan a dirigir la acción de la Corona en beneficio de sus intereses particulares.

Un segundo grupo, los 78 conquistadores que reciben encomiendas que producen entre 850 y 1 800 pesos anuales (6 5%) está constituido precisamente por los "criados" y "allegados" de los grandes conquistadores, que aportaron menos a la empresa de conquista. Cuando mucho vinieron "a su costa" y nunca tuvieron un papel brillante en la lucha militar. Este grupo recibe como premio encomiendas "medianas", más bien solares y huertas que estancias o ventas, y se contenta con desempeñar cargos públicos menores: el escribano del cabildo, el alarife de la ciudad Alonso García Bravo. Como no pueden vivir de su encomienda, tienen que ocuparse en otras actividades: médicos, aserradores, arquitectos. Este grupo reconoce su dependencia directa de los grandes señores y sabe bien que carece de todo poder político, puesto que deriva sus beneficios de la relación de "clientela" que establece con los grandes encomenderos:

Algunos conquistadores quisieron enviar procuradores para recibir repartimientos —pero ninguno se atrevió— por ser gente menuda. Nació entre ellos una disensión. Unos querían que entrasen nuevamente a formar parte del grupo los conquistadores que tenían indios, para que de nuevo les diesen indios.

Un tercer grupo lo constituyen los 95 conquistadores que reciben encomiendas de 150 a 850 pesos anuales (7.9%). Son los que llegaron como "ballesteros" o "cabos de escuadra", que ni siquiera vinieron a su costa. Nunca desempeñaron cargos públicos importantes y se dedicaron a vivir como comerciantes menores, sastres y arrieros. El último grupo, los 19 conquistadores que reciben encomiendas menores de 150 pesos, no gozarán tampoco de otro tipo de mercedes. Lo forman propietarios de caballos o herramientas, pero no de tierras. Uno que otro desempeña cargos de alguacil o de teniente. Estos conquistadores se dedican a cualquier cosa: carniceros, carpinteros. Uno llega a ser portero del Cabildo. Otro, el trompeta Antón Moreno, se atreve a desafiar las amenazas de excomunión y se niega a tocar cuando llegan los inquisidores, porque no le pagaban anticipadamente "y no había de comer de aire". En este grupo están todos aquellos que, como Pedro de Aragón, vivían de sueldos de la caja real por no tener "nada tras qué parar". Muchos abandonarán el sitio de su primera conquista y se irán a probar suerte a Guatemala o Perú.

Los grupos acaban por hacerse, además, cerrados. Entre 1530 y 1550 todos los ascensos sociales se lograron por vía de dote o herencia. Esta situación hará, conforme pase el tiempo, que se refuercen los privilegios con lazos familiares. Ahí está el caso de Martín Dircio, uno de los llegados con Cortés. Recibe buenas encomiendas, obtiene mercedes de tierras, molinos y huertas; compra unas minas en Zumpango; luego, como uno de los hombres más ricos de su tiempo, recibe permiso de portar armas y llevar siempre consigo dos guardaespaldas. Se casa con la hermana del virrey de Mendoza —quien a su vez le extiende permisos para comprar más tierras cerca de sus minas— y casa a una de sus hijas con el hijo del virrey Velasco.

Definidos los grupos sociales que conforman la sociedad de la conquista, resulta interesante comprobar que todas las demandas políticas planteadas por los "conquistadores" durante buena parte del siglo XVI benefician a una minoría. Resulta así que el "interés general de los conquistadores" era, en realidad, una ficción política creada por el pequeño grupo de grandes encomenderos. El que hasta hace poco se creyera que "los conquistadores" formaban un solo grupo, se debió a que así convenía a los intereses de los grandes conquistadores-encomenderos. La demanda de goce a perpetuidad de las encomiendas fue apoyada por todos los conquistadores, pero en realidad beneficiaba a unos cuantos. Las diferencias de intereses entre el grupo de conquistadores se expresa violentamente a partir del viaje de Cortés a las Hibueras. Entonces, las luchas entre los grupos de Estrada y Albornoz, o de la primera Audiencia encabezada por Nuño de Guzmán, acarrean una serie de despojos de encomiendas, juicios y destierros —como el del propio Cortés— que afecta fundamentalmente al grupo de los grandes encomenderos. Durante los años violentos de consolidación de la sociedad de conquista se levantará en armas Jorge de Alvarado, haciéndose fuerte en el convento de San Francisco, para defender los intereses del grupo de Cortés. Esa serie de enfrentamientos violentos, esa etapa de "anarquía", que impidió el predominio político de alguno de los grupos de conquistadores, permitió a la Corona controlar definitivamente a esa sociedad incipiente de señores indianos.

La esclavitud de los indios

La complejidad del estudio de esa primera sociedad colonial se hace mayor cuando se intenta englobar en una unidad social a los grupos de españoles-conquistadores y a la sociedad indígena dominada. La primera relación entre ambos mundos se establece por medio de la encomienda; pero durante los primeros años de esa sociedad colonial, esta institución no se encuentra aún bien definida. En un principio la distinción legal entre encomienda y esclavitud no fue respetada. Las instrucciones que envió la Corona a Cortés en 1523 justificaban *a posteriori* la esclavitud de los prisioneros de guerra. Una real Cédula de 1522, conocida en México hasta 1524, permitía, además, la compra o trueque, "el rescate", de los esclavos indios. La esclavitud, aunque basada en fundamentos diversos a la de derecho romano, fue conocida en el mundo prehispánico y los españoles pudieron adquirir, con licencia y sin limitaciones, esclavos "de aquellos que los indios consideraban como tales". En las listas de tributos que debían cubrir algunos pueblos figuraron esclavos indios por lo menos hasta 1530. Cortés recibió de sus pueblos de la zona de Toluca 60 esclavos indios en 1529. Nuño de Guzmán se hizo conceder —durante la primera Audiencia presidida por él mismo— 300 esclavos indios de Huexotzingo en dos años. Las licencias de rescate se prestaron a numerosos excesos. Difícilmente se podía impedir a un particular herrar indios libres como esclavos y luego venderlos, si tal era la práctica seguida por Cortés en Coyoacán.

Entre enero de 1521 y mayo de 1522, los esclavos capturados en las provincias de Texcoco y México produjeron 26 986 pesos. J. P. Berthe ha estimado que si el valor de cada cabeza era entonces de 2 pesos, en ese lapso de tiempo se redujeron 13 500 indios a la esclavitud.

Bartolomé de las Casas denunció la existencia de 3 millones de indios esclavos en Nueva España y Centroamérica. Por su parte, Motolinia sostuvo siempre que no llegaban a 200 000 los indios reducidos a la esclavitud en Nueva España. Las informaciones estadísticas tampoco permiten conocer mejor el problema, pues los registros oficiales de cautivos de guerra que pagaban el quinto a la corona eran eludidos fácilmente. Sobre la base de esa información oficial, los esclavos indios procedentes de México, Pánuco, Tututepec, Zacatlán y Coatzacoalcos fueron los siguientes: 1524: 3 025; 1527: 225; 1528: 2 655; 1520: 2 155.

No se conoce, pues, la magnitud del problema, aunque se puede asegurar que la saca de esclavos afectó de manera muy diferente a algunas regiones. En Pánuco —una zona sin minas ni agricultura— Nuño de Guzmán desarrolló ese tráfico lucrativo en su provecho, y en un año solamente llegó a enviar 10 000 indios esclavos a las Antillas para cambiarlos por mercancías y ganados. La relación de cambio en esa zona llegó a ser de 100 a 15 esclavos indios por cada caballo. Gonzalo López redujo a la esclavitud unos 3 000 indios de los pueblos de Zacualpa y Ahuacatlán —por cada indio capturado morían muchos— y luego los vendió en las minas. Entre 1521 y 1535, la época de oro de la esclavitud, las crónicas hablan de "rebaños de esclavos".

La esclavitud afectó a la población masculina joven. La rudeza de los trabajos exigidos, los desplazamientos obligados de un clima a otro y a enormes distancias, trajeron como resultado que esos jóvenes murieran pronto. En 1540, en las minas de Sultepec (estado de México), de los 50 indios esclavos empleados, 17 eran originarios de Guatemala; en 1549, los 115 indios esclavos de las minas de Taxco provenían de Guatemala, Oaxaca, Colima, Pánuco, Zacatlán, Tlaxcala, Cholula y México.

La primera sociedad colonial aceptó abiertamente la esclavitud indígena. Como actividad económica, el rescate de indios resultaba muy lucrativo. La primera explotación de metales —en lavaderos de oro o minas de plata— descansó sobre esta particular mano de obra, al grado de que el volumen de la producción aumenta o disminuye en razón directa a la existencia de esclavos en las minas. Las plantaciones de caña de azúcar propiedad de Cortés ocuparon el trabajo de 193 esclavos indios y 130 esclavos negros. Hubo propietarios de esclavos indios entre todos los grupos de esa primera sociedad colonial: los funcionarios reales, los nobles indígenas, encomenderos y mercaderes. El arzobispo Zumárraga o el buen Bartolomé de las Casas tuvieron esclavos indios. Tan sencillo era hacerse de esclavos indios que hubo incluso esclavos propietarios de esclavos. Hasta que el Cabildo de la Ciudad de México, intentando poner un orden jerárquico a esa sociedad en formación, ordenó "que los que fueran esclavos de otra persona no pudieran poseer esclavos por sí".

Durante la primera sociedad colonial, los esclavos indios parecieron un recurso inagotable y se usó de ellos sin ningún límite. La disminución de la población acarrea tras sí un aumento proporcional de los precios de cada "pieza". Cuando a mediados de siglo Bartolomé de Medina ensayó un nuevo procedimiento (amalgama) para separar la plata con mercurio, la técnica pudo sustituir la exigencia de mano de obra y el fin de la esclavitud indígena —por la disminución de la población— corrió entonces paralelo con un aumento en la producción de metales.

Por todo lo anterior, la abolición de la esclavitud indígena decretada en 1548 se aceptó casi sin resistencias en una sociedad que había encontrado formas para suplirla. El virrey Luis de Velasco hace referencia a este problema en 1554:

> Las rentas reales y particulares han bajado en cantidad y vendrán a menos a causa de libertarse los indios que eran tenidos por esclavos y haberse quitado los servicios personales.

Entre 1551 y 1561 fueron liberados 3 205 esclavos indios, y todos permanecieron como "asalariados" acasillados en las propiedades de sus antiguos amos. Los historiadores han encontrado ejemplos de contratos o "conciertos" por medio de los cuales quedaba establecido que los indios libertos se obligaban a servir a sus antiguos dueños "tal y como lo han hecho hasta ahora", a cambio de una retribución en dinero y una ración de maíz. La esclavitud indígena como institución jurídica desapareció. Modalidades nuevas como el endeudamiento de libres y la fijación de los trabajadores la sustituyeron. La esclavitud, como institución, afectaría solamente a los negros.

Así, pues, la primera sociedad colonial se sustentó en la explotación —asegurada por la esclavitud y la encomienda— de una mano de obra indígena entonces abundante. La historia gráfica de los abusos de un encomendero (Salazar, en Tepetlaoztoc) se puede reconstruir en las láminas del códice Kingsborough. Sobre esos indios de encomienda descansó la consolidación de las empresas

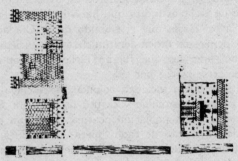

Parte de la plaza mayor de México hacia 1560

de conquista. Los jefes de las expediciones de conquista encontraron en la encomienda una fuente de reserva de hombres para sostener sus ejércitos. Pedro de Alvarado, por ejemplo, reunió "miles" de indígenas de su encomienda (Xochimilco) para llevarlos consigo a las conquistas de Pánuco y Guatemala. Sobre esos indios de encomienda descansó la construcción de todas aquellas ciudades que cubrieron rápidamente el interior del territorio. La ciudad de México —que originalmente se pensara abandonar— comenzó a ser reconstruida en mayo de 1522. "De tal manera —escribió Cortés— que como antes fue principal y señora de todas estas provincias, lo será también de aquí adelante."

Los conquistadores (Cortés, Ávila, Montejo, Jaramillo, Castañeda) compitieron con los primeros comerciantes (Tejeda) o doctores (López) que llegaban a establecerse en Nueva España, en la construcción de grandes casas "a toda costa". Construcciones urbanas que realizaron el sueño de ascenso social de los antiguos soldados, ahora señores de las Indias. Casas que se hicieron para "pregonar la grandeza del ánimo excelso" de sus dueños, cuya estructura física debía "correr parejas" con la "nobleza" adquirida por sus moradores. En la ciudad de México se levantaron casas que, como dice Alfaro a Zuazo en el segundo *Diálogo latino* de Cervantes de Salazar, no eran casas, sino fortalezas; se construyó un palacio de gobierno que no era palacio, sino "otra ciudad"; se trazó una plaza mayor tan amplia, que "podría caber en ella un ejército entero". Todo se construyó usando piedra la-

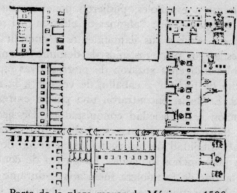

Parte de la plaza mayor de México en 1596

brada (y no "materia vil" como el ladrillo). Sobre cada puerta se colocó el escudo de armas de los dueños. Todo eso se hizo, todo eso hicieron los indios de encomienda. Pero además de construir las ciudades, los indios de encomienda las sustentaban por medio del tributo. Entre 1521 y 1529 el tributo fue determinado libremente —como botín de guerra— por el encomendero y pudo incluir cualquier tipo de servicio personal o cualquier especie (metales, cereales, textiles, aves de corral, combustibles) que llegaban conducidas a espaldas de indios hasta la ciudad, residencia preferida del encomendero. Apenas en 1529 se comienza a hablar de que el tributo debía hacerse según las posibilidades y produccio-

347

nes de los pueblos; hasta 1536, el virrey de Mendoza establecerá las primeras normas y matrículas para una tasación justa.

La nueva estructura social indígena

La relación entre los españoles y los indios por intermedio de la encomienda acabará por transformar la estructura social del mundo indígena. En cierto sentido la colonización produjo una compresión de las jerarquías sociales indígenas. Desde el punto de vista de la sociedad colonial, la sociedad indígena se uniformó en un solo nivel: los tributarios. Sin embargo, los primeros españoles reconocieron siempre la existencia de ciertos grupos de indígenas principales. Todavía en 1527 los indios de Huexotzingo, que arrendaban sus tierras a españoles, pudieron poner condiciones jerárquicas a los conquistadores: "algunas de ellas de mal sonido, como son que han de venir a sus llamamientos y cumplir sus mandamientos". Desde esos primeros años de dominio colonial los principales y nobles indígenas gozaron de prerrogativas especiales: tuvieron derecho de montar a caballo, de vestirse a la española, de portar armas. Es decir, encontraron una puerta entreabierta para su incorporación a la sociedad conquistadora. De hecho, a finales de siglo todos esos indígenas se habían hispanizado definitivamente. La posibilidad de incorporación al grupo dominante fue aprovechada por muchos indígenas. La guerra de conquista había destruido a la flor de la nobleza mexicana —durante la Matanza del Templo Mayor murieron los jóvenes herederos de los principales linajes. Lo que quedó de esa nobleza resintió en toda su dramaticidad la crisis que siguió a la conquista. Para esos antiguos nobles sólo había dos caminos. Unos optaron por el mantenimiento de una autoridad tradicional, por la conservación de su calidad de nobles indígenas entre los indios —todavía algunos pueblos del valle de Toluca conservan la memoria de su fundación por nobles mexicanos que buscaron tierras de refugio luego de la caída de México—, pero por eso mismo perdieron toda autoridad dentro de la sociedad colonial. Otros prefieren el camino opuesto. Colaboraron con los conquistadores y mantuvieron posiciones de autoridad, pero su paulatina hispanización los hizo dejar de pertenecer al grupo indígena.

El camino de la colaboración fue aprovechado mejor por al-

348

gunos antiguos macehuales que entendieron bien la coyuntura que les ofrecía la conquista para ascender socialmente. La conquista les abrió la posibilidad de suplantar al grupo dominante. Cuando esos antiguos macehuales vieron que los españoles concedían prerrogativas a los indios principales, procuraron apropiarse, usurpar una calidad que nunca tuvieron antes de la conquista. Si la calidad de principales no la tenían frente a los indígenas, era bastante fácil tenerla frente a los españoles. Por ello, muchos indígenas buscaron ganarse los favores de su encomendero español y saltar a posiciones de dominio; fueron nombrados gobernadores de indios o caciques gracias a la intervención de algún español influyente. La sociedad indígena sufriría una recomposición radical. El cambio de *status* fue un fenómeno cotidiano. Algunos españoles de la época notaron bien ese movimiento de recomposición. A sus ojos, los "principales" coloniales, de nueva ola, de nuevo cuño, eran tan numerosos como nunca lo fueron los principales prehispánicos. Durante los primeros años de la dominación nacerá una nueva estratificación social en el mundo indígena. Surgieron, a la sombra del equilibrio colonial, numerosos funcionarios indígenas que poco a poco se aseguraron posiciones de dominio, independientemente de su situación estamental prehispánica. Los gobernadores de indios, los recaudadores de tributos, los auxiliares de repartidores de la mano de obra, los mayordomos de las nuevas festividades religiosas, todos acabarán por situarse entre los grupos indígenas más hispanizados, bilingües necesariamente, intermediarios entre la sociedad española y el mundo indígena. Pero se quedarán como intermediarios. Una vez hispanizados, las posibilidades de ascenso social eran muy pocas. Sin embargo, no por ello algunos de esos indios dejaron de convertirse en individuos ricos, mucho más ricos que muchos españoles: el cacique de Tecama, por ejemplo, llegó a poseer 3 000 cabezas de ganado menor. Entre estos indios se encuentran los que recibieron *encomiendas* de indios durante los primeros años de la colonia. Pero todas esas encomiendas de indios son ya encomiendas de mestizos al mediar el siglo.

La explosión de esos cambios sociales durante los primeros años de la dominación no llegó a destruir algunas estructuras profundas de la sociedad rural prehispánica. Las relaciones internas de la comunidad lograron sobrevivir hasta ser reconocidas por la sociedad colonial. Como lograron sobrevivir los grupos indígenas subor-

349

dinados, que soportan invasiones sucesivas de dominio sin cambiar, como los otomíes y tantos otros grupos que ejemplifican esa "conservación por deficiencia", según la expresión de Gibson, que nos es tan familiar.

Nueva España a mediados del siglo

La primera sociedad colonial sufrió cambios fundamentales al mediar el siglo. En primer lugar, la pérdida de población indígena. Todas las fuentes del siglo xvi coinciden en señalar que descendió violentamente por el contacto hispano-indígena. Algunos investigadores, al querer medir las dimensiones de esa pérdida, han estimado cuál era la población indígena que habitaba tierras americanas antes de la llegada de los españoles. Se cuenta con una serie de estimaciones que resultan, al fin, contradictorias. Por una parte Paul Rivet (1930) y Rosenblath (1954) defendieron la proposición de que existía una baja densidad de población en América prehispánica y que, por lo mismo, entre 1492 y 1650 la población indígena se redujo tan sólo de 13 a 10 millones. Por otra parte, la corriente iniciada por Dobyns alrededor de los años 30, afirma que la población indígena americana, de unos 90 a 112 millones antes de la llegada de los españoles, se redujo a 4 500 000 (para toda América) a mediados del siglo xvi. Más mesurados, aunque dentro de esa misma corriente, S. F. Cook y W. Borah proponen, únicamente para el México central, las cifras siguientes: 1519: 25.3 millones; 1523: 16.8; 1548: 2.6; 1595: 1.3; 1605: 1.0 millones.

Esas enormes diferencias, que se explican por los métodos y fuentes utilizadas, se emparentan con aquellas diferencias que separaron ya, desde el siglo xvi, las posiciones de fray Bartolomé de las Casas a las de Motolinía sobre el tratamiento de los indios. La pregunta inicial obedece más a preocupaciones ideológicas que demográficas, es decir: a mayor número de indígenas antes de la conquista correspondería un descenso mayor de la población, una mayor destrucción de los indios y una mayor crueldad de los conquistadores.

Se mantiene por ello viva en nuestros días la polémica en torno a la leyenda negra inaugurada por fray Bartolomé de las Casas en el siglo xvi.

La realidad es, con todo, que durante el siglo XVI se registró en América la mayor crisis demográfica de la historia moderna. Tanto, que la población americana no pudo recuperarse —y alcanzar las estimaciones de su nivel prehispánico— hasta la segunda mitad del siglo XVIII. ¿Cómo, pues, explicar una caída de tales proporciones? La llegada de los europeos rompió el equilibrio ecológico del mundo americano. Se introdujeron enfermedades desconocidas entre los indígenas —ya se mencionó el efecto de la epidemia de viruela que diezmó a la ciudad de México—; las crónicas del siglo XVI revelan la sucesión, con frecuencia decenal, de terribles epidemias y pestes, "cocolixtli" y "matlazáhuatl" que atacaron a los indígenas sin reservas. Pero se rompió también el equilibrio prehispánico de la producción de alimentos. La mano de obra indígena —la población masculina joven afectada por el sistema de repartimientos— fue desplazada masivamente de la agricultura a otras actividades (explotaciones mineras, construcciones urbanas). Se redujeron las superficies cultivadas y cualquier mala cosecha tomó proporciones de catástrofe. De la misma manera, la introducción de la ganadería española tuvo su contrapartida en la destrucción de la agricultura indígena. Durante el siglo XVI el ciclo escasez-epidemia-mortandad marcará, como calendario recurrente, la vida que llevaron los indígenas en la Nueva España.

La política de congregación de pueblos favorecida por los misioneros y colonizadores —puesto que es más fácil evangelizar y controlar tributos en un pueblo congregado que en caseríos dispersos—, también tuvo su parte en ese desequilibrio. Así como la escasez de cereales afectaba más a los indígenas concentrados en pueblos y en ciudades que a quienes vivían sobre la misma tierra de cultivo. Sauer ha mostrado cómo las epidemias —aunque preceden a la llegada de los españoles a la zona de Sinaloa— no causaron impactos demográficos violentos hasta que los indígenas fueron congregados en pueblos. Debemos sumar a todo ello los efectos sicológicos del desarraigo producido por esa misma política de congregaciones:

> porque estos indios son imaginativos y al verse desarraigados se van a los montes y se mueren de puro pesar y tristeza.

Epidemias, escaseces, trabajo forzado, todos podrían parecer fenómenos conocidos en tiempos prehispánicos y no ser suficientes para explicar una crisis demográfica de las proporciones señaladas. Y es que además de esos desequilibrios se registró en América durante el siglo XVI un fenómeno de "desgane vital" que no parece haber tenido paralelo en la historia. La conquista rompió un mundo, un sistema coherente de creencias, costumbres, actividades, e intentó establecer otro distinto. Dentro de ese nuevo sistema, los indígenas quedaron en una posición de desamparo total, sin compensaciones sociales que justificaran su papel dentro del conjunto de la sociedad.

Desde esa perspectiva es comprensible cómo la huida y la embriaguez fueron recursos importantes para eludir la violencia del nuevo sistema:

> Esta gente común en todas las indias —escribió Zorita— se va dismiyendo y acabando... dejan perdidas sus casillas y haciendillas, andan vagando en los montes... y algunos se han ahorcado de desesperados por la gran aflicción que tenían con los tributos.

En la *Crónica de N.P.S. Agustín en las provincias de Nueva España* (1533-1592) se mencionan casos de infanticidio y se relata cómo un "brujo" indujo a una multitud de indios a suicidarse colectivamente en Michoacán. Zorita informa cómo los indios mixes y chontales se rehusaron a procrear por varios años. En Colima, durante la visita de Lebrón de Quiñones, se averiguó que varias tribus indígenas tenían órdenes de interrumpir cualquier concepción para acabar con sus miembros en una generación. Así, el aborto sistemático, la abstinencia conyugal, el suicidio colectivo, todos revelan un desgane vital. En las Antillas ya se conocían los efectos de ese fenómeno: la población indígena se destruyó totalmente, como escribían entonces los frailes:

> Los cristianos han desterrado de estas pobres gentes la natural generación.

La disminución de la población indígena afectó, pues, en sus fundamentos al sistema propuesto durante la primera sociedad colonial, basado en la explotación ilimitada del trabajo de los indígenas.

El medio siglo está marcado además por la entronización de Felipe II como rey de España. Sus antecesores, la reina doña Juana y Carlos V, habían seguido una política general "abierta" con respecto a las colonias y otorgaron recompensas considerables a los primeros conquistadores (ya nos referimos a los 27 000 vasallos del señorío de Cortés). Felipe II inaugura, en cambio, una política de creciente centralización de los poderes y beneficios en manos de la corona y se opone abiertamente a las aspiraciones señoriales de los conquistadores. Al mediar el siglo, la convergencia de esos dos procesos —la disminución de la población indígena y la centralización creciente del poder en la corona— se expresa claramente en la historia institucional de la encomienda y del tributo. En 1542, con las Leyes Nuevas, se redujeron las encomiendas excesivas y se concentraron en "la Corona" las encomiendas otorgadas por razón "del oficio que desempeñará el encomendero". Con ello se rompió una práctica arraigada en la burocracia indiana: la de dotar a los oficios públicos (regidores, gobernadores) con *servicio* de indios en lugar de salario. Las Leyes Nuevas prohibieron el establecimiento de nuevas encomiendas y lo que fue más importante aún, limitaron la vida de la institución a una generación: al morir el encomendero, los indios pasarían a la Corona, sin derecho de herencia o sucesión. El primer golpe asestado a las aspiraciones señoriales de los conquistadores estaba dado.

Por ello es comprensible la violenta reacción contra las Leyes Nuevas que se desata en América. En Nueva España hubo un conato de rebelión —que no llegó a alcanzar las proporciones del levantamiento del Perú— seguido de una rápida contracción de la economía:

> la tierra está alterada y triste y no parece dinero a cuya causa las contrataciones se han parado. Cada uno guarda lo que tiene y no vende cosa, ni hay quien dé por ellas un real... dicen que se irán en estos navíos más de 600 personas con sus mujeres e hijos.

Las Leyes Nuevas fueron revocadas en 1545. Sin embargo, el proceso centralizador se había iniciado: el encomendero dejó de tener ingerencia en el establecimiento del tributo, y la tasación pasó a ser responsabilidad de los oficiales reales.

Poco a poco se irían incorporando a la Corona las encomiendas vacantes.

Entre 1549 y 1550 se prohíbe el servicio personal por vía de tributo. Los tributos se redujeron entonces a una sola tasación, acumulando las cargas antes percibidas por el encomendero, el cacique indio, los gobernadores, alcaldes, justicias, clérigos, religiosos, monasterios e iglesias. Además, esa nueva tasación tomó como base la población existente en los pueblos de indios, borrando el peso de todas aquellas "almas muertas" que los agobiaban. Surgió en la legislación un sentido de "protección" al indio antes imperceptible: el tributo ya no se "cobraba", simplemente se "so-

Página del *Códice Osuna* sobre el servicio de hierba debida al virrey

licitaba su pago"; los tributos debían pagarse en el pueblo mismo y correr por cuenta del encomendero cualquier transporte; se prohibió la tributación de "menudencias" (leña, carbón, yerba) vitales otrora para la casa del encomendero-señor.

Así, una a una se afectaron las bases del sistema ideado por los encomenderos. Al mediar el siglo encontraremos, por lo mismo, diversas manifestaciones de oposición contra esos cambios. La última sería la conjuración de Martín Cortés de 1565. Los expedientes del juicio contra los conjurados reiteran, como la acusación más grave contra Martín Cortés y sus compañeros, la de que éste mantenía la costumbre de "sacar el pendón" (expresión clara de ciertas aspiraciones señoriales), cuando no tenía derecho a hacerlo, siendo, como era, "súbdito real", y que los demás, por supuesto, lo seguían. Pero en éste, como en otros casos semejantes, la importancia de un movimiento no son las acusaciones, sino la magnitud de la represión. Así, el que las autoridades novohispanas actuaran violentamente condenando a muerte, en la plaza mayor de México, a dos de los principales inculpados —los hermanos Alonso y Gil González de Ávila, quizás los hombres más ricos de la colonia en su tiempo—, que desterraran al hijo bastardo de Cortés, hermano del Marqués del Valle, que secuestraran los bienes del marquesado, todo habla de la importancia que se concedió entonces a la conjuración y de la fuerza de los intereses en pugna.

Siguiendo el esquema centralizador de la metrópoli, al mediar el siglo se afirma en las colonias la autoridad del virrey como representante de la persona del rey. El virrey era el jefe militar, capitán general de todos los territorios, el jefe político y la suprema autoridad administrativa. Era la más alta autoridad judicial como presidente de la Audiencia y compartía la máxima autoridad eclesiástica como Vicepatrono de la Iglesia.

El mismo esquema de concentración política se encuentra al descender la escala administrativa. El virrey nombraba a los gobernadores de las provincias, y en los distritos más pequeños a los corregidores y alcaldes mayores, quienes, como jueces, dependían también de la Audiencia. Esos funcionarios menores actuarían como intermediarios entre las autoridades españolas y los indígenas y llegarían a desempeñar un papel importante en el control político y económico al encargarse del cobro de los tributos. Esa misma función de intermediarios hizo que se corrompieran muy pronto. Al mediar el siglo no son ya los particulares (encomenderos), sino esos funcionarios menores, representantes del virrey, el principal azote de los indios. Esto no significa, claro, que haya cambiado de manos el poder: ya veremos a la mayoría de los antiguos encomenderos transformados en corregidores o alcaldes mayores al correr de los años. Durante la segunda mitad del siglo xvi los procedimientos de control del poder central se irán profundizando. No es ajeno a ese proceso el que la Corona española comience a entrar en su largo ciclo de dificultades financieras. Se necesitaba obtener el máximo beneficio de las colonias. Para ello se aplicó una serie de medidas impositivas —las Alcabalas se instauran en 1571— que permitían afirmar el control sobre las actividades de la colonia en beneficio de la metrópoli.

El medio siglo marca también un cambio en la dirección y sentido de la evangelización. Mientras la primera generación de evangelizadores actuó con mayores libertades, el medio siglo estará marcado por una pérdida de la importancia evangelizadora de las órdenes mendicantes y por una afirmación de la autoridad de los obispos. Si en algún tiempo se procuró la enseñanza de las lenguas indígenas a los españoles, una carta fechada en 1550 dirigida a los provinciales dominicos y agustinos marca el inicio de la tendencia opuesta: la hispanización de los indígenas.

La reacción de los frailes a ese cambio de política fue importante porque, a largo plazo, acarreaba la pérdida de su influencia. Los frailes buscaron originalmente mantener al indígena alejado de tratos con los europeos, y en ese sentido la diferencia de lenguas era una muralla saludable. La hispanización de los indios limitaba las funciones de los frailes como mediadores entre el indígena y los funcionarios civiles, entre la República de Indios y la República de Españoles. De ahí su oposición repetida a "que esas gentes sean enseñadas en castellano y que tomen nuestra policía y costumbres". La historia de la obra de fray Bernardino de Sahagún ilustra bien ese cambio de posiciones que se manifiesta al doblar el siglo. Sahagún concluyó su *Historia general de las cosas de Nueva España* en 1569. Había trabajado en ella más de diez años, primero en Tepeapulco, luego en Tlatelolco y más tarde en el convento de San Francisco en México, con la ayuda de sus informantes indígenas. Los 12 libros estaban listos para publicarse, pero los miembros del Capítulo de 1570 se opusieron, alegando que una obra de tales proporciones era contraria al espíritu de pobreza franciscana. Un resumen del manuscrito llegó al Consejo de Indias y Juan de Ovando, su presidente, se interesó por la obra. En México, el hecho de haber permitido la salida del manuscrito se tomó como un acto de insubordinación del fraile y en castigo se decomisaron y esparcieron sus papeles. Sahagún pudo volver a ver reunida su obra en 1573, cuando resultó electo provincial de la orden fray Miguel de Navarro, su protector. Pero los tiempos eran adversos al trabajo que realizaba el fraile y el 22 de abril de 1577, una cédula de Felipe II ordenaría la confiscación definitiva de los papeles:

> y estaréis advertido de no consentir que por ninguna manera persona alguna escriba cosa que toquen a supersticiones y manera de vivir de estos indios en ninguna lengua.

Los manuscritos de Sahagún se enviaron a España y se perdió la memoria de la obra durante dos siglos. En 1777 —coincidiendo con el nuevo interés despertado por las antigüedades americanas se redescubrió el manuscrito.

El proceso es comprensible. Cuando se reunió en México, en 1565, el Segundo Concilio Mexicano, se trasladó a Nueva España el espíritu del Concilio de Trento. Aunque no pasaron a estas tierras movimientos heterodoxos importantes y se las consideraba "de escasa peligrosidad", se extremó la vigilancia y se prohibió el estudio y transmisión de cualquier idea que no fuera católica.

Fray Alonso Cabello, el importante erasmista novohispano, fue perseguido violentamente. Las ideas del iluminismo o del protestantismo no corrieron por el Nuevo Mundo, pero se persiguió sistemáticamente a los judíos conversos. En 1571 se estableció el Tribunal del Santo Oficio, o sea la Inquisición, y para reafirmar definitivamente esta tendencia, en 1572 desembarcaron en Nueva España los primeros soldados de la contrarreforma: los jesuitas.

La importancia del medio siglo en el establecimiento definitivo de la sociedad colonial es, pues, muy grande. Coincidirá también cronológicamente el descubrimiento de las minas de Zacatecas y el vuelco definitivo de la ocupación del territorio hacia las tierras abiertas de la frontera norte.

Diferencias regionales de la sociedad colonial

La segunda mitad del siglo XVI verá nacer una nueva sociedad colonial en el altiplano. Entonces ya no serán los conquistadores encomenderos o sus hijos quienes ocupen los escaños más altos de la escala social. Surgirá una nueva élite con los burócratas: los españoles enviados a ocupar cargos públicos; funcionarios que serán cuidadosamente transferidos a otros virreinatos al término de su mandato para evitar que echen raíces en las nuevas tierras. A lo largo de la segunda mitad del siglo las encomiendas más lucrativas dejaron de estar en manos de particulares. En 1570, tres cuartas partes de los ingresos totales por encomiendas en el Valle de México, habían pasado definitivamente a manos de la Corona. Durante esa segunda mitad del siglo comienza a aparecer un nuevo tipo de encomienda al transformarse en una especie de renta fija vitalicia, concedida sobre cantidades fijas sacadas de los tributos de áreas determinadas. El encomendero del tardío siglo XVI en el Valle de México ya no tendrá la relación personal con los indios que conocieran sus antecesores. No volverán a verse aquellas escenas de los primeros años, cuando el encomendero vigilaba personalmente la marca a fuego de sus indios o cuando movía pueblos enteros para lanzarse à una conquista. La relación del indígena con la sociedad española comienza a dejar de ser directa. Surgen numerosos tipos de "intermediarios". Después del medio siglo el lugar del antiguo encomendero lo tomarán el corregidor, el alcalde mayor, "encomenderos sustitutos" a la vez que representantes del poder político central. Los corregidores eran funcionarios asalariados, pero su salario dependía de la recaudación de los tributos locales. Por ello mismo siempre encontraron la manera de justificar "derramas" (impuestos especiales) para cubrir sus gastos personales imprevistos. Los corregidores mantuvieron, además, el privilegio de recibir cotidianamente alimentos, forraje y combustible gratuitos de los indios de su corregimiento.

Los corregidores, desde los últimos años del siglo XVI en adelante, van a aprovechar bien su situación de intermediarios entre el mundo indígena y el mundo español. Esa situación particular les permitirá especular libremente con los dos mundos. Especulan con mercancías de la tierra, dominando efectivamente el acarreo de bienes —granos y otros tributos— a las ciudades. Especulan con mercancías de España, comprando lotes baratos y haciendo luego

358

una "distribución" o venta forzosa entre los indios a precios alzados. Se convierten poco a poco en los habilitadores de la agricultura más pobre de la colonia. Dan por adelantado al indígena el grano para la siembra a cambio de recibir íntegra la cosecha. A través del control ejercido por los corregidores llegarán a manos de los indígenas los instrumentos de la agricultura española: las mulas, los arados. De esa misma manera los bienes suntuarios se cobrarán por la fuerza: no es única aquella anécdota que recogió Gibson, relatada por un visitador, quien dijo haber visto a un indio que tenía en su casa veinte pares de zapatos sin usar, comprados por distribución forzosa al corregidor de su pueblo. Durante la segunda mitad del siglo XVI la fisonomía de las ciudades también cambió, como cambiaron los detentadores del poder político. No se construyeron más casas-fortalezas que recordaran la sociedad militar impuesta por los conquistadores: las ciudades empezaron a llenarse de burócratas. Alfaro pregunta a Zuazo (1554) en el *Diálogo* de Cervantes de Salazar: "¿qué son aquellas gentes que en tanto número se juntan en los corredores de palacio, y que a veces andan despacio, a veces aprisa, ora se paran, luego corren, tan pronto gritan?", y la respuesta es clara: "son los litigantes, agentes de negocios, procuradores, escribanos y demás". Los nuevos poderosos.

Hay grandes diferencias entre la sociedad estructurada y jerarquizada que se afirma en el altiplano con otras sociedades que se gestan en esa época en diversas regiones de Nueva España. Alrededor de los reales mineros, por ejemplo. La sociedad que surge lleva impresa la marca azarosa de la explotación minera. Nuevas ciudades y poblaciones surgieron en sitios determinados por la existencia de minas, independientemente de si había cerca o no poblaciones indígenas proveedoras de mano de obra. Las principales ciudades mineras se localizaron precisamente más allá de la frontera mesoamericana de población indígena y la mano de obra de esos reales mineros tuvo que importarse. Llegaron a los reales recién descubiertos cuadrillas de indios para turnarse en los trabajos de la explotación minera. Esos indios trasladados tuvieron los más diversos orígenes: mexicanos, tlaxcalteca, tarascos. Se vieron obligados a convivir, y muchas veces esa convivencia no pudo ser pacífica.

Otras, la mano de obra que requería la explotación minera se concentró en los Reales de manera espontánea, atraída por el es-

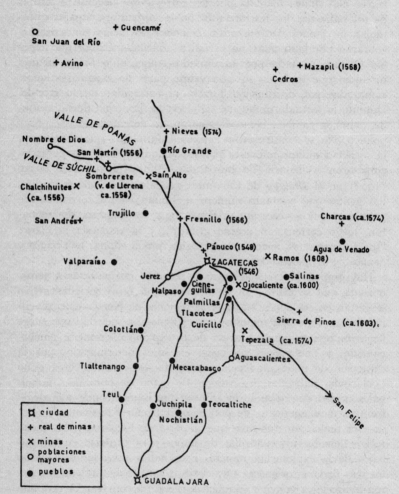

Pueblos y caminos en la región de Zacatecas y Guadalajara, con fechas del descubrimiento de minas

pejismo de la relativa posibilidad de obtener mejores salarios. En los centros mineros, un indígena *hispanizado* podía incluso llegar a tener una calidad de co-partícipe en la explotación de una veta. El sistema llamado de "buscones" así lo permitía. Esos indios bajaban a la mina a recoger el mineral con sus propios medios e instrumentos de trabajo, y luego lo vendían al minero español, recibiendo dinero en proporción al metal extraído y a los instrumentos de trabajo aportados. Muchos sacarán un ingreso extra dedicándose a revolver las tierras de desecho en busca de un posible trozo de mineral que se hubiera escapado y venderlo luego al minero español. Son los llamados pepenadores, que al decir de las crónicas, eran muy numerosos. Alrededor de las minas se concentra un nuevo tipo de indígena: los naboríos. Indios que han huido y roto con sus poblados originales y que fácilmente rehúyen el tributo por no encontrarse matriculados. Estos indígenas se hispanizarán fácilmente. Se concentran en los reales de minas en bonanza y abandonan los centros mineros en dificultades. Indios aculturados, ladinos, que adoptan técnicas, vestidos y lengua españoles y que se mezclan con un grupo social de trabajadores entonces todavía no muy definido que convive fácilmente con negros, mulatos y mestizos. Si ese grupo no se define todavía, sus diferencias con los indígenas de repartimiento, con los tributarios del altiplano son muy grandes. Mientras éstos se encuentran encajados en una sociedad jerarquizada, aquéllos han roto con sus ligas tradicionales y disponen, al menos, de su libertad de movimiento.

También el grupo español de los reales mineros difiere mucho de la sociedad española del altiplano. En las minas, la sociedad es mucho más abierta y cambiante. Esto puede entenderse porque, como decía José Miranda, en la vida de las minas el único factor que funciona es el factor suerte. Todo el negocio minero durante el siglo XVI se parece a un gran juego de azar. Se necesita suerte para encontrar la veta, suerte para que esa veta sea rica, suerte para que no se pierda; suerte para encontrar socios capitalistas y empezar a explotarla; suerte para que el pozo o socavón no se inunde. Todo parece depender del azar y da lugar a grandes especulaciones y estafas. Ninguna sociedad parece estable en ese mundo de las minas. Los mineros dependen —al menos los explotadores de las pequeñas vetas— del capitalista, del aviador, del proveedor, que generalmente es algún rico comerciante urbano.

A este pequeño minero le queda de la plata extraída sólo el gusto de haberla sacado. Hay ricos de un día que se despiertan vagabundos y mendigos. Los trabajadores de las minas se agotan pronto. Tullidos y enfermos vagan alrededor de los Reales, impedidos de trabajar, alimentando a ese grupo de inestables que parece ser la única constante en la vida azarosa de las minas.

Llegan a los reales mineros muchos españoles pobres aventureros, "vaga mundos", que conviven con los indígenas o los negros abriendo las puertas a una sociedad mezclada. Éstos parecen ser los típicos habitantes del Real de Minas. Personajes que en España tuvieron oficio, en Nueva España se hacen "holgazanes", se convierten en "mercachifles" y andan comerciando y especulando de real minero en real minero. Son los que en la época se llaman "hombres sueltos", "viandantes", que no poseen más que una yegua robada, su silla rota y un arcabuz o media lanza, y andan, algunas veces con poco caudal, otras con grandes cantidades de plata, de estancia en estancia, de pueblo en pueblo. Pero la vida en el norte no es solamente la vida de las minas. Otras sociedades surgen en los extremos de las tierras de frontera. Durante todo el siglo xvi los españoles se empeñaron en romper la antigua frontera de indios nómadas, marcada por una línea que cruzara de la desembocadura del río Santiago en el Pacífico, a la del Pánuco en el Golfo. El rompimiento definitivo de esa frontera siguió al descubrimiento de las minas. Las vías de comunicación que comienzan a abrirse (con el camino de México a Zacatecas) se incrustan en territorios hostiles a la penetración. La lucha contra "el gran chichimeca" es una guerra abierta durante el siglo xvi.

La penetración de la frontera se hace lentamente. Misioneros aislados construyen pequeñas iglesias, permanecen ahí algún tiempo convirtiendo a unos cuantos indios. De un momento a otro aparecen los indígenas no sometidos, "indómitos", "obstinados" y arrasan con todo. Otras veces, también los indígenas aparentemente convertidos huyen en masa a esconderse en los montes y desertan el poblado. La tarea de penetración de la frontera se reinicia cotidianamente, sin cesar; se hacen fundaciones, se levantan iglesias, caseríos, presidios; todo se pierde y vuelve a fundarse. En 1580 Luis de Carvajal, el Joven, agrega a su lista de méritos y servicios el haber sujetado "a su costa y riesgo" el poblado de Jalpan (sierra de Querétaro), que aparecía en las listas de "pueblos encomendados" como sitio conquistado por Nuño de

Guzmán en 1532. Ésa es la historia episódica de la conquista del norte durante el siglo XVI. Por ello, las encomiendas que se conceden en esas tierras son puramente nominales. En la letra, la concesión no difiere de la del altiplano: se dan en encomienda indios para que ayuden al español en sus haciendas a cambio de doctrina y protección. La realidad es bien distinta. Todo parece un gran espejismo, una gran ficción. Cuando bien le va, el español se contentará con recibir cada año el tributo previsto: ocho petates de chile, tres cántaros de miel, sesenta cueros de venado. Puede comerciar con esos tributos y obtener algún dinero, pero ¡qué poco! si lo comparamos con lo que recibía cualquier encomendero del altiplano. Además, sus indios encomendados pueden rebelarse o huir simplemente. No se puede hacer casi nada para evitarlo: ¿cómo reconocer a los encomendados confundidos con los indios de guerra?

Nada hay aquí de semejante a la estabilidad que alcanzaban los encomenderos de otros sitios. Nada de prestigio, ni de posibilidades de ascenso social, ni de oportunidades para capitalizar el tributo. Muchas veces el encomendero preferirá abandonar su encomienda y unirse a la legión de españoles pobres que recorren las ciudades alegando sus derechos perdidos. La única riqueza posible a corto plazo que puede obtener en esta frontera de guerra es hacerse de esclavos, sacarlos de ahí y llevarlos al centro de México. Con su venta se asegurarán una buena renta, o podrán utilizarlos como mano de obra más o menos estable. Por eso, hasta muy avanzado el siglo XVI, uno de los espectáculos cotidianos será la llegada a las ciudades de indios prisioneros de guerra, encadenados, que representan la única riqueza posible de esos pobres aventureros de la frontera. Pero en medio de esta sociedad de gente pobre aparecerán, como contraste extremo, los hombres más ricos y poderosos que haya conocido la Nueva España. Precisamente a mediados del siglo XVI, cuando en el altiplano el poder individual de los descendientes de los conquistadores comienza a declinar para dar paso a una sociedad centralizada con los funcionarios reales, surgirán en el extremo norte hombres poderosos, que separados del virreinato central por varios meses de viaje, llegan a ejercer su dominio absoluto sobre extensos territorios. Hombres que conocerán un poder efectivo tan amplio, como el que nunca llegaron a consolidar los conquistadores-encomenderos del Valle de México. Este tipo de hombre puede surgir porque en el norte no ha terminado la conquista. Fundan sus señoríos con grupos de allegados y "paniaguados", y nadie llega a disputar su dominio. Enriquecidos con la primera bonanza de las minas de Zacatecas, se convirtieron en los grandes capitanes y adelantados que consumarían la conquista de vastos territorios. Estos ricos hombres reciben, para realizar sus empresas militares, atribuciones excepcionales, son gobernadores, tienen derecho de reclutar y comandar huestes, de ejercer justicia civil y criminal, de nombrar funcionarios subalternos, de distribuir mercedes de tierras o estancias, de distribuir encomiendas, tener fortalezas y atribuirse a sí mismos una cuarta parte del territorio de cada nueva villa fundada. Pero no sólo eso: pueden fundar mayorazgos y nombrar su sucesor en el gobierno del territorio que dominen.

Al cerrarse el siglo xvi, de estos ricos hombres serán los mayores latifundios conocidos en toda Nueva España. El mayorazgo de Ibarra comprendía, además de numerosas minas cerca de Zacatecas, 130 000 cabezas de ganado mayor, las haciendas de Trujillo y Valparaíso —abastecedoras agrícolas de las minas zacatecanas—, cada una con una extensión de más de 100 000 hectáreas, incontables manadas de caballos que pastaban libremente por esos territorios y muchos otros bienes menores. Francisco de Urdiñola fundó en las tierras de Coahuila y Texas el mayorazgo de San Miguel de Aguayo, calificado como uno de los más grandes latifundios del mundo en todos los tiempos. No son sólo ésos los tipos humanos que formarán la compleja sociedad del norte. En las tierras fronteras encontraremos además indios colonizadores de indios, que dejaron una huella perceptible todavía en la toponimia, en las costumbres, en las festividades religiosas. Para construir y poblar las ciudades del norte, para civilizar a los indios nómadas, durante todo el siglo xvi se trasladan a esas tierras indios de Tlaxcala o Michoacán, ya cristianizados y expertos en las labores agrícolas. El caso de Colotán ilustra esa política colonizadora aplicada en las villas de la frontera. Colotlán se funda en 1589 para que los indios chichimecas, idólatras, tuvieran vecindad con "gente política" y de buen ejemplo. Hasta Colotlán se llevaron una buena cantidad de tlaxcaltecas, asignándoles para su habitación un barrio entero de la villa recién fundada: así se fundó también San Esteban de Nueva Tlaxcala en Saltillo. De esta manera, se pensaba, los indios chichimecas verían cómo vivían los civilizados tlaxcaltecas: cómo araban la tierra, cómo sembraban y cosechaban, cómo almacenaban los granos y edificaban sus casas. De esta manera, la colonización del norte fue doble. Desde el centro llegaron los españoles y desde el centro llegaron los indígenas, estos últimos a ofrecer a los chichimecas un ejemplo de su propia aculturación.

Todo lo anterior muestra las enormes diferencias que existen desde el siglo XVI entre la sociedad colonial que se desarrolla en el centro del país y la de las tierras que se extienden más allá de la frontera de indios sedentarios. Una es una sociedad agrícola que aprovecha una mano de obra indígena concentrada y jerarquizada. La otra es una sociedad abierta, de minería, de ganadería extensiva, que carece de población estable y mantiene la movilidad permanente de la penetración de la frontera.

En el centro del país se expiden leyes —y se hacen cumplir con relativa facilidad— que aseguran la estabilidad de una estratificación social colonial. Leyes que norman las costumbres, que definen hasta el vestido que habrán de usar los diversos grupos sociales que la componen. Un indio debe vestirse como indio, aparecer exteriormente como tal. Un mulato no puede vestirse como indio, ni mucho menos como español. La jerarquización social en el centro del país es más rígida, se encuentra enmarcada dentro de límites que no se rompen con facilidad. La libertad de movimiento de los indígenas puede ser relativamente controlada. El indígena queda, mal que bien, sujeto al ámbito de su antiguo pueblo. Sus eventuales desplazamientos estarán siempre dirigidos desde fuera, por decisiones tomadas por el grupo español. Los indígenas del centro tendrán que mantenerse siendo indígenas, pues así conviene al funcionamiento equilibrado de la sociedad colonial. En el norte, todos esos encuadramientos son prácticamente inoperantes. Los indios podrán adoptar el traje español, montar a caballo, portar armas. ¿Cómo puede tenerse algún control en esas tierras tan extensas y abiertas? En el norte, el indígena gozará de mayor libertad de movimiento, se urbanizará más fácilmente. Los frenos a la aculturación no existen de hecho en el vasto norte. Ahí se desarrollará una sociedad más hispanizada. Ahí nacerá la futura sociedad de mestizos y criollos. Diferencias regionales que se harán más patentes al correr de los años recibieron su semilla durante el siglo XVI. Como surgen sociedades diversas en el altiplano y en el norte, también aparecen en las tierras calientes.

Como sabemos, el poblamiento español no llegó a extenderse en las tierras húmedas y calientes de la costa· Y si se fundaron pobla-

ciones ahí —siguiendo la localización de pueblos indígenas prehispánicos— acabaron por abandonarse. Durante la segunda mitad
del siglo xvi se establece una nueva frontera al poblamiento español novohispano en las entradas de la tierra caliente. Sólo las
tierras calientes del interior de los valles —en el actual estado de
Morelos o en algunas regiones de Oaxaca—, conocerán una explotación agrícola sistemática en los primeros tiempos coloniales.
Ahí, la agricultura se concentra en la producción de caña de azúcar.
En las explotaciones azucareras surgirá una sociedad particular
formada por hacendados españoles, mayordomos mestizos o mulatos y esclavos negros e indios. Por el funcionamiento interno de
esos ingenios —más cercano a las explotaciones de tipo plantación
que conocemos en otras regiones americanas— las posibilidades
de convivencia entre negros, indios y españoles son menores. Las
cuadrillas de trabajadores viven en caseríos separados, se reúnen
solamente durante las horas de trabajo, pero cada grupo cumple
su labor específica dentro del mecanismo total de la explotación
cañera. Quizás por ello perduró en esas partes, encerrada en sí
misma, una cultura de origen africano cuya huella todavía era
perceptible en tiempos recientes. Los negros comenzaron a llegar,
en oleadas crecientes, a esa sociedad colonial durante el siglo xvi.
El tráfico de esclavos negros en las Antillas llevaba ya largo tiempo
de iniciado (1501) como monopolio comercial de la Corona. Sin
embargo, cuando en 1518 comenzaron a otorgarse licencias limitadas a particulares (flamencos, alemanes, genoveses, holandeses
o portugueses) el tráfico comenzó a aumentar progresivamente.
Los negros se compraban en España o se "rescataban" en África
y se revendían en el Caribe, con el consiguiente aumento de precios. Se podía encontrar un buen esclavo en España por 30 o 50 pesos, en las Antillas costaría tenerlo entre 80 y 90 pesos, y siguiendo
un aumento de precio paralelo a las distancias geográficas, en México, una "cabeza" no podía encontrarse por menos de 100 y hasta
200 pesos. Conforme avanza el siglo xvi, la Corona trata de regu-
larizar la importación de negros estableciendo "asientos" o contratos de introducción. Luego delegará el monopolio en una entidad mercantil privada y será entonces cuando la trata cobre su
mayor volumen e importancia; pero eso será ya en el siglo xvii. Es
cierto que durante el siglo xvi la población negra se desparramó
por todo el territorio de Nueva España. Sin embargo la población
esclava negra se localiza por orden de importancia, en el arzobis-

366

pado de México, en Michoacán, en Nueva Galicia, en Tlaxcala, Oaxaca y Yucatán, concentrándose en puntos significativos.

Desde luego en las grandes ciudades. Como servidores personales de los españoles urbanos: comerciantes, encomenderos, funcionarios públicos. En la ciudad de México, por ejemplo, la mayor cantidad de negros que registran los archivos parroquiales se halla en la Parroquia del Sagrario. La población negra se encuentra también en las ciudades que comienzan a desarrollar obrajes, en las ciudades mineras donde su fuerza y resistencia son cualidades muy apreciadas, y aunque pueden encontrarse en algunas explotaciones cerealeras del altiplano, se concentran en los trapiches e ingenios de tierra caliente. Si los negros se desparraman sobre el territorio sólo perduran como grupo cerrado en la tierra caliente. Quizás porque en las ciudades o en las minas, las posibilidades de su fusión con otros grupos eran mayores, mientras que en la tierra caliente —con escasa población indígena— permanecerían como grupo homogéneo por más tiempo.

La presencia española de las tierras calientes de la costa se mantuvo sólo en aquellos casos que, como los puertos de Veracruz o Acapulco, eran puntos vitales para la sobrevivencia de la Colonia. Por ello, esos puertos —Veracruz lo ejemplifica mejor que ninguno— son ciudades sostenidas desde fuera. Puertos legales y geográficamente necesarios en el tráfico comercial entre la metrópoli y el puerto real que era la ciudad de México. Veracruz —durante una gran parte de la época colonial— sólo cobraba vida una vez al año, cuando llegaba la flota española. Entonces bajaban a la ciudad los comerciantes españoles seguidos de sus arrieros negros y mulatos. Con la flota llega a la ciudad la mano de obra que se requiere para el desembarco y acarreo de las mercancías. Una vez terminado el trabajo, esa muchedumbre abandona la ciudad. El puerto —por las enfermedades tropicales— será apodado, durante la época colonial, "sepultura de vivos". Nada extraña entonces que cuando los piratas ingleses amenacen el puerto —como tan frecuentemente sucede desde la segunda mitad del siglo xvi— todos los habitantes de la ciudad puedan recluirse en el interior de la pequeña iglesia y esperar, para su defensa, la llegada de gente del altiplano.

Otro tipo de sociedad nacerá también durante la segunda mitad del siglo xvi en las tierras aisladas de Yucatán. Por su lejanía del centro, su inaccesibilidad, Yucatán es prácticamente una isla, rodeada por el mar o por la selva. Los españoles de Yucatán logran mantener el privilegio de la encomienda durante los tres siglos coloniales. Cuando desaparecen las encomiendas del centro de México, en Yucatán siguen operando efectivamente, con los privilegios originales de servicio personal y tributo excesivo. En esas tierras pudo permanecer una sociedad como la que soñaron los conquistadores-encomenderos durante los primeros años del siglo XVI. Esas diferencias agudizarán el aislamiento de esta zona con respecto al centro del país.

Así se distinguen las diversidades regionales de la estructura social de los primeros años coloniales. En el norte, el paisaje de extensas llanuras semiáridas, de vegetación chaparra, de matorrales, de montañas ricas en minerales, interrumpido apenas por algún valle de tierras ricas e irrigables, se afirma la sociedad de los grandes capitanes. En ese paisaje que favorece el ataque sorpresivo de los indios nómadas, los presidios y misiones continúan viviendo con el espíritu de los soldados de la Conquista. De cuando en cuando, antiguos soldados y mineros llegan a convertirse en agricultores y ganaderos que se aprovechan de la extrema feracidad de tierras nunca cultivadas. Pero los separan jornadas enteras de camino entre Zacatecas y Sombrerete, Jerez, Valparaíso, Nombre de Dios o Durango. Se tienen que invertir meses de camino para llegar a los puntos extremos de la colonización (Santa Fe, 1580). Todavía durante el siglo XVI, en el norte de México, no hay fronteras límites, ni términos, ni "más allá". Siempre se podrá cambiar de sitio, y con algo de suerte, mejorar y hasta enriquecerse. El altiplano, el piedemonte de los antiguos volcanes está ocupado por una sociedad de explotación agrícola destinada a abastecer las grandes ciudades de México o de Puebla. En el altiplano todo aparece más jerarquizado, estructurado. El principio y el fin de esa jerarquía se va definiendo cada vez más en la ciudad.

El estado más alto de la sociedad colonial será urbano. Alrededor de la ciudad nacerían más tarde, para asegurar su abastecimiento, las grandes haciendas cerealeras de Chalco, de Toluca, del valle de Puebla y de Atlixco. La ciudad aparecerá como el centro de todo comercio. Desde el más humilde cultivador de chinampa hasta el más rico comerciante monopolista, todos encontrarán en la ciudad el centro de sus actividades económicas. Luego las zonas periféricas. La tierra caliente donde florecerán haciendas y trapiches habitados por una minoría de administradores españoles y una mayoría de esclavos negros y trabajadores indios. O Yucatán, donde la sociedad de señores-encomenderos y siervos indígenas logra hacer perdurar las que fueran características de la primera sociedad colonial del centro de México. En las tierras más inhóspitas, en las montañas o la selva, desde el siglo xvi se refugiaron los indígenas que repudiaron todo contacto con la sociedad española y que a veces lograron resistir el empuje de la dominación colonial. Así, durante el siglo xvi comienzan a señalarse las diferencias que marcarán los destinos de algunas regiones del país hasta tiempos recientes.

El siglo de la integración

Andrés Lira
y
Luis Muro

Nuestro siglo xvii exige una historiografía propia. Hasta la fecha aparece en manuales y obras generales como una etapa de vacíos y de rutinas. Esta imagen es el producto de visiones superficiales, en las que no se ha intentado superar la dificultad de la información que los historiadores consideran como característica de este periodo. Se le ha llamado "siglo olvidado", "cicatero", etc. Los estudiosos, que así lo califican, están de acuerdo en el tono opaco del xvii, adquirido no por serle sustancial, sino por la constante comparación con otras épocas de la vida novohispana, los siglos xvi y xviii. El siglo xvi, pleno de actos heroicos y novedosos, llenos de *res gestae,* aspectos del quehacer humano favorecidos desde la antigüedad por los historiadores. Este venturoso siglo para la literatura histórica nos deja acostumbrados al ritmo animado de la conquista y los primeros años de la vida colonial; de tal suerte que al pasar al asentamiento, al cambio poco evidente —no por ello menos importante—, que, según dicen, define al xvii, la atención decae de las mentes —que no los libros de las manos, pues apenas podríamos encontrar algunos fuera de excelentes estudios monográficos (como el de F. Chevalier, sobre el origen de los grandes latifundios en México, para no citar sino el más conocido en México). Queda, eso sí, la búsqueda de artículos y monografías de mayor o menor dimensión —menor las más veces—, que son del dominio de los especialistas. Y luego, con otra y para acabar de "caracterizar" de aburrido y cicatero al xvii, le sigue un siglo tradicionalmente esplendoroso en la literatura histórica: el xviii, el siglo ilustrado, antecedente de la Independencia, en que la cultura y los avances de la política y de la economía —tan cantados en los manuales de historia— dejan sin qué decir del xvii, salvo que fue la época en que no había tal o cual, la época en

373

que se destacó lo que después se echó a andar, etc., es decir, la tabla rasa favorable al contraste. Algo así como esa imagen negativa que tejieron con tanta argucia e insensibilidad quienes juzgaban con "las luces" de siglos gloriosos a la Edad Media (hasta lograr hacerla "media"); la edad de las tinieblas, que sólo empezó a rehabilitarse y a mostrar sus propias luces —sostén, muchas veces, de las linternas de los ilustrados— por un esfuerzo de comprensión y hasta de exaltación, como lo fue el movimiento romántico con su literatura histórica y hasta historicista. A éste siguieron esfuerzos más asentados —menos sensibles, al parecer— de especialistas que han venido a descubrir importantes filones de la vida "social", "económica", "política" y "cultural" de los siglos medios, nada oscuros (ni "medios").

Nuestro siglo XVII requiere de esfuerzos semejantes; bien ponderados, de acuerdo con los argumentos que la propia época expone para su comprensión. Veamos algunos ejemplos sacados de entre los temas mayores que componen estos capítulos. ¿No es en este siglo cuando se definen como tales inmensas y pequeñas regiones de nuestro país, al irse asentando en ellas grupos de españoles, indígenas y negros que venían dando origen a sociedades mestizas? Sí lo es, como se ha desprendido de estudios parciales con toda seguridad. Para ver la dimensión total del hecho urgen los estudios regionales, descuidados por los historiadores —salvo excepciones, en épocas recientes—, que se concentran en la capital y sus temas, dominados por la corriente de un país como el México de nuestros días: la caída de Tenochtitlan; y luego, las Audiencias y el virrey; y ya parece que se terminó con la Colonia. Todos parecen coincidir en que hay mucho más, pero no le conceden el mismo valor. Muy pocos son los que sugieren dónde buscarlo. Por otro lado, si la experiencia novedosa del XVI obligó a revisiones de lo conocido por europeos y americanos hasta entonces, ¿dónde podemos encontrar testimonios en que se asiente y asimile lo recibido con más o menos sorpresa? En el XVII parece que se encuentran cauces, más o menos difíciles de seguir, donde se recogen discusiones amontonadas y sin fin; a veces parece que se llega a conclusiones, otras parece que se amontonan nuevos problemas; pero sea cual fuere el resultado, la familiaridad con los temas que suscitó el XVI y el despunte de los nuevos nos hacen ver que los hombres cobraban conciencia de un mundo poco o nada estudiado. Es en el XVII cuando los novohispanos, criollos, mestizos e indígenas van definiendo un arte y una cultura, y formas de vida que apenas empiezan a comprender los estudiosos.

La comprensión exige revisiones, y, lo que es difícil, deshacerse de consejas y esquemas. Se habla de Sor Juana, de Carlos de Sigüenza y Góngora como figuras culminantes de un proceso. Pero ¿lo son en realidad? No lo sabemos, toda vez que no se nos ha hecho evidente el proceso mismo. Sólo se han tocado temas sugerentes como el guadalupanismo, las crónicas punteadas de elementos para la reflexión y la interpretación histórica; se han descrito pequeñas y grandes sumas arquitectónicas sin una interpretación de su significado; se ha hecho poco sobre la vida económica y social; menos sobre aspectos de rigor culterano como la ciencia y la música. Son todos estos temas, grandes temas en sí, tocados hasta ahora con el entusiasmo del ensayo, y no con el rigor del estudio penetrante, salvo en casos excepcionales. Todo un mundo histórico difícil de definir frente a dos épocas que lo limitan y lo ahogan, esto es el xvii novohispano, el siglo olvidado, muerto en la literatura histórica, tan vivo como cualquier otro en el quehacer histórico. Una época que como cualquiera otra cuesta trabajo deslindar para penetrar en ella y comprenderla; pero ha de intentarse.

De 1570 a 1580

Tomar punto de partida para adentrarse en un siglo no es problema de números o de fechas precisas; es cuestión de hechos humanos, cuyas características indiquen que la realidad vivida por los hombres se hace distinta de las realidades que la precedieron. Si el siglo xvi se considera la época en que chocan y se acomodan con dificultad dos mundos, el de los indígenas y el de los españoles como principales protagonistas, el xvii debe caracterizarse por la pérdida de importancia de esos problemas, para dar lugar a otros. ¿Cuándo, pues, se realiza ese cambio? Son muchos los hechos que lo anuncian, la mayoría de ellos se fueron dando lentamente, desde 1550, cuando encontramos muchas apreciaciones novedosas en lo que escribía el virrey Velasco; pero entre 1570 y 1580 se advierten los principales. Cambian los hombres, cambian los intereses de una manera evidente y, con tales hechos, cambia también la visión que las autoridades tuvieron del mundo que gobernaban. Entre los españoles y sus descendientes, como grupos dominantes, surgió una oposición cada vez más evidente, a tal grado que, para 1572, tuvo que ser resuelta por las autoridades. Es bien sabido que los hijos de españoles nacidos en América trataron de ocupar cargos que las autoridades de la Península otorgaban a los españoles, impidiendo el acceso a los criollos. La oposición y el resentimiento se hicieron sentir pronto; se agudizó en el seno de las órdenes religiosas, activos cuerpos en el avance de la civilización española, que para 1570 contaban ya con gran número de religiosos criollos. Éstos se impusieron y lograron que se estableciera la "alternativa", en 1572, por la cual cada vez que se eligiera superior dentro de los monasterios, debía ocupar el cargo un peninsular durante un periodo y para el siguiente un criollo. La disposición no fue respetada, pero darla y los problemas que ocasionó hacen ver el empuje y la conciencia de los criollos frente a los peninsulares.

En ese año de 1572 se advierte un hecho bien significativo: por primera vez ocupa el cargo de arzobispo de México un miembro del clero secular, Pedro Moya de Contreras. Anteriormente lo habían desempeñado miembros de las órdenes religiosas. Esto hace ver hasta qué punto se consideraba terminada la conquista espiritual de México, encomendada a las órdenes religiosas, para entrar en un periodo regido por el clero secular. En los años siguientes se dan hechos que vienen a poner el toque final al establecimiento de la Colonia: en 1572-73 se establece el Juzgado General de Indios dentro de la Real Audiencia, atendiendo a las peculiaridades y a las necesidades que ese grupo presentaba ante la justicia. Este paso significó también un avance en la aculturación de los indios, pues por estos años, a través de ese tribunal, se lograron imponer de manera más firme los procedimientos legales españoles, y se fueron desechando las formas con las que tradicionalmente acudían los indios a la justicia virreinal, el oficio de los pintores indígenas en los alegatos fue perdiendo su importancia frente a los escribanos españoles. Por ese entonces (1572) entraron los jesuitas en México para tomar su lugar como una orden religiosa distinta de las que la precedieron. También en 1573 el monarca Felipe II dicta sus *Ordenanzas de población*, primera legislación de carácter general que trató de imponerse en el mundo colonial, pues todas las disposiciones anteriores habían sido dictadas frente a situaciones particulares, sin ese intento de ordenación general. Una catástrofe demográfica vino a cambiar la relación entre indios y españoles. Hacia 1576 se inició *la gran epidemia,* que se propagó con fuerza hasta 1579, y quizá hasta 1581. Se dice que produjo una mortandad de más de dos millones de indios. La fuerza de trabajo para minas y empresas de españoles escaseó entonces, las autoridades se vieron obligadas a tomar medidas para racionar la mano de obra y evitar el abuso brutal de los indígenas sobrevivientes.

Por otra parte, la población mestiza había aumentado a tal grado que iba imponiendo un trato político y social que no se había previsto. Mestizos, mulatos, negros libres y esclavos huidos, al lado de criollos y españoles sin lugar fijo en la sociedad concebida como una organización de pueblos de indios y ciudades y lugares de españoles, alteraron el orden ideado por las autoridades españolas, en cuyo pensamiento sólo cabía una sociedad compuesta por "dos repúblicas, la de indios y la de españoles".

Todos estos hechos se veían con azoro a medida que se iban produciendo, pero acabaron por imponerse; y así, a finales de la década, en 1580, encontramos que el virrey don Martín Enríquez de Almanza —último virrey con periodo de gobierno largo (Mendoza gobernó 15 años, Velasco padre, 17, Enríquez, 12, aproximadamente), al menos no igualado en todo el XVII por ningún otro virrey— era capaz de reconocerlos como problemas propios del gobierno en Nueva España. La *Instrucción*..., que el 25 de septiembre de ese año dejó a su sucesor, es un documento que revela serenidad, familiaridad con situaciones que veremos extenderse como cosa ordinaria a lo largo del XVII. Efectivamente, en ese documento don Martín Enríquez da cuenta a su sucesor de "algunos avisos de las cosas tocantes al gobierno de estas tierras"; va enunciando por orden problemas de autoridades, problemas tocantes a la población y a la sociedad, los que se refieren a la economía, y deja para lugar bien posterior lo que se refiere a la sumisión de los indios chichimecas, "que han quedado sin reducir", y casi al final se ocupa de los hijos y nietos de conquistadores y de algunos más.

Por lo que hace a las autoridades, recomienda el equilibrio y la mesura entre el virrey y la Audiencia, así como con las autoridades eclesiásticas. Las disputas entre estos poderes ensombrecieron muchas veces la marcha de la administración y el gobierno novohispano. Señala lo abrumador de las funciones del virrey, quien ha de ser "padre para todos", pues debe resolver cuestiones de menor importancia al lado de problemas de mayor envergadura. Frente a la población advierte que el monarca enviaba a los virreyes a la Nueva España principalmente para "lo tocante a los indios y su amparo, pues eran los indios gente tan miserable, que obligaban a cualquier pecho cristiano a condolerse mucho de ellos". Para el virrey había "dos repúblicas", una de españoles, y otra, débil, de gente flaca y desvalida, de indios. Al lado de éstos consideraba a los mestizos "gente "cuasi-india", revoltosa y pleitista, que solía abusar de los indios moviéndolos a pleitos en los que agotaban sus pobres recursos, sin provecho alguno, pues en caso de ganarlos eran los mestizos agitadores los que se llevaban el beneficio. Dentro de la población y la sociedad advierte el virrey un problema bien claro: no teme el alzamiento de la tierra en contra del rey como un movimiento de los españoles y sus descendientes (como se temía desde la época de la conquista, y todavía en 1567, cuando vino don Martín Enríquez a gobernar, por el movimiento de Martín Cortés); teme al desorden y a la deslealtad frente al monarca por parte de los mulatos, mestizos, negros libres "y demás gente menuda" que vive sin acomodo, fuera de la república de indios y la de españoles. Además, afirma que no se ha de ver en los conquistadores y sus descendientes, de los que "quedan pocos", los sujetos a quienes deben darse los cargos públicos, pese a los muchos derechos que pretenden tener. Quedaban pocos, o al menos así se consideraba; y parece un hecho que desde 1540 en adelante los conquistadores y sus descendientes habían dejado de ser el gran problema en las relaciones de poder dentro de la Nueva España. Es muy significativo que las principales encomiendas concedidas a conquistadores se hubieran liquidado prácticamente poco después de 1570, y que desde 1540 se hubieran visto seriamente limitadas por la intervención de los corregidores y otros funcionarios reales. Estas funciones eran las que, decía don Martín Enríquez, no debían concederse a conquistadores y sus descendientes, pues hacían de ellas medios de lucro y de autonomía política para satisfacer sus intereses. En los indios insumisos, los chichimecas, ve el virrey un problema que puede solucionarse mediante un trato político, trayéndolos de paz, valiéndose de personas que los conozcan. Y de hecho, éste fue el medio más eficaz para la pacificación del norte del país que se efectuó, no sin muchos trabajos, a lo largo del siglo XVII.

378

La visión del virrey es ya muy distinta de la de los virreyes anteriores. Con serenidad ordena los problemas y fija modos de solución, que, como se verá, se adoptaron en los años siguientes. Claro está, no todas las situaciones fueron previstas; pero es indudable la forma como se habla; se advierte que se habían dejado atrás la conquista y sus problemas inmediatos. En lo sucesivo se podrá advertir cambios en lo establecido, reaparición de lo que se creía resuelto, nacimiento de nuevos problemas. Percibir estos cambios y permanencias supone penetrar en la realidad del siglo XVII, partiendo de los años cercanos a 1580, en el que parecen coincidir muchos hechos que llevan a la conciencia de una época diferente de la anterior.

El paisaje y la expansión del país

Un conquistador que se hubiera ausentado de Nueva España poco después del triunfo sobre México-Tenochtitlan y de las exploraciones y conquistas que siguieron, para regresar entre 1550 y 1560, se habría encontrado con un ambiente muy distinto al que dejó. Las ciudades y pueblos de indios que había ocupado con la hueste las hallaría transformadas en ciudades de españoles; los poblados indígenas que conoció situados cerca de los peñones y puntos escabrosos, aptos para la defensa, los encontraría ahora en lugares planos y con formas de vida distintas de aquellas que tenían. En valles y lugares antes despoblados vería monasterios en construcción, rodeados de indios sometidos por los misioneros. Se toparía también con nuevos tipos de hombres en los pueblos y en los caminos; encontraría ganados y recuas por los caminos que sólo había visto pisar por pies humanos. Así, lo que para él y sus compañeros habían sido trabajosos recorridos en descubrimiento y ocupación de las nuevas tierras, los vería ahora como caminos transitados por personas que nada tenían que ver con él, y que nada imaginaban de los trabajos que él y sus compañeros habían pasado en sus andanzas de conquista.

Para entonces vería nuestro conquistador que era poco lo que se había avanzado sobre tierras distintas de las que él tocó. Se hablaba ya de ricos minerales situados hacia el norte; comenzaban a explotarse, pero aún era difícil el camino para llegar a ellos; el sometimiento de aquellas tierras nuevas era algo que no se comparaba con el rápido avance que él y sus compañeros habían logrado al asentarse en los extensos lugares ocupados por multitud de indios que tenían "maña y razón para vivir en república". Era más lo que los nuevamente venidos y lo que los nacidos después de la conquista y pacificación habían aprovechado, que lo que habían conquistado. Efectivamente, el asentamiento sobre las tierras y pueblos primeramente conquistados formaba el escenario principal de la vida de la Colonia. Era la base de avances posteriores, avances lentos y parciales. Los chichimecas hacían difícil cualquier establecimiento, no había recursos ni hombres —otro recurso del que se sacaba el principal provecho— que permitieran la vida estable. Las tierras desconocidas eran tierras de frontera, lugares de guerra que había que ir ganando y asegurando. Ésta fue la obra del siglo XVII en la expansión territorial de Nueva España (incluimos los reinos y provincias que en sentido estricto se consideraban fuera de Nueva España), y tiene que verse como algo característico para explicar su importancia; pero antes considérense los lugares ya asegurados por la ocupación española, que de distintas maneras sirvieron de base a la colonización del norte.

Es difícil que la vida de un conquistador haya llegado hasta 1580, año definitivo para nosotros, pues entonces se encontraba ya consolidado lo que nuestro conquistador había visto que iba cambiando; también, para entonces, se había ganado ya definitivamente un territorio más amplio. Hacia ese año estaban ya fundadas las principales ciudades desde las que se ejercía la autoridad, se habían establecido las funciones administrativas, los principales centros culturales, hospitales y lugares donde se elaboraban manufacturas (artículos de arriería, telas, jarcias, etc.), que exigía la población. Destacaban ciudades como México, Puebla, Oaxaca, Guadalajara, al lado de otras que iban en constante crecimiento, como Durango, fundada en 1563; los puertos de Veracruz y de Acapulco se utilizaban ya como base de un comercio ultramarino regular. Los caminos, cada día más concurridos, se relacionaban coincidiendo en la ciudad de México, que era el punto focal de irradiación.

El viajero que venía del sur al norte, desde Guatemala a la ciudad de México, utilizaba ya un camino de herradura, en cierto modo trazado y provisto de lugares para el descanso y la remuda, bastante seguros. Camino largo y fatigoso, pero nada incierto, pues cada día eran más los que lo recorrían. En 1630, un jesuita, el padre Bernabé Cobo, escribía a un compañero suyo residente en Perú sobre su viaje desde la ciudad de Guatemala a la de México. Chiapas, Tehuantepec, Oaxaca y Puebla son lugares que llaman su atención en el itinerario. No habla de mayores dificultades en el transporte. En Tehuantepec, anota, encontramos "una partida de mil novillos que traían a México". Algunos cultivos como la grana en Tehuantepec y Oaxaca, la abundancia del ganado menor, y otras actividades y productos, despiertan su atención. Pero nada parece extrañar al religioso, y las comparaciones de edificios y paisajes se le facilitan, como también las anotaciones de las distancias entre los distintos lugares y poblados por los que pasa. La impresión que deja es la de quien anda por lugares concurridos y ocupados de muchos años atrás. Le causa admiración la gran ciudad de México, inundada desde hacía años y bastante destruida por las aguas. Por entonces se recorrían las calles en canoas. Resultaban insuficientes las obras del desagüe y los diques que se habían construido para proteger a la ciudad de las inundaciones. En las obras del desagüe se consumían entonces los dineros de la Real Hacienda y las vidas de cientos de miles de indígenas, muchos de los cuales se traía por fuerza de los *servicios* desde lugares lejanos. La obra se había iniciado con planos y cálculos de ingeniería desde 1608, se continuó a lo largo de todo el XVII, y fue tema constante de cronistas y viajeros. Don Martín Enríquez decía en 1580 haber iniciado algunas obras y consideraba que sus sucesores debían continuarlas. Así fue, ninguno de los virreyes posteriores pudo abandonarla, pues los habitantes de la ciudad se empeñaron en permanecer en la parte más baja de la olla del "valle" de México, y se opusieron a todo intento de cambio, como se propuso en las consultas al cabildo que se hicieron desde 1624 (año de terribles inundaciones), en el sentido de abandonar el asiento de la ciudad, para construirla en Tacubaya, lugar alto y mejor protegido de las aguas. Los vecinos se empeñaron en seguir en el sitio original, alegando lo mucho que significaba abandonar construcciones y bienes. Cada año se temía lo peor al aproximarse la estación de lluvias; cuando se iba terminando se temían sorpresas y malas jugadas de temporales irregulares. No es, pues, extraño que para fines del siglo, mejor dicho, hasta los finales de la época colonial, se hablara como cosa nueva y renovada de las obras del desagüe y su gran costo.

Si el camino del sur al centro de Nueva España era usual en

el xvii, también lo era el de poniente a oriente, pasando por la ciudad de México, hasta llegar a Veracruz. La ruta principal entonces era la de Acapulco a la capital de Nueva España. Acapulco, puerto famoso desde el siglo xvi, como lugar de embarque y desembarque a Filipinas, al Perú y a Guatemala, era el punto de llegada de la Nao de la China y de comercio con otros dominios españoles. En sí, pese al título de ciudad que se le había dado por su importancia como puerto, Acapulco era una plaza pobre, enriquecida periódicamente con la llegada de las naves. Era un lugar de feria, difícil y malsano para los habitantes, propicio para los comerciantes, como ocurría con otros puertos novohispanos. La mejor idea de esta situación nos la da un viajero italiano, Gemelli Carreri, allá por el año de 1697:

> En cuanto a la ciudad de Acapulco, me parece que debería dársele el nombre de humilde aldea de pescadores, mejor que el de engañoso de primer mercado del mar del Sur y de la China, pues sus casas son bajas y viles y hechas de madera, barro y paja.

Pero el arribo de la Nao de la China y la simultánea llegada de los mercaderes peruanos que acudían a comerciar, apuraban la pasajera transformación del puerto:

> Casi todos los comerciantes que venían en los navíos del Perú —comenta Carreri en su *Diario*—, salieron a tierra para alojarse, llevando consigo dos millones de pesos a fin de emplearlos en mercadería de la China. Con ese motivo el viernes, día 25 [de enero], se vio convertido Acapulco, de rústica aldea en bien poblada ciudad, y las cabañas habitadas antes por mulatos, ocupadas todas por bizarros españoles. Se añadió a esto el sábado, día 26, un gran concurso de comerciantes mexicanos con muchas cantidades de dinero y con mercancías de Europa y del país.

Nuevos viajeros acudían; la presencia de religiosos, funcionarios y personas notables enriquecía a la ciudad ocasional, que volvía a su humilde condición de aldea de mulatos cuando los "dones" de dinero y de prebendas la abandonaban.

El viaje a la ciudad de México se hacía por camino de herradura y se llevaba unos catorce días. Viajeros y comerciantes se apresuraban a emprenderlo para huir del mal clima y para hacer su trabajo en la ciudad de México, donde vendían buena parte de las mercaderías de la China; otra parte considerable la conducían

382

a Veracruz, para embarcarla en las flotas que iban a Europa. Las jornadas que se recorrían para llegar a la ciudad de México eran las obligadas de las recuas bien cargadas; ventas y lugares de descanso y remuda, ciudades como Chilpancingo y Cuernavaca, aduanas y parajes, eran los puntos por los que se pasaba antes de llegar a la ciudad de México. Los que continuaban rumbo a Veracruz hacían un camino que no difería mucho en medios y posibilidades de transporte, pero un camino mucho más transitado. Salían de México rumbo a Puebla, pernoctando en Chalco, "un mediano pueblo y mayor alcaldía que hay en la orilla de la laguna, por la que se embarcaban harinas, azúcares y otros productos necesarios en México", para pasar por Río Frío, "taberna situada enmedio del monte cubierto de pinos, en la que se pagaba a los guardas un real por caballo. El tabernero tenía toda la apariencia de un bandido" —cuenta nuestro viajero de los finales del XVII. De verdaderas ciudades como Tlaxcala, Puebla, San Agustín, Río Blanco, Orizaba y Córdoba, se pasaba a ventas y aldeas pobladas por mulatos, negros y españoles pobres, vagabundos y maleantes, que habitaban lugares camineros para aprovecharse de los viajeros que iban o venían del puerto de Veracruz, el gran puerto de mar y primera ciudad de Nueva España, ciudad que trabajosamente justificaba su título al compararse con las que se conocían tierra adentro, y a las que servía como lugar de paso, como lo anota el mismo Carreri:

> No obstante que allí paran todas las flotas que van de Europa a la Nueva España, la ciudad lejos de ser grande y rica como México, por las dichas causas, es bien pequeña y pobre, y habitada más de negros y de mulatos que de españoles, pues éstos son pocos; de que resulta que no se ve allí gente blanca sino en tiempo que llega la armada. Cuando ha partido ésta, las personas acomodadas se retiran al interior del país, ya por la mala temperatura del país, ya también por no estar seguros en ella sus bienes; y por eso no fabrican allí sino pequeñas casas de madera, poco durables.

Tales eran los caminos ejes en la parte ya conocida y bien establecida desde el siglo XVI y que a lo largo del siglo XVII sirvieron de grandes arterias para el comercio ultramarino y como vías troncales del comercio interno. Pero aparte de esta vida de tránsito, hay en el XVII una localización de la vida, asientos definitivos de pueblos de indios en constante pleito con los agresivos ocupantes y transeúntes; terratenientes y ganaderos que invadían las tierras

383

de las comunidades. Esta situación, que era rutinaria a mediados y fines del siglo, se había producido desde el XVI.

La novedad del XVII fue la conquista del norte, emprendida como gran aventura desde el XVI. Los caminos que iban al norte eran lentos e inciertos; tierras mal pobladas, llanas e imposibles de reconocer hacían que el viajero que se aventuraba tuviera que tomar el astrolabio para encontrar la graduación y orientarse en aquellas tierras baldías cuyo fin se desconocía. Los caminos ciertos eran los que iban a los reales mineros; pero estando expuestos a los asaltos de los chichimecas, era necesario recorrerlos en compañía de soldados y escoltas que guardaban los carros y recuas. El mínimo de tiempo que se empleaba para llegar a Santa Bárbara era de cerca de cuatro meses; el regreso resultaba casi siempre más lento, pues se hacía siguiendo a los carros que traían los metales a la Casa de Moneda. Carreri dice que había visto entrar en ésta, el 7 de mayo de 1697, "cuarenta y cinco mil marcos de plata de Parral en muchos carros, que tardaron seis meses; y el miércoles, día 8, doscientos treinta y seis marcos de oro, de veintidós quilates, que llegaron de San Luis Potosí para convertirlos en doblones".

Estos caminos que resultaban tan lentos se habían abierto poco a poco desde los mediados de la centuria anterior, cuando los conquistadores penetraron en las regiones de los indios bárbaros, cuyas habilidades en la guerra y en los asaltos eran temidas, como lo siguieron siendo hasta los finales de la Colonia. En 1580 habían llegado hasta Santa Bárbara, y en los años siguientes se conquistaron y reconquistaron las difíciles tierras de Nuevo México.

Lo notable de estas aventuras no está sólo en sus inicios, sino en los establecimientos que le siguieron. Al avance de los soldados y los mineros acompañó el de los misioneros, y con ellos los ganaderos y colonos; todos éstos fueron creando centros muy complejos, social y económicamente, dependientes del avance hacia las minas. Pero a la postre no fueron las minas las que determinaron la ocupación de la tierra, pues agotadas las vetas, muchas ciudades y estancias cercanas lograron vida propia. Nada da mejor idea del hecho que una descripción de 1737 por el fraile Arlegui; recogiendo la experiencia de siglos anteriores, dice:

> A todos los minerales ricos que se descubren luego acuden [los españoles] al eco sonoro de la plata..., y como el sitio en que se descubren es infructífero de los necesarios mantenimientos, logran

los labradores y criadores de los contornos el expendio de sus semillas y ganados; y como éstos solos no pueden dar abasto al gentío que concurre, se ven precisados otros, o por la necesidad o la codicia, a descubrir nuevas labores y poblar nuevas estancias de ganado aun en tierras de mayor peligro de los bárbaros, disponiendo Dios por este medio que aunque las minas decrezcan, quedan las tierras vecinas con nuevas labores y estancias bien pobladas y con suficiente comercio entre sus pobladores.

Pero no sólo los lugares cercanos a los centros mineros resultaron alterados por la influencia de éstos; también se extendió su influencia a otras zonas, conquistadas anteriormente. El Bajío, situado estratégicamente entre México, Zacatecas y Guadalajara, se desarrolló gracias al comercio con los alejados centros mineros. Activos comerciantes, agricultores y artesanos poblaron esta zona, y la transformaron en un granero de primera importancia. El cambio debió ocurrir precisamente en el XVII, a partir de 1580. Para entonces se encontraban estancadas las grandes construcciones de monasterios que caracterizan la etapa de la conquista espiritual. Uno de los argumentos que se utilizan para considerar al XVII como siglo de depresión es precisamente este hecho; pero hay algo que no se ha medido: el desarrollo de construcciones menos monumentales; la transformación de rancherías en verdaderas ciudades y pueblos; las obras que permitieron el riego con aguas robadas de presas y represas escalonadas, y otras obras menos monumentales y evidentes, en uso y transformación cotidiana, que se emprendieron y continuaron en la época que nos ocupa, y que por su cotidianidad y transformabilidad se presentan como más difíciles para que los historiadores las aprecien y valoren al lado de las monumentales que suelen atribuirse a los siglos XVI y XVIII.

En ciertas regiones la penetración fue exclusivamenete misionera. El occidente siguió siendo tierra de conquista espiritual que conservaron celosamente los jesuitas hasta su expulsión en 1767. Repetidas exploraciones en el XVII apenas lograron alterar la zona; poco hicieron al oriente soldados y franciscanos en el cambio del paisaje como tal, pero es un hecho que a finales del siglo se habían fijado los extensos límites de Nueva España y los reinos de Nuevo León, Nueva Vizcaya y Nueva Galicia. El espacio de Nueva España, de los reinos y provincias que definió el XVII permanece a lo largo de siglos posteriores; la vida de frontera en el norte, la civilización y ocupaciones más intensivas en el sur y en el centro.

Los documentos repiten hasta los finales del xviii experiencias que sorprenden en el xvi y se naturalizan en el xvii. Pero hay muchos cambios dentro de esas permanencias del espacio, que, como ha dicho Braudel, tiene un tiempo lento, una historia despaciosa que se complica con otras más rápidas, las de las sociedades y sus personajes.

La población

Algunos especialistas de la historia colonial han tratado de establecer cuadros de los cambios de población en Nueva España, relacionando número y clases de habitantes con aspectos económicos y sociales. Algo se ha logrado en este terreno, pero abundan las discrepancias, y esto nos hace dudar de la exactitud o de la aproximación efectiva de las cifras a la realidad. El siglo xvii aparece como un siglo especialmente oscuro para los estudiosos, debido no sólo a escasez de datos, sino también a un hecho importantísimo: la dispersión y reacomodos de la población en escenarios que sólo conocemos superficialmente. Para apreciar la dimensión demográfica de la época urgen estudios regionales, que desgraciadamente se encuentran apenas en sus inicios.

Pesc a esas dificultades, hay hechos que se imponen, y los consideramos aquí para dar una idea de la población novohispana en el xvii.

Nuestra época se inicia con un desastre demográfico, la gran epidemia que llamaron *matlazahuatl*, probablemente tifo exantemático, que comenzó hacia 1576 (1574?) y asoló a la población indígena, principalmente, hasta 1579, año en que parece aminorar la fuerza del mal. Las muertes que causó entre los aborígenes se elevó, según testimonios de la época, hasta "dos cuentos", o sea dos millones. El golpe fue remachado todavía por otras epidemias también generales a fines del siglo; durante los años siguientes, hasta bien entrada la primera mitad del xvii, la población siguió disminuyendo. Antes de la epidemia, según S. F. Cook y W. Borah, el número de indígenas se elevaba a cerca de 4 500 000 personas; para 1597, quedaban 2 500 000, y para 1650 sólo 1 200 000. Tan brusca disminución era el resultado de epidemias anteriores a la de 1576-79, desarraigos culturales, desajustes sociales y económicos que venían obrando en perjuicio de la sociedad indígena desde la época de la conquista; pero ciertamente la gran epidemia fue el golpe más duro. La recuperación demográfica fue lenta, para 1700, según esos autores, la población indígena llegaba apenas a los 2 000 000 de personas.

Eso es cierto en términos muy generales, pero debemos precisar para aproximarnos a la realidad. Un hecho fundamental, anotado antes, es la redistribución de la población indígena como consecuencia de la nueva ocupación del suelo. Además de la epidemia misma, la invasión de las tierras de las comunidades indígenas, con ganados y cultivos de los españoles, obligó al desplazamiento de pueblos densamente habitados y a la busca de lugares lejanos propicios para la vida; con éste, otro hecho, comprobado hace años, fue el traslado de grandes núcleos de población a las tierras del Bajío y del norte que iban siendo ocupadas por los españoles desde el siglo XVI, y que se ocuparon definitivamente en el XVII. Zonas periféricas al Bajío, como Tula-Xilotepec, Michoacán y otras, abastecieron de población a ese nuevo centro de actividad agrícola, ganadera y comercial, según se desprende de las cuentas de tributarios, en las que se observa una disminución de personas en esos pueblos y el aumento paralelo de las poblaciones situadas entre Querétaro y Guanajuato. La zona de Orizaba y Huatusco dobló el número de sus habitantes indígenas entre 1643 y 1646; hecho inexplicable por el crecimiento natural de la población local. Al norte, en los reales mineros, se advierten rápidos aumentos de pobladores indígenas, consecuencias de la migración. Se desconoce la totalidad de dichos movimientos, pero los pocos datos comprobados dan qué pensar, y quizá lleven a rectificar la postura tradicional, en la que se sostiene que la disminución de la población indígena en zonas densamente pobladas, en el centro de la Nueva España, fue el resultado de la destrucción ocasionada por la colonización española, las epidemias y la explotación; lo que, si bien es cierto, no lo es del todo.

Hay también otros hechos que deben considerarse, pues se conocen en su aspecto formal sin haberse penetrado en su dimensión. Se trata de las *congregaciones*, concentraciones de indígenas que vivían dispersos, o cambios obligados de algunos pueblos ya establecidos, alegando mejores posibilidades para su "administración y doctrina cristiana". La congregación de los indios que vivían dispersos se ordenó desde 1582. Ante las dificultades que hubo para llevarlo a cabo por la resistencia de los indígenas y el abuso de españoles que querían apoderarse de las tierras de comunidades que dejaban los indios, se abandonó la política, hasta 1595, cuando el virrey don Gaspar de Zúñiga, conde de Monterrey, impuso la política de las congregaciones de indios, no sólo de los que vivían dispersos, sino también de otros que fueron obligados a abandonar sus pueblos y comunidades, dejando las tierras a la codicia de muchos españoles, que al verlas desocupadas las consideraban como susceptibles de ser adquiridas por mercedes. Hubo entonces infinidad de casos en que se protegía la propiedad de los indígenas trasladados; pero la población indígena, mermada por la epidemia y alejada de sus tierras, fue cediendo ante el avance de ganaderos y labradores españoles. Esto parece indicar que la recuperación de la población indígena se inició antes de 1650 (año que han aceptado la mayor parte de los historiadores como el de más baja población indígena), y que la cifra de 2 000 000 se alcanzó ya entre 1670-1680, y no hasta 1700, como lo han afirmado los especialistas norteamericanos, a los que suelen seguir los historiadores. También hay que considerar que el aparente crecimiento de la población indígena puede ser realmente, en buena parte, el aumento de los mestizos que vivían entre los indios, y a los que se mantenía en la situación legal de indios por vivir como ellos y para hacerles pagar tributo y prestar ciertos servicios de los que solían escapar los mestizos y otras "medias castas". Todas las cifras

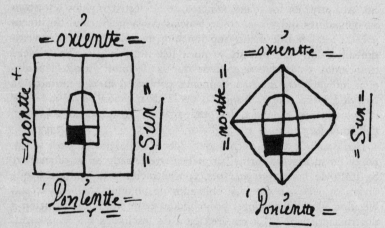

Varaciones en el modo de medir las 600 varas de las tierras de comunidad

de población para la época colonial descansan en hipótesis, pues los métodos de cuenta son parciales. Sólo a finales del XVIII encontramos censos de población.

Los españoles fueron legalmente los únicos europeos admitidos en las colonias hispanoamericanas, debido al celo de la metrópoli frente a otras naciones de Europa con las que España se hallaba en guerra política y religiosa. Dentro de la Península Ibérica hubo limitaciones para los catalanes y gentes de reinos que no fueran los de Castilla y León, pero a estas prohibiciones se les sacaba la vuelta, y de hecho, para la época aquí considerada, era gente de distintos reinos la que pasaba a América. Mediante permisos especiales, concesiones, etc., no fueron pocos los europeos no españoles que lograron pasar a distintas colonias de América, pero Nueva España no fue lugar concedido a no españoles. Los casos de franceses, flamencos, alemanes, etc., fueron excepcionales, y en los documentos que dan noticia de ellos resalta su carácter de viajeros o de admitidos transitoriamente. A partir de 1580, cuando los reinos de España y Portugal estuvieron unidos, hubo inmigración portuguesa a la América Española, pero se limitó severamente a partir de 1640, cuando se rompieron las hostilidades entre ambas naciones, y por esos años se ordenó que los portugueses salieran de los dominios españoles. Sospechas de deslealtad al monarca y xenofobia contra los portugueses se desataron entonces y los documentos acusan casos de extrema susceptibilidad. La debilidad política del monarca en la Península repercutió en Nueva España; llegó a acusarse al mismo virrey Escalera de estar por los de Portugal cuando prefirió el caballo de un sujeto apellidado De Portugal en una competencia.

La población blanca de Nueva España aumentó desde los inicios de la vida colonial. Para 1570 había posiblemente 63 000 habitantes reconocidos legalmente como "españoles"; en 1650 el número se había doblado, y hacia 1750 se aproximaba a los 600 000. Este aumento constante se debió, además de a la inmigración, a una mejor resistencia a enfermedades que se cebaron con mayor fuerza sobre la población indígena; también a un régimen de trabajo menos duro que el que pesaba sobre los indios, y a la mejor alimentación y distribución sobre el territorio.

389

Por otra parte, debe advertirse que esta población "blanca" no era en su totalidad de origen europeo, ya que los hijos de españoles e indígenas nacidos de unión legítima se consideraban "españoles", lo mismo que los mestizos con siete octavos de español. En las listas de *vecinos*, o sea, jefes de familias "españoles", de ciudades y villas, se incluían a muchos mestizos nacidos de matrimonio legítimo. Además, este grupo de "españoles" se vio engrosado por mestizos que lograban ser considerados como tales, pues perseguían el estado favorable del que gozaban los criollos en comparación con los indios, y, sobre todo, los mestizos y otras castas a las que se tenía aversión dentro de la sociedad novohispana.

La distribución de la población blanca varió mucho a lo largo del xvii. Pueden distinguirse lugares de concentración y crecimiento como las ciudades de México, Puebla, Guadalajara y Oaxaca. La zona cercana a Durango, en los reales mineros, tenía en 1580, 37 ciudades, con un total de 1 171 vecinos; para 1630, había 49 ciudades y el número de vecinos se elevaba a 5,030. Otros reales mineros como Guanajuato, Zacatecas, San Martín y Sultepec aumentaron su población a lo largo del siglo. Además, y esto es algo que no se ha estudiado con cuidado, deben considerarse agrupaciones de población criolla y mestiza en otras zonas que se desarrollaron durante el siglo xvii. En el Bajío, por ejemplo, surgieron algunas villas y ciudades de agricultores, ganaderos y comerciantes sobre rancherías que ya eran centros importantes de población. No todas lograron el título legal de villas o de ciudad, pero fueron en realidad verdaderos poblados con organización propia. Otros lugares, como buena parte de Nueva Galicia, en lo que hoy es el estado de Jalisco, sorprendían a los cronistas de la época por la blancura de su población y por la ausencia de indígenas; población blanca, dispersa, que no se contaba en los documentos oficiales. En otras palabras, no todas las concentraciones de población blanca (de manera semejante a lo que ocurre con las de indígenas, negros y mestizos de distintas mezclas) alcanzaron a reflejarse en los documentos que se refieren a la población y su cuenta. Algunas narraciones de la época confirman esta imprecisión, cuando hablan de pueblos, que hoy llamaríamos marginados, habitados por españoles pobres, por mulatos, mestizos e indios, y también de vagabundos de todas las clases, que vivían "fuera de todo orden de república", y cuyo número era imposible de calcular.

Como es sabido, los primeros negros que hubo en Nueva España vinieron con los conquistadores; después se introdujeron en número cada vez mayor. Llegó a hacerse usual y con el tiempo inmoderada, la trata de esclavos negros para la Nueva España, al grado de que en 1553 Don Luis de Velasco padre, segundo virrey, escribía a Felipe II:

> Vuestra Majestad mande que no se den tantas licencias para pasar negros, porque hay en esta Nueva España más de veinte mil, y van en grande aumento y tantos que podría ser que pusieren a la tierra en confusión.

Lo cierto es que el comercio de esclavos africanos no disminuyó, antes bien, aumentó, y más en la parte inicial del periodo que nos ocupa, pues la gran disminución de la población indígena trajo consigo una baja tremenda de mano de obra para la minería y las labores de los campos. En 1580 el virrey Enríquez hacía ver a su sucesor el grave problema al que se enfrentaba, debido a que la riqueza de esta tierra salía de las minas y labores que no se sabían hacer sino con indios. El remedio que aconsejaba era precisamente la compra de negros esclavos por cuenta del rey, para distribuirlos al costo entre mineros, dueños de cañaverales y molinos y otros empresarios españoles. A partir de entonces aumentó la introducción legal de esclavos africanos; se autorizó para la Nueva España la cantidad de 5 000 al año. La suma de los que entraron con esta licencia por Veracruz anualmente no llegó a tantos, pero según algunas relaciones, entre 1590 y 1610 alcanzó un promedio de 3 500 por año; y se dice que entre 1615 y 1622 fueron introducidos 29 574. Sumas bien elevadas; si se toma en cuenta la gran mortandad y disminución que ocurrían en el cruce del Atlántico, debido a las duras condiciones en que los infelices esclavos negros hacían el viaje, dentro de barcos atestados, mal alimentados y maltratados.

Es difícil formarse una idea cabal de la evolución cuantitativa de esta población. En esos años se ordenaba a los dueños de esclavos presentar cuenta de los mismos, y las autoridades estaban obligadas a llevar la de los esclavos y negros libres que, por otra parte, debían vivir en casa de amos conocidos. Pero los testimonios de estas prácticas no son confiables, pues los esclavos eran ocultados por sus dueños para no pagar impuestos, y las autoridades eran sobornadas a menudo. Los negros libres no se sujetaban a amos conocidos, y se ocultaban para evitar que se les hiciera pagar tributo o prestar servicio. Las autoridades se quejaban de este hecho que consideraban inevitable. También se hace mención de la huida constante de esclavos negros a las montañas y selvas, donde formaban poblados que se conocieron como palenques. Desde allí salían grupos de asaltantes. Muchos negros libres huían por el temor de ser esclavizados y se confundían con vagabundos y bandidos.

La población negra fue más abundante de lo que el aspecto de nuestra población actual lo haría suponer, ya que sólo en algunos lugares de las costas son evidentes los rasgos negroides; pero a los viajeros del XVII no escapa la presencia de negros en muy distintas partes de Nueva España; llaman la atención sobre cantidades considerables de ellos en ciudades como México, Puebla, Guadalajara, Querétaro y otras. En los reales mineros los encontramos siempre, y también, como predominantes, en algunos lugares de la costa oriental y occidental. En el México del siglo XX apenas se advierten elementos negros o negroides en el altiplano, pero los hubo, y su desaparición se explica por la mezcla constante, en la que los caracteres de otros grupos, el indígena y el blanco, predominaron absorbiendo al negro. Por ejemplo, se ha considerado que hacia 1600 había en Zacatecas 1 022 negros esclavos, 4 606 indios naboríos, o trabajadores asalariados, y 1 619 indios de repartimiento, o compelidos a prestar servicio en las minas. Es decir, entre los trabajadores había aproximadamente un 15% de negros; los negros libres, mulatos y otros mestizos de sangre africana quedan fuera de esta cuenta. Las aproximaciones que ha hecho Aguirre Beltrán en su estudio sobre la población negra indican la importancia de este elemento en la población novohispana del XVII. Sus datos son los siguientes: 20 569 (0.6%), en 1580; 35 089 (2.0%) en 1646, y 20 131 (0.8%), en 1792. La disminución de la importancia relativa de la población negra para fines del XVIII se debe al aumento de la población indígena, blanca y mestiza. El aumento relativo de esta última es un rasgo importante del siglo XVII.

El crecimiento de la población mestiza, y como tal se consideraba en la época colonial sólo a los hijos de españoles e indígenas, era algo que se advertía desde mediados del siglo XVI. El mismo virrey don Luis de Velasco padre, preocupado por el hecho, escribía en 1554 a Felipe II:

> Los mestizos van en grande aumento, y todos salen tan mal inclinados y tan osados para las maldades, que a éstos y a los negros se les ha de temer. Son tantos que no basta corrección ni castigo, ni hacerse con ellos ordinariamente castigo. Los mestizos andan entre los indios, y como tienen la mitad de su parte, acógenlos y encúbrenlos y dánles de comer; los indios reciben de ellos muchos malos tratamientos y ruines ejemplos.

Esta visión negativa de la población no india ni blanca sería confirmada más tarde por otras autoridades y por otros virreyes. Según hemos anotado arriba, don Martín Enríquez creía en 1580 que los mestizos ("gente cuasi-india"), "mulatos, negros libres y demás gente menuda" eran el peor peligro para la conservación de la paz y el orden en Nueva España. Lo que significan estas observaciones tenemos que verlo más adelante, al hablar de la sociedad como organización de una población cuya evolución cuantitativa es lo que interesa en este momento.

La tarea es bien complicada debido a la diversidad de mezclas que dieron origen a la población mestiza. Los *mestizos,* hijos de españoles e indígenas, y *castas,* como se les empezó a llamar a los afromestizos desde el siglo XVII (la denominación parece ser más común en los documentos del XVIII) se mezclaron y multiplicaron a tal grado, que las denominaciones ensayadas en la época, por más cuidadosas y eruditas que hayan sido, no alcanzaron a dar cuenta de la complejidad de la población. Sobre la inexactitud de los términos hay que tomar en cuenta la tendencia a ocultar orígenes de sangre mezclada, por considerarse infamante. Tratar de eludir el pago de tributos, al que también se sujetaban legalmente a las castas, adquirir honor, o evitar deshonra eran motivos que llevaban al ocultamiento. Los intentos para salvar las líneas de color han dejado huella en los documentos oficiales, lo que han aprovechado los especialistas para trazar cuadros parciales de la población mestiza. Apreciaciones éstas siempre controvertibles y diferentes entre sí, pero de las que, sin embargo, destaca un hecho indudable, y en el cual sí coinciden los historiadores de diversas escuelas: la importancia creciente de la población mestiza (mestiza en el sentido actual del término) dentro de la sociedad novohispana; una sociedad multirracial, muy complicada.

Es muy difícil precisar la distribución de la población mestiza en el territorio de Nueva España. El hecho saliente es que se encontraba en todos los lugares, con excepción de aquellos a los que el acceso era imposible o estaba vedado, no sólo a los mestizos, sino a otros grupos, como ocurría en las misiones del norte, principalmente las de los jesuitas. Al mestizo lo encontramos siempre en los caminos, en las grandes ciudades, en los reales mineros, en los pueblos de indios, pese a las repetidas prohibiciones que se dieron a lo largo de toda la colonia para impedir que entraran a inquietarlos con abusos y malos ejemplos. Llegamos a encontrarlo en despoblados, vagando, aun en compañía de indios bárbaros, con los que llegaban a ponerse de acuerdo para asaltar poblados y caravanas.

Agricultura europea en México

Desde el siglo XVI la Corona española se interesó en el desarrollo agrícola de la Nueva España. La legislación se orientó a fomentar la inmigración de labradores peninsulares y dotarlos de las tierras más apropiadas para la agricultura. En líneas generales, la posición de la Corona en cuanto a la explotación agrícola de la Nueva España se mantuvo en una actitud de protectora expectativa. Dejó en manos de la iniciativa particular la introducción de semillas y plantas europeas, limitando su acción a dictar normas sobre la ocupación de la tierra y el fomento de determinados cultivos como el trigo y la caña de azúcar en primer término. En las instrucciones dadas a los virreyes siempre figuraba el encargo de ampliar las áreas de sembradío, con especial cuidado de favorecer a los españoles sin menoscabo de la propiedad indígena, punto que en la práctica fue motivo de graves problemas de posesión. Como al aumento de la población blanca y mestiza correspondió una creciente demanda en el consumo del trigo, su cultivo recibió atención preferente. Los virreyes procuraron que una gran parte de las tierras apropiadas para esa gramínea fueran dedicadas a las labores de panllevar. En esas mismas no faltaba un capítulo sobre el trigo. Por ejemplo, en las que se dieron al conde de Monterrey (1596) se le imponía la obligación de limitar las invasiones del ganado en tierras "buenas y fértiles para sembrar trigo", sobre todo si eran de regadío, pues en las de temporal el producto resultaba de calidad inferior y susceptible de perderse en las frecuentes lluvias excesivas o heladas rigurosas.

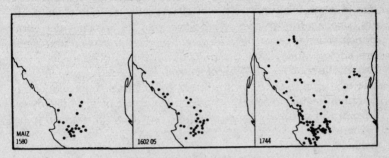

Expansión de la agricultura

En un principio el mayor centro productor fue el valle de Atlixco, que a fines del xvi rendía cosechas de 100 mil fanegas anuales. Le seguía el valle de San Pedro, poblado con labradores de Atlixco, con rendimiento de 70 a 80 mil fanegas. Hacia 1630, el primer valle citado disponía de unas 90 áreas de cultivo intensivo de trigo que daban 150 mil fanegas. Lo mismo puede decirse de San Pablo, aparte de otras regiones de Puebla y Tlaxcala que se fueron sumando a la producción triguera, como Amozoc, Tepeaca, Huamantla, Nopaluca, San Juan de los Llanos. En los alrededores de la ciudad de México (Chalco, Tacuba, Tacubaya, Huehuetoca así como el cercano valle de Toluca, hubo bastantes tierras sembradas de trigo. Su importancia se comprueba por el significativo hecho de que en 1620 se ordenara proporcionar doble número de indios a los "labradores de trigo de riego" de los distritos de Tacubaya y Chalco. En Michoacán, las zonas de clima más o menos templado de Zamora, Valladolid, Zacapu, proporcionaron cosechas de regular importancia. El amplio valle que hoy conocemos como El Bajío fue otro centro agrícola en el que se asentaron gran número de labradores de trigo con resultados óptimos en Querétaro, Celaya, León, Silao, Apaseo, Irapuato, Salamanca, Salvatierra, Valle de Santiago, etc. Los agricultores de Celaya recogían entre 17 y 18 mil fanegas en 1580, y cerca de 30 mil en 1600. Caso típico de unidad de buen rendimiento era el de la hacienda de San Nicolás, próxima a Yuriria y propiedad de los padres agustinos, que a comienzos del xvii cosechaba 10 mil fanegas anuales. Al paso de los años los cultivos se intensificaron en forma tal que para mediados de la centuria sólo las tierras labrantías en torno a Salamanca aportaban 150 mil fanegas, o sea una producción similar a la del valle de Atlixco veinte años antes.

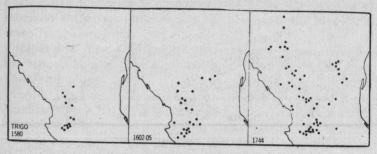

Expansión de la agricultura

Por esa época, en las pródigas tierras del Bajío se llegó a presentar el caso inusitado de considerar los problemas que podía acarrear el exceso de producción de trigo, pues según apuntaba con preocupación el cronista Diego de Basalenque,

> ...si Nuestro Señor no multiplica muy a prisa muchos comedores, han de quedar más pobres de lo que están los labradores según aumentan labores; y así digo que Nuestro Señor no quiera que en Salamanca, a la parte del norte, se saque el agua (tal como se ha proyectado) porque no había de haber quien comiese tanto pan...

En la Nueva Galicia, a pesar del predominio de tierras de temporal, hubo lugares como Guadalajara, Amatitlán, Tlajomulco, Juchitlán, Tlala, Compostela, etc., donde el trigo se dio en apreciable cantidad aunque apenas suficiente para atender el consumo regional. La región de Oaxaca, especializada sobre todo en la cría del gusano de seda y la extracción de la grana o cochinilla del nopal, no destacó en producción triguera. Sus agricultores, gran parte de ellos indígenas, prefirieron explotar aquellos cultivos industriales, reservando al trigo una mínima parte de tierras, insuficientes para cubrir las necesidades locales.

La caña de azúcar fue otro cultivo importado que la metrópoli trató de fomentar desde mediados del XVI. A partir de don Luis de Velasco (1550), los virreyes recibieron especial recomendación de favorecer la instalación de ingenios de azúcar y ampliar las siembras de caña con la adjudicación de las tierras necesarias a quienes desearan dedicarse a esta actividad. Respecto a la mano de obra, se les advirtió que los trabajos de los ingenios no fueran desempeñados por indios sino por esclavos negros, especialización de servicios que sería introducida en forma paulatina. Resultado positivo de esa insistencia oficial fueron las numerosas mercedes de tierras concedidas desde entonces para cultivar caña, así como las autorizaciones que amparaban el establecimiento de ingenios y trapiches. Al concluir el siglo XVI se habían otorgado vastas superficies de tierras fértiles, sobre todo de riego, a este cultivo. Como su explotación era al mismo tiempo agrícola e industrial, al principio requirió la dotación de mano de obra indígena abundante en proporción con las áreas de tierras que se daban. Semejantes facilidades inclinaron a muchos propietarios a cambiar la siembra de trigo por la de caña. El uso y abuso que hubo en ello determinó que en 1595, 1599, 1601 y en lo sucesivo, se restringiera el servicio de los indios en las labores de los ingenios. En 1631 se dictó la prohibición total, aunque lo hicieran a título de trabajo voluntario; sus servicios sólo serían utilizados en el campo para el corte y acarreo de caña, limitación que en 1660 se hizo extensiva a la Nueva Galicia. A estas medidas de protección del indígena contribuyó mucho la enorme disminución de la población aborigen que hacia mediados del XVII había alcanzado su cifra más baja, como se ha señalado antes.

La concesión de tierras para la siembra de caña favoreció por supuesto a los españoles influyentes y de mayores recursos económicos, condición hasta cierto punto justificada por las fuertes erogaciones que exigía la instalación de ingenios. Buena parte de los capitales invertidos en la industria azucarera provinieron de las órdenes religiosas en forma de préstamos hipotecarios, pero en el siglo XVII ellas mismas pasaron a ser propietarias de ingenios. Como tales figuran las de San Agustín, Santo Domingo, San Hipólito y la Compañía de Jesús que se destacó como mejor y capaz administradora en esta actividad económica. El cultivo de caña y la producción de azúcar se concentró en las zonas de clima templado de la Nueva España. Una de las más importantes fue la de Cuernavaca, donde el marquesado del Valle tenía el ingenio de Tlaltenango y compartía la explotación de Coajomulco. Localidades de esta región como Zacualpan, Cuautla, Amilpas, Yautepec, Tlacotepec y Jojutla contaban de 12 a 15 ingenios a principios del XVII. Hacia la parte oriental se abrieron tierras al cultivo de la caña, con ingenios anexos de regulares proporciones, en Atlixco, Izúcar, Chiautla, Huaquechula, Huehuetán. Sobre la propia vertiente del Golfo destacó el vasto ingenio de Orizaba con otros menores en la región de Huatusco. Alrededor de doce unidades productoras de azúcar se hallaban diseminadas en la región de Jalapa y Chicontepec; Coatepec fue el asiento del mayor ingenio de la época, el de la Santísima Trinidad; próximo a Tuxtla el marquesado del Valle tuvo otro ingenio en tierras de su propiedad. La región circunvecina a la villa de Córdoba, fundada en 1616, pronto estuvo poblada de numerosos ingenios. Al occidente, algunas zonas de Michoacán, aunque no tan bien irrigadas como las de la vertiente del Golfo, acogieron el cultivo de caña; su producción era beneficiada por unos diez ingenios localizados en tierras de Tajimaroa, Zitácuaro, Tingambato y Peribán. En la jurisdicción de la Nueva Galicia se deben mencionar cultivos e ingenios importantes en las zonas de Ocotlán, Sayula, Autlán, Ameca (Jalisco) y Juchipila (Zacatecas). Conforme avanzó el siglo XVII, surgieron plantíos de caña e ingenios en la Huasteca, como Tamazunchale, Valles y Tantoyuca. Cultivos de menor importancia los hubo en torno a Oaxaca y Santiago Nexapa, así como en la apartada provincia de Chiapas.

En términos generales, se aprecia que la siembra de caña y la consiguiente producción de azúcar tuvo amplia difusión en la Nueva España y los demás territorios del virreinato. Aparte de los ingenios localizados en los puntos mencionados como más notables, en las mismas zonas, durante el siglo XVII, se establecieron infinidad de trapiches y "trapichillos de mano", o sea pequeños productores de azúcar sin refinar y melazas. La extensión de tierras dedicadas a la caña de azúcar llegó a ser tan considerable, en perjuicio de otros cultivos como el trigo y el maíz, que en 1599 se dictó una ordenanza restrictiva, por la cual se sujetaba a licencia del virrey la apertura de nuevas sementeras respetando las tierras ya cultivadas con caña si se demostraba que no eran más apropiadas para el trigo o el maíz. La limitación se mantuvo vigente durante el siglo XVII en calidad de disposición cuyo cumplimiento era obligatorio; en 1620 se hacían frecuentes referencias a ella y para un caso particular en 1644 la Corona expidió orden similar, prohibiendo plantar caña en la jurisdicción de Acapulco, Chilapa y Tixtla. Se estima que a mediados del XVII sólo los ingenios de importancia existentes en Nueva España eran 50 o 60, con una producción global de 300 000 a 450 000 arrobas por año. Renglón aparte, muy difícil de cuantificar, es el de la proporción de melazas, de gran demanda para destilar aguardientes como el "chinguirito", y el de azúcar "prieta" o mascabada, productos elaborados por los trapiches y trapichillos. Los ingenios también producían miel de caña cuya venta en toda la Nueva España estaba reglamentada con la concesión de licencias a particulares para comerciarla.

Dos cultivos mediterráneos, el olivo y la vid, tuvieron un buen comienzo en la agricultura colonial, con marcada preferencia el segundo. Las órdenes religiosas, en especial la de San Francisco, se distinguieron por su empeño en importar y aclimatar el olivo. Los primeros virreyes, hasta don Luis de Velasco hijo, trataron de que se cultivara en regular escala. A mediados del XVI se insistía ante la Corona sobre los muchos beneficios que el olivo reportaba como industria, afirmándose que cerca de la ciudad de México había ya olivares muy prósperos, cuya producción de aceite podía con el tiempo dar apreciables ingresos al fisco si se hacía cargo de ellos, aparte de vigorizar la elaboración del jabón. La información disponible parece indicar que después del empuje inicial decayó bastante el interés de particulares por esta oleaginosa, excepto los labradores del valle de Atlixco que cultivaron algunos olivares sin llegar a proporciones notables. La vid mereció mayor atención tanto para introducirla como para propagarla. Desde México se dirigieron repetidas demandas para lograr la franca explotación de viñedos. Los particulares llevaron la iniciativa alabando la bondad de la tierra para acoger su cultivo que al comienzo se hizo con gran decisión en Atlixco y Puebla (11 800 sarmientos plantados en 1534), pero no hallaron apoyo en las esferas oficiales. Al principio las leyes ampararon la difusión de olivares y viñedos, pero en cuanto su cosecha, sobre todo la de los segundos, significó competencia para los productores y comerciantes andaluces, éstos, deseosos de tener el monopolio del suministro de vino y aceite a las colonias, presionaron a las autoridades peninsulares para que impidieran el desarrollo de esos cultivos, logrando que a partir de 1595 se dictara la prohibición de plantar ambos frutos, repetida después en 1620, 1628 y 1631. Como resultado en el siglo XVII es raro encontrar referencias a olivares y viñedos explotados abiertamente. Caso singular fue el de Parras y otros lugares distantes de la capital del virreinato, donde la prohibición era difícil de hacer cumplir.

Fibras vegetales como el lino y cáñamo, apropiadas para ser transformadas en materia prima textil, hallaron en un comienzo decidida protección oficial porque se esperaba dotar a la colonia de producción suficiente para impedir su importación de otras naciones y aun con miras a exportar. En 1545 se ordenó autorizar la siembra del lino y cáñamo e inducir a los indios a cultivarlos así como a enseñarles a hilar y tejer lino. El virrey Velasco I recibió orden de cumplir esa disposición. Pronto surgió la oposición de los monopolistas comerciantes peninsulares que veían peligrar sus intereses con el crecimiento de la industria textil de la Nueva España. Presionada, la Corona reconsideró su política inicial. Al conde de Monterrey se le pidió que con mucho tino averiguase primero la magnitud de los plantíos de lino autorizados por sus antecesores, lo mismo que la cantidad y empleo de la fibra obtenida; luego, en lo sucesivo no debía dar licencias para cultivarlo, negándolas con disimulo tal que no se percibiera ser prohibición total.

Una planta tintórea, el añil, fue cultivo exclusivo de los españoles. Su explotación comercial empezó en 1561 cuando Pedro de Ledesma y el Marqués del Valle obtuvieron la concesión de industrializar el añil en la región de Yautepec. Poco después la sociedad se deshizo por diferencias de las partes y porque el gobierno virreinal no quiso prorrogar el monopolio en vista de que exigía demasiada mano de obra indígena. Después de 1570 el añil se extendió a zonas tropicales, especialmente Yucatán; la península poseía en 1577 más de 48 "ingenios" de añil, que en el año anterior habían producido 600 arrobas del preciado tinte, exportadas a España. Las leyes que prohibieron el repartimiento de indios (1579, 1581) y la tenaz oposición de muchos religiosos por el rudo trabajo que en esos ingenios hacían los aborígenes, no pudieron impedir el desarrollo del cultivo y elaboración del añil, que en el siglo XVII fue un artículo de exportación a España muy considerable.

Cultivo industrial de mayor rendimiento económico fue el del gusano de seda, cuya cría halló en la Nueva España las condiciones naturales más propicias que en cualquier otro lugar de la América española. La introducción de la morera y el gusano fue inmediata a la conquista, con resultados tan satisfactorios que a mediados del XVI había alcanzado enorme difusión. El foco inicial estuvo en la región de Puebla, donde por 1550 sólo una finca podía contar 40 mil matas plantadas. De allí se extendió a la zona mixteca de Oaxaca que pasó a ser en adelante el principal núcleo sericícola, en el cual los principales productores fueron los pueblos indígenas. En el centro de la Nueva España otra importante región de cultivo fue la comprendida dentro del amplio triángulo cuyos vértices eran México, Taxco y Tepeaca; al norte y noroeste algunos puntos de Michoacán hasta Colima, y hacia el noreste la Huasteca. Paralela al rápido crecimiento de la industria sericícola marchó la legislación. Son innumerables las cédulas, pragmáticas e instrucciones dictadas por la metrópoli para normar su explotación, como asimismo la serie de disposiciones que los virreyes, de Mendoza a Velasco II, expidieron para reglamentar los múltiples problemas que la industria ofrecía a cada paso: concesiones, formas de trabajo, precios, organización gremial de los tejedores de la seda, etc. Casi no hay industria de la época en que el proteccionismo estatal se volcara con tanta prodigalidad. Pero, después de un florecimiento inusitado que alcanzó hasta 1580, el cultivo de moreras y cría del gusano fueron cayendo en progresiva decadencia. Causa principal de este abatimiento fue la ruinosa competencia de las sedas de China procedentes de las Filipinas que, con protección oficial, inundaron la Nueva España a precios mucho más bajos que el producto mexicano. Como en el caso del lino, el proteccionismo inicial de la metrópoli se trocó en veda: en 1596 se prohibió el cultivo de la morera. La habitual resistencia a este género de prohibiciones permitió la existencia de algunos plantíos dispersos que en 1679 se mandó arrasar sin contemplaciones, y de igual manera cualquier planta que sirviera para criar gusanos de seda.

Como compensación del rudo golpe asestado a la industria de la Nueva España, se incrementó el cultivo de la grana o cochinilla del nopal. En 1597 y 1614 la corona dispuso que los virreyes estimulasen esta granjería, que desde 1580 figuraba como renglón apreciable entre los productos exportados a España. Geográficamente la grana suplantó a la seda en Oaxaca y partes de Yucatán, pero sin alcanzar su importancia como fuente de riqueza. Mientras la seda tenía el estímulo de ser producto capaz de procurar un doble beneficio a la economía, el cultivo en sí y su transformación en textil exportable, la grana pasaba de ser materia prima tintórea que de los centros de producción se enviaba a los puertos de salida, caso similar al del añil. Los españoles no intervinieron de manera muy directa en la explotación de la grana, labor que dejaron en manos de los indígenas, limitándose al papel de intermediarios exportadores. En 1601 se mandó no estorbar a los naturales el envío de grana por su cuenta a la península, libertad de muy dudoso cumplimiento estando el interés de los españoles por medio.

Supervivencia y transformación de la agricultura indígena

La agricultura indígena, reducida en extensión por el acaparamiento de las mejores tierras y aguas en manos de los españoles y con menos mano de obra propia disponible, mantuvo su importancia económica con cuatro especies de neto origen americano: el maíz, el maguey, el frijol y el chile. El maíz, la planta más representativa de la cultura nativa en el paisaje agrícola, no requirió de atenciones agronómicas especiales porque a la llegada de los conquistadores tenía varios siglos de cultivo intensivo que le había permitido desarrollar una variedad de semillas seleccionadas, adaptables a diferentes tipos de suelos y climas. Las técnicas e implementos de labranza europeos que el indio aprendió a utilizar le ayudaron a compensar en parte la reducción de las cosechas de maíz cuando sobrevino el declive demográfico, fenómeno que en la actividad agrícola afectó a este cultivo más que a cualquier otro. La producción de maíz no pudo ser descuidada porque nunca perdió su condición de producto básico e insustituible de la alimentación indígena. Además, la sociedad colonial aportó nuevos consumidores con el aumento de población representado por mestizos, negros y mulatos.

La dispersión geográfica del maíz abarcó casi todo el territorio del virreinato, pero su concentración estuvo localizada en las zonas de más densa población aborigen: los valles de Atlixco, Puebla, Tlaxcala y México, y la depresión de Cuernavaca. Desde comienzos del siglo XVII, en los cuatro primeros el maíz fue gradualmente desplazado por el cultivo del trigo, sobre todo en las tierras de regadío, aunque no en forma total, porque en esos valles estaban los principales centros urbanos, es decir, el mayor número de consumidores. A la creciente demanda de maíz contribuyó también el aprovechamiento de su caña y hojas como forraje para el ganado. La exigente presión del consumo determinó que los propios españoles aceptaran la práctica del cultivo mixto, en que maíz y trigo compartieron las tierras.

El maguey, tal vez la planta perenne más típica de México, destacó por su abundancia, excepcional resistencia a las variaciones meteorológicas, adaptación a cualquier tipo de suelos, en especial los de las zonas áridas donde la humedad era casi nula. Más que cultivo, el maguey exigía un poco de cuidado y por lo mismo requería escasa mano de obra. De las culturas americanas, la de México fue la que supo sacar del maguey el máximo aprovechamiento, al extremo de que nada se desperdiciaba de esta planta. Su primer y principal empleo era la elaboración del pulque, resultante de la fermentación del aguamiel extraído del corazón del maguey. De la misma aguamiel se preparaban otros productos similares al vinagre, miel y azúcar. Había plantas que rendían cerca de 500 litros de ese líquido. Las hojas secas daban una fibra áspera, el ixtle, utilizada para confeccionar cuerdas, tejidos bastos para envolver fardos y hacer esteras, pero trabajada con mayor esmero se obtenía cierta especie de hilo apropiado para tejer mantas y fabricar calzado rudimentario. La pulpa de la hoja machacada era materia prima para obtener un tipo de papel grueso sobre el cual se podía escribir (en papel de maguey se hicieron muchos códices pictográficos). Las duras espinas terminales de las hojas se utilizaban como agujas y clavos. Por último, servía de combustible y material para techar jacales. Semejante multiplicidad de usos industriales y domésticos —que perduran hasta la fecha— hizo del maguey una planta imprescindible del agro novohispano. Para fines de explotación económica intensiva, el cultivo del maguey se concentró en las tierras de Tlaxcala e Hidalgo, donde se formaron las llamadas "haciendas pulqueras".

Del frijol y chile, ingredientes sempiternos de la alimentación popular, puede decirse que las numerosas variedades de uno y otro formaron parte del paisaje agrícola donde quiera que se asentara un núcleo de población en el cual figurara el indígena; en las rancherías dispersas, en las huertas urbanas o en las tierras propias de las haciendas, o próximas a ellas, el cultivo de ambos frutos era indispensable.

El algodón, la fibra que desde antes de la conquista utilizaron los indígenas para la confección de mantas y prendas de vestir, tuvo entre los españoles acogida favorable cuando aún el esquilmo de lana no bastaba a proveer de materia prima a los obrajes. Uno de los empleos que los españoles hicieron del algodón fue el de adoptar el uso del acolchado "escaupil" aborigen en sustitución del coselete de cuero que a manera de coraza ligera protegía al soldado de infantería. Por ejemplo, los soldados que participaron en la conquista de Filipinas (1565) fueron dotados de escaupiles de algodón. Las autoridades metropolitanas no dejaron de recomendar el cuidado con que debía atenderse el cultivo del algodón. Entre las regiones productoras, Yucatán mantuvo siempre su condición de principal centro algodonero. En Oaxaca también se dio, así como en el corregimiento de San Cristóbal de la Barranca y región de Nayarit, por lo que corresponde a la jurisdicción de la Nueva Galicia.

El cacao, fruto nativo, tuvo excepcional demanda a causa de que, preparado como chocolate, se convirtió en la bebida imprescindible de todas las clases sociales del virreinato. En la zona del Golfo su cultivo estuvo confinado a las regiones de Soconusco y Tabasco. En la costa del Pacífico hubo extensos plantíos de cacao localizados en la Villa de Purificación, Colima y Zacatula al norte, y Huatulco al sur. Algunas plantaciones eran trabajadas por indígenas, pero se prefería la mano de obra del esclavo negro, necesidad acentuada por la declinación demográfica de aquéllos. Las epidemias de fines del xvi diezmaron en tal grado a los trabajadores de las tierras calientes, que muchos cultivadores quedaron arruinados. Para esa época varios de ellos habían acumulado fortunas de 50 000 a 200 000 pesos. Desde entonces, la zona del Pacífico declinó como productora de cacao. Las cosechas de las zonas aludidas nunca fueron suficientes para cubrir el consumo de la Nueva España. Hasta fines del siglo xvi el mercado mexicano absorbía además gran parte de la producción de la provinvia de Izalcos, Guatemala, y en menor proporción la de Sonsonate, hoy El Salvador. Como estas importaciones tampoco bastaron fue necesario traer cacao de América del Sur. La introducción masiva del fruto procedente de Caracas, Maracaibo y Guayaquil desplazó al de Soconusco y Tabasco al grado de que su producción permaneció estacionaria durante todo el siglo xvii.

La ganadería

Los problemas técnicos y humanos que afrontó la agricultura no se presentaron en el desarrollo de la ganadería. En el campo de la riqueza pecuaria la cultura indígena no ofreció a los conquistadores ninguna especie de ganado mayor o menor similar a las europeas. Pero esa carencia fue compensada muy pronto por las apropiadas condiciones climáticas, topográficas y fitogeográficas de los dilatados espacios de la Nueva España. En pocos años, la introducción inicial de las diversas especies de ganados, en cantidades reducidas por las dificultades de transporte, se transformó en una fabulosa población animal. Para su ulterior expansión, la ganadería tuvo la enorme ventaja sobre la agricultura de no llevar en sí los lentos procesos de adaptación por los que ésta hubo de pasar. Más bien contribuyó a su desenvolvimiento, haciendo posible una mayor roturación de terrenos cultivables, el abono de ellos y el transporte de los productos agrícolas. No menos valiosa fue su contribución al progreso de la minería. Los reales de minas utilizaron la ganadería como fuerza motriz, de carga y fuente básica de alimentación. El constante avance de la ganadería hacia el norte del país facilitó el asentamiento del europeo en regiones donde la hosquedad de la naturaleza imponía costumbres nomádicas a sus primitivos habitantes. Asimismo, su presencia coadyuvó al sedentarismo aborigen y brindó a la población minera condiciones de vida tolerables. En las regiones menos inhóspitas del sur también dejó sentir su benéfica influencia. Los mayores problemas suscitados por la ganadería derivaron de su progresivo aumento.

En el terreno humano, los menores cuidados que la ganadería necesitaba, a diferencia de la agricultura, lograron hacer del indio un elemento de colaboración menos difícil de aplicar que en las actividades de cultivo. Su papel se redujo a labores de pastoreo, generalmente de ganado propio, pues las de las grandes manadas de los propietarios españoles estuvieron a cargo de mestizos, mulatos y negros. Por otra parte, fue bastante común que el ganado circulase casi libre por los campos, práctica que condujo a la frecuente invasión destructora de las labranzas indígenas y a la formación de rebaños salvajes o mostrencos, ya muy abundantes a mediados del siglo xvi. Las consiguientes quejas de los perjudicados motivaron que el gobierno virreinal, con amplio apoyo del metropolitano, dictara una copiosa y enérgica legislación protectora. El lugar de origen de todas las especies europeas introducidas en la Nueva España fueron las islas Antillas: Cuba, Santo Domingo, San Juan de Puerto Rico, donde ya contaban con varias décadas de aclimatación. El ganado caballar fue el primero en hacerse presente como cabalgadura obligada de buena parte de la hueste conquistadora. En número escaso al principio porque cada ejemplar valía "a peso de oro", el botín que en oro y plata obtuvieron los españoles les permitió aumentar la compra de caballos en aquellas islas, al grado de que la demanda amenazó con despoblar de equinos a Santo Domingo, cuyas autoridades llegaron a prohibir su exportación a la Nueva España. Pese a todo, el suministro de ganado caballar desde las islas no cesó gracias a las apreciables utilidades que su venta producía. Concluida la fase bélica de la conquista, el caballo, muy necesario para recorrer las grandes distancias del país, pasó también a desempeñar el papel de atributo vinculado a los deberes del encomendero y de distintivo característico para los españoles de rango. Algunos nobles y caciques indígenas alcanzaron el privilegio de poseer caballo, distinción que por ley se les restringió más tarde, limitándola a casos de excepción. La rápida multiplicación del ganado caballar redujo al mínimo su precio e hizo posible que hasta los españoles y mestizos pobres dispusieran de caballo, posesión que dentro de aquella sociedad en formación les daba cierta prestancia, aunque las más de las veces resultara decorativa.

Al mismo tiempo que el caballo pasaron a la Nueva España las primeras cabezas de ganado porcino o de cerda. Animal fácil de transportar y alimentar, adaptable a cualquier tipo de clima, doméstico por excelencia y sobre todo muy prolífico, el cerdo pronto se propagó y quedó al alcance de todos. En fecha tan temprana como 1531 el precio de un cerdo era tan barato que su cría interesaba a muy pocos. El indio no desdeñó la crianza de esta especie, no tanto porque su carne influyera demasiado en la alimentación cotidiana del aborigen, sino por el gran consumo que de ella hacían españoles, mestizos, mulatos y negros, a quienes aquél proveía en los mercados urbanos o pueblerinos. Las telas de abrigo exigidas por el clima de la meseta y la propia costumbre europea, hicieron que el ganado lanar u ovino ocupara lugar destacado en la incipiente economía colonial interna. La especie "merino", por su fácil adaptación al medio, calidad y rendimiento

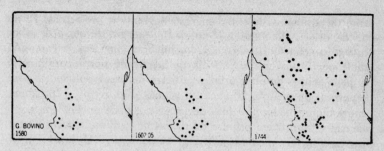

Expansión de la ganadería

de lana, se hizo indispensable para cubrir esa necesidad. Los organismos de gobierno acusaron gran interés en proveer a la colonia de ganado lanar, lo mismo que de caprino, este último muy solicitado por la dieta de los peninsulares y conveniente por su adaptabilidad a tierras secas y quebradas. El virrey Mendoza se distinguió como el más empeñoso introductor de ambas especies. No se debe pasar por alto que en su época empezaron a crearse los obrajes de lana y la confección de ropa de dicha tela. Los miembros del clero, cuyo vestuario también requería lana como materia prima, resultaron empeñosos propulsores del ganado ovino, fomentando la crianza del mismo en sus extensas propiedades rústicas. Aparte de los fines particulares, la iglesia procuró interesar al indígena en la explotación del ganado lanar. Además, pidió con insistencia el envío de bestias de carga, asnos y mulas, para redimir a los tamemes de sus duras tareas.

La primitiva unidad de tierra dedicada al ganado se incluyó en las normas relativas al reparto de tierras, por lo que corres-

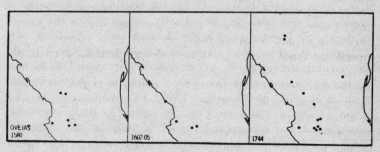

Expansión de la ganadería

407

ponde a peonías y caballerías. Peonía era una porción de tierra de 50 pies de ancho y 100 de largo, 100 fanegas de tierra de labor de trigo o cebada, 10 de maíz, dos huebras (una era la extensión arable por una yunta en un día de labor) de tierra para huerta y 8 para cultivo de otros árboles, y tierra de pastos suficientes para 10 puercas de vientre, 20 vacas, 5 yeguas, 100 ovejas y 20 cabras. La caballería medía 100 pies de largo y 200 de ancho, con equivalencia total a cinco peonías de tierras de ganado, labor y pastos, correspondía, en medidas métricas actuales, a 0.41 km². Por lo común se le conoció con el nombre genérico de "sitios" de ganado. Estos modestos límites fueron el origen de la estancia, la verdadera unidad ganadera peculiar de la Nueva España. La estancia significa ya un lugar de permanencia fija para el ganado, próxima a los pastos. Las medidas citadas datan de 1513 y fueron aplicadas en la Nueva España hasta que la natural evolución del "sitio" a la "estancia" obligó a establecer nuevas dimensiones más acordes con el desarrollo de la ganadería. El virrey Mendoza expidió en 1536 las "Ordenanzas y preceptos para medir criaderos de ganados mayores y menores, caballerías y demás tierras", por las cuales la estancia de ganado mayor debía tener "de Oriente a Poniente cinco mil varas y de Norte a Sur otras cinco mil" (equivalente a 17.49 km²), la de ganado menor "tres mil trescientas treinta y tres varas y un tercio" de largo y ancho (equivalente a 7 km²). Los criaderos anexos correspondían a la cuarta parte de cada tipo de estancia. Dichas ordenanzas fueron confirmadas en 1577.

La cercana comarca de Toluca y aledaños acogió las primeras concesiones de estancias que constituyeron el núcleo del posterior movimiento migratorio del ganado hacia el norte. Parece ser que la superficie dada a la estancia fue insuficiente para contener el incesante aumento del ganado, vacuno y caballar, pues hacia 1539 los dueños de las etancias toluqueñas, saturadas de ganados, despoblaron muchas de ellas trasladando sus rebaños a la inmensa zona comprendida entre el río San Juan y Zacatecas. Casi al mismo tiempo de ese avance del ganado sobrevino el descubrimiento de las ricas minas de Zacatecas (1546) y Guanajuato (1554). La región adyacente, más tarde conocida como "El Bajío", se transformó en el sostén agropecuario de la minería guanajuatense. Como complemento de la floreciente agricultura, el ganado mayor y menor pululaba en la fértil planicie. No obstante el despueble

Marca de un hierro para ganado

señalado, en el valle de Toluca, también denominado valle de Matalcingo, siguieron prosperando las estancias de ganado, desbordándose los animales por las tierras circunvecinas que poseían los indios. Poco después de iniciar su gobierno el virrey don Luis de Velasco, el primero, al visitar la región recibió queja formal de los indígenas por los daños que les causaba el ganado suelto en sus sementeras. No pudiendo conciliar la petición de expulsarlo con el parecer opuesto de los dueños de estancias y el cabildo de la iglesia que temía la merma de sus diezmos, Velasco optó por ordenar la construcción de una cerca divisoria, de más de diez leguas de largo, entre las tierras de indios y las estancias. La obra fue concluida, pero dio lugar a nuevos pleitos, que no pudieron terminarse pese a la disposición real de 1555, que ordenaba destruir la cerca.

Materia de constantes reclamaciones fue la invasión y destrucción de las sementeras indígenas por el ganado. La Corona encaró el problema con singular cuidado. Informada repetidamente sobre esos perjuicios, impuso a los virreyes la obligación de reducirlos. El primer encargo lo recibió don Antonio de Mendoza en el sentido de enviar personas de confianza a los lugares donde surgiera el conflicto para que hicieran justicia a los indios sin admitir apelación alguna de la parte contraria. El activo gobernante puso en práctica el mandato despachando "algunas comisiones, especialmente para Guaxaca y otras partes" con recomendación de ejecutar lo conveniente para impedir la repetición de los daños denunciados, pero sobre todo escuchar a las partes en

409

forma sumaria y hacer que los indios recibieran el pago correspondiente a los perjuicios recibidos. El proteccionismo del gobierno central se manifestó luego en las instrucciones recibidas por los virreyes y reales cédulas especiales. Así, las dadas a Velasco (1550) precisaban que llegado a México una de sus inmediatas atenciones sería la de comisionar a un oidor de la Audiencia para que visitara las estancias sin ser requerido por los indios, y viera si estaban en su perjuicio, caso en el cual "las mandase luego quitar

Marca de un hierro para ganado

y pasar a otra parte que sean baldíos, sin perjuicio de nadie". Un caso específico era el de la ciudad de Tlaxcala donde muchos españoles tenían estancias en las tierras de los indios destruyéndoles sus "maices y sementeras y otras granjerías, y por esto no osan sembrar ni gozar de sus haciendas". La orden fue reforzada con dos cédulas del mismo año que ampliaban sus preceptos haciéndolos extensivos a todas las estancias que en ese momento existieran y las que en el futuro se concedieran. El tenor del mandato figuró sin variantes en las instrucciones dadas a los demás virreyes del siglo XVI, hasta el conde de Monterrey. La ejecución de esas disposiciones dio lugar a varias comisiones oficiales con encargo de arreglar la situación legal de las estancias que en lugares distantes perjudicaban a los indios. Por ejemplo, en 1558 el licenciado Lebrón de Quiñones, comisionado para la visita de Oaxaca,

410

recibió instrucción de hacerlo, no sólo de acuerdo con lo previsto en las disposiciones vigentes sino con las estancias que hallara sin título legítimo.

La multiplicación del ganado en la Nueva Galicia planteó los mismos problemas, agravados por la desordenada penetración española, siempre en pos de los hallazgos mineros. La falta de población aborigen sedentaria contribuyó indirectamente al aumento del ganado que se dispersó con entera libertad por tierras que nadie reclamaba; además, no habiendo indios suficientes para las labores de pastoreo, mucho ganado, tanto vacuno como caballar, se tornó mostrenco. Los grupos indígenas sometidos también sufrieron los perjuicios experimentados en otras partes. En 1590 el Juez de Registros de San Juan del Río recibió orden perentoria de no dejar pasar ganado mayor de los llanos de los chichimecas y provincia de Michoacán. Por mandamiento virreinal de 1620 se ordenó evitar los daños causados por el ganado en las sementeras de los chichimecas avecindados en la región de San Luis Potosí.

Medida encaminada a precaver los daños en labranzas y pueblos indígenas fue la de establecer la distancia que debía separar sus propiedades de las estancias de españoles. Al efecto se promulgaron las Ordenanzas de 26 de mayo de 1567, modificadas por reales cédulas de 1687 y 1695. Por las primeras debía haber un espacio de mil varas entre las estancias y los poblados; las cédulas reales citadas alargaron la distancia a 1 100 varas, contadas desde la iglesia del pueblo de indios "y no desde la última casa como antes se practicaba". Las reducciones de indios también quedaron amparadas contra la invasión del ganado. Por real cédula de 1618 se determinó que las reducciones ya fundadas debían estar a legua y media de las estancias de ganado mayor y media legua de las de ganado menor; las reducciones que después se fundaran quedarían a doble distancia de la prescrita para las anteriores. En la práctica, la copiosa legislación no pudo impedir que subsistieran los perjuicios derivados del desmedido aumento ganadero. Los indios resultaron impotentes ante la fuerza de los estancieros, que agrupados en la organización de la Mesta, les fueron arrebatando poco a poco sus tierras. Para defenderse acudieron a todos los medios posibles, desde incendiar estancias y matar ganado, recursos extremos, o bien roturar tierras sin autorización, fuera de sus límites, con objeto de presentar una barrera protectora al empuje del ganado. Desde época temprana los indios

411

pusieron en práctica esas modalidades defensivas, que no siempre eran bien interpretadas por las autoridades superiores. El virrey Mendoza advirtió a su sucesor Velasco que los indios por el solo deseo de ocupar tierras y causar molestias a los españoles abrían tierras de cultivo "cerca de las estancias y en otras partes", sin tener otro motivo que el de quejarse si el ganado las invadía. En el terreno legal buscaron el amparo de las leyes. Podían pedir y conseguir "acordadas de seguro y amparo" que los defendían del paso del ganado dentro de sus límites y del establecimiento de estancias en ellos; concesión de tierras baldías próximas para estancias de ganado mayor y menor como reservas sin uso inmediato; moderación del ganado en las estancias de españoles; cierre de aquellas cuyos animales les dañaban siembras, o lograr que las cercaran y pusieran guardas; retener el ganado suelto en corrales con facultad de exigir reparación por los perjuicios recibidos.

Factor de suma importancia en el desenvolvimiento de la ganadería fue la extensión de los preceptos jurídicos peninsulares a las colonias sobre el usufructo común de tierras y pastos: "el uso de todos los pastos, montes y aguas de las provincias de las Indias sea común a todos los vecinos de ellas", rezaba la ley, y además que "las tierras y heredades que el Rey hiciera merced y venta en las Indias, alzados los frutos que se sembraren, queden para pasto común, excepto las dehesas boyales y concejiles". La Segunda Audiencia, apoyada en respuesta afirmativa de la reina (marzo de 1532), confirmada por real cédula del año siguiente (abril 1533), promulgó la comunidad de montes, pastos y aguas. Como las tierras del Marquesado del Valle por su condición de señorío no podían ser abiertas a dicha comunidad, les fue retirado el privilegio en 1563. El caso particular de las sementeras indígenas quedó incluido en la legislación local por la ordenanza de 6 de abril de 1576. Impedimento contrario al cumplimiento de la comunidad de pastos fue la ilegal costumbre de cercar de manera permanente las tierras de cultivo, estorbando su uso común después de levantada la cosecha. Para cerrar paso a tal abuso, la ordenanza de 1576 dispuso que las sementeras estuvieran cercadas durante el tiempo de cultivo o bien hubiera guardas para alejar al ganado; si ninguna de ambas medidas era cumplida, los dueños de ganado no podían ser obligados a reparar daños ni encerrarles los animales que los causaran. Alzadas las cosechas, las tierras quedarían abiertas al uso de pasto común.

La institución de la Mesta que en España fue la asociación de dueños de ganado, en la Nueva España se distinguió por constituir igual tipo de gremio, pero formado por propietarios de estancias que a la vez lo eran de ganados; en otras palabras, poseían al mismo tiempo bienes raíces y semovientes. Su origen fue casi espontáneo y surge inicialmente de la jurisdicción municipal para resolver los enojosos problemas causados por la acción destructora del ganado suelto en los campos de cultivo y el entrevero de animales de distintos rebaños. Al Cabildo de la ciudad de México corresponde el haber decidido establecer en 1529 una rudimentaria organización de Mesta local, limitada a su extenso distrito territorial. En primer término dispuso que los dueños de ganados usaran hierros diferentes para marcar a los animales de su propiedad y poder así reconocerlos y separarlos cuando se mezclaran. Se designaron dos "jueces de Mesta", que en lo sucesivo serían elegidos entre los regidores por orden de antigüedad. Debían reunir dos veces al año a los dueños de ganados para que manifestaran los animales ajenos que tenían entre sus rebaños. A ejemplo de la ciudad de México, varias regiones ganaderas tuvieron asociaciones de mesta propias: Puebla (1541), Oaxaca (1543) Michoacán (1563). En 1537 el Cabildo promulgó las primeras ordenanzas, autorizadas por el virrey Mendoza en 1539 y confirmadas por real provisión de 1542. Las principales normas del nuevo estatuto, compuesto de 17 capítulos, revestida ya de todas las facultades legales y con visible influencia de su modelo peninsular, señalaban que los dirigentes de la institución serían uno o dos alcaldes (en la práctica siempre fueron dos), nombrados cada año por el Cabildo: su misión principal era reunir dos veces al año en "consejo" a los "hermanos de la Mesta", como en adelante se denominarían los ganaderos que pertenecieran a la corporación; los alcaldes estaban facultados para perseguir los delitos de robos de ganado y castigar a los culpables. Los Hermanos de la Mesta eran "por fuerza" los dueños de más de 300 cabezas de cualquier clase de ganado menor o más de 20 de ganado mayor. Estaban obligados a concurrir en persona o por delegado a las dos reuniones o concejos anuales, donde presentarían todos los animales que se hubieran mezclado con los suyos para identificación y entrega a sus verdaderos dueños.

Con el paso del tiempo esas primeras ordenanzas sufrieron profundas modificaciones al irse acumulando una copiosa legislación, producto de resoluciones sobre casos generales o particulares no previstos en su texto o apenas percibidos en el momento de su promulgación. Las peculiaridades del medio en que eran aplicadas fueron introduciendo características singulares tan distintivas que les hizo perder casi toda similitud con el modelo español original. Así, el desarrollo de la ganadería determinó que en 1574 el virrey don Martín Enríquez refundiera todas las disposiciones dictadas en cerca de cuatro décadas en un nuevo cuerpo de ordenanzas formado por 83 artículos. Con ellas la Mesta adquiere una definida personalidad novohispana. La "estancia" de ganados queda definida como unidad fundamental del organismo, pues el "hermano de la Mesta" ya no será el modesto propietario de 300 animales, sino el estanciero que posea mil cabezas de ganado mayor o tres mil de ganado menor; la jurisdicción de la Mesta, limitada al distrito de la ciudad de México, se amplía a todas las ciudades de la Nueva España que fueran sede de obispado. Al nuevo estatuto quedan incorporadas las ordenanzas de agostaderos y las que prohibían poblar estancias de ganado menor con ganado mayor.

El rodeo, la expresión más mexicana de la Mesta, aparece regulada en dos formas: la principal, desde el día de San Juan en junio hasta mediados de noviembre. Cada estancia debía hacer el rodeo semanal de ganado vacuno y caballar para separar las reses mezcladas; la otra forma, más limitada, obligaba a cada dueño de estancia de ganado mayor a tener un estanciero español por cada dos mil cabezas, más cuatro negros o indios, dos montados y dos a pie, que harían el mismo rodeo semanal. El número de alcaldes de la Mesta no varía, pero aumentan sus atribuciones con respecto a visitas de estancias cercanas a los lugares donde se celebrasen los dos concejos anuales; determinar los puntos donde se abrieran cañadas para el paso del ganado a los agostaderos; señalar los abrevaderos necesarios; actuar provistos de vara de justicia, etc. El indio, que en las ordenanzas de 1537 no es mencionado para nada, en las de 1574 es materia de algunos preceptos. Los alcaldes de la Mesta no podían tener jurisdicción en casos de indios, salvo en los delitos de robo y matanzas de ganado cuando hubiera reuniones de concejo. Se podía nombrar alguaciles indios en pueblos cercanos a estancias para que averiguaran de quién era el ganado que causaba perjuicios; no se podía herrar el ganado propiedad de indígenas. Como éstos no llegaron a poseer individualmente ganados en número aproximado al exigido por las ordenanzas, nunca alcanzaron capacidad legal para ser miembros de la Mesta.

El progreso de la ganadería siguió adelante y con él la expedición de más y más mandamientos, órdenes y disposiciones virreinales que iban perfeccionando la organización de la Mesta, al punto de que se hizo obligada la compilación de toda aquella legislación dispersa en otro código de ordenanzas formulado en 1631 por el virrey marqués de Cerralvo. Los 190 artículos o capítulos que las integraron demuestran la amplitud alcanzada por la industria ganadera, explotada ya por entonces en vastas propiedades de tierras: las haciendas. La trashumancia del ganado menor, es decir, el paso de los rebaños de los lugares de pastos invernales a los de verano y viceversa, característica esencial de la Mesta española, también ocurrió en los territorios de la Nueva España como resultado de la multiplicación del ganado lanar ·sobre todo. Antes de 1579 no menos de 200 mil ovejas de las dehesas queretanas pasaban en el mes de septiembre a las tierras de pastos de los alrededores del lago de Chapala y occidente de Michoacán, de donde volvía a sus estancias de origen en el mes de mayo. Las manadas del rumbo de Tepeaca y otras zonas de la meseta central invernaban en las praderas veracruzanas del Golfo. A principios del XVII se había establecido una enorme corriente migratoria entre la Huasteca y las riberas del río Verde, tierra chichimeca, donde se decía que entraban a pastar y agostar "más de dos millones de ovejas y carneros", cifra exagerada desde luego, pero indicadora de lo importante que era la trashumancia. A partir de 1635 la apertura de las dilatadas llanuras del Reino de Nuevo León originó otro movimiento trashumante que en 1648 representaba el paso de más de 300 mil ovejas de las sierras de la Nueva España a aquellas praderas del Nordeste. Tales emigraciones masivas de ovejas y carneros, que por ordenanza debían circular a través de "cañadas" naturales o abiertas para ese único propósito, causaban enormes perjuicios en las tierras labrantías por donde se desbordaban, puesto que los ganaderos, haciendo caso omiso de la ley, preferían conducir sus rebaños por terrenos dotados de aguas y cultivos de los pueblos indígenas. La comunidad de pastos impuesta por la legislación virreinal redundó en grave daño de las comunidades indígenas que no eran propietarias de ganado sino de sus tierras de labor o milpas. Los rebaños no sólo apacentaban en ellas después de alzadas las cosechas, lo cual era lícito, pero también lo hacían en cualquier época como recurso ilegal de los dueños de ganados para irse apropiando de los pastos. Bajo estas circunstancias, el abuso indiscriminado fue norma que los virreyes no pudieron impedir.

El auge de la ganadería era palpable a mediados del siglo XVI. En 1553 parte de las estancias de la provincia de Jilotepec tenían entre 20 y 30 mil cabezas de ganado menor, aparte de vacas, yeguas y bueyes. En esa región, como en las de Toluca y Tepeapulco, no era extraordinario que un ganadero tuviera 10 mil reses y mil yeguas. Dos años después, 1555, en el valle de Matalcingo unas 60 estancias de ganado sumaban más de 150 mil cabezas de ganado vacuno y yeguas. La dispersión del ganado por las costas del Golfo, de Veracruz al norte, hacia Nautla y Pánuco, y al sur entre Veracruz y Tuxtla hasta el río Grijalva, era tan pronunciada, que causaba admiración a propios y extraños el hecho de que hubiera propietarios de 20 a 30 mil cabezas y hasta de 100 mil o más.

Sobre el mapa, de acuerdo con las demarcaciones territoriales del siglo XVII, la mayor concentración de ganados se daba en el Reino de México o de la Nueva España. Desde su límite norte con la Nueva Galicia (que en forma aproximada de arco comprendía la región de Pánuco-Tampico, Guadalcázar, San Luis Potosí, León, Zamora y el occidente de Michoacán) bajaba al sur hasta Oaxaca y Santiago Nexapa. El espacio comprendido entre esos puntos extremos mostraba una distribución de ganado mayor y menor muy mezclada en las mesetas y sierras del Centro, con predominio del primero en la vertiente del Golfo. Todavía una prolongación al sur formada por un triángulo cuyos vértices pueden situarse en Tuxtla, sobre el Golfo, Santiago Nexapa y Chiapa de Corzo-San Cristóbal las Casas en la base, remataba el avance meridional de la ganadería, con población animal mucho menos densa. De norte a sur la vertiente del Pacífico, correspondiente al Reino de la Nueva España, ofrecía una distribución bastante dispersa de ganado vacuno y caballar, salvo la región de Tehuantepec-Soconusco.

En el sureste, la Gobernación de Yucatán sólo criaba escaso ganado mayor. En el norte, la Nueva Galicia tenía la ganadería distribuida a ambos lados de una línea irregular que partiendo de la región de Guadalajara subía hacia Aguascalientes, Zacatecas y Nombre de Dios, o sea la zona minera por excelencia. Puntos aislados, donde predominaba el ganado mayor, eran Matehuala y Cedros-Mazapil en el noroeste de su demarcación, y al occidente el territorio costero comprendido de Centicpac a Compostela y Villa de Purificación. La misma línea irregular de distribución ganadera penetraba en la Nueva Vizcaya a partir de Durango para prolongarse hacia San Juan del Río, Indé y el lejano Parral, con otros lugares muy apartados como Cuencamé, Parras y Saltillo. A excepción de la zona de San Juan del Río y Peñón Blanco, el ganado mayor prevalecía en todos los demás lugares de la Nueva España. Las provincias o territorios noroccidentales de Sinaloa y Sonora, dependientes en lo político como alcaldías mayores de la Nueva Galicia, tuvieron en la ganadería vacuna y mular su principal riqueza. La de Sinaloa, muy esparcida a lo largo del país limitada por los ríos Fuerte al norte y Piaxtla al sur, en su gran mayoría era criada por las misiones de la Compañía de Jesús, pero toda era propiedad del Colegio de Culiacán. El caluroso clima de la zona impidió que el ganado menor prosperara. Por último, a partir de 1635 la ganadería adquiere gran importancia en el Reino de Nuevo León al convertirse sus llanuras de pastos en agostaderos de los inmensos rebaños de ovejas que procedentes de la Huasteca y Nueva Galicia pastaban en ellas durante 6 meses. Treinta años más tarde entraban en Nuevo León 300 mil ovejas; un recuento hecho en 1685 mostró que sólo 18 rebaños sumaban 555 mil cabezas trashumantes, sin incluir las de otras 21 o 22 manadas, más infinidad de carneros.

A despecho de las cifras dadas como ejemplo de la fabulosa riqueza ganadera novohispana, es necesario apuntar que su máximo aumento fue alcanzado a fines del xvi. A partir de 1580 más o menos se empezó a observar una reducción apreciable en la multiplicación del ganado. Los contemporáneos procuraron explicarse el fenómeno arguyendo causas simplistas como la desmedida matanza ilícita para utilizar sólo los cueros y el sebo de las reses, y el creciente consumo de carne por las masas indígenas. El sacrificio indiscriminado de reses era práctica estimulada por el beneficio económico que significaba la exportación de cueros y sebo a España, así como por la demanda que ambos productos tenían en las regiones mineras. Con respecto al ganado mayor, estaba prohibido sacrificar las reses hembras, excepto las inútiles por edad y el excedente de machos, previa licencia del virrey. Como es de suponer, la exacta observancia de la prohibición era de problemático cumplimiento en las zonas rurales. Prueba de los abusos fueron las disposiciones dadas en 1620 para prohibir la matanza de vacas, cabras y ovejas en Michoacán, e investigar los excesos que con las mismas se cometían en la costa de Veracruz. En 1646 se confirmó el mandamiento anterior sobre ser lícito el sacrificio de reses machos para consumo de los propietarios de haciendas de ganado y su servidumbre. La legislación era bastante flexible; a una etapa de amplia liberalidad en la concesión de licencias para matar ganado, sucedía otra de rígida prohibición. Por ejemplo, todas las autorizaciones dadas por el *virrey conde de Salvatierra* para sacrificar cualquier clase de ganados, fueron revocadas por su sucesor a los dos meses de haber dejado aquél el cargo (julio 1648). En cuanto al ganado menor se tuvo la misma preocupación por impedir su matanza irrestricta. En 1590 se reiteró la prohibición de matar cabras y ovejas dictada en 1588. Posteriormente hubo largueza en conceder licencias a órdenes religiosas y particulares para sacrificar ambas especies en cantidades que iban de 500 a 4 500 cabezas. A mediados del XVII fueron numerosas esta clase de autorizaciones. El mayor consumo de carne en las antiguas y nuevas poblaciones indígenas también era un hecho comprobado con la existencia de mataderos y carnicerías en casi todas ellas. En 1560 el cabildo de la ciudad de México achacaba el alza del precio de la carne a la abundancia de consumidores indígenas y recomendó les fuera prohibida. La Audiencia gobernadora (1564-1566) acogió la petición dictando la ordenanza del caso, confirmada luego por el virrey Enríquez en 1569 y 1574, si bien con ciertas excepciones. En este caso pesaban consideraciones de orden religioso, pues parece que los indios no resultaron fieles observantes de las abstenciones impuestas en los días de cuaresma y vigilia. Pero cualquier motivación de esa u otra índole no pudo impedir que en los pueblos indígenas se vendiera carne a discreción. En parte se puede aceptar que las causas antecedentes contribuyeron a la disminución del ganado, pero razón más lógica es la que dio el virrey Enríquez al redactar las ordenanzas de Mesta de 1574. En el preámbulo expuso que las vacas no daban be-

418

cerro como antes, a los dos años, sino a los cuatro, descenso de natalidad pecuaria que imputaba al agotamiento de los pastos. Causa admisible si se toma en cuenta que los centenares de miles de reses debieron haber consumido en pocos años las reservas de pastos vírgenes no renovadas. También hay que tener en cuenta una probable degeneración biológica del ganado mayor, cuyo tronco original, los pocos centenares de reses importadas después de la conquista, no fue fortalecido con el cruce de sangres nuevas.

La marca de reses puede ser otro elemento de comparación muy elocuente. La región de Guadalajara marcaba 23 mil novillos en 1594, pero en 1602 desciende a 8 000 y en 1608 apenas 5 000. Asimismo, cerca de Lagos y Aguascalientes, uno de los núcleos ganaderos más importantes, los becerros marcados en la misma época disminuyeron de 50 mil a 40 mil. En Durango, Nueva Vizcaya, sucedía lo mismo: 33 mil en 1576 y 25 mil en 1602.

No puede hablarse de una decadencia generalizada de la ganadería, sino más bien de un proceso natural de reajuste exigido por las condiciones del medio ya estabilizado en el XVII: reducción de pastos, uniformidad de las razas de ganado existentes, población consumidora en cierto modo limitada, legislación restrictiva que fijó límites a la estancia y número de animales. Pero todo va orientándose a una nueva situación económica demasiado evidente: ganadería y agricultura se van reuniendo en una forma de explotación más racional y utilitaria: la hacienda. Antes de fines del XVII se debe tener cuidado en reputar como "riqueza" en sentido lato la amplitud de las haciendas y la decantada inmensidad de los rebaños; no habiendo mercados internos que absorbieran todo lo que unas y otros producían, el valor de los animales era escaso.

La minería

El atractivo de los metales preciosos fue un factor importante en la conquista de la Nueva España. Como en las Antillas, los conquistadores encontraron en los dominios del Imperio Mexicano lavaderos de oro y se apresuraron a explotarlos. Pronto se agotaron las arenas auríferas, pero mientras esto sucedía se fueron descubriendo las grandes minas de plata, iniciándose la expansión hacia el norte del territorio novohispano. Zacatecas, descubierta en 1546, se pobló rápidamente; para 1548 tenía ya unas 50 minas en explotación, y se convirtió en la segunda ciudad más importante de Nueva España, poblada por mineros y comerciantes; no hubo encomenderos en esta zona de indios bárbaros y de afanosa explotación de la plata. En 1552, las minas de Pachuca empezaron a explotarse con los sistemas más modernos de la época. En 1554, Francisco de Ibarra y sus compañeros descubren las minas de Fresnillo, Saín Alto, San Martín, Mazapil, Avino, Chalchihuites, Llerena y Sombrerete. En 1564 comienzan a explotarse las minas de Guanajuato. Más al norte que todas las anteriores, a partir de 1567, se inició la explotación de las minas de Indé y Santa Bárbara, situadas a más de 700 kilómetros de Zacatecas y 1 500 de México. En 1592, surgen los yacimientos de San Luis Potosí, y para 1593-1603 y 1609 se descubren los filones de Sierra de Pinos y Ramos.

Los recursos técnicos de los españoles hicieron posible la gran explotación minera. La empresa orientada a la obtención de mayores lucros; la posibilidad de la mano de obra indígena para las excavaciones; la introducción del sistema de *beneficio de patio,* en 1552, para extraer la plata del mineral sacado a cuestas por los indios desde los profundos socavones de las minas, utilizando sal, pirita de hierro o cobre y azogue, redujo el tiempo y el costo de la producción de la plata. La tracción animal fue la fuerza utilizada en las grandes minas novohispanas para estas labores, pues la escasez de corrientes de agua en el territorio de las minas hizo imposible el empleo de molinos hidráulicos como los que se usaron en Europa y Perú. La minería fue la actividad más importante a los ojos de la Corona, pues su "principal renta y hacienda procedía de los diezmos y derechos de la plata". Las autoridades se empeñaron en favorecer a los mineros otorgando derechos de explotación. Desde el siglo XVI se definió un sistema que habría de perdurar durante toda la época colonial. Una descripción de finales del XVII nos muestra la forma en que funcionaba: Cualquier persona podía aprovecharse de las minas de oro o de plata, pagando al rey el quinto de su producto. Abandonada una mina por su primer descubridor, caía después de tres meses en poder del rey; y por el abandono de ella cualquier otra persona tenía la facultad de trabajarla, haciéndolo saber al primer dueño. Éste podía oponerse, alegando alguna causa justa para no haberla trabajado (las más frecuentes fueron la falta de azogue, de mano de obra, de herramientas y equipo); entonces decidía la Real Audiencia a quién pertenecía el derecho de explotación. El rey concedía sesenta varas españolas (más o menos 50 m) de terreno desde la boca de la mina a los cuatro vientos principales, o todas a una sola parte, según lo quisiera el minero. Después de ese espacio podía cualquiera otra persona abrir otra mina, aunque dejando entre ambas cinco varas de terreno sólido como muro de división. Cavando bajo tierra podía el dueño de una mina entrar en el terreno de otro, en tanto que no se encontraran los trabajadores de él, pues si llegaban a encontrarse debía retraerse al suyo, o irse más abajo.

Si por los trabajos de una mina se inundaba la de otro minero, el que ocasionaba la inundación debía dar al perjudicado la sexta parte del metal que obtuviera en su mina, o sacar el agua a su costa. Los mineros debían pagar el real quinto, como se dijo, pero en los minerales de plata se pagaba, a diferencia de los peruanos, el diezmo (1/10, en vez de 1/5), debido a la carestía del azogue en Nueva España. El minero novohispano se enfrentó a muchos problemas en el siglo XVII. El primero fue la escasez de mano de obra indígena —la más barata— por la disminución de la población. Este problema se "resolvió" tratando de equilibrar las demandas de los mineros con las necesidades de los pueblos de indios. En 1631, después de tanteos y enmiendas, se autorizó un repartimiento limitado al 4% de los varones indígenas de un pueblo mayores de 18 años para las minas. También se facilitó la obtención de negros esclavos; trató de atraerse a las minas trabajadores asalariados ofreciendo un jornal de 4 reales diarios, superior al pagado por los agricultores; además se estimulaba al trabajador permitiéndole que sacara en beneficio propio mineral que podía vender libremente, después de cumplir con la jornada. Sin embargo, la mano de obra faltó. El trabajo en las minas era el más peligroso y duro; las condiciones y la técnica de las minas lo hacían muy riesgoso y los trabajadores no respondían a los estímulos. La disminución de la población indígena superó todas las posibilidades de crear la mano de obra estable, y esto explica en gran medida la contracción de la minería novohispana al romperse bruscamente el ascenso que se vio hacia 1580. En el siglo XVII, sobre todo después de 1620-1630 (faltan datos precisos para determinar bien), decae sensiblemente la producción de plata.

Pero no fue sólo el problema de la mano de obra, pues si éste

421

se "resolvió" al amparo o fuera de la ley, hubo otro muy importante que la técnica extractiva de la plata llevaba consigo, y que nunca se solucionó satisfactoriamente. ˙Generalizado el beneficio de amalgamación con el azogue, la producción minera quedó supeditada a este ingrediente. Declarado monopolio de la Corona (desde 1559, luego en 1580 y en 1606), el suministro quedó pendiente de los altibajos de la extracción en las minas españolas de Almadén y en las austriacas de Indra. La irregularidad de los envíos hizo pasar a la minería de Nueva España por momentos críticos. La intermitente remisión de azogues se hacía en las flotas destinadas a Nueva España, pero sujeto el despacho de las mismas a trabas burocráticas, mercantiles y legales de su función específica: el comercio, fue necesario organizar un sistema eventual de "navíos de azogue", y también navíos "de aviso" portadores de correspondencia, que en convoyes de dos o tres embarcaciones cruzaban el Atlántico por rutas poco frecuentadas para eludir a los piratas y corsarios, que se multiplicaron a lo largo del siglo xvii. Entre 1636 y 1700 se utilizó este recurso unas 17 veces, para evitar la escasez de mercurio en Nueva España. Las remisiones en quintales de azogue eran muy irregulares, la mayor y excepcional fue de más de 5 000, pero en general fluctuaron de 400 a 1 000. Por lo tanto, no bastaban para cubrir los requerimientos de un consumo de cerca de 6 000 quintales al año, que a mediados del xvii exigía la producción de los 15 o 17 principales centros mineros de Nueva España. En realidad, el consumo neto de azogue debía de haber sido el doble o el cuádruple de esa estimación, para poder sostener el máximo rendimiento de las minas. Esto era más que imposible debido a las numerosas suspensiones de flotas en el siglo xvii. Por si fuera poco, las autoridades encargadas de distribuir el azogue, valiéndose de la gran demanda, especulaban, y en muchas ocasiones llegaron a vender a 300 pesos el quintal, siendo que el precio fijado por el rey era de 85 pesos. Cuando las crisis se ofrecían por la falta de producción en Almadén e Indra o cancelación de la flota, se apeló al azogue del virreinato del Perú, que procedía de las afamadas minas de Huancavelica. La primera remisión parece haber sido en 1572, mil quintales, y hasta fines del xvii se repitieron unas quince veces con un promedio de 1 000 cada una. Otra fuente de aprovisionamiento que se intentó establecer fue el azogue de China y Japón, vía Filipinas, aunque no hay datos concretos de su aportación. De hecho, este medio resultó poco empleado por la enorme distancia que debía cubrirse hasta las costas novohispanas.

La explotación de yacimientos de Nueva España estuvo de acuerdo con el oscilante monopolio peninsular. Cuando las guerras de España con sus enemigos continentales hacían peligrosa la comunicación con el virreinato, la metrópoli apoyaba el fomento de las minas de mercurio. Por ejemplo, en 1609 se ordenó propiciar los descubrimientos y explotación de ellas; en 1665 fue aprobada la iniciativa del virrey sobre su búsqueda y extracción. Pero, pasado el peligro, las autorizaciones eran canceladas y volvía a imperar el exclusivismo. La irregularidad de los suministros hizo que se adoptara el procedimiento de repartir equitativamente los azogues por mano de oficiales reales entre los mineros. El recurso resultó perjudicial porque estos funcionarios medraban con el privilegio elevando el precio, favoreciendo a los amigos y a los mineros pudientes. Intento de remedio fue que el virrey presidiese el reparto, pero no hubo el resultado positivo que se esperaba, pues siguieron dominando la preferencia y la especulación.

Un balance certero de la minería novohispana del XVII es prácticamente imposible debido a la escasez y a la incertidumbre de datos confiables. Las cuentas más conocidas por los especialistas son las que se han recogido en los archivos de Sevilla, y éstos son resultado de los registros logrados por las autoridades de la Península. A éstas escapaban naturalmente las cantidades de metales preciosos que se quedaban en Nueva España, pese al riguroso control que trataba de ejercer la Casa de Moneda, en donde debían registrarse todas las barras de metal, fueran o no amonedadas. También escapaban las cuantiosas sumas que salían de los puertos americanos por el comercio de contrabando, el cual, según cálculo de los especialistas, cubría en la segunda mitad del XVII las dos terceras partes del comercio ultramarino; tanto por el Atlántico como por el Pacífico hubo grandes operaciones fuera de todo control de las autoridades. Pueden destacarse algunos hechos generales: la bonanza minera de los años inmediatamente posteriores a la conquista (que comprendieron principalmente el oro lavado) no se alcanza con la plata a finales del XVI ni en la mayor parte del siglo XVII, a pesar de los numerosos yacimientos que se descubren. A mitad del XVII, la producción de plata se reduce tanto, que la economía de Nueva España se repliega dentro de sus fronteras, y en este territorio se localizan economías autosuficientes, cerradas al tráfico marítimo con la metrópoli. Paralelamente se disminuyen los envíos de plata a la península; y este fenómeno se explica no sólo por la contracción de la actividad minera, sino por la inevitable necesidad de dedicar la producción metálica al sostén de la administración del virreinato, su defensa y apoyo económico de las islas del Caribe con los "situados", destinados en principio a gastos militares (construcción de puntos de defensa y pago de guarniciones).

Transformaciones sociales

Pesan sobre los años posteriores a 1580 al avance y las formas sociales que los conquistadores lograron en algunos aspectos de la vida. En este sentido resulta cierto que el siglo XVII es, como se ha dicho, un siglo de asentamiento. Pero no es algo tan simple. Eso que se llama asentamiento supone la transformación de lo que quedó, y la creación de formas de vida, tanto en lo estrictamente material, como en otros aspectos. En este proceso se define la peculiaridad de Nueva España, que deja de ser un lugar colonizado y de avanzada para los españoles, y se convierte en un país. En la base económica se crea la hacienda, como tipo más extenso de propiedad territorial, como centro productor y como centro de vida autosuficiente; decaen las primeras formas en las relaciones de trabajo como consecuencia de los cambios de población y de la ocupación del suelo. A la postre se configuran nuevos complejos económicos. Éstos son los hechos que conviene ahora destacar.

Las encomiendas

Los conquistadores y sus descendientes lograron mercedes de encomienda; es decir, indios que debían servirles y tributarles como encomendados, mientras que el encomendero, beneficiario del servicio y el tributo indígena, estaba obligado a ver que se les diera doctrina cristiana y buen tratamiento. Con el sistema de encomienda se consideraba que quedarían resueltos los problemas centrales del nuevo país: la evangelización y el mantenimiento en la observancia cristiana, que se encargaba al encomendero, y la riqueza y propie-

424

dad de la tierra, por los tributos y servicios personales. Debe considerarse que en cuanto a servicios religiosos la encomienda siempre fue muy deficiente y, por otra parte, que en lo que toca a mercedes de encomiendas, la Corona más bien confirmó, no siempre de buen grado, lo que aquí se había hecho. Pronto comenzó a hacer esfuerzos por evitar la aparición de nuevas encomiendas y su continuidad, así como hacer que los tributos de indios entraran al real erario. Este empeño de la corona, y la correspondiente presión de los encomenderos por mantener su situación, batalla que a la larga perderían, son temas del siglo xvi. En el xvii la encomienda se encontraba en total decadencia como institución importante dentro de la vida novohispana. Desde el xvi se había limitado la encomienda a la percepción del tributo, los indios pagaban al encomendero en vez de pagarlo al rey. En el centro de Nueva España, ya desde 1570 en adelante los encomenderos no gozaban del servicio personal de sus encomendados, eran simples beneficiarios del tributo indígena y lo cobraban después de las tasaciones que hacían las autoridades regionales (los corregidores o alcaldes mayores) con la aprobación del virrey. En lugares alejados, menos controlados por las autoridades virreinales y frente a la escasez de mano de obra, los encomenderos procuraron que se les dieran servicios, de tal suerte que la encomienda-repartimiento subsistió en esos lugares. Los ejemplos más claros son los de Yucatán y el Nuevo Reino de León. En Yucatán lograron los encomenderos mantener la encomienda, mientras que desaparecía en el resto de la Nueva España. Después de 1580 la encomienda perdió esa importancia que le atribuían sus defensores, debido a que hubo otras instituciones que cumplieron mejor las funciones de control político y cristianización de los indios, que, según afirmaban los que se interesaban en mantenerla, sólo podía cumplir la encomienda.

Sabedora de los abusos cometidos contra los indios encomendados y sujetos al servicio personal que debían a sus encomenderos, la Corona intentó abolirlo. Al hacerlo asestaba conscientemente un golpe rudo al poder de los beneficiarios y desarmaba el inquietante parecido que —pese a la diferencia legal entre una y otra instituciones— existía entre encomienda y señorío. El rey no quería de ninguna manera una casta de señores en la Nueva España. Sin embargo, las autoridades locales comprendían que sin la mano de obra indígena el reino no podría subsistir y que no se contaría con ella sin forzar a los indios y presionaron al rey. Así surgió el *repartimiento;* en él el servicio estaba retribuido con un salario que se suponía justo, y el porcentaje de indios de "repartimiento" que prestaban servicio retribuido no debía alterar violentamente la vida y la economía de los pueblos. Todo el sistema de repartimiento estaba a cargo, por un lado, de oficiales reales (corregidores, alcaldes mayores, jueces repartidores), y por otro, de caciques y mandones de la propia organización política de los pueblos de indios. Pero el sistema de repartimiento de servicios permitía también un sinnúmero de abusos. Ya en 1570 tres cuartas partes del monto total de los tributos recaudados en el Valle de México eran cobrados directamente por los corregidores, o sea, eran tributos reales; para 1590, las encomiendas del Valle se encontraban en su "tercera vida", es decir, habían pasado de padres a hijos y de hijos a nietos, y estaban al borde de su existencia legal. Las que lograron mantenerse fueron en realidad encomiendas que se transformaron en rentas vitalicias, pagadas por la Real Hacienda a los encomenderos, quienes no tenían contacto alguno con los indios de sus encomiendas. En otros lugares, donde la lejanía de las autoridades centrales hacía imposible un mayor control de los indios por los encomenderos, la encomienda sufrió las consecuencias del desarrollo de la hacienda. Los indios encomendados eran "sonsacados y retenidos" por los hacendados; los encomenderos protestaban diciendo que no percibían el tributo, y que los indios retenidos en las haciendas eran maltratados y carecían de doctrina cristiana. Los hacendados optaron en muchas ocasiones por pagar el tributo al encomendero, y alegaban que los indios preferían estar en la hacienda y no en los pueblos sujetos a encomienda.

Bajo las protestas de los encomenderos, que solían presentarse como un alegato en favor de la protección y cristianización de los indios, es fácil advertir las intenciones de los encomenderos que pretendían el control de los indios, no sólo para cobrar el tributo, sino para hacerlos trabajar en sus "granjerías y negocios". El hecho fue haciéndose más claro a lo largo del xvii. La permanencia de los indios en las haciendas era más voluntaria que forzosa, y una de las causas era precisamente salir de las manos de los encomenderos y de las autoridades indígenas, pues sus demandas de trabajo eran más pesadas que las que había en las haciendas. El hacendado interesado en la mano de obra resultaba mejor protector de los indios que el encomendero; los servicios religiosos fueron estableciéndose en las haciendas, de tal suerte que el encomendero no podía alegar con validez la falta de éstos, pues él mismo no era más capaz de llevarlos a los pueblos de encomienda. La abolición legal y definitiva de la encomienda en el siglo XVIII fue, en realidad, el reconocimiento de un hecho ya consumado en el XVII.

El régimen de trabajo indígena

Cuando se estableció el sistema de *repartimiento* en el último tercio del siglo XVI, el *servicio* retribuido que debían prestar los indígenas se organizaba atendiendo a las necesidades de los empresarios españoles, agricultores, ganaderos y mineros. Había un *juez* repartidor, autoridad española encargada de atender las demandas de los empresarios de diversas regiones, y debía presentarse a los lugares donde se solicitaba a los indios para comprobar la necesidad del servicio, y fijar el número de los que debían acudir. La cantidad de indios variaba; se aumentaba en épocas de cosecha ("tiempo de dobla", se decía), en el trabajo agrícola; en las épocas de rodeo, en las estancias de ganado, y así según las necesidades de las empresas. También debía acudir el juez repartidor a los pueblos de indios para cerciorarse del número de habitantes, las necesidades propias de los pueblos, y la posibilidad de que prestaran el servicio, al que estaban obligados solamente los varones de 18 a 60 años. El juez repartidor señalaba a las autoridades de los pueblos el número de indios que debían enviar a los lugares en que tenían la obligación de prestar el servicio; si no lo hacían se les multaba. Esta medida resultó en perjuicio de los indios trabajadores, pues las autoridades indígenas, caciques, principales y mandones, los hacían trabajar para reunir el monto de la multa. Por eso, en el siglo XVII se cambió la pena por la de castigos corporales, prisión y, más frecuentemente, azotes.

Los abusos y arbitrariedades en este sistema fueron constantes; los empresarios las fomentaban sobornando a los jueces repartidores y a las autoridades indígenas, que muchas veces eran amenazadas con castigos por los jueces repartidores, quienes de esa manera satisfacían las demandas que les hacían los labradores, con daños de la vida y los bienes de los indígenas, como se desprende de las quejas constantes y peticiones de protección ante las autoridades virreinales.

La gran epidemia de 1576-1579 vino a poner en crisis la eficiencia del servicio. Los abusos resultaron más penosos para los indígenas, no bastaron las moderaciones y excepciones que se hicieron en los pueblos más perjudicados por la epidemia; a los empresarios no les era posible suplir la mano de obra del servicio, que pagaban con un salario moderado, por la compra de esclavos negros, como se propuso. El costo era excesivo. Ante los males que el servicio reportaba a los indígenas, se pensó en su abolición. Una real cédula lo prohibió en 1601, pero fue letra muerta, pues se restableció, advirtiendo ciertas moderaciones necesarias, en 1609. La moderación del servicio quedó en la cédula y en las muchas ordenanzas y mandamientos que la exigían frente a los muchos casos de abuso. En 1631 se abolió legalmente. Quedaba sólo la obligación de los pueblos de indios de prestar un 4 por ciento de sus habitantes para el trabajo de las minas, y, por la práctica y otras disposiciones, la obligación de acudir a ciertas obras públicas, como la construcción de caminos y el desagüe del Valle de México. Las protestas por lo prolongado de las jornadas, y lo breve de los pagos de salarios no cesaron. Tan amo era el empresario particular como el cabildo o cualquier otra autoridad. Este proceso de moderación del servicio personal, hasta su formal prohibición, es en realidad un reconocimiento de los hechos. Paralelamente a la disminución de la eficiencia del servicio obligatorio, aumentaba la del trabajo de los que se ofrecían como gañanes (esto es, trabajadores libres) para las labores agrícolas, ganaderas y mineras. Las comunidades de indios, cercadas y estrechadas por la gran propiedad de españoles y criollos, resultaron insuficientes para mantener a sus habitantes; éstos salían a ofrecer su trabajo, lo cual era ventajoso para ellos, pues se liberaban de la tiranía excesiva de las autoridades indígenas, que, sobre los servicios para las empresas de los españoles y criollos exigían, en su beneficio, gran cantidad de prestaciones. Los gañanes podían hasta cierto punto elegir amo, y los dueños de empresas que los empleaban estaban interesados en proteger a sus trabajadores frente a los derechohabientes al servicio. Después de 1580 se hicieron cada vez más frecuentes las quejas de éstos contra los empresarios que "sonsacaban a los indios con dádivas y regalos", y que al retenerlos, impedían "que acudieran al servicio y a todo lo demás a lo que estaban obliga-

dos para la doctrina cristiana y beneficio de sus comunidades".
La hacienda fue el lugar en el que estos gañanes eran retenidos,
y como se ha dicho antes, no era la fuerza, sino la voluntad lo
que los hacía permanecer ahí. Tenía, a diferencia de lo que
ocurría en los pueblos y caminos, sustento seguro, un salario regular, que en parte se pagaba en maíz que la misma hacienda
cultivaba para ese efecto (hasta las haciendas en que se producía
trigo y otros productos para la venta, había maíz para el mantenimiento de los trabajadores). En la hacienda había servicios religiosos con más regularidad, quizá, que en muchos pueblos. Cuando la hacienda se estructuró como unidad autosuficiente, y esto
ocurrió a lo largo del xvii, aparecieron las "cuadrillas" o caseríos
de peones, que eran verdaderos poblados con organización propia
en torno a la casa y la iglesia de la hacienda, y en torno a las
casas de los ranchos que ésta comprendía. Es interesante advertir
hoy día, frente a los cascos de las muchas haciendas que pueden
verse en México, cómo la hacienda parece ser un lugar en que
se cumplieron finalidades que la encomienda no pudo cumplir: la
casa de la hacienda, la iglesia, generalmente a la izquierda, y junto
a éstas la cuadrilla o caserío del peonaje. La hacienda tuvo el
espacio territorial definido que había faltado a la encomienda
para hacer materialmente posible el cumplimiento de sus funciones de protección y doctrina. La hacienda logró asimilar en el
peonaje gran parte de la población mestiza. Entre los acasillados,
como se llamaba a los peones que vivían de fijo en las haciendas, mestizos y mulatos, solía elegirse a los capataces y mayordomos encargados de vigilar el trabajo del peonaje y de mantener
el orden.

La manera de mantener a los peones asalariados fue el endeudamiento. Se adelantaba parte del salario, y se les mantenía dentro de la hacienda por la obligación de los pagos. Aunque cabe
advertir que la hacienda fue, en este sentido, una institución mucho menos coactiva que otras, como los obrajes y talleres, en
otros trabajos como la construcción de caminos y edificios, hubo
siempre más uso y abuso del endeudamiento. Pero en todas partes
se observa el surgimiento del peonaje a lo largo del xvii, en la
forma en que se conoce hasta épocas muy posteriores.

En las zonas poco pobladas del norte era difícil encontrar indios
de servicio. Grupos de chichimecas capturados eran obligados a
servir en empresas de españoles, principalmente en minas y obra-

jes, adonde se les enviaba para alejarlos del lugar que conocían, temiendo que escaparan, como ocurría frecuentemente. Por la época más tardía, y por las circunstancias que dificultaban servicio personal y repartimiento, en el norte desde temprana época aparece la hacienda basada en el trabajo de peones asalariados. Los inventarios de haciendas en el XVII muestran la complejidad de las relaciones de trabajo: esclavos negros —principalmente en las que cultivaban caña de azúcar—, indios de servicio y, en número creciente, *gañanes* y *naboríos* (indios asalariados). Éstos se fueron fijando en las haciendas al grado de que éstas cambiaban de dueño con el peonaje acasillado en ellas.

Las haciendas

La forma en que los españoles fueron ocupando la tierra después de la conquista no se ajustó a regulaciones ni control efectivos; se trataba de apropiaciones de hecho, algunas veces en zonas que cultivaban y aprovechaban los indígenas; los despojos a los pueblos de indios se hicieron cada vez más frecuentes en los lugares más densamente poblados desde tiempos prehispánicos. En los apartados y menos poblados, desiertos en gran medida, el simple avance de los cultivos y, sobre todo, de los ganados, que se reproducían rápidamente al aprovechar pastos vírgenes, impusieron los "límites". A los españoles les llamaba la atención el rápido aumento de los ganados. Fue tan violento, que en un momento dado tuvieron que proceder a la matanza organizada y dirigida por las autoridades virreinales, que nombraban a los "jueces de matanza". En tales condiciones la tierra se usufructuaba desmedidamente. Se poseía sin títulos; pocas eran las propiedades cuyos títulos correspondían a su extensión, pese a las muchas mercedes de tierras que se otorgaron y se extendieron en los años posteriores a la Conquista. Los terratenientes que primero se vieron obligados a limitar legalmente sus posesiones fueron aquellos que ocuparon terrenos en los lugares densamente poblados, pues pronto surgieron las protestas como consecuencia de los problemas de límites. Los indios, "cercados y estrechados" en sus pueblos por los ganados y los cultivos de los españoles, se hicieron "pleitistas y maliciosos"; entre demandas de protección y amparo en las tierras de la comunidad y procesos interminables, vivían los pueblos, gastando

430

sus recursos, liquidando sus haberes y proveyendo a los principales y procuradores con dineros que obtenían a base de "derramas" o imposiciones extraordinarias que pesaban sobre *el común de los naturales*. Los propietarios españoles y criollos acusaban a los indios de maliciosos, de abusar de la protección que se les daba para defender sus tierras, pues extendían los límites más allá de lo que por derecho y por necesidad les pertenecía o debía pertenecerles. Una práctica común fue construir casas en las orillas o fuera de los pueblos, para que a partir de esas casas se consideraran las 1 100 varas que correspondían como fundo legal al pueblo. Este hecho hizo que a finales del xvii se determinara que la medida de las 1 100 varas debería de hacerse a partir del centro del pueblo y no de su periferia. Por otra parte, a los propietarios de ganados españoles se obligó legalmente a cercar sus tierras, con objeto de impedir los daños en las sementeras de los indios.

Sea la que haya sido la política agraria, la protección a los indios, su malicia, la voracidad de los españoles y el celo de las autoridades, lo cierto es que los pleitos que se refieren a tierras y aguas continuaron. Fueron el quehacer más frecuente para las autoridades; los expedientes que cubren toda la época colonial son muestra del abuso reiterado de los terratenientes, pero también de las posibilidades de reclamaciones y de enmiendas. Hacia el norte la ocupación del terreno no conoció estas limitaciones. Ganados trashumantes que cruzaban las tierras de indios bárbaros no presentaban problema para las autoridades, al contrario, iban abriendo la posibilidad de asentamiento y aprovisionamiento para los reales mineros, enclavados en regiones inhóspitas. Pero hacia 1580 y años posteriores, de 1600 en adelante, los ocupantes de la tierra se vieron obligados a *componer* (éste fue el término oficial que se usó) su situación frente a las autoridades; y al hacerlo se fueron convirtiendo en legítimos (no siempre legales) "señores de la tierra". El paso de la ocupación de hecho a la propiedad legal fue resultado de la política de la corona, pues, urgida de fondos, vio en la venta de las tierras que conforme a derecho le pertenecían una entrada segura de recursos. El dinero había que extraerlo a como diera lugar para salvar los apuros de las guerras europeas. Las minas mexicanas habían dejado de producir con la abundancia de los primeros años de explotación; la disminución de la mano de obra, ocasionada por la baja en la población indígena; la carestía del azogue, indispensable para el beneficio de los me-

431

tales; las dificultades del transporte, y otras causas llevaron a la baja tremenda en la producción minera. La riqueza estaba entonces, se pensó, en la tierra baldía o malamente ocupada, por la que no se había pagado lo que se debía al rey como señor original de la tierra. Se ordenó entonces la confiscación de los terrenos poseídos sin título, y la venta de los desocupados. Las autoridades novohispanas no pudieron realizar lo que se les ordenaba; eran demasiados y demasiado grandes los intereses que se oponían a las medidas dictadas. Ante los hechos hubo necesidad de llegar a acuerdos con los poseedores. Éstos pagaban para confirmar sus derechos, cuando había algún título que apoyaba lo que alegaban como suyo; *componían* pagando un derecho sobre lo indebidamente poseído. Así, las *confirmaciones* y las *composiciones* fueron un ingreso para el Real Fisco. Pero el hecho es que por la amenaza de perder lo ya titulado, en ocasiones, o lo simplemente poseído, en otras, se trataba de legalizar una propiedad de la mayor extensión posible; se quería seguridad ante cualquier problema de límites. Estancias de ganado mayor, de ganado menor y caballerías para la agricultura se extendieron sobre títulos y se aseguraron sobre el terreno. La propiedad se fue consolidando primero en las regiones bastante pobladas; la seguridad en los títulos estimuló extensiones posteriores, pleitos a los que ya nos hemos referido revelan estos hechos. Hacia 1650 encontramos grandes extensiones apropiadas con títulos en las estepas del norte, en la Huasteca, y en otros lugares de menor población.

Como se ha dicho ya, la Mesta, que en España era la unión de dueños de ganados trashumantes, en Nueva España vino a ser la unión de estancieros; allá se perseguía el aprovechamiento de pastos comunes y rastrojos de los campos de cultivo, acá el fortalecimiento de propiedades en expansión. No son pastores de ganados sino dueños de estancias los que logran la aprobación de las *Ordenanzas de la Mesta* en 1574 en Nueva España, y luego su reexpedición en 1631. La hacienda, como propiedad territorial, fue la riqueza más prestigiada. En el siglo XVII, la palabra *hacienda*, que significaba haber o riqueza personal en general, se fue aplicando para designar una propiedad territorial de importancia. La hacienda era el haber seguro, la tierra que podía exhibirse orgullosamente como propiedad de una familia. Pasó a ser la unidad económica por excelencia en Nueva España; se convirtió en unidad autosuficiente; atrajo población de pueblos de indios, y otra población dispersa se fue asentando también en las haciendas; mantuvo servicios religiosos y aprovisionamiento seguro. Todo esto, en estrecha relación con los cambios importantes en el régimen del trabajo, favoreció el desarrollo y estabilidad de la hacienda en el centro y el norte de la Nueva España. En la zona de Oaxaca, y probablemente en el oriente, la densidad de la población indígena, activa en empresas de ganadería menor y agrícolas, y en reclamaciones de derechos de tierras y organización independiente, favoreció mucho menos la estabilidad de la hacienda. Los testimonios de propiedad territorial en el Valle de Oaxaca demuestran la constante mudanza de las propiedades territoriales y las dificultades en la continuidad hereditaria de sus dueños. Donde arraigó la hacienda, sobre todo en el centro y en el norte, los dueños adquirieron una autoridad de hecho parecida a la de los señores tradicionales; es sabido que los grandes hacendados llegaron a tener, ya desde el XVII, grupos de hombres armados y bien organizados para defender sus tierras y para imponer el orden dentro de la "jurisdicción" de la hacienda. Muchas veces fueron esos señores de la tierra los que con sus tropas acudieron en ayuda de las autoridades virreinales, siempre desprovistas de buenos cuerpos de guardia.

Como consecuencia de la fijación de la propiedad territorial y del poder de sus dueños, surgió esa clase de los "señores de la tierra", como los llama Chevalier en su estudio clásico, cuyas familias se fortalecían al unir a sus herederos, asegurando mayorazgos de importancia. Había un afán de acumulación de tierras, no tanto por su significado económico, sino por el prestigio y el poder, que servían para encubrir muchos remiendos económicos y legales de familias, cuyos bienes pasaban de prendas a embargos, como se advierte al seguir los documentos de los mayorazgos de la Nueva España.

Hubo ciertamente grandes propiedades territoriales organizadas como verdaderas empresas económicas. Destacan en primer lugar —no exclusivamente como se ha demostrado en estudios recientes— las haciendas que pertenecían a la Compañía de Jesús. Pese a que las órdenes religiosas no tenían legalmente el derecho de comprar y vender tierras, se fueron adueñando de buenas extensiones, gracias a las mercedes que se les hacían y a las donaciones de piadosos creyentes. Las órdenes, como comunidades bien organizadas, resultaron mejores administradores que los grandes señores. Como verdaderos maestros en la administración sobresalieron los jesuitas; sus propiedades fueron las más productivas. Los documentos de contabilidad de sus empresas sorprenden por su claridad; las construcciones, por su magnificencia y utilidad; los campos y ganados por su efectiva productividad; y en las relaciones de trabajo hubo un mejor orden y eficacia. También, a diferencia de otros propietarios, los jesuitas supieron evitar en buena medida los conflictos de límites con los pueblos y las tierras de comunidades de los indios.

Se había frustrado a fines del siglo XVI la permanencia de una casta de señores de hombres, con la desaparición de la encomienda, pero los nuevos "señores de la tierra", que habían "compuesto" sus títulos de propiedad, ya ahora inobjetables si estaban vinculados a la institución del *mayorazgo,* eran también señores en cierto sentido de sus peones acasillados. La hacienda, ya en manos de particulares, ya en manos de órdenes religiosas, dominaría por siglos el paisaje de la producción agropecuaria del país.

Los obrajes

La industria textil en Nueva España fue una constante preocupación para las autoridades, pues implicaba competencia para uno de los principales productos de Castilla. En repetidas ocasiones se pensó seriamente en la abolición de los obrajes que producían paños de lana para dar entrada a las telas castellanas. El virrey Enríquez trató de impulsar, sin éxito, la exportación de lana novohispana a la Península Ibérica. Las necesidades de un consumo local y la correspondiente iniciativa de empresarios españoles —que no sólo se dieron maña para abastecer su propio mercado, sino que empezaron a exportar a Perú y Guatemala— hicieron que los obrajes en que se elaboraban telas de lana, algodón, jergas, frazadas, sombreros y aun algunos en que se labraba la seda, se extendieran a los principales centros del virreinato. En 1571 se contaban más de 80 grandes obrajes donde se tejían paños negros o de color, que se vendían en todo el territorio novohispano y se exportaban a Guatemala y Perú. Los talleres se multiplicaron a fines de la centuria; para 1604, había más de 114 grandes obrajes, distribuidos en la ciudad de México, Xochimilco, Puebla, Tlaxcala, Tepeaca, Celaya y Texcoco. "Muchos otros" se localizaban en Querétaro, Guazindeo (Salvatierra) y Valladolid; no se incluyeron en la cuenta de 1604, como tampoco se incluyeron multitud de talleres pequeños.

El obraje resultaba una empresa costeable, pues la principal inversión era la mano de obra, y para adquirirla los obrajeros se valieron de la ocasión sobre los pueblos de indios. Empleaban a personas condenadas por diversos delitos a la prestación de servicios forzosos; a los trabajadores contratados (la mayoría, indios naboríos) trataban de retenerlos endeudándolos con el adelanto de salarios y pagos en especie que les daban a elevado precio. El trabajador endeudado era obligado a permanecer en el obraje hasta satisfacer el monto de los adelantos, y éstos solían renovarse y acrecentarse; de tal suerte que muchas veces el infeliz trabajador terminaba su vida sin salir de las casas de los obrajes.

Don Martín Enríquez dictó muchas ordenanzas y mandamientos para desterrar semejantes abusos, pero el fraude y el soborno a las autoridades encargadas de su ejecución contrarrestaron las buenas intenciones del gobernante. En verdad las disposiciones dictadas para el buen trato de los indios que trabajaban en los obrajes, y las que se tomaron para libertar a indios, mulatos, mestizos y negros cautivos en ellos, se inician desde 1560 y cubren los siglos posteriores. Este hecho hace ver el grado de ineficacia de tales medidas protectoras (por más que hubo muchos casos de cumplimiento) y la fuerza creciente de los obrajeros; también nos hacen percibir el crecimiento del número de obrajes, ya que los mandamientos en favor de trabajadores se refieren a nuevos talleres; se habla de muchos sin licencia, y se conceden nuevas licencias para abrir obrajes advirtiendo que no se empleen indios, o, en los casos en que se permitía, se fijaban condiciones de buen tratamiento. Frente al crecimiento de los obrajes y los males que traían aparejados para los trabajadores, tomando en cuenta que "muchas personas, así españoles, mestizos, mulatos y otros..." tenían obrajes, se intentó reducirlos a las ciudades de México, Puebla, Antequera (Oaxaca) y Valladolid. Se pensaba entonces, 1599, que en estas ciudades, por ser cabezas de obispado, se facilitarían las visitas de autoridades civiles y eclesiásticas que velaran por el buen tratamiento y libertad de los trabajadores. La reducción no se efectuó. Obrajeros de Tlaxcala, Texcoco y Celaya lograron que no se ejecutara el traslado de sus obrajes, y consiguieron licencia para seguir trabajando, pues alegaron que sus productos eran necesarios en la tierra; sobre todo los de Celaya, hicieron ver que los reales mineros del norte se surtían en sus obrajes de telas indispensables. Todos afirmaron que sus trabajadores eran voluntarios, bien tratados y justamente pagados.

La extensión real del obraje sobre el territorio novohispano no se conoce. Sabemos que las autoridades se empeñaban en reducirlos, que se prohibía que los hubiera en los pueblos de indios, para evitar el abuso de los empresarios, que muchas veces acusaban y juzgaban falsamente a los indios del común (en ocasiones hasta principales) para enviarlos a prestar servicios forzosos al obraje. Las autoridades virreinales reconocieron constantemente que el mal subsistía; que había obrajes en lugares prohibidos, obrajuelos dispersos en haciendas y rancherías apartadas y fuera de toda posibilidad del control que debían ejercer los visitadores y amparadores de indios y gente desvalida (es interesante, en este sentido, cómo el nombre de "obrajuelo" se repite hasta hoy en día para designar ranchos y haciendas en distintos puntos de la República).

Ante las quejas por el mal tratamiento de los indios, se trató de que los obrajeros adquirieran esclavos negros para servirse de ellos exclusivamente; pero tal medida no se llevó a la práctica porque resultaba excesivamente costosa. Los inventarios de grandes obrajes revelan la gran cantidad y la gran variedad de trabajadores: esclavos, indios naboríos, indios de servicio, chichimecas condenados a trabajo forzoso y "comprados" por el tiempo de la condena; vagos y delincuentes en las mismas condiciones y como capataces, otros trabajadores libres, especialistas en el tejido. Las condiciones técnicas del obraje y la calidad de los productos (tipos de tejido, tamaño, textura del hilo y telas, etc.) debían ser examinadas por los maestros tejedores del gremio de la Ciudad de México. Para conceder licencias debía atenderse al dictamen de los pañeros y tejedores de esta ciudad. En 1679 se dieron nuevas ordenanzas para el gremio de pañeros y tejedores de la ciudad de Puebla, debido a la importancia que alcanzó esta industria. Dichas ordenanzas se conformaron con las de la capital de Nueva España. El objeto de estos gremios era asegurar la calidad, la distribución adecuada y una leal competencia entre los productores del ramo, pero los productos y los obrajes que no cumplían con los requisitos aumentaron al ritmo de una demanda creciente. Producción y demandas son imposibles de calcular debido al deficiente control y a la abundancia de obrajes y obrajuelos que escapaban de las visitas de las autoridades.

¿Cuál era la importancia cuantitativa de la producción de telas en Nueva España a finales del XVII? No se sabe. Puede suponerse su ascendencia entre las actividades productivas del Reino, pues en 1703 el virrey Conde de Albuquerque advertía que la prohibición del comercio de telas de Nueva España a Perú (prohibición que se dio hacia finales de la centuria) había ocasionado el cierre de más de 130 000 telares, *sólo en la región de la ciudad de México*, la miseria de muchas familias, la vagancia y el ocio.

Sociedad y gobierno

La Corona española y el Consejo de Indias trataron de comprender, en leyes y ordenanzas de gobierno a todos los miembros de la sociedad indiana. Con base en la rica experiencia del siglo XVI y de los tiempos posteriores, se lograron a lo largo del XVII obras ejemplares de doctrina y recopilación legal, como la *Política Indiana* (1646) de *Juan Solórzano Pereyra* y la *Recopilación de Leyes de los Reinos de Indias* de 1681, que han sido hasta la fecha las fuentes más socorridas de los historiadores ocupados en la vida política y social de las colonias españolas en América. A pesar de lo completas y enjundiosas que resultan esas realizaciones de doctrina y legislación, el cuadro que nos entregan es estático responden más a un intento de fijar y definir una serie de realidades muy complejas, y por eso se alejan de los acontecimientos que fueron dando forma al régimen que describen; pues éste estuvo siempre sujeto a tensiones y modificaciones que escapaban a la visión de hombres de virtudes y letras. Aunque, justo es decirlo, doctrina y legislación se basaban en la experiencia, a la vista de las soluciones que se fueron dando a los casos concretos. De tal suerte que el intento de ordenar y de comprender la compleja realidad indiana correspondió al desorden y a la injusticia que veían los autores de esas empresas legales. La legislación y los argumentos doctrinales son hoy día hechos tan evidentes como los acontecimientos que la contradecían y la motivaron. Vale la pena tomarla en cuenta como una forma clara en que los hombres del XVII trataron de asimilar la realidad de muchos y muy complejos hechos, posibilitando el orden y gobierno de las Indias.

437

Lo que hoy se considera organización social y política se llamaba en el XVII *orden de república*. Dentro de él hubo "dos repúblicas", "la de indios y la de españoles". La primera se consideró objeto principal de las autoridades, pues estaba constituida por hombres débiles, expuestos a la voracidad de los españoles, patente en la conquista y evidente después de ganada la tierra, cuando los encomenderos, corregidores, alcaldes mayores y otras autoridades abusaron de los indios sometidos y en proceso de cristianización. La maldad de esas personas contradecía los fines piadosos que justificaban la dominación española ante los ojos de la Europa cristiana.

La republica de los indios

A los indios trató de incorporárseles a la más pura cristiandad, según la entendían entonces los españoles conmovidos por las guerras que se desarrollaban dentro y fuera de Europa contra herejes e infieles. Con ese objeto se procuró que los indios quedaran aparte de los propios españoles que pasaban a Nueva España, pues estos hombres de presa y de empresa "más querían servirse de ellos, que no doctrinarlos en la doctrina de Cristo y ver por su salvación". A este intento obedeció la creación de los cabildos en los pueblos de indios, siguiendo el modelo del gobierno municipal español. En las regiones densamente pobladas y primeramente ocupadas por los españoles, se aconsejó que se respetaran los lugares y preeminencias de los señores tradicionales, procurando que fuera del grupo de los caciques y principales de donde se eligieran anualmente los gobernadores, alcaldes, regidores, alguaciles y demás dignidades de las repúblicas o pueblos. El fin era transformar, sin destruir, el orden existente; pues la "maña y razón" que tenían los indios para vivir en concierto aseguraba la dominación pacífica. Sin embargo, la realidad fue contraria al propósito piadoso de la dominación; hubo orden, pero no paz. Las autoridades tradicionales fueron desplazadas en muchos pueblos por advenedizos, ya macehuales o gente del común, ya por otros principales que se prestaban a los manejos de encomenderos y alcaldes mayores, eclesiásticos y otras personas interesadas en domeñar a los pueblos para aprovecharlos en sus granjerías y negocios. Poder de hecho, exclusiones del pago de tributos y de prestación de servicios personales se aseguraban

438

a los "oficiales de república", y para conseguir esos privilegios eran muchos los "macehuales y principalejos" que se aliaban a los españoles que podían influir para obtener del virrey la *confirmación del cargo oficial de república* que debía darse después de efectuadas las elecciones anuales en cada uno de los pueblos. Los virreyes percibieron el mal. Libraron repetidas órdenes y mandamientos para remediarlo; pero ni así pudieron evitar que se desmembrara el sistema que trataban de conservar y perfeccionar. Solivíantados o amenazados, era fácil hacer que los indios acudieran ante el virrey en demanda de justicia para desposeer de los oficios de república a aquellos principales que se oponían a los manejos de encomenderos, autoridades distritales o eclesiásticas. Cierto es que los casos en que se ordenaba que un "tirano" abandonara el puesto de gobernador que había tenido por más de 10 o 15 años, se repitieron; también fueron frecuentes los mandamientos en que se ordenaba que salieran de los pueblos de indios españoles, curas doctrineros, mestizos, mulatos y otras personas ajenas a las repúblicas de indios, en los momentos en que se hacían las elecciones de autoridades, a fin de asegurar la libertad de elección. Muchas veces se logró el fin; pero la protección otorgada se volvió arma de dos filos por la manera en que la utilizaban. El pleito y la demanda de justicia ante el virrey se hicieron instrumento de intromisión en el orden indígena que pretendía dejarse a salvo de la voracidad de los españoles y gente mal intencionada. Por otra parte, el empobrecimiento demográfico y la invasión de las tierras de las comunidades indígenas socavaron materialmente el orden de las repúblicas o pueblos, hasta hacerlos desaparecer en muchos casos.

Este proceso destructivo lo vio claramente, y lo señaló con energía, el oidor *Alonso de Zorita* hacia 1570. Al hacerlo sugería que se volviera al pasado inmediato. Éste era un remedio impracticable. La realidad había cambiado; después de 1580 el daño estaba hecho, la destrucción era irreversible. En los pueblos de indios desaparece la complicada jerarquía de principales mayores, menores, medios, etc., para dar paso a la simple división entre macehuales o gente del común y autoridades de república, como nos lo indican muchas demandas y mandamientos de protección en favor de algunos caciques y principales que habían sido mandados a prestar servicios o conminados al pago del tributo, como lo hacían los macehuales. Mandamientos de amparo y protección en las preeminencias y exenciones para los caciques y principales muestran la

439

pérdida del poder y prestigio de éstos en los pueblos. Son esos mandamientos intentos aislados de contrarrestar la creciente proletarización de la población indígena al desaparecer las líneas hereditarias o linajes dentro de los pueblos que iban siendo presa de la artimaña política. Éste es el proceso que se arraiga en el XVII.

Durante ese mismo siglo vemos aparecer como autoridades de república en muchos pueblos a mulatos, mestizos y otros elementos extraños. Señales más claras aún de la destrucción del orden ideado para la conservación y buena doctrina de los indios. Hubo, es cierto, zonas en que los caciques y principales lograron permanecer en los puestos de autoridades y conservar las preeminencias; pero eso fue a cambio de acuerdos con los españoles, cediendo tierras, accediendo a demandas excesivas de tributos y servicios que se hacían soportar al común. Oaxaca, lugar con gran densidad de población indígena, es muestra de este hecho. A la organización política de los pueblos de indios correspondió una organización económica: la *comunidad* —como se expresa claramente en los documentos de la época, pues para referirse a la organización política se habla de *pueblo* o *república*. Hubo *cajas de comunidad* en que se guardaba el dinero del común, debidamente aseguradas. Se trataba de poner a salvo el dinero de la comunidad, evitando que las autoridades de república lo malgastaran "en fiestas y borracheras", o que lo utilizaran en su provecho las autoridades distritales o los religiosos y eclesiásticos.

El patrimonio principal de las comunidades eran sus tierras; su posesión para el común aprovechamiento, aunque siempre alterada por extraños (ganaderos, españoles, mulatos, mestizos, religiosos, y por otros pueblos de indios, en los frecuentes pleitos de límites), sirvió como base material, y el apego y la defensa ante la intromisión de los extraños favorecieron la cohesión social de los pueblos. Con la aculturación política y el desmembramiento del orden, tradicional en los pueblos de indios, y favoreciéndolas, se arraigó uno de los usos más perniciosos para las comunidades: los pleitos sobre tierras y aguas. Las agresiones e invasiones constantes, al lado de la animación e intereses de los "protectores y amparadores" y procuradores de toda laya, hicieron de los indios grandes pleiteadores, maliciosos y siempre inconformes. El pleitear costaba mucho a las comunidades, había que llegar hasta la Audiencia de México pidiendo al virrey la justicia y el amparo, como a protector de los indios e instancia suprema en el reino de Nueva España.

Para acudir al pleito, los principales y autoridades *echaban derramas*; esto es, imposiciones extraordinarias para costear el litigio, que por lo general se hacía interminable. Comida y otras necesidades de mantenimiento y prestigio de los representantes del pueblo, pago y agasajos a los procuradores, asesores, intérpretes y escribanos, todo cargaba sobre el común, empobreciendo a las comunidades. Según el virrey Enríquez —con quien coincidieron muchos, antes y después— "el mayor cuchillo" de los indios eran los pleitos, pues servían de instrumento de los arribistas y vividores, mestizos, mulatos, españoles y hasta religiosos: ganado o perdido el pleito, consumían en su provecho la miserable hacienda de los indios.

Pese a tantos males, el modelo de pueblos y comunidades era el operante y único en la mente de las autoridades. En sí, era bueno. Lo difícil, imposible en verdad, era eliminar la malicia con que se le trocaba en instrumento de destrucción. Los virreyes y autoridades novohispanas, aquí, y la Corona y el Consejo de Indias, allá en la Península, no dejaron de ordenar y procurar por el bien de los indios, vasallos miserables. Prueba de ello es la cantidad abrumadora de órdenes y mandamientos protectores. Reconocimientos y afanes de evitar las injusticias. Todo esto es cierto, y todo esto le da al xvii el tono de un siglo de desencanto, sin el vigor de las utopías que tanto se ponderaron en la primera mitad del xvi. El organizar a los indios para la cristianización hizo imposible su separación de los españoles, mestizos ,mulatos y gente de toda casta, que andaban "fuera de todo orden de república", cayendo y cargando sobre los sujetos al orden ideal, y anclados en una parte de la realidad, con costumbres y apegos que los inmovilizaban.

Muy importante dentro de la vida de los pueblos indígenas, que hasta aquí se ha descrito en sus aspectos y relaciones con la política de las autoridades civiles, fue el factor y la organización religiosa. Los primeros religiosos que tuvieron contacto con los indios de Nueva España señalaron en ellos una predisposición a aceptar la religión católica, y a organizarse para recibirla y ejercitarse en sus virtudes. Es indudable el éxito de la llamada "conquista espiritual" que realizaron las órdenes religiosas desde 1524 a 1571, pues en este año ocupa el obispado de México un secular. No sin muchas contradicciones y pleitos, los religiosos iban moldeando a los pueblos indígenas conforme a ideas religiosas y sociales de gran cohesión: el antiguo espíritu comunitario de los pueblos favorecía la empresa. El enemigo de esta labor eran "los españoles", gente perversa para los religiosos.

En verdad la obra de los frailes caló hondo en la vida indígena. Sirvió de base para la acción del clero que llegó posteriormente a Nueva España: otras órdenes religiosas y miembros del clero secular, quienes como doctrineros (curas rurales) fortalecieron la complicada organización y las creencias de los pueblos. Con ello lograron un ascendiente sobre la población indígena superior al que tuvieron las autoridades civiles. La construcción de capillas e iglesias en los pueblos de indios era una empresa compartida con entusiasmo por todos los miembros de las comunidades. Iniciado el culto y la doctrina en los pueblos, se nombraban alguaciles de doctrina o fiscales de la iglesia, encargados de vigilar el cumplimiento de las obligaciones religiosas de la comunidad. Como a los oficiales de república, a estos fiscales de la iglesia se les daban varas de justicia o bastones que eran símbolos de autoridad. Tales puestos daban prestigio en el pueblo, prerrogativas económicas, como exenciones de tributo y servicios, y eran tan codiciadas como los de oficios de república; a veces más, debido a la acentuada religiosidad de los indios y al trato frecuente (más que el que se tenía con los alcaldes mayores, corregidores y sus tenientes) con los doctrineros y religiosos que recorrían constantemente las zonas de sus doctrinas o jurisdicciones. Es conocido el hecho que indignaba a un alcalde mayor de la Alta Mixteca, cuando advirtiendo a un indio que acababa de ser electo alcalde de su pueblo que dejara la vara de alguacil de la iglesia, por no poder tener las dos al mismo tiempo, el indio, "con soberbia y desacato", arrojó al suelo la vara de alcalde, diciendo que no servía de nada en comparación con la otra (esto ocurría hacia 1661, año en que se levantaron contra sus alcaldes mayores los indios de las Mixtecas alta y baja).

Quienes auxiliaban en el culto religioso, como los cantores y tañedores de instrumentos en las festividades religiosas, tenían prerrogativas semejantes a las de los alguaciles, y sobre todo ganaban prestigio en la comunidad. Como indios con cargo, todos eran muy diligentes en los quehaceres, y favorecían el dominio de los eclesiásticos sobre sus pueblos. Pese a esto, y por esto, muchas

442

veces hubo oposición de los pueblos a ciertos encargados de la doctrina y a los religiosos. En algunos lugares llegó a mayores la situación, y es precisamente a principios del xvii cuando algunos religiosos se quejan del desapego que les mostraban ciertos pueblos. Justo es decir que en ese entonces el fervor misionero que caracterizó a los años de la conquista espiritual se había enfriado bastante, y que muchos sacerdotes, aun los religiosos de las órdenes más ejemplares, se habían sumido en el desencanto que caracterizó los últimos años del siglo xvi y los primeros del siguiente. Con todo, la religiosidad de los indios se mantuvo y prosperó, aunque cohabitando con otros afanes bastante profanos. La religiosidad fue el tono principal del xvii; festividades y culto iban de la mano tanto en la república de indios como en la de españoles. Las advocaciones y las cofradías aumentaron; llegaron a ser el centro para la expresión de muchas necesidades de la vida; de tal manera que las manifestaciones de jolgorio o de tristeza popular, y también las rutinas o hábitos, resultaban inconcebibles sin apariencias de culto y sin fondo de creencias religiosas, y hasta supersticiosas. Gibson, al hablar de los aztecas bajo el dominio español, señala que las cofradías en los pueblos de indios eran el refugio, en la encarnación de advocaciones concretas, de desvalidos, a diferencia de las pujantes y exclusivistas cofradías de las ciudades de españoles, que eran lazo de unión de artesanos agrupados en gremios, y fuentes de notoriedad en la sociedad citadina, sedienta de prestigios. Es probable, pero lo cierto es que las cofradías en los pueblos de indios, sin ser exclusivistas y gremiales, tuvieron sus surtideros de prestigios y honores.

La organización social, política y religiosa trató de llevarse hasta los indios bárbaros. Las *congregas* y reducciones en que se intentó asentarlos en el norte de la Nueva España tenían como modelo a los pueblos del centro. Es más, al emprenderse las congregas de los chichimecas, desde el siglo xvi, se llevaron tlaxcaltecas, mexicanos, otomíes, y otros "indios amigos" de buen concierto y "pulicía" en su modo de vivir, para que, viviendo junto a los nómadas recién congregados, los atrajeran con su ejemplo al orden de república y comunidad. Algo se logró; aunque muchas congregas se dispersaron, se volvieron a integrar y a dispersar a lo largo del xvii. Sucedió también que allí donde lograron convivir los indios amigos "de maña y razón para vivir en orden de república", jamás se integraron a los chichimecas congregados, pues vivieron en barrios separados, con sus propios usos, lenguas y costumbres; y a menudo hacían valer su mayor influencia para abusar de sus vecinos.

La república de los españoles

La república de españoles, como cuerpo social y político no fue tan expresamente acotada y ordenada como la república de indios en la legislación codificada, pues esta última fue materia de disposiciones y libros especiales en las distintas recopilaciones que se hicieron a lo largo de la época virreinal (ocupó sendos libros en las anteriores a la de 1680, y en ésta todo el libro VI: "De los Indios"). La república de españoles está más implícita que expresa, pues su existencia y su modo de convivir se asumen como hecho dado y corresponden no a específicas leyes de Indias, sino a la legislación general del Reino de Castilla, que era al que los nuevos reinos americanos se habían agregado. En la legislación indiana, la república de españoles sólo se hace ver cuando se trata de normar sus relaciones con la de indios, o para limitar o regular a quienes están fuera del orden de república en la peculiar circunstancia americana, como veremos más adelante. La república de españoles se desparramaba por todo el territorio novohispano. Ciudades y villas eran las poblaciones con prestigio y título reconocido, y sus habitantes eran reputados como "vecinos" o cabezas de familia "española"; es decir, sujetos o vasallos que no tenían, como los indios, obligación de tributar. Podían aspirar a los cargos de los cabildos todos los hombres de orden que no fueran indios, "mestizos", negros o castas, aunque ya se ha visto, cuando hablamos de la población, que se consideraban legalmente "españoles" no sólo a los criollos, sino a los mestizos nacidos de unión legítima y a los que tuvieran una débil proporción de sangre india (hijos de "castiza" y español), y que muchos de "color quebrado" conseguían verse inscritos como "españoles" por diversas mañas y desde luego cuando habían adquirido prestigio por sus bienes u otras razones.

Eran, pues, muchos los escenarios en que se hallaban los españoles; pero entre éstos, por el orden y sistema de vida, se desta-

444

caron las ciudades y villas, con sus cabildos cadañeros (modelo de los pueblos de indios), que para fines del siglo xvi habían perdido el vigor y la independencia que tuvieron en las principales ciudades durante los primeros decenios posteriores a la Conquista. Estos cabildos fueron un refugio de los criollos, como vía de prestigio más que de poder político, y lograron importancia en la sociedad novohispana poseída por el afán de honor y fama. La voluntad del "valer más" en comunidades celosas del prestigio de cada uno de sus miembros favoreció la avaricia frente a los puestos del cabildo (vendidos por la Corona desde 1591), pese a su poca importancia política. El lugar de prestigio, fuera de esos cargos, podía adquirirse también mediante la posesión y ejercicio de profesiones honrosas, como la clerecía (con muchos rangos y puestos bien remunerados), y los grados académicos. Éstos eran, pese a las muchas dificultades y a lo costoso que resultaba adquirirlos, la vía más segura para los criollos, a quienes se vedaban los principales puestos en las "cabezas del reino". Ser ordenado sacerdote estaba, en principio, vedado a los mestizos, en consideración a su origen ilegítimo. Cuando llegaron a ordenarse, como ocurrió ya bien entrada la segunda mitad del xvii, hubo escándalos y comentarios y pie para argumentar que "la tierra andaba confundida", pues ya no se respetaban los límites imborrables del origen. El éxito de un criollo en un examen o acontecimiento académico, o en un sermón de nota, era comentado como suceso notable. Logrado el puesto prestigioso, se podía —y muchos lo hacían— añadir y reclamar como cierta la fama de descender de hidalgo.

Los cargos de verdadera importancia política (oidor, abogado de la Real Audiencia y otros) se reservaban por lo general a peninsulares (el de virrey siempre). Eran medios de prestigio ciertísimo, más que nada por el poder que conferían y por el temor que inspiraban a los republicanos. Pero, por esto mismo, había de tenerse mucho cuidado de caer en desgracia y ser destituido, pues había siempre quienes por su falta de prestigio y poder, por su envidia y mala voluntad de resentidos, murmuraban constantemente contra los poderosos, y estaban listos para acusar y deshacer la honra de los funcionarios suspendidos y sometidos a *juicio de residencia;* como que la honra, afán de todos, era más mientras menos la tuvieran, y el honor había de estar repartido entre pocos, frente a los muchos que lo deseaban. El colmo del honor, "el verdadero", era la *nobleza de Castilla,* "la verdadera nobleza", muy

445

escasa en las Indias. En Nueva España llegó a haber nobles de
esa índole, por arreglos financieros con la Real Hacienda. Compras o confirmaciones de nobleza dudosa fueron posibles, gracias
a los apuros de la Corte española. Los asientos de la Real Hacienda en Nueva España muestran la adquisición de los siguientes títulos de nobleza castellana en el siglo XVII:

10 de diciembre 1616	Conde de Santiago de Calimaya	(Después fue también adelantado de Filipinas. Era ya Marqués de Salinas del Río Pisuerga [1609]; y fue, también, Conde de Salvatierra.)
14 de febrero 1627	Conde del Valle de Orizaba	
13 de diciembre 1627	Conde de Moctezuma de Fultengo	(Marqués de Palomo 1539; Conde de Atlixco...)
14 de agosto 1669	Adelantado de Filipinas	(Conde de Santiago de Calimaya, 1616.)
16 de febrero 1671	Mariscal de Castilla	(También Marqués de Siria, 1777.)
9 de noviembre 1682	Marqués de San Miguel de Aguayo	
12 de julio 1687	Marqués del Villar del Águila	
10 de junio 1689	Marqués del Valle de la Colina	
9 de marzo 1690	Conde del Fresno de la Fuente	
27 de junio 1690	Marqués de Guardiola	
27 de junio 1690	Conde de Loxa	
31 de julio 1690	Conde de la Moraleda	
29 de octubre 1690	Conde de Castelo	
18 de diciembre 1690	Conde de Miravalle	
8 de febrero 1691	Conde de Santa Rosa	
17 de enero 1692	Marqués de Monserrate	
28 de mayo 1692	Marqués de San Jorge	(Radicado en España.)
10 de febrero 1696	Marqués de Buena Vista	(A fines del XVIII "sin uso".)

446

En el siglo XVII, la nobleza española en la Península Ibérica cobró poder frente a la monarquía apurada y decadente; los años críticos del poder de la Corona vieron crecerse a los "grandes de España" y a las banderías que formaban los nobles intrigantes y revoltosos que peleaban el favor del rey. En Nueva España nobleza y poder político no se emparejaron; el título confería honor, costaba dinero su adquisición, y luego había que pagar anualmente el derecho de "lanzas", que era la sustitución monetaria del antiguo deber de los nobles de acudir al rey con hombres armados para guardar la seguridad del reino. La nobleza novohispana fue débil como tal, pero orgullosa. El orgullo, a diferencia de la nobleza de Castilla, era patrimonio común. Para muchos, cuya pobreza les hacía que se privaran de títulos comprados en la Corte española, quedaba el recurso de afirmarse como hidalgos y miembros de la nobleza americana; la que ganó esta tierra para los reyes de España, y una nobleza tan cierta y más meritoria que la de Castilla. Tomás Gage, ese viajero de la primera mitad del XVII que conoció tantos recodos del territorio y de la sociedad novohispana, relata que

> por ese punto de vanagloria se encuentran a cada paso en toda la América gentes que se dan por hidalgos españoles, pretendiendo en el día que vienen por línea recta de alguno de los conquistadores, aunque sean más pobres que Job. "¿Dónde está la hacienda de vuesa merced?"; preguntaron a uno de esos caballeros andantes que infectan el país. "La fortuna se la ha llevado; pero toda la adversidad del mundo no podrá llevarse una brizna de mi honra ni de mi nobleza."

Todo "título de Castilla" traía aparejado uno o más mayorazgos; pero había familias sin título aunque con mayorazgos. Constituían una especie de nobleza menor. Esa institución, trasplantada de España, significaba "vincular" cierta cantidad de pertenencias inmuebles a una línea patrimonial; con ello se aseguraba la continuidad de los bienes en una familia, pues aquello que estaba vinculado pasaba íntegro en herencia al primogénito. Los bienes del mayorazgo no se podían dividir, enajenar, ni hipotecar, salvo en especialísimos casos y con consentimiento expreso de la Audiencia. La fundación de un mayorazgo requería licencia real, prueba de limpieza de sangre y pago de impuestos especiales; el poseedor del mayorazgo recibía, a cambio, un reconocimiento real de su condición, lo que constituía también una importante fuente de

447

prestigio. De paso, el mayorazgo contribuyó a la formación de grandes dominios urbanos y rurales, puesto que al vínculo se podía siempre sumar, pero nunca restar; y a la oposición de un enjambre de "segundones" orgullosos, hijosdalgo pero a menudo pobres de solemnidad, que andaban siempre a la caza de empleos y de cargos eclesiásticos. Donde había ocasión para el lucimiento de honras y privilegios, ahí estaba el pique por ocupar el sitio de nota que acreditara a su poseedor. Nada más a propósito para el efecto que los eventos públicos, como las procesiones, funciones solemnes en las catedrales y templos de las ciudades y villas. Las disputas por el lugar que debían ocupar los personajes de la vida citadina llegaban a mayores. Hubo pleitos que terminaron con amenazas de excomunión, lanzadas por el obispo, represiones, prisión, etc. Los cronistas de la época son, por necesidad del medio, cuidadosos en registrar tales disputas, como verdaderos casos de escándalo. Así, entre otros, nos narran lo ocurrido en 1651, cuando el virrey Conde de Alva de Lista quiso que sus criados ocuparan un lugar que no les correspondía en la procesión del día de Corpus Christi, no obstante la resistencia del arzobispo de México. El virrey se retiró indignado, y el arzobispo hizo otro tanto. La procesión, en la que participaban todos los habitantes de la ciudad y los indios de los barrios, no salió hasta mucho después, por las súplicas del pueblo devoto. Ni el virrey ni el prelado asistieron; y el escándalo que esto ocasionó puso en sobresalto a la capital de Nueva España muchos días. Otro caso escandaloso fue el de 1663, cuando el virrey, Conde de Baños (cuyas hazañas en fiestas y convites dieron mucho que decir en la época) hizo que la procesión del día de Corpus, la más importante del año, cambiara su itinerario para que la virreina, que estaba enferma, pudiera verla desde su balcón. El hecho culminó con una airada queja a España, y una multa de 12 000 ducados al virrey, "por haber variado la tradición".

Claro está que bajo semejantes disputas se ocultaba una lucha sobre quién valía más en el reino, si el arzobispo y el cabildo eclesiástico, o si el virrey y la Real Audiencia. Pugnas de prestigio que traducían pugnas políticas, de las que se hablará después. El orden riguroso de las procesiones y otros eventos públicos, donde los gremios, las órdenes religiosas, los miembros del gobierno virreinal y municipal, los grupos de indios, mestizos y castas ocupaban su lugar, denotan una sociedad de prestigios definidos. Una sociedad estamental, en la que la situación de las personas se determinaba por el nacimiento y por la pertenencia a grupos preestablecidos; una sociedad dispuesta a rechazar cambios y gente advenediza. Para lograr prestigio era menester usar cauces aprobados, como el patrocinio de obras y construcciones religiosas. Así se entiende el empeño de ricos comerciantes para erigirse en patronos de templos y monasterios, grandes obras de precio elevadísimo. También el afán de brillar como orador en los sermones de nota, compuestos para días de celebraciones solemnes. Un sermón famoso se comentaba, se imprimía para el alcance y goce detenido de un mayor público culto, que podía costear el precio de los ejemplares; y en ocasiones para levantar escándalos, con lo que se veía implícito en la rigurosa forma de la pieza oratoria. Santidad, milagros, vida ejemplar eran otra vía de acceso al valer. La religiosidad de la sociedad novohispana supo encontrar entre los suyos verdaderos ejemplos de virtudes y santidad; como se verá más adelante, donde se habla de la cultura del siglo barroco, siglo que rebasa la centuria del XVII y llega más allá de la primera mitad del XVIII en muchas de sus manifestaciones.

A la ejemplaridad del honor y las virtudes asistía la correlativa ejemplaridad de la vergüenza y los vicios y pecados. Las ejecuciones de los reos condenados por diversos delitos se hacían con la solemnidad de un oficio religioso. Los cronistas anotaban cuidadosamente la calidad del ejecutado y la índole de sus delitos, siguiendo el pregón que se hacía en tales casos. "Tal día se ejecutó a tres bandidos; a un tal. . ., que le decían el . . ., español; otro llamado. . . mulato; y a otro,. . ., indio, por haberles encontrado las joyas de. . ., se les cortaron las manos, que estuvieron expuestas tres días en. . ." Ésta suele ser la forma de las noticias que nos entregan con mucha frecuencia los registros de sucesos notables de la Nueva España. Si el reo era peninsular hacían constar que era "gachupín". Es interesante advertir cómo esos relatores no dan noticia de ellos mismos, se concretan al hecho, aparecen absortos en la realidad que los rodea; esa sociedad en apariencia tan estática y coactiva, y que parece no dar cabida a los individuos como primeros protagonistas, si no es que como encargados de un papel social determinado. Cuando se descubre la persona, sus méritos, lo hace a través de formas muy rígidas. Alabanzas y acusaciones tienen su corte preestablecido. Pero en el interior de ese orden tan rígido se concebían, precisamente por ser así, violacio-

449

nes que tenían todo el sabor y la intención del "desacato" y la contradicción expresa; la búsqueda del escándalo. El día 22 de diciembre de 1649 nos cuenta Guijo, amaneció borrado el letrero que estaba bajo la cruz del cementerio de la Catedral de México, y en el que se decía que había sido costeada por el arzobispo. El letrero "fue borrado con inmundicia". Afán de profanar escandalosamente.

A semejantes desafueros correspondía el castigo ejemplar, ya se ha dicho; pero hubo unos que se distinguieron por su terrible solemnidad y ejemplaridad: los autos de fe del tribunal del Santo Oficio, comúnmente conocido como la Inquisición. Este tribunal *sólo* declaraba a los reos fuera de la Iglesia y señalaba la gravedad de las faltas cometidas y los entregaba después, o "relajaba", al brazo secular, "recomendando misericordia". La entrega se hacía ya frente a los tablados en que debían ser ejecutados. Entre los ejecutados destacan los mártires del judaísmo, contra quienes se encendían los ánimos del pueblo congregado para ver la ejecución; ya sea sobre las personas de los reos o sobre sus efigies, cuando habían logrado huir. La pena era inevitable para el judaizante, la merecía por practicar la religión que más repugnaba a los practicantes de la católica, "única verdadera". Célebre fue aquella ejecución de 1648, en que uno de los reos, Tomás Treviño de Sobremonte, condenado a morir en la hoguera, por no haberse arrepentido o "reconciliado" —como la gran mayoría solía hacerlo— decía al verdugo, después de resistirse al franciscano que lo exhortaba para que pensara en la salvación de su ánima, "echen más [leña] que mi dinero me cuesta". Claro, como que sus bienes habían sido confiscados, pues lo eran siempre los de los procesados en la Inquisición. También levantó ámpula la ejecución del irlandés Guillén de Lampart, en 1659, después de 17 años de proceso, acusado de herejía, y de predicar doctrinas contrarias al orden. Ha querido verse en este personaje un precursor de las ideas democráticas. Pudo serlo; y por lo que haya sido, quedó demostrado que una vez más el rechazo violento a la alteración del orden y doctrinas vigentes en Nueva España. Cuando se trataba de alterar éstas, fue la Inquisición el tribunal político, no sólo religioso (pues entonces no había la separación que se elaboró y aclimató años después), más eficaz.

Castas y "gente menuda"

Fuera de todo orden de república —por más que lo complicaban y lo inquietaban—, andaba la *gente menuda:* mestizos, castas y negros. Cada día, dicen siempre los comentaristas, eran más insolentes. Se les temía por el desconcierto en que ponían la tierra: ya pueblos de indios, ya los caminos, ya las ciudades y villas. Esa gente era "lo muy plebeyo", siempre lista a arremeter e insolentarse contra la gente de orden. Participaban en los desórdenes de nota, se les acusó de haber incitado a los indios en los grandes motines de la ciudad de México (1624, 1692 y 1697). Junto con ellos andaban españoles pobres y pícaros faltos de fortuna, sobrados de mañas y malicias, como los mestizos y castas. Se cuenta que, sobre aumentar en número, todos estos desarraigados del orden de república multiplicaban su presencia por lo activos que eran; y ésta es una de las razones para que no pasaran desapercibidos a los cronistas y viajeros. Infamados por su origen, los mestizos y las castas no podían legalmente aspirar a ocupaciones honrosas. Pero lo cierto es que muchos de ellos se destacaron como hábiles artesanos, y lograron ser incluidos en el seno de los gremios; fueron los capataces ideales en las haciendas de labor y en el manejo de los ganados, en las minas y los obrajes. Pese a la infamia, quizá por eso mismo, su poder de hecho fue mayor que el de los indios en muchas actividades de la vida novohispana. Fuera del orden de república estaban también, necesariamente, los indios bárbaros. Pero a éstos se les consideraba como gente que podía y debía ser atraída.

Los negros cimarrones, esclavos huidos y nacidos en zonas de refugio, "palenques", eran un peligro para el orden y paz de la tierra. Poco sabemos de estos grupos, pues su historia se conoce en aquellos casos en que las autoridades la emprendían contra ellos y por las quejas de la gente de orden. Son siempre datos parciales, pues, pese a que en el caso de los indios los documentos son casi siempre descriptivos de realidades que se van transformando conforme a los modelos que imponía la república de españoles, hubo contactos frecuentes, pleitos en los que los indios fueron activos, y lograron dar cuenta de muchos aspectos de su propia vida y de los conflictos con otros grupos de la sociedad novohispana. También los datos de las autoridades, y, sobre todo, de los religiosos y miembros del clero secular que tuvieron un contacto

451

más continuo con los pueblos de indios. Estos testimonios eran imposibles para las gentes de las zonas de refugio, como los palenques y los parajes en que habitaban los vagos de todas clases, y sólo sabemos algo de ellos por las menciones que hacen algunos viajeros temerosos.

Que los negros no sujetos a esclavitud eran un constante quebradero de cabeza lo revela la *Recopilación de Leyes de los Reinos de Indias* al ocuparse de ellos en el libro VII. Las disposiciones que se reúnen son como en todos los otros libros, soluciones dictadas a partir del siglo XVI. Desde entonces se observa el régimen negativo de estos grupos. Prohibiciones para relacionarse de una manera independiente con los de las dos repúblicas; penas mayores a ciertos delitos. Tantas limitaciones dan la idea de que esa gente fue activa destructora del orden ideal que trataron de imponer las autoridades; que, por otra parte, traía en sí los elementos que lo hacían imposible. Ese orden nació con los hechos y las intenciones que lo negaban.

La separación de los indios era condición para cristianizarlos. Pero el cristianizarlos era incluirlos activamente en las relaciones con los españoles. El separar a las castas de los otros grupos era acercarlas por todas las formas ilegales, y éstas siempre han sido más que las ordenadas. La recopilación de 1681 es, como otras muchas codificaciones. el reconocimiento de un orden que, negado en la realidad, trataba de afirmarse como la única posibilidad para cumplir con la misión de la España Imperial de la primera mitad del siglo XVI. Misión que no se negó expresamente pero que los hechos se encargaron de hacer imposible, encaminando a los hombres por la vía del raciocinio y el desencanto.

El ejercicio del poder

En las relaciones de gobierno, debe considerarse, por una parte, la envoltura o forma de las mismas, y por otra, los grupos y personas con poder. No estaría por demás hablar de algunos acontecimientos críticos, en los que las relaciones entre autoridades y gobernados llegaron a recrudecerse, dando lugar a situaciones en las que se desnudaron los lazos de legitimidad, prestigio y obediencia, que parecían encubrir las instituciones legales o formas ideales del orden. El poder de la Corona de Castilla sobre los dominios americanos se había afirmado prácticamente en el siglo XVI. La lucha de los conquistadores para conseguir señoríos con poder jurisdiccional terminó, como es sabido, cuando la Corona se afirmó como única titular del gobierno y decisión, utilizando los servicios de una burocracia patrimonial. El señorío del Marquesado del Valle de Oaxaca —único señorío, en cuanto que tenía sus propios jueces— fue sometido en la realidad. A resultas de la conspiración del segundo marqués, en 1564, el marquesado fue confiscado; restituido después, quedó como una fuente formidable de ingresos, pero perdió toda fuerza política propia, tanto que los marqueses del Valle y después duques de Monteleone no residieron en la Nueva España y se contentaron con recibir las cuantiosas rentas que de aquí se les enviaban. Por otra parte, los virreyes y las audiencias, los corregidores y alcaldes mayores con sus tenientes limitaron el poder de los encomenderos y otras personas "de mano poderosa", en las distintas regiones de Nueva España, reinos y capitanías generales. Éste es el drama político de la sociedad que trataron de formar los conquistadores del siglo XVI. Para el XVII, el regalismo de los juristas, hombres de doctrina y conciencia cristiana, se encargaría de afirmar teóricamente el poder de la Corona. Si en el siglo XVI hubo hombres como Francisco de Vitoria y Bartolomé de las Casas, que sostenían que los reinos americanos eran verdaderos reinos independientes, y que como tales se habían incorporado a la Corona de Castilla, en el siglo XVII hombres como Solórzano Pereyra y sus seguidores establecerían que tales reinos quedaban incorporados a Castilla por accesión, como una parte, y no como entidades independientes. Serían entonces considerados como una extensión territorial de aquel reino.

En otro aspecto importante se consolidó el poder de la Corona sobre los dominios americanos. El Regio Patronato Indiano, concedido a los Reyes Católicos por el papa, como sostén necesario para la empresa evangelizadora y política en las Indias, se transformó, a partir de 1580, y hasta 1730, en el *Regio Vicariato*, o sea la instrucción jurídica, eclesiástica y civil, por la que los reyes de España ejercían en las Indias plena potestad canónica en materia disciplinaria, en nombre del papa y con su aprobación explícita, y dentro del ámbito fijado por las concesiones pontificias y disposiciones de los concilios indianos. El objeto del Regio Vicariato era —desde que se puso en marcha (1565)— asegurar la armonía entre el poder temporal y espiritual. Esto fortaleció aún más la hegemonía del monarca español, quien pudo dar ese paso gracias al concepto providencialista indiscutido de la misión española en América. La armonía teórica, sin embargo, no fue siempre real en la práctica. Los celos de autoridad entre prelados y oficiales reales fueron frecuentes y trajeron agrias disputas. A veces se llegó a enfrentamientos violentos, el más famoso de los cuales —para el siglo que nos ocupa— fue el de 1624 entre el arzobispo de la Serna y el virrey conde de Gelves.

Para ejercer el poder hubo una jerarquía bien organizada. En la Península un dispositivo central para todas las Indias: el rey y el Consejo de Indias. Este último era un cuerpo colegiado (creado en 1524) que actuaba como legislador, administrador y juzgado de última instancia; siempre, teóricamente, de acuerdo con el monarca. La designación de los miembros del Consejo, así como la de todos los altos funcionarios, la hacía el rey en persona. En Nueva España hubo otro dispositivo central, compuesto por el virrey, o *alter ego* del rey, y la Real Audiencia, cuerpo colegiado, encargado principalmente de las funciones judiciales. Para los acuerdos de este organismo, el virrey era el presidente. En los distritos o jurisdicciones de justicia había alcaldes mayores y corregidores, como jueces y autoridades distritales; y, bajo éstas, localmente, en villas y ciudades de españoles, y pueblos de indios, estaban los cabildos. Las decisiones de las autoridades locales podían rechazarse apelando a las distritales y las de éstas podían llevarse en apelación ante las autoridades centrales novohispanas, el virrey y la Audiencia; cuyas decisiones eran apelables en última instancia ante el Consejo de Indias. Con tal jerarquía y apertura de jurisdicciones parecía asegurarse la centralización y el monopolio efectivo del poder desde la Península; pero, aunque mucho se logró, hubo demasiadas complicaciones, muchas de ellas facilitadas por la interferencia entre las propias autoridades novohispanas, principalmente la Audiencia y el Virrey, que a menudo entraban en pugna. La fuerza de ciertos intereses hizo que en muchas ocasiones el poder central resultara más ilusorio que efectivo. Junto a las autoridades mencionadas, debe considerarse a las eclesiásticas. El arzobispo de México, los obispos de Puebla, Valladolid, Oaxaca, Guadalajara, Ciudad Real, Mérida y Durango; los prelados de las órdenes religiosas, y, en su menor jurisdicción, los párrocos y vicarios. Todos estos hombres de iglesia ejercían un poder efectivo en sus jurisdicciones, y se atrevían, como queda dicho, a enfrentarse a las autoridades centrales y distritales en muchas ocasiones. A menudo eran auxiliares del rey y del Consejo de Indias para controlar los actos de otras autoridades, comenzando por el virrey mismo. Hubo eclesiásticos que llegaron a desempeñar este alto cargo.

Es común el dicho de que dentro de la jerarquía de las autoridades civiles y eclesiásticas había más divisiones que concierto. Que esas divisiones eran utilizadas por el rey y el Consejo para limitar el poder que adquirían los funcionarios en la tierra, debido a la lejanía de las autoridades centrales. Las pugnas, es cierto, aseguraban al Consejo y al rey, a través de las quejas y demandas, el conocimiento de muchos hechos; pero también lo es que en muchas ocasiones complicaban innecesariamente los más sencillos problemas de justicia y administración. El orden del gobierno se aseguraba en buena medida por medio de los conductos establecidos para las apelaciones. La legislación que se vino recopilando desde el siglo XVI, al recogerse y ordenarse las disposiciones sobre los problemas que se iban presentando, muestra la tendencia a crear un orden sistemático y racional. Los miembros del Consejo de Indias, como juristas y profesionales de la administración, fueron creando —de acuerdo con los monarcas— y ordenando leyes (como el *Cedulario Indiano,* de 1596, entre otros) que por su buen sistema y facilidad de consulta se impusieron al mismo tiempo que hacían ver la necesidad de ajustes. A esta necesidad respondió la Recopilación de 1681, que recogía el fruto de la experiencia de casi dos siglos de gobierno indiano. El orden racional, con sus aciertos y errores, fue el resultado de la labor de una inmensa burocracia, la mayor conocida hasta entonces en el mundo occidental.

Así contemplado el sistema de gobierno de las Indias, y en particular el de Nueva España, se nos presenta como un orden legal, muy moderno en su forma. Lo fue, sin duda; pero dentro de ese orden, como condición de su creación y posibilidades de vigencia, trabajaban a destajo —en obras no siempre terminadas—, muchas realidades y formas tradicionales. Por principio de cuentas, la relación señor-vasallo fue el meollo de la legitimación de la autoridad central. No era el buen orden legal, era el rey, como señor soberano, quien, por serlo, podía y debía imponer la vigencia de las leyes. A los ojos de los súbditos, el rey era un señor que protegía a sus vasallos. En las ordenanzas y mandamientos que resolvían casos graves sobre la vida y hacienda de las personas, se destaca ese papel del monarca. Quienes en tales casos extremos acudían a las Audiencias o al virrey, mencionaban precisamente su relación de vasallos con el rey como condición indispensable para hacerse acreedores a la real protección. Audiencias y virreyes tenían, por su parte, el deber de escuchar y resolver, aun frente a la oposición de los más poderosos en la tierra y en el cielo, ese llamado del vasallo a su señor soberano. Es bien clara e ilustrativa la forma como se manifestaba el real amparo frente a las autoridades eclesiásticas, cuando el vasallo agraviado acudía a la Audiencia "por vía de fuerza", pidiendo al rey que como su "amo y señor natural", quitara la fuerza que se le hacía. De esta manera, la Audiencia podía librar una "real provisión" en que se deshacía el agravio o fuerza, que podía consistir —y era muy frecuente— en excomuniones dictadas por los obispos. Para librarse de las propias autoridades de su fuero, los eclesiásticos solían hacer uso del recurso de fuerza, alegando que antes que su propio carácter de eclesiásticos, estaba su condición de vasallos del rey, "amo y señor natural". El abuso de tales recursos por parte de los propios eclesiásticos hizo que en el siglo XVII se les prohibiera, considerándolo anticanónico. Pero lo cierto es que no se dejó de usar, según puede advertirse en los libros de la Audiencia de México. Además, prácticamente, ese y otros recursos significaban la apertura de la jurisdicción eclesiástica, para dejar abierta la posibilidad de decisión última al monarca, a través de sus audiencias en las Indias. Por otra parte, la tendencia secularizante —que no negó nunca la religiosidad propia de la política española— era el acento mayor en el XVII. Todo cuerpo, principalmente las órdenes religiosas, que tuviera algún carácter de estamento político o poder cerrado frente a las autoridades, se fue abriendo, y es justo advertir que en ello colaboraron los miembros del clero secular, comenzando por los obispos. La legalidad y sumisión de éstos al monarca estaba asegurada por la institución del Regio Vicariato Indiano. Los indios, vasallos miserables —según la definición de la época—, eran sujetos especiales y preferidos en el sistema protector. La relación paternalista que implica el vasallaje se acentuó en su caso. El virrey, entre sus principales funciones, tenía la de protegerlos y ampararlos. Fueron tantos los casos que se le presentaron, que ya en 1572 aparece el juzgado general de Indios,

456

como parte de la Real Audiencia de México, un tribunal de equidad que presidía siempre el virrey. Y en verdad, a juzgar por el número inmenso de casos de protección que provienen de ese cuerpo, podemos afirmar que ningún virrey descuidó su función de protector, o *alter ego* del rey en este peculiar sentido de amparador. Lo que pasara pese o debido a esas protecciones ya lo hemos señalado arriba; pero lo cierto es que a través de los innumerables casos de protección a los indios, debido a las muchas y muy diversas quejas que presentaban constantemente, se hizo posible que la autoridad central de Nueva España se manifestara hasta en los rincones más apartados. La labor protectora tuvo, sin duda, una importancia política de primer orden.

Así, pues, la tradición del señorío del rey se hizo más operante por la modernización del orden legal y por la labor de una activa burocracia peninsular e indiana. Pero la condición que legitimaba y hacía posible los medios de la burocracia, se anclaron precisamente en esa tradición del señorío del rey; construyendo un estado patrimonial, que sólo se alteraría muy tarde en las postrimerías de la época colonial y los principios de la época independiente, en la que dejó muchos rasgos de patriarcalismo y la tendencia insalvable al centralismo.

Pero no es tan simple una realidad histórica para quedar satisfechos acomodando en un marco de aparato mecánico las partes que, como hombres de un presente ansioso de explicaciones rápidas, se ha llamado "tradición" y "modernidad". En eso de obedecer al rey y a sus personeros andaban revueltos muchos y muy distintos intereses, que a veces se apartaban y a veces se encontraban. Entre los vasallos del rey, por fieles que fueran, y el soberano, se superponían y se tironeaban muchas lealtades, y la cosa comenzaba en las propias cabezas del reino (virrey, Audiencias, obispos, etc.), y llegaba hasta los lugares más apartados. He aquí algunas de estas situaciones.

El celo por el control político daba ocasión a que se formaran verdaderos grupos de interés entre quienes, luchando por sus propios fines de riqueza y poder, hacían de las leyes y el orden verdaderos instrumentos. Así, cuando los oidores de las audiencias de México, Guadalajara y Guatemala acudían a visitar la tierra y los pueblos de indios, para oír las quejas de éstos contra las autoridades locales y distritales, la represión y la violencia de alcaldes mayores y corregidores sobre los indios subía de tono. Sabemos que amenazaban a las autoridades de los pueblos, y éstas al común de sus naturales, a fin de que no hablaran contra los opresores. Ante los malos resultados de estas visitas, el rey y el Consejo solían enviar visitadores especiales. Algo se lograba, pero lo cierto es que las visitas ordinarias y especiales eran muy temidas por la violencia que las precedía y sucedía. Cuando un virrey o un alto funcionario dejaba el cargo, se abría un *juicio de residencia,* en el cual podían presentarse todos los quejosos de abusos, agravios, negligencias o desacatos al rey; el funcionario saliente debía pagar de sus propios bienes la pena a que hubiera sido acreedor, bienes que permanecían secuestrados mientras duraba el juicio. Al "publicarse la residencia" de alguien —es decir, al abrirse el plazo para presentar acusaciones—, se formaban los bandos de acusadores interesados, que espoleaban a los reprimidos y resentidos durante el mandato del funcionario enjuiciado. Había lucha entre los grupos de acusadores y defensores; sobornos, violencia e inquietud general. El saliente enjuiciado no quedaba indefenso, sobornaba a las autoridades y atacaba de trasmano. Todo esto alteraba y desvirtuaba la labor de los funcionarios. Eran parte de una burocracia con muchas mañas y afanes fuera del servicio; solían tener verdaderas clientelas, tierras e intereses. Los funcionarios menores aspiraban a semejantes posesiones; seguían a los mayores y se escandalizaban quebrantando el orden y haciéndose cómplices en muchos casos de desobediencia y desacato.

Grupos de poder en pugna permanente eran las órdenes religiosas que arremetían unas contra otras, disputándose el dominio de ciertas zonas, discutiendo límites territoriales y preeminencias en la complicada vida social y política de Nueva España. Las órdenes tenían serios conflictos internos; la discusión sobre puestos y dignidades agitaba constantemente el interior de los monasterios, y solían trascender a la vida de las villas y ciudades. Los criollos contra los peninsulares, con motivo de las elecciones para distintos puestos, daban lugar a los conflictos más comunes. Algunas veces llegaban a relucir los cuchillos que traían bajo los hábitos; hubo necesidad de enviar a España algunos alborotadores, para que allí fuesen reconvenidos por los generales de las órdenes y por el propio Consejo de Indias. Los conventos de religiosas fueron también escenarios de disputas. No pocas veces hicieron que el virrey interviniera para zanjar las diferencias. Como los de frailes, los pleitos de las religiosas trascendían a la vida del siglo; en las ciudades se sabía de las parcialidades y bandos que se resolvían tras la clausura; las hijas de los personajes atraían la atención, el apoyo y el choque de las clientelas de éstos. Muchas veces fue menester aquietar a esas mujeres en su recogimiento, para evitar mayores escándalos en las poblaciones.

Frente al clero secular hubo mayores posibilidades formales de imponer el orden. El acuerdo necesario entre obispos y las autoridades reales, por razón del Real Vicariato y la política regalista de los prelados, hizo del clero secular el elemento ideal para eliminar el crecido poder que habían ido adquiriendo las órdenes en sus provincias. Las doctrinas, o sea las parroquias rurales que establecieron y dominaron las órdenes religiosas, fueron secularizadas en 1641, a fin de eliminar el poder local que tenían esas corporaciones. Pero esto resultaba difícil; los indios, pese al enfriamiento de sus relaciones con los frailes durante el siglo XVII, se amotinaron muchas veces para no recibir al sacerdote doctrinero, y para hacer que siguieran entre ellos los frailes de los monasterios, que ya conocían desde el siglo anterior. El clero secular, por su parte, no era tan secular en sus tendencias cuando trataba de restársele poder. Era un grupo igualmente cerrado cuando se le disputaban sus lugares y preeminencias; ahí donde había disputa, se encrespaba y sacudía a las autoridades civiles. El propio virrey tenía que andarse con cuidado frente a los obispos y miembros del cabildo eclesiástico, pues éstos tenían prestigio y muchas posibilidades de ser obedecidos por las gentes del pueblo llano y por los poderosos de villas y ciudades. Los canónigos y obispos, al lado del virrey y los oidores, eran los personajes centrales en la vida social y política de las ciudades. El choque entre ellos solía terminar con el enfrentamiento del pueblo con los virreyes y oidores.

Dentro de los dispositivos centrales, distritales y locales de las autoridades novohispanas hubo, por otra parte, algo que obstaculizó su funcionamiento como verdaderos cuerpos de funcionarios profesionales dedicados al orden de la república. En los cabildos de españoles, cuerpos importantes para el orden de las ciudades y villas de vecinos activos en la economía novohispana, se introdujo desde 1591 debido a las penurias del real erario, la venta de los oficios. Si el cabildo no pesaba ya mucho políticamente debido al control central de la corte que enviaba sus corregidores (funcionarios reales que se adjuntaban al cuerpo colegiado del ayuntamiento y fiscalizaban su actuación), sí tenía importancia social. Criollos y españoles con poder local competían por los puestos; las familias con posibilidades lograban adueñarse de ellos, para perpetuar su influencia como élites locales. A más del prestigio para sus miembros, el cabildo tenía influencia en el comercio y otras actividades económicas de las villas y ciudades. En la esfera local podían modificar y desvirtuar muchas disposiciones generales. Otros "oficios vendibles" eran los de ensayador y maestros en la casa de moneda. Para obtenerlos había que acudir a las subastas públicas en que se remataban; y obtenido el puesto, había que asegurar su buen desempeño con una fianza. La compra y el afianzamiento eran posibles sólo a las familias ricas y poderosas localmente. Éstas, como en otros casos, competían y se afianzaban en los oficios.

Mayores consecuencias dentro del territorio novohispano tuvieron las adquisiciones de las alcaldías mayores y corregimientos (que no eran legalmente ventas, sino arreglos con los virreyes). Los virreyes podían designar tales autoridades distritales; debían hacerlo en atención a los méritos del designado; pero la práctica de los arreglos y componendas desvirtuó esto. Mediante la designación del virrey se creaban los *repartimientos perpetuos*, es decir, el oficio en favor de tal o cual persona, quien lo disfrutaría de por vida, salvo remoción por actuación notoriamente injusta. Para lograr el puesto y para evitar la remoción estaba siempre la componenda. El alcalde mayor o el corregidor era un verdadero gobernador y juez dentro de su distrito; utilizando sus facultades y poderes, imponían en la producción y el mercado de su jurisdicción los bienes que mayor provecho les traían; controlaban la extracción e introducción de los artículos. De ahí que ciertas alcaldías mayores, como la de Oaxaca —por la producción de grana cochinilla— fueran muy ambicionadas. Los alcaldes organizaban la explotación de la población indígena para su provecho y enriquecimiento. Es significativo que ciertas relaciones geográficas de la época estén dirigidas principalmente a informar cuáles eran las zonas más productivas, y cuáles las alcaldías mayores o corregimientos que las comprendían. Bajo los alcaldes mayores y los corregidores —que eran por lo general españoles peninsulares— estaban sus "tenientes". Los tenientazgos se vendían también. Éstos fueron particularmente poderosos en las distintas localidades. Del estudio de los tenientazgos —que está por hacerse— podrían sacarse valiosas noticias sobre las familias de criollos y mestizos que se encaramaron en distintas zonas, con un poder inmediato sobre la población; verdaderos grupos de poder que se perpetuaron como élites locales, bajo la apariencia de un gobierno bien centralizado en Nueva España.

Los oficios que se salvaron de la venta fueron los de más alta jerarquía: virrey, oidores y fiscales de las Audiencias. Pero, aunque inmaculados en su origen, eran susceptibles de alterarse por las contingencias del poderío local. La corrupción de altos funcionarios era frecuente. Solían estar complicados en las luchas de intereses particulares; se comprometían para su propio beneficio con los poderosos en distintos distritos y jurisdicciones de Nueva España y otros reinos. Resulta interesante que en 1678 se quitara al virrey la facultad de nombrar alcaldes mayores, en atención a los muchos arreglos e inmoralidades a que daba ocasión tal facultad. Pero aun centralizada en manos del Consejo y del monarca, la facultad de nombramiento, el desempeño mismo de los cargos se prestaba a mil manejos, con arreglos constantes en la Audiencia de México o en el palacio virreinal. Además, es evidente que para ese año los grupos de poder en las localidades habían logrado una estabilidad e influencia muy difícil de alterar.

Así, pues, bajo una tendencia a la centralización y al control político desde la capital de Nueva España, y desde la Península por la Corte y el Consejo de Indias —manifiesta en leyes y disposiciones—, hubo también la imposición de grupos e intereses, que produjeron la descentralización. Por más que la legitimación de tales grupos se anclara en el "acato" al poder central, la dispersión del poder fue un hecho. El funcionario que recibía una cédula real la colocaba sobre su cabeza en señal de acatamiento, y a menudo pronunciaba la célebre frase: "obedézcase, pero no se cumpla"; podía no cumplir la orden por ser contraria a sus intereses o por entenderla como impracticable en la circunstancia en que él se movía; en ambos casos la frase es reveladora: para bien y para mal, frente a la actitud centralizadora había una realidad que ofrecía una blanda oposición imposible de vencer.

Los casos de fricción

Un jurista del XVII, tratando de comprender el orden social de la

461

época, se preguntaba "cómo estaba distribuido el honor entre los que poblaban las Indias". Nosotros, para comprender el orden político de Nueva España y los conflictos que en él se dieron, podemos preguntarnos por la distribución de la lealtad a las autoridades y a personas que podían actuar como tales merced al acatamiento que merecieron de la mayoría de los habitantes. Es intresante, según se dijo, tomar momentos en que las relaciones de dominación parecen desnudarse del ropaje institucional para dar paso a los hechos de poder, a las posibilidades de sacudimiento y a la violencia. Es entonces cuando se advierte quiénes resultaban legitimados por los habitantes de Nueva España. Recuérdese cómo don Martín Enríquez, saliendo del virreinato de Nueva España en 1580, recomendaba a su sucesor que tuviera buen cuidado de que las relaciones entre el virrey y la Audiencia fueran buenas, para no dar qué murmurar a la gente contra las cabezas del reino, e impedir que se atrevieran contra ellas a "cosa que huela a desacato". También recomendaba suavidad y mesura cuando se tratara de los problemas que ocasionaban los religiosos de las órdenes, amigos de meterse en líos y de agitar a la gente. Don Martín había tenido problemas que lo llevaban a semejantes recomendaciones. En 1578 tuvo lugar uno de los casos más sonados de su gestión. Fray Francisco de Rivera, comisario de los padres de San Francisco, se dirigió al palacio para tratar con el virrey algún asunto; el virrey lo hizo esperar demasiado, por lo que el fraile, sin aguardar más, salió para su convento muy disgustado. Resentido, en un sermón que pronunció a los pocos días, criticó la actitud del virrey, diciendo que "en palacio a todos se iguala, ni se hace diferencia entre eclesiásticos y seglares". La murmuración empezó, y el virrey, sabedor del hecho que la ocasionaba, ordenó al revoltoso fraile que saliera para España. Disgustado el fraile, mandó que se reuniera la comunidad, y al frente de ella en procesión rumbo a Veracruz, enarbolando la cruz y cantando el salmo *In exitu de Aegipto*. La salida de los franciscanos consternó a la ciudad y a las parcialidades y pueblos de indios; todos andaban amotinándose contra el virrey, quien no tuvo más remedio que bajar su rigor y suplicar al fraile y sus seguidores que regresaran de Cholula, donde habían detenido su espectacular camino del destierro, y revuelto los ánimos de la población contra el virrey. El poder y la influencia de los santos varones era muy grande. Como otros religiosos y sacerdotes, debido al contacto con todas las gen-

462

tes del pueblo, podían llamar la atención y la obediencia con más posibilidades de respuesta que las autoridades civiles, y en la contradicción con aquéllas, éstas encontraban un límite insalvable.

Uno de los más graves enfrentamientos entre ambos poderes fue el que se dio en 1624 entre el virrey, Marqués de Gelves, y el arzobispo de México, don Juan Pérez de la Serna. El virrey tenía reputación de enérgico; la había ganado, entre otras cosas, por las numerosas ejecuciones de bandidos camineros —de los que, se dice, libró a nueva España en corto tiempo. Tenía sus diferencias con el arzobispo, y la cosa hizo crisis cuando Melchor Pérez de Beráez, alcalde mayor de Metepec, que se hallaba procesado en México por sus abusos sobre los indios, se fue a retraer al convento de Santo Domingo. El virrey mandó tapiar las ventanas y poner guardias en las puertas de la habitación de Beráez, para evitar que escapara; pero éste, valiéndose de algunas personas, logró acudir ante el arzobispo, quien a su vez acudió ante la Audiencia y el virrey, alegando que violaba la inmunidad eclesiástica. El virrey y la Audiencia, en acuerdo, desecharon la petición del prelado, quien respondió excomulgando a los guardias. Éstos acudieron por vía de fuerza a la Audiencia, que los amparó, levantando la excomunión. A petición del virrey intervino el representante del papa, ordenando al arzobispo que levantara definitivamente la excomunión (pues la Audiencia sólo podía suspenderla transitoriamente). El arzobispo se negó, diciendo que ya la Audiencia había tomado el asunto en sus manos. En fin, enredos legales que se alargaron hasta que el virrey prendió a un clérigo representante del arzobispo, y éste se enfureció, haciendo pública su indignación. El virrey, en vista de la trascendencia que cobraba el asunto, llamó a acuerdo a la Audiencia, al que sólo acudieron tres oidores. Juntos, y bajo la presión que hacía el virrey, firmaron un auto en el que se declaraba al arzobispo "extraño a estos reinos", y se le ordenaba que saliera para España. El prendimiento del prelado fue terrible, llegaron hasta la Iglesia Mayor de México los guardias encargados de aprehenderlo en compañía de un clérigo, que arrebató al arzobispo la custodia que tenía en las manos para evitar que lo aprehendieran. Luego de este desacato, que no conocía antecedentes en el reino, lo hicieron subir a un coche, en el que salió escoltado por guardias y algunos miembros de la Audiencia, en medio de las lamentaciones de la ciudad. En el camino la gente se juntaba para contemplar lo increíble. En

463

Teotihuacán el preso logró vestirse de pontifical, guarecerse en un monasterio franciscano y tomar en sus manos el Santísimo Sacramento. Esta vez no se atrevieron a llegar hasta él. Allí lanzó la excomunión contra el virrey y los oidores que habían estado en la orden de su destierro. Era el 14 de mayo. El 15 aparecieron las tablillas de excomunión en las puertas de los templos desde Teotihuacán a México. Obedeciendo la orden *cessatio a divinis* del obispo, se suspendieron los cultos. La ciudad enmudeció con las campanas de los templos. Dicen que el arzobispo calmaba los ánimos de la gente que trataba de arremeter contra los guardias que lo custodiaban. Pero en la ciudad de México no había quien los calmara. Y así, en la tarde, unos muchachos que se dirigían a la plaza cargando canastos de verduras, vieron pasar en su coche al escribano de la Audiencia Cristóbal de Osorio, que era "muy servidor del virrey", y uno de los excomulgados por el arzobispo. Ahí empezó la tremolina. Le arremetieron a pedradas, gritándole *hereje excomulgado*. El hombre y su cochero trataron de defenderse, pero no pudieron resistir el embate de la chusma que crecía, y con trabajos lograron meterse al palacio, hasta donde los siguió la gente, ya más numerosa, que gritaba, *viva Cristo Rey, y muera el mal gobierno del hereje luterano*. Éste era el virrey, quien, sintiendo el ataque, mandó cerrar las puertas de palacio, y poner en el balcón central las armas reales, símbolo de la autoridad de todos los reinos españoles. Pero no hubo el acato que él buscaba; los amotinados escalaron el balcón y quitaron las armas reales, para llevarlas a la casa del cabildo de la ciudad. La Audiencia tomó la autoridad, ya sin mando posible. Acordó que el virrey debía ordenar que regresara el arzobispo. Mientras, Beráez, el retraído en Santo Domingo, fue paseado en triunfo por la ciudad.

Las puertas de palacio ardían; el virrey no tuvo más remedio que salir disfrazado, gritando con el pueblo "viva Cristo Rey, y muera el hereje luterano". Se refugió en el monasterio de San Francisco; y allí ordenó que regresara el arzobispo. La situación se hacía más grave; decían que llegaban los indios de la parcialidad de Santiago Tlatelolco armados y dispuestos a acabar con todo el gobierno de la ciudad y del reino.

En la noche entró el arzobispo, "con gran multitud de hachas encendidas y gentes con espadas desnudas que habían ido al camino a recibirle, y vino por delante de las casas del cabildo que era donde estaba la Audiencia, y le mandaron que se fuese a su casa sin apearse". Al otro día, martes 16, no apareció el virrey, y los ánimos seguían revueltos. El arzobispo se llegó hasta la catedral, donde levantó la *cessatio a divinis;* dijo misa y repicaron las campanas de todas las iglesias de la ciudad. Fue luego a palacio, donde estaba la Audiencia, y de allí se fue a su casa; y después anduvo en una carroza descubierta por todas las calles de la ciudad, "para aquietar los corazones levantados", cuenta un documento de la época.

La legitimidad de un poder se prueba en momentos críticos, y aquí hubo una prueba terrible. El clero tenía más poder sobre la población que la autoridad central. Había una clara noción de lo profano y de lo sagrado —por más que en la vida cotidiana se confundieran en actos y rutinas. Lo sagrado era en esa sociedad, como en otras que han sido estudiadas en muy distintos lugares y tiempos, aquello que lo profano no puede tocar impunemente. Dentro de la clerecía hubo sus tirones, y se llegaron a conmover lazos de lealtad, alterando a gentes de diversas clases en la sociedad. Muy sonado en la historia novohispana fue el revuelo causado por el obispo de Puebla, don Juan de Palafox y Mendoza, que en 1657 arremetió contra los jesuitas, exigiendo que mostraran sus licencias para predicar; pues, según se dijo, éstos se habían expresado maliciosamente contra el obispo en sus sermones, y ya andaban las murmuraciones por las calles y casas de la Ciudad de los Ángeles. Los padres de la Compañía de Jesús se negaron a mostrar las licencias, diciendo que tenían privilegios que les permitían predicar y que no era menester exhibir. La cosa pasó a mayores; el desasosiego llegó hasta la capital de Nueva España. La clientela de los jesuitas se azoró; resistía con ánimo temeroso el embate del enérgico obispo, quien lanzó excomuniones contra los padres de la Compañía, y dijo que lo haría contra aquellos que mandaran a sus hijos a las escuelas de éstos. La gente apeló a México. Hubo excomuniones cruzadas, y el pleito no tuvo final; los resabios duraron mucho tiempo, pues años después, cuando morían algunos personajes que habían participado en el conflicto, se les señalaba como "excomulgados cuando lo del obispo de Puebla".

Alzamientos descoyuntados

Es claro que las tensiones entre autoridades y gentes que las acataban sólo eran posibles donde existía el orden de república. Al

465

lado de esos conflictos, hubo siempre interesantes casos de gentes fuera del orden, que sin embargo de serlo solían utilizar ciertos símbolos del complicado orden de república. Así, en 1604, se dio en la Sierra de San Andrés, Durango, una gran rebelión de indios acaxees; el incitador era un indio que se hacía llamar "obispo", y en calidad de tal bautizaba y decía misa. El éxito que tuvo este "obispo" (sometido finalmente) se explica por la importancia que tenían los manejadores de símbolos religiosos. Los hechiceros movieron muchas rebeliones para rechazar los hábitos y costumbres que imponían los religiosos misioneros. La vigencia de la religión resultaba indudable entonces, y es que no sólo era lo que hoy consideramos tal, sino la manera más evidente en que se manifestaban muchos aspectos de la vida. Fuera del orden político, como ya se ha dicho, andaban los negros cimarrones. Algunos formaron activos grupos de bandidos que asolaban caminos y poblaciones. El caso más sonado en el XVII fue el de Yanga y sus negros, a quienes lograron someter las autoridades en 1658, dejándoles su lugar, San Lorenzo de los Negros, en Veracruz, con la condición de que acataran el orden y la doctrina cristiana, y que no admitieran entre ellos esclavos huidos. Pero éste fue un caso; de las poblaciones de cimarrones, como se ha visto, se sabe poco, precisamente por haberse sustraído al orden y, consecuentemente, a cualquier posibilidad de testimonio documental.

La situación era más tirante cuando el propio orden de república parecía desintegrarse, poniendo en jaque a las autoridades novohispanas y haciendo saltar los últimos resortes de la legitimidad, como ocurrió en la provincia de Oaxaca el año de 1661. Los indios de esa zona, ejemplares por el buen orden que habían guardado desde el siglo XVI, eran víctimas de muchas explotaciones. Como zona, Oaxaca era la más ambicionada por los alcaldes mayores, debido a la riqueza de sus recursos (grana, lana, seda, etc.) y a la activa población indígena. El disimulo de los malos tratamientos que sufrían los indios se desmintió violentamente. En marzo de 1661 se juntaron ya prevenidos los de la alcaldía mayor de Tehuantepec, y arremetieron violentamente contra el alcalde mayor, que quedó tendido, muerto de una pedrada. El levantamiento fue seguido por todos los indios de la región, de tal manera que las autoridades españolas, alcaldes y tenientes, tuvieron que huir. Los cabildos indígenas tomaron la dirección de los levantamientos, diciendo que eran autoridades por su propio derecho y no por el orden impuesto. En algunos pueblos se habló de reyes ocultos desde la conquista que vendrían a gobernar cuando los españoles fueran expulsados, y éstos no pudieron resistir el embate, huyeron a la ciudad de Antequera, y acudieron en demanda de auxilio a México. El auxilio militar tardaba demasiado, y la rebelión cundía. La insolencia de los indios —según los españoles— se manifestaba violentamente. Los españoles apurados en la ciudad de Antequera solicitaron la intervención del obispo de Oaxaca, Alonso de Cuevas y Dávalos, criollo, hombre de muchas virtudes, y que según un cronista de los hechos, "merecía ser canonizado". El obispo dudaba de acudir, pues era tarde y ya la rebelión se había encrespado; además estaba enfermo, y era duro el trayecto hasta Tehuantepec. Así —cuenta el cronista—:

> vacilaba en estos pensamientos y hallábase muy combatido de ellos, cuando, en medio de tan penosa batalla, se le mostró Cristo Señor Nuestro en la forma que estuvo en el Pretorio de Poncio Pilatos, coronado de espinas, todo llagado y corriendo sangre, y mirando con apacible semblante a nuestro obispo, le dijo: *Alonso, ¿qué es lo que pretendes hacer? ¿Cómo quieres dejar a mis ovejas y las tuyas sin consuelo? ¿Qué es lo que padeces en comparación de lo que yo padecí por ti? Mírame cual estoy y considera que de aquí me llevaron al Calvario para crucificarme, y a ti te premiarán.*

La aparición movió al hombre, y llegó después de penosas jornadas hasta Tehuantepec, adonde entró vestido de pontifical; los indios lo acogieron con veneración y se pacificaron. Después del obispo entraban los soldados que venían desde México al mando de un oidor. La misión era imponer a los levantados "ejemplar castigo", y se fue cumpliendo sobre los jefes que no habían alcanzado a huir. Los indios de otros pueblos y distritos llamaban al "rey obispo" para que los sometiera en buen orden y los amparase frente a las autoridades, que con la tropa hacían gala de crueldad en ejecuciones ejemplares.

Epílogo de levantamientos e inquietudes, y epígrafe de otras que habrían de venir, fue el gran motín de la ciudad de México, del 8 de junio de 1692, al que siguieron los de Tlaxcala, cuando el común se levantó contra las autoridades. El año fue malo para la agricultura (igual que el de 1624). El trigo y el maíz escasearon en la ciudad y los pueblos; el pan subió de precio y los acaparadores hicieron su agosto especulando con granos y harinas. Se racionaron el maíz y el trigo, que se repartían entre muchas gentes

467

que acudían a la alhóndiga de la ciudad de México. Dicen que un alguacil de la alhóndiga, apretujado por la multitud, golpeó a una india vieja, dejándola mal herida. Esto fue lo que prendió la mecha. La muchedumbre de indios recogió a la herida, muerta, según algunos, y se fueron a quejar frente a palacio. Como nadie los escuchó, acudieron entonces a casa del arzobispo, que trató de mandarlos en orden a sus casas. Airados los indios se fueron hasta las puertas de palacio, que aporrearon a pedradas. La chusma creció, mestizos, mulatos y españoles de la plebe activaron el tumulto; saquearon los cajones del Parián. La guardia de palacio, sin municiones, no podía sino tratar de asustar a la chusma haciendo tiros sin bala. "Echen tortillas", gritaban los indios y demás gente, ya insolentada; al anochecer comenzaron a arder las puertas de palacio, y después se prendió fuego a las casas consistoriales. El fuego se propagó, los presos se fugaron; algunos trataban de sofocar las llamas. Don Carlos de Sigüenza y Góngora, el gran erudito y mejor relatador de este tumulto, trataba de salvar de las llamas los documentos del archivo del cabildo. El temor sobrecogía a la gente de orden.

Cuentan que fueron los padres de la Compañía de Jesús los que, ya muy tarde, lograron apaciguar a las masas, y excitar a la gente para que sofocara las llamas. El virrey estaba oculto en San Francisco, y su autoridad no valía para nada en esos momentos.

Al otro día, en las paredes del dañado palacio virreinal apareció un letrero:

> *Este corral se alquila para gallos de la
> tierra y gallinas de Castilla*

Resentimiento, mofa y desprecio a las autoridades y al orden. Lo hecho no tenía remedio, pese a los castigos ejemplares que se ensayaron en los días que siguieron, con el apoyo de las guardias de personajes como el Conde de Santiago de Calimaya. Las autoridades dejaron ver su debilidad.

El sistema del orden estaba relajado. *Don Carlos de Sigüenza* despotricó contra la gente baja, que eran los indios y los insolentes que los incitaron. Propuso, como lo han hecho otros muchos intelectuales frente a las crisis de sus tiempos, que se volviera al orden antiguo. Quería que los indios se separaran de la ciudad, cercando las parcialidades y barrios. Pero esto era pedir un imposible; el

468

orden no podía ser el pensado hacía más de ciento cincuenta años, pues desde entonces se venía desvirtuando. La "confusión de toda clase de gentes", que causaba el pánico de la gente de orden y letras, era la tónica de una sociedad que habría de crecer, con más confusión y "desorden", en el siglo XVIII.

La época de las reformas borbónicas y el crecimiento económico 1750-1808

Enrique Florescano

e

Isabel Gil Sánchez

El siglo XVIII no comienza en la Nueva España con el fin cronológico del XVII, por más que en 1700 España y su vasto Imperio
colonial conozcan el cambio dinástico que sustituye a los Habsburgos con los Borbones. Quienes estudian los procesos económicos
quizá aventurarían fijar el cambio de siglo hacia 1730 o 1740,
cuando se inicia un claro ascenso de la población, la minería, el
comercio y la agricultura. Pero si una época se delimita por los
rasgos específicos que la hacen diferente de las precedentes y de
las posteriores, entonces habría que encerrar el siglo XVIII, entre
1760 y 1821, porque entre esas fechas ocurren las transformaciones mayores que dan a esta época una personalidad propia. Durante
esos años se ensaya la reforma política y administrativa más radical que emprendió España en sus colonias y ocurre el auge
económico más importante que registra la Nueva España, con la
consecuencia de que la sociedad colonial padece desajustes y desgarramientos internos, se abre a las ideas que recorren las metró-
polis y busca nuevas formas de expresión a los intereses sociales,
económicos, políticos y culturales que han crecido en su seno. Para
comprender mejor esas grandes transformaciones, conviene recordar cuál era la situación de Nueva España antes de que esos cambios comenzaran a manifestarse.

La situación económica y social hasta 1750

De 1640 a 1740 transcurre el llamado "siglo de la depresión económica", toda una época ya bautizada pero no estudiada, sin duda
la menos conocida del período colonial. Un tiempo aparentemente

sin brillo, en que no parecen ocurrir hechos "importantes". Sin embargo, es una época de incubación fundamental. Entonces se consolida el monopolio comercial y al mismo tiempo entra en crisis el comercio entre la metrópoli y sus colonias; nacen la hacienda y el peonaje; se naturaliza la compra de cargos públicos y se difunde la concepción patrimonialista de los mismos; se establece la potencia económica y política de las corporaciones: iglesia, comerciantes, hacendados; se arraiga el dominio de una minoría blanca y europea sobre la gran masa de indios y castas. En una palabra, la economía y la sociedad definen sus rasgos más salientes. En este siglo, como en el anterior, el factor más influyente en la formación de la nueva sociedad es el sector externo: la relación con una metrópoli distante que concibió a sus colonias como proveedoras inagotables de los recursos que requería para competir con las potencias del Viejo Mundo. De ahí que el comercio y la minería intervinieran tan poderosamente en la economía novohispana. Sin embargo, antes de mediar el siglo xvii, tanto el intercambio comercial como la producción de metales preciosos sufrieron un descenso que se prolongó hasta el siglo siguiente. Como consecuencia, "el siglo de la depresión" será también el del reacomodo interno, el de la formación de una economía colonial que tratará de adecuar sus sistemas de producción y de intercambio a los requerimientos locales. Veamos las características de esta crisis y sus efectos sobre la economía colonial:

Hasta hace pocos años la mayoría de los estudiosos aceptaban sin grandes reservas la tesis de que el siglo xvii fue un siglo de depresión económica general. Esta tesis fue presentada por Woodrow Borah en un estudio breve (*New Spain's Century of Depression*), en que afirmaba que el catastrófico derrumbe de la población indígena durante el xvi heredó al xvii una aguda escasez de mano de obra que afectó todas las actividades económicas. Manejando datos extraídos de monografías sobre las catástrofes demográficas del siglo xvi, mostraba la gran reducción de trabajadores en la agricultura, minería y obras públicas. En relación con la minería, hacía coincidir la baja de la producción con la escasez de mano de obra. Al mismo tiempo, en un estudio hoy clásico sobre la formación de los grandes latifundios, François Chevalier encontró pruebas de una recesión económica al observar que algunas haciendas y latifundios del norte manifestaban, entre 1600 y 1650, una tendencia al aislamiento y la autosuficiencia como

474

resultado de la reducción de la demanda y los mercados. Chevalier atribuía esta contracción de la economía agrícola a la decadencia de la producción minera.

Estas consideraciones vinieron a fortalecer la antigua tesis de Earl J. Hamilton (*American Treasure and the Price Revolution in Spain, 1501-1650*), acerca de la baja violenta de las remesas del tesoro americano a España desde 1640. Según Hamilton, las cantidades de oro y plata registradas en Sevilla procedentes de las colonias (exceptuando los envíos no registrados y los introducidos por contrabando), cayeron de 35.5 millones de pesos en 1591-95 (promedio quinquenal) a 27 en 1621-25, 11.7 en 1646-1650 y a 3.3 millones en 1656-1660. Por lo que se refiere a Nueva España, ésta aportó de 1616 a 1620 el 36 por ciento del total de oro y plata enviado a la metrópoli, o sea alrededor de 11 millones de pesos. Pero de 1626 a 1630 esa cantidad se redujo a 5 205 000 pesos, o sea el 21 por ciento del total de exportaciones americanas. En el quinquenio siguiente, 1631-1635, ambas cifras bajaron a 3 740 000 pesos y al 22 por ciento, y continuaron descendiendo en los años siguientes.

Por otra parte en *Seville et l'Atlantique (1504-1650)*, Pierre y Huguette Chaunu descubrieron la existencia de una aguda crisis comercial en el XVII. Según la vastísima información que acumularon, los años de 1596-1620 fueron los de máxima actividad en el tráfico trasatlántico en el período que va de 1604 a 1650. En este tiempo la Nueva España ocupó el papel principal como exportador de materias primas y como importador de artículos europeos; pero a partir de 1620 esta situación cambió en forma radical. Mientras que en el quinquenio 1616-1620 recibió el 51.2 por ciento del total del tonelaje que venía de España, bajó a 43.19 en 1621-25, a 28.58 en 1626-1630 y a 29.82 en 1631-1635. O sea que de 1616 a 1635 la contribución de Nueva España al comercio trasatlántico experimentó un descenso de 20 por ciento. Pero debe destacarse que si las exportaciones americanas se reducían en su mayor parte a los metales preciosos, la Nueva España ya no era en el período 1600-1635 un exportador exclusivo de oro y plata, como lo había sido en el siglo XVI, o como lo era y siguió siendo Perú. En 1609 el valor de sus exportaciones a España se repartía así: 65 por ciento de plata y 35 por ciento en otros artículos: grana cochinilla, cueros, índigo, colorantes, plantas tintóreas y medicinales. Estos datos cambiaron los términos originales de la tesis de Borah, porque si éste afirmaba que la causa principal de la crisis había sido el descenso vertical de la población indígena, y ésta llegó a su punto más bajo a fines del XVI, resultaba entonces difícil que la misma causa explicara la depresión de la minería y del comercio que se manifiestan hasta la tercera o cuarta década del XVII. Además, las investigaciones sobre el comercio y la minería indicaban que la crisis del XVII era más bien una crisis metropolitana y no particular de la Nueva España. Esta tesis, sugerida por Chaunu y luego desarrollada por Lynch y Bakewell, subraya que si hubo una declinación del tráfico entre España y Nueva España a partir de 1620, no por ello ésta dejó de enviar grandes cantidades de plata y oro a la metrópoli. Bakewell apunta que Zacatecas, el principal centro minero de la época, continuó produciendo cantidades importantes hasta 1670. El mismo autor señala que si la metrópoli recibió menos plata que antes fue porque una parte de la aportación de Nueva España se destinó a gastos de defensa y de administración, así como al financiamiento de otras colonias (Filipinas, Cuba y demás posesiones del Caribe). Y sobre todo, se ha probado que si hubo un factor determinante de la disminución de la producción minera, no fue la falta de mano de obra, sino la decisión de la Corona de enviar más mercurio a Perú y racionar el que demandaba la Nueva España. Por último, también se redujo el envío de plata de particulares a la metrópoli, pero no porque no la tuvieran, sino porque tanto españoles como criollos decidieron invertir sus capitales en la colonia y porque dedicaron parte de sus ingresos al gasto suntuario.

Para explicar la evidente baja de las importaciones europeas y la caída de Nueva España como principal mercado de la metrópoli, Lynch presenta la hipótesis de que al desaparecer el 80 o 90 por ciento de la población indígena, las principales actividades económicas pasaron a manos de criollos y españoles, lo cual provocó que la explotación de los recursos adoptara un carácter más capitalista, que se diversificara e hiciera más productiva la economía, y que la producción se dedicara a satisfacer en forma creciente las necesidades de los colonos. El corolario de estas ideas sería el siguiente: *a)* la crisis del siglo XVII no es una crisis interna de las colonias, sino del sistema imperial español, el cual por diversas causas perdió el control de la economía colonial, dando así lugar a *b)* que las colonias, y particularmente la Nueva

España, pudieran satisfacer cada vez más sus requerimientos internos y atender menos a los de la metrópoli. En suma, esta tesis postula un cambio sustantivo en las relaciones metrópoli-colonia que, a su vez, está ligado a un cambio estructural de la economía novohispana. Pero si bien la disminución del intercambio comercial y de las exportaciones de plata está suficientemente probada, habría que demostrar también que la economía interna de Nueva España sufre en el siglo XVIII una transformación radical.

El caso de la minería parece apoyar esta nueva interpretación del siglo XVII, porque de ser una actividad típica de enclave se convirtió, en el transcurso de los siglos XVII y XVIII, en un estímulo de la economía de Nueva España. Como ya se ha visto en otra parte de esta obra, el desarrollo en gran escala de la minería se inicia en 1550 con la explotación de riquísimas minas en el norte: Zacatecas, Real del Monte, Pachuca y Guanajuato. Estos descubrimientos impulsaron la transformación acelerada del norte de Nueva España, porque al "eco sonoro de la plata" penetraron en esa región hasta entonces habitada por pequeñas bandas de indios trashumantes, numerosos buscadores de plata y aventureros, que fueron luego seguidos por misioneros, soldados, agricultores y colonos indígenas del sur. Muy pronto los improvisados núcleos mineros se convirtieron en "reales" o "asientos de minas" permanentes, que a su vez impulsaron la creación de guarniciones militares (*presidios*), encargadas de mantener abiertos los caminos que comunicaban a los reales con los centros alimentadores del sur. Paralelamente a las fundaciones mineras y a los presidios, entraron los misioneros jesuitas y franciscanos, quienes fundaron las misiones en que se esforzaron por congregar a los indios y desarrollar unidades de producción autosuficientes, combinando los cultivos indígenas con las técnicas y productos españoles. Por último, los nuevos centros de población que emergieron en este norte inmenso, impulsaron, por su propio crecimiento, la creación de los indispensables centros de producción y abasto: ranchos ganaderos y agrícolas, carboneras y salinas, pequeños poblados especializados en la agricultura, y una amplia red de caminos que los comunicaban entre sí. De esta manera surgió en ese norte desolado una estructura económica y social distinta de la del México central.

En el desarrollo de esta zona tuvo un papel fundamental El Bajío. Estratégicamente situado entre los reales mineros del norte y el occidente y centro del país, representó un doble papel. Frente

477

al norte y el occidente operó a la manera de los monopolistas del Consulado de Comerciantes: compraba materias primas baratas a cambio de artículos manufacturados (propios y de importación, provenientes de la ciudad de México) que vendía a precios altos. Es decir, era una prolongación del sistema de comercio colonial. Sin embargo, en su relación con el centro puso en juego su capacidad para atraer capital que, al invertirse y reproducirse en la zona, dio lugar a la formación de economías, mercados e intereses locales. Así, primero atrajo capitales que se invirtieron exclusivamente en la explotación de las minas y en la creación de "haciendas de beneficio de metales"; pero muy pronto las repetidas bonanzas y el descubrimiento de nuevas vetas atrajeron a una población extensa que era necesario alimentar. Y para evitar los altos fletes y la inseguridad del transporte (el camino atravesaba la "tierra de guerra" de los indios), los mineros destinaron una parte de sus inversiones a la compra de ranchos agrícolas y ganaderos, dedicados a alimentar tanto a la población trabajadora como a las numerosas bestias de tracción y tiro que requerían las minas. Poco más tarde, cuando la población de las minas creció y se fijó en la zona, brotaron alrededor de los reales y en el corazón de El Bajío rancherías y comunidades de labradores que en el siglo XVIII se convirtieron en ciudades y centros agrícolas importantes que abastecían toda el área minera y enviaban sus excedentes hasta la misma ciudad de México. Esta población de mineros y agricultores que en general percibía buenos ingresos fue el mercado que favoreció la próspera instalación de obrajes y talleres de telas en varios centros de la zona, desarrollándose así otra actividad que impulsó la expansión económica de El Bajío. Hay que agregar que este mercado, nacido de la minería y la agricultura en una misma región, fue favorecido —como lo decía el virrey Revilla Gigedo— por los altos precios que se fijaron a las telas y tejidos de importación, lo cual permitió a los obrajes locales producir artículos baratos para el consumo regional y aun nacional.

Así, aun cuando la colonización original de El Bajío fue resultado directo de demandas externas (minería), muy pronto el aislamiento de la zona y las necesidades de una población creciente facilitaron el surgimiento de un mercado interno y de diversas actividades dedicadas a satisfacer sus necesidades. Este proceso puede decirse que culmina en el siglo XVIII con la formación de un Bajío económica, social y culturalmente criollo, pero su articula-

478

ción es un fenómeno del XVII, como lo indican los siguientes hechos. En primer lugar, hacia la mitad de esa centuria ya se había creado alrededor de los reales mineros del norte —y no sólo en El Bajío— ese complejo interdependiente que Robert C. West descubrió en el centro minero de Parral y que llamó "complejo real minero-rancho agrícola-ganadero-centro de abasto". O sea una unidad económica interdependiente y geográficamente próxima que satisfacía las demandas de los centros de colonización sobre la base de producir en la misma región los bienes requeridos. A mediados del XVII casi todos los reales de minas importantes estaban integrados en un complejo de este tipo, además de haber impulsado la agricultura de El Bajío. En las tierras negras y vírgenes de esta zona existían ya poblados florecientes de agricultores (Apaseo, Valle de Santiago, Yuriria, Acámbaro, Celaya, Salamanca, Irapuato, León, Silao), cuya producción se vendía en las minas, en Nueva Galicia y en la periferia norte, y comenzaba a penetrar el mercado de la ciudad de México. Durante la segunda mitad del siglo, los pueblos situados al oriente de El Bajío (San Luis de la Paz, Valle del Maíz, San Miguel el Grande y Dolores), que originalmente tendieron a la autosuficiencia agrícola, comenzaron a transformarse en pueblos dedicados al pastoreo de ovejas, cuya lana convertían en tejidos, mantas y ropa los numerosos obrajes de San Miguel, Querétaro, Celaya, León y otras localidades. De manera que entre estos centros productores de bienes agrícolas y manufacturas, y los reales de minas, se creó un intenso tráfico comercial. Además de los caminos que ligaban a estos pueblos entre sí y con la ciudad de México, en los extremos occidental y norte prosperaron dos grandes ferias, la de San Juan de los Lagos y la de Saltillo, donde anualmente se vendían gran parte de las manufacturas de El Bajío.

El estímulo de esta economía fuertemente arraigada en su región fue la minería, que a su vez rompió durante este mismo siglo las muchas ataduras que la unían con el sector externo. El caso de Zacatecas en el siglo XVII ejemplifica este proceso. Zacatecas experimentó en este siglo su primer auge y su primera decadencia. Esta última fue en gran medida provocada por las exigencias de la metrópoli, que primero redujo el abasto de mercurio para enviarlo a Perú, y luego, en 1634, obligó a los mineros a pagar deudas atrasadas, reduciendo la inversión directa en la explotación de los yacimientos. Ante esta situación los mineros se vieron obligados a buscar capital dentro de la propia colonia. Y lo encontraron en los llamados "mercaderes de la plata", en los comerciantes de la ciudad de México, quienes junto con la Iglesia, eran los únicos que disponían de capital líquido. Esto les abrió el camino para participar en la minería, pues a través del crédito otorgado por ellos o sus agentes a los mineros se convirtieron en los socios naturales de éstos y más tarde en propietarios de minas. Su negocio consistía en aviar o prestar dinero a los mineros a cambio de que les vendieran con descuento parte de su producción de plata. La diferencia entre el precio real de la plata en el mercado y el descuento otorgado constituía su ganancia. Pero además, los "mercaderes de la plata" frecuentemente obtenían otra más considerable al enviar la plata a la metrópoli eludiendo los impuestos. Sin embargo, lo que importa señalar aquí es que de este modo la minería de Nueva España se independizó de la metrópoli. O sea que si al principio los mineros dependían de los créditos de la Corona para adquirir el mercurio que requerían sus explotaciones, a partir de mediados del xvii el crédito y el capital lo obtuvieron en la misma Nueva España. Así lo muestra por lo menos el caso de Zacatecas, que en el siglo xvii era el principal centro productor de plata. Todo esto quiere decir que en el norte de México, y sobre todo en El Bajío, hay una transformación importante de la economía durante el siglo xvii. La minería como la agricultura, la ganadería, las manufacturas y el comercio dejan de atender los requerimientos de la metrópoli para convertirse en actividades dedicadas a satisfacer las necesidades internas.

Lo interesante es que este proceso se manifiesta también con gran fuerza en el centro y sur de México, donde incluso transforma actividades tan tradicionales como la agricultura y promueve la aparición de una nueva estructura agraria. Antes de los grandes desastres demográficos, cuando los indios eran numerosos, su fuerza de trabajo se aplicó a todas las actividades que emprendieron los españoles: agricultura, minería, artesanías, construcción de casas, iglesias, conventos, caminos. Además, se les exigieron múltiples servicios personales sin pagarles remuneración. La explotación general de esta abundante mano de obra permitió a los colonos dedicarse a "otras granjerías, más gruesas y de mayor interés, así para Su Majestad como para ellos", como decía en 1565 el obispo de Oaxaca.

Pero a partir de 1600 el derrumbe de la población redujo consi-

480

derablemente el tributo y la agricultura indígena, y esto obligó a los españoles a intervenir personal y continuamente en esta actividad que al principio desdeñaron. Desde 1600 comienza el desarrollo en gran escala de la hacienda y el rancho manejados por españoles, que a su vez provocó un cambio en los sistemas de trabajo. La encomienda y el repartimiento forzoso de trabajadores (*cuatequil*) fueron sustituidos desde 1632 por la contratación libre y remunerada de los operarios, por lo menos en derecho y en ciertas regiones de economía más desarrollada. En el centro y el norte, el nuevo sistema fue el tiro de gracia para muchas actividades basadas en la encomienda y un poderoso estímulo de los ranchos y haciendas que desde antes habían maniobrado para arraigar a los operarios en los establecimientos. Así, ambos pudieron disponer de una planta mínima de trabajadores permanentes: los *peones acasillados,* forma de trabajo que habría de prolongarse hasta principios del siglo xx. Con esta mano de obra fija, los dueños de ranchos y haciendas sortearon los dos problemas mayores del siglo xvii: el descenso de la población indígena y la transformación de la economía. El derrumbe demográfico fue aprovechado por los hacendados para ocupar tierras de las comunidades, ensanchar sus propiedades y comenzar a dominar los reducidos mercados: capitales administrativas y religiosas, centros mineros y puertos, alrededor de los cuales se instalaron cinturones de haciendas dedicadas a su abasto. La hacienda novohispana se desarrolló en efecto para alimentar el mercado interior y justo cuando éste había dejado de ser proveído, esencialmente, por la producción indígena. Por otra parte, al reducirse el número de indígenas y adecuarse la economía a esta nueva situación, disminuyó también la demanda de productos agrícolas y esto favoreció la creación de pequeños mercados regionales de carácter autárquico, a los cuales la hacienda tuvo que adaptar sus sistemas de producción. La gran extensión de tierra que desde entonces caracterizó a la hacienda —y más tarde al latifundio—, se conquistó con el propósito de crear una unidad económica autosuficiente, dueña de una gran variedad de tierras y recursos que la capacitaron para cultivar múltiples productos, dedicando sólo parte de éstos a satisfacer la demanda de su mercado más inmediato. De esta manera, explotando simultánea o alternadamente sus variados recursos, la hacienda pudo autofinanciarse y obtener ganancias mediante la comercialización de una parte de sus cosechas. El objetivo que se perse-

481

guía con esta utilización de los recursos era obtener rentas estables y seguras durante todo el año, sin arriesgar la suerte de la empresa en un solo producto que las fluctuaciones del clima podrían arruinar fácilmente.

Esta hacienda fue la que se desarrolló durante el siglo XVII en los alrededores de las ciudades de México, Puebla y Guadalajara, cerca de los reales norteños de minas y al lado de los caminos que conducían a los centros de consumo. Su difícil consolidación a lo largo de esta centuria es uno de los hechos económicos y sociales más importantes de la historia colonial. Entre otras cosas, su desarrollo precipitó los cambios siguientes. Si en el siglo XVI la agricultura y el abasto de productos agrícolas dependían de la población indígena, desde mediados del siglo XVII ya no ocurre lo mismo, pues para esas fechas los colonos españoles habían creado una agricultura manejada por ellos, centrada en el rancho y la hacienda-latifundio, dirigida a satisfacer las demandas de los principales focos de colonización y adaptada a las condiciones económicas de la colonia. Estas transformaciones profundas trajeron consigo la subordinación de la agricultura indígena a la española, el marginamiento progresivo de la economía y la población indígena, y por tanto la incapacidad de ésta para competir técnica y comercialmente con la producción y el mercado de tipo europeo. A su vez, estos cambios de la estructura económica afectaron profundamente la situación social y política de la masa indígena y campesina, que desde entonces quedó condenada a soportar el peso mayor en la construcción de la nueva sociedad y a provocar, cuando alguna coyuntura hacía insoportable su explotación permanente, estallidos súbitos y sangrientos que, por su propia naturaleza, no podían dar lugar a movimientos amplios y políticamente organizados. O sea que en el caso de la agricultura colonial, como en el del comercio y la minería, puede hablarse de una transformación, de un reordenamiento profundo de la economía del siglo XVII, pero no de una depresión económica general. Y lo mismo puede decirse de las manufacturas o artesanías textiles de algodón y lana, actividades que se afianzaron precisamente en este siglo tanto porque la Corona gravó con impuestos muy altos la introducción de telas y tejidos importados, creando así, sin quererlo, una barrera proteccionista para la industria local, como porque ésta encontró un mercado propio en los centros mineros, agrícolas y artesanales que se desarrollaron durante esta época. En una palabra, si el siglo XVII es un siglo de depresión económica lo es para la metrópoli, no para la Nueva España. Es cierto que la población indígena llegó en las primeras décadas del siglo a su nivel más bajo, pero en cambio se consolidó el asentamiento de la población blanca y surgieron los mestizos y las castas, los hijos de una nueva sociedad. Hay que recordar que la población blanca (españoles y criollos) pasó de 63 000 individuos en 1570, a 125 000 para 1646. Esta nueva sociedad ni siquiera padeció, como podría esperarse, hambrunas o escaseces tan graves como las que sacudieron el siglo XVIII. Y es que si se redujo la producción global de alimentos por causa del descenso de la población indígena, no descendió en cambio la producción *per capita*. Al contrario, parece que aumentó como consecuencia de la intervención directa de los europeos en la agricultura y de la introducción de técnicas y sistemas de producción más avanzados.

En suma, puede decirse que no hay depresión económica en la Nueva España durante el siglo XVII, pero sí una crisis profunda seguida de un nuevo ordenamiento de la economía y la sociedad. Dicho de otro modo, mientras que en el siglo XVI había en la Nueva España una sociedad señorial que vivía básicamente de la explotación extensiva de la población indígena, en el XVII es evidente que la población blanca había creado una nueva economía, dirigida y manejada por los colonos con sistemas más capitalistas que señoriales, y orientada a satisfacer sus propias necesidades.

Por otra parte, las consecuencias sociales y políticas de esta vasta transformación fueron también considerables. La nueva configuración económica le otorgó a la pequeña minoría blanca los medios para asegurar su dominio sobre la población indígena y mestiza. Sin embargo, la repartición de privilegios y poderes fue desigual. El grupo colocado en el sector clave de las relaciones metrópoli-colonia (el comercio exterior), fue el más favorecido. Los comerciantes del Consulado de México, al operar como agentes de la metrópoli, obtuvieron las más altas ganancias porque eran los únicos proveedores de un mercado ávido y cautivo. Las grandes ganancias que les deparó su posición monopólica formaron el capital que les permitió controlar las exportaciones mediante el crédito a los agricultores bajo promesa de que éstos les vendieran después la totalidad de sus cosechas. Y finalmente, el capital acumulado los llevó a dominar el comercio interior y a convertirse en los principales prestamistas, junto con la Iglesia, de mineros, pequeños comerciantes, artesanos y agricultores. Esta desmesurada acumulación de recursos económicos les aseguró un sitio principal en la sociedad colonial, sólo superado por el que ocupaba la Iglesia. Como ésta, el grupo de comerciantes era una corporación privilegiada que tenía organismos, tribunales y derechos especiales, con atribuciones para ejercer tareas de gobierno (cobro y administración de impuestos) y fuerza económica para nombrar y quitar funcionarios. De ahí su enorme peso social y político, que sólo recientemente se ha comenzado a destacar.

La Iglesia también sufrió cambios profundos entre 1550 y 1630. Perdió el fervor misionero de los años iniciales y cerró las puertas a las ideas renacentistas que en aquel tiempo algunos de sus miembros soñaron aplicar en Nueva España. Con excepción de algunas órdenes e individuos, la mayoría de sus miembros, y sobre todo los seglares, aceptaron la tarea que el Estado español era incapaz de cumplir y por ello delegaba: retener y gobernar esta parte del imperio. Para ejercer esas funciones la Corona cedió a la Iglesia el impuesto del diezmo (el 10 por ciento de todos los productos de la tierra que se recogían en Nueva España), y vio con indulgencia cómo se convertía en el mayor acaparador de bienes materiales: haciendas y ranchos agrícolas, ingenios azucareros, propiedades urbanas, capital líquido (que adquirió a través de donaciones piadosas, legados testamentarios y capellanías). Esta riqueza y el conocimiento íntimo de la sociedad que protegía, la hicieron intervenir poderosamente en la organización económica novohispana. Su disponibilidad de capital la convirtió, de manera natural, en el banquero y socio de agricultores, mineros y comerciantes, ligando así sus intereses con los de la minoría que formaba la punta de la pirámide social. Pero a diferencia de sus aliados, la Iglesia era una institución, de manera que su riqueza, en lugar de disgregarse o perderse con el transcurso del tiempo, se acumulaba. Además, sus miembros estaban infiltrados en todo el cuerpo social. En las rancherías, pueblos y ciudades pequeñas eran la autoridad máxima ante quien se dirimían todos los conflictos y problemas, los defensores, jueces, intermediarios, educadores y directores de la comunidad, además de representantes de la Iglesia y el Estado. En las ciudades grandes y en las capitales administrativas compartían esas funciones con los miembros del grupo gobernante, pero tenían reservadas para sí la dirección espiritual y toda la educación, la asistencia hospitalaria, el crédito y muchas otras funciones. En suma, además de su riqueza, era la institución con mayor influencia moral y política en la colonia.

En un escalón inferior al ocupado por la Iglesia y el Consulado de Comerciantes, estaban los grandes mineros y agricultores, los altos funcionarios y la extensa clientela que los rodeaba. El vuelco que en el siglo XVII experimentó la economía hacia la autosuficiencia fue esencial para la consolidación de mineros y agricultores. La minería, ciertamente, no fue un gran negocio en este siglo; pero las mismas dificultades con que tropezó obligaron a los mineros a buscar soluciones a largo plazo en cuanto al crédito (que obtuvieron de los comerciantes); la mano de obra (que aseguraron mediante el pago de salarios altos y el sistema de partido); el abastecimiento de los centros mineros (mediante la creación del ya citado complejo real de minas-rancho agrícola-ganadero-centro de abasto), etc. Pero en el siglo XVII los mineros no fueron un grupo importante, ni por su número, ni por su posición económica o social. Cierto, hubo algunos mineros muy ricos e influyentes. Pero como grupo, su número fue reducido y variable, tan variable como el vaivén de bonanzas y agotamiento de filones. La escasez de capital y el bajo nivel tecnológico fueron impedimentos serios para su estabilidad económica y social. De ahí que, ante la imposibilidad de autosostenerse como grupo, buscaran la alianza de comerciantes y agricultores, con quienes establecieron relaciones más duraderas e intercambiaron actividades.

En cambio, las transformaciones que afectaron a la agricultura en el siglo XVII fueron determinantes en la aparición del grupo de rancheros y hacendados que se desarrolló con gran rapidez en las regiones de Puebla-Tlaxcala, El Bajío, los alrededores del Valle de México, hacia el este y el oeste del obispado de Michoacán, en las inmediaciones de las minas y en valles como los de Cuernavaca y Oaxaca. En todas estas regiones el despojo de la propiedad indígena, la aparición de técnicas europeas y la diversificación de los cultivos señalan una invasión continua del campo por los colonos españoles y criollos. Esta colonización, sólo equiparable a la colonización minera del norte, se inicia hacia 1550 y se consolida a lo largo del XVII. A mediados de esta centuria es evidente que hay una auténtica colonización del extenso territorio antes sólo gobernado desde las ciudades. Éstas serán todavía, en algunas regiones, la residencia permanente de propietarios de ranchos y haciendas; pero en el obispado de Michoacán, la región de Puebla-Tlaxcala y el norte, los nuevos señores de la tierra vivían en sus propiedades, habían creado poblados de agricultores o residían en las ciudades más próximas a sus ranchos. En el siglo XVII era ya la clase más numerosa del grupo blanco, la más extendida y arraigada en el territorio. Su peso social en el campo era incontestable y su poder sobre los trabajadores y comunidades indígenas sólo lo desafiaban curas y clérigos. En las zonas donde se cultivaban productos de exportación, estaban aliados a los comerciantes del centro. En las villas y ciudades compartían los puestos del cabildo con comerciantes y funcionarios.

A mediados de siglo estos grupos ligados por intereses económicos, procedencia étnica y lazos de parentesco, integraban la minoría que efectiva y realmente dirigía la colonia. A su lado estaba el pequeño grupo de funcionarios españoles (virrey, miembros de la Audiencia, altos funcionarios, oficiales reales), que enviaba la metrópoli para hacer cumplir las órdenes del monarca distante. Pero este grupo, cuando no se asociaba estrechamente con el primero, estaba lejos de ejercer un dominio real sobre un territorio y una sociedad que le eran ajenos. El poder formal recaía en sus manos, pero el poder real —económico, político, social y espiritual— lo ejercía cotidianamente y en todas sus escalas la Iglesia, el Consulado de Comerciantes y los hacendados y mineros, sea directamente, a través de sus representantes, o por medio de una elaborada red de mecanismos informales. Esta situación de hecho fue sancionada por la Corona al ceder a cada uno de estos grupos funciones y privilegios que sólo se otorgan a quien gobierna o comparte el poder. A cambio de ello, la Corona exigió el reconocimiento expreso de su autoridad y una obediencia formal

Así, como bien lo ha dicho David A. Brading, era la Iglesia y no la fuerza civil o militar de la monarquía quien de hecho mantenía la paz en la colonia y quien unía los diversos grupos étnicos y sociales en un solo bloque de creyentes. Era ella la que a través de la educación, la misa, la oración, el bautizo, la confesión, el matrimonio, los santos óleos, las vidas edificantes del santoral, la liturgia, la pintura, el teatro, la excomunión y la inquisición, socializaba a la población: le imponía sus valores y vigilaba su observancia. Su presencia ubicua en las ciudades, y su actuación como principal y a veces único agente de la sociedad dominante en el mundo inmenso de los pueblos y comunidades cam-

486

pesinas, legitimaba el control de la élite blanca sobre el resto de la población. Esta enorme tarea de gobierno y conformación social le deparó privilegios, fueros, inmunidades y poderes que más tarde, cuando el Estado trató de cancelarlos, habría de originar uno de los conflictos más arduos y prolongados de la historia mexicana.

Los comerciantes del Consulado de México también aprovecharon esta incapacidad de la metrópoli para gobernar sus dominios y ejercieron funciones de gobierno. Junto con sus contrapartes de Sevilla y Cádiz, suplían al Estado en el cobro de impuestos de las mercancías que entraban o salían de los puertos, y desempeñaban funciones de vigilancia y defensa de puertos, barcos y mercaderías. También fiscalizaban gran parte del comercio interior mediante la compra o arrendamiento de los derechos de alcabala y aduanas. Y en fin, cuando ya muy avanzado el siglo XVII la Corona puso en venta casi todos los puestos públicos desde el de alcalde y corregidor hasta el de administrador de rentas, fueron los grandes comerciantes y los ricos mineros y agricultores quienes acapararon esos cargos, en forma directa o a través de sus parientes y paniaguados. De este proceso y de esta época proviene la concepción del cargo público como instrumento de beneficios y riqueza personal, como patrimonio personal y no como servicio y deber público.

Así, pues, al cristalizar éste y otros procesos aquí esbozados, la élite colonial comenzó a autogobernarse, a imponer los intereses de grupos y corporaciones cada vez más poderosas sobre los de la mayoría y aun a oponerse a los de la metrópoli. De hecho, la Corona había favorecido este proceso; pero cuando más tarde quiso recuperar su poder y quebrantar el de grupos y corporaciones, desató una crisis política de tal magnitud que acabó con su imperio americano.

Revolución en el gobierno

Las reformas que a partir de mediados del siglo XVIII comenzaron a implantar los Borbones en todo el Imperio español buscaban remodelar tanto la situación interna de la península como sus relaciones con las colonias. Ambos propósitos respondían a una nueva concepción del Estado que consideraba como principal ta-

487

rea reabsorber todos los atributos del poder que había delegado en grupos y corporaciones y asumir la dirección política, administrativa y económica del reino. Los principios básicos de esta nueva política se identificaban con las del llamado "despotismo ilustrado": regalismo o predominio de los intereses del monarca y del Estado sobre los de individuos y corporaciones; impulso de la agricultura, industria y comercio con sistemas racionales; desarrollo del conocimiento técnico y científico y difusión de las artes. La aplicación de este programa demandaba una nueva organización administrativa del Estado y nuevos funcionarios. Para lo primero se adoptó el sistema de intendentes o gobernadores provinciales que se había instaurado en Francia; y para lo segundo, se hizo un extenso reclutamiento de nuevos hombres en las filas de la clase media ilustrada y entre los extranjeros. En cuanto a América, el hecho de que la Guerra de Siete Años terminara con la toma de La Habana por los ingleses y que la Paz de París dejara a Francia casi sin posesiones americanas y a España sola frente a Inglaterra, apresuró la adopción de una política que se venía pregonando desde 1743, cuando José del Campillo y Cossío compuso su famoso *Nuevo sistema de gobierno económico para la América,* que se publicó en 1789. Campillo abogaba por la supresión del monopolio de Cádiz, el reparto de la tierra a los indígenas, el fomento de la minería y la ampliación del mercado americano para las manufacturas españolas. Sin embargo, la política que los Borbones decidieron aplicar en las Indias a partir de 1760 incluía propósitos más amplios: reforma del aparato administrativo de gobierno; recuperación de los poderes delegados a las corporaciones, reforma económica; y, sobre todo, mayor participación de la colonia en el financiamiento de la metrópoli.

Para comprender mejor tanto la importancia de estas reformas como la oposición que suscitaron cuando se intentó su aplicación, deben recordarse las características más importantes del gobierno creado por los Habsburgos. Los principios rectores del orden político español en los siglos XVI y XVII se inspiraron en la doctrina de Santo Tomás, aunque hombres como Francisco Suárez (1548-1617) la interpretaron en función de la realidad española de su tiempo. Dos principios condensan esa doctrina:

1) La sociedad y el orden político que la envuelve están regidos por preceptos o leyes naturales externas e independientes de la voluntad humana. Por virtud de estas leyes, la sociedad ha sido na-

turalmente organizada en un sistema jerárquico en el cual cada persona o grupo cumple propósitos que, rebasando a personas y grupos, tratan de satisfacer los fines del orden natural. Esta sociedad jerarquizada contiene en su seno, por naturaleza, grandes desigualdades e imperfecciones que sólo pueden corregirse si ponen en peligro la justicia divina. La solución de estos conflictos no está regida por leyes humanas generales, sino por decisiones casuísticas aplicables a cada caso particular.

2) Las desigualdades inherentes a esta sociedad jerarquizada suponen que cada persona acepta la situación que le corresponde en ella y el cumplimiento de las obligaciones correlativas a esa situación. El gobernante y juez supremo de la sociedad es el monarca, quien es depositario (no delegado) de la soberanía que reside en la colectividad, y por tanto la última y paternal fuente de decisión de todos los conflictos de función y jurisdicción que constantemente afloran en la sociedad.

Estos principios de la filosofía política española gobernaron la conducta y los conflictos políticos de la sociedad colonial. El principio de que toda sociedad, independientemente de su organización y religión está gobernada por leyes naturales, permitió la incorporación de los indios (en tanto que seres racionales) y de sus formas de gobierno dentro del imperio español. La aceptación de que la ley natural es justa, superior y externa a la acción humana, supuso la participación subordinada de los individuos en la vida pública y política, así como una restricción de sus responsabilidades ciudadanas y sociales. La idea de que la sociedad se divide naturalmente en partes orgánicas, a las cuales le están asignadas diferentes jerarquías y señalados derechos y obligaciones inherentes a su situación, legalizó la desigualdad social y la diferenciación funcional que se creó en Nueva España inmediatamente después de la Conquista. El desarrollo de un sistema casuístico por falta de principios legales institucionalmente reconocidos, dio lugar no a sistematizaciones coherentes que unificaran los principios de la ley natural con las decisiones administrativas, sino a compilaciones abigarradas (como las Leyes de Indias), a la formación de un aparato administrativo extenso y confuso y a conflictos permanentes de competencia entre las distintas jerarquías, instituciones e individuos. Finalmente, la entrega al monarca de todo el poder y de las decisiones últimas sobre cualquier asunto, sin instituciones ni organismos dotados de poder autónomo que lo equilibraran, amparó el desarrollo del absolutismo, del centralismo y del paternalismo, que tanto afectaron al cuerpo social novohispano.

El principio centralizador fue trasladado por los Habsburgos a Nueva España mediante la ficción de que ésta, como los demás virreinatos americanos, era un reino igual a los de España, y su virrey un par o semejante del rey de España. Pero dado el carácter patrimonial del Estado español, el virreinato fue considerado como patrimonio particular de los reyes de Castilla, y su virrey, un delegado a quien se le encomendaba la tarea de gobernar en representación de aquél. De hecho, el primer siglo de la colonización fue un proceso de sucesivas delegaciones de poder del monarca a personas, grupos e instituciones que, siempre en su nombre, extendían el imperio. Delegaciones seguidas de procesos inversos que limitaban, frenaban o reconquistaban las atribuciones otorgadas con el fin de impedir la formación de poderes o feudos que desafiaran el poder central. Más tarde, en el siglo XVII, dominados o desaparecidos los grupos más peligrosos (conquistadores y encomenderos), y estabilizado el proceso colonizador, los Habsburgos implantaron definitivamente el absolutismo y la centralización administrativa, mediante la creación de una extensa red de agentes dependientes del favor real y recompensados con privilegios y prebendas.

La recompensa de servicios mediante el otorgamiento de prebendas y la dotación de privilegios, uno de los rasgos típicos de la forma de dominio tradicional bautizada por Max Weber como *patrimonialismo*, arraigó en Nueva España con gran fuerza y creó grupos y cuerpos extraordinariamente diferenciados. Así, en lugar de un proceso que hiciera a todos los ciudadanos iguales ante la ley y el Estado burocrático, los Habsburgos promovieron una diferenciación estamental de la sociedad (en el sentido de grupos que tenían en común privilegios y jurisdicciones). Cada uno de los grandes grupos étnicos: indios, españoles, negros y castas, fue protegido, a través de la acumulación de reales cédulas y órdenes, con una serie de disposiciones que tendían a conservarlos como tales, al mismo tiempo que los rodeaban de privilegios y jurisdicciones especiales que reglamentaban desde su forma de vestir hasta sus derechos políticos. Este proceso afectó a grupos más pequeños: clero regular y secular, comerciantes, hacendados, mineros, artesanos, universidad, pueblos de indios, que, además de los privilegios que los beneficiaron como grupos étnicos, recibieron otros más importantes por la función social que desempeñaban. Por otra parte, lo importante es que este proceso diferenciador que creaba corporaciones y grupos privilegiados no debilitó el carácter absolutista y paternalista del sistema: por el contrario, éste resultó fortalecido en tanto que la cesión de jurisdicciones y prebendas era siempre un acto gracioso del monarca, con quien quedaban más estrechamente obligados los beneficiados. Por ello, cuando desde mediados del siglo XVII la Corona se vio en la necesidad de vender los cargos públicos, tampoco se afectó el sistema, ya que el nombramiento dependía en última instancia de la decisión del monarca. Es casi innecesario decir que en todos estos casos los privilegios, las prebendas o los cargos concedidos, aseguraban el enriquecimiento y el predominio social de los beneficiados. Lo que siempre cuidó la Corona —y es típico del patrimonialismo, pero no del sistema estamental— es que los cargos públicos no fueran hereditarios y que los administradores no se apropiaran de los medios administrativos.

Finalmente, debe agregarse que esta racionalidad política interna del sistema (en el sentido de que aplicando esos medios se aseguraba la consecución de los fines del centralismo paternalista), creó barreras muy grandes al desarrollo racional de la economía. Max Weber ha señalado que el patrimonialismo, como forma de dominio tradicional, es naturalmente opuesto al desarrollo racional de la economía por la arbitrariedad con que impone y distribuye la carga tributaria, por la arbitrariedad que adopta en la creación y protección de monopolios, y por el carácter mismo de su administración (falta de disposiciones legales racionales y por tanto imposibilidad de calcular la duración y el aprovechamiento económico que podría originar una disposición; inexistencia de un cuadro administrativo profesional formal; amplísimas facultades discrecionales del soberano y del cuadro administrativo para imponer cualquier medio de exacción).

Tales eran, en resumen, algunas de las características más importantes del sistema creado por los Habsburgos en Nueva España hasta aproximadamente 1750. Como se verá en seguida, las reformas que los Borbones intentaron aplicar en la colonia a partir de 1760 iban precisamente en contra de ellas.

Las reformas político-administrativas

Todas las reformas borbónicas tuvieron un sentido político final: cancelar una forma de gobierno e imponer otra; pero en el conjunto se pueden distinguir las encaminadas a transformar el régimen político implantado por los Habsburgos, las que afectaron al cuadro administrativo encargado de aplicar esa política, y las destinadas a modificar la economía y la hacienda coloniales.

El hombre que se impuso la tarea de promover estas reformas en América fue el malagueño José de Gálvez, visitador de Nueva España de 1765 a 1771 y más tarde ministro de las Indias (1776-1787). Si se quisiera resumir en una palabra el sentido de estas reformas, ésta sería *sujeción*. Recuperar los hilos que con independencia de la metrópoli movían desde hacía más de un siglo los mecanismos económicos, políticos y administrativos de la colonia, colocarlos bajo la dirección y vigilancia de hombres adeptos a la metrópoli, y hacerlos servir a ésta por sobre cualquier otra consideración, tal fue el triple propósito de estas reformas. Su ejecución produjo cambios tan violentos que algunos historiadores han señalado que a partir de la fecha en que se tornaron vigentes, la Nueva España adquirió, en un sentido real y estricto, su estatus colonial, porque nunca antes su dependencia y sometimiento fueron mayores. Además de este resultado, las diversas medidas que cambiaron la situación de la colonia desencadenaron múltiples procesos que marcaron la historia de este periodo. De acuerdo con la idea de que no podían existir poderes corporativos o privados que rivalizaran con los del soberano, ni privilegios que atentaran contra el interés supremo del Estado, una de las primeras tareas de los Borbones fue recuperar las atribuciones que los Habsburgos habían delegado en cuerpos y grupos.

En Nueva España la corporación más poderosa tanto por su fuerza moral como por su riqueza y las funciones políticas que desempeñaba, era la Iglesia, y especialmente el clero regular. Muy pronto la Iglesia colonial resintió el embate que antes había debilitado a sus hermanas de Francia, Portugal y España, víctimas del mismo furor regalista de los funcionarios ilustrados que alentaban la creación del Estado moderno. Desde las primeras décadas del siglo XVIII, los Borbones intentaron reducir la fuerza del clero regular prohibiendo la fundación de nuevos conventos en América (1717); poco más tarde, en 1734, se mandó que las órdenes religiosas no admitieran más novicios por un periodo de diez años; en 1754 se prohibió a las órdenes que intervinieran en la redacción de testamentos. A partir de 1760 los ataques a la Iglesia fueron más violentos. La Compañía de Jesús, la orden más conflictiva por su adhesión al papa (quien luchaba por mantener la independencia de la Iglesia frente al Estado), por su influencia indisputada en la educación superior, por su gran riqueza y su carácter independiente, fue sorpresivamente expulsada de todos los dominios americanos en 1767. En Nueva España, aunque la expulsión de cerca de 400 jesuitas se realizó con la misma celeridad y eficacia que en otras partes, hubo rebeliones populares en Pátzcuaro, Uruapan, San Luis Potosí y Guanajuato, que fueron violentamente reprimidas por las fuerzas regulares que habían llegado poco antes de España. El visitador José Gálvez, quien había dirigido la expulsión de los jesuitas y la represión de los levantados, castigó a éstos con dureza inusitada: 86 fueron ahorcados, 73 azotados, 117 deportados y 674 condenados a diversas penas.

Esta primera manifestación de la política de los Borbones en Nueva España fue más tarde seguida por una serie de ataques contra la jurisdicción y la inmunidad personal que disfrutaba el clero como corporación favorecida con "fueros" y privilegios especiales. A pesar de las vigorosas protestas que suscitaron estas medidas (entre ellas la famosa *Representación* de 1799 elaborada por Miguel Abad y Queipo y el obispo de Michoacán, fray Antonio de San Miguel), la Corona decidió encarcelar en prisiones civiles a varios sacerdotes acusados de diversos delitos, y continuó royendo los privilegios de la más poderosa de las corporaciones coloniales. Sin duda el golpe más serio que afectó a la Iglesia fue la *Real Cédula sobre enajenación de bienes raíces y cobro de capitales de capellanías y obras pías para la consolidación de vales reales,* expedida el 26 de diciembre de 1804. Esta real cédula extendía a la Nueva España —y a todos los dominios americanos— la política desamortizadora que los Borbones habían comenzado a aplicar en España desde 1798. Lo mismo que en España, la ejecución en América del real decreto tenía el evidente propósito de minar la base económica que sustentaba a la Iglesia, pues mandaba recoger, como préstamo, el capital que se sacara de la venta de los bienes raíces de la Iglesia, así como el capital circulante que ésta poseía o administraba en las colonias. Sin embargo, la base económica de la Iglesia española era diferente a la de la colonia, pues mientras en la primera la mayor riqueza la constituían los bienes raíces, en la segunda se dice que éstos apenas sumaban tres o cinco millones de pesos (cantidad indudablemente baja, pero a la fecha no se tiene otra estimación fundada), pero el capital disponible en censos, capellanías y obras pías, o sea capital líquido, se calculaba en más de 45 millones. Pero esta enorme suma, lejos de invertirse como en España en "propiedades de manos muertas" (bienes de la Iglesia que, como tales, se sustraían al proceso de compraventa y pago de impuestos), se prestaba a miles de agricultores, mineros y empresarios bajo prenda hipotecaria y pago de réditos.

Esta estructura y destino especial de los bienes de la Iglesia novohispana explican que la ejecución de la real cédula provocara las más violentas y generales reacciones contra la metrópoli. Y es que, con excepción de los comerciantes más ricos, la real cédula afectaba a los principales sectores económicos de Nueva España (agricultura, minería, obrajes y pequeño comercio), y sobre todo a la agricultura, pues la mayoría de las haciendas y ranchos estaban gravados con hipotecas y censos que los propietarios, según la disposición de la real cédula, tenían ahora que redimir en un plazo corto para que ese capital fuera enviado a España. Así que junto con la Iglesia, de hecho toda la clase propietaria y empresarial de Nueva España, más los trabajadores vinculados a sus actividades, resultaron directamente afectados por la cédula de 1804. De ahí que esta disposición suscitara un descontento general y que muchos de los grupos lesionados se atrevieran, mediante numerosas *Representaciones* dirigidas al monarca, a exponer lo desacertado del real decreto, criticando de paso la política de la metrópoli. Con todo, la real cédula se aplicó desde el 6 de septiembre de 1805 hasta el 14 de enero de 1809, produciendo alrededor de 12 millones de pesos para las exhaustas cajas reales. A cambio de esta ganancia, la real cédula trajo muchos problemas a la economía colonial y escindió definitivamente las antes más o menos cordiales relaciones entre la Iglesia y el Estado. Y sobre todo, sembró entre los miembros más alertas de la Iglesia temores fundados acerca del futuro, como se aprecia en el siguiente comentario del cabildo eclesiástico de Valladolid: "¿Y nos podemos lisonjear con la seguridad de que no se pensará en nuevas exacciones, y que en lo sucesivo gozaremos de quieta y pacífica posesión del resto de nuestros bienes?". Los acontecimientos que caracterizaron las relaciones entre la Iglesia y el Estado durante la primera mitad del siglo XIX mostrarían que estos temores eran justificados y que de entonces arranca el proceso que culminará con las Leyes de Reforma.

El ataque de los Borbones al poder y privilegios de los retenedores patrimoniales constituidos en corporaciones no se limitó a la Iglesia. Incluyó a la corporación más importante después de aquélla: el Consulado de Comerciantes de la Ciudad de México, que perdió su inmenso poder monopólico como consecuencia de las llamadas leyes sobre libertad de comercio y la creación de otros consulados en Veracruz (1795), Guadalajara (1795) y Puebla (1821). Este ataque fue acompañado de golpes no menos severos a su participación administrativa y política, pues desde 1754 le fue retirada la concesión de administrar las alcabalas de la ciudad de México y más tarde la *Real Ordenanza de Intendentes* (1786) mandó suprimir los alcaldes mayores, que eran sus principales colaboradores. Pero junto a estos intentos de mermar la fuerza de corporaciones tan poderosas, se observa que muchas de las reformas de los Borbones fortalecieron a otros grupos que, a su vez, adquirieron la forma de verdaderas corporaciones. Tal fue el caso de los mineros, favorecidos con la creación de un tribunal especial (1776), con la fundación de un banco (1784), de una escuela de minería (1792) y otras medidas. Otro caso lo presenta el ejército, institución creada por los Borbones que muy pronto se convirtió en una corporación privilegiada con sus propios fueros, tribunales y jurisdicción. Estas excepciones a la regla tienen su explicación. El apoyo decisivo que los Borbones concedieron a la minería y los mineros es comprensible si recordamos que el objetivo central de sus reformas era hacer más dependiente a la colonia y extraer de ella más beneficios. De éstos, el que había probado ser más constante y caudaloso era precisamente la producción de metales preciosos. Así, a cambio de asegurar una corriente continua de plata novohispana hacia la metrópoli, los Borbones otorgaron a los mineros los privilegios que a otros les quitaban.

Por otro lado, debe recordarse que el origen del gobierno patrimonial, y por tanto de las corporaciones que cumplen funciones de gobierno y se arrogan derechos patrimoniales, significa la falta de un cuadro administrativo profesional al servicio del soberano. Esto explica las sucesivas delegaciones de poder a grupos y corporaciones novohispanas en los siglos xvi y xvii. Y esta carencia es la que trataron de llenar los Borbones con medios todavía insuficientes. Por ello, cuando deciden lanzar sus ataques contra la Iglesia, llaman antes al ejército y luego tratan de fortalecer este cuerpo y las milicias regulares para que sustituyan a la Iglesia. En 1764 desembarcaron en Nueva España dos regimientos de tropas españolas, destinados a residir permanentemente en el país. Esta tropa es la que se encargó de ejecutar, con eficacia que alarmó a los novohispanos, la expulsión de todos los miembros de la Compañía de Jesús en 1767, y la que estaría detrás de todas las medidas posteriores de los Borbones (a principios del siglo xviii la tropa regular sumaba apenas 5 000 individuos, mientras que en 1803 era de 30 000). En esta necesidad de contar con una fuerza militar directamente dependiente del monarca, y en la importancia que adquirió el ejército durante el conflicto armado de 1810-1821, está el origen de la fuerza y privilegios de ese ejército que dominará gran parte de la historia del siglo xix. Teniendo ya esa fuerza disuasiva que dependía enteramente de la metrópoli, los Borbones iniciaron una tarea más ambiciosa: reorganizar todo el aparato administrativo del virreinato, dotándolo de un cuerpo de administradores profesionales también ligado al monarca. Esta reorganización afectó a todos los centros de poder, desde los más altos (virrey) hasta los más bajos (alcaldes mayores de los pueblos), y produjo grandes tensiones y rechazos entre los grupos e individuos del antiguo régimen cuyas funciones fueron sustituidas o modificadas por las nuevas disposiciones. Sobre todo porque además de los cambios en el sistema de gobernar y administrar el país, estas reformas trajeron hombres nuevos.

Una de las principales instituciones heredadas de los Habsburgos contra las que el visitador Gálvez dirigió sus ataques fue el virrey. Gálvez compartía con otros funcionarios ilustrados la convicción de que era muy peligroso mantener en provincias tan alejadas un jefe cargado con tantos poderes. También contrariaba la centralización de funciones en la persona del virrey y de la Audiencia, tanto por parecerle políticamente peligrosa tal acumulación como por la ineficacia administrativa que entorpecía la resolución de los copiosos asuntos que concentraban. El instrumento elegido para corregir estos problemas fue el llamado sistema de intendencias, que se había tomado de los franceses y se encontraba ya adaptado en España. Su implantación requería la división del reino en jurisdicciones político-administrativas denominadas *intendencias,* a la cabeza de las cuales estaría el intendente o gobernador general, quien ejercería en ellas todos los atributos del poder: justicia, guerra, hacienda, fomento de actividades económicas y obras públicas. En apoyo de esta medida se dijo que el sistema de intendencias había impulsado el mejoramiento político y económico de España y que su adopción en la colonia uniformaría la administración, permitiendo la transferencia de funcionarios a una y otra parte. Además, se argüía que el sistema de intendencias acabaría con la plaga de los alcaldes mayores, el típico funcionario de la época de los Habsburgos que compraba el puesto, lo utilizaba para su enriquecimiento personal, defraudaba a la Corona y era el gran azote de los indios, a quienes hacía objeto de las peores exacciones.

Sin embargo, entre 1767, fecha en que Gálvez presentó su plan original de intendencias, y 1786, cuando se promulgaron las Ordenanzas que les dieron vida efectiva y se crearon doce de ellas en Nueva España (Durango, Guadalajara, Guanajuato, México, Oaxaca, Puebla, San Luis Potosí, Sonora, Michoacán, Veracruz, Yucatán y Zacatecas), transcurrieron diecinueve años. Durante ese lapso y más tarde, el proyecto fue objeto de numerosas críticas y resistencias que impidieron su total aplicación. La resistencia inicial vino de los virreyes mismos, quienes siempre se opusieron a ceder parte de su poder y funciones a los intendentes. En principio, porque estos nuevos funcionarios, cuyo nombramiento se hacía en España sin participación del virrey, fragmentaban su poder y debilitaban su imagen, que según los virreyes debería ser la representación omnímoda del rey en las colonias. De Bucareli (1771-1779) a Revilla Gigedo (1789-1794), los virreyes desarrollaron estos y otros argumentos para impedir la creación de las intendencias. A sus protestas se unieron las de los miembros de la Real Audiencia, de los tesoreros y oficiales reales encargados de la recaudación de impuestos y de prominentes eclesiásticos y miembros de la élite. Todos ellos resintieron, al igual que los virreyes, la penetración de estos nuevos funcionarios reclutados en las filas del ejército o de la administración, mucho más jóvenes e impregnados de nuevas ideas, que además de desplazarlos se mostraban partidarios de un estilo diferente de gobierno.

La Real Audiencia, la institución civil más poderosa después del virrey, fue objeto de cambios que afectaron su composición. Este tribunal de justicia que fungía además como asesor y consultor del virrey en muchos asuntos, estaba integrado, cuando Gálvez llegó de visitador (1765-1771), por oidores y alcaldes del crimen, criollos en su mayoría, aunque sus reglamentos prescribían que deberían ser españoles. En 1769 de siete oidores seis eran criollos; y de cuatro alcaldes del crimen por lo menos dos lo eran. Una década más tarde, gracias a los esfuerzos de Gálvez, la composición de la Real Audiencia era la siguiente: cinco oidores españoles contra cuatro criollos y cinco alcaldes del crimen peninsulares contra cero criollos. En los años siguientes Gálvez se empeñó en reducir aún más la participación de los criollos en este tribunal. Obsesionado con la idea de impedir la formación de poderes e intereses locales, cuando fue nombrado ministro de Indias urgió a los criollos americanos a que compitieran por puestos judiciales, eclesiásticos y administrativos en la Península, y decretó que sólo un tercio de los puestos de las audiencias y salas capitulares de las catedrales americanas fueran accesibles a los criollos. Estas disposiciones sirvieron para "desterrar" de hecho a criollos distinguidos, como Francisco Javier de Gamboa —autor de los famosos comentarios a las ordenanzas de minería y llamado por el mismo Gálvez "el Ulpiano de América"—, quien contra su voluntad fue enviado a Santo Domingo como presidente de la Audiencia. Por otra parte, la Ordenanza de Intendentes de 1786 restó facultades a la Real Audiencia al disponer que muchos asuntos de hacienda, antes manejados por ella, pasaran a ser de la competencia de la Junta de Real Hacienda. Además, si antes de 1763 la Real Audiencia era casi la única institución de la colonia donde se preparaban los funcionarios públicos, después de la visita de Gálvez los altos funcionarios ya no saldrían de este cuerpo, sino del exterior, y eran, en lugar de jueces o letrados, especialistas en administración fiscal o militares de carrera. En suma, el antes prestigioso cuerpo de funcionarios de la Real Audiencia perdió poder y fue objeto de una política de marginación que afectó sobre todo a los criollos.

Otro grupo importante de altos funcionarios, los tesoreros y oficiales, que manejaban las cajas reales del virreinato donde se cobraban los impuestos, fue casi por completo sustituido por los nuevos hombres que introdujeron los Borbones. En 1776 una orden de Gálvez le dio posesión a nuevos tesoreros en los veinticuatro pueblos más importantes de Nueva España. Más tarde, el grupo de funcionarios encargado de colectar los impuestos y todo el sistema del ramo de real hacienda sufrió otras transformaciones. El propósito de éstas era aumentar su eficiencia, recoger mayores ingresos y crear un organismo más independiente. Los dos primeros objetivos se alcanzaron fácilmente, pero el último encontró obs-

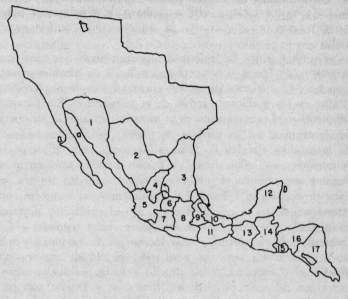

1. Arizpe	5. Guadalajara	9. Puebla	13. Chiapas
2. Durango	6. Guanajuato	10. Veracruz	14. Guatemala
3. San Luis Potosí	7. Valladolid	11. Oaxaca	15. San Salvador
4. Zacatecas	8. México	12. Mérida	16. Comayagua
			17. León

Las provincias de California, Nuevo México, Coahuila y Texas no fueron comprendidas entre las intendencias.

táculos muy serios. Gálvez deseaba, por una parte, centralizar todo el ramo de hacienda, y por otra, hacerlo independiente del virrey. Para ello dictó una serie de medidas que culminaron con la creación de un *Superintendente subdelegado de real hacienda*, que debería asumir toda la responsabilidad en estos asuntos. A él quedarían sometidos todos los tesoreros y funcionarios de cajas reales, así como los intendentes en todos los negocios de hacienda. Sin embargo, a la muerte de Gálvez (1787) el cargo de Superintendente subdelegado fue absorbido otra vez por el virrey. Con todo, las reformas promovidas por Gálvez en el ramo de hacienda crearon grandes conflictos de jurisdicción y poder entre las autoridades coloniales, e hicieron visible el deseo de disminuir la autoridad del virrey y de apartar a la antigua crema de funcionarios criollos.

Por último, entre las reformas administrativas que más ruido hicieron en la época, debe mencionarse la de los alcaldes mayores. Eran éstos funcionarios distritales, encargados de la recolección de tributos en los pueblos de indios de su jurisdicción. Sus facultades comprendían el conocimiento en primera instancia de la jurisdicción civil y criminal en los pueblos de indios (los alcaldes ordinarios de los cabildos ejercían las mismas funciones, pero en los pueblos de españoles y criollos, donde en ocasiones había también un corregidor que presidía el cabildo y atendía todos los asuntos judiciales de su distrito). Tanto los alcaldes mayores como los corregidores tenían como principal obligación el cuidado y protección de los indios, para lo cual debían hacer visitas regulares a todos los pueblos de su distrito, recibir las quejas de los indios y solicitar o ejecutar los remedios necesarios. El alcalde mayor residía en el pueblo cabecera de su distrito y tenía prohibido, como el corregidor, adquirir propiedades, comerciar y casarse con personas de su jurisdicción durante el desempeño de su cargo. Pero como ocurrió con casi todos los funcionarios de la época de los Habsburgos, los bajos salarios indujeron a los alcaldes mayores a violar los principios básicos de su cargo desde el siglo XVI, violación que era ya una costumbre en la época que examinamos. Los alcaldes mayores se reclutaban entre los militares de baja graduación o entre los administradores de pocos recursos económicos, pero con grandes ambiciones. La Corona les exigía, a ellos y a sus tenientes letrados (funcionario nombrado por el alcalde que se ocupaba de los asuntos legales), una fianza y la presentación de fiadores para asegurarse el pago de los impuestos que aquéllos recolectaban. Pero, como en la mayoría de los casos estos funcionarios eran incapaces de conseguir la fianza, recurrían a un fiador, que casi siempre era uno de los grandes comerciantes de la ciudad de México. A cambio de la fianza y otros adelantos en efectivo para el viaje y acomodo del alcalde, el comerciante le exigía la firma de un contrato por el cual se comprometía a manejar las actividades mercantiles de su fiador en el distrito de su alcaldía. De esta manera el comerciante aseguraba, por un lado, la venta y distribución de sus artículos en zonas alejadas de la capital, y por otro, la compra a precios bajísimos de los principales bienes de exportación que producían los indígenas, como la grana cochinilla, la vainilla, el algodón y el cacao. Además, el alcalde mayor y su teniente letrado obtenían grandes ganancias de la venta —a menudo forzosa y a precios altísimos— de artículos españoles en los pueblos indígenas, y del acaparamiento de la mayor parte de la cosecha de sus productos, que aseguraban por el procedimiento de adelantar dinero a los agricultores (habilitaciones). Este negocio fue extensa y escandalosamente conocido con el nombre de *repartimiento*. En otras palabras, el único funcionario real que estaba en contacto con los indios y tenía la misión de protegerlos era, por las condiciones antes señaladas y por la estructura de dominación existente, el que más los explotaba. Para la mayoría indígena esta persona, no el encomendero o el hacendado, era el símbolo concreto de la opresión y la injusticia. Nada tiene pues de extraño que contra él se acumularan las protestas y que su actividad motivara, desde el siglo xvii, levantamientos de regiones enteras, como la famosa rebelión de 1660 que unió a varios pueblos de Tehuantepec contra el alcalde mayor de esta villa, quien fue apedreado y muerto por los amotinados.

Contra este representante típico del antiguo régimen los Borbones desencadenaron una de sus campañas más persistentes. Primero, porque su política administrativa favorecía la creación de funcionarios pagados y dependientes del poder central, en tanto que el alcalde mayor de hecho arrendaba o compraba el cargo y lo utilizaba para su beneficio personal. En segundo, porque esa política estaba también en contra de los monopolios particulares, y precisamente una de las funciones del alcalde mayor era ejercer el monopolio comercial en una zona determinada. Por último, los Borbones argüían que el sistema de repartimiento era una de las principales causas de la degradación del indio. Apoyándose en estos argumentos, el visitador Gálvez pidió la abolición de los alcaldes mayores y de sus tenientes letrados —a quienes consideraba peores que aquéllos—, y propuso que fueran sustituidos por subdelegados, o sea funcionarios subordinados a los intendentes, quienes percibirían un salario y tendrían prohibida toda práctica comercial o monopólica. Y aunque esta proposición —que recibió el respaldo de los curas del pueblo y de algunos obispos, como el de Oaxaca— fue atacada por el virrey Bucareli y otros altos funcionarios y comerciantes, finalmente fue elevada a ley en la *Real Ordenanza de Intendentes* de 1786, cuyo artículo 12 abolía las alcaldías mayores y corregimientos y proscribía el repartimiento. Además, su artículo 61 reafirmaba el derecho de los indios a traficar directamente con cualquier comerciante y prohibía a éste penetrar en los pueblos de indios. En sustitución de los alcaldes y corregidores la *Real Ordenanza* creaba subdelegados, que serían pagados del ingreso de la recolección del tributo indígena (5 por ciento del tributo levantado en su jurisdicción).

Sin embargo, entre 1786 y 1804 la ejecución de estas disposiciones tropezó con problemas que impidieron su observancia. Una serie de calamidades naturales y demográficas (crisis agrícolas en 1779 y 1785-86 y epidemias en esos y otros años), y las guerras entre España e Inglaterra, que produjeron el bloqueo naval y el cese de transacciones entre la colonia y su metrópoli, afectaron a la agricultura de exportación y principalmente a la grana cochinilla que se producía en la región de Oaxaca. La conjunción de estos factores ocasionó la baja inmediata de la producción, de los impuestos y del tributo de esa región, así como de los ingresos provenientes de la exportación más importante de Nueva España después de la plata. Naturalmente los comerciantes del Consulado de México, y muchos otros funcionarios defensores del antiguo sistema, aprovecharon esta circunstancia para sostener que la causa de esa contracción económica no era otra que la supresión de los alcaldes mayores y del sistema de habilitaciones a los agricultores indígenas, por lo cual en repetidas ocasiones solicitaron al rey y al Consejo de Indias que se volviera al sistema anterior. Su solicitud no fue aceptada, pero motivó una serie de dudas y estudios sobre las disposiciones contenidas en la *Ordenanza de Intendentes* que impidieron su plena aplicación. Además, los Borbones nunca solucionaron satisfactoriamente el problema de fondo que impedía la implantación del sistema que proponían: el pago suficiente y efectivo a los nuevos funcionarios. La caída del tributo indígena por las causas antes mencionadas redujo el ingreso de los subdelegados a cantidades que imposibilitaban el desempeño de sus funciones. Por añadidura, de las 143 alcaldías mayores que antes existían en la Audiencia de México, apenas 13 producían un ingreso suficiente para cubrir con decoro los salarios de los subdelegados. De ahí que muy pronto éstos cayeran en el mismo vicio que había originado la supresión de los alcaldes mayores. La promulgación, en 1803, de una *Nueva Ordenanza de Intendentes* pretendía remediar estas deficiencias al prohibir, bajo severas penas, el *repartimiento* y la participación de cualquier funcionario, minero, hacendado o propietario de obrajes en el comercio de productos indígenas. Asimismo, la *Nueva Ordenanza* establecía un salario para los subdelegados que variaba de 2 200 a 1 500 pesos anuales, según la importancia de su distrito. Con todo, estas disposiciones y otras semejantes que se dieron con anterioridad, no solucionaron el problema de crear un cuerpo de funcionarios eficiente y honesto, leal a la Corona y respetado por la comunidad donde operaba. Al contrario, la regla fue el funcionario venal y el reforzamiento de la concepción patrimonialista de los cargos públicos. De ahí que este problema pasara entero al siglo XIX.

A pesar de las inconsistencias y frenos que perturbaron la ejecución de las reformas administrativas de los Borbones, éstas modificaron el sistema antiguo y afectaron la composición de los grupos de poder tradicionales. El profundo desequilibrio que estas medidas crearon en el sistema se puede apreciar en el reacomodo que estos grupos tuvieron que hacer a partir de entonces, reacomodo que finalmente condujo a la división de la antes unida élite tradicional. Por otra parte, al atacar sólo la parte superior (virrey, Real Audiencia, Junta de Real Hacienda, intendentes) e inferior (alcaldes mayores, subdelegados) del aparato administrativo, sin intentar crear los cuadros medios que más falta hacían, los Borbones perdieron una fuerza que sólo más tarde los liberales del XIX tratarían de aprovechar y fortalecer.

Las reformas económicas

Hay que subrayar que las reformas administrativas y la importación de nuevos funcionarios tuvieron como objetivo esencial producir una mutación en la economía novohispana que cambiara los términos de su relación con la metrópoli. Por ello en la aplicación de las reformas económicas no se encuentran las indecisiones que frenaron a las primeras; más bien se realizaron con celeridad y eficacia sorprendentes. Puede decirse que entre 1765 y 1786, o sea veinte años, se definió y aplicó el cuerpo principal de estas reformas. Una década más tarde producían efectos sensacionales: la Nueva España era la colonia más opulenta del imperio español y la que mayores ingresos aportaba a la metrópoli. La revisión de las rentas reales y la reorganización de todo el ramo de hacienda fueron preocupaciones principales de los Borbones. Al subir al trono Carlos III encontró las rentas reales "en un desarreglo indecible"; una real orden agregaba que el "desorden que había en las rentas de España ha hecho creer al rey que en las de Nueva España habrá también mucho que remediar". Para poner arreglo inmediato en estos asuntos se envió al visitador José de Gálvez, quien pronto comprobó que la presunción del soberano era más que fundada. El Tribunal de Cuentas, que tenía la obligación de enviar cada seis meses una relación de lo recibido y egresado, llevaba años sin hacerla. El personal del Tribunal rebasaba en promedio los sesenta años de edad y difícilmente podía concentrarse más de tres horas en la resolución de los millares de cuentas rezagadas, que por otro lado presentaban una complejidad extraordinaria debido al anticuado sistema contable en uso. Todo esto, además de proteger ineficiencias, encubría la corrupción. Entre 1761 y 1764 se descubrieron grandes desfalcos en las Cajas Reales de Veracruz, Guanajuato y Acapulco, que sumaban cerca de 400 000 pesos. Pero el rey afirmaba haberse "perdido en lo pasado muchos millones de pesos" simplemente porque el Tribunal no elaboraba sus cuentas y éstas no se cobraban. Ante esta situación Gálvez comenzó por cesar funcionarios y establecer procedimientos de fiscalización y control más eficaces, que en 1776 se completaron con la reorganización del Tribunal de Cuentas. Todo el personal de este organismo fue removido, creándose nuevos cargos y funciones, recompensados con salarios altos (3 500 pesos anuales para los tres contadores mayores; 2 500 para los seis contadores de resultas y 1 800 para otros seis ordenadores). En 1792 el Tribunal fue objeto de una nueva organización: su personal aumentó a cerca de cuarenta funcionarios y fue beneficiado con un aumento de salarios. En 1785 el método para llevar los libros de contaduría fue mejorado con la introducción del sistema de *partida doble*. Finalmente, bajo la administración de Revilla Gigedo, se sistematizó el desordenado ramo de real hacienda. Fabián de Fonseca y Carlos de Urrutia (militares de carrera experimentados en la administración pública), con el auxilio del contador de la Renta del Tabaco, Joaquín Maniau, elaboraron entre 1790 y 1792 una *Historia General de Real Hacienda* que puso en orden el abigarrado conjunto de disposiciones casuísticas que desde el siglo XVI se habían venido amontonando en cada uno de sus ramos. En seis gruesos tomos esta obra hace la historia de cada ramo, pone en orden cronológico todas las disposiciones relativas a ellos, agrega explicaciones teóricas y políticas sobre la hacienda en general y cada ramo en particular y señala la importancia y cuantía de cada ramo en el ingreso y el gasto general. Este gran esfuerzo de sistematización contribuyó notablemente a la eficiencia que se observa en toda la parte fiscal y hacendaria de los años 1791-1809, y fue la base en que se asentó la organización de la hacienda pública en la época independiente.

Junto a estas medidas se dictaron otras para rescatar el control de los impuestos y mejorar el sistema de recolectarlos. Como se ha dicho, la falta de un grupo de administradores profesionales obligó al Estado español a delegar muchas funciones administrativas en corporaciones e individuos particulares, entre ellas, el cobro y recaudación de impuestos. En la mayoría de los casos el procedimiento seguido era ofrecer en subasta o remate público el arrendamiento, por uno o más años, de tal o cual ramo fiscal. Quien ofrecía la postura más alta y satisfacía las fianzas requeridas, obtenía el arrendamiento. De esta manera un gran número de actividades fiscales pasaron a ser manejadas por particulares, especialmente comerciantes. Pero en 1752 y 1754 se ordenó terminar con el sistema de arrendamientos, mandándose que todas las funciones de carácter fiscal fueran ejercidas por la Real Hacienda. Así, a pesar de los rumores que esparcieron los comerciantes sobre aumento de los impuestos y alcabalas si cambiaba la administración de éstos, en 1754 la Corona canceló el contrato que el Consulado de Comerciantes había disfrutado para cobrar el derecho de alcabala en la ciudad de México y sus alrededores. Probado el éxito de esta medida, se rescindió el arrendamiento de la aduana de Veracruz en 1763 y en 1776 la Real Hacienda entró en posesión de los demás centros recolectores de impuestos que había en el virreinato. A partir de esta fecha se nombraron nuevos funcionarios encargados de la recaudación de impuestos en veinticuatro de los pueblos más importantes. Cada uno de estos funcionarios, asistido por un contador, escribientes y guardias, colectaba el impuesto de 6 por ciento sobre todas las ventas y el impuesto especial del pulque. Las aduanas cobraban los derechos de alcabala y de entrada y salida de mercancías en los puertos. En las zonas mineras había también oficiales de hacienda encargados de cobrar los diversos impuestos. En suma, hacia 1776 sólo en lugares distantes o muy aislados continuaban los particulares cobrándolos y tomando un 14 por ciento de lo recaudado como pago a su trabajo. El resultado de esta vasta reforma fiscal produjo un aumento extraordinario de los ingresos reales.

Al mismo tiempo que se hacían estos cambios, se crearon nuevos impuestos y nuevas formas de aumentar el ingreso de la Corona. Entre los primeros deben citarse el impuesto a las pulperías (pequeños comercios de tipo misceláneo), que se había ordenado cobrar desde 1631 y otra vez en 1730 y 1750, pero que sólo se hizo efectivo a partir de 1780 al vencerse la oposición de los comerciantes. También se extendió el impuesto de alcabala a varios artículos antes no gravados. Estos nuevos impuestos fueron impopulares y causa de agitaciones y protestas en la capital y ciudades del interior. Otra medida orientada a incrementar los ingresos reales fue la creación de estancos o monopolios manejados por el Estado. Ya existía en España y en Nueva España el antecedente de monopolizar la administración y venta de diversos artículos (el azogue o mercurio, la sal, los naipes, el papel sellado, la nieve, la lotería), pero los Borbones le dieron una nueva dimensión. La forma como se organizó el estanco del tabaco ilustra el sentido de otros monopolios creados en la época, aunque no con el mismo éxito. Desde 1747 se había tratado de crear el estanco del tabaco en Nueva España, a semejanza del que ya existía en la metrópoli y en Cuba desde principios de siglo, pero el proyecto encontró la resistencia de los cosecheros. Con todo, una real orden dispuso que se estableciera en 1764 y comenzó a operar en 1765, con la participación activa del visitador Gálvez. Al principio se limitó a monopolizar la producción y venta del tabaco en rama, para lo cual se mandó que sólo se cultivara en las zonas de Córdoba, Orizaba, Huatusco y Zongolica, y que los agricultores vendieran toda su producción a la administración de la Renta del Tabaco a los precios señalados por ésta. Esta orden produjo reacciones muy violentas entre los cultivadores y comerciantes del tabaco, sobre todo en las provincias donde su cultivo fue prohibido, como Guadalajara, Puebla, Colima, Oaxaca, Yucatán y otras. La Corona añadió otro motivo de descontento al fijar una tasa de precios a las compras que la Renta del Tabaco hacía a los cultivadores de Córdoba, Orizaba, Huatusco y Zongolica. Y aunque se trató de paliar estos rigores mediante el otorgamiento de créditos a los agricultores antes de la cosecha, cada nueva firma de contrato entre la Renta del Tabaco y los agricultores dio ocasión a que éstos presentaran resistencias y protestas, unas veces en forma individual y otras como asociación o gremio de cosecheros. Una disposición que popularizó el descontento hacia el estanco, hasta entonces limitado a los agricultores, fue la de monopolizar la fabricación y venta de puros y cigarros. La idea vino de Gálvez, quien se proponía transferir a la Real Hacienda las utilidades que lograban los cigarreros particulares que compraban el tabaco en los almacenes del estanco y lo labraban y vendían por su cuenta. Después de varios intentos, en 1769 se instaló la Real Fábrica de Puros y Cigarros de México y se crearon las de Puebla, Querétaro, Oaxaca, Orizaba y Guadalajara. En estos establecimientos, manejados también por la Renta del Tabaco, se dispuso elaborar todos los puros y cigarros del país, por lo cual desde 1766 no se otorgaron más permisos a fábricas o talleres particulares. Hacia 1775 éstos ya habían desaparecido, así como las tiendas donde se vendían los puros y cigarros, que fueron sustituidas por estanquillos manejados por el estanco. El monopolio de la fabricación y venta de los productos del tabaco afectó a sectores más amplios y pobres que los cultivadores: a fabricantes, comerciantes y artesanos de las ciudades, generalmente de recursos medianos y pequeños, y a la numerosa población pobre de las ciudades que labraba el tabaco en sus domicilios o lo vendía ya manufacturado en las calles y comercios ambulantes. Por eso en levantamientos populares como el de Guanajuato, ocurrido el 17 de julio de 1766, los amotinados, además de pedir la supresión del empadronamiento militar, se ensañaron contra las oficinas y empleados de la administración del estanco y pidieron que se cerrasen los estanquillos y se anularan las nuevas alcabalas.

Otro resultado importante de la creación de las fábricas de puros y cigarros fue el impulso que le dieron a la formación de un cuasiproletariado de tipo industrial. Las dimensiones de estos establecimientos y la organización del trabajo que se les dio, anticiparon formas y conflictos de trabajo que no se generalizaron sino hasta fines del siglo XIX. Fábricas como la de México, que ocupaba a más de 6 000 trabajadores de ambos sexos, rompieron el antiguo sistema de elaborar el producto en la casa del trabajador, obligándolo a concurrir a un mismo edificio, bajo un mismo horario y a realizar sólo una parte de la manufactura. Las consecuencias de estos cambios no se han estudiado, pero bastaría citar los siguientes hechos para percibir su importancia. Una de las críticas más frecuentes a la fábrica de tabacos era que reunía a trabajadores de ambos sexos: "En esas fábricas entra una multitud de gente de ambos sexos en que por más vigilancia que haya... ¿quién embaraza las perversas y dañosas conversaciones de una gente licenciosa?... ¿quién puede impedir los perniciosos daños que ocasiona la mocedad de hombres y mujeres, que aunque salen por puertas distintas y separadas, al doblar la esquina se juntan?". Pero lo que más se temía, razonablemente, era la "asociación de tantos hombres". En la época del virrey Mayorga se decidió aumentar el trabajo de las fábricas sin levantar la remuneración, lo cual originó que los trabajadores abandonaran en masa el local y salieran en manifestación hacia el palacio virreinal. En el camino "se les fue agregando una porción considerable de hombres de su misma clase", cuenta un alarmado testigo. Y agrega: "Entró esta muchedumbre en palacio sin respetar la guardia y ocupó los patios, escaleras y corredores, y habiendo oído el mismo virrey aquel extraordinario ruido, preguntó ¿qué sería aquella gente?, y habiéndole dado la causa, determinó con prudencia el darles un papel o fuese [sic] oficio, para que el administrador de la fábrica no hiciese novedad, y con esto quiso Dios que se apaciguase aquella multitud, llevando el papel como un triunfo; y se tuvo por conveniente el disimular una acción tan ruidosa y expuesta a causar una sedición. Si aquella causa tan ligera ocasionó semejante conmoción, que no permitió la prudencia de castigarla ¿qué debemos temer cuando ocurra una de mayor cuantía?... Por sólo este recelo tan fundado, era muy conveniente el dispersar esta perniciosa gente, pues importa mucho la tranquilidad de una capital como México..."

A pesar de estos problemas y de los conflictos con los cultivadores, la Corona siguió apoyando con toda su fuerza el monopolio del estanco, por el hecho de que, como decía uno de sus administradores, Joaquín Maniau, "este establecimiento es la alhaja preciosa que el rey tiene en sus dominios de América". En otras palabras, las utilidades que aportaba este ramo eran cuantiosas. Según Maniau, entre 1785 y 1789 la administración del estanco había gastado, en compra de tabacos, fletes, derecho de alcabala y gastos de las fábricas de puros y cigarros, 11 477 841 pesos. A cambio de esta inversión el estanco proporcionó en los mismos años 30 736 638 pesos. Si descontamos de esta cifra los gastos de inversión y los de administración —éstos últimos sumaron 3.5 millones—, resulta que en cinco años el estanco produjo una ganancia neta de más de 15 millones de pesos, o sea de 137 por ciento del monto de la inversión y el gasto. Desde estos años hasta el final del siglo la Corona recibió anualmente entre 3 y 4 millones de pesos sólo por concepto del estanco del tabaco. Ésta fue la razón por la cual la Corona nunca consideró las presiones del Consulado de Comerciantes, ni de las clases pobres de las ciudades que éste azuzaba y a quienes prestaba voz, en el sentido de acabar con el monopolio de la manufactura de tabacos. Por ello continuó también el monopolio del cultivo, cuya persistencia favoreció las siembras clandestinas y el contrabando, que se prolongarían hasta el siglo XIX. Por último, no debe olvidarse que la creación y el éxito económico del estanco afianzó los lazos coloniales del país y heredó al siglo XIX una contradicción: los ideales de libre empresa adoptados por los liberales chocaron siempre con las necesidades de los pobres y débiles gobiernos de la primera mitad de ese siglo, ya que ante la urgencia de mayores ingresos, tuvieron que mantener el monopolio que antes habían condenado como símbolo de la opresión colonial.

Sin duda la reforma económica más importante y que mayor tinta hizo correr fue la que transformó el régimen de comercio entre España y las Indias. Como lo han señalado Stanley y Barbara Stein, esta reforma tuvo el propósito de "nacionalizar" la economía española y la colonial. Sus objetivos eran: *a*) recuperar las concesiones comerciales otorgadas a las naciones europeas desde el siglo XVII (terminar con el *asiento* o permiso dado a los ingleses para introducir esclavos y mercancías en las colonias; eliminar los canales de contrabando en Gibraltar, Cádiz y las colonias); transformar a los prestanombres sevillanos, que servían como intermediarios de los consorcios extranjeros, en verdaderos comerciantes españoles; y acabar con el monopolio andaluz (Sevilla y Cádiz) que controlaba todas las transacciones con las colonias. *b*) Mejorar el sistema de extracción de materias primas de las colonias y ampliarlo a las posesiones poco explotadas, como Buenos Aires, Caracas y La Habana, con el fin de satisfacer la demanda española y europea. *c*) Fomentar el desarrollo agrícola, industrial y manufacturero de la península con el propósito de que los artículos y productos de ésta, y no los de las potencias europeas, fueran la base del intercambio comercial con las colonias. Estas reformas le dieron cuerpo a una política de "modernización defensiva" —no a una "revolución", como con ligereza ha sido calificada a veces—, que comenzó a manifestarse desde las primeras décadas del siglo XVIII, pero sólo se hizo efectiva a partir de 1762, cuando los ingleses se apoderaron de La Habana y Manila. Aunque no se aplicaron todas estas reformas en Nueva España, los efectos que produjo la ejecución de algunas de ellas fueron enormes. Entre las consecuencias más notables deben citarse el permiso otorgado a varios puertos americanos para comerciar directamente con España, la fractura del monopolio de los comerciantes de Cádiz y México, el apoyo otorgado a nuevos comerciantes y consulados, la supresión de los alcaldes mayores que controlaban el comercio de los productos indígenas de exportación y la adopción de las ideas de libre comercio como ideología de los criollos.

La importancia que la metrópoli concedía a la Nueva España la revela el hecho de que, entre todas las colonias americanas, fue la última en recibir los beneficios del llamado "régimen de comercio libre". El 16 de octubre de 1765 una real cédula eximió a los puertos de las islas de Cuba, Santo Domingo, Puerto Rico, Trinidad y Margarita de solicitar un permiso real para comerciar entre sí, y les rebajó muchos impuestos y autorizó a los naturales de estas islas a conducir sus productos a España. En 1770 estas concesiones fueron extendidas a Yucatán y Campeche. En 1774 otra real cédula levantó la prohibición que impedía el comercio entre Nueva España y los virreinatos de Nueva Granada y Perú; en adelante, el tráfico podía hacerse en naves construidas en España o en las Indias, tripuladas por naturales de una y otra parte. Se pedía además a los virreyes y gobernadores fomentar la construcción de naves en astilleros americanos. La misma cédula autorizaba introducir en Nueva España y Guatemala oro, plata, moneda, otros metales y todos los géneros y frutos procedentes del Perú, Tierra Firme y Santa Fe. Pero prohibía llevar a Nueva España, Nueva Granada y Tierra Firme, vinos, aguardiente, vinagre, aceite de oliva, aceitunas, pasas y almendras del Perú y Chile. También prohibía en todas partes los plantíos de olivares y viñedos y que se exportaran de Nueva España sedas, telas de oro y plata, bordados hechos con hilos de estos metales, géneros y efectos de España y ropas de China. En otras palabras, se prohibía todo comercio intercolonial que afectara a las importaciones españolas, y apenas se liberalizaba el tráfico de ciertos productos americanos.

Una ampliación de estas concesiones fue el permiso otorgado en 1782 a todas las colonias para comerciar en trigo y harina donde les conviniere, con toda libertad y franquicia de los derechos de extracción. Esta disposición tenía por objeto reconquistar los mercados del Caribe, para esas fechas ya invadidos por las harinas norteamericanas, como consecuencia de las prohibiciones que anteriormente había frenado el comercio intercolonial. Más tarde, el 28 de febrero de 1789, Nueva España y Caracas recibieron autorización para comerciar con varios puertos españoles y con los diferentes puertos de Indias en iguales condiciones que las otras colonias. Y lo que es más importante, el mismo decreto dio por terminado el viejo sistema de flotas (barcos mercantes y de guerra que viajaban en convoy, generalmente una vez al año, y eran los únicos autorizados para transportar las mercancías que entraban y salían de Nueva España). En adelante el tráfico entre el virreinato y la metrópoli se hizo en naves sueltas. Por último, en 1796 el mejoramiento sensible de las arcas reales como consecuencia de estas medidas decidió a la Corona a dar el golpe definitivo a los comerciantes que monopolizaban el comercio: se otorgó permiso a cualquier comerciante americano para traficar con todos los puertos habilitados de la metrópoli en embarcaciones propias, con carga de producciones americanas y retorno de artículos europeos.

De esta manera, en el transcurso de treinta años, los decretos sobre libre comercio rompieron las bases del monopolio construido a lo largo de más de dos siglos por los comerciantes de Sevilla y Cádiz y sus contrapartes americanos. Roto el monopolio del puerto único para la entrada y salida de mercancías hacia una y otra parte (Cádiz y Veracruz) y suprimido el sistema de las flotas (mecanismos que aseguraban a los comerciantes de Cádiz y México el control de las exportaciones e importaciones), el comercio entró en una nueva etapa. Un golpe complementario que afectó al viejo sistema fue la ya comentada disposición de la *Real Ordenanza de Intendentes*, que mandaba suprimir a los alcaldes mayores y prohibía la intervención de los subdelegados que los sustituyeron en toda actividad comercial. Estos cambios, y la inocultable intención de los Borbones de reducir el gran poder acumulado por la corporación de comerciantes, decidió a muchos de éstos a cambiar de actividad, invirtiendo sus "gruesos capitales" en la minería y la agricultura, fenómeno que de 1790 a 1805 observaron con claridad el virrey Revilla Gigedo, Abad y Queipo, Humboldt y otros contemporáneos. Otra consecuencia de estas reformas fue el surgimiento de un nuevo grupo de comerciantes, más emprendedor y arriesgado que el de la ciudad de México, que pronto se enfrentó a éste desde posiciones adquiridas en los mismos puertos y sus regiones próximas. El más importante de estos nuevos grupos fue el de Veracruz, que desarrolló una actividad intensísima entre 1770 y 1800, de tal suerte que hacia esta última fecha el puerto de Veracruz, y no la ciudad de México, concentraba la mayor actividad comercial del virreinato. Su creciente participación en el comercio interior y exterior, y su oposición a ser mediatizados por el Consulado de México, llevó en 1781 a los comerciantes del puerto a solicitar la erección de un consulado independiente, cuya creación fue festejada en 1795. Pero no fue éste el único grupo que aprovechó la ocasión para independizarse de los comerciantes de la capital. En 1788 el intendente de Yucatán legalizó una organización de comerciantes de esa región, otorgándole permiso para elegir diputados que defendieran sus derechos. Más tarde, en 1799, el mismo intendente propuso la creación de una diputación consular en Campeche, dependiente de Veracruz, pero fue rechazada por los comerciantes de México. Tampoco tuvo éxito la idea de crear un "Tribunal Mercantil" en Yucatán, propuesta en 1813. Sin embargo, otro grupo fuerte de comerciantes de la región de Guadalajara solicitó en 1791 un consulado, que se fundó en 1795. A partir de esta fecha el Consulado de Comerciantes de México cambió de política; en lugar de esperar la creación en las provincias de nuevos consulados independientes, promovió la fundación de "diputaciones foráneas" dependientes del Consulado de México. Entre 1808 y 1809 se establecieron las de Orizaba, Puebla, Valladolid, Oaxaca, Querétaro y Guanajuato, y más tarde las de Acapulco y Toluca. En 1821 Tampico solicitó también categoría de diputación consular. Por último, en agosto de 1821 se erigió en Puebla el último consulado. Cualquiera que haya sido el grado de autonomía de estas nuevas organizaciones, lo cierto es que su aparición vino a ser otra demostración de la pérdida de poder del antes incontestado monopolio de los comerciantes de la ciudad de México.

Una consecuencia más de estas reformas, hasta la fecha no valorada, fue la adopción por parte de los criollos de las ideas de libre comercio como arma política contra el grupo peninsular. En Europa se habían convertido en política oficial de las potencias navales y en bandera de la naciente burguesía de las ciudades, que las esgrimían contra los remanentes del feudalismo y las limitaciones de los gremios. En España, los Borbones las utilizaron para destruir el poderoso monopolio andaluz y promover una participación mayor de las otras regiones en el comercio con las colonias. Sin embargo, en muchos de sus decretos sobre libertad de comercio en las Indias la Corona cautamente hablaba de "comercio libre y *protegido* entre españoles, *europeos y americanos*". Es decir, sus leyes, como la práctica comercial que establecieron en América, proponían la liberalización del comercio entre la metrópoli y sus colonias, pero decididamente mantenían frente a las demás potencias europeas un sistema proteccionista que éstas sólo pudieron vulnerar por su superioridad naval y mercantil. Lo interesante es que al penetrar estas ideas en Nueva España perdieron progresivamente su relación con la realidad económica para convertirse en instrumentos ideológicos y políticos de los grupos en pugna. Así, entre 1770 y 1800 serán argumento de los pequeños y medianos comerciantes de provincia contra el monopolio del Consulado de México. Entre 1800 y 1821 ya eran una de las armas predilectas de los criollos contra los "gachupines monopolistas", al grado de que ser criollo se volvió sinónimo de libre comercio y gachupín de monopolio y proteccionismo. Este proceso culminó en la primera mitad del siglo XIX, cuando ante la falta de marina mercante, de fuerza naval, de experiencia en las relaciones directas con el exterior y cuando era evidente la desventaja del país frente a la potencia industrial y mercantil de Europa y Norteamérica, los liberales hicieron del libre cambio uno de sus principios esenciales para oponerse al partido conservador, dentro del cual se agrupaban los remanentes del extinto Consulado de Comerciantes.

De signo distinto fueron las reformas que se aplicaron a la minería. Desde principios del siglo XVIII varios mineros y virreyes —el duque de Linares y el marqués de Casafuerte— habían señalado las principales barreras al desarrollo de este ramo: técnica deficiente, falta de capital y altos costos de producción. En una obra famosa, *Comentarios a las ordenanzas de minas,* publicada en 1761, Francisco Javier de Gamboa recogió estos argumentos y agregó otros para solicitar una transformación sustancial de la minería. Su libro contenía una valiosa descripción de la industria, importantes comentarios técnicos y legales y proposiciones concretas para mejorarla. Entre éstos pedía la reducción del precio del azogue, la creación de una segunda casa de amonedación en Guadalajara, excepciones de impuestos para industrias que suponían grandes riesgos —como la minería—, y la formación de una gran compañía o banco que resolviera la crisis financiera. Esta compañía tendría un capital de 4 millones de pesos, formado por acciones de 500 pesos y se encargaría directamente de la compra de mercurio a la Corona, de su reparto entre los mineros y de prestar a éstos capital o materias primas a cambio de plata. El punto clave del proyecto de Gamboa proponía al Consulado de Comerciantes de la ciudad de México como director de la compañía, aduciendo que los litigios mineros podrían resolverse sumariamente en el Tribunal del Consulado. El proyecto de Gamboa equivalía a dejar en manos de la oligarquía mercantil la más importante de las industrias coloniales, lo cual chocaba abiertamente con la política que trataban de implantar los Borbones. Éstos recogieron las ideas básicas del proyecto de Gamboa y de otros prominentes mineros, pero les dieron una solución institucional diferente. Cuando llegó el visitador Gálvez a Nueva España, una de sus primeras actividades fue entrar en contacto con los mineros, informarse de la situación de esta industria y promover las reformas necesarias para su desarrollo. Apoyándose en un escrito preparado por el abogado y matemático Joaquín Velázquez de León y por Juan Lucas de Lassaga, un minero vasco, y en el consejo de destacados mineros —José de la Borda, Manuel de Aldaco y el conde de Regla— Gálvez puso en marcha una serie de reformas encaminadas a impulsar la minería y a dar al grupo de mineros una situación social y política especial.

La rebaja de una tercera parte del precio del mercurio fue una de las primeras victorias de Gálvez y del grupo de mineros que lo asesoraba. Pronto fue evidente que esta medida incrementó tanto las compras de mercurio como la producción, por lo cual la Corona accedió más tarde a rebajar el precio del mercurio a la mitad de su costo anterior. Los mineros obtuvieron también exención de impuestos para la introducción de maquinaria y materias primas. Pero sobre todo, recibieron un estatus sólo equiparable al que tenían los comerciantes, al ser dotados de un Consulado, un Tribunal y un Colegio de Minería. El Consulado fue la asociación o gremio que agrupó a todos los mineros en una organización con privilegios y derechos especiales. Estaba presidido por un Real Tribunal de Minería, con residencia en la capital y diputaciones en las principales zonas mineras. El Tribunal se creó en 1777 y tenía por objeto conocer todos los asuntos relacionados con la minería y resolverlos con la mayor prontitud. Para su sostenimiento se le concedió un real de cada marco de plata introducido en la Casa de Moneda de México, por lo que se estimó que podía reunir una renta anual de 160 000 pesos. Con este ingreso se cubrieron los gastos del Tribunal y se fundó el banco de avío para los mineros y el Colegio de Minería. La primera obra importante que resultó de estas reformas fue la publicación en 1783 de nuevas ordenanzas de minería que sustituyeron a las anticuadas del siglo XVI. Su autor fue Joaquín Velázquez de León, quien apoyándose en los *Comentarios* de Gamboa, explicó con gran claridad todos los procesos técnicos y administrativos que tenían que observar los mineros para impulsar el ramo y mejorar la resolución de sus asuntos. La segunda obra del Tribunal de Minería, la creación de un banco de avío que proveyera a los mineros de capital y fianzas para sus negocios, resultó un fracaso. Comenzó a operar en 1784, pero antes de cumplir dos años, el virrey mandó suspender sus actividades, pues en ese lapso había prestado cerca de un millón y cuarto de pesos a veintiún empresas y sólo había recuperado medio millón. En la indagación que se hizo se descubrió que, además de impericias administrativas, los dirigentes del Tribunal se habían autoprestado gruesas sumas. Y aunque más tarde volvió a operar el banco, sus préstamos beneficiaron más a la Corona —a quien le otorgó dos millones y medio de pesos en tres préstamos— que a los mineros.

Otro resultado importante de la fundación del Tribunal de Minería fue la difusión del conocimiento técnico y científico. El primer director del Tribunal fue el distinguido mineralogista español Fausto de Elhuyar, quien recibió el nombramiento en 1786 e inmediatamente visitó Alemania y Hungría con el propósito de integrar una misión de expertos que viniera a Nueva España para mejorar las técnicas de explotación y beneficio de metales. Once técnicos alemanes formaron esa misión y recorrieron los principales reales de minas de Zacatecas, Guanajuato, Oaxaca y Taxco, pero sin grandes resultados. Los métodos que trataron de introducir resul-

515

taron inferiores a los ya aplicados en el país, como lo reconoció Federico Sonneschmidt —el más destacado de los mineros alemanes— en su *Tratado sobre la amalgamación en Nueva España*, y en general fueron mal recibidos por los mineros novohispanos. Mucho más importante fue la creación en 1792 del Colegio de Minería, primera escuela secular y especializada que se fundó en México. En ella se impartieron por primera vez cursos de metalurgia, mineralogía y química, así como matemáticas, francés y otras novedades. Entre sus profesores había hombres tan distinguidos como Andrés del Río, quien había estudiado con Humboldt en Friburgo. Y aunque el Colegio fue objeto de severas críticas por su carácter elitista y el poco contacto que mantenía con los problemas concretos de los mineros, es indudable que contribuyó al desarrollo de la educación y a la difusión de la ciencia moderna en el país. Si los propósitos inmediatos de estas instituciones no alcanzaron el éxito esperado, no es menos cierto que a través de ellas el gremio de mineros obtuvo la representación y voz de que antes carecía. Por un lado tuvieron un canal directo y aceptado para dar a conocer los problemas de su industria; y por otro, los Borbones le dieron fuerza, prestigio e independencia a un grupo importante de la sociedad novohispana que antes sólo podía hacerse presente a través de los comerciantes.

Sin embargo, el apoyo que los Borbones le otorgaron a la industria se redujo a la minería; las demás fueron desalentadas y hasta prohibidas. La explicación de esta política la apuntó con claridad el virrey Revilla Gigedo en su famosa *Instrucción* de 1794. Decía que "para que hagan progresos en estos reinos las artes y oficios, se podían dictar providencias más eficaces... Pero *no debe perderse de vista que esto es una colonia que debe depender de su matriz España,* y debe corresponder a ella con algunas utilidades por los beneficios que recibe de su protección, y así se necesita gran tino para combinar esta dependencia y que se haga mutuo y recíproco el interés, *lo cual cesaría en el momento que no se necesitara aquí de las manufacturas europeas y sus frutos".* En otras palabras, el propósito de las reformas borbónicas era sólo impulsar o favorecer las actividades coloniales que podían apoyar a la economía metropolitana. Toda otra actividad colonial que pudiera competir con las exportaciones españolas fue combatida. Tal fue el caso de los obrajes o talleres donde se manufacturaban artículos textiles de algodón y lana, y en menor escala, de

516

las rudimentarias fábricas de loza, cueros y otros productos. Sin embargo, estas actividades prosperaron enormemente a fines del siglo XVIII a pesar de la política prohibicionista que las afectó. Entre otras razones, porque, como decía Revilla Gigedo, "es muy difícil prohibir que se fabriquen en estos reinos la mayor parte de las cosas que en ellos se hacen, y aun no es fácil averiguar todo lo que se fabrica". Y porque como afirmaba el mismo virrey, "el único medio de destruir las fábricas del reino, es el que vengan a precios más cómodos de Europa los mismos efectos". Y esto último fue precisamente lo que no pudo hacer la metrópoli, sobre todo en el caso de los textiles baratos de algodón y lana, como se verá adelante. Con todo, hay que decir que Revilla Gigedo fue quizá el único de los gobernantes coloniales que se atrevió a proponer que en lugar de importar manufacturas extranjeras que pasaban por españolas y mientras "España no tenga disposición para competir con las fábricas de la Francia y las de Flandes, mucho más conveniente sería fomentar en estos reinos ya fueran las fábricas de lienzos y cultivo de primeras materias, o bien las de algodón". De esta manera, decía, las ganancias que habían de llevarse los extranjeros quedarían "en estos vasallos de Su Majestad, se aumentaría el número de ellos y la disposición a contribuir con nuevos impuestos para sostener las cargas de la corona". Pero salvo los intentos que realizó el mismo Revilla Gigedo en favor de la producción de textiles de algodón entre los indígenas, y del cultivo del algodón y la seda, la política que pregonaba cayó en el vacío.

En relación con la agricultura, los Borbones manifestaron también un desinterés general por los graves problemas internos que dificultaban el desarrollo de esa actividad en la colonia, y sólo se preocuparon por estimular algunos productos que convenían a la economía de la metrópoli. Así, las grandes vacilaciones que entorpecieron la supresión inmediata de los alcaldes mayores tuvieron mucho que ver con el hecho de que eran éstos quienes habilitaban a los indígenas que cultivaban y beneficiaban la grana cochinilla, uno de los principales productos de exportación. Asimismo, el permiso para vender en Cuba las harinas de Puebla sólo se concedió cuando el mercado del Caribe había sido invadido por las harinas procedentes de Norteamérica. El cultivo de la caña de azúcar y el beneficio de sus azúcares y jugos fue erráticamente favorecido o desalentado en función de los intereses españoles en las islas del

Caribe donde se cultivaba en gran escala. Un ejemplo notorio de esta política lo constituye la campaña más persistente desarrollada por los Borbones respecto a la agricultura: el estímulo a las siembras de lino y cáñamo. Esta campaña obedeció a la idea de que las colonias no debían fomentar la industria, pero sí la producción de materias primas que necesitara la metrópoli. Y como ésta adquiría todas sus lonas para velamen de su marina en el extranjero, se acordó estimular en Nueva España el cultivo del cáñamo y lino, con la advertencia de que toda la fibra que se recogiera se debería hilar en España. Con ese propósito se expidieron múltiples reales cédulas pidiendo al virrey, intendentes y gobernadores que por todos los medios fomentaran estos cultivos. La Corona manifestó tanto interés en esta empresa que llegó a enviar, como a principios del siglo XVI, un grupo de labradores españoles para que difundieran las técnicas de cultivo, y hasta se atrevió a modificar su línea política al otorgar un permiso para que se instalara en el virreinato una Real Fábrica de Lonas y Lonetas. La importancia que la Corona concedió a esta empresa se puede medir por el hecho de que para favorecer estos cultivos se mandó en los artículos 61-62 de la *Real Ordenanza de Intendentes*, repartir nuevas tierras a los indígenas, especialmente de las llamadas realengas o de propiedad real, y hasta de las tierras de propiedad privada. Esta es la única vez que recordamos que un decreto real amenazara la propiedad privada de la tierra; en esos artículos se decía que todas las tierras "que por desidia o absoluta imposibilidad de sus dueños" estuviesen sin cultivar, podían ser confiscadas y repartidas entre los indios por causa de utilidad pública. Sin embargo, hasta la fecha no se conoce ningún estudio que demuestre que esta política se tratara de aplicar; no hay ningún caso registrado de reparto de tierras realengas a los indígenas, ni menos de afectación de los grandes latifundios que mantenían incultas extensas porciones de tierra. Por otro lado, la política de arraigar en Nueva España los cultivos de lino y cáñamo terminó en un fracaso total, pues las siembras no prosperaron por inadaptación de los indígenas a ellas; los labradores españoles —trece—, sólo parcialmente se aplicaron a desarrollarlas y en las propiedades de grandes hacendados, y finalmente la fábrica de lonas y lonetas quedó en puro proyecto, pues nunca recibió la materia prima que la alimentara.

Con todo, si consideramos los objetivos que se fijaron los Borbones para llevar a cabo las reformas económicas antes mencionadas, esta política tuvo un éxito notable, como lo muestran las siguientes cifras. Mientras que en 1765 el ingreso de Nueva España apenas ascendía a 6 130 314 pesos, en 1782 se triplicó, sumando 19 594 490 pesos y para 1798 llegó a ser de 21 451 762. Por sectores, el crecimiento de la economía novohispana fue igualmente espectacular, aunque se manifestó con mayor fuerza en los ramos más ligados a la economía peninsular. Así, la producción de moneda acuñada, que a principios del siglo XVIII rara vez pasó de 4 millones de pesos anuales, llegó a 27 millones en 1804. En cuanto al comercio exterior, si entre 1728 y 1739 sólo entraron a Veracruz 222 barcos, entre 1784 y 1795 atracaron en el puerto 1 142. De éstos, sobre todo a partir de 1792, una gran parte eran norteamericanos. Otros sectores que experimentaron incrementos notables fueron los de estancos, alcabalas, impuestos y tributos, que, como se ha visto, fueron objeto de reformas importantes. El monopolio del tabaco, que a principios de 1760 casi no aportaba nada, produjo 7 825 000 pesos en 1772 y 8 251 574 en 1798, de los cuales cerca de 4 millones se iban libres para España. El ingreso por concepto del derecho de alcabala pasó de 1 488 690 pesos en 1775, a 2 360 252 y a casi tres millones a finales del siglo. El producto del impuesto sobre el pulque saltó, en los mismos años, de 468 888 pesos a 814 755. El tributo que pagaban los indios, que en la década de 1760-69 aportaba un promedio anual de 546 000 pesos, aumentó a 995 813 en 1779. Por último, hay que señalar que este crecimiento del sector externo, de los estancos y la tributación, se reflejó también en la agricultura, pues el valor de lo colectado por concepto de diezmos pasó de un promedio anual de 13 394 147 pesos en el decenio de 1770-1779 a 18 354 071 pesos en 1780-89. Todo esto quiere decir que las reformas ideadas por los Borbones alcanzaron su doble cometido: por una parte, incrementaron la aportación económica de la colonia a la metrópoli, y por otra, hicieron a aquélla más dependiente de ésta. Pero estas reformas y los ya citados cambios políticos y administrativos que también indujeron, desencadenaron una serie de complejos mecanismos que desarticularon la sociedad colonial y produjeron resultados imprevisibles, o al menos no apetecidos, como se verá en la última parte de este ensayo.

El crecimiento económico

Aun cuando el aumento de los ingresos y de varios sectores de la economía fue impulsado por las reformas antes citadas, en el crecimiento general de la época influyeron causas más profundas y complejas. Más profundas porque provenían de condiciones específicas de la estructura económica y social de Nueva España, y no de una política parcial, limitada a ciertos sectores y externa a la realidad novohispana. Y más complejas porque, como se verá en seguida, cada sector de la economía generó fuerzas y problemas que afectaron a otros y al conjunto. O sea que para comprender el mecanismo que impulsó el crecimiento económico de este periodo es tan necesario el examen de la dinámica de cada sector, como el estudio de las interrelaciones que se crearon entre todos ellos. Sin embargo, una empresa de ese tipo rebasaría los límites de este ensayo. Lo que a continuación se ofrece es apenas una guía para entrar en el análisis detallado de esos aspectos.

Cuadro 1

POBLACIÓN TOTAL DE NUEVA ESPAÑA, 1742-1810

Año	Población total	Fuente
1742	3 336 000	Villaseñor, *Theatro Americano*.
1793	4 483 680*	Revilla Gigedo, *Censo* de 1791-93.
1795	5 200 000	Humboldt-Lerner.
1799	4 500 000**	Abad y Queipo, *Representación*, 1799.
1803	5 764 731	Humboldt, *Tablas*, 1803.
1803	5 837 100	Humboldt, *Ensayo*.
1805	5 764 731	*Tribunal del Consulado de Comerciantes*, 1805.
1808	6 000 000	Alamán, *Historia de México*.
1808	6 500 000	Humboldt, *Ensayo*.
1810	5 810 005***	*Seminario Económico*.
1810	6 122 354	Navarro y Noriega, *Memoria*, 1820.

* No incluye Veracruz, Guadalajara y Coahuila.
** Incluye únicamente las intendencias de México, Puebla, Valladolid, Oaxaca, Sonora, Durango y Nueva Galicia.
*** No incluye Nuevo México, la provincia del Nuevo Reino de León, California, Texas y Coahuila.

La población

Las cifras sueltas que dan viajeros y cronistas y los datos demográficos reunidos por autoridades eclesiásticas y civiles indican un avance general de la población en el siglo XVIII. Los cálculos y proyecciones que sobre ellas han elaborado historiadores recientes, coinciden en señalar una recuperación importante de la población novohispana en la segunda mitad de esa centuria. Véanse en el cuadro de la página anterior las cifras más citadas que apoyan esta afirmación. Aunque muchas de estas cifras han sido criticadas recientemente, nadie ha puesto en duda la evidencia del ascenso demográfico. Pero, lo que importa para fines del análisis histórico es saber si ese crecimiento fue general en toda la Nueva España o se limitó a ciertas regiones; si abarcó a todos los grupos étnicos y clases o fue socialmente discriminatorio; y, en fin, si fue un crecimiento constante o estuvo interrumpido por estancamientos, alzas o bajas. En suma, lo que importa conocer es el significado de ese proceso, no las cifras generales que poco o nada dicen.

Un acercamiento a las cifras del censo de Revilla Gigedo y a las recogidas por Navarro y Noriega, que proporcionan datos sobre la población de las intendencias, descubre una distribución de los habitantes geográficamente desigual, como puede verse en el cuadro 2. De este cuadro se desprende que en 1810 las intendencias más pobladas eran, en orden decreciente, las de México, Puebla, Oaxaca, Yucatán, Guadalajara y Michoacán, que sumaban poco más de 5 millones de habitantes, lo que equivale a decir que integraban las cinco sextas partes de la población del país. La otra sexta parte, un millón de habitantes aproximadamente, poblaba las intendencias y gobiernos del norte (San Luis Potosí, Zacatecas, Durango, Sonora, Nuevo México, las dos Californias, Coahuila, Reino de León, Nueva Santander y Texas) y de Tlaxcala y Veracruz. De hecho, el inmenso norte estaba vacío, puesto que más del 90 por ciento de la población habitaba el centro y sur del país. Una imagen más exacta de la distribución de la población sería la que pintara el centro (intendencias de México, Puebla, Guadalajara, Michoacán, Querétaro y Guanajuato) como la zona más poblada, seguida por la región sureste (Oaxaca y Yucatán), dejando casi en blanco la faja más cercana a las costas y la inmensa extensión de tierra que pasó luego a formar parte de Estados Unidos.

521

Cuadro 2

POBLACIÓN Y DENSIDADES POR INTENDENCIAS Y GOBIERNOS

Intendencias	1793 (I)	1803 (I)	Densidad h/Km²	1810 (II)	Densidad h/Km²	Superficie Km² (I.II)
México	1 162 856	1 511 900	12.9	1 591 844	13.6	116 843
Puebla	566 433	813 300	15.3	811 285	13.2	53 148
Oaxaca	411 336	534 800	6.1	596 326	6.7	87 666
Guanajuato	397 924	517 300	28.8	576 600	31.7	17 959
San Luis Potosí	242 280	230 000	4.9	173 651	3.7	46 456
Zacatecas	118 127	153 300	3.3	140 723	3.0	46 426
Durango	122 866	159 700	0.4	177 400	0.5	332 628
Sonora	93 396	121 400	0.3	135 385	0.3	377 377
Yucatán	358 261	465 800	3.9	528 700	4.4	117 828
Guadalajara	485 000	630 500	3.3	517 674	2.7	189 487

Veracruz	120 000	156 000	1.9	185 953	2.2	81 634
Valladolid	289 314	376 400	7.0	394 689	5.7	67 933
Gobiernos						
Nuevo México	30 953	40 200	0.3	34 205	0.3	112 545
Vieja California	12 666	9 000	0.3	4 496	0.5	143 811
Nueva California	—	15 600	0.0	20 871	0.0	41 891
Coahuila	13 000	16 900	0.1	42 937	0.3	132 121
Reino de León	+	26 900	0.5	43 739	0.8	51 669
Nuevo Santander	+	38 000	0.3	56 715	0.5	102 373
Texas	+	21 000	0.0	3 334	0.5	215 824
Tlaxcala	59 177	++	0.0	85 845	0.0	++
Total	4 833 569	5 837 100		6 122 354		2 335 628

* Incluidos en la intendencia de San Luis Potosí.

** Incluidos en la intendencia de Puebla.

Fuentes: I Alejandro de Humboldt: *Ensayo Político sobre el reino de la Nueva España; II Fernando Navarro y Noriega: Catálogo de los curatos y misiones de la Nueva España; seguido de la memoria sobre la población del reino de Nueva España; Victoria Leern: "Consideraciones sobre la población de la Nueva España* (1793-1810). Según Humboldt y Navarro y Noriega", *Historia Mexicana*, vol. XVII, núm. 3, enero-marzo, 1968, p. 332.

Los datos del cuadro anterior sobre la densidad de población en cada intendencia y gobierno, aunque no son fiables para las provincias norteñas por subestimar la extensión territorial de éstas, confirman esa pintura. Las intendencias que reunían el mayor número de habitantes por kilómetro cuadrado eran las de Guanajuato, Puebla, México, Oaxaca y Michoacán. En otras palabras, el prolongado asentamiento español había modificado muy poco el antiguo patrón prehispánico de distribución de la población. Sin embargo, en la época aquí considerada se habían afirmado dos tipos de poblamiento que diferían de los del centro y sur. La progresiva aunque lentísima colonización del norte que se inició desde mediados del siglo XVI tuvo en la segunda mitad del XVIII otra época de auge, de la cual fue responsable el descubrimiento de nuevos filones de plata, la súbita bonanza de minas que se creían agotadas, las amenazas y depredaciones de los indios nómadas y la

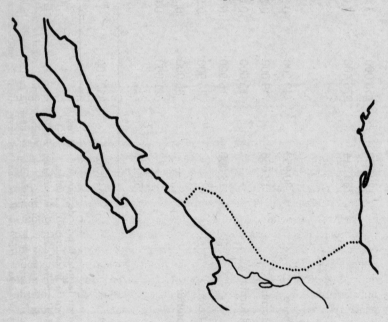

LIMITE DE MESOAMERICA

Una etapa en la colonización del norte

Una etapa en la colonización del norte

penetración de rusos, anglosajones y franceses en la frontera norte. Estos hechos provocaron una corriente migratoria hacia estas regiones que dio lugar a la formación de nuevos reales de minas, presidios y misiones, y de paso fortaleció antiguas fundaciones y creó caminos y vínculos comerciales más estrechos entre ellas. Esta última expansión dilató el territorio novohispano hasta la Alta California, en el Pacífico, y hasta Texas en la costa atlántica. Pero fue un poblamiento errático, disperso y débil, típico de las zonas de frontera, que careció de estímulos suficientes para consolidarse y dominar efectivamente los espacios sin límites del norte. Los reales de minas más septentrionales, los presidios militares y las misiones de jesuitas y franciscanos casi nunca formaron poblaciones de más de mil habitantes, ni lograron crear, como en el norte minero más cercano al centro, poblaciones asentadas e interdependientes, sustentadas en la agricultura, el comercio o la manufactura. Al contrario, el rasgo distintivo de estas aglomeraciones era volverse autosuficientes y autárquicas. Cada real de minas, centro

525

misionero o guarnición militar procuraba, si las condiciones lo permitían, producir en sus límites los mantenimientos necesarios para su subsistencia. Los artículos manufacturados, los utensilios para las minas y otros bienes no producidos en el lugar se traían del centro, en caravanas que tardaban meses en hacer el difícil y siempre peligroso recorrido que atravesaba regiones desérticas, lugares donde merodeaban bandas de "indios de guerra", montañas y ríos de tránsito accidentado y planicies desoladas. Estos caminos hosti-

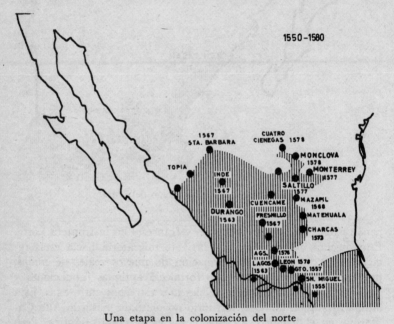

Una etapa en la colonización del norte

les y las ferias de Taos y Saltillo eran los únicos contactos de estos dispersos islotes de poblamiento con el centro.

Los mismos grupos humanos que se internaron en esas tierras inhóspitas, y las condiciones materiales que en ellas encontraron, ayudaron a conformar una sociedad y una economía distintas de la del centro y sur. Gambusinos y aventureros consumidos por la "fiebre de la plata", soldados y capitanes cuyo poder abarcaba el orden militar y civil y se ejercía sin más límites que su ambición, y frailes iluminados por una fe misionera que desafiaba todos los peligros y convertía en realidad empresas imposibles, tales fueron, en números reducidísimos, los agentes de esta última ola colonizadora. A ellos se unieron unas docenas de agricultores y ganaderos españoles, varios cientos de indios tlaxcaltecas y tarascos llevados al norte como colonos y civilizadores de chichimecas, y los mismos indios bravos del lugar que la obra de los misioneros y las batidas militares iban poco a poco "rescatando de la barbarie". Aislados, poco numerosos, en tierra de guerra y frente a una naturaleza hostil, estos hombres se acostumbraron a construir y defender todos los días el socavón, la iglesia, el fuerte, el rancho, el pueblo y la sociedad que deseaban; a permutar actividades con flexibilidad (quienes de jóvenes habían sido soldados y mineros, terminaban sus días arando la tierra o cuidando ganados). Y casi todos eran a la vez carpinteros, agricultores, cocineros, vaqueros, arrieros, exploradores y organizadores de hombres. En una palabra, se habituaron a bastarse a sí mismos porque allí no había "indios de

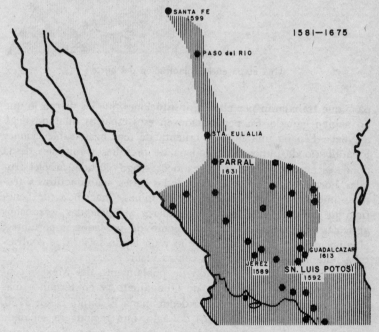

Una etapa en la colonización del norte

527

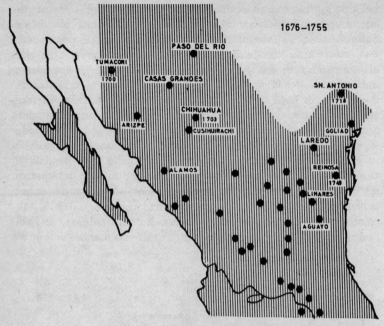

Una etapa en la colonización del norte

paz" que trabajaran por ellos ni instituciones que les dieran lo que
no habían ganado. Su penetración en esos espacios dilatados legó
a Nueva España una historia cruenta de matanzas, sublevaciones
y cautiverio de indios; una cadena de presidios y misiones desde
donde se expandieron cultivos exóticos: trigo, cebada, árboles frutales, hortalizas, uvas, ganados de todas clases, manufacturas y técnicas nuevas; un rosario de reales de minas, "haciendas de beneficio de metales", latifundios ganaderos y haciendas y ranchos
agrícolas que más tarde serían asiento de poblados importantes;
el conocimiento de un país extraño y un tejido social que contras-
taba notablemente con los del centro y sur.

Otro contraste con el patrón de poblamiento del México central era el de la intendencia de Guanajuato, y en términos más
amplios, el del área más extensa denominada El Bajío. Desde 1790,
y seguramente desde mediados de siglo, esta región era señalada
como la más densamente poblada de todo el reino. Según datos

de 1803, se ha calculado que tenía una densidad de más de 28 habitantes por kilómetro cuadrado, en 1810 esa proporción sobrepasó los 31, o sea, doblaba la densidad de las provincias más pobladas (Puebla y México). Un dato más significativo es que la tercera parte de los habitantes de la intendencia de Guanajuato vivía en poblaciones de más de 5 000 habitantes en 1793. Es decir, era sin duda la zona más urbanizada del virreinato. Pero a diferencia del México central donde gran parte de la población se aglomeraba en una o dos ciudades mayores que sojuzgaban a las demás y a su contorno, en esta zona se había desarrollado una serie de ciudades medianas que además de tener todas una alta densidad de población, cumplían funciones diversas y complementarias: centros mineros (Guanajuato y, fuera de El Bajío, pero influyendo sobre él, San Luis Potosí y Zacatecas); agrícolas (Celaya, Salamanca, Salvatierra, Silao, León); manufactureras y comerciales (San Miguel, Querétaro). Así, frente a los dispersos islotes de población del inmen-

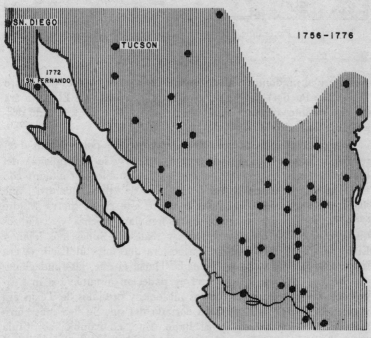

Una etapa en la colonización del norte

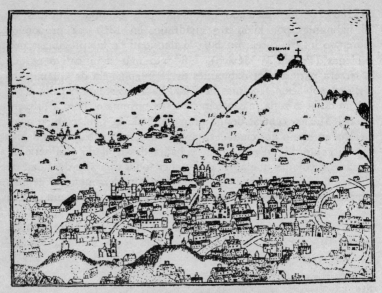

Panorámica de Guanajuato, según Ajofrín

so norte y al predominio absorbente de las grandes urbes del centro (México y Puebla), la densidad urbana y humana de El Bajío era un caso insólito, producto también de un insólito y equilibrado desarrollo económico y social de raíces regionales.

Una característica notable de estas zonas de poblamiento diferenciado era su débil comunicación entre sí y su dependencia del centro del país. El remoto noroeste sólo establecía contacto con El Bajío y el centro a través del camino de "tierra adentro", que iba hasta Santa Fe bordeando la parte este de la Sierra Madre Occidental. De este camino se desprendían brechas y pasadizos que comunicaban con las misiones y reales de minas más lejanos. El otro lado de la sierra, la faja costera que mira al Pacífico, era inaccesible y estaba casi despoblada. Hacia el este, las fundaciones de Saltillo, Monclova y Monterrey padecían aislamientos más rigurosos, pues su contacto con las misiones y presidios de Texas era más errático y de hecho estaba cortada del sur. Su liga más constante era con Zacatecas y El Bajío. Éste, en cambio, constituía una excepción, pues su producción agrícola, minera y manufacturera abrió caminos que lo comunicaron con el noreste y el noroeste, donde vendía productos manufacturados y agrícolas; con Guadalajara, donde negociaba los mismos artículos; y con el centro, que recibía su producción minera y agrícola. Además, sus ciudades y villas habían creado una tupida red de caminos vecinales.

El suroeste, Oaxaca y Chiapas, que eran zonas de poblamiento indígena con unas cuantas villas donde habitaban españoles y criollos, sólo tenía un camino transitable que lo ligaba con la

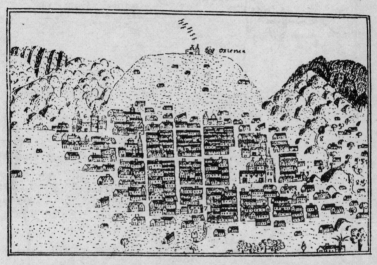

Panorámica de San Miguel el Grande, según Ajofrín

capital, y un ramal de éste, que iba al puerto de Veracruz desde Tehuacán. En el sureste, la península de Yucatán era una isla rodeada de mar y selva que sólo establecía contacto marítimo con el centro, vía Veracruz. En una situación semejante se encontraban las fajas de ambas costas, que por su clima e insalubridad se conservaban despobladas. El gran beneficiario de este aislamiento regional resultó ser la ciudad de México, que al convertirse en el centro receptor de todas las importaciones y disponer del capital líquido para especular, acaparó también todas las producciones del interior destinadas a la exportación. Así, el comercio y las tran-

531

Caminos de tierra adentro

sacciones internas quedaron en manos de los "almaceneros" de la ciudad de México, quienes a través de una cadena de intermediarios y agentes diseminados en los reales de minas, ciudades, haciendas, pueblos y ferias provinciales, extraían más y más ganancias a medida que los lugares eran más remotos y no había otro abastecedor que satisfaciera sus necesidades. Paradoja del sistema: entre más distante se encontraba una región de su centro principal de abastecimiento (la ciudad de México), tanto más dependiente de él se tornaba y más caro pagaba su servidumbre. Así, de la misma manera como todo el sector externo de la colonia tenía su polo en Cádiz, las transacciones que se realizaban en el interior de Nueva España se hacían en beneficio de los comerciantes de la ciudad de México. Era ésta la ciudad primada y por ello los caminos de todas las regiones confluían a ella.

Por otra parte, si la distribución de los hombres en el territorio mostraba esos contrastes, también había grandes desigualdades en la composición numérica de los distintos grupos étnicos que integraban la población. El grupo de españoles peninsulares era el más reducido, pero acaparaba el mayor poder económico, la más alta estima social y una gran influencia política. Extrapolando cifras, Humboldt calculó un total de 70 000 europeos para todo el virreinato. Sin embargo, ese número ha sido rechazado después de una revisión más cuidadosa del censo de 1792, concluyéndose que oscilaba entre 11 000 y 14 000. En contraste con la inmigración de los primeros años de la colonia, que provenía en gran parte de Andalucía, la mayoría de los españoles que durante el siglo XVIII decidió probar fortuna en Nueva España procedía de las tierras norteñas: de la provincia vasca y de las montañas de Santander principalmente. Además, esta inmigración fue masculina, de manera que quien no se casaba con una criolla, mestiza, mulata o india, se quedaba soltero. Los lugares donde estos hombres establecían de preferencia su residencia eran las ciudades, lo que confirma la idea ya divulgada de que el español era fundamentalmente un ser urbano. La capital absorbía la cuarta parte de los inmigrantes; el resto se repartía en las ciudades de las intendencias de Guanajuato, Puebla, Valladolid, Guadalajara y Oaxaca. Muy pocos iban a Veracruz o Yucatán, y eran escasísimos los que se atrevían a residir en las provincias norteñas (312 españoles registra el censo de 1792 en todo el noreste). Tanto el origen como la preferencia residencial de estos inmigrantes estaban determinados en gran medida por el tipo de ocupación que venían a ejercer. Desde fines del siglo XVII, los vascos y montañeses dominaban todo el sector comercial de Nueva España y hacían venir regularmente a parientes y paisanos para que continuaran, consolidaran o ampliaran sus negocios. Esto explica que hacia 1689, de 1 182 españoles residentes en la ciudad de México, 864 o sea el 72.5 por ciento, se dedicara al comercio. El predominio de vascos y montañeses en esta actividad se formalizó en 1742, cuando se obligó a todos los miembros del gremio de comerciantes a inscribirse en dos únicos partidos que se rotaban la dirección del Consulado: en el de vascos o en el de montañeses. Por otra parte, un análisis reciente de los orígenes provinciales de los españoles residentes en 1792 muestra que más del 50 por ciento del total provenía del norte de España (Santander, la región vasca y Navarra). Después del comercio, el refugio más acogedor para los peninsulares fue la burocracia, donde monopolizaron todos los altos puestos y gran parte de los intermedios y menores (virrey, Real Audiencia, Junta de Hacienda, intendencias, alcaldías mayores y subdelegaciones, direcciones de los estancos o monopolios de las fábricas de tabaco, etc.). Estas ocupaciones eran un destino tradicional de los españoles desde el siglo XVI, pero aumentaron mucho con las reformas borbónicas al crearse nuevos organismos e instituciones y ampliarse los antiguos. Los peninsulares también ocupaban los altos y medianos cargos del ejército y de la jerarquía eclesiástica. En suma, tanto por su procedencia como por sus intereses y actividades, era éste el sector social más atado a la península. De este centro lejano provenía el fundamento y la fuerza de su situación en la colonia.

El grupo inmediato en la jerarquía social era el de los criollos o españoles americanos. Hacia 1810 los cálculos de Navarro y Noriega indican que este grupo sumaba cerca de un millón, o sea representaba el 16 por ciento de la población total. Las intendencias que en la misma fecha tenían el mayor número de criollos eran, en orden de importancia, las de México (269 416), Guadalajara (164 420), Guanajuato (149 183), Valladolid (108 970) y Puebla (82 609), seguidas por las de Yucatán, Sonora y Oaxaca. O sea que, como los peninsulares, los criollos preferían las ciudades y villas del centro del país como lugar de residencia. La situación de este grupo, como la de todos los demás que componían el mosaico novohispano, estaba determinada por el color de la piel y su ocupación. Aproximadamente un 5 por ciento del millón de criollos gozaba de un rango social semejante al que tenían los peninsulares. Eran tan blancos como éstos, algunos se habían ennoblecido, muchos emparentaron con españoles, la mayoría compartía las aspiraciones e ideales de éstos y eran ricos mineros o agricultores que mantenían vínculos estrechos con los peninsulares. Pero se enfrentaban a una barrera que les negaba el acceso a los altos puestos administrativos y políticos que su posición social y económica reclamaba. El resto de los criollos estaba en una situación más crítica y cultivaba una amargura persistente. Los mejor situados (hacendados y mineros medianos, rancheros prósperos, propietarios y empresarios urbanos) habían logrado acaparar buena parte de los mejores puestos administrativos de las ciudades y villas del interior y compartían el poder político con los representantes de la Iglesia y de la metrópoli. Pero con los Borbones estas posiciones se vieron amenazadas y además siempre eran inestables. Otro sector importante de los criollos contemplaba destinos más estrechos: convertirse en sacerdotes, abogados o militares, eran las únicas salidas para quienes se negaban a seguir el oficio de sus padres. Y aun cuando en estas profesiones desplegaran todos sus talentos, no podían aspirar a los puestos cumbres, que se reservaban a los nacidos en España. Como quiera, en el siglo XVIII muchos hijos de criollos de mediana fortuna abrazaron con entusiasmo estas carreras. En ellas encontraron fundamento intelectual para clarificar sus diferencias con los españoles y cobraron conciencia de su condición de ciudadanos de segunda clase. Los conocimientos recibidos en seminarios y colegios mayores les sirvieron para darle una forma más acabada a esa conciencia patriótica que los criollos del siglo XVII habían manifestado con tanta fuerza a través del culto guadalupano. A ellos les tocaría hacer la apología del suelo y la naturaleza americanos, así como destacar en tono desmesurado la riqueza del país y su autonomía económica con respecto a España. Ellos serán también los primeros receptores de las ideas ilustradas, de los principios de la independencia americana y de la Revolución francesa, y luego sus propagadores entusiastas. De este grupo saldrán más tarde los ideólogos y caudillos de la revolución de independencia.

Con el nombre de "castas" se designó en la época al heterogéneo conjunto de individuos producto de la mezcla de españoles, criollos, indios, mestizos, mulatos y negros. Aún cuando no puede hablarse aquí, como en el caso de los otros grupos, de unidad étnica o de ocupación, en términos generales estos individuos practicaban actividades que no eran las usuales de españoles e indios. Las castas compartían, con los españoles de bajísimos recursos y con gran parte de los criollos de condición humilde, las tareas del proletariado urbano: eran trabajadores de los obrajes donde se fabricaban telas de algodón y lana y de las fábricas de tabaco y loza, cocheros, mozos, artesanos, arrieros, panaderos, criados y hombres aptos para cualquier oficio, como lo pedía una sociedad cuyos requisitos de pericia no eran muy exigentes. Los menos aptos formaban la inmensa legión de "léperos" que habitaba las principales ciudades y reales de minas. En las minas, ranchos y haciendas del norte integraban la mayor parte de la población trabajadora y tenían en sus manos los puestos intermedios de dirección y confianza (capataces, jefes de cuadrillas, mandones, administradores, mayordomos). Se les tenía prohibido residir en los pueblos y comunidades de los campesinos indígenas del centro y sur, pero eran ellos los intermediarios que extraían los productos de las comunidades y los colocaban en el mercado, así como los introductores de los artículos y costumbres de la sociedad blanca en el mundo indígena. Esta situación y su condición de hombres sin tierra los convirtió en el siglo XVIII en una amenaza de la propiedad indígena más peligrosa que la representada por españoles y criollos. Hacia 1810 sumaban 1 338 706 individuos (22 por ciento de la población total), lo que quiere decir que eran el contingente humano más numeroso después de los indios. Estos grupos mezclados, junto con el nutrido contingente de criollos de condición media y humilde, constituían la población mayoritaria de las provincias norteñas. En Nuevo México, Zacatecas, Nuevo Santander, Vieja California, Durango y Coahuila, las castas representaban el 69, 55, 50, 47, 43 y 40 por ciento, respectivamente, de la población total. Pero en números absolutos las intendencias con mayor número de grupos mezclados eran las de México (265 883), Yucatán (179 720), Guanajuato (172 931), Puebla (125 313) y Valladolid (117 134); es decir que, con excepción de Guanajuato, estos nuevos sectores venían a ser un resultado de la mezcla de otros grupos con el de los indios. En el norte, en cambio, las castas eran un producto de la combinación de mestizos y criollos principalmente, y por ello la población era más blanca.

Aunque étnica y ocupacionalmente es difícil delimitar los varios grupos de castas, la sociedad colonial encontró un medio legal para identificarlos y asignarles lugar. Mediante leyes especiales que especificaban su calidad y la inscripción en las listas de tributo y los registros parroquiales (cada parroquia llevaba libros donde se asentaban los bautizos, casamientos y defunciones de tres grupos: españoles, castas e indios), las castas fueron marcadas desde su nacimiento con una nota infamante que declaraba su baja condición y les impedía ejercer cualquier cargo público, ascender a la categoría de maestros en los gremios, disfrutar de los derechos que gozaban criollos y españoles y de las defensas que protegían a los indios. Estos agravios fueron hondamente sentidos por un grupo que debido a su extraordinaria capacidad de combinación racial, podía escapar más fácilmente de los estancos étnicos que se habían establecido y aspirar a una movilidad social mayor. A esto hay que agregar que, junto con los criollos, el de las castas fue el grupo étnico que más creció en este período.

La fuerza de trabajo que sustentaba a la sociedad tuvo una recuperación importante en el siglo xviii. Si hacia la mitad del xvii una serie concatenada de catástrofes demográficas había reducido a los indígenas a menos de un millón, en 1810 sumaban 3 676 280, es decir, eran el grupo más numeroso, pues representaban poco más del 60 por ciento de la población total. Los indios dominaban la composición étnica de provincias como Oaxaca, Puebla, Veracruz, Yucatán, Tlaxcala y México, donde su población equivalía al 88, 74, 74, 72, 72 y 66 por ciento, respectivamente, de la total. En números absolutos la mayor población indígena se aglomeraba en las intendencias de México (1 052 862), Puebla (602 871), Oaxaca (526 466), Yucatán (384 185), Guanajuato (254 014), Guadalajara (172 676) y Valladolid (168 027). Es decir, seguía asentada en sus zonas tradicionales de poblamiento. Y además, era importante en las nuevas áreas de colonización, como la nueva y la vieja California, donde su representación llegó a ser de 51 y 88 por ciento en relación al total de los habitantes. Pero en términos generales la Nueva España se dividía, por el color de sus habitantes, en dos partes claramente distinguibles: hacia el norte de la ciudad de México predominaba la población criolla y mestiza, en tanto que en el centro y el sur eran más abundantes los hombres de piel oscura. Al igual que españoles y criollos, los indios se diferenciaban del resto de la población por su color y ocupación. En el norte, tanto los indios bravos recién convertidos como los "indios de paz" trabajaban preferentemente en la agricultura y desempeñaban las tareas más rudas en las minas, ranchos, haciendas, misiones y presidios. Con excepción de los indios congregados en misiones y de los que se mantenían en pie de guerra, estaban más expuestos que los del sur a la mezcla racial y a la penetración cultural de los blancos. En cambio, una gran parte de los que habitaban en el centro, el occidente y el sur vivía en pueblos y comunidades que habían preservado el sistema comunal de tierras y una gran cohesión social y cultural. Eran campesinos y su estructura social y cultural expresaba su profunda vinculación con la tierra, apenas modificada por la presencia del blanco. Voluntariamente aisladas y autosuficientes, estas comunidades mantenían sin embargo un contacto frecuente con sus opresores, por medio del cual sus productos y sus hombres servían a la economía dominante. Las comunidades que perdían sus tierras o estaban más expuestas al contacto con los dominadores, se desintegraban rápidamente y sus miembros pasaban a formar parte del proletariado rural —como peones y jornaleros de las haciendas— y urbano —como sirvientes y casi esclavos de españoles y criollos, y como obreros de la mayoría de los trabajos rudos y de las obras públicas, que exigían los esfuerzos más desgastadores. Otra consecuencia del rompimiento de la célula comunal fue el incremento de los llamados "indios vagos" o "errantes". Legalmente los indios tenían como defensa una de las legislaciones más protectoras y paternalistas que se hayan dado en el mundo, la cual con minucia española prohibía la invasión o apropiación de sus tierras, el daño a sus personas y familias, la penetración de los blancos y castas en sus pueblos, y abundaba en sus derechos y prerrogativas, partiendo de que eran "como unos pajaritos en los nidos, a quien no les han crecido las alas ni crecerán para saber por sí volar", según la acertada imagen de uno de sus protectores del siglo xvi. Pero como eran los vencidos y su situación y color así lo denotaba, esta legislación, en lugar de protegerlos, certificó y grabó en su conciencia y en la de sus dominadores su condición de "pobres indios menores", y así fueron objeto de una explotación sin paralelo por su impunidad y persistencia, y de una violencia tan generalizada que abarcó todos los órdenes de su mundo: tierras, pueblos, trabajo, hijos, mujeres, religión, cultura, costumbres, fiestas... Nada quedó

538

a salvo, todo fue violentado, alterado y sometido a un proceso de desintegración y desvalorización implacable.

Esta sociedad desigual en la distribución de sus habitantes, en las formas de poblamiento, en la composición étnica y situación económica y social de los diversos grupos que la formaban, utilizó todas esas desigualdades para crear un cuerpo altamente estratificado. La estratificación vertical ya descrita (españoles, criollos, castas e indios) se acompañó de otra igualmente rígida en el interior de cada uno de esos grupos, fundada en el nivel económico y social del individuo. Cierto, todo español o criollo blanqueado era "gente de razón", pero sólo quien entre éstos tenía riqueza y posición social era considerado "gente decente", miembro de la élite, detentador de todos los privilegios. Del mismo modo, todos los individuos de las castas nacían con el estigma de su color y de acuerdo con ello se le fijaban sus derechos y deberes, pero quien ascendía económicamente podía comprar su "limpieza de sangre" y recibir un tratamiento social que lo distinguía de sus congéneres. Igualmente, entre los indios había una diferenciación muy grande entre los caciques o gobernadores y el resto de la población, y en cada comunidad o pueblo el grupo de principales disfrutaba de una posición y privilegios que se negaban a la mayoría de los macehuales. Lo importante es que mediante estos sistemas de estratificación interna la élite colonial pudo cooptar y absorber a individuos y grupos de los estratos bajos, quienes adoptaban sus valores y aspiraciones, sin que por ello se quebrantaran las bases de la profunda estratificación que articulaba al sistema. Ésta fue una de las herencias más duraderas que dejó este sistema a la república posterior. Mencionemos, por último, otras desigualdades que hicieron más sensibles las ya existentes. En primer lugar hay que señalar que el crecimiento demográfico del siglo XVIII no fue parejo en todos los grupos. El grupo de peninsulares que acaparaba la mayor riqueza y poder aumentó muy poco, a pesar de la importación de hombres que se hizo durante los Borbones. Y además, como lo ha mostrado David A. Brading en el caso de los comerciantes, casi no se mezclaba con las otras etnias, pues las hijas de españoles preferían sin vacilar a los cajeros y paisanos que importaban sus padres sobre los pródigos criollos. De manera que, por sus tendencias endógenas, puede decirse que era un grupo que se reproducía muy lentamente. En cambio, los criollos, castas y mestizos aumentaron con gran rapidez, lo cual incrementó las presiones sociales, económicas y políticas de estos grupos desposeídos. Una manifestación de estos graves desajustes eran esas legiones enormes de "vagos" y "léperos" que deambulaban en las capitales administrativas y en los reales de minas prósperos, o que invadían en pequeños grupos los pueblos de indios. Sólo en la ciudad de México Humboldt contó de 20 a 30 mil vagos cuya presencia llenaba de tensión y pánico a la "gente decente". Por su parte, los indios tuvieron una lenta pero constante recuperación desde 1660 hasta 1770, que se frenó en los años 1770-1790 y se convirtió en declive a partir de esta última fecha.

La segunda característica de la recuperación demográfica del siglo XVIII es que no fue continua. Resultó más bien un crecimiento hecho de jalones y constantemente interrumpido por tremendas mortandades ocasionadas por pandemias, epidemias y hambres que cegaron la vida de cientos de miles de habitantes. Los datos que ha comenzado a mostrar la demografía histórica del siglo XVIII revelan una película transida de catástrofes y muerte, sólo superada por los cataclismos del siglo XVI y primeras décadas del XVII. He aquí una lista, que no pretende ser completa, de las plagas que asolaron la parte central de Nueva España:

EPIDEMIAS Y HAMBRUNAS REGISTRADAS EN LOS VALLES DE MÉXICO Y PUEBLA - TLAXCALA, 1707-1813

1707	viruela	1760–62	viruelas y matlazáhuatl
1710–11	viruela y tabardillo		
1714	fiebres, "peste" y hambre	1768	sarampión y tos ferina
		1772–73	matlazáhuatl
1727–28	sarampión	1778–80	viruela y sarampión
1731	matlazáhuatl	1785–86	gran hambre
1734 y		1789–90	tabardillo
1736–39	viruelas y matlazáhuatl	1790–93	viruela
		1798	viruela
		1800–02	tabardillo
1748	viruelas	1803	sarampión
1749–50	hambre	1812–13	fiebres y hambre

FUENTES: E. Florescano, *Precios del maíz y crisis agrícolas en México (1708-1810)*; E. Malvido, "Factores de despoblación y reposición de la población de Cholula (1641-1810)"; C. Morin, *Santa Inés Zacatelco, 1646-1813. Contribución a la demografía histórica del México colonial.*

Como puede verse en el cuadro, no hubo una sola década del siglo XVIII en que no se presentara uno de los emisarios de la muerte masiva. En las crónicas y estudios descriptivos se hacía a veces mención de estas catástrofes, y hasta aparecía un dato que indicaba el número de muertos en tal pueblo o ciudad. Y aunque a veces la cifra era escalofriante, sólo hasta que aparecieron los recientes estudios cuantitativos sobre las crisis demográficas y económicas pudo apreciarse la tremenda y variada repercusión de estos fenómenos sobre la vida toda de la colonia. He aquí algunas cifras absolutas que dan idea del poder devastador de epidemias y crisis agrícolas. De las muchas epidemias registradas en la ciudad de México, sólo seis de ellas (1736-39, 1761-62, 1772, 1779, 1797-98 y 1813) arrojaron un saldo de 123 678 muertos, o sea el equivalente a la población total de la ciudad en 1810. En la intendencia de Puebla únicamente dos epidemias, las de 1714 y 1736-39, cobraron un tributo de más de 140 000 individuos. Por otra parte, las crisis agrícolas, que también fueron muy frecuentes en el siglo XVIII (las hubo de menor y mayor intensidad en 1709-10, 1714, 1724-25, 1730-31, 1741-42, 1749-50, 1771-72, 1780-81, 1785-86, 1801-02 y 1809-11), provocaban una secuela de escasez y carestía de alimentos, hambre y desnutrición aguda, ingestión de malos alimentos, migraciones y muertes que, cuando se asociaban con epidemias y pandemias, hacían estragos terribles en la población. Una de estas crisis, la de 1785-86, arrebató más de 300 000 vidas y quedó indeleblemente grabada en la memoria de varias generaciones posteriores como "el año del hambre".

La muerte, en su forma de catástrofe colectiva, fue, pues, un acompañante inseparable de las poblaciones novohispanas del siglo XVIII, un hecho a la vez apocalíptico y cotidiano, que dejaba huella perdurable aun después de desaparecer sus efectos más brutales. Los nuevos estudios de demografía histórica, aunque todavía escasos y limitados a ciertas regiones, han comenzado a develar el significado profundo de esos fenómenos y las múltiples y prolongadas consecuencias que seguían a la crisis demográfica. Entendemos por crisis demográfica el aumento extraordinario de las muertes que rompe la relación entre nacimientos y defunciones que asegura el reemplazo y el crecimiento de una población. La crisis, según su intensidad, puede frenar de súbito el crecimiento de una población y en casos graves, afectar su recuperación posterior. En el siglo XVIII hubo crisis muy intensas, como las de 1727, 1737, 1762, 1773 y 1813, que además de provocar la muerte inmediata de un número considerable de habitantes, producían un descenso también inmediato de los matrimonios y nacimientos. Hecho natural, cuando la muerte, el dolor y la inseguridad abatían a una comunidad, los casamientos se reducían a cero, afectando así la posibilidad de recuperación inmediata de la población. Mucho más grave era la disminución de los nacimientos que, en las crisis agudas, llegaba a ser 25, 35 y hasta 50 por ciento más allá que la normal. Por otra parte, los historiadores demógrafos han observado que las crisis novohispanas, como las de tipo antiguo en general, eran extraordinariamente selectivas en cuanto a sexo, edad, etnia y situación económica. Así, en las crisis de 1692, 1727, 1762 y 1813 por cada hombre que moría fallecían dos mujeres, que se encontraban en distintos grados de preñez o eran candidatas viables a la reproducción. Otra causa de la baja natalidad en tiempos de crisis demográfica se localiza en el hecho de que ésta incrementaba también en forma anormal el aborto prematuro, sobre todo cuando el origen de aquélla era el sarampión, enfermedad que si se contrae durante los últimos meses de la preñez en la mitad de los casos da lugar al aborto. Así, al arrasar con parte de la población en edad de reproducirse y al desbaratar los matrimonios, la crisis cancelaba las posibilidades de recuperación pronta. Pero en la mayoría de los casos a este efecto inmediato seguía otro, mucho más grave, porque afectaba el destino de las generaciones futuras. Casi sin excepción la crisis demográfica cobraba el mayor número de víctimas entre la población infantil y juvenil, la más débil y no inmunizada. Como lo han mostrado los estudios recientes de Claude Morin, Thomas Calvo y Elsa Malvido, si en años normales la mortalidad juvenil representaba cerca del 30 por ciento del total, en años de crisis subía generalmente al 54 o 66 por ciento (crisis de 1692), o pasaba a ser de 66, 76 por ciento (crisis de 1727 y 1778-80). Entonces, la desaparición súbita de niños y jóvenes anulaba dramáticamente el esfuerzo de la generación adulta por crear sus reemplazos, y quince o veinte años más tarde hacía descender otra vez la tasa de natalidad, al faltar los individuos que en esos años deberían casarse y reproducirse. Finalmente, aunque las crisis demográficas no excluyeron a ninguna de las regiones de Nueva España y visitaron tanto el campo como la ciudad, todos los estudios publicados muestran que se concentraron en la población indígena. Esta selección de sus víctimas estaba predeterminada por las desigualdades étnicas, económicas y sociales antes mencionadas, que, a su vez, habían producido ese cuerpo social tan estratificado. Así, cuando la crisis penetraba en las ciudades, los indios, castas, criollos y mestizos pobres eran diezmados en proporciones altísimas, mientras que los peninsulares y criollos acomodados apenas eran tocados. En el campo, residencia habitual del indígena, el paso de epidemias y hambres significaba simplemente la catástrofe. La población perecía por millares y se frenaba de inmediato el crecimiento. La difícil y lenta recuperación de la población indígena que arranca desde 1660 fue bruscamente frenada por las crisis terribles de 1727-28 y 1736-39, y más tarde por la de 1778-80 y la gran hambre de 1785-86. A partir de estos años la población indígena no se recupera más y parece entrar en una etapa de franco declive.

El laconismo de las cifras de muertes, por elocuente que sea, dice poco acerca del traumatismo general que producía la crisis en la vida del indígena. Quien salvaba la vida nunca se recuperaba de la destrucción parcial o total de su familia, pérdida que a su vez repercutía sobre el pueblo o la comunidad. Apenas enterrada la esposa, los hijos o los parientes, se recordaba a los sobrevivientes que tenían deberes más importantes que llorar a sus muertos. Así, como la caída brutal y multiplicada de la población equivalía a una reducción correlativamente proporcional del tributo indígena, con frecuencia las autoridades acordaban aumentar la cuota, como ocurrió en Zacatelco (Puebla), donde se elevó de 12 ½ a 16 reales después de la crisis de 1761-62. Por otra parte, junto a las exigencias del aumento de los tributos o del pago de los atrasados, la comunidad tenía que hacer frente a la demanda de mano de obra que hacendados, ciudades y eclesiásticos solicitaban con apremio. Ante esta acumulación de calamidades, muchos habitantes de las comunidades tomaban el camino de la ciudad o de la hacienda, donde de momento se liberaban de la injusticia de pagar las deudas y trabajos de los muertos. O sea que al fin el indígena y las estructuras sociales y económicas que hacían posible su vida en el campo, cargaban con el costo de las desigualdades creadas desde la metrópoli y reproducidas ampliamente en la colonia.

El comercio exterior y la minería

Explicar el comercio exterior de Nueva España es referirse, por fuerza, al tejido de intereses y relaciones creado por el reducidísimo grupo de almaceneros de la ciudad de México y sus contrapartes de Sevilla y Cádiz. Un acuerdo común unió a los comerciantes de uno y otro lado: mantener el monopolio comercial para su beneficio exclusivo. Pero la participación de cada uno en esta actividad tuvo orígenes y propósitos diferentes que, al ir cristalizando, le imprimieron un carácter peculiar a todo el sector comercial de Nueva España, incluido el interno.

Dada la deplorable situación de las manufacturas españolas y su incapacidad para competir con las de Francia, Inglaterra, Bélgica, Italia, Holanda y otros países, los comerciantes andaluces se convirtieron en meros expedidores de manufacturas extranjeras. Esta situación fue reforzada por la Corona al disponer que todas las mercancías que habrían de salir para las colonias fueran registradas en Sevilla y a partir de mediados del siglo XVII en Cádiz. Al fijar en un solo puerto la entrada y salida de mercancías, la Corona obtuvo los siguientes beneficios: *a)* logró un control del tráfico legal que se realizaba con sus colonias; *b)* obtuvo ingresos considerables por concepto del registro y pago de impuestos de las mercancías, sobre todo de las extranjeras que los comerciantes del Consulado inscribían como propias, en tanto que éstos obtenían grandes ganancias como expedidores —no como dueños— de los cargamentos, y en ocasiones como fletadores de los buques; *c)* la Corona delegó en los comerciantes funciones de gobierno que era incapaz de cumplir, como el cobro de impuestos en las aduanas, parte del costo de asegurar el tráfico con las colonias mediante convoyes mercantes y de guerra, y la dirección de la política comercial en ciertos niveles. Estas concesiones de la Corona, en su origen voluntarias, convirtieron a los comerciantes en una corporación poderosísima, que más tarde habría de imponer condiciones a su benefactor. Una de ellas fue el sistema llamado de flotas. Para los reyes españoles pronto fue evidente que con sus solos recursos era imposible asegurar el tráfico normal con las colonias pues, además de su alto costo, estaba constantemente amenazado por corsarios y piratas protegidos por potencias rivales que buscaban infiltrarse en el mercado americano. Así que decidieron establecer un sistema mixto de transporte que, protegido por barcos de guerra, asegurase el abasto de los mercados coloniales y permitiese la extracción de las riquezas que sostenían la débil posición española en la competencia mundial. Las *flotas,* como se llamó al grupo de barcos mercantes fuertemente protegido por buques de guerra, salían una vez cada año y más tarde cada dos o tres años de España con destino a Veracruz, junto con los *galeones,* que iban a los puertos americanos del Caribe y del centro y sur del continente. De esta manera la Corona mantuvo una relación constante con su imperio americano y cargó a cuenta de los comerciantes parte del costo del transporte mediante impuestos de entrada y salida en los puertos y otras medidas impositivas que sobrecargaban los precios de las mercancías. Pero el beneficio mayor de este sistema recayó en los comerciantes. De 1546 a 1778, año en que se suprimieron las flotas, los comerciantes andaluces gozaron del doble privilegio de tener el monopolio de la oferta y disfrutar de un mercado cautivo. Apoyados en esas ventajas trataron, hasta donde se los permitió el contrabando que practicaban las otras potencias, mantener deliberadamente racionado ese mercado para que, cuando llegara la flota, sus mercancías pudieran ser inmediatamente vendidas a los precios deseados.

Durante todo el siglo XVI los comerciantes andaluces pudieron imponer fácilmente estas condiciones a sus contrapartes novohispanas; pero desde mediados del XVII descubrieron una oposición que habría de llegar hasta el enfrentamiento a comienzos del XVIII. En el transcurso de estos años los comerciantes de la ciudad de México se convirtieron, de meros agentes o consignatarios de los comerciantes de Cádiz, en una organización poderosa con fuertes y ramificados intereses locales que se oponían a los de España. El origen de su fuerza, a semejanza de sus colegas andaluces, radicó en el monopolio de la oferta. Al principio fueron sólo una extensión del monopolio andaluz, que se favorecía de la venta en la colonia de las mercancías de aquéllos. Pero sus ganancias, aunque cuantiosas, no se comparaban con las de los peninsulares, porque éstos se reservaban la mayoría de las ventas de los productos que venían en la flota. Con todo, con esas ganancias pudieron aumentar su capital y comprar la mayor parte de los artículos que llegaban de Oriente vía la Nao de Manila y los que se recibían de los países americanos del sur. Así, en la feria de Acapulco donde se remataban las mercancías traídas por la "Nao de China", su capital les permitió adquirir la mitad o más de la carga total, cuyo valor oscilaba entre un millón y dos y medio millones de pesos. Muy pronto llegaron a tener hasta un procurador en Manila, encargado de hacer las consignaciones a nombre del Consulado de México. Una vez en poder de la mayor parte de los bienes que venían de Oriente y del sur, y de una porción pequeña de los artículos procedentes de Cádiz, comenzaron a dominar el comercio interior y a imponer, como monopolizadores de la oferta, sus condiciones de venta. Entonces se aliaron con los alcaldes mayores, quienes operaban como comisionistas de los comerciantes del Consulado de México, vendiendo en los pueblos de indios las mercancías que aquéllos les encomendaban, y comprando los productos indígenas de exportación. La grana cochinilla, el añil, las plantas tintóreas, la vainilla, el cacao, o sea los principales productos de exportación quedaron bajo su control, mediante el procedimiento de hacer adelantos —"habilitaciones"— a los cultivadores, bajo la condición de que éstos les vendieran luego la totalidad de sus cosechas. Finalmente, su enorme disponibilidad de capital líquido les dio el control de gran parte del comercio interior y los convirtió en los principales banqueros, junto con la Iglesia, de casi todas las actividades que requerían una inversión considerable.

Era natural que a principios del siglo XVIII, cuando ya disfrutaban de ese enorme poder económico y político en la colonia, entraron en conflicto con sus socios de ultramar, cuyas ambiciones veían ahora como desmesuradas y peligrosas. El conflicto entre los dos grupos se concentró en el problema de dirimir a quién correspondía realizar la venta en el interior de la colonia de las mercancías importadas, que era uno de los aspectos más jugosos del monopolio que compartían. Hasta fines del siglo XVII los comerciantes andaluces, que ya tenían en sus manos el negocio de expedir desde Cádiz las mercancías, habían gozado la ventaja de venderlas también en la colonia, a los comerciantes de México y a todo aquel que ofreciera los mejores precios. Una real cédula, vigente desde el siglo XVI, los autorizaba incluso a internarse en el virreinato y rematar sus artículos donde más les conviniese. Mientras la correlación de fuerzas no les favoreció, los comerciantes de México aceptaron esta situación, no sin manifestar que iba contra los intereses del reino. Pero cuando éstos eran ya fundamentalmente los suyos, cuando dominaron la economía de Nueva España, decidieron dar la batalla a sus socios. En primer lugar, porque la pretensión de los andaluces de seguir manejando la venta de las importaciones los despojaba de la parte más lucrativa del monopolio y en segundo, porque ponía en peligro la base misma de ese monopolio, ya que los andaluces ofrecían los artículos al mejor

546

postor, es decir, a sus competidores del interior de la colonia.

Disfrazando con razonamientos diversos estas motivaciones, pero haciendo notar la importancia de su corporación y la fuerza económica y política que había adquirido en el virreinato, el Consulado de México obtuvo de la Corona que en adelante la venta de mercaderías procedentes de España se realizara en un lugar fijo, dentro de tiempo determinado, y que una vez vencido ese plazo los comerciantes andaluces o sus encomenderos regresaran a la península, sin permitírseles internarse en el país para vender sus artículos. Es decir, lograron que se repitiera la práctica que ya habían aplicado en Acapulco con tan jugosos resultados: una feria de la flota. La primera feria formal de la carga que venía en la flota se celebró en Jalapa en 1720, aunque fue boicoteada por los encomenderos andaluces. Los dos siguientes se efectuaron en la ciudad de México (1723 y 1725) y las restantes en Jalapa. Fue entonces frecuente la pugna entre ambos grupos de monopolistas, pues los de Cádiz seguían empeñados en vender directamente los artículos y los de México en ser los intermediarios entre ellos y el consumidor. Sin embargo, ese forcejeo favoreció a los de México, puesto que a partir de 1728 las ferias se celebraron en un solo lugar, en un tiempo fijo y bajo el dominio de los grandes capitales de los almaceneros de México, quienes casi siempre retardaban sus compras con el fin de que los gaditanos rebajaran sus precios y les vendieran el mayor volumen de mercancías. La respuesta de los flotistas consistió, por una parte, en retardar el envío de las flotas, buscando que la escasez incrementara la demanda de productos importados y les permitiera vender la cargazón a precios altos, y por otra, en favorecer a los comerciantes del interior. Tales medidas resultaron a la postre contraproducentes. La primera porque abría una puerta más al creciente contrabando y porque llevó a los comerciantes de México a tratar directamente con los consignatarios de Cádiz, a quienes enviaron dinero a cambio de que éstos les remitieran mercancías que quedaban fuera del manejo de los flotistas. Y la segunda, porque al favorecer al comerciante pequeño y mediano del interior, le dieron fuerza y reconocimiento al grupo que más apoyaría la supresión del monopolio comercial y el régimen de flotas.

Cuando en 1778 los Borbones liquidaron el sistema de flotas y otorgaron libertad a todos los puertos y comerciantes americanos para realizar sus transacciones cón España, fueron los pequeños comerciantes del interior quienes más resueltamente se identificaron con estas medidas, aprovechando la coyuntura para oponerse al Consulado de México. Así, tras la fractura del monopolio andaluz sobrevino la desintegración del monopolio de la ciudad de México y la aparición de importantes núcleos de comerciantes provincianos, como los de Veracruz, Guadalajara, Puebla, Yucatán, Oaxaca, San Luis Potosí, Durango, Saltillo, Coahuila, etc., algunos de los cuales lograron integrarse en consulados (Veracruz, Guadalajara, Puebla) y ejercer su influencia sobre unidades regionales que escaparon a la opresión de la ciudad de México. Estos rompimientos produjeron cambios mayores en la organización regional, urbana y de comunicaciones de la colonia, pues el fortalecimiento de intereses económicos regionales y la apertura de nuevos corredores de circulación de mercancías contribuyó a desarticular el antiguo sistema que centralizaba todo hacia la ciudad de México y privilegiaba sólo a las zonas y ciudades conectadas con ella para la importación y exportación de productos.

La primacía de la ciudad de México fue también vulnerada por el contrabando, otra consecuencia del sistema comercial. Los fletes altísimos que se cargaban a las mercancías para cubrir el costoso transporte de las flotas, los múltiples gravámenes que la Corona imponía al comercio para obtener los ingresos que no le daban ni las manufacturas ni la agricultura peninsular, más las excesivas ganancias que se reservaban los comerciantes andaluces y del Consulado de México por revender en la colonia las mismas mercancías, aumentaban desorbitadamente el precio de venta de éstas e invitaban al contrabando. Además, existía el interés de las potencias europeas que se esforzaban por penetrar en el mercado americano. La potencia naval y comercial de Inglaterra fue la primera que rompió el coto cerrado que España había tendido alrededor de sus colonias, cuando desde 1713 se le otorgó el privilegio de la trata de negros con las Indias, más un permiso para que un navío anual de 500 toneladas introdujera mercancías en Veracruz, Cartagena y Portobelo. El poder inglés se las ingenió luego para que aumetaran el tonelaje y el número de navíos permitido, y para que se dejase a sus conciudadanos comerciar en el interior de Nueva España y tener factores en las principales ciudades y puertos. Por estos conductos, y por los menos formales del contrabando, los ingleses inundaron los mercados novohispanos con una afluencia de mercancías baratas y de calidad,

548

que originó las más vivas protestas de los consulados de México y Cádiz, pero que los comerciantes de provincia alentaban y recibían con júbilo. Además, en los puertos de Veracruz y Acapulco durante la época de las flotas, y en todos los que se abrieron a partir de las leyes de libre comercio, los mismos flotistas, capitanes y funcionarios españoles practicaban el contrabando en gran escala. El comercio exterior de Nueva España fue alterado e interrumpido también por las guerras en que se vio envuelta la metrópoli, sobre todo con Inglaterra. La que se hizo contra ésta entre 1796 y 1800, y contra la misma Inglaterra y Portugal a principios del siglo XIX, cortaron de súbito la comunicación entre la metrópoli y su colonia, sin que aquélla estuviera preparada para resolver esta situación. Consecuencias: Inglaterra impuso el bloqueo, el comercio se interrumpió, aumentó de modo extraordinario el contrabando y navíos y comerciantes norteamericanos —en calidad de neutrales— sirvieron de enlace entre España y

Cuadro 4

FLOTAS QUE REALIZARON EL TRÁFICO COMERCIAL ENTRE CÁDIZ Y NUEVA ESPAÑA, 1720-1776

Salida Cádiz	Llegada Veracruz	Jefe de Flota	Toneladas Aprox.
7-VIII-20	26-X-20	F. Chacón	4 428
9-VII-23	20-IX-23	Serrano	4 309
15-VII-25	21-IX-25	”	3 744
9-VIII-29	18, 28-X-29	Mari	4 882
2-VIII-32	24, 28-X-32	R. Torres	4 458
22-XI-35	18, 5-II, III-36	Pintado	3 141
11-II-57	10, 11-V-57	Villena	7 069
29-VI-60	4-IX-60	Regio	8 492
24-II-65	15, 16-V-65	Idiáquez	8 013
22-XII-68	26-III-69	Casa Tilly	5 588
29-V-72	12-VIII-72	Córdoba	7 674
8-V-76	25-VII-76	Ulloa	8 176

FUENTE: J. J. Real Díaz, *Las ferias de Jalapa.*

Cuadro 5

BARCOS MERCANTES REGISTRADOS EN EL PUERTO
DE VERACRUZ, 1790-1821

Año	Total	De España	De América
1790	60	31	29
1791	93	51	42
1792	120	77	43
1793	105	64	41
1794	113	62	51
1795	83	45	38
1796	79	31	48
1797	108	8	100
1798	99	22	76
1799	120	39	87
1800	112	31	81
1801	101	21	80
1802	220	103	117
1803	204	106	98
1804	210	105	104
1805	62	20	42
1806	151	34	115
1807	221	29	191
1808	208	34	174
1809			
1810	238	102	136
1811			
1812	146	52	94
1813	179	43	136
1814	128	26	102
1815	182	68	114
1816	166	44	122
1817	162	38	124
1818			
1819	134	52	82
1820	179	55	123
1821	109	44	65

FUENTE: R. S. Smith, *Shipping in the Port of Veracruz.*

su colonia, lo cual creó las condiciones para que al fin de las guerras los norteamericanos tuvieran ya fuertes intereses en la Nueva España, sobre todo comerciales. En estos años mantuvieron factores en los principales puertos y ciudades y participaron activamente en el contrabando marítimo y terrestre. También por causa del bloqueo y la inseguridad de las comunicaciones, la administración colonial y los particulares no pudieron enviar a la metrópoli la moneda acuñada y los capitales acumulados, lo cual incrementó el circulante, el giro de los negocios y la inversión en actividades internas. En suma, la irrupción de estos factores (contrabando, penetración de las potencias extranjeras, habilitación de nuevos puertos, surgimiento de comerciantes nativos, apertura de nuevos corredores comerciales) acabó por deteriorar la situación del antes todopoderoso Consulado de Comerciantes de México, creando un nuevo tejido en el comercio exterior del país. A principios del siglo XIX éste estaba profundamente penetrado por los intereses comerciales del vecino del norte, y la mayor parte de las transferencias se hacían en barcos norteamericanos.

Por último, para que el lector tenga una idea más precisa del movimiento comercial entre Nueva España y su metrópoli, y de la composición de ese comercio, puede observar los cuadros 4 y 5, insertos anteriormente.

Minería

A través del comercio exterior la Nueva España recibía ropa, telas, papel, hierro, acero y diversas manufacturas de Europa; vino, aguardiente, aceite y especias de España; sedas, calicó, telas y especias de la India y China; cera de La Habana y cacao de Caracas. Exportaba grana cochinilla (entonces el colorante de mayor demanda en Europa), añil, palo de Campeche, vainilla, purga de Jalapa, azúcar y cueros a España; loza de Puebla, telas y ropa de algodón, grana cochinilla y otros artículos a Manila y América del Sur. O sea que por recibir manufacturas y expedir materias primas en escala reducida, tenía una balanza comercial deficitaria. El producto que corregía esa situación era la plata, que exportaba en grandes cantidades como moneda acuñada a España y a Oriente. La plata amonedada era la mercancía que le producía un excedente favorable en sus tratos con el exterior, y servía a España para cubrir su déficit con Europa, adonde la reexpedía para pagar las manufacturas que consumía y enviaba a sus colonias. Con la plata americana la metrópoli satisfacía además gran parte de los gastos de la administración colonial y de defensa de su imperio. Era, pues, el producto clave, el sostén del sistema colonial y de España misma. La Nueva España y el virreinato peruano habían sido los principales productores de plata desde la conquista. Pero en el siglo XVIII una serie de condiciones favorables hicieron de aquélla el primer productor americano y mundial del metal blanco. La gráfica que se adjunta muestra el espectacular crecimiento de la producción de plata amonedada en el siglo XVIII. (En la gráfica se incluyen las monedas de oro, cuya acuñación era mínima comparada con la de plata.)

¿Cuáles fueron los resortes que impulsaron este crecimiento sostenido de la producción de plata? Antes, al hablar de las reformas introducidas por los Borbones, se mencionaron las encaminadas a estimular la minería: fundación del *Consulado de Minería,* del *Tribunal General de Minería,* del *Banco de Avío* y de la *Escuela de Minería,* promulgación de las nuevas *Ordenanzas de Minería* (1783), exenciones fiscales y rebaja de los precios del azogue y de la pólvora, ingredientes esenciales en la amalgamación y excavación de metales. Todas estas medidas de política económica alentaron sin duda la inversión y la explotación minera, como lo parece indicar el alza de la producción que se observa en la gráfica desde los años 1770, tiempo en que comenzaron a hacerse efectivas. De todas ellas, las que tuvieron un efecto inmediato sobre el aumento de la producción fueron la rebaja de una cuarta parte en el precio de la pólvora, y la más considerable baja en el precio del azogue. El quintal de azogue o mercurio, que se traía de las minas de Almadén (España) e Idria (Austria), valía 187 pesos a fines del siglo XVII. Pero en 1750 se le hizo descender a 82 pesos, en 1767 a 62 y en 1778 a 41.25. Es decir, en menos de treinta años su precio se redujo a la mitad. No es de extrañar entonces que tanto mineros como administradores y escritores de la época mencionen esta baja como una de las causas directas del incremento de la producción. Según cálculos de David A. Brading, esta medida produjo una disminución en los costos de producción de cerca del 15 por ciento. Además, con frecuencia la Corona exceptuó del pago de impuestos a mineros que emprendían obras de renovación o ampliación que eran costosas y arriesgadas. Otro factor que explica este auge minero

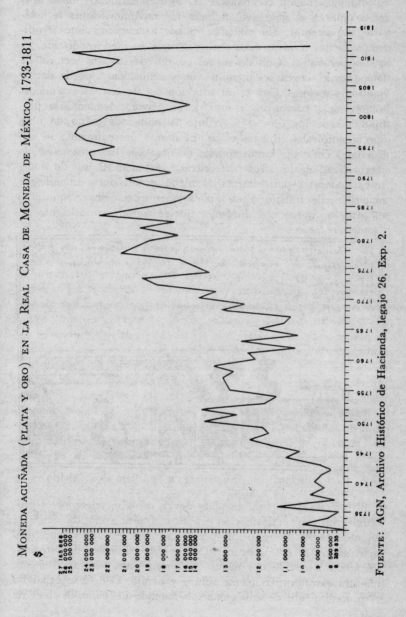

MONEDA ACUÑADA (PLATA Y ORO) EN LA REAL CASA DE MONEDA DE MÉXICO, 1733-1811

FUENTE: AGN, Archivo Histórico de Hacienda, legajo 26, Exp. 2.

es el mejoramiento tecnológico. A decir verdad, no puede afirmarse que en el siglo XVIII hubiera habido innovaciones tecnológicas importantes. Sin embargo, hubo un mejoramiento significativo de las técnicas existentes, y lo que es más importante, su uso se generalizó. Cuando menos en dos de los tres sectores de la industria —excavación, refinación y acuñación— puede decirse que hubo mejoras. Con la introducción del sistema de explosiones subterráneas, basado en el uso de la pólvora, aumentó la profundidad de los tiros y se redujo la numerosa mano de obra que se empleaba en estas obras. El mismo procedimiento se utilizó para construir largos túneles de desagüe. Por otra parte, la profundidad de los tiros perfeccionó y extendió el uso de poderosos malacates para extraer el metal e introducir utensilios y materiales de trabajo. Estas aplicaciones tecnológicas requirieron de grandes inversiones, un factor que se considerará adelante.

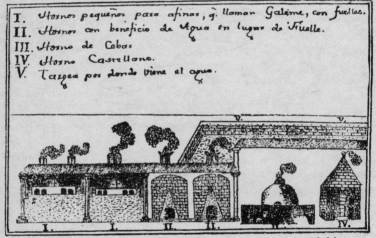

I. Hornos pequeños para afinar, q. llaman Galeme, con fuelles.
II. Hornos con beneficio de Agua en lugar de Fuelle.
III. Horno de Cebas.
IV. Horno Castellano.
V. Tarpea por donde viene el agua.

Hornos de fundición en las minas de Sumatlán, según Ajofrín

El método de separar la plata de los otros metales por el procedimiento de amalgamación era una técnica conocida desde la segunda mitad del siglo XVI, pero se extendió enormemente en el siglo XVIII. De esta centuria data la generalización del *arrastre,* un aparato movido por mulas que servía para triturar el metal, que era extraordinariamente simple y barato. Con él se expandió el procedimiento de amalgamación llamado de *patio.* A fines de ese siglo los procedimientos de refinación habían alcanzado un grado de adelanto notable, tanto por su técnica como por sus dimensiones. El beneficio de metales de Real del Monte, propiedad del Conde de Regla, albergaba veinticuatro *arrastres* y su construcción había costado medio millón de pesos. En Sombrerete, el molino de beneficiar metales de los Fagoaga tenía nada menos que ochenta y cuatro *arrastres* y catorce hornos. Otro factor que influyó en el desarrollo minero fue la inversión de grandes capitales y la formación de verdaderas empresas mineras que unieron esfuerzos y capitales dispersos en la explotación de una sola mina. En la derrama de inversiones hacia la minería desempeñó un papel muy importante el capital mercantil. Desde el siglo XVII los comerciantes se convirtieron en los principales habilitadores de los mineros. Pero en muchos casos cumplían el papel de meros prestamistas: otorgaban a los mineros utensilios, maquinaria, manufacturas y alimentos a crédito, o dinero en efectivo, cobrando altos réditos o plata en pasta que luego hacían acuñar. Estos primeros contactos llevaron a no pocos comerciantes a comprometerse en el negocio de las minas como empresarios y socios de mineros expertos. Algunos participaron creando bancos y fondos privados, cuyos capitales se invertían exclusivamente en la minería. Otros formaron empresas y compañías con los mismos mineros. Esta tendencia se acentuó a partir de 1780, cuando las leyes de libre comercio quebrantaron el monopolio del Consulado de México, y cuando comenzaron a aplicarse las disposiciones de los Borbones favorables a la minería. En otras palabras, la minería contó entonces con el muy reducido grupo que, por sus altísimas ganancias, era el único que acumulaba capital en gran escala. Sin la participación de los comerciantes y la tendencia de los pequeños, medianos y grandes mineros a formar compañías y empresas, es difícil imaginar que la minería hubiera podido enfrentar los elevadísimos costos que suponía la construcción de tiros, desagües, socavones y haciendas de beneficio.

A más de estos tres factores, hubo otros que fueron fundamentales en la recuperación sostenida de la producción minera. David A. Brading, quien ha hecho aportaciones destacadas sobre la minería del siglo XVIII, señala que el abastecimiento constante y suficiente de mercurio fue uno de los más importantes. Al contrario de lo que ocurrió durante el XVII, cuando la Corona escatimó el abasto de mercurio para favorecer las minas peruanas, en este

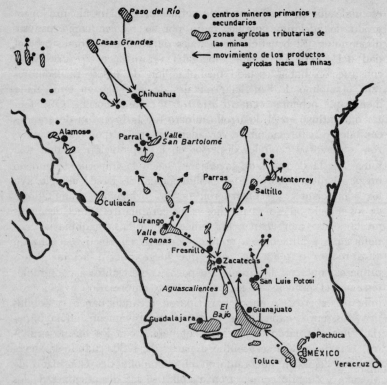

Minería y agricultura en el norte de Nueva España

siglo la niña mimada fue la minería novohispana, mientras que Perú sufrió escaseces que postraron su industria. Otro prerrequisito que no faltó en Nueva España fue la existencia de una amplia y bien adiestrada clase de trabajadores mineros. No menos importante fue que a través de casi todo el siglo se descubrieran nuevos filones o se encontraran las vetas de minas abandonadas, como fue el caso de Parral, Álamos, Catorce, Bolaños, la Valenciana, Zacatecas y Real del Monte. Este fenómeno, unido a la dispersión y crecido número de minas en el territorio, sostuvo la imagen de un auge sin pausas que alentó la continuidad de las inversiones. El cuadro 8 ilustra la dispersión geográfica y potencia productiva de unas cuantas minas de la época, así como las diferencias entre las cantidades extraídas por amalgamación y por fundición. Por último, después de los estudios de Brading sobre varios prominentes mineros, no se puede subestimar el papel de éstos en el desarollo general de la minería: como consejeros del visitador Gálvez y de los virreyes en la definición de una política que ase-

Cuadro 8

VALOR DE LA PLATA QUINTADA EN LAS CAJAS REALES
DE ONCE DISTRITOS MINEROS, 1788-1789

Cajas reales	Plata extraída		Total (marcos)
	Por amalgamación (marcos)	Por fundición (marcos)	
Guanajuato	1 937 895	531 138	2 469 000
San Luis Potosí (Catorce, Charcas, San Luis Potosí)	1 491 058	24 465	1 515 000
Zacatecas (Zacatecas, Fresnillo, Sierra de Pinos)	1 031 360	173 631	1 205 000
México (Tasco, Zacualpan, Sultepec)	950 185	104 835	1 055 000
Durango (Chihuahua, Parral, Guarisamey, Cusiquirachic)	536 272	386 081	922 000
Rosario (Rosario, Cosalá, Copala, Álamos)	477 134	191 638	668 000
Guadalajara (Hostotipaquillo, Asientos de Ibarra)	405 357	103 615	509 000
Pachuca (Real del Monte, Morán)	269 536	185 500	455 000
Bolaños	336 355	27 614	364 000
Sombrerete	136 395	184 205	320 000
Zimapán	1 215	247 002	248 000

FUENTE: Francisco Antúnez Echegaray, *Monografía histórica y minera sobre el distrito de Guanajuato.*

gurase el desenvolvimiento adecuado de la industria; como empresarios audaces y técnicos conocedores de su oficio; o como hábiles organizadores de una actividad múltiple y azarosa.

Pero si todas estas circunstancias se reunieron para hacer de Nueva España el mayor productor de plata en el mundo (hacia 1800 aportaba el 66 por ciento de la producción mundial), no debe olvidarse que la mayor parte de ella iba a España. Las cifras siguientes ofrecen una idea aproximada de la sangría permanente de que era objeto la colonia. Según cálculos del Consulado de Comerciantes de México, entre 1784 y 1805 se acuñaron cerca de 477 millones de pesos en la Casa de Moneda. Pero durante esos años salieron fuera del país, por concepto de exportaciones anuales regulares, envíos a la Corona no manifestados y contrabando, 342 174 051 pesos. Así que en 1805 sólo quedaban 134 637 966 pesos, de los cuales 30 millones y medio eran del rey y de fundaciones piadosas, 25 del comercio y sólo 79 millones pertenecían a los habitantes del virreinato. Es decir, de 477 millones acuñados sólo 79 circulaban en Nueva España. Gran paradoja del sistema: ¡el país que producía mayor moneda de plata en el mundo era uno de los que más escasez de ella padecía! A lo largo del siglo, comerciantes, agricultores, artesanos y administradores no cesan de señalar la falta de circulante, ni de manifestar los perjuicios que esto causaba en el "giro de los negocios".

Con todo, no debe olvidarse que el ascenso espectacular de la producción de plata fue uno de los principales estímulos del crecimiento económico general. Hacia 1800 había unas 3 000 minas en explotación, dispersas en un territorio extensísimo. Éstas se agrupaban en 500 reales y éstos, a su vez, en treinta y seis diputaciones de minería, que en conjunto producían un promedio de 25 millones de pesos anuales. Estas minas daban trabajo a más de 15 mil hombres directamente empleados en ellas, y a un número mucho más considerable de individuos que laboraban en la satisfacción de sus múltiples demandas. Los reales y centros mineros y todo el norte minero reunían en el siglo XVIII a la población de mayor poder adquisitivo y, por tanto, representaban el mejor mercado para las manufacturas locales e importadas y para todos los productos agrícolas. De ahí que en general puede decirse que todas las regiones próximas a la zona minera crecieran al parejo de ésta.

La industria

Al contrario de lo que ocurrió con las actividades orientadas hacia el sector externo, que fueron objeto de una política que tendía a estimular su desarrollo, las englobadas en el sector interno configuraron su destino a través de un combate permanente con las limitaciones propias de la colonia, y en muchos casos tuvieron que enfrentarse a políticas adversas procedentes de la metrópoli. La idea de estimular la industria colonial no cabía, como se ha visto antes, en el pensamiento de los gobernantes Borbones, quienes creían firmemente que el deber de una colonia era supeditar sus intereses a los de la metrópoli, a cambio de la "obra de civilización" que ésta realizaba en su favor. En otras palabras, el intento **de desarrollar una industria en las Américas equivalía a atacar la economía española y poner en entredicho el pacto metrópoli-colonia.** Sin embargo, al igual que en tantos otros casos, estos principios de política general tuvieron que adaptarse a las condiciones reales por las que atravesaban tanto las colonias como España. Una de las industrias novohispanas más prometedoras, la del refinamiento de azúcar y aguardientes, fue sistemáticamente frenada para favorecer a Cuba, Puerto Rico y otras posesiones españolas. A pesar de las óptimas condiciones que el cultivo de la caña de azúcar encontró en el Valle de Morelos y en las costas de Veracruz, durante el siglo XVII y primera mitad del XVIII el azúcar que producían ingenios y trapiches se destinaba al consumo interno, que por otra parte había aumentado en forma sensible. Pero la elaboración de aguardientes fue pertinazmente prohibida para favorecer la importación de los "caldos, vinos y aguardientes" españoles. Sólo a fines del siglo XVIII, y especialmente después de que la sublevación de Toussaint l'Overture arrasó los cañaverales de Haití y Santo Domingo, la Corona consintió la expansión del cultivo y producción de azúcar. Ya en 1803 Humboldt hacía constar que en ese año la exportación de azúcar por Veracruz llegaba a 500 000 arrobas con un valor de millón y medio de pesos.

La manufactura de hilados y tejidos basada en la seda, el algodón y la lana creció también a contracorriente de la política metropolitana, y su gran expansión en el siglo XVIII obedeció a causas que escaparon al control de la Corona. La hilatura y tejido de seda tuvo un inicio prometedor en las regiones de Oaxaca y Puebla, donde alcanzó cierta importancia en el siglo XVI. Pero a fines de esa centuria tanto la prohibición de exportar estos productos al Perú, como el deseo de proteger las importaciones que venían por la "Nao de la China", la sumió en un colapso del que ya no se recuperó. Un destino opuesto tuvieron las manufacturas de lana y algodón. Ambas tuvieron un arranque temprano en Puebla y su región más próxima, sobre todo la de lana, que en el siglo XVII era una de las industrias más importantes, y sólo México le hacía competencia. Al parecer, su éxito inicial se debió a la llegada de artesanos europeos en esa región que sometieron la mano de obra indígena a un régimen de explotación intensa y a la falta de otros centros productores. Pero la materia prima era escasa y su mercado principal, la ciudad de México y las minas del norte, estaba muy alejado. Así, cuando en el siglo XVIII surgieron en El Bajío y la región de Guadalajara centros manufactureros que disponían de mercado y materias primas más amplios y cercanos, la industria lanera de Puebla se vino a pique. Desde las primeras décadas del siglo XVIII los principales centros manufactureros de lana se localizaban en El Bajío, el obispado de Michoacán, la zona de Guadalajara y en el norte, es decir en las áreas próximas al gran mercado minero y a la capital. La manufactura de textiles de algodón tuvo un origen modesto pero expansivo. Durante el siglo XVI y gran parte del XVII se conservó como artesanía indígena que producía artículos populares, los cuales se fabricaban y vendían sin intervención destacada de los españoles. Cultivado por indígenas, era luego transportado en greña a las ciudades donde se despepitaba, hilaba y tejía por indígenas. En las ciudades esta actividad llegó a formalizarse en pequeños talleres donde operaban hasta cuatro telares sencillos. Pero en casi todos los pueblos y comunidades indígenas se hacían telas burdas en el primitivo telar de cintura, que en su mayor parte satisfacían las necesidades familiares y sólo una porción pequeña llegaba a los mercados indígenas para su venta. Sin embargo, cuando desde mediados del XVII comenzó a recuperarse la población indígena y parte de ella fue reclamada por las ciudades, las minas, los ranchos y haciendas, la situación cambió. Apareció un mercado constituido por gente de bajos ingresos pero amplísimo, que hacía una demanda constante de estos productos. Casi de inmediato españoles, criollos y mestizos percibieron esta transformación y no dudaron en activarla. El cultivador siguió siendo el campesino indígena, pero el propietario del terreno era español o criollo, quien recibía "habilitaciones" de un comerciante de Puebla, México, Guadalajara o Valladolid, que a su vez era dueño de obraje y tienda. En estos obrajes citadinos, que durante el siglo XVIII tenían 20 telares los más pequeños y hasta 300 o más los grandes, las mujeres pobres ladinizadas y las castas desplazaron poco a poco a los indios como despepitadores, hiladores y tejedores. Por otra parte, los mercados indígenas donde afluían las telas y mantas procedentes del telar de cintura, recibieron la visita creciente de regatones y comerciantes mestizos, quienes luego las revendían en las ferias, centros mineros y mercados urbanos. En una palabra, la manufactura de textiles de algodón dejó de ser una actividad casera y limitada y se convirtió en una industria, rudimentaria pero orientada al consumo general, al mercado de las ciudades, de los centros mineros y de las haciendas. La enorme población trabajadora que integraban indios, castas, mestizos, criollos y españoles de baja condición, fue el factor determinante de su constante desarrollo a través de todo el siglo xvIII. El segundo hecho que protegió su crecimiento ininterrumpido fue, paradójicamente, una consecuencia de la política seguida por la metrópoli que ya se comentó: los altos precios que se pusieron a las manufacturas importadas crearon una barrera que protegió los artículos baratos de la industria local, que de esta manera disfrutaron sin competencia del amplio mercado popular. Las guerras que España libró con otras potencias europeas en las décadas de 1790 y 1800 crearon otra coyuntura favorable para la expansión de las manufacturas de algodón y lana. En primer lugar, porque el bloqueo inglés frenó la importación de artículos extranjeros; y en segundo, porque también impidió la salida del capital acumulado por los particulares, parte del cual al parecer se invirtió en las artesanías y manufacturas más prometedoras, como las de textiles. Es seguro que también intervinieron factores internos en el desarrollo de las manufacturas, como el crecimiento de la demanda y la formación de nuevos mercados por el occidente y norte del país. El hecho importante es que entre 1790 y 1800 se observa un crecimiento extraordinario en el número de obrajes y talleres que fabricaban artículos de algodón y lana y una mejoría técnica en la confección de los mismos. También aparecieron, y esto fue lo que más alarmó a los comerciantes y fabricantes de la península, artículos de lana y algodón mucho más finos "y tan bien acabados como los europeos". He aquí algunas pruebas: antes de 1796 había en Oaxaca quinientos telares de algodón, mientras que en 1800 ya sumaban ochocientos. En Querétaro y las ciudades de Celaya, Santa Cruz, León y Salamanca, el crecimiento de obrajes y telares también fue espectacular: hacia 1800 se contaban cerca de dos mil telares. En el obispado de Michoacán, donde en 1750 sólo se mencionaban veinte telares en Valladolid manejados por indígenas, se anotan ciento veinte a fines del siglo, y cerca de doscientos de españoles y castas distribuidos en Acámbaro, Maravatío y ctras villas. Pero quizá el crecimiento mayor de estas actividades deba ubicarse en la intendencia de Guadalajara, donde hubo un aumento extraordinario en la producción de sayales, jergas y frazadas, y todavía superior en la elaboración de tejidos de algodón. Otro índice del crecimiento de esta industria lo proporciona el consumo de lana, que pasó de 46 000 arrobas en 1793 a 64 000 una década más tarde y a 83 000 en 1868.

En este crecimiento notable de las manufacturas conviene destacar la distribución geográfica de los centros productores. Es muy significativo que, con excepción de Oaxaca, las regiones que experimentaron mayor adelanto fueron las de El Bajío, Michoacán y Guadalajara, o sea las zonas próximas al mercado minero y las más criollas y mestizas en cuanto a su composición étnica. También es importante señalar que este crecimiento no se redujo a las manufacturas textiles: comprendió las artesanías en general. Según las relaciones estadísticas colectadas en 1803, el "ramo de industria" de la intendencia de Valladolid (Michoacán) producía anualmente 1 500 000 pesos. En la intendencia de Guadalajara el valor de esta producción fue mayor. A principios del siglo XIX la curtiduría de pieles y fabricación de jabón producían más de 600 000 pesos anuales; los tejidos de lana alrededor de 234 000 pesos y los de algodón 1 386 590. O sea, un total de más de dos millones y cuarto de pesos por concepto de productos manufacturados. Sin duda en El Bajío, para el que no se tienen estadísticas semejantes, el ingreso por concepto de estas actividades era mayor o muy cercano al de Guadalajara. En esta zona incluso Aguascalientes, que antes no se destacaba por sus actividades industriales, producía manufacturas cuyo valor se aproximaba al medio millón de pesos. Frente a este crecimiento de El Bajío y el occidente del país, indudablemente alentado por el auge de la zona minera y el progresivo poblamiento de las regiones septentrionales, hay que mencionar el estancamiento e incluso el declive de ciertas regiones del centro y del sur. El caso más notable es el de Puebla, que en el siglo XVIII, lejos de progresar, pierde su posición como principal centro manufacturero del país. Puebla y Cholula, antes importantes centros productores de manufacturas de algodón, se describen a fines del XVIII y principios del XIX como "arruinados" y "en decadencia". De otras poblaciones de esta región se dice que han sido abandonadas, o que sólo quedan ancianos, mujeres y niños. Todo esto parece indicar que entre mediados y finales del XVIII la región de Puebla vio

agregarse a sus antiguos problemas (lejanía de la materia prima
—el algodón le llegaba de Veracruz— y mercados reducidos) la
existencia de vigorosos competidores que acabaron con su supremacía. Su situación se agravó porque además de no poder competir con los obrajes de El Bajío, Guadalajara y Michoacán, ni
aspirar a penetrar en el mercado del norte minero, tuvo un competidor más en los tejedores indígenas de Oaxaca, quienes progresaron mucho en estos años al establecer contacto directo con los
comerciantes del Consulado de Veracruz. Éstos, por su parte, hacia
1800 habían acaparado gran parte de las actividades comerciales,
industriales y financieras que antes manejaban los comerciantes y
dueños de obrajes de Puebla. O sea que en la segunda mitad del
siglo XVIII la economía poblana se deteriora, y esto provoca una
gran migración de los campesinos, castas y gente pobre del campo
a la ciudad.

Los ejemplos anteriores parecen indicar que el crecimiento económico del siglo XVIII y sobre todo de su segunda mitad, produjo
grandes desequilibrios en el desarrollo regional que modificaron
la antigua organización en que predominaban las regiones centrales. Es claro que hacia fines de siglo las zonas económicamente más
pujantes y mejor integradas eran las situadas al norte y al occidente de la ciudad de México. Hacia ellas acudirán, además, los
indígenas, castas y mestizos pobres que expulsa la depresión económica del centro y sur. Sin embargo, tanto las regiones ascendentes como las estancadas o en declive, comienzan a sufrir, desde
principios del siglo XIX, un ataque terrible a sus manufacturas de
algodón y lana. Al estallar la guerra de 1796, España trató de
resolver el bloqueo naval impuesto por Inglaterra acudiendo a los
barcos mercantes norteamericanos, que con bandera de neutrales
realizaron las transferencias entre la metrópoli y su colonia. Pero
los comerciantes y contratistas norteamericanos aprovecharon esta
oportunidad para introducir, por la ancha vía del contrabando,
una gran cantidad de ropa y tejidos de algodón y lana. Estas manufacturas, al contrario de las holandesas, belgas, francesas e ita-
lianas, que exportaban los comerciantes españoles de Cádiz, eran
muy baratas y de buena calidad, de manera que rápidamente afectaron a las locales y frenaron su auge. Desde principios del siglo
XIX los obrajeros y comerciantes de Guadalajara, El Bajío, Michoacán, Puebla y otras ciudades no cesan de identificar la decadencia de sus talleres con la introducción de las telas, ropas y teji-

dos ingleses y norteamericanos. A este mismo problema se enfrentará durante casi todo el siglo xix la industria textil mexicana.

Una relación de 1801, que no incluye a todas las provincias donde había telares de algodón y lana, indica la existencia de 4 440 telares propiedad de españoles, criollos y castas, y de 3 369 de indígenas. Gran parte de los primeros operaba en talleres llamados "obrajes", que tenían de cuatro a veinte y más telares. Es decir, eran el "embrión de la fábrica", como los llamó Luis Chávez Orozco. Como en todo establecimiento industrial primitivo, allí imperaban condiciones de trabajo muy cercanas a la esclavitud. En los obrajes llamados "abiertos", trabajaban indios, españoles, mestizos y castas voluntariamente y percibían un salario. En los denominados "cerrados", la mayoría de los trabajadores eran condenados a diversas penas y recibían un trato peor que el de los prisioneros. En ambos la salubridad y la higiene eran deplorables. Los operarios se aglomeraban en cuartos cerrados "con pocos tragaluces en las paredes... sin ventilación de ninguna especie, trabajando de pie, absorbiendo el polvillo despedido de los telares instalados", de manera que "a los dos o tres años se encontraban enfermos de tuberculosis pulmonar". Humboldt, quien visitó varios obrajes, condenó indignado las condiciones infrahumanas en que vivían los operarios: "Hombres libres, blancos, indios y hombres de color, están confundidos como galeotes; unos y otros están desnudos, cubiertos de andrajos, flacos y desfigurados". Contando a los infelices que laboraban en los obrajes, a los trabajadores libres y agremiados en talleres, y a la numerosa población que participaba en despepitar, tejer e hilar los textiles, se ha calculado que hacia 1810 unas 60 000 personas se ocupaban en la manufactura de textiles.

Junto al obraje se desarrolló el gremio artesanal, que agrupaba a trabajadores especializados en la producción de diversos objetos (plateros, sederos, bordadores, silleros y guarnicioneros de sillas de montar, cordoneros, doradores y pintores, veleros, coheteros, sastres, calceteros, jubeteros, etc.). Eran organizaciones cerradas (tenían requisito de "limpieza de sangre" que excluía a no españoles de los rangos superiores), jerárquicas (sus miembros se clasificaban en maestros, oficiales y aprendices), monopólicas (la constitución de un gremio cancelaba la posibilidad de que se creara otro semejante que compitiera con él y además se limitaba el número de agremiados con el fin de reducir la competencia interna), de

564

producción reducida y orientada al mercado urbano. En el siglo XVII había alrededor de 200 gremios, pero en el siglo XVIII entraron en decadencia. El crecimiento económico, la ampliación de los mercados, la producción masiva de los talleres y obrajes y la competencia de los artículos extranjeros introducidos por contrabando, destruyeron poco a poco la estructura tradicional de los gremios e implantaron un sistema de producción más abierto. El clamor de los artesanos por la pérdida de sus antiguos privilegios, que se inicia en este tiempo, se hará más intenso entre 1820 y 1860, época en que le darán nueva tonalidad las proclamas anarquistas y mutualistas que por entonces se propagan en el país.

La agricultura

Azuzada por el crecimiento demográfico, minero, mercantil y manufacturero de la época, la agricultura experimentó un desarrollo aún más vigoroso; pero como aquéllos, no fue parejo en todas las regiones, ni escapó a los problemas derivados de la situación dependiente de la Nueva España. En general puede decirse que hubo expansión agrícola y crecimiento rápido de la producción en las regiones de economía más dinámica, es decir en El Bajío, Guadalajara, Michoacán y el norte extremo, zona esta última donde los procesos de penetración y colonización hicieron brotar campos de cultivo en tierras vírgenes. Al comenzar el siglo XIX El Bajío era, sin disputa, "el granero de la Nueva España", la región de agricultura más desarrollada y moderna, la cual se practicaba en 445 haciendas y 416 ranchos (sólo en la intendencia de Guanajuato), de tamaño medio, pues eran pocos los grandes latifundios. Pero la región más sorprendente por su vigoroso crecimiento era sin duda la de Guadalajara, cuya producción agrícola en 1803 alcanzó un valor anual de cerca de tres millones de pesos. El maíz, el trigo, las legumbres, el algodón, el azúcar y los aguardientes y mezcales, encabezaban ese vivísimo incremento. En esta región se contaban 370 haciendas, 118 estancias ganaderas y 1 511 ranchos, indicador este último de un tipo de agricultor semejante al de El Bajío. En la intendencia de Michoacán se numeraban 311 haciendas y 708 ranchos, cuya producción pasaba de los dos millones de pesos anuales. La enorme producción de estas tres regiones alimentaba a sus propios habitantes y se exportaba a las zonas mineras, al vasto norte y al centro del país.

En el norte extremo, tanto en su porción noroeste como hacia el este, la agricultura y sobre todo la ganadería habían hecho progresos extraordinarios y eran el sostén de esas economías. En las provincias de occidente (Durango, Arizpe, Nuevo México) había ya cerca de 200 haciendas, 540 ranchos y 50 estancias, mientras que en las de oriente (Nuevo Reino de León, Nuevo Santander, Coahuila y Texas), aunque había pocos, los rebaños de vacas, potros, mulas, cabras y ovejas eran inmensos. Los cueros, el ganado en pie, la lana y las carnes saladas representaban los principales productos de exportación de estas zonas. La región central y sur del país (México, Puebla, Tlaxcala, Oaxaca, Yucatán, Veracruz), zona de poblamiento indígena tradicional, siguió el crecimiento general, pero no al mismo paso que El Bajío o Guadalajara. La intendencia de México (que en 1810 sumaba 824 haciendas, 871 ranchos y 57 estancias) vio desarrollarse dos grandes centros productores de cereales, especialmente de maíz, en las fértiles tierras de Chalco-Atengo y en el valle de Toluca, que satisfacían la demanda del gran mercado de la capital. Pero el trigo y la cebada los importaba de El Bajío y de Puebla. Además, en las tierras calientes del valle de Cuautla-Amilpas tenía el mayor centro productor de caña de azúcar, la cual se consumía en la misma altiplanicie, El Bajío y el norte. En cambio, los valles de Puebla-Tlaxcala, aunque continuaron como productores importantes de maíz, frijol y otros productos, redujeron sus sembradíos de trigo. El trigo de la región fue desplazado del mercado de la capital por el procedente de El Bajío, que por su calidad, abundancia y bajos costos de transporte, llegó a invadir los mismos mercados poblanos. Con todo, en 1810 había en Puebla 478 haciendas y 911 ranchos. La grana cochinilla tuvo un gran desarrollo en la primera mitad del siglo XVIII en Oaxaca, pero se estancó y decayó a finales del siglo. El cultivo de cereales mantuvo, en cambio, un ritmo más uniforme y casi toda la producción se destinaba al consumo interno. Había ahí 83 haciendas y 269 ranchos. En Mérida, donde se contaban 563 haciendas y 312 ranchos, el maíz, el frijol, las legumbres y los árboles tintóreos eran los cultivos principales. Casi todo lo que se producía se consumía en el lugar, y se importaba harina y otros productos del centro, vía Veracruz. En la intendencia de Veracruz el cultivo de cereales tradicionales cubría sobradamente las necesidades internas, y con frecuencia se quemaba gran parte de la producción de maíz por falta de compradores. En el siglo XVIII dos cultivos de exportación, la caña de azúcar y la vainilla, se desarrollaron con gran ímpetu, lo mismo que las estancias ganaderas, donde venían a agostar los vacunos del centro y el occidente del país. Hacia 1810 había 60 haciendas, 157 ranchos y 111 estancias ganaderas.

De esta enumeración se desprenden diferencias importantes entre la agricultura de El Bajío, Guadalajara, Michoacán y el norte, y la que se practicaba en el centro y sur. Mientras que aquélla era más comercial y estaba orientada a mercados situados fuera de la región, la última se autoconsumía en gran parte y sólo una porción pequeña de ciertos cultivos salía al exterior. En tanto que la primera hacía un uso más intenso y extendido de animales y técnicas de cultivo europeos (yuntas, arados de madera y metal, presas, regadío y abonos animales), la segunda se apoyaba más en los sistemas indígenas de cultivo y gran parte de su producción provenía de las tierras de propiedad comunal. Sólo las haciendas y ranchos más próximos a los mercados de las capitales administrativas practicaban métodos de cultivo semejantes a los de El Bajío, pero con mano de obra indígena. Mientras que en El Bajío, Guadalajara y Valladolid parece predominar la hacienda y el rancho mediano, en el centro y el sur convive la gran hacienda de tipo latifundista con la propiedad comunal. En el norte la propiedad dominante es el latifundio. Por último, si en el centro y sur el propietario de la tierra es español, criollo o indígena, en El Bajío, Guadalajara, Michoacán y el norte los dueños de la tierra son criollos, mestizos y castas, sin que falten los españoles e indígenas, pero en número reducido.

El mercado generó estas diferencias. A uno amplio, abierto y en expansión, de demanda constante y alto poder adquisitivo, como el que se formó en El Bajío y el norte, correspondió una agricultura cuya penetración en ese mercado dependía de su capacidad de ofrecer precios bajos y un suministro continuo de productos. En las zonas donde prosperó esta agricultura la reducción de los precios no podía hacerse rebajando los salarios o explotando más la mano de obra, porque ésta era escasa y por ello mismo imponía altos salarios. Así que el problema se atacó por la vía de introducir mejores técnicas, aumentar la eficiencia y la productividad y ampliar el área cultivada. A ello contribuyó el hecho de que los criollos, mestizos y españoles, que constituían la mayor parte de la población en estas regiones, fueron ellos mismos los promotores y realizadores de esas innovaciones, sin que encontraran resistencias institucionales o mentales que los limitaran. A la inversa, la agricultura que se desarrolló durante el siglo XVIII en la parte central y sur del país arrastraba la herencia de las prácticas indígenas tradicionales, y las deformaciones de la hacienda latifundista, que se había edificado sobre la explotación de la mano de obra y el control monopólico de los reducidísimos mercados urbanos. Para dominar esos mercados la hacienda extendió su área de cultivo hasta convertirse en latifundio y sacó el máximo provecho de la mano de obra indígena, reduciéndola a condiciones de servidumbre (encomienda, repartimiento y peonaje). Por otra parte, la producción que obtenía le bastaba para satisfacer la demanda de su mercado, de manera que para dominarlo mejor recurrió a prácticas monopólicas que le aseguraron el control mayoritario de la oferta, para así imponer "la ley de los precios" en el mercado urbano. Además de estas diferencias ya muy claras en la segunda mitad del siglo XVIII, la agricultura de Nueva España se define también por una serie de rasgos comunes que se dan en todas las regiones. Los agricultores del siglo XVIII, como los del XVI y XVII, se enfrentaron a un problema milenario, padecido por todas las sociedades agrícolas: el fenómeno periódico de la "desigualdad de las cosechas", la sucesión de años de lluvias abundantes y regulares que producían las buenas, cortados por otros en los que la sequía, las heladas, el granizo o las plagas esterilizaban los campos. Este fenómeno, que se presentaba con regularidad inexorable cada diez años como promedio, fue repetidamente denunciado por los contemporáneos en lamentos como éste:

> hasta el día nos hallamos entre estos dos terribles escollos: si la cosecha de maíz es escasa... todo es llanto, hambre, miseria y carestía general de todos los efectos comestibles, y aun de los de otras especies... Y si la cosecha es abundantísima... el importante gremio de labradores sufre notable quebranto por lo muy barato a que tiene que vender el maíz...

Estudios recientes han probado que el origen de este fenómeno se localiza en los cambios meteorológicos que afectan el ciclo de lluvias y el régimen climático. Pero si la causa de la desigualdad periódica de las cosechas puede atribuirse a inescrutables "designios del cielo", la fuerza e intensidad de este fenómeno, y las características que asume en cada región, son todas explicables por la estructura económica y social creada por la sociedad que lo padece. En Nueva España, la crisis agrícola originada por la reducción violenta de las cosechas fue mucho más intensa y dramática que en las sociedades europeas de la misma época porque la mayor parte de la población dependía de un solo producto (el maíz), porque era muy pobre y porque la estructura de la propiedad era extremadamente desigual. Así, al recibirse en las ciudades la noticia de una mala cosecha, los acaparadores y grandes propietarios unían esfuerzos para ocultar los granos, aumentando artificialmente la escasez y produciendo la súbita elevación de los precios cuando la escasez apenas comenzaba. El efecto de estas maniobras lo resentía de inmediato la población más pobre de las ciudades, a quien el asalto combinado de la carestía, los bajos salarios y el desempleo la convertían en primera víctima del hambre y de las enfermedades contagiosas que se propagaban con la crisis de alimentos. Si la crisis era más intensa, como ocurrió en los años 1749-50, 1785-86 y 1809-11, los grupos urbanos de medianos y altos ingresos también resultaban afectados, tanto por la carestía general de los alimentos como por las epidemias y enfermedades, viéndose obligados a concentrar la mayor parte de su ingreso en la compra de alimentos y medicinas. Esta selección del gasto del consumidor afectó a los fabricantes y comerciantes de productos manufacturados y de uso secundario, que en tiempos de crisis veían caer estrepitosamente sus ventas, lo cual a su vez provocaba el despido de muchos trabajadores ocupados en estas actividades. Con frecuencia el hambre que agobiaba a la mayor parte de la población de las ciudades, las caravanas de inmigrantes que afluían a ellas procedentes del campo y de los lugares más afectados por la crisis, la propagación de enfermedades y epidemias, y el incremento de los desocupados y mendigos, provocaban un ambiente de tensión y zozobra en las ciudades que culminaba en el motín o el incendio de las casas y graneros de los acaparadores. En el campo los efectos de la crisis agrícola fueron aún más destructivos. Apenas se difundía la noticia de la pérdida de las cosechas cuando ya el campesino indígena y los pequeños y medianos agricultores criollos y mestizos eran asediados por los acaparadores y regatones de la ciudad, quienes los presionaban a vender las pocas reservas que tenían del año pasado o lo que habían salvado de la cosecha presente. Una compulsión semejante ejercían las autoridades y los administradores de los pósitos y

569

alhóndigas de las ciudades, reales de minas y puertos importantes, quienes a toda costa buscaban hacer menos intensa la carestía y el hambre en los puntos clave del asentamiento español. Debido a ello y a la siempre precaria situación económica del indígena y del pequeño agricultor, el campo se quedaba sin reservas desde los primeros días de crisis. Luego las tragedias se acumulaban una tras otra. Los campesinos de las zonas más castigadas, una vez vendidos sus enseres y propiedades, emigraban en grandes oleadas hacia las regiones menos afectadas, preferentemente a las ciudades importantes, atraídos por la existencia de instituciones hospitalarias, pósitos y alhóndigas. En el camino iban propagando las enfermedades de sus pueblos de origen o adquiriendo nuevas en los lugares que atravesaban. En cualquier caso servían de vehículo a la expansión de epidemias y males contagiosos que cundían con el hambre y la ingestión de malos alimentos. A esas caravanas de hambrientos y desesperados pronto se agregaban los peones y jornaleros de muchas haciendas, despedidos para ahorrar salarios y el pago de la ración en maíz que se les debía. En las peores crisis, como las de 1749-50 y 1785-86, la fila de errantes se engrosaba con los trabajadores de las minas, que por estar situadas en las tierras más estériles y lejos de los centros de aprovisionamiento, impelían a los operarios a buscar alimentos en otras regiones. De esta masa de hambrientos y desocupados salían las gavillas de asaltantes y bandoleros que proliferaban en los años de crisis, incrementando la tensión tanto en el campo como en la ciudad.

Sólo los hacendados y los acaparadores coludidos con ellos se beneficiaban de estas terribles calamidades públicas. En efecto, cuando la mayoría de la población padecía el asalto combinado del hambre, la inseguridad, la muerte y la parálisis total o parcial de las principales actividades económicas, los hacendados y acaparadores obtenían sus máximas ganancias al vender a precios altísimos los granos y alimentos esenciales que toda la población reclamaba. Entonces se mostraba la racionalidad de las deformaciones de la hacienda y del monopolio de la oferta. La gran extensión de tierras acumuladas y la variedad de cultivos sembrados, hacían de ella una unidad beneficiaria de los efectos de la crisis, puesto que por una parte esas características la hacían autosuficiente, y por otra le daban la ocasión de vender parte de sus cultivos en la época de más altos precios. Para ello se habían edificado en sus límites esas enormes trojes que permitían acumular los granos de los años buenos y reservar su venta para los de escasez y carestía. Finalmente, tanto sus reservas como la disponibilidad de capital, crédito y tierras de riego y de temporal (que la capacitaban para improvisar siembras extraordinarias una vez desencadenada la escasez), le otorgaron el monopolio de la oferta de alimentos cuando todos sus competidores estaban arruinados. Esto le permitió imponer sus propias reglas en la época más aguda de la crisis. Entonces, con sólo retrasar o racionar el suministro de granos a la ciudad, conseguía un aumento inmediato de los precios. Sólo cuando éstos alcanzaban su nivel más alto, los grandes hacendados decidían llevar sus granos a la ciudad más inmediata o transportarlos a regiones distantes, donde la escasez era más aguda y los precios aún más altos. Una situación totalmente contraria a ésta se presentaba en los años de buenas y excelentes cosechas. Entonces, además de un exceso en la producción de las unidades que comercializaban sus cultivos (ranchos y haciendas), las tierras comunales y la parcela mínima del cultivador individual generaban también excedentes que iban al mercado. Pero la imposibilidad de exportar los excedentes fuera del país y la oferta multiplicada del pequeño y mediano agricultor hacían que los reducidos mercados fueran literalmente inundados con grano barato y abundante, lo cual provocaba la caída brutal de los precios a un nivel mínimo. A ello contribuía el hecho de que mientras en la época de escasez una gran parte de la población del campo y la ciudad se volvía por necesidad consumidora de los alimentos que se vendían en el mercado, cuando venían las buenas cosechas se tornaba autosuficiente y consumía sus propios productos, lo que incidía en la baja de la demanda y de los precios. Así, mientras el campesino indígena y el pequeño y mediano agricultor obtenían una ganancia de la venta de sus productos, y el habitante de la ciudad disfrutaba de una oferta abundante, constante y barata, el hacendado, los acaparadores y el regatón o intermediario vivían días difíciles. La violenta reducción de la demanda y la masiva y barata oferta de los pequeños agricultores, no sólo les impedían ahora fijar "la ley de los precios", también los obligaba a vender sus productos a precios bajos o guardarlos y esperar los años de crisis. Por ello proclamaban en estos años la ruina del "importante gremio de labradores, nervio y sostén de la república" amenazaban con abandonar la agricultura, pues ésta, decían, no era negocio en Nueva España.

Todo lo anterior muestra con claridad la importancia enorme que tuvo el fenómeno de la desigualdad de las cosechas en la sociedad colonial, y el carácter de crisis económica general que asumía una de sus consecuencias: la crisis agrícola. Pero además de estos efectos inmediatos, provocó otros menos evidentes, si bien más importantes y duraderos. La recurrencia fatal de años de buenas y malas cosechas, con sus consiguientes y desproporcionadas alzas y bajas de la producción y de los precios, impidió la formación de un nivel de precios estable y ascendente, y por tanto de ganancias seguras y progresivas, lo cual definió a la agricultura como una actividad "aventurada a los designios del cielo", sin incentivos racionalizables. Por ello la hacienda, en lugar de fincar su desarrollo en la consecución de ganancias pequeñas pero constantes, creó un mecanismo que le permitía sobrevivir cuando las cosechas eran abundantes y obtener ganancias desorbitadas en los años malos. Por ello el mediano y pequeño agricultor no podían prosperar continua y asentadamente, ni los trabajadores y jornaleros del campo obtener salarios que aumentaran progresivamente, o que al menos conservaran su poder adquisitivo en tiempos de carestía.

La desigualdad periódica de las cosechas afectó asimismo el régimen de propiedad de la tierra. Investigaciones en curso sobre los efectos de la crisis agrícola en los pequeños, medianos y grandes agricultores muestran que en tanto los últimos seguían produciendo al año siguiente de la crisis, los primeros y los segundos se reponían con gran dificultad, o no lo lograban y hasta dejaban de ser propietarios. Es decir, las pérdidas ocasionadas por las crisis, y la falta de capital y de créditos, impedían a muchos pequeños y medianos agricultores hacer las inversiones necesarias para alcanzar el nivel de producción anterior a la crisis, y a otros las pérdidas sufridas los llevaban a vender sus propiedades. Pero así como el pequeño agricultor no soportaba dos o tres años malos, el gran hacendado difícilmente sobrevivía a tres o más años continuos de buenas cosechas y precios bajos. Obligado a mantener el ostentoso tren de vida que llevaba en la ciudad, en estos años no le quedaban más salidas que solicitar un préstamo sobre sus propiedades, o venderlas cuando las hipotecas acumuladas lo habían hecho insolvente. Así, contra la creencia generalizada de que la hacienda y la gran propiedad se transmitían acumulativamente de generación en generación, dando lugar a la formación de una aristocracia territorial cerrada y estrecha, todos los estudios recientes muestran que una familia muy pocas veces lograba conservar sus tierras más allá de la tercera generación. He ahí por qué los hacendados, a pesar de su número, no tuvieron ni la fuerza económica ni el peso social que dio tanto poder a comerciantes y mineros. La Iglesia, en cambio, tuvo una influencia más decisiva sobre el desarrollo de la agricultura y la conformación de la organización agraria. El enorme peso social, político y moral de que disfrutaba y su no menos considerable capital, le abrieron tres vías para intervenir directamente en la agricultura: 1) como propietaria; 2) como receptora del impuesto pagado por los agricultores, y 3) como prestamista de la mayor parte de los agricultores. Sobre su papel de propietaria, como institución o a través de sus miembros y hombres de paja, no es necesario abundar, pues todos los que se han ocupado del tema lo han subrayado. Baste decir que a mediados del siglo xviii las mejores y más eficientes haciendas azucareras y muchas de las cerealeras y ganaderas, eran propiedad de diversas órdenes religiosas, en especial de los jesuitas. De ahí que su expulsión en 1767 diera lugar, de un solo golpe, a la mayor transferencia de propiedad rural que se vio en la colonia. Pero los beneficiarios de esta coyuntura no fueron los hacendados, sino los mineros y comerciantes, quienes aprovecharon la ocasión para fundar mayorazgos y ennoblecerse, incrementando así la tendencia latifundista. Por otra parte, debe señalarse que las haciendas y misiones de las órdenes religiosas fueron los principales centros de difusión de las plantas y técnicas de cultivo europeas y de los métodos de administración de la economía agrícola.

La historia del principal impuesto que pesaba sobre la agricultura y el estudio de sus efectos sobre esta actividad y la economía toda de la colonia, apenas ha comenzado a escribirse. Pero lo que ahora se sabe del diezmo es suficiente para calibrar su importancia. Arístides Medina ha mostrado cómo desde el siglo xvi se traba un forcejeo entre la Iglesia y la Corona para administrar este ingreso, que en un principio ésta había donado al Papa. Esta cesión original marca el momento en que el rey, como sucesor del antiguo señor feudal, trata de imponer el derecho real sobre todos los bienes del país y por sobre cualquier persona, corporación o institución. La fase siguiente, que va de fines del xvi hasta la época que tratamos aquí, cuando la Iglesia novohispana no sólo goza del derecho de cobrar y administrar el diezmo, sino que lo considera como un derecho divino y no real, señala el momento en que las corporaciones llegan a ser tan fuertes —por el proceso antes descrito—, que hasta desafían el poder real. Y precisamente uno de los soportes sobre los que se levantó la potencia de la Iglesia fue el diezmo, porque éste afectaba la décima parte de todos los productos de la tierra y la ganadería y debía pagarse sin descuento de "simiente, ni renta, ni otro gasto alguno". Es decir, era un impuesto sobre la producción bruta. En la Nueva España estaban obligados a pagar el diezmo todos los agricultores y ganaderos españoles, criollos y mestizos, así como los curas y los miembros de las órdenes religiosas. Al principio los indios fueron exceptuados porque ya pagaban el tributo; pero a partir del siglo XVII se les obligó a pagar la décima parte de todos los productos europeos, manteniéndose la excepción para los "de la tierra". La importancia de este impuesto puede medirse por los siguientes datos. Si a principios del siglo XVI la Iglesia obtenía del diezmo un ingreso que apenas alcanzaba para la "congrua sustentación" de algunos de sus miembros, a mediados del XVIII ya producía más de un millón de pesos y a fines del mismo siglo cerca de dos (sólo en el arzobispado de México y en cinco obispados). Los mayores ingresos provenían del arzobispado (712 880), y en menor escala de los obispados de Valladolid (348 900), Puebla (342 469), Guadalajara (316 310), Durango (100 329) y Oaxaca (97 011). Lo colectado por concepto de diezmo se repartía anualmente en cuatro partes iguales, de las cuales una correspondía al obispo de la diócesis, otra a los miembros del cabildo eclesiástico y las otras dos se subdividían en nueve partes que se repartían así: dos novenos para la Corona, tres para la construcción de iglesias y hospitales, y cuatro para el pago de estipendios de los curas. O sea que del total del diezmo la hacienda real apenas percibía el 11.1 por ciento y el resto lo absorbía la Iglesia. Sin embargo, dentro de ésta la repartición era poco equitativa, pues mientras el obispo y los miembros del cabildo eclesiástico acaparaban el 50 por ciento del total, los numerosos curas de las diócesis sólo llegaban a percibir el 23 por ciento. El diezmo era entonces, junto con las obvenciones parroquiales, la base económica que sostenía al numeroso clero secular y gran parte de las actividades religiosas. Además, proporcionó a la Iglesia otras ventajas no menos importantes aunque difíciles de ponderar. Una de ellas fue el contacto directo y continuo con los agricultores y las cosas del campo. Para recolectar el diezmo y manejar su producto, la Iglesia creó un aparato administrativo que pronto se convirtió en el mejor instrumento para conocer la situación real de la agricultura. La administración del diezmo concentraba las estadísticas decimales, las cantidades aportadas por cada agricultor, pueblo y zona agrícola, y llevaba inventario del número de propiedades, tipos de cultivos, precios de producción y de mercado, precio de transporte, almacenamiento, etc. Esta información, y el manejo de la décima parte de la producción agrícola (cuando el pago del diezmo se hacía en especie, pues en ciertas épocas y regiones se hizo en dinero), le otorgaron una fuerza en la comercialización y venta del producto agrícola que no tenía ningún otro individuo ni institución. A diferencia de cualquier agricultor, para la Iglesia todos los años eran buenos, puesto que su "cosecha" del diezmo estaba asegurada y nunca resentía pérdidas. Como otros que tenían posibilidad de acaparar la producción del campesino, en los años de mala cosecha obtenían grandes ganancias, como lo muestran sus entradas por venta del diezmo en los años de crisis.

Este contacto íntimo con la agricultura y los agricultores la colocó en posición de ejercer una influencia mayor sobre ambos. Además del capital que iba acumulando por su participación en la agricultura, la Iglesia recibía donaciones piadosas, legados testamentarios y diversos bienes de toda la población, pero especialmente de ricos mineros, comerciantes y agricultores, que la convirtieron en el mayor propietario de bienes raíces urbanos y rurales y en la institución con mayor disponibilidad de capital líquido. Este capital, que generalmente recibía para que con los réditos pagara las capellanías, las dotes y obras piadosas que establecía el donante, tenía que invertirse para recoger los réditos. Y la mejor inversión era la propiedad, y por ello los conventos y Juzgados de Capellanías y Obras Pías (institución ésta que administraba los fondos ingresados por estos conceptos y por legados testamentarios) dedicaron una parte de su capital a la compra de propiedades y otra muy considerable la prestaban bajo garantía hipotecaria. Los mayores beneficiarios de estos préstamos fueron los agricultores, quienes ante cualquier emergencia acudían al Juzgado de Capellanías en demanda de tal o cual cantidad, que aseguraban pagar en término de cinco o nueve años, obligándose a dar anualmente 5 por ciento del total del dinero recibido en préstamo. Como garantía

575

ofrecían en hipoteca la hacienda o el rancho de su propiedad, bajo promesa de no fraccionarla ni venderla.

Otra forma muy común de hacer donaciones a la Iglesia, especialmente por parte de los agricultores, fue la de crear *censos* sobre haciendas y ranchos. Era frecuente, por ejemplo, que un bienhechor de la Iglesia, por no tener dinero disponible o por otras razones, gravara los ingresos de una o varias de sus haciendas con una renta anual en favor de una iglesia, una orden o un convento. A este gravamen sobre la propiedad, generalmente perpetuo, se le dio el nombre de *censo* y era equivalente al interés del 5 por ciento de un capital no invertido y no exigible que dependía del beneficiario. Sea por la constitución de estos censos, o por los muy frecuentes préstamos que los agricultores solicitaban a la Iglesia, lo cierto es que a mediados del siglo XVIII la *mayoría* de las haciendas y ranchos estaban de hecho en poder de aquélla. A fines de siglo, obispos tan lúcidos como Abad y Queipo y Francisco Fabián y Fuero, y gobernantes y viajeros de la talla de Revilla Gigedo y Humboldt, destacaban esta anomalía de la propiedad como uno de los problemas más serios de la agricultura. En suma, a fines de siglo la participación de la Iglesia en la agricultura y la economía colonial había polarizado las grandes contradicciones del sistema colonial. Por una parte, la desigualdad periódica de las cosechas, la coexistencia del gran latifundio con la propiedad comunal y el minifundio, los escasos y reducidísimos mercados, la imposibilidad de exportar excedentes y la dependencia de la mayoría de la población hacia un solo producto, habían creado dos tipos de agricultura extremadamente sensibles a las contingencias climáticas, pero en tiempos y formas contradictorios, de tal manera que los buenos años de una eran los malos para la otra, lo cual dio como resultado una crisis permanente del sector agrícola que afectó a todo el sistema. En esta crisis continua el capital y la participación de la Iglesia vinieron a ser fundamentales, pues dada la falta de bancos y sistemas de crédito oficiales o privados, ella suministró, a través de préstamos e inversiones directas en el campo, el capital necesario para que esas crisis fueran menos catastróficas. En otras palabras, resultó el regulador de la economía agrícola y de la economía general, puesto que al captar a través de donaciones y legados testamentarios los excedentes de los sectores más dinámicos (comercio y minería), e invertirlos otra vez en la agricultura, reanimaba el sector más débil. En este sentido puede decirse que la

576

Iglesia era el sostén más poderoso de la estructura latifundista y desigual que persistía en el campo, puesto que su participación regularizó y consolidó esa situación. Por último, la mención de los problemas que pesaban sobre la agricultura novohispana no debe impedir la apreciación de varios cambios fundamentales ocurridos en esta época, y en especial durante la segunda mitad del siglo XVIII. El más notorio es el desarrollo extraordinariamente rápido y pujante de la agricultura en las intendencias de Guadalajara, Guanajuato y Valladolid, y el correlativo estancamiento de esta actividad en el centro y sur del país, especialmente en la región de Puebla-Tlaxcala, donde puede decirse que hasta hubo retroceso. El hecho más notable, sin embargo, fue el crecimiento general de la agricultura y su afirmación indisputada como primer ramo del ingreso nacional. Durante la segunda parte del siglo XVI la Nueva España adquirió fama de país minero, que no perdió en el XVII, a pesar de una baja producción de plata. En el XVIII esta idea se reafirmó, debido a los espectaculares descubrimientos de nuevas minas y al auge general que hubo en la minería. Pero esta imagen, que en general concordaba con el carácter que la metrópoli le había asignado a la colonia, era una imagen externa. La verdadera riqueza del país, como afirmaron muchos observadores novohispanos, estaba en su agricultura. Humboldt, quien siguió las observaciones de los novohispanos más lúcidos y enterados, fue uno de los primeros que la difundieron. Pero cuando el sabio alemán la publicó en su *Ensayo político,* el predominio de la agricultura como fuente nacional de ingresos era una realidad que muchos aceptaban. Los administradores del diezmo, que hacia 1790 sabían que la Iglesia extraía de este ramo casi dos millones de pesos, calculaban que la agricultura producía anualmente más de 200. Apoyándose en otros datos, el secretario del Consulado de Comerciantes de Veracruz, José María Quirós, afirmaba en 1817 que este ramo rendía cada año alrededor de 140 millones de pesos, asignándole poco más de 60 a la industria y apenas unos 28 millones a la minería.

Otro hecho que hay que destacar es la transformación cualitativa de la agricultura. La producción agrícola del siglo XVIII no sólo es mayor que la del XVI o XVII, sino más variada, y proviene sobre todo del rancho y la hacienda de tipo europeo y no de la propiedad comunal. Estas unidades de producción basadas en la propiedad particular de la tierra y de los medios de producción,

577

habían avasallado a la agricultura indígena que reposaba todavía en modos de producción milenarios y en la propiedad comunal de la tierra. Estos rasgos delatan una agricultura predominantemente orientada al mercado urbano y minero, aunque éste, por sus mismas limitaciones, le impuso las restricciones y barreras de sus grandes deformaciones: latifundio, monopolio de la oferta, etc.

Inestabilidad social y desajuste político

Los análisis más simplistas aceptan que los periodos de crisis económica y depauperización de las masas generan malestar social e inestabilidad política, lo cual conduce a movimientos políticos de carácter violento. La extensión de esta tesis presupondría que, por el contrario, las épocas de crecimiento económico conducen a periodos de armonía social y estabilidad política. Por lo visto hasta aquí, esta tesis no podría explicar el desarrollo de Nueva España entre 1750 y 1810, ni mucho menos la explosión revolucionaria que se inicia en el último de esos años. Las grandes transformaciones administrativas, políticas, económicas y sociales que padece el país en esta época no producen estabilidad, ni el movimiento de 1810 es provocado principalmente por una revuelta popular que viera en él la vía para una solución de sus aflicciones sociales y políticas. Más bien se acomoda a la explicación que diera Tocqueville de la Revolución francesa. La revolución, dijo en su célebre obra *El viejo régimen y la Revolución francesa,* fue precedida de "un progreso tan veloz como inaudito de la prosperidad de la nación. Esta prosperidad en firme y creciente evolución, lejos de tranquilizar a la población, promovió por todas partes un espíritu de inquietud", y "precisamente en las partes de Francia más beneficiadas por la mejoría resultó más intenso el descontento popular". Más tarde, Crane Brinton (*The Anatomy of Revolution,* 1938), y otros historiadores y politólogos han fortalecido la tesis que señala al crecimiento económico acelerado como un agente dislocador de las antiguas estructuras y motivador de expectativas políticas que conducen a vastas transformaciones revolucionarias. En nuestra opinión, las transformaciones políticas, administrativas y económicas descritas en las páginas anteriores provocaron un desajuste social que, al no encontrar vías políticas que le dieran solución institucional y desatar otros procesos que hicieron más evidentes las contradicciones del sistema, dieron paso a la vía revolucionaria que incendió al país en 1810. He aquí, expuestos sumariamente, los principales desequilibrios de la sociedad novohispana ocasionados por el rapidísimo crecimiento económico y las reformas borbónicas que lo acompañaron.

Primero, los desajustes económicos. Aun en la sociedad que logra un reparto equitativo de los dividendos del producto social, todo proceso de desarrollo económico acelerado produce desequilibrios o alteraciones más o menos bruscas. En Nueva España el vivísimo crecimiento de los años 1770-1800 produjo efectos desestabilizadores mucho más violentos, tanto porque rompió un lentísimo reacomodo económico-social que se había iniciado más de un siglo atrás, como porque se dio en el seno de una sociedad extremadamente desigual. Entonces, no podía ser un movimiento estabilizador, sino al contrario, perturbador y creador de desigualdades más intensas y evidentes. Como ya se ha visto, una de sus consecuencias fue desplazar el polo del crecimiento económico y de la concentración de la riqueza del centro del país hacia El Bajío, el occidente y el norte, provocando de paso el marginamiento económico de regiones antes privilegiadas, como Puebla-Tlaxcala, y el ascenso de otras, como Veracruz. Este reacomodo regional creó nuevas realidades económicas y expectativas políticas antes no contempladas y que se considerarán más adelante. Otra consecuencia, buscada por las reformas económicas de los Borbones, fue el fortalecimiento del sector externo de la colonia (minería, comercio, agricultura de exportación), con el fin de hacerlo más dependiente de la metrópoli. Pero el buen resultado de esta política originó varios problemas cuya solución no había pensado la metrópoli y que ampliaron las grietas del sistema. Así, al mismo tiempo que las reformas económicas y de política fiscal tornaron a Nueva España más colonia que nunca, el efecto multiplicador que tuvieron estas reformas en la economía interna, despertó la certeza, por una parte, de que la metrópoli sólo cuidaba de sus intereses y que éstos solían contrariar los de la colonia; y por otra, que Nueva España era autosuficiente, que su desarrollo y potencialidades podían ser mayores si prescindía de su atadura con España. Esta convicción se expresó con toda claridad en uno de los planes subversivos anteriores a la explosión de 1810, firmado por el fraile Melchor de Talamantes, donde se lee que el territorio novohispano tenía "todos los recursos y facultades para el sustento, conservación y felicidad de sus habitantes", y por tanto debía hacerse independiente puesto que el gobierno español no se ocupaba del bien general de Nueva España. Dicho de otro modo, al darse juntos un proceso de mayor sujeción económica externa y otro de expansión y desarrollo del sector interno de la economía, los privilegios concedidos a aquél y el marginamiento de éste se hicieron más patentes entre los no beneficiados, que eran la mayoría.

Debe destacarse que si el auge económico fue casi general, el reparto de sus beneficios, al contrario, no fue nada equitativo, dada la tremenda desigualdad social existente. Por sectores, la exclusiva minoría que controlaba las actividades más ligadas con el exterior (mineros y comerciantes), recibió los más altos ingresos, mientras que la inmensa mayoría de agricultores, obrajeros, artesanos, pequeños empresarios y trabajadores tuvieron que subdividirse las ganancias de un auge que veían tan espectacular como escaso en retribuciones para ellos. El malestar y las expectativas provocadas por este reparto desproporcionado se intensificaron, o adquirieron sesgos no previstos, por causa de la política que adoptó la Corona con determinados grupos. Así, la fuerza y situación privilegiada que se otorgó al grupo de mineros (que eran criollos en su mayoría) no podía sino ser mal vista por los comerciantes peninsulares (cuyas prerrogativas fueron disminuidas) y por los agricultores y empresarios criollos, que además de quedar fuera de las grandes ganancias, no tenían acceso a las retribuciones sociales y políticas que se daban a los españoles. Asimismo, el tremendo golpe asestado al poder económico y político de los comerciantes, además de ganar para la metrópoli el descontento del grupo español más fuerte de la colonia, desarticuló todo el sistema que centralizaba en la ciudad de México la riqueza y el poder, creando un vacío que se apresuraron a llenar comerciantes y empresarios regionales, o sea los enemigos naturales del grupo de comerciantes de la capital. En suma, tanto en la región como en el sector y el grupo, el crecimiento económico produjo desequilibrios graves en el sistema, que promovieron una separación mayor de los diversos grupos y agudizó el conocimiento de sus intereses y oposiciones. Si el crecimiento económico acelerado puede actuar como un agente perturbador de agrupaciones y clases económicas establecidas, en la época que examinamos fue también el más activo disolvente de agrupamientos sociales tradicionales. La presión tan intensa y generalizada que en esta época se ejerció sobre el grupo indígena sólo tiene parangón con los peores momentos de la conquista y primeros años de la colonización. Tierras y propiedades comunales, familia, filiación étnica y lingüística y muchas de las principales instituciones sociales y culturales que aún conservaban, fueron dislocadas o quebrantadas por el acelerado proceso de cambio económico que se vivió entre 1750 y 1800. Las tierras comunales sufrieron esta vez el asalto combinado de la hacienda y el rancho en expansión, la enorme presión de los nuevos grupos sin tierras (castas y mestizos) y la propia demanda de la población indígena en crecimiento. Así, la pérdida o la falta de tierras desarraigó a una parte muy considerable de la población indígena, que fue de inmediato atrapada por las unidades y centros de tipo capitalista que guiaban la intensa transformación que vivía Nueva España. Grandes haciendas, ingenios azucareros, ranchos y estancias ganaderas convirtieron a los campesinos tradicionales en peones y jornaleros, al mismo tiempo que la demanda de mano de obra de las minas y centros urbanos los incorporaba al proletariado cuasiservil que con gran celeridad se formó durante esta época. El proceso de desintegración de la comunidad indígena se observa también en el número extraordinariamente alto de "indios vagos y errantes' que registran muchos pueblos a fines de siglo, y en la constante salida de hombres de las áreas indígenas hacia las zonas de mayor crecimiento económico. Pueblos antes prósperos, y comunidades antes estables, sobre todo en la región de Puebla-Tlaxcala, quedaron casi literalmente abandonados. De esta época data también la formación en gran escala de un proletariado rural móvil que recorría durante el año las plantaciones de algodón, caña de azúcar y tabaco, o desempeñaba trabajos estacionales en haciendas agrícolas y estancias ganaderas.

Otra manifestación del desajuste social provocado por el crecimiento económico rápido fue la aparición de nuevos grupos que no tenían cabida en el orden establecido. Un caso ejemplar de este fenómeno es el de las castas, que hacia fines del siglo xviii llega a formar el 22 por ciento de la población total (un millón trescientos mil y pico de individuos de todos colores). O sea que, junto con los criollos, eran el grupo étnico de más rápido crecimiento y el que encontró, de parte de españoles, criollos e indios, la mayor hostilidad para integrarse. Siendo en sí un grupo conflictivo por la carencia de bases económicas, sociales o culturales que le dieran asentamiento, todo intento por hacerse un sitio en alguno de los

581

pocos mundos a su alcance creaba rechazo y éste, a su vez, mayor inestabilidad y resentimiento, con lo cual se convirtió en el gran problema de la época final del virreinato. Mucho menos numeroso pero de mayor peligrosidad política fue el grupo de los "nuevos ricos" que nació con el auge. Ya se tratara de comerciantes de provincia, de agricultores, empresarios o mineros, estos individuos repentinamente enriquecidos se adaptaban en forma imperfecta al sistema, eran frecuentemente rechazados por éste, o en todo caso amenazaban su estabilidad al exigir un *status* político y social que correspondiera a su nueva posición económica. Sin embargo, es poco probable que estos grandes desajustes en la situación económica de regiones, clases y grupos abrieran el camino a la inestabilidad política franca si el sistema colonial hubiera dispuesto de canales adecuados de movilidad social y de instituciones políticas flexibles que disminuyeran o absorbieran las tensiones provocadas por el crecimiento acelerado y desigual. Pero ya se ha visto que precisamente una de las características más destacadas del sistema era su rígida estratificación social, que sólo aceptaba el paso de individuos de grupos inferiores a los superiores mediante una escrupulosa filtración hecha casi a nivel individual, que presuponía la total aceptación de los valores sostenidos por los segundos. Así, las trabas sociales creadas por la pertenencia al grupo dominante y el color de la piel, en lugar de aligerarse, se hicieron más inflexibles como respuesta a las pretensiones de ascenso de los nuevos grupos que amenazaban el monopolio de la oligarquía. Y al cerrarse tan herméticamente las posibilidades de ascenso para una parte considerable de criollos, mestizos y castas, aumentó en proporción mayor la frustración social de estos grupos, a quienes el auge económico había infundido nuevas expectativas.

La frustración social que de ellas se apoderó fue seguida de un proceso paralelo de frustración política. En esto intervino tanto la política adoptada por los Borbones como la propia inelasticidad del sistema político creado. Las reformas borbónicas incrementaron la frustración social y política de varias maneras. Por una parte, cerrando el paso de criollos y mestizos a puestos y posiciones políticas que su misma representatividad les había ganado; deponiéndolos de cargos que antes disfrutaban en la Real Audiencia, la hacienda pública y la administración de organismos gubernamentales de diferente rango; impidiéndoles el acceso a los altos puestos militares y eclesiásticos; marginándolos, en fin, de manera sistemática y creciente, de cualquier posición de poder. Por otra, colocando en todos los puestos cumbres y en los nuevamente creados por el proceso de reformas a españoles y europeos. La aplicación inflexible de ambas políticas justo en el momento cuando las expectativas de participación de criollos y mestizos eran mayores hundió a éstos en la peor frustración, haciéndoles ver que sólo un cambio nacido en la colonia y desde ella dirigido podía transformar el estado de cosas existente. Con todo, la clausura de oportunidades para criollos y mestizos sólo fue total en los niveles altos; los puestos intermedios y bajos de la administración, la Iglesia y el ejército, multiplicados por el crecimiento económico y por las reformas borbónicas, fueron el lugar donde su frustración se volvió más consciente y donde comenzaron a definir formas concretas de actividad política. Así, desterrados de la vida política propiamente dicha, pero teniendo abierto el acceso a los cabildos municipales, los curatos y los niveles inferiores y medios del ejército, comenzaron a transformar estas instituciones en cuerpos políticos dedicados a la defensa de sus intereses. El caso más sobresaliente fue el del cabildo municipal, que de institución carente de personalidad e independencia reales durante más de dos siglos y medio de existencia, fue reivindicado por los criollos como cuerpo democrático y proyectado más tarde como instrumento dotado de soberanía y representatividad. Esta transformación del cabildo se expresa con toda claridad en la "Representación que hizo la ciudad de México al rey Carlos III en 1771 sobre que los criollos deberán ser preferidos a los europeos en la distribución de empleos y beneficios de estos reinos". Y adquiere importancia política plena en los acontecimientos de 1808, cuando ante la abdicación del monarca español el cabildo de la ciudad de México, asumiendo la representación del reino todo, propone al virrey seguir provisionalmente en el gobierno en tanto que una reunión de todos los cabildos del virreinato no decidía otra solución. De esta proyección del cabildo surgió la crisis que acabó en la deposición del virrey Iturrigaray. Asimismo es conocida la participación de curas y oficiales del ejército criollos en todas las conspiraciones anteriores a 1810. Sin embargo, el paso que media entre la frustración social y la participación política activa de este grupo no puede explicarse sin la intervención de un tercer factor que precipitó la formación de una conciencia crítica.

583

Este tercer factor fue la modernidad, la penetración en Nueva España de las ideas y la cultura del Siglo de las Luces.

Al lado de todos los procesos señalados en este ensayo, entre 1750 y 1800 se introduce en el virreinato la filosofía de la Ilustración, que proponía una nueva concepción de la sociedad, del Estado y el individuo. El Santo Oficio de la Inquisición fue el primero en delatar este peligroso agente desestabilizador al denunciar la creciente filtración de obras de Rousseau, Voltaire, Diderot y otros autores que difundían las nuevas ideas políticas o atacaban la filosofía tradicional escolástico-aristotélica. Y aunque la Inquisición adoptó algunas medidas contra la invasión de "ideas heréticas y sediciosas", su intento fue traicionado por el espíritu de la época que había penetrado en todos los sectores, y sobre todo en los miembros de la misma Iglesia. Los principales introductores de las nuevas ideas y costumbres fueron en primer lugar los gobernantes y funcionarios encargados de llevar a cabo las reformas borbónicas. A partir del marqués de Croix, que asumió el mando en 1766, casi todos los virreyes fueron entusiastas adeptos de la Ilustración: Bucareli, Mayorga, los dos Gálvez, Núñez de Haro y Peralta, Flores Revilla Gigedo, Azanza. Estos hombres, seleccionados por los ministros de Carlos III para hacer efectiva en Nueva España la política reformadora del Despotismo Ilustrado, trajeron consigo las ideas políticas, sociales, religiosas y económicas del Siglo de las Luces y las difundieron en sus cortes, en las tertulias literarias que a menudo organizaban, en los saraos que tantos escándalos provocaron, y a través del séquito de sirvientes afrancesados que los acompañaba: peluqueros, sastres, cocineros, valets y damas de compañía. En los estudios sobre la época y el gobierno de estos virreyes se han destacado las oposiciones que encontraron para realizar la política que venían a cumplir, pero faltan estudios semejantes que analicen el tremendo "efecto demostración" que tuvieron sus ideas y actos en los medios sociales inferiores que los veían actuar, efecto que puede apreciarse en las escandalizadas denuncias sobre la perversión de las costumbres por causa de la difusión de hábitos y modas afrancesados. La adopción de la moda francesa en el vestir, la propagación de tertulias, cafés y billares, y la expansión de saraos y fandangos, tuvo un efecto desgastador de las normas y preceptos tradicionales mucho más corrosivo que la difusión de las obras revolucionarias. Y es innecesario decir que quienes adoptaron estos hábitos con mayor pasión y rapidez fueron

584

los nuevos ricos y la emergente clase media urbana, es decir, los nuevos grupos que había creado el crecimiento de los últimos años. Una importancia semejante, aunque menos conocida, tuvieron las acciones de muchos altos funcionarios, como Ramón Posada (fiscal de la Real Hacienda), José Mangino (superintendente de la Casa de Moneda), Fausto de Elhuyar (director de la Escuela de Minería) y la de los intendentes y gobernadores provinciales. Algunos, además de activos divulgadores de las nuevas ideas, trataron con coherencia de llevarlas a la práctica con lo cual provocaron graves conflictos públicos y grandes crisis personales. Incorporar en la vida corriente los principios del Despotismo Ilustrado, aplicar el filantropismo social, racionalizar la administración y la hacienda pública, o simplemente combatir monopolios, significó para estos hombres entrar en grandes pugnas con los intereses y grupos establecidos y más directamente ligados a la península. Y por otra parte, cuando su misma actividad o los criollos que compartían sus ideas les pedían ir más allá de la simple declaratoria formal de principios e ideas, a menudo entraban en graves conflictos personales, porque llevar hasta su consecuencia lógica los principios adoptados suponía propiciar en la colonia una política que atentaba contra los intereses de la Corona. Quizá los intendentes y funcionarios provinciales padecieron con mayor intensidad estos conflictos y desgarramientos internos, porque el ambiente más estrecho de sus provincias y el vacío y la hostilidad inmediata que les crearon los grupos tradicionales los llevó de la mano a ligarse con los impugnadores naturales del sistema: los criollos. Juan Antonio de Riaño, el intendente de Guanajuato, reunió en su mesa y en tertulias literarias a muchos de los conspiradores de Querétaro y fue amigo personal de Miguel Hidalgo, cuyas huestes desarrapadas habían de matar años más tarde al intendente ilustrado.

Los miembros de la institución más poderosa y tradicional de la colonia resultaron también gravemente inficionados por los aires de la modernidad. La batalla inicial, la más difícil por solitaria e incomprendida, la desataron los jesuitas, prosiguiéndola más allá de su expulsión en 1767. José Rafael Campoy (1723-1777), Francisco Javier Alegre (1729-1788), Diego José Abad (1727-1779) y Francisco Javier Clavijero (1731-1787) fueron las cabezas instigadoras del primer gran ataque a la filosofía escolástica tradicional, hasta entonces la oficial y única que se divulgaba. Sus enseñanzas y escritos introdujeron los cambios siguientes: aparición de las primeras críticas sistemáticas a los métodos y dogmas escolásticos, apertura a las nuevas corrientes y filósofos europeos, introducción de la física experimental o moderna en los cursos de filosofía, desarrollo del eclecticismo científico, y adopción de nuevas orientaciones metodológicas tanto en la reflexión filosófica como en la enseñanza. Expulsados los jesuitas, el proceso de renovación filosófica y mental en las filas de la Iglesia fue continuado por el padre Juan Benito Gamarra, quien muy pronto convirtió el Colegio de San Francisco de Sales de San Miguel el Grande en un foco de la modernidad, incorporando a su plan de estudios las nuevas materias que en Europa transformaban el conocimiento. Tanto por su acción reformadora como por ser él mismo autor de obras renovadoras y de gran prestigio en la época (*Elementa Recentioris Philosophiae*, 1774; *Academias filosóficas*, 1774; y *Errores del entendimiento humano*, 1781), Gamarra polarizó en su persona, como antes los jesuitas, las embestidas de las mentalidades más tradicionales. Denunciado ante el Santo Oficio por heterodoxia, salió ileso del trance por el apoyo decidido que recibió de altos jerarcas de la Iglesia, entre ellos el obispo de Michoacán, Luis Fernández de Hoyos, y de la misma Inquisición, que impuso silencio a su denunciante. Su triunfo marca el momento en que las ideas renovadoras se imponen a las tradicionales de la institución más conservadora. En adelante, aunque seguirá habiendo denuncias, ataques y persecuciones de parte de los miembros más recalcitrantes del clero, la propagación de la filosofía y la ciencia modernas ya no se detiene. En los colegios y seminarios de Michoacán y Guadalajara brotan centros tan renovadores como el de los felipenses de San Miguel el Grande. Hasta en la Universidad de México y en los colegios de la capital —las instituciones más tradicionales— se hacen tímidas innovaciones en los métodos educativos y se abre la puerta a las obras y autores modernos. Otro signo evidente del cambio ocurrido es el relajamiento e incapacidad del Santo Oficio para reprimir y contener la circulación de obras prohibidas. En la segunda mitad del siglo aumenta su circulación y el número de sus lectores, que ahora no sólo son eclesiásticos —desde los más altos hasta los frailes humildes, incluidos los miembros de la Inquisición—, sino también militares, miembros de la aristocracia, funcionarios y profesionistas de la clase media. Otro hecho significativo es que mientras en la primera

586

mitad del siglo son más abundantes las obras de preocupación religiosa que se califican de injuriosas o heréticas, en la segunda son mayoritarias las de intención filosófico-política, y a fines de siglo se imponen las de naturaleza predominantemente política.

En esta transformación de la mentalidad colonial desempeñó un papel muy destacado la llegada de prelados españoles que simpatizaban abiertamente con las ideas ilustradas. Arzobispos como Antonio de Lorenzana (1722-1804) y Alonso de Haro y Peralta (1729-1800), y obispos como Francisco Fabián y Fuero (1719-1801) y Luis Fernández de Hoyos y Mier († 1775), de Puebla y Michoacán, respectivamente, además de apoyar las tendencias renovadoras dentro de la Iglesia, trataron de darle a ésta una proyección externa más social y filantrópica. Hubo un lugar donde se dieron todas las condiciones para que la Iglesia representara un papel de vanguardia en los asuntos religiosos y humanos: el obispado de Michoacán, la misma región donde poco más de dos siglos y medio antes Vasco de Quiroga intentó fundar una comunidad humana basada en los principios de la *Utopía* de Tomás Moro. Entre 1770 y 1810 la silla episcopal de esta diócesis fue ocupada por una serie notable de prelados que conjugaron las ideas ilustradas y filantrópicas de la modernidad con el deseo de llevarlas a la práctica. Los obispos Luis Fernández de Hoyos y Mier, Antonio de San Miguel (1726-1804) y Manuel Abad y Queipo (1751-1825), junto con el deán José Pérez Calama (1740-1792), promovieron una vasta transformación de la mentalidad de su diócesis que abarcó la introducción de la filosofía moderna y el consiguiente rechazo de la escolástica, la creación de colegios y seminarios dotados de nuevos programas de estudios, el desarrollo de una "filosofía político-caritativa" aplicada a los asuntos terrenales, la importación y difusión del liberalismo español en materias sociales y económicas y la formación de un numeroso grupo de sacerdotes y bachilleres imbuidos de estas ideas. Sin la conjunción de estos flujos renovadores sería difícil explicar los avanzados escritos económico-sociales de los obispos San Miguel y Abad y Queipo, en los cuales se hace una descarnada presentación de las causas que mantenían a castas e indios en situación degradante. En sus escritos aparece el primer análisis lúcido del latifundio y de los efectos distorsionadores que había creado en el cuerpo social, y se hace una revisión clara y penetrante de casi todos los problemas económicos y sociales que frenaban el desarrollo de la colonia. En los escritos

587

de Abad y Queipo se argumenta la necesidad de suprimir la infamante situación de las castas y de darles un estatuto libre, así como la conveniencia de acabar con la legislación paternalista que protegía a los indios, dividir las tierras comunales y permitir la mezcla y el contacto directo de éstos con las otras etnias como medios para asegurar su incorporación al "progreso". Asimismo, en los escritos de Pérez Calama, y en su infatigable labor cotidiana, se observa el esfuerzo obsesivo de esta generación por quebrantar la mentalidad tradicional, introducir de un golpe las ideas ilustradas y crear las condiciones para que se apliquen a la realidad circundante. Así Pérez Calama se distingue primero como reformador de planes de estudio en Puebla (donde fue rector del Colegio Palafoxiano bajo el amparo del obispo Fabián y Fuero) y Michoacán; luego como divulgador de la filosofía moderna y de la Ilustración a través de sermones, cartas instructivas y obritas sobre política cristiana dirigidas a superar la "ignorancia y rudeza" de los párrocos de Michoacán; y finalmente como activo practicante de sus ideas al promover la fundación de una Sociedad de los Amigos del País en Valladolid (la primera que se proponía en Nueva España), y tratar de crear industrias y actividades útiles que dieran ocupación a las clases menesterosas y elevaran la situación económica de la región. Él fue, además, el instigador del plan de "siembras extraordinarias" y de otras medidas filantrópicas que aliviaron la terrible situación que padeció la zona de Michoacán cuando fue azotada por la gran hambre de 1785-86.

Pero como ocurre con frecuencia con las generaciones que se enfrentan a la doble tarea de socavar los cimientos de una tradición y de iluminar senderos y perspectivas futuras, la de gobernantes, funcionarios y religiosos españoles que dirigió la Nueva España entre 1770 y 1810 padeció las amargas quemaduras de la contradicción, la frustración y el desgarramiento interior. La mayor parte tuvo que contradecirse y dar marcha atrás cuando la independencia de las colonias inglesas del norte y el triunfo y radicalización de la Revolución francesa mostraron a los habitantes de Nueva España que la asunción plena de los principios de la Ilustración desembocaba en la fragua de nuevas realidades políticas y sociales. De los varios grupos y sectores que promovieron el cambio mental e hicieron circular las nuevas ideas que estaban cambiando a su época, el formado por sacerdotes y prelados padeció con mayor intensidad que nadie el doloroso tránsito que habría de recorrer el país. La figura de Abad y Queipo resume en forma sublimada las contradicciones y desgarramientos de su generación. Alumno y heredero directo de las prédicas ilustradas y renovadoras del obispo San Miguel y del deán Pérez Calama, observador agudísimo él mismo de las deformaciones sociales y económicas que había creado el sistema colonial y su impugnador y crítico más lúcido, será más tarde el excomulgador de Hidalgo, el matador del producto más acabado y coherente que había procreado su generación.

Con todo, esta generación de gobernantes ilustrados cumplió cabalmente su tarea de puente entre un mundo que se resquebrajaba por todos lados y otro cuyo contorno contribuyeron a iluminar. Entre 1790 y 1810 la difusión de las ideas y la efervescencia social son más intensas que nunca en la Nueva España; la crítica de la escolástica y de las viejas tradiciones cede el lugar a la crítica de las condiciones sociales, políticas y económicas de la colonia; los centros de agitación y descontento son los colegios y seminarios, los curatos y los nuevos medios de difusión; los agentes de la subversión: los curas, abogados y militares criollos; las regiones donde se acumula el descontento y se multiplican las conspiraciones: las más prósperas y desarticuladas por el súbito crecimiento económico (El Bajío, Michoacán, Guadalajara).

La gran explosión que precipita al país a la época moderna tiene como antecedente esos tres procesos que hemos tratado de esbozar en las páginas precedentes: un rapidísimo crecimiento económico que descoyunta las estructuras sociales forjadas a través de un siglo de lento reacomodo y hace más evidentes las desigualdades existentes; una inflexibilidad casi total de la fábrica política y social para dar cabida a los nuevos grupos y absorber las contradicciones y expectativas creadas por el proceso anterior; y una difusión también acelerada de las ideas de la modernidad que le darán fundamento a los grupos marginados para proyectar y racionalizar sus reivindicaciones. No es un azar que el área de El Bajío y Michoacán, que experimentó el mayor crecimiento económico, concentró el número más alto de criollos y albergó a los focos más avanzados de renovación intelectual, haya sido la matriz de la insurrección que encabezó Hidalgo.

La revolución de independencia

Luis Villoro

Los actores del drama

La segunda mitad del siglo XVIII fue la época de oro de la sociedad colonial; fue también, cuando se delineó con caracteres más precisos su estructura de dependencia. El fundamento económico de la colonia era el sector que exportaba a la metrópoli. A sostenerlo y reforzarlo se dirigía la política de la Corona. Pero el auge considerable a que llegó ese sector en la segunda mitad del siglo XVIII, propició un crecimiento lento del sector de producción ligado al mercado interno, que no era favorecido directamente por la política colonial. Las relaciones inestables entre esos dos sectores trazan un marco para situar a los distintos grupos que componían la élite social y política de la Nueva España.

El sistema económico exportador descansaba en la explotación minera y en el sector financiero y comercial que financiaba la producción de metales preciosos y su exportación a la metrópoli. En la segunda mitad del siglo XVIII, sobre todo a partir de 1770, la minería alcanzó un auge extraordinario. Entre 1740 y 1803 se triplicó la cantidad de oro y de plata extraída. El crecimiento mayor se registró en los últimos treinta años del siglo, cuando la producción anual de plata pasó de 12 a 18 millones de pesos. A principios del XIX el valor de la producción minera alcanzaba, según distintos cálculos, de 23 a 28 millones, una cantidad casi equivalente al valor de toda la producción agrícola y ganadera. Al enorme crecimiento de la minería correspondió también la bonanza de las casas comerciales que manejaban el comercio exterior. Las

NOTA: En este trabajo he utilizado varias partes de mi libro *El proceso ideológico de la revolución de independencia*, México, U.N.A.M., 2a. ed., 1967.

mayores fortunas de la colonia se encontraban en estos dos grupos. El comercio exterior estaba controlado por unos cuantas firmas con asiento en las ciudades de México y Veracruz, y que guardaban estrechas relaciones con empresas de Cádiz. El decreto de "comercio libre" de 1778, que rompió el monopolio del puerto de Cádiz para comerciar con las colonias y levantó las prohibiciones de que Nueva España comerciara con otros países americanos, rebajó la importancia de ese puerto, y por eso comenzó a perjudicar a los comerciantes de Veracruz; pero a la larga fomentó la proliferación de nuevos establecimientos comerciales y benefició a los almaceneros más ricos. En la primera década del siglo XIX el comercio por Veracruz casi se había duplicado en relación con 1778. En esos años el grupo comerciante exportador había logrado consolidarse como sector económico dominante. Había alcanzado la cima del poder económico y su prestigio social sólo podía equipararse al del sector de producción con el que mantenía las más estrechas ligas: los grandes propietarios de minas.

Muchas fortunas de mineros y comerciantes se encontraban estrechamente vinculadas. El decreto de "comercio libre" sirvió, entre otras cosas, para que algunos comerciantes, alarmados y suspicaces, invirtieran fuertes capitales en la minería, contribuyendo así a su auge. Los comerciantes exportadores también estaban asociados a ella por ser su mejor fuente de crédito. Los llamados "aviadores" o "mercaderes de la plata", que compraban el metal a los mineros para exportarlo y concedían a menudo los créditos que éstos necesitaban, tenían sus cuentas en las grandes casas comerciales de la ciudad de México. Otras servían directamente de banqueros a las minas y controlaban así buena parte de la industria extractiva. No es extraño, pues, que muchos propietarios de minas empezaran su carrera como comerciantes y banqueros. Mineros y comerciantes exportadores formaban el grupo económicamente hegemónico en la última época de la colonia. Dentro de la élite, era el único con posibilidades de una acumulación fuerte y continua de capital. Su hegemonía estaba ligada al mantenimiento de una economía de "enclave", pues todo su beneficio derivaba de la exportación a la metrópoli. Así, su suerte privilegiada descansaba en la situación de dependencia de Nueva España. La mayoría de los grandes comerciantes, tanto de la capital como de provincia, eran de origen europeo, y entre los propietarios de minas se encontraban tanto familias criollas como peninsulares.

594

Por ejemplo: mientras la mayoría de los mineros de Zacatecas eran inmigrantes, familias criollas poseían la mayor parte de las minas de Guanajuato; pero en el seno de ese grupo privilegiado no podría encontrarse la menor oposición entre criollos y peninsulares. Sus relaciones, sustentadas tanto en intereses como en lazos familiares, eran estrechas. Resultaba frecuente la figura del español inmigrante que después de trabajar unos años en el comercio, casaba con la hija de un criollo dueño de alguna mina, y se convertía, a su vez, en minero. La distinción entre europeo y criollo se resolvía así en una generación.

Intereses comunes ligaban a la burocracia política con ese grupo. La gran mayoría de los puestos administrativos y militares importantes y aun en la carrera eclesiástica eran asignados a inmigrantes de la Península. En 1808, por ejemplo, se encontraban ocupados por europeos los siguientes: el virrey y todos sus dependientes, el mayordomo y sus familiares, su secretario, prosecretario y oficial mayor, el regente de la Real Audiencia, la gran mayoría de los oidores y alcaldes de corte, los tres fiscales, todos los intendentes menos uno, el director de minería, el director de alcabalas. todos los alcaldes ordinarios. En el ejército, el capitán general, todos los mariscales de campo, brigadieres, comandantes, coroneles y gran parte de los capitanes y oficiales. La burocracia política había aumentado considerablemente a partir de las reformas administrativas introducidas por los Borbones. El sistema de intendencias, destinado a mantener un control más enérgico sobre la recaudación de impuestos y una mayor vigilancia de la Corona sobre las actividades de la colonia, había obligado a crear una red de nuevos puestos que codiciaban los jóvenes peninsulares deseosos de empezar una carrera. Esta burocracia política, al igual que el alto clero y los cuadros superiores del ejército, recibía directamente de la Corona nombramientos y prebendas. Al grupo privilegiado de mineros y comerciantes la unía tanto su situación de poder como su común necesidad de mantener los lazos de dependencia con la metrópoli.

Al lado de esos sectores, la oligarquía colonial comprendía también grupos ligados al mercado interno. Ante todo, en la agricultura. Gran parte de la tierra estaba distribuida en ranchos y en comunidades indígenas, con una economía de baja productividad y reducida prácticamente al autoconsumo. Existían, empero, unas cinco mil haciendas grandes que producían para un mercado nacional o al menos regional. El proceso de concentración de tierras en manos de unos cuantos hacendados criollos aumentaba. Los latifundistas constituían un grupo que en su mayoría vivía en las ciudades de la renta de sus propiedades rurales, puestas en manos de administradores. Entre los años de 1779 y 1810, los hacendados habían obtenido mayores beneficios gracias al alza continua de los precios del maíz. Con todo, las condiciones para una acumulación de capital en el sector agrario eran aleatorias. No sólo los beneficios obtenidos en relación al capital invertido eran muy inferiores a los de la minería, sino que estaban sujetos a los avatares de las fluctuaciones cíclicas de los precios agrícolas, mal del que nunca pudo liberarse la economía del virreinato. En los años de crisis, los hacendados dependían de modo cabal de sus fuentes de crédito. La mayoría vivía perpetuamente endeudada, sus propiedades gravadas por fuertes créditos a largo plazo. El capital financiero de que dependían estaba en manos de una institución que, además de poseer grandes propiedades rurales, actuaba como banco agrario: la Iglesia.

La inmensa riqueza de la Iglesia provenía de tres fuentes. En primer lugar, recibía rentas de sus propiedades, tanto en el campo como en las ciudades. Alamán calculó que la mitad de las propiedades raíces de la colonia le pertenecía. En segundo, el diezmo, aunque había disminuido desde 1780, aún suministraba un ingreso de cierta cuantía. Pero su principal base económica radicaba en capitales impuestos a censo redimible sobre propiedades de particulares. Si las propiedades directas de la Iglesia se estimaban en un valor de tres a cinco millones de pesos, administraba, en cambio, hasta 45 millones por concepto de "capellanías" y "obras pías". Y cada juzgado de capellanía, cada cofradía, era una especie de banco. Prestaba a los hacendados, a los industriales y a los pequeños comerciantes fuertes capitales a un interés módico y a largo plazo. Así, entre la Iglesia y los hacendados existía una estrecha interdependencia económica. El crédito de la Iglesia era vital para los terratenientes, sobre todo en años de crisis. Mediante hipotecas, la Iglesia controlaba, a su vez, un gran número de propiedades rurales. Así, el clero constituía un grupo social cuyos intereses económicos se dirigían al mercado interno de la colonia. En ese sentido, eran solidarios de los propietarios agrícolas, industriales y pequeños comerciantes. El auge económico general, derivado del crecimiento en la producción de minerales, la relativa liberación del comercio interior auspiciada por los Borbones y, sobre todo, el cierre del mercado a los productos provenientes de España, debido a las continuas guerras en que la metrópoli estuvo enfrascada, habían propiciado una incipiente producción de bienes de consumo destinados al mercado interno. La industria textil, productora de tejidos bastos de algodón, se desarrolló mucho en Tlaxcala y Puebla, la de mantas de lana, en Querétaro, Celaya, San Miguel y Saltillo. Progresaron también varias industrias como las de cuero, muebles, jabón, sombreros, alfarería y calzado. Pese a prohibiciones y monopolios, aumentaron también las industrias vinícola y tabacalera. En algunas regiones la industria ligera empezaba a tener una importancia considerable por estar ya capacitada para sustituir importaciones en algunos renglones. En Puebla, por ejemplo, a fines del siglo XVIII la mitad de la población trabajadora estaba empleada en la industria textil y en El Bajío el 18 por ciento de la fuerza de trabajo se repartía entre la extracción minera y la pequeña industria. En este sector tampoco podía establecerse una división clara entre criollos y peninsulares. En la industria textil y en la vinícola muchos propietarios eran inmigrantes, pero la mayoría de las pequeñas industrias estaban en manos de familias criollas. Para mantener la situación de dependencia, la Corona había establecido miles de trabas legales que impedían la consolidación y ampliación de ese sector productivo. Se prohibieron expresamente muchas industrias para evitar la competencia a las españolas. Los decretos contra la plantación de viñas y olivares, la fabricación y venta de vinos, se multiplicaron hasta el exceso. Se mandaron destruir fábricas textiles cuyos artículos se producían en España, y en particular se hizo desaparecer la industria de la seda. Las fábricas que subsistían se encontraban gravadas con fuertes derechos. Por otra parte, los numerosos monopolios del Estado, que se extendían a materias tan varias como el tabaco, la sal o los naipes, impedían la libre inversión de capital en muchos renglones. La ampliación del mercado se veía obstaculizada también por un complejo sistema de tarifas aduanales y alcabalas, que entorpecían el comercio y encarecían mucho los productos.

Si todas esas medidas se hubieran cumplido a la letra, el panorama de la naciente industria hubiera sido agobiante. Sin embargo, las disposiciones no siempre se acataban. El ingenio de los americanos y la prudencia de los virreyes se aunaron numerosas veces para establecer industrias que la ley expresamente prohibía. El virrey Branciforte, por ejemplo, concedió varios permisos para explotar viñas en El Bajío, y Revilla Gigedo fomentó la fabricación de tejidos de lino y cáñamo, importando técnicos españoles. Las trabas eran, pues, más formales que reales. La teoría legislativa resultaba inaplicable ante la fuerza con que empezaba a desarrollarse contra la ley la economía novohispana. La realidad económica se encontraba de hecho más adelantada de lo previsto por la legislación, que había fracasado en contener el progreso material. Existía un desajuste entre la esfera legislativa y administrativa, derivada de la situación de dependencia y la base económica. Aquélla no correspondía al progreso de la producción y se había convertido en una rémora inútil. Al contrario del sector exportador, terratenientes, clero e industriales basaban su preeminencia económica en la ampliación del mercado interno. Y a ello justamente se oponía la política general seguida por los Borbones. Para sufragar sus perpetuas guerras, la Corona aumentó mucho sus impuestos y exacciones. Las reformas administrativas introducidas a partir de 1786, con el establecimiento del aparato de intendencias, tendían a reforzar y controlar mejor el sistema impositivo. Los impuestos pesaban sobre todo en el sector con menor capacidad de acumulación de capital: hacendados, clero e incipiente industria manufacturera. La reforma impositiva pagó enormes dividendos a la Corona. Cerca de 10 millones de pesos llegaron a embarcarse anualmente a España por concepto de impuestos. A principios del siglo XIX, la Nueva España suministraba a la metrópoli las tres cuartas partes del total de sus ingresos de las colonias. La explotación colonial había llegado a su punto máximo.

Uno de los grupos que más sufrió de esta sangría fue la Iglesia y, con ella, los hacendados e industriales que dependían de su crédito. En 1798 se estableció un impuesto especial sobre inversiones de la Iglesia, la cual quedaba obligada a financiar las constantes guerras de la Corona. La élite de la Nueva España no dejó de protestar por esa política de explotación y exacciones continuas. Tanto el ayuntamiento de la ciudad de México —a partir de su *Representación* de 1771— como los representantes del alto clero, solicitaron repetidas veces la reducción de los impuestos, la supresión de las leyes contra la producción y de las trabas que obstaculizaban la ampliación del mercado. Todo fue en vano.

A más de no ser escuchados, la respuesta fue el golpe más terrible contra la economía novohispana: el 26 de diciembre de 1804 un decreto real ordenaba la enajenación de todos los capitales de capellanías y obras pías y exigía que se hicieran efectivas las hipotecas, vendiendo las fincas de crédito vencido. El dinero así obtenido debería enviarse a la metrópoli. La medida ya se había aplicado en España, con resultados provechosos para la Corona; pero en la colonia la situación era distinta. La mitad de la agricultura estaba en manos de hacendados cuyas propiedades se encontraban en su mayor parte hipotecadas; la aplicación del decreto los pondría al borde de la ruina. Según cálculo del obispo electo de Michoacán, Manuel Abad y Queipo, los capitales cuya enajenación ordenaba el decreto sumaban más de dos tercios del capital productivo o de habilitación del país. Fácil es imaginar el disgusto que provocaría una medida que atentaba contra el centro mismo de la economía interior de la Nueva España: el crédito a largo plazo. La *Representación* de Abad y Queipo, "a nombre de los labradores y comerciantes de Michoacán", da una idea de la irritación general. Reiteraba la gravedad de la medida para los hacendados y comerciantes, y el agravio que se hacía a la Iglesia; a la vez, se quejaba con amargura de las dificultades que encontraba la capitalización en la colonia. En el mismo tenor se manifestaron muchos grupos de todas las regiones del país, que pidieron la revocación del decreto. Los hacendados de México, Pátzcuaro, Tehuacán, Valladolid; los ayuntamientos de las ciudades de México, Valladolid y Puebla, hasta el Tribunal de Minería que no se encontraba directamente afectado, enviaron dramáticas "representaciones" a la Corona. Sólo el Consulado de la ciudad de México —donde se encontraban representados los grandes comerciantes exportadores— y algunos obispos europeos, apoyaron al virrey en defensa del decreto. Pese a todas las protestas, la medida real se ejecutó, con desastrosos efectos. Por aplicación de la ley, se entregaron a la Real Tesorería de la Nueva España de 10 a 12 millones de pesos, es decir, casi la cuarta parte del capital atribuido a la Iglesia. La economía interna de la colonia resintió terriblemente el despojo. Los más afectados fueron por supuesto la Iglesia y los propietarios rurales, sobre todo los medianos y pequeños. Muchas haciendas tuvieron que rematarse e innumerables pequeños propietarios quedaron en la ruina. Las inversiones se retrajeron visiblemente en todo el sector económico ajeno a la exportación. Por fin, la Regencia escuchó las reiteradas quejas y ordenó el 14 de enero de 1809 que cesaran los efectos de la Cédula.

A fines del siglo XVIII y principios del XIX, la Nueva España vio reforzada su situación de dependencia. Por una parte, el auge del sector exportador permitió la consolidación de los grupos económicamente dominantes; pero en cierta medida estimuló también la producción interna. Por otra parte, aumentó la tasa de explotación directa de la colonia. La sociedad se transformaba con rapidez. Dentro de la élite tendían a diversificarse cada vez más los intereses de dos sectores distintos. De un lado, los grupos que se habían convertido en hegemónicos y que estaban ligados de cerca al sistema de dependencia: mineros, comerciantes exportadores, burocracia política. Del otro, los sectores interesados en promover un mercado interno: Iglesia, hacendados, comerciantes de provincia y el incipiente grupo industrial. Si bien estos grupos se beneficiaban también de la prosperidad general, sufrían más que ningún otro las trabas y exacciones impuestas por el sistema. No es extraño que empezaran a considerarse las víctimas de la explotación. De ahí que sus actitudes tendieran también a ser antagónicas a las del sector exportador. Su situación privilegiada los incitará a mantener el orden social y a salvaguardarlo de cualquier factor de inestabilidad. Con todo, cada vez serán más conscientes de los obstáculos políticos y legales que la situación oponía a su progreso. La molestia que les causaban las trabas legales y la falta de comprensión que demostraba hacia ellos la Corona, los inclinará a actitudes reformistas, inspiradas en una idea central: el acoplamiento de la estructura política y legislativa a la situación económica y social existente. Esta diversificación de grupos de la élite no coincidía con diferencias raciales. Aunque en el sector exportador y administrativo predominaran los peninsulares, y los criollos entre los hacendados e industriales, la mezcla entre las familias de la oligarquía era frecuente. No se trataba del nacimiento ni de la sangre, sino de la distinta función que cumplían dentro del sistema colonial lo que les separaba. El antagonismo entre "criollos" y "gachupines" nunca corrió con suerte entre las familias privilegiadas. Más bien, sería creación de los "letrados" de las clases medias que se harán los voceros de los intereses americanos. Esa distinción racial funcionará entonces como una "racionalización" de antagonismos más profundos. Como sucede a menudo, los conceptos de raza y nacionalidad servirán para encubrir y dramatizar diferencias económicas y sociales.

El relativo crecimiento del mercado interno, a contrapelo de las restricciones, el incipiente desarrollo urbano industrial y el aumento de la burocracia, propiciaron cierto crecimiento de los sectores intermedios: pequeños comerciantes y administradores, escribanos, abogados. Además, el personal eclesiástico era muy numeroso. La gran mayoría carecía de prebendas y de fortuna personal. No estaba integrada económicamente a la oligarquía, sino que pertenecía al sector intermedio de los servicios. Entre el alto clero, constituido por sacerdotes que ocupaban las dignidades eclesiásticas o los puestos importantes en la administración de fincas, capellanías y obras pías de la Iglesia, y el clero medio y bajo, formado por curas párrocos de ciudades o aldeas provincianas y miembros del magisterio de las escuelas, la diferencia de rango social y poder económico era grande. El clero bajo y medio se beneficiaba muy poco de los privilegios económicos que usufructuaba el alto clero. Junto con la milicia y las leyes, la carrera eclesiástica era socorrida por muchos criollos descendientes de familias con ninguna o escasa fortuna personal. Liberados del trabajo manual, considerado deshonroso, sin propiedades ni capital, abogados, pequeños administradores y eclesiásticos pobres llegaron a construir una clase media de cierta importancia. Ocupaban las magistraturas o los curatos de segundo orden y la casi totalidad de los puestos administrativos de las pequeñas ciudades. Mientras los empleos más importantes les estaban prácticamente vedados, podían aspirar a los de segunda categoría y sobre todo a la dirección de los ayuntamientos, que llegaron a dominar por completo. Para ellos, las prohibiciones de la legislación indiana y el monopolio político de los peninsulares constituían un muro infranqueable que tarde o temprano les cerraba el camino a una carrera lucrativa y honrosa. A menudo mejor preparados que los europeos, no podían ascender a los puestos superiores, y estaban condenados a disputarse posiciones segundonas y pobres que no respondían a sus aspiraciones ni a su cultura. La clase media, mejor que ninguna otra, tenía conciencia de no poder realizar en la sociedad la función a la que su preparación y su vocación la orientaba. Su falta de un puesto adecuado en el mundo real los obligará a evadirse hacia el reino ideal de las artes y del saber. A principios del siglo xix había en Nueva España un grupo importante de "letrados", criollos y pobres todos ellos, dedicados al desempeño de la abogacía, la administración o la cura de almas, y entregados a la lectura de obras teológicas y jurídicas. Relegados en su mayoría a las ciudades de provincia, formaban una élite intelectual unida por la insatisfacción común. Económicamente improductiva, esta *intelligentsia* acaparaba un arma terrible: la ilustración, depositada casi toda ella en sus manos. Su falta de asidero en la sociedad colonial, su resentimiento contra un sistema que los relegaba frente a los "gachupines" inmigrantes, su mayor sensibilidad crítica ante las desigualdades e injusticias, los llevó a oponer al orden existente otro más justo. Ellos eran los depositarios de las semillas de cualquier cambio.

El pueblo trabajador, constituido por indios y "castas", base de la pirámide social, sólo compartía la extrema miseria. El aumento de la riqueza a fines del siglo XVIII había beneficiado a la oligarquía económica y, a la vez, agudizado los contrastes sociales. Decía Humboldt que en ninguna parte había visto "una desigualdad tan tremenda en la distribución de la riqueza, de la civilización, del cultivo de la tierra y de la población". En el campo, la expansión de las haciendas a costa de las tierras comunales de los indígenas había incrementado la desocupación y favorecido la creación de un nutrido peonaje para los latifundios. Mientras los precios de los granos aumentaban de continuo, los salarios de los peones permanecían constantes. Todos los indios, aunque exentos del pago del diezmo, debían pagar un tributo especial *per capita* a la Corona, y estaban sujetos a ciertas reglas que los trataban como menores. No podían, por ejemplo, firmar escrituras públicas por más de cinco duros, ni vender libremente su trabajo. Fray Antonio de San Miguel, obispo de Michoacán, hacía una negra pintura de su situación: "Casi todas las propiedades y riquezas del reino —concluía— están en manos [de los blancos]. Los indios y castas cultivan la tierra, sirven a la gente acomodada y sólo viven del trabajo de sus brazos. De ello resulta entre los indios y los blancos esta oposición de intereses, este odio recíproco que tan fácilmente nace entre los que lo poseen todo y los que nada tienen, entre los dueños y los esclavos". Los indios formaban, en efecto, un grupo social aislado por privilegios de protección que lo condenaban a un estado perpetuo de "minoría de edad", envilecido en la indigencia y la miseria, y vejado por las demás clases. Sobre todas sus miserias, indios y castas estaban amenazados periódicamente por el peor azote: el hambre. Las grandes crisis agrarias de carácter cíclico, en que el escaso maíz, acaparado por los hacendados, llegaba a ser inasequible, tenían como secuela epidemias de hambre generalizada que devastaban regiones enteras. La generación que hará la independencia había vivido uno de esos desastres, cuando, en los años 1785 y 1786, la pérdida de las cosechas dio lugar a muertes incontables. Y muchos de los curas que luego habrán de unirse a la insurgencia participaron entonces, sobrecogidos de espanto, en las brigadas de asistencia social organizadas por la Iglesia para ayudar a las masas hambrientas y enfermas.

En comparación con los peones rurales, los obreros de las minas, aunque trabajaban en condiciones sumamente duras, estaban mejor pagados. Constituían una fuerza de trabajo libre y móvil. Recibían un salario de cuatro reales diarios (frente a un real y medio o dos que recibían los peones) y una pequeña parte del mineral extraído. Con todo, su condición había empeorado a finales de siglo. En efecto, muchos propietarios de minas empezaron a reducir o suprimir las "partidas", es decir, el derecho de los trabajadores a quedarse con parte del mineral. La situación de los trabajadores de las manufacturas era quizás peor que la de los mineros. La jornada de trabajo no estaba regulada, los obreros carecían de todo derecho laboral y en muchas empresas debían vivir en la fábrica como prisioneros, sujetos a una dura disciplina. Pero el problema más grave a principios del siglo XIX era el crecimiento desmesurado de la plebe en las ciudades. En los últimos decenios del siglo anterior ocurrió un notable crecimiento demográfico que, aunado a la desocupación creciente en el campo y al aumento de fuentes de empleo en las ciudades, engendró una plebe enorme que en vano buscaba trabajo. Los censos indican que sólo una parte exigua de la población urbana estaba ocupada en actividades productivas. Humboldt, por ejemplo, señalaba la existencia en la ciudad de México de por lo menos 30 mil desocupados, harapientos y miserables. Esta plebe era caldo de cultivo para cualquier explosión violenta.

No es de extrañar que en algunas ocasiones la plebe de las ciudades se amotinara. En 1767, por ejemplo, a raíz de la expulsión de los jesuitas, los motines adquirieron carices graves, sobre todo en la ciudad de Guanajuato. En otras ocasiones se fraguaron complots e intentos de rebelión apenas esbozados. Pero ninguno de ellos pudo prosperar. El proletariado colonial carecía de toda organización e ilustración. Sin medios propios para manifestar sus agravios, sin

603

suficiente cultura para intentarlo, no tenía conciencia clara de su situación oprimida. Precisaba que miembros de otra clase social le señalaran sus propias posibilidades despertándolo a la conciencia de su estado; esa clase será la de los "letrados" criollos. Por lo pronto, el pueblo explotado sólo sentía el dolor de su situación, cuyo peso impedía todo vuelo. Poco a poco el dolor callado irá convirtiéndose en exasperación. Entonces bastará que desde fuera se proyecte ante sus ojos una posibilidad de liberarse para que su impulso reprimido estalle súbitamente. Así, frente a las perspectivas reformistas de los criollos de la oligarquía y de la clase media, el silencioso dolor de peones y obreros, la degradación de la plebe miserable, pronosticaba otra eventualidad de cambio mucho más amenazadora.

De la reforma a la revolución

En el año de 1808 una serie de sucesos, inusitados en la historia de los reinos hispánicos, manifestaba la debilidad del imperio y, a la vez, abría la posibilidad de cambios. El mes de marzo, las tropas de Napoleón entraban incontenibles en España. Carlos IV se apresuraba a abdicar la corona a favor de su hijo Fernando. Pero en abril, tanto éste como su padre emprendían el viaje a la frontera francesa para ganarse la corona a cambio de favorecer a Napoleón. La cabeza del imperio más grande de la cristiandad parecía haber renunciado a su dignidad y a su orgullo. El 2 de mayo, el pueblo español, abandonado por sus reyes, asume la iniciativa; en las calles de Madrid inicia la resistencia contra los invasores. A la degradación de la Corona responde la soberanía del pueblo. De hecho, el poder real pasa a las juntas de ciudadanos que empiezan a constituirse para defender a la nación. Carlos y Fernando, prisioneros, dejan vacante el trono al renunciar a sus derechos ante Napoleón. Por si fuera poco, Godoy, el ministro favorito del rey Carlos, firma un tratado por el que se ponen en manos del emperador de Francia todos los reinos de España y de Indias: en Bayona se decide la entrega del imperio español. Su fin se rubrica con la elevación de José Bonaparte, hermano del Corso, al trono de España e Indias. Ante el vacío de la monarquía, se revela dónde reside la verdadera nación española: los ciudadanos libres, en todas las regiones de la Península, forman juntas provinciales para guardar la soberanía en ausencia del monarca y liberar el país de los franceses. En la práctica, no por disposiciones doctrinales, la soberanía ha recaído en el pueblo, quien no puede dejar de ejercerla mientras el trono permanezca vacante.

¿Y en América? En las colonias hispánicas se mantiene la misma estructura de poder que ha regido durante trescientos años. El virrey y la Real Audiencia son los representantes legítimos de la Corona. Nada parece haber cambiado exteriormente. Sin embargo, se hace sentir un enorme vacío que inquieta todas las conciencias. El soberano, de quien dependía la organización jurídica y política del imperio, fuente última de autoridad y legitimidad del orden colonial, está ausente. ¿En qué se funda ahora ese orden? Por primera vez un problema debatido teóricamente por los letrados se convierte en *el problema real:* ¿en quién recae la soberanía?, ¿a quién debe obediencia ahora el novohispano? En Nueva España dos partidos antagónicos dan diferentes respuestas. El primero tiene su portavoz en la Real Audiencia y recibe el apoyo firme de los funcionarios y grandes comerciantes de origen europeo. Para ella, la sociedad entera debe quedar fija, sin admitir ningún cambio, mientras el heredero legítimo de la Corona ocupe de nuevo el trono. El gobierno del país se hará con la simple aplicación de los reglamentos vigentes. El país entero debe quedar en suspenso, manejado por la alta burocracia, que conserva la representación del rey. La soberanía la detenta aún Fernando, aunque por lo pronto esté ausente, y a los vasallos sólo queda prestarle callada obediencia. De ese modo, el partido europeo pretende detener la posibilidad de cualquier cambio. La otra respuesta es mucho más compleja y matizada. Se manifiesta en uno de los cuerpos donde los criollos acomodados y de clase media tenían su mejor baluarte: el ayuntamiento de la ciudad de México. Dirigido por dos letrados criollos, Francisco Primo de Verdad y Francisco de Azcárate, y apoyado por Jacobo de Villaurrutia, terrateniente y único oidor criollo, el ayuntamiento percibe el cambio de la situación y comprende que por fin se ha abierto la posibilidad de lograr reformas políticas. El 5 de agosto propone al virrey José de Iturrigaray la convocatoria de una junta de ciudadanos —semejante a las establecidas en España— que gobierne en el interregno y guarde la soberanía a Fernando VII. Ese ayuntamiento plantea el problema del asiento de la soberanía. Acepta,

605

sin duda, el derecho de Fernando a la corona, y no le niega obediencia; pero introduce una idea que cambia el sentido de su dominio: la soberanía le ha sido otorgada al rey por la nación, de modo irrevocable. Las abdicaciones de Carlos y Fernando son nulas, pues el rey no puede disponer de los reinos a su arbitrio. Son "contrarias a los derechos de la nación a quien ninguno puede darle rey si no es ella misma, por el consentimiento universal de sus pueblos, y esto en el único caso de que por la muerte del rey no quede sucesor legítimo a la corona". Los letrados criollos invocan la doctrina del "pacto social". Existe un pacto de sujeción entre el rey y la nación, por el que ésta libremente otorga su soberanía al monarca. Ese convenio es irrevocable. El monarca no puede desconocerlo, pero tampoco puede el pueblo arrebatar al soberano la donación que le hizo del reino. Cuando el rey se encuentra imposibilitado para gobernar, la nación vuelve a asumir el ejercicio de la soberanía, pero al regresar el monarca a sus funciones cesa automáticamente el ejercicio directo de la autoridad por la nación.

Esta doctrina del pacto no proviene de Rousseau ni tiene que ver con las ideas francesas ilustradas sino que reconoce dos fuentes. Por una parte se encuentra en Victoria y en Suárez; pertenece a una tradición política y legal que trataban de revivir algunos ilustrados españoles, como Jovellanos y Martínez Marina. Por la otra, se lee en las doctrinas del jusnaturalismo racionalista. Grocio, Puffendorf, Heinecio, son conocidos y citados por los letrados; su influencia había sido extensa durante el siglo XVIII. Por lo que toca a la Nueva España, la unión de estas dos corrientes aparecía clara en uno de los más influyentes representantes de los jesuitas ilustrados: Francisco Javier Alegre. En su *Institutionum Teologicarum*, de 1789, sostenía, con términos que recuerdan a Suárez, que el origen próximo de la autoridad estaba en el "consentimiento de la comunidad", y su fundamento en el derecho de gentes; "la soberanía del rey es sólo mediata: la obtiene por delegación de la voz común". Citaba a Puffendorf para sostener una doctrina que coincidía formalmente con la de Suárez: "todo imperio..., de cualquier especie que sea, tuvo su origen en una convención o pacto entre los hombres". El ayuntamiento de México no sostiene ninguna tesis revolucionaria ni pretende alterar el sistema de dependencia. La nación no puede, según él, desconocer el pacto de sujeción a la Corona; pero puede darse la forma

606

de gobierno que necesite en las actuales circunstancias. Por consiguiente, la autoridad no subsiste, ausente el monarca, en el virrey y en la Real Audiencia, sino en el conjunto de la nación novohispana. De hecho, los acontecimientos de España han hecho patente que el fundamento de la sociedad no es el rey sino la nación. Mientras el licenciado Primo de Verdad habla alguna vez de los "bienes reales" que debe cuidar la nación, Azcárate invierte con mejor lógica los términos y se refiere a los "bienes confiados por la nación al rey para su administración". Pero ¿en qué "nación" recae la soberanía? No se trata de la "voluntad general" de los ciudadanos, ni tampoco del "pueblo" sin distinción de rangos. La soberanía recae en una sociedad ya constituida, organizada en estamentos con distintos derechos, y representada legítimamente por los cuerpos de gobierno establecidos. Como se trata de la idea de la "comunidad" concebida como un todo orgánico, jerarquizado, Azcárate pone en duda la legitimidad de la junta de Sevilla porque fue formada por la "plebe", y desarrolla este punto en un discurso. "Por su ausencia o impedimento [del rey], reside la soberanía, representada, en todo el reino y las clases que lo forman, y con más particularidad en los tribunales superiores que lo gobiernan, administran justicia, y en los cuerpos que llevan la voz pública...". Ideas que recoge el ayuntamiento en pleno, añadiendo que el nombramiento del virrey corresponde al reino "representado por sus tribunales y cuerpos, y esta metrópoli como su cabeza". Los letrados criollos rechazan expresamente las ideas de la ilustración francesa y acuden, al contrario, a Suárez y a los jusnaturalistas cuyo pensamiento se adecúa a una línea tradicional democrática, que oponía al absolutismo de los reyes los derechos de una nación organizada en estamentos. Así, fundan sus pretensiones en viejas leyes castellanas. Llegan hasta la *Carta Magna* de Castilla y las leyes de Partida, redactadas por Alfonso el Sabio en la Edad Media. Allí encuentran uno de los argumentos más fuertes para justificar la convocatoria de una junta, ausente el soberano.

El retorno a esta vieja tradición, olvidada durante el despotismo, revela los derechos de los ayuntamientos. En el cabildo está la verdadera representación popular. "Dos son las autoridades legítimas que reconocemos —declara el licenciado Primo de Verdad—: la primera es de nuestro soberano, y la segunda de los ayuntamientos, aprobada y confirmada por aquél. La primera puede faltar, faltando los reyes..., la segunda es indefectible por ser inmortal el pueblo." Por otra parte, los ayuntamientos fueron las primeras autoridades de Nueva España; al contrario, el virreinato y la Real Audiencia vinieron a establecerse después. Así, dentro de la nación, los ayuntamientos constituyen los organismos más originarios y representativos. La pugna se traduce en el enfrentamiento de dos instituciones: la Real Audiencia, constituida por altos funcionarios europeos, nombrados directamente por la Corona, y el ayuntamiento, donde la clase media tiene su mejor tribuna. El virrey Iturrigaray no toma partido franco. Movido tal vez por su personal ambición, atiende las proposiciones del ayuntamiento y convoca a una junta amplia, a la que asisten los miembros de los cuerpos en disputa y altos dignatarios de la Iglesia y otros funcionarios. En la junta, la Real Audiencia, dirigida por el oidor Guillermo Aguirre, condena violentamente las tesis del partido criollo. Atribuyéndole ideas más radicales de las que en verdad sustenta, tilda su posición de herética y subversiva y rechaza cualquier medida que modifique la situación de poder existente. El inquisidor Prado y Obejero solemnemente declara "anatema" la tesis de la soberanía del pueblo. Los representantes del ayuntamiento y el oidor Villaurrutia, en cambio, defienden la necesidad de que el virrey convoque a un "congreso" destinado a gobernar al país en ausencia del monarca y a guardar el reino para Fernando. Todos los del partido criollo parecen reconocer que la representación de la soberanía recae en los cuerpos constituidos. Con todo, se pueden vislumbrar dos tendencias, aún mal definidas, en las distintas proposiciones que se presentan sobre la constitución que debería tener el congreso. El oidor Jacobo de Villaurrutia, rico terrateniente, es el autor de la primera. El arzobispo Francisco Xavier de Lizana parece otorgar sus simpatías al proyecto. Según esta proposición, la junta sería "representativa de todas las clases"; habría ministros de justicia, delegados del clero, de la nobleza y milicia, hacendados, propietarios de minas, etc., en número total de 18, frente a dos representantes del "estado general" y dos diputados del ayuntamiento. La oligarquía dominaría, pues, el cuerpo colegiado; con todo, los propietarios criollos —hacendados, industriales— y el clero alto tendrían por primera vez un organismo político, superior a la Real Audiencia, que acabarían por dominar.

El ayuntamiento de México, al contrario, por boca del licenciado Primo de Verdad, tiene otra idea del "congreso". Puesto que la verdadera representación popular se encuentra en los ayuntamientos, la junta que se planea deberá estar constituida fundamentalmente "de diputados de todos los cabildos, seculares y eclesiásticos", aunque también deban estar representados otros grupos sociales y autoridades superiores de gobierno. El "congreso" se concibe así como una ampliación en el plano nacional de la representación popular que ostentan los ayuntamientos. Se trata de una idea cara al pensamiento democrático hispánico tradicional: siempre se vio en la autonomía de los cabildos el baluarte de la democracia y la fuerza opuesta al despotismo. En Nueva España aún se conservaba, sin duda, el recuerdo del importante papel que habían desempeñado los cabildos en los inicios de la colonia y de los congresos donde llegaron a juntarse, emparentados con las Cortes. Por otra parte, son precisamente los letrados del ayuntamiento los que resucitan la idea del congreso de las villas. El "pueblo" de que hablan es el que se supone representado en los cabildos y que está formado por los "hombres honrados", de cierta educación y posición social, de cada villa. Generalmente son los abogados y pequeños propietarios los que controlan los ayuntamientos. La propuesta añade también a los cabildos eclesiásticos, donde los miembros del clero medio pueden tener participación importante. Así, la clase media, que domina todos los cabildos, ve por primera vez abierta una oportunidad de participar activamente en la vida política del país. Desde ahora la idea del "congreso" —que pasará por muchas interpretaciones distintas— será el instrumento político principal que buscará esa clase media para lograr su parte de poder. Así, dentro del mismo partido criollo, los dos proyectos, el de Villaurrutia y el de Primo de Verdad, responden a intereses de grupos sociales distintos, cuyas divergencias se harán patentes más tarde.

En las reuniones celebradas, el partido de las reformas parece estar en mayoría y contar con el apoyo del propio virrey. Sin embargo, una parte numerosa de los representantes de la oligarquía criolla se muestra temerosa y vacilante. Les agrada la creación de un organismo donde podrían tener una voz decisiva frente a la política de la Corona que tantos agravios les había causado; pero temen que las ideas se radicalicen y que nazcan fuerzas subversivas. En efecto, fácil era prever que de las ideas moderadas del ayuntamiento pudiera llegarse a otras más peligrosas, como lo ilustran los escritos del fraile mercedario Melchor de Talamantes. Adelantándose a los letrados del cabildo, Talamantes ve en el congreso propuesto el primer paso hacia la independencia. Además, considera que la ausencia del monarca deja en libertad a la nación para constituirse de nuevo a sí misma. Cuando falta el rey, "la nación recobra inmediatamente su potestad legislativa, como todos los demás privilegios y derechos de la corona". Entonces debe apelarse a la voz de la nación, "que todos los políticos antiguos y modernos miran como el fundamento y origen de las sociedades". En sus *Advertencias reservadas* señala que "aproximándose ya el tiempo de la independencia de este reino, debe procurarse que el congreso que se forme lleve en sí mismo las semillas de esa independencia sólida, durable y que pueda sostenerse sin dificultad y sin efusión de sangre". Si bien estas ideas de Talamantes van más allá de los propósitos expresados en ese momento por los dirigentes del ayuntamiento, no dejan de señalar un camino que fácilmente podría seguirse. Es el peligro que prevé, por ejemplo, el inquisidor Prado y Obejero: "Aunque no haya en el reino un espíritu declarado de independencia contra el Trono, se ha manifestado lo bastante al querer igualar este reino y sus derechos con el de la metrópoli, que a sostenerla se dirigen esas juntas, que si la consiguen, es el primer paso para avanzar otro y otro hasta la absoluta independencia". En rigor no es la proposición del ayuntamiento la que inquieta a los más conservadores, sino lo que ella anuncia.

En una de las reuniones convocadas por el virrey, una sombra se proyecta por primera vez entre los congregados. Después de que el licenciado Primo de Verdad terminó su discurso donde sostuvo que la soberanía había recaído en el "pueblo", el oidor Aguirre le pide que aclare de qué "pueblo" se trata. "De las autoridades constituidas", responde el síndico. Entonces Aguirre, "replicándole que esas autoridades no eran pueblo, llamó la atención del virrey y de la junta hacia el pueblo originario en que, supuestos los principios del síndico, debía decaer la soberanía; sin aclarar más su concepto, a causa... de que estaban presentes los gobernadores de las parcialidades de indios, y entre ellos un descendiente del emperador Moctezuma". La confusión es general. El arzobispo Lizana, simpatizante de las tesis del ayuntamiento, apoya, desde entonces, a la Real Audiencia. Al través de los intentos de reforma, empieza a temerse la intervención de otras clases sociales. Algunos escriben que los indios ya no quieren pagar tributo y el propio Iturrigaray observa con alarma que empieza a hablarse de "independencia" y aun de "república". Un día, ante el ayuntamiento de México, se presenta un indio que por ser descendiente de Moctezuma reclama el trono de sus mayores. El partido europeo encuentra en esos signos la mejor justificación para detener cualquier reforma. Los hacendados y el alto clero temen dar un paso que podría hacer intervenir al "pueblo" real, no al que se suponía que representaban los criollos letrados. La situación tenía que hacer crisis. El 15 de septiembre de 1808 un grupo de conspiradores, dirigidos por Gabriel de Yermo, rico hacendado español, y secundado por dependientes de las grandes casas de comercio, da un golpe de estado. Prenden y destituyen al virrey Iturrigaray y convocan a la Real Audiencia, que nombra nuevo virrey a Pedro Garibay, un viejo soldado que manejará fácilmente. En espera del regreso del rey Fernando, reconoce a la Junta Central de España y suspende todos los proyectos de reforma. Desde este momento, la Real Audiencia gobernará con mano fuerte; los principales portavoces del grupo criollo, Primo de Verdad, Azcárate, Talamantes, son guardados en prisión; Jacobo de Villaurrutia, enviado al destierro; un tribunal especial se encarga de juzgar a los disidentes, y de hecho somete a muchos criollos sospechosos a humillantes procesos. Después de unos meses de gobierno de Garibay, la Junta Central de España ordena su sustitución por el arzobispo Francisco de Lizana, tal vez con el objeto de suavizar la represión. Lizana sigue una política conciliadora. Trata con suavidad a los criollos, evita persecuciones e intenta apaciguar los ánimos. Todo ello desagrada de nuevo al partido europeo. Oidores de la Real Audiencia y comerciantes conspiran de nuevo contra el arzobispo-virrey, y logran su destitución en enero de 1810. Su sustituto, Francisco Xavier Venegas, llegará el 25 de agosto; mientras, la Real Audiencia gobierna de nuevo con mano fuerte.

El golpe de Gabriel de Yermo y la posterior destitución del arzobispo Lizana, al cortar de raíz todo intento de reforma, tienen un efecto contrario: obligan a radicalizar la actitud de los criollos. Es evidente que el orden existente no puede sostenerse dentro de la estructura jurídica tradicional. Sus representantes legales han sido derrocados por la violencia. Y lo más grave es que los altos funcionarios de la Colonia, empezando por la Real Audiencia, aprueban el acto. Muchos empiezan a cobrar conciencia de que tras el orden estatuido estuvo siempre la voluntad de poder de un grupo dispuesto a imponerlo por la fuerza. Entre los criollos letrados abundan las críticas certeras. Ven en los comerciantes monopolistas y en los mineros de Zacatecas, que debían fuertes sumas al erario, los verdaderos beneficiarios del golpe de estado. Cuando, por ejemplo, la Real Audiencia toma medidas para desterrar a Villaurrutia, se murmura socarronamente "que tales gracias habían venido en factura, a estilo de comercio". Los primeros caudillos del movimiento posterior de independencia no dejarán de señalar ese acto arbitrario de los europeos como la causa inmediata de la revolución. En efecto, con él se revela, detrás del sistema de dependencia, quiénes son los grupos sociales que lo sostienen en la colonia. Desde entonces se agudiza también, en pasquines y folletos, la oposición ya antigua entre "criollos" y "gachupines". Los intereses políticos reales tienden a recubrirse fácilmente con esa distinción de nacimiento: los inmigrantes europeos, que ocupan las mejores posiciones en la alta burocracia, el comercio exterior y gran parte de la minería, son, de verdad, los representantes más patentes del grupo económicamente privilegiado y de la situación misma de explotación y dependencia. El movimiento iniciado por el ayuntamiento de México continúa durante esos meses. Pero ahora cada vez son más numerosos los que creen que las vías de reforma están cerradas, y que precisa acudir a medios violentos. Los principios son los mismos manejados por el partido criollo en 1808. Al año siguiente se encausa a Julián de Castillejos, oficial criollo, por haber hecho un llamado al virrey Garibay para formar una junta a nombre de Fernando VII, fundándose en que "en las actuales circunstancias la soberanía reside en los pueblos". En septiembre del mismo año se descubre la conjura de Valladolid, encabezada por el capitán José María García Obeso y don José Mariano Michelena, en la que figuraban varios oficiales criollos y miembros del bajo clero. Su plan consistía en juntar un congreso, formado por vocales de las villas, que guardara en depósito la soberanía real. Dato interesante: para ganar a los campesinos a su causa prometían la abolición del impuesto per cápita sobre los indios. Presos los conjurados y sometidos a proceso, son puestos en libertad por la intervención del conciliador Lizana, entonces aún virrey. Pero la conjura de Valladolid había logrado establecer contactos en otras ciudades, entre ellas Querétaro, donde se fraguará otro complot semejante.

En los primeros meses de 1810 empiezan a llegar noticias que de nuevo inquietan a la sociedad novohispana. Primero la ocupación por las tropas francesas de la mayor parte del territorio español, y luego la insurrección en varias ciudades de América del Sur. Los ayuntamientos sirven por doquiera de portavoces a los criollos; en algunas, logran constituir juntas gubernativas semejantes a la que proponía el cabildo de México: en abril se forma la junta de Caracas, en mayo, la de Buenos Aires, en julio, la de Santa Fe de Bogotá, y la última, la de Quito. Todas manejan ideas similares a las que sostuvo el ayuntamiento de México en 1808. Pero en Nueva España, después del golpe de Yermo, la situación es distinta. La fuerza política del ayuntamiento es nula y el grupo dominante, alerta, mantiene un sólido control de la situación. Si los criollos quieren triunfar, no les bastará su fuerza propia. Se verán obligados a despertar a otras clases sociales hasta entonces al margen. Así, la represión contra los intentos de reforma, al obligar a los reformistas de clase media a aliarse con las clases trabajadoras, recurso que en años pasados parecía innecesario, dará al nuevo intento de independencia un sesgo diferente al de las demás colonias americanas. Este proceso aparece claro en la conspiración de Querétaro. Aquí se reúnen regularmente varios criollos. Los más importantes son Miguel Hidalgo y Costilla, eclesiástico ilustrado, prototipo del "letrado", ex rector del Colegio de San Nicolás de Valladolid, quien gozaba de gran prestigio intelectual; Ignacio Allende, oficial y pequeño propietario de tierras; y Juan Aldama, oficial también, hijo del administrador de una pequeña industria. Sus proyectos son similares a los del ayuntamiento de 1808. Hidalgo y Allende habían aceptado un plan, tramado en México, para formar una junta "compuesta de regidores, abogados, eclesiásticos y demás clases, con algunos españoles rancios". De haberse formado, la junta habría reunido a los representantes de los cuerpos constituidos bajo la dirección de la clase media, al través de los cabildos. Pero la conspiración de Querétaro es descubierta. En ese momento sólo queda un recurso. La decisión la toma Hidalgo: la noche del 15 de septiembre, en la villa de Dolores, de la que es párroco, llama en su auxilio a todo el pueblo, libera a los presos y se hace de las armas de la pequeña guarnición local. El movimiento ha dado un vuelco. La insurrección ya no se restringe a los criollos letrados. A la voz del cura ilustrado, estalla súbitamente la cólera contenida de los oprimidos. La primera gran revolución popular de la América hispana se ha iniciado.

Ascenso de la revolución popular

Con el levantamiento de Dolores el movimiento a favor de la independencia se transforma. Las grandes masas trabajadoras entran en escena. La opresión a que estaban sometidas, su miseria e incultura, su falta de organización, convierten su movimiento en súbito, anárquico y explosivo. Al llamamiento de Hidalgo, pronto responden centenares de campesinos de las aldeas vecinas a Dolores. Conforme el grupo avanza hacia San Miguel, los labradores, peones de haciendas o miembros de las comunidades indias se van juntando. Se arman con garrotes, hondas y machetes, tras el sacerdote iluminado. En San Miguel el Grande, las tropas del regimiento de la reina, que comanda Allende, se suman a la multitud. La nueva de la rebelión corre por la poblada región de El Bajío. Todos los pueblos acuden a ella presas de una especie de vértigo. A los pocos días, en las llanuras de Celaya, 80 mil campesinos indígenas proclaman a Hidalgo "generalísimo". Tomada Celaya, la columna se acerca a una de las más ricas ciudades mineras, Guanajuato. Allí a los campesinos armados se unen los trabajadores de la ciudad. Los mineros, la plebe de la ciudad y 20 mil indios de los lugares aledaños abandonan sus casas y se suman a las huestes que avanzan. La vorágine revolucionaria parece atraer a todo el pueblo. Ante la ciudad abandonada, el intendente se refugia, con la guarnición local y los ricos europeos, en la alhóndiga. Inútil. La plebe asalta la plaza y degüella a los europeos. Después de tomar Guanajuato, entra la multitud en Valladolid y de allí se dirige audazmente hacia la capital. Todo el pueblo bajo se une a las masas rebeldes. Forma grandes columnas, rudimentariamente armadas; los intentos de Allende por introducir en ellas disciplina y orden militares fracasan. Cerca de la capital, en el Monte de las Cruces, las tropas españolas enviadas de México hacen frente a la turba. Después de sangrienta batalla, los restos de la guarnición europea tienen que huir a México en espera del asalto final. El camino de la capital está abierto. La revolución parece al filo del triunfo. Pero la multitud insurgente ha sufrido grandes pérdidas, está agotada y carece de pertrechos; del norte viene un ejército realista comandado por Félix María Calleja, que podría atacarla en unos días. Sea por estas razones de orden militar, sea por el temor del sacerdote a la violencia y al saqueo de la capital por parte de la plebe, Hidalgo decide no atacarla. Con el objeto de reorganizarse regresa a Celaya. Allí los insurgentes se dividen. Allende marcha a Guanajuato con el grueso de las tropas, Hidalgo a Valladolid, con el resto. Mientras, la revolución cunde espontáneamente en otras comarcas. La plebe se levanta en varias ciudades. En Guadalajara el pueblo, al mando de un ranchero, José Antonio Torres, ocupa la ciudad. Hidalgo se traslada a ella. El 26 de diciembre es recibido con gran alborozo por la multitud en fiesta. Allí permanecerá un mes y medio. En el norte y en el centro, la plebe toma posesión de otras ciudades como San Luis, Zacatecas. Un cura rural, José María Morelos, empieza a levantar gente en la costa del sur. En muchas otras partes aparecen destacamentos guerrilleros que actúan por su cuenta. La revolución de 1810 poco tiene que ver con los intentos de reforma de los años anteriores. Por su composición social, se trata de una rebelión campesina, a la que se unen los trabajadores y la plebe de las ciudades y los obreros de las minas, y que tratan de dirigir unos cuantos criollos de la clase media. Se emparenta con los alzamientos campesinos esporádicos de la colonia. Pero ahora la insurgencia no permanece reducida a una pequeña comarca, sino que se extiende por la nación entera. Además, la dirección de los letrados le presta una orientación y unidad de propósitos que los campesinos aislados eran incapaces de alcanzar.

Las medidas políticas que toman los insurgentes, al igual que sus propósitos, deben verse a la luz de la composición social del movimiento. Hidalgo comparte las ideas de su clase y piensa en un congreso compuesto de "representantes de todas las ciudades, villas y lugares de este reino", es decir, de los ayuntamientos, y que guarde la soberanía para Fernando VII. Denuncia a los europeos y al sistema de explotación que ejercen sobre América y reivindica para Nueva España los mismos derechos de cualquier otra nación sometida a la Corona. Pero su situación es ambigua. Al reclamar la ayuda del pueblo, el criollo ilustrado se erige en su representante. Y el pueblo lo engloba, lo absorbe en su impulso, hasta convertirlo en vocero de sus propios deseos. Hidalgo para "satisfacerlo" toma todas las providencias en su nombre. Al apelar a la "voz común de la nación", usa probablemente ese término en el sentido que tiene para los criollos letrados; sin embargo, là "nación" que en realidad lo ha aclamado, no son los "cuerpos constituidos", ni los "hombres honrados" representados en los ayuntamientos, sino los campesinos que lo proclamaron en Celaya "generalísimo", las grandes masas que desde entonces lo sostienen. De hecho, "voz de la nación" rebasa ahora el sentido tradicional y adquiere el significado de "voluntad de las clases populares". Al legislar en su nombre, Hidalgo pone de hecho por soberano al pueblo bajo sin distinción de estamentos o clases. Así, su utilización en la acción revolucionaria da a las fórmulas políticas del criollo ilustrado un nuevo sentido. Antes de cualquier evolución teórica, el pueblo se ha puesto a sí mismo como fundamento real de la sociedad. Los decretos de Hidalgo no hacen sino expresar esa soberanía efectiva. "Revestido por la autoridad que ejerce por aclamación de la nación", Hidalgo abroga los tributos que pesaban sobre el pueblo; suprime la distinción de "castas" y, por primera vez en toda América, declara abolida la esclavitud. Incluso inicia algunas medidas económicas, tímidas y circunstanciales, es cierto, contra las clases poseedoras: decreta la confiscación de bienes de los europeos, principal sostén del Estado, y dicta la primera medida agraria: la restitución a las comunidades indígenas de tierras que les pertenecían. Los rumores que corren son más radicales: muchos atribuyen a Hidalgo la intención de repartir todas las tierras entre los indios y de adueñarse de los productos de las fincas para distribuirlos, con igualdad, entre el pueblo. Estos no eran, sin duda, propósitos de Hidalgo, pero el carácter campesino de la rebelión empieza a hacerlos posibles.

El otro dirigente de la rebelión, Allende, no puede seguir fácilmente el sesgo popular que la revolución ha tomado. Sus desavenencias con Hidalgo se explican, más que por conflictos personales, por su situación social ambigua. Allende no entiende ni aprueba las condescendencias de Hidalgo con la plebe. Desde el comienzo se esfuerza en transformar la rebelión en un levantamiento ordenado, dirigido por los oficiales criollos; pero su molestia llega al límite cuando el cura empieza a dejar caer en el olvido la figura de Fernando VII. La actitud de Allende es el primer signo de las vacilaciones de muchos criollos ante una revolución que tiende a rebasarlos.

Las multitudes que fascinadas siguen a Hidalgo, no pueden

tener un programa revolucionario concreto. Sólo se abren a una perspectiva inmediata: la destrucción del orden social opresor encarnado en los ricos europeos. Actúan como si la liberación total pudiera venir de un golpe y bastara destruir el orden odiado para que naciera el reino de la igualdad y la justicia. Sus ideas tienen, por supuesto, poco que ver con las que manejan sus líderes ilustrados. Son primitivas y sencillas y tienden a expresarse en un lenguaje religioso. La revolución se ve como una gran cruzada, pugna decisiva entre las fuerzas del bien y del mal, que conducirá a establecer la igualdad y una religión más pura. Los europeos y el alto clero que condenó a Hidalgo son tachados de "herejes" o "judíos" y los insurgentes se consideran defensores de la religión. En Hidalgo ven un santo y su figura carismática basta para encender todas las esperanzas. Probablemente la idea que el pueblo tiene de la sociedad liberada es la de un nuevo reino bajo el mando paternal del profeta revolucionario. Estas ideas son ajenas a las de la clase media. Se enlazan, en cambio, con las de algunas conspiraciones anteriores a 1808, de origen popular, como la llamada de los "machetes", de 1799, formada por labradores y artesanos, que pretendía matar a los gachupines, abrir las prisiones y convocar al pueblo bajo la imagen de la virgen de Guadalupe; o la de un indio de Tlaxcala, llamado Mariano, denunciada en 1801, que se proponía coronarse rey. La concepción popular presenta semejanzas con la mentalidad que Mannheim denominó "milenarismo" o "quiliasmo", propia de grandes movimientos revolucionarios que agitan a las clases bajas de la sociedad cuando no se encuentran organizadas políticamente.

Ante la rebelión popular, cambia la actitud de muchos que antes veían con simpatía los intentos de reforma. Los criollos de las clases acomodadas, que habían permanecido vacilantes en 1808, se oponen ahora decididamente al movimiento. El más fuerte impugnador de la rebelión es el alto clero, que la combate con todas sus fuerzas espirituales y materiales. El obispo Abad y Queipo, propugnador de reformas profundas desde hacía años, es, sin embargo, el primero en anatematizar a Hidalgo. Después, el arzobispo Lizana, la Inquisición y la mayoría de los obispos, excomulgan y polemizan airadamente contra Hidalgo y sus seguidores. Igual sucede con los terratenientes criollos. Calleja forma su ejército en San Luis a costa de los ricos propietarios. Su más fuerte contribuyente es Juan de Moncada, un noble con quien contaba Allende, por saberlo afecto a la independencia. A lo largo de la campaña se distinguirán por sus donativos el alto clero y los hacendados criollos que muestran, al decir de Calleja, más generosidad que los europeos. ¿Han cambiado las ideas de estos grupos? No, lo que ha cambiado es la revolución. Si podían aliarse con los letrados de la clase media para intentar reformas, no pueden hacer lo mismo con las clases dominadas. Lo cual no impide que, aun cuando provisionalmente formen un frente común con los europeos, esperen el momento en que puedan hacer valer contra ellos sus derechos. La clase media es la que ahora se encuentra entre dos fuegos. Ante la rebelión del pueblo, que tiende a desbordar sus propósitos, se le plantea un dilema. Muchos elegirán al pueblo, mejor dicho, tratarán de utilizar su movimiento en provecho propio. Otros, al contrario, aterrorizados por la violencia popular y el desorden, se pasarán al bando contrario. Ejemplos de estas vacilaciones, el propio licenciado Azcárate, que tan brillante papel desempeñó en 1808 y que ahora se pronuncia contra los insurgentes; o el canónigo Beristáin y Souza, preso por la Real Audiencia, acusado de complicidad con el ayuntamiento, y que se convierte en agudo polemista contra la insurgencia. Las vacilaciones son comprensibles: en el movimiento reformista iniciado por el ayuntamiento, que en otras colonias americanas había tenido éxito, en la Nueva España se injerta una revolución distinta que hace peligrar el poder de los mismos criollos.

Los acontecimientos empiezan a ser desfavorables a la revolución a partir de noviembre de 1810. Aunque el norte, Coahuila, Nuevo León y Texas, se pasa a los insurgentes, en el centro se forman, con el auxilio de mineros y hacendados, nuevos cuerpos de ejército realistas bien armados. Calleja, al mando del más eficiente, recupera Guanajuato y luego ataca Guadalajara, donde se encuentran de nuevo unidos Hidalgo y Allende. El 16 de enero de 1811 Hidalgo enfrenta a sus tropas en Puente de Calderón con los ejércitos realistas. Su derrota es total y Calleja toma Guadalajara. Empieza el penoso éxodo de los jefes insurgentes hacia el norte. Primero a Zacatecas, luego a Saltillo. Acompañados de una escasa tropa, Hidalgo y Allende salen hacia Monclova. En el camino caen en una emboscada. Juzgados en Chihuahua, son ejecutados el 30 de julio. Sus cabezas, encerradas en jaulas, cuelgan en las esquinas de la Alhóndiga de Granaditas de Guanajuato, donde a nombre del pueblo habían obtenido su primera victoria.

Pero la revolución no termina con la muerte de Hidalgo y de Allende. En muchas regiones del país pululan las guerrillas campesinas que actúan aisladas y atacan villas y haciendas. La coordinación del movimiento empieza a lograrse de nuevo en dos puntos. En Zitácuaro se establece una "Suprema Junta Gubernativa de América" bajo la dirección de Ignacio Rayón, abogado y antiguo secretario de Hidalgo, que bajo su mando intenta mantener unificado el movimiento; pero sobre todo, son las victorias de José María Morelos, en el sur, las que logran darle un nuevo impulso a la revolución.

Morelos, cura rural en estrecho contacto con su pueblo, hijo de un carpintero, se vuelve el dirigente popular que la rebelión requería. En poco tiempo levanta una fuerte tropa en el sur. Sus aptitudes militares le permiten organizarla debidamente hasta obtener importantes triunfos. En mayo de 1811 ocupa Chilpancingo y Tixtla, sube por Taxco y Tehuacán y para diciembre toma Cuautla. En febrero del siguiente año, Calleja trata de dar el golpe definitivo a la revolución y emprende el sitio de Cuautla. La batalla dura tres meses. Los insurgentes no pueden triunfar, pero logran agotar a las tropas realistas, cosa que les permite evacuar ordenadamente la ciudad. El sitio de Cuautla aumenta considerablemente el prestigio de Morelos, quien controla y gobierna gran parte del sur. La composición social del movimiento no ha cambiado. Los rebeldes son aún las clases bajas, principalmente los campesinos. La mayoría se junta en grandes turbas provistas de hondas, flechas y lanzas, o aun de simples palos y piedras. A veces se reúnen espontáneamente por miles de varios pueblos cercanos, para oponer resistencia a algún jefe realista; otras, surge un caudillo entre ellos y, equipados, los despacha en partidas. A menudo se juntan transitoriamente para ayudar a los ejércitos insurgentes organizados, y se dispersan de nuevo. Hasta los indios nómadas del norte, los comanches y los lipames, atacan al ejército realista. También los esclavos negros participan. En Veracruz se levantan al mando de sus propios capataces y en el sur, al mando de Galeana, forman la tropa selecta de Morelos. Sólo los esclavos de algunas haciendas de propietarios europeos siguen fieles al amo. Los rancheros, propietarios de caballos y de pequeñas tierras o simples labradores, "castas" en su mayoría, se ponen al frente de los indios o se juntan como tropas a caballo, un poco mejor armadas. Casi todas las partidas que asolaban el

Bajío estaban formadas por gente a caballo a la que se unían indios flecheros y honderos de los pueblos. Por fin, toda la plebe de las ciudades apoyaba a los insurgentes; a veces abandonaba la población atacada antes de su llegada para regresar a ella con los rebeldes; otras fraguaba conspiraciones dentro de las ciudades. Las tropas organizadas al mando de Rayón y de Morelos estaban constituidas por los mismos elementos. La junta formada en Zitácuaro legalizó sus funciones citando para su juramento a los gobernadores y alcaldes de los pueblos indios de las inmediaciones; la tropa de Rayón estaba compuesta exclusivamente por indios flecheros. La de Morelos, de negros y mulatos del sur, antiguos peones de haciendas, soldados de los cuerpos de ejército vencidos y miles de campesinos apenas armados, que ayudaban en los trances difíciles.

Conforme avanza el movimiento muchos elementos de la clase media toman una postura franca a su favor. Al principio su número es escaso, pero poco a poco aumenta, a la par que su influencia. A la sombra de Rayón y luego a la de Morelos, empiezan a actuar, divulgando las ideas de la revolución letrados cada vez más numerosos. Algunos ayudan desde fuera con sus escritos. En la capital, Joaquín Fernández de Lizardi y, desde Londres, fray Servando Teresa de Mier, figuran entre las mejores plumas favorables a los insurgentes. La mayoría, perseguidos o desplazados por la sociedad virreinal, huyen del territorio realista y se unen a los rebeldes. Unos provienen de los ayuntamientos, como el doctor Cos y Quintana Roo; otros son abogados, escritores o predicadores, como Bustamante, Velasco, Liceaga, Rosáins, Verduzco, etc. Por su mayor cultura y prestigio, adquieren puestos directivos. Morelos, ilusionado con sus "luces", los protege y, muy pronto, alternando con los caudillos populares, figuran otros elementos sociales más hábiles con la pluma que con el sable: los letrados criollos.

Después de la prisión de Hidalgo, sus sucesores, Rayón y Liceaga, envían a Calleja una carta en que declaran oficialmente los fines que persigue la insurgencia. La justifica la imposibilidad de Fernando VII para gobernar y la necesidad de un congreso que restituya el orden legal alterado por el golpe de estado de Yermo; pero no se menciona ninguna medida de reforma económica y social. El tono moderado de la carta atestigua los primeros intentos de los dirigentes de la Junta por atraerse de nuevo a la oligarquía criolla frente a los europeos, apaciguando su temor a la rebelión popular. Más tarde, dan a la publicidad un *Plan de Paz*, escrito por el doctor José María Cos. Los derechos de los criollos se fundan en la interpretación, expuesta desde 1808, según la cual América depende de la Corona, pero no de la nación española. La independencia que se desea no es, pues, del rey ni del sistema monárquico, sino del gobierno ilegítimo congregado en Cádiz. Los primeros puntos del Plan proponen; "1. La soberanía reside en la masa de la nación. 2. España y América son partes integrantes de la monarquía, sujetas al rey, pero iguales entre sí y sin dependencia o subordinación de la una con respecto a la otra". Por lo demás, el orden social existente sería respetado. Cos pide que los europeos traspasen el mando a un congreso, con la seguridad de que seguirán gozando de sus derechos, empleos y propiedades, para que "todos los habitantes de este noble suelo, así criollos como europeos, constituyan indistintamente una nación de ciudadanos americanos vasallos de Fernando VII", idea que antes había expresado Rayón. Esta actitud, por otra parte, corresponde a las ideas de la gran mayoría de los letrados criollos que durante esta etapa apoyan la insurgencia. Conciben el problema como esencialmente político y jurídico. Al prolongar y desarrollar las ideas del ayuntamiento de México, hacen suya una plataforma que podría convenir a todos los sectores de la colonia desplazados por el sistema de dependencia. Quintana Roo, por ejemplo, aclara cuál es la "nación" donde reside la soberanía: cuando la cabeza falla, deben ser los cuerpos constituidos quienes tomen en sus manos el gobierno. Carlos María Bustamante insiste en la idea cara a su grupo: el representante más cercano de la nación son los ayuntamientos.

Pero es fray Servando Teresa de Mier quien desarrolla con mayor vigor los argumentos históricos y jurídicos en que basan los insurgentes su pretensión a la independencia. América posee, en efecto, su propio pacto social, que la constituyó como parte integrante de la monarquía española, y que Carlos V contrajo con los conquistadores y con los mismos indios, a quienes consideró vasallos a cambio de concederles exenciones y privilegios. Desde entonces, pese al posterior despotismo, "conservaron los reyes en su fondo nuestras leyes fundamentales, según las cuales las Américas son reinos independientes de España sin otro vínculo con ella que el rey..., dos reinos que se unen y confederan por medio del rey, pero que no se incluyen". En efecto, los soberanos —sostiene Mier— concedieron a la Nueva España todos los derechos de un reino independiente, la dotaron de sus propias Cortes, de su Consejo de Indias, separado del Consejo de Castilla, de su propia jurisdicción eclesiástica, etc. El único vínculo entre América y España es el soberano, y cada país debe gobernarse como si éste no fuera común, sino propio de cada reino. Tal es el código originario de América, que Mier, empleando la terminología en boga, denomina "Constitución americana". Las reivindicaciones de los insurgentes son fieles a ella; son los europeos los que tratan de abolir el pacto social y sustituirlo por un gobierno tiránico. Pero las leyes fundamentales de América quedaron sepultadas por decretos posteriores. El absolutismo de los reyes empezó a hollarlas. Los virreyes imitaron a sus soberanos y olvidaron el pacto social a que estaban sujetos, hasta que la Constitución americana se redujo a una serie de estipulaciones en parte incumplidas, en otra abrogadas por medidas posteriores. El movimiento insurgente inicia el rescate de ese origen perdido.

Nótese cómo estas ideas podían ser acogidas con beneplácito por los grupos criollos de la oligarquía colonial. Justificaban plenamente su pretensión a intervenir en el gobierno de su país y desarrollarlo sin las trabas impuestas por la dependencia de España. No planteaban, por otra parte, ninguna amenaza directa contra su preeminencia social. Los únicos afectados serían los grupos cuyo poder político o económico se basaba en esa dependencia. Sin embargo, el *Plan de Paz* y la propaganda insurgente no logran atraer a los propietarios criollos. Los terratenientes, la Iglesia, los industriales, siguen apoyando al bando europeo, aunque muchos de ellos comulguen en secreto con esas ideas, como después se hará patente. La explicación es simple. Los letrados insurgentes expresan ideas que pueden serles afines, pero su fuerza está aún en los campesinos, en la plebe harapienta que nada sabe de bellas doctrinas. Sólo cuando la revolución popular sea derrotada, la oligarquía criolla podrá hacer suya esa postura. Al lado de estas ideas, la presencia del pueblo impone otras. En José María Morelos es donde mejor puede observarse la confluencia de las ideas propias de la clase media con las que provienen de su contacto con el pueblo. Morelos no se limita a reivindicaciones políticas. Su agrarismo, aunque moderado, es claro. Suprime las cajas de comunidad para que los labradores "perciban las rentas de sus tierras

Sentimientos de la Nación

1.° Que la América es libre e independiente de España y de toda otra Nación, Gobierno ó Monarquía, y que así se sancione dando al Mundo las razones.

2.° Que la Religion Catolica sea la unica, sin tolerancia de otra.

3.° Que todos sus Ministros se sustenten de todos y solo los Diezmos y Primicias, y el Pueblo no tenga que pagar mas obenciones que las de su devocion y ofrenda.

4.° Que el dogma sea sostenido por la Gerarquia de la Iglesia que son el Papa, los Obispos, y los Curas, por que se debe arrancar toda planta que Dios no planto: omnis plantatio quam non plantabit Pater meus Celestis Eradicabitur. Mathei Cap. XV.

5.° Que la Soberania dimana inmediatamente del Pueblo, el que solo quiere depositarla en sus representantes dividiendo los poderes de ella en legislativo executivo y judiciario, eligiendo las provincias sus vocales, y estos á los demas, que deben ser sugetos sabios y de probidad.

6.° Que los Poderes Legislativo, Executivo, y Judicial estén divididos en los cuerpos compatibles para exercerlos.

7.° Que funcionarán quatro años los Vocales turnándose saliendo los mas antiguos, para que ocupen el lugar los nuevos electos.

8.° La dotacion de los Vocales, será una Congrua suficiente y no superflua, y no pasará por ahora de ocho mil pesos.

9.° Que los Empleos solo los Americanos los obtengan.

10.° Que no se admitan Extrangeros, sino son Artesanos capaces de instruir, y libres de toda sospecha.

como suyas propias", y amenaza a los europeos con proseguir la guerra hasta que "a nuestros labradores no dejéis el fruto del sudor de su rostro y personal trabajo". En sus *Sentimientos a la Nación* esboza un nuevo sistema, teñido de un humanismo igualitario y cristiano. Pide que los empleos sean para los americanos, que las leyes "moderen la opulencia y la indigencia", que "comprendan a todos sin excepción de cuerpos privilegiados", y que "la esclavitud se proscriba para siempre y lo mismo las distinciones de castas, quedando todos iguales, y sólo distinguirá a un americano de otro el vicio y la virtud". La revolución tiende a un orden de igualdad y justicia social fundado en la abolición de privilegios, en la protección de los trabajadores y en la propiedad del labrador sobre la tierra.

Entre los papeles abandonados por los insurgentes en Cuautla se encontró un "plan" escrito probablemente por algunos de los partidarios de Morelos, que refleja ideas populares. En él se pide que se considere como enemigos de la nación a "todos los ricos, nobles y empleados de primer orden, criollos y gachupines", que se incauten todas las propiedades y se destruyan las minas. Estas medidas, aparentemente anárquicas, tienen empero por objeto "establecer un sistema liberal nuevo frente al partido realista", y obedecen a un proyecto preciso aunque sumamente ingenuo: los bienes incautados a los ricos se repartirían por igual entre los vecinos pobres, de modo que "nadie enriquezca en lo particular y todos queden socorridos en lo general". La medida a la que se concede mayor importancia es la siguiente: "Deben también inutilizarse todas las haciendas grandes, cuyos terrenos laboriosos pasen de dos leguas cuando mucho, porque el beneficio mayor de la agricultura consiste en que muchos se dediquen a beneficiar con separación un corto terreno". Por rudimentarias que sean, las ideas apuntan a un cambio en la organización económica de la colonia: un orden de pequeña propiedad agraria y de igualdad social remplazaría a la gran explotación minera y rural, origen de las desigualdades económicas. El Igualitarismo social no tiene un origen ilustrado; más bien parece provenir de la experiencia real de la revolución. Ésta será responsable de la radicalización progresiva de la concepción de los ideólogos criollos. El rechazo del régimen colonial, considerado como modelo de opresión, ignorancia y despotismo, con frecuencia lleva a reivindicar las sociedades precolombinas. Entonces, las demandas de los americanos no se fundan

624

ya en el "pacto social" que los conquistadores y sus descendientes establecieron con la Corona, sino en los derechos de los indios, antiguos y legítimos dueños del país. El propio Teresa de Mier impugna la legitimidad de la conquista: "Los indios creen que las tierras y todo es suyo en América usurpada por los españoles, sobre quienes pueden hacer una justa represalia". Y Bustamante interpreta la guerra de independencia como una "reconquista", justa venganza por las injusticias cometidas por los colonizadores contra los indígenas. Esta actitud no puede condecirse con el intento de fundar la rebelión en instituciones derivadas de la colonia, como los ayuntamientos. Supone negar legitimidad a la colonia misma, y por lo tanto hace necesario constituir de nuevo a la nación sobre la voluntad del pueblo.

Las tropas de Morelos emprenden una nueva campaña en el sur después de la evacuación de Cuautla. En pocas semanas toman Tehuacán, dominan los actuales estados de Oaxaca y Guerrero y gran parte de los de Puebla y Veracruz. Después Orizaba y Xalapa y por fin se apoderan de Acapulco. En la ciudad de Oaxaca, Morelos mantiene un gobierno estable. A principios del año de 1813 la mayoría del territorio nacional estaba bajo el dominio de los insurgentes. Julián Villagrán prevalecía en la región de la Huasteca; Osorno, en los llanos de Apan y el camino a Veracruz. En Guanajuato reinaba Albino García y entre Zitácuaro y Toluca, Ignacio Rayón con su Junta. La revolución había llegado a su máxima pujanza; pero en el fondo era mucho más débil de lo que parecía. Los grupos alzados actuaban cada uno por su cuenta, sin concierto mutuo. Los campesinos armados no tenían la posibilidad de organizarse por sí mismos ni sentían la necesidad de hacerlo. Más bien se agrupaban en torno a la figura carismática de algún caudillo. La idea de un organismo representativo que centrara y coordinara los esfuerzos no podía surgir de ellos, y menos aún la de constituir un estado nuevo. Ésa es la idea que los letrados estarán encargados de aportarles. Con ella la revolución encontrará la forma política que le dé solidez y coherencia. Con ella también la revolución iniciará su descenso.

Descenso y fin de la revolución popular

Mientras la revolución de la Nueva España estallaba, en la isla de León, cerca de Cádiz, se reunían las cortes españolas con ausencia

625

del rey. El 24 de septiembre de 1810, unos días después de la rebelión de Hidalgo, la asamblea inició sus sesiones. Por primera vez, las cortes no se constituían divididas por estamentos, según el modo tradicional. Desde luego declararon que la soberanía residía en la cámara única, representante del pueblo. Privaba un ambiente ideológico liberal. Los "Estados Generales" franceses de 1789 eran para muchos el modelo de la nueva asamblea. El 24 de febrero del año siguiente, las cortes se trasladaron a la ciudad de Cádiz. Entre los diputados se contaban 53 americanos, representantes de sus respectivos países. Aunque estaban en notable minoría, frente a los 150 delegados españoles, se distinguieron por sus intervenciones favorables a los derechos de las colonias. En Nueva España, la intervención de los cabildos había decidido la elección de delegados a cortes; la mayoría de ellos resultaron abogados o eclesiásticos criollos, como Miguel Ramos Arizpe y Beye de Cisneros, y alguno hacendado, como José María Guridi y Alcocer. El contacto de los criollos con las cortes contribuyó a la evolución de su pensamiento. Los diputados americanos se vieron envueltos por un clima ideológico que conocían, pero no les era familiar. El "francesismo" reinaba allí; su terminología, sus argumentos, sus temas, repetían los de la gran Revolución francesa. Los americanos se asociaron fácilmente a ese lenguaje y al sentido nuevo dado a los conceptos políticos. Sin sentirlo transitaban de la utilización de una terminología tradicional, fundada en el suarismo y el jusnaturalismo, a otra, derivada de la ilustración francesa y típica del liberalismo europeo. La asimilación se facilitaba porque también las cortes españolas se presentaban en sus inicios como un retorno a las viejas instituciones democráticas sepultadas por el despotismo. Por ejemplo, Guridi y Alcocer, diputado mexicano, sostenía en Cádiz, con teminología rusoniana, que la autoridad se basaba en la "voluntad general" del pueblo. Más aún, la actitud de los diputados americanos era de hecho más radical que la de los europeos. Con denuedo defendieron los derechos de ciudadanía de los indios, los negros y las castas; exigieron la abolición de la esclavitud y reclamaron la supresión de alcabalas y la libertad de producción y comercio para todos los reinos hispánicos. Los diputados europeos se resistían a aplicar a las colonias estas medidas, derivadas de sus propios principios liberales, por miedo a la independencia de América. Así, la situación colonizada de los americanos les permitía dar a las doctrinas liberales un alcance universal que los colonizadores vacilaban en asumir. Con todo, la lucha de los representantes de América fue un factor decisivo en la liberalización del régimen colonial. En un pliego de peticiones resumieron los agravios más importantes de las colonias. Pedían, en síntesis: igual representación a cortes para España y América; libertad de explotación agrícola e industrial; libertad de comercio; supresión de los estancos; libertad de explotación minera; igualdad en la distribución de empleos entre peninsulares y americanos, y restitución de los jesuitas. La mayoría de estas peticiones fueron aprobadas sucesivamente. Demasiado tarde: la revolución no podía detenerse con proclamas. Las medidas sólo podían verse ahora como concesiones extemporáneas.

El 18 de marzo de 1812 se firmó en Cádiz la nueva constitución española. Siguiendo en gran medida las constituciones francesas de 1793 y 1795, otorgaba amplios poderes a las cortes, reducía el papel del rey al poder ejecutivo, proclamaba la soberanía popular, decretaba la libertad de prensa y de expresión y abolía la inquisición. A la vez, establecía la paridad de las colonias con la metrópoli en lo que respecta a representación a cortes y distribución de empleos administrativos. Dividía a la Nueva España en cinco provincias, limitando el poder virreinal a una de ellas. El 30 de septiembre de 1812 el *virrey Venegas* la promulgó en Mé-

CONSTITUCION POLITICA

DE LA

MONARQUIA ESPAÑOLA.

Promulgada en Cádiz á 19 de Marzo de 1812.

CADIZ: DICHO AÑO: EN LA IMPRENTA REAL.

Reimpresa en México en virtud de órden del Excmô. Sr. Virey de 8 de Septiembre de 1812 á conseqüencia de la de la Regencia de la Monarquía de 8 de Junio del mismo, en que S. A. S. se sirvió autorizar á S. E. para que dispusiese su reimpresion en éste Reyno, sin embargo de la prohibicion que en ella se previene.

POR D. MANUEL ANTONIO VALDÉS, IMPRESOR DE CAMARA DE S. M.

xico. De hecho nunca llegó a ponerse en práctica íntegramente. En las provincias, impulsó un movimiento electoral para integrar las diputaciones provinciales y favoreció su autonomía frente al virrey. Por lo demás, todo siguió igual. Apenas durante unos dos meses los escritores mexicanos gozaron de cierta libertad de prensa, que aprovechó sobre todo Fernández de Lizardi para publicar sus ágiles escritos políticos en *El Pensador Mexicano*. Pero ni esa libertad pudo mantenerse. El 2 de diciembre, Venegas suprimía de modo expreso la libertad de prensa y ponía en la cárcel a Fernández de Lizardi. Los insurgentes sabían ya lo que podían esperar de las reformas convenidas en la península.

Puede considerarse a Joaquín Fernández de Lizardi el primer escritor mexicano en que la nueva concepción liberal se defendía claramente. *El Pensador Mexicano* saludaba a la constitución como la luz que revelaba sus derechos al pueblo oprimido. La soberanía de la nación, proclamada en Cádiz, abatía al "antiguo despotismo". Se atacaba el absolutismo de los reyes españoles y el de virreyes y funcionarios. Empezaban a asociarse libertad e ilustración. La libertad se entendía en el sentido liberal típico: obrar dentro de la ley que a todos rige por igual. La igualdad no se interpretaba como una equiparación económica o social, sino como la paridad de todos ante la ley. Y las castas y los negros deberían participar de esa paridad que la nueva constitución aún les negaba. Lo más importante de esta postura es que ligaba la insurrección iniciada en Dolores con esta lucha general en favor de la libertad y de los derechos individuales y en contra del despotismo. Comenzaba así una interpretación liberal burguesa de la rebelión popular que no correspondía a sus orígenes.

Mientras tanto, en el campo insurgente resultaba indispensable establecer un cuerpo que tomara medidas urgentes de gobierno, asegurara la coordinación en las acciones y garantizara la unidad y permanencia del movimiento. Por iniciativa de Morelos, el 15 de septiembre de 1813 se reunió en la ciudad de Chilpancingo el congreso de representantes de las regiones liberadas. Como era inevitable, sus delegados eran todos letrados, eclesiásticos o abogados, del grupo que acompañaba a Morelos o a la junta de Zitácuaro. Desde sus inicios, el congreso quedó así dominado por la clase media. El 6 de noviembre, el congreso de Chilpancingo proclamó formalmente la independencia de México, rechazó la monarquía y estableció la república. De inmediato se dedicó a discutir la constitución apropiada a la nueva nación. El 22 de octubre del siguiente año, en la pequeña ciudad de Apatzingán, era proclamada la primera constitución de la nación mexicana. En el congreso de Chilpancingo se percibe claramente el sello de la concepción liberal moderna. Al igual que las cortes de Cádiz, tomó como modelo la asamblea francesa. Quizá Morelos deseaba que se restringiera a tomar medidas urgentes de gobierno y providencias para la marcha futura del movimiento. El congreso se apresuró efectivamente a ordenar las medidas: constituyó un gobierno que remplazara a la junta de Zitácuaro, nombrando a Morelos encargado del poder ejecutivo, y sancionó algunas medidas ya tomadas que correspondían a una demanda popular: abolición de la esclavitud y de las distinciones de castas; abrogación del impuesto *per capita* sobre los indios. Pero no se detuvo allí. Se aprestó también a constituir, desde sus orígenes, a la nación. Este significado de la reunión deliberante no concordaba con las ideas antes imperantes. No se trataba ya de una junta de ayuntamientos y otras corporaciones destinada a guardar la soberanía y a gobernar el reino, basado en leyes antiguas fundamentales, sino de un cónclave de ciudadanos, representantes del pueblo, facultados para constituir un nuevo estado. La revolución popular había radicalizado considerablemente las ideas de los letrados criollos. Al mismo tiempo, su negación cada vez más radical del sistema los había hecho más receptivos a las concepciones liberales nuevas.

La constitución de Apatzingán, fruto del congreso, se inspiraba sobre todo al igual que su hermana de Cádiz, en las constituciones francesas de 1793 y 1795. Establecía el sistema representativo nacional, la separación de tres poderes, los derechos del ciudadano y la libertad de expresión. El artículo 5 decía que "la soberanía reside originariamente en el pueblo y su ejercicio en la representación nacional compuesta de diputados elegidos por los ciudadanos". En otros puntos, el lenguaje también correspondía a las nuevas ideas. El artículo 2, por ejemplo, señalaba como fin del gobierno garantizar al ciudadano el goce de sus derechos naturales e imprescriptibles. El 18 definía la ley como "la expresión de la voluntad general en orden a la felicidad común". El 24 explicaba en qué consistía esa felicidad: "en el goce de la igualdad, seguridad, propiedad y libertad...", derechos fundamentales del hombre en sociedad. La concepción es típica del liberalismo burgués europeo. Al contrario, la constitución no consagraba ninguna medida agraria, ni sentaba las bases para ninguna reforma ulterior en el régimen de tenencia de la tierra. Señalaba que nadie podía ser privado de la menor porción de su propiedad "sino cuando lo exija la pública necesidad, pero en ese caso tiene derecho a una justa compensación". En las deliberaciones del congreso y en la letra de la constitución privó la preferencia de los abogados y eclesiásticos por las asambleas representativas y su temor al caudillismo. La soberanía nacional se consideraba representada exclusivamentee en el congreso. Una vez elegido éste, se hacía depender de él todo el poder de la nación. La asamblea deliberante nombraba a los otros dos poderes, en los que únicamente "delegaba" de modo temporal sus facultades. Por miedo a un futuro "despotismo", el congreso cuidó de restringir constitucionalmente hasta el máximo las atribuciones del ejecutivo. Prohibió que éste recayera en una sola persona. Para evitar el predominio de cualquier caudillo, lo delegó en tres individuos que habrían de turnarse en sus funciones; prohibió su reelección y coartó su libertad impidiéndcles el libre traslado de residencia. Lo que es más grave: el congreso se reservó directamente el mando de la fuerza armada y estableció que ocupar un puesto ejecutivo era incompatible con el mando militar. Estas medidas, inspiradas en una concepción

630

liberal pura, podían resultar útiles en tiempos normales, cuando se tratara de proteger a la república contra las ambiciones de poder de los caudillos. Pero poco tenían que ver con la realidad de la revolución popular que el país estaba viviendo. Las necesidades concretas exigían un mando centralizado y poderoso. De aplicarse la constitución, los jefes revolucionarios quedaban a merced de los conciliábulos de los diputados. Sobre todo, el gran caudillo popular, Morelos, se veía ante el dilema de elegir entre la dirección política del movimiento y el mando militar. De hecho, el congreso asestaba un golpe mortal al dirigente revolucionario.

Con la instauración del congreso, la dirección política de la insurgencia pasaba a manos de un cuerpo colegiado que actuaba material y espiritualmente alejado de las masas. Los únicos candidatos al congreso eran, de hecho, los curas medianamente ilustrados y los abogados y escritores, únicos poseedores del dominio necesario de las letras y el prestigio intelectual que exigían las lides retóricas de la asamblea. La clase media, ducha en letras y en discusiones, encontraba así su órgano político más eficaz. En el congreso de Chilpancingo se revela toda la ambigüedad de la situación de la clase media radical en la revolución popular. Por una parte, sólo los letrados podían rebasar el regionalismo y la falta de perspectiva nacional de la rebelión campesina; sólo ellos podían darle a ésta una organización permanente que buscara la transformación del estado. El congreso le dio a la revolución la expresión política y el carácter institucional que el impulso popular anárquico no podía dar; pero, por otra parte, las instituciones liberales que creó el congreso constituyeron un instrumento que arrebataba de hecho el poder real de manos de las masas. La trasposición del poder de los caudillos populares, como Morelos, en contacto directo con el pueblo, seguidos y aceptados por éste, a una asamblea deliberante, revela el intento inconsciente de los miembros de la clase media por suplantar en la dirección de la revolución al pueblo bajo, a la vez que pretenden representarlo. El choque del congreso con los caudillos populares resultaba inevitable.

Mientras el congreso sesiona, la suerte de la guerra empieza a cambiar para Morelos. En diciembre intenta un gran golpe: apoderarse de la ciudad de Valladolid; pero sufre una cruenta derrota ante sus puertas. Desde entonces, la estrella de la revolución declina. En los meses siguientes, sucumben en la lucha los dos

631

brazos de Morelos: Mariano Matamoros y Hermenegildo Galeana. Los desastres se suceden. En enero de 1814 los realistas se apoderan de Chilpancingo, y de Oaxaca dos meses después. Mientras, el congreso, sin quererlo, desempeña su papel en la derrota. Temeroso de un teórico "despotismo" mantiene a Morelos en la inacción, le impide juntar el mando político y el militar y coarta sus movimientos. Mientras empieza a cundir la anarquía en las filas insurgentes, y las tropas realistas triunfan, los diputados se dedican a dictar medidas inaplicables sobre educación y rentas del clero. La situación llega a tal grado, que el mismo doctor Cos se ve obligado a impugnarlos, a exigir que no se coarte a Morelos, y exhorta a que se desobedezca a ese cuerpo colegiado, acusándolo de reunir a cada paso los tres poderes. El 5 de noviembre de 1815, Morelos, por tratar de proteger a los miembros del congreso y facilitar su huida, cae preso de las tropas realistas. Después de ser sometido a juicio, es degradado y fusilado en San Cristóbal Ecatepec. El movimiento popular entra en agonía después de su muerte. Nicolás Bravo se pone al frente del resto de la tropa de Morelos, pero el congreso le quita el mando militar. Por fin, otro caudillo, el general Mier y Terán, utilizando los mismos argumentos que había empleado el doctor Cos, disuelve el Congreso. Falto de un centro de dirección, desaparecida la gran figura que podía encarnar el impulso popular, el movimiento se divide y atomiza. Cada caudillo se hace un dueño celoso de un territorio, en pleito con los demás. Las victorias realistas y los reiterados ofrecimientos de amnistía por parte de los virreyes van poco a poco terminando con las partidas insurgentes. Mientras aquí la revolución retrocede, en España el liberalismo sufre una suerte semejante. A partir de 1814, en ambos lados del Atlántico parece triunfante la reacción del absolutismo. El 22 de marzo de ese año, Fernando VII regresa a España, dispuesto a gobernar como monarca absoluto. A las pocas semanas declara abolida la constitución de Cádiz y disueltas las Cortes. Se inicia una dura represión contra los liberales. El despotismo real se implanta de nuevo. El imperio español había recobrado su viejo rostro. Parecía que cinco años de inquietud y de esperanzas nada hubieran logrado cambiar.

Igual en la colonia. Félix María Calleja, que había sido nombrado virrey desde el 4 de marzo de 1813, en sustitución de Venegas, sigue los pasos de Fernando: suprime una constitución que nunca se había aplicado. Como símbolo del retorno de lo antiguo, el tribunal de la Inquisición se restablece. Con la conciencia de haber restaurado el orden, Calleja regresa a España el 19 de septiembre de 1816 y Juan Ruiz de Apodaca lo sustituye. El nuevo virrey inicia de inmediato una política doble para terminar con los restos de la rebelión. Por una parte ofrece indultos a los insurgentes; por la otra inicia una campaña militar decisiva. Ambas medidas logran su fruto. A principios de 1817, de la gran fuerza desatada por Hidalgo, sólo quedan bandas fugitivas al mando de Osorno y de Guadalupe Victoria en el estado de Veracruz y las guerrillas encabezadas por Vicente Guerrero, que mantienen vivo el recuerdo de la revolución en las montañas del sur. De hecho, la gran revolución popular ha terminado. Sólo logrará reanimarla, por un breve momento, el relámpago que llega de Europa. Francisco Xavier Mina, revolucionario liberal español, había combatido contra los franceses y después a favor de la constitución contra Fernando VII. Desterrado a Inglaterra, arma una expedición para atacar el absolutismo desde las colonias americanas. Desembarca primero en Galveston, donde obtiene gente y armas. Con él viene uno de los principales ideólogos de la independencia americana: fray Servando Teresa de Mier. El 15 de abril de 1817 desembarcan en Soto la Marina, donde Mina lanza una *Proclama* a los americanos. Para él, la revolución de México no difiere esencialmente de la lucha del liberalismo español contra el absolutismo; unido a los insurgentes o al frente de sus tropas de Navarra cree luchar por los mismos principios. No se le puede tachar de combatir a su patria, "como si la causa que defienden los americanos fuese distinta de la que había exaltado la gloria del pueblo español". En su mente las luchas de los distintos pueblos representan fases del mismo movimiento histórico: la rebelión de las naciones oprimidas contra del despotismo de los reyes. Pero esta concepción no correspondía a la insurrección americana. En México los insurgentes no se adherían a la constitución de Cádiz ni luchaban por ella. Y cuando Mina anuncia que su objeto era su restablecimiento, esperando con ello encontrar apoyo entre los insurgentes, sólo logra suscitar desconfianza. Buscando unirse con las partidas insurgentes que operaban en El Bajío, Mina se dirige a Guanajuato y logra algunas brillantes victorias. Sus éxitos no duran mucho. Aunque el insurgente Pedro Moreno y sus tropas lo ayudan, no logra suscitar entusiasmo ni apoyo entre el pueblo. Sus ideas contra el "absolutismo" y en favor de la constitución liberal, que poco parecían importar al pueblo novohispano, difícilmente podían concordar con la concepción popular. La desconfianza de los insurgentes aumentaba cuando oían al general exponer sus objetivos a las tropas españolas, entre las que contaba sumar partidarios, confiado en la filiación masónica y las creencias liberales de algunos oficiales. Sin haber logrado suscitar un levantamiento popular importante, su expedición no podía durar. Pronto es derrotado y hecho prisionero cerca de Guanajuato. El 11 de noviembre de 1817 muere fusilado. La generosa expedición de Francisco Xavier Mina es la última acción importante en la insurrección popular.

La oligarquía criolla en el poder

La oligarquía colonial había logrado contener la revolución, si bien tuvo que pagar un precio muy alto. Los años de guerra violenta habían destruido la economía del país. La minería era la que más sufrió. Unas minas habían sido abandonadas y otras se inundaron. La región de Guanajuato fue la más perjudicada. La extracción de minerales se redujo considerablemente. Hacia 1820 había descendido a casi una tercera parte del promedio de los diez años anteriores. Además, el comercio exterior, debido a la ocupación de España por los franceses, también se redujo en forma drástica. Los propietarios de minas sufrieron en esta época un golpe del que ya no volverían a reponerse. La agricultura también había padecido. Se calcula que la producción de las haciendas bajó en 1821 casi a la mitad. Por lo tanto, los intereses de la Iglesia también sufrieron, no sólo por la crisis económica general, sino por la disminución considerable de los diezmos que todavía podían pagarse. La oligarquía criolla no podía ver con entusiasmo el retorno a la política de prohibiciones económicas y de exacciones constantes de la Corona. Con rey o sin él, España no había dejado de solicitar contribuciones para sufragar su lucha contra los franceses. En 1811, por ejemplo, cuando la Nueva España estaba enfrascada en terrible lucha interior, el virrey Venegas envió a la metrópoli los fondos íntegros de la tesorería de Nueva

España como colaboración a la guerra contra Francia. El retorno de Fernando VII auguraba la continuación de una política semejante. Al abolir la constitución, quedaban como letra muerta las disposiciones de las cortes sobre comercio libre entre las colonias y supresión de las trabas legales sobre comercio e industria. Y para restituir la dañada economía del país eran menester reformas que favorecieran a los terratenientes, pequeños comerciantes e industriales y a la Iglesia misma. Sólo el estallido de la rebelión popular había impedido que las propiciaran y los había empujado a aliarse con el sector europeo. Pero ahora que el levantamiento del pueblo parecía aplacado, ¿no podrían ellos tomar la iniciativa?

Por otra parte, noticias de las colonias sudamericanas mostraban que esa oligarquía era capaz de ponerse al frente de sus países. Desde 1816 se había proclamado la independencia de las Provincias Unidas de la Plata; en 1818 se establecía la independencia de Chile y un año más tarde, en el congreso de Angostura, se sellaba la existencia de la gran República de Colombia. Y por doquiera los criollos eran quienes suplantaban a los peninsulares en la dirección del Estado. Los años de revolución habían dado lugar también a otro fenómeno importante, el surgimiento del ejército como nuevo grupo dominante. Durante las largas campañas contra los insurgentes, su poder creció. Aunque toda la tropa fuera indígena o mestiza y mucha oficialidad criolla, el ejército se mantuvo fiel al gobierno. Sin embargo, desde temprana hora las autoridades coloniales sintieron recelos. Calleja, por ejemplo, subrayaba en cartas reservadas al virrey Venegas la necesidad de recompensar al ejército, pues todos los habitantes de Nueva España consideraban benéfica la independencia y la tropa compartía esas ideas. Morelos, por su parte, confiaba en que las tropas realistas, al mando de sus oficiales criollos, pudieran unírsele alguna vez: "entonces la independencia será un hecho", pronosticó. Esa misma desconfianza fue causa de que el Consulado de México, baluarte de los grandes comerciantes europeos, pidiera a España el envío de tropas de peninsulares, en quienes poder fiarse, comprometiéndose a costear de sus propios fondos el equipo y el transporte.

Las largas campañas convirtieron a cada ejército en una unidad autosuficiente, más ligada al general que lo mandaba que al poder central. El caudillo militar cada vez era más reacio a obedecer al funcionario civil. El caso de Calleja es sintomático. Su rivalidad con el virrey Venegas no pudo mantenerse oculta. Éste trató de ponerle fin destituyéndolo, pero todos los oficiales y soldados se pusieron de parte del general y el gobernante civil tuvo que ceder. Por primera vez veía cómo el ejército, actuando como un cuerpo unido frente al gobierno, podía imponerle su voluntad. Calleja se sentía en campaña cada vez más desligado de los funcionarios y comerciantes europeos, a quienes tachaba de "cobardes" y "haraganes", y más unido a los criollos acomodados que combatían a su lado. Cuando se alejó del mando militar, se convirtió en centro de una pequeña "corte", no menos frecuentada que la del virrey, a la que asistían los descontentos y de la que partían acerbas críticas al gobierno. Puede presumirse cuál sería su tono, del atrevimiento de la sociedad "Los Guadalupes", insurgentes clandestinos, que propusieron a Calleja un plan para realizar la independencia al frente de su ejército. El general español no sólo no denunció a los conspiradores, sino que pareció recibir con agrado su proposición. Poco después, sin embargo, Calleja fue nombrado virrey; y su actitud cambió al transformarse de militar en gobernante. La misma pendiente arrastraba a otros generales. Los casos más notables: Joaquín Arredondo, comandante militar de Nuevo Santander, y José de la Cruz, de Nueva Galicia. Ambos actuaban como gobernantes absolutos en sus feudos. Amparados en la nueva división política dispuesta por la constitución de 1812, disputaban al virrey el poder sobre sus provincias. Ni Venegas ni Calleja lograron hacerse obedecer. Después de varias controversias, tanto Arredondo como Cruz acabaron formando, de hecho, pequeños gobiernos independientes. A Calleja se atribuye la frase que habría pronunciado al terminar su gobierno: en Nueva España dejaba tres virreyes, Apodaca, Arredondo y Cruz.

En 1812 comenzaron a llegar al país las tropas importadas de Europa. La abierta preferencia que les demostraban los peninsulares, la discriminación en los premios otorgados, que los favorecían, fueron causas de general descontento entre la tropa veterana. Para 1820 la insatisfacción del ejército era general. Los oficiales criollos veían que a pesar de tantos años de guerra, no habían podido obtener los galones que creían merecer y se sentían postergados por los cuerpos expedicionarios. Los soldados se encontraban pobres y cansados y se sentían discriminados. La exasperación había llegado a límites peligrosos. Por otra parte, muchos oficiales del ejército empezaban a tener intereses comerciales nuevos. Dada la inseguridad de los caminos, el ejército controlaba las rutas de acceso a los puertos y el transporte de mercancías en las provincias. De hecho, el comercio interior al mayoreo llegó a depender de los militares. Muchos de ellos aprovecharon su situación para especular en el mercado, enriqueciéndose en grande. Así, por distintas razones, tanto los propietarios criollos como la Iglesia y el ejército estaban cada vez más dispuestos a cambiar la situación. La ocasión se presentaría al iniciarse el año de 1820. En enero de ese año, empezó en España la rebelión liberal. Durante los meses siguientes varias ciudades importantes la secundaron, hasta que la multitud obligó a Fernando VII a jurar la constitución de Cádiz. El gobierno recayó entonces en una Junta que se apresuró a convocar a cortes, con la anuencia forzada del monarca. El 9 de julio se reunieron, y en ellas privaba el mismo ambiente liberal de diez años antes. Sobre todo, el anticlericalismo se ponía a la orden del día. Las cortes emitieron una serie de decretos en contra del poder temporal de la Iglesia: supresión del fuero eclesiástico, reducción de los diezmos, abolición de las órdenes monásticas y de la Compañía de Jesús, y abrogación de la Inquisición. En México todas estas medidas tuvieron una repercusión inmediata. El virrey Apodaca y la Real Audiencia se vieron obligados a jurar la constitución de Cádiz. Para la Iglesia novohispana la situación era particularmente grave. La Compañía de Jesús se veía suprimida por segunda vez y se anunciaba la desaparición de todas las órdenes monásticas, la venta de los bienes eclesiásticos y la reducción de los diezmos, ya decretadas en España. Además, se temían represalias de las cortes contra el grupo llamado de los "persas", que apoyaron el golpe absolutista de Fernando VII. Entre éstos se encontraban dos figuras prominentes del alto clero novohispano: el obispo Pérez, de Puebla, y San Martín, de Chiapas.

Muchos funcionarios europeos empiezan a temer un movimiento encabezado por el clero. Para detenerlo, se reúne en el templo de La Profesa un pequeño grupo de personas, muchas de las cuales habían tomado parte importante en el golpe contra Iturrigaray de 1808, para desconocer la constitución y lograr que el reino continúe gobernándose por las viejas leyes. Corren rumores de un secreto entendimiento del virrey con los conspiradores. Se trata de adelantarse al movimiento que se anuncia, con un nuevo

637

golpe, similar al de 1808 dirigido por Yermo. Con todo, la conjura no prospera, porque una parte del grupo europeo —los comerciantes de Veracruz— jura la constitución, y las tropas expedicionarias lo apoyan. En noviembre, un alto oficial criollo, perteneciente a una familia de hacendados nobles, que se había destacado combatiendo a los insurgentes, Agustín de Iturbide, es nombrado jefe del ejército que habría de atacar a Vicente Guerrero, en el sur. Iturbide despliega un plan bien fraguado. Mediante una hábil campaña epistolaria, logra la adhesión de los principales jefes militares. Lograda ésta, redacta un plan en Iguala aclamado por sus soldados. Proclamaba la independencia, declaraba a la católica como única religión de estado, establecía que "el clero secular y regular será conservado en todos sus fueros y preeminencias", y pedía que los europeos, criollos e indios se unieran en una sola nación. Como régimen del nuevo "imperio" mantenía la monarquía. Habría de invitarse al propio Fernando VII a ceñir la corona o, en su defecto, a otro miembro de una casa reinante. Mientras, una Junta de Regencia asumiría el poder. Ésta tendría por obligación designar al soberano y convocar a un congreso para redactar la constitución del imperio. El tono del plan era moderado. Ensalzaba las virtudes de España, pero justificaba la independencia en la "mayoría de edad" alcanzada por la colonia. Reiteraba la necesidad de lograrla mediante la concordia entre europeos y americanos, realistas e insurgentes; para ello pedía "unión, fraternidad, orden, quietud interior, vigilancia y horror a cualquier movimiento turbulento".

El Plan de Iguala logró unificar a toda la oligarquía criolla. El proyecto de independencia aparecía, en efecto, claramente ligado a otras dos "garantías" que tomaba muy a pechos: el mantenimiento de la religión y del orden social, en la unión de todas las clases. Uno tras otro todos los cuerpos de ejército se unen a Iturbide; sólo los batallones expedicionarios apoyan sin condición al gobierno. Sobre todo, el alto clero y los latifundistas sostienen el movimiento con toda su fuerza económica y moral. Por otra parte, Iturbide, lejos de atacar a Guerrero, entra en tratos con él. Los últimos caudillos insurgentes ven la oportunidad de lograr la independencia y se unen al movimiento. En poco tiempo, sin derramamiento de sangre, el ejército de Iturbide conquista las principales ciudades. Entra en Valladolid, Guadalajara y Puebla. Mientras, las tropas expedicionarias españolas destituyen al virrey Apodaca, cuya actitud frente al movimiento consideran por lo menos tibia. Queda al mando de la ciudad el mariscal Francisco Novella. Pero todo va a resolverse en unas semanas. El 3 de agosto desembarca en Veracruz Juan de O'Donojú, nombrado jefe político de la Nueva España por las cortes españolas. Queda sitiado en la ciudad por las tropas iturbidistas. Al darse cuenta de la situación, O'Donojú decide entenderse con Iturbide. En la ciudad de Córdoba, el caudillo criollo y el último gobernante de la Nueva España firman un tratado: se acepta la independencia, pero quedan a salvo los derechos de la casa reinante española. Con todo, se suprime la condición de que, en caso de no aceptar el trono Fernando VII, el soberano tuviera que pertenecer a una casa reinante. El epílogo es una fiesta. Con la mediación de O'Donojú, se establece un armisticio con las tropas de Novella, que aún defendían la capital. Éstas acaban rindiéndose y preparan su re torno a España.

Agustín de Iturbide, al frente del ejército de las "tres garantías" (religión, unión, independencia) entra en la ciudad de México el día 27 de septiembre. Después de diez años de luchas, la independencia se ha consumado; pero sus términos son muy diferentes a los que la revolución popular había planteado. La rebelión no propugna ninguna transformación social importante del antiguo régimen. Ante las innovaciones del liberalismo, reinvindica ideas conservadoras. Sobre todo se trata de defender a la Iglesia de las reformas que amenazan y a las ideas católicas de su "contaminación" con los filosofemas liberales. De allí el apoyo entusiasta, incondicional, que presta la Iglesia al movimiento. Lo presenta como una cruzada para salvar a la "santa religión amenazada" y a Iturbide como a un "nuevo Moisés", enviado por Dios. A la defensa de la religión se une la del monarca español, garante de la continuidad y estabilidad del sistema. Después del triunfo se establece una regencia provisional destinada a cumplir con los tratados de Córdoba y guardar la corona al futuro soberano. Su composición refleja claramente la nueva situación. Por una parte prolonga directamente el gobierno colonial en las personas de su último gobernante O'Donojú, su secretario Velázquez de León y el oidor José Isidoro Yáñez; por la otra, el ejército y el clero tienen sus más altos representantes: Agustín de Iturbide, Manuel de la Bárcena y más tarde el obispo Pérez, de Puebla. Desde el punto de vista social, es claro que el movimiento de Iturbide no tuvo nada en común con el de Hidalgo y Morelos. La proclamación de la independencia en 1821 no reanuda la revolución; por el contrario, sólo es posible en el momento en que ésta parece aplastada. Se trata de un episodio en que una fracción del partido contrarrevolucionario —los grupos criollos de la oligarquía— suplanta a la otra, los europeos. Aún así, el cambio operado en la composición del poder es importante. Los grupos europeos pierden la dirección de la nación. Los funcionarios de estado, casi en su totalidad, abandonan el país; el ejército expedicionario, después de un periodo de acuartelamiento, fue repatriado. Por su parte, el sector exportador, antes dominante, pierde importancia. Los propietarios de minas nunca lograrán reponerse y las grandes casas comerciales europeas ceden su situación privilegiada al decretarse la libertad de comercio. El poder ha pasado a manos del alto clero y del ejército, donde están representados los nobles criollos. La regencia inmediatamente establece el derecho general de ciudadanía, la abolición de las "castas", la igual distribución de los empleos públicos. Poco después, suprimirá las trabas a la libre industria, a la explotación minera y al comercio, y reducirá en mucho la alcabala. Se trata, en suma, del logro de todos los objetivos propios de las clases altas criollas que, manteniendo lo esencial del orden anterior, derogan las leyes que se oponían a su desarrollo, afianzan su poder y, al mismo tiempo, conceden algunas de las reclamaciones de la clase media para obtener su adhesión.

La proclamación de la independencia política no terminaba, naturalmente, con el proceso revolucionario. Los antiguos insurgentes van a unirse de nuevo para continuarlo. Una vez más, los letrados de la clase media tomarán la iniciativa; pero ahora la revolución popular ha terminado y los letrados han perdido contacto real con el pueblo. Su instrumento de lucha serán los órganos representativos; las deliberaciones de las asambleas remplazarán a la acción de las masas. La "Junta Provisional Gubernativa", constituida en 1821, excluía a los antiguos insurgentes, pero aceptaba un número considerable de abogados y eclesiásticos procedentes del tradicional baluarte de la clase media: los ayuntamientos y diputaciones provinciales. Algunos habían participado en el movimiento de 1808, otros fueron diputados en Cádiz. Pronto, la división de partidos en el seno de la junta revela la reanudación de la lucha. Para apoyar a Iturbide y la regencia se unieron los miembros del ejército, el alto clero y los hacendados y nobles criollos; en la oposición, el bajo clero y casi todos los abogados. Esta última fracción, aliada, por táctica, con un pequeño sector que aún sostenía a los Borbones frente a Iturbide, llegó a controlar el pequeño congreso, incrustando así en el nuevo régimen una plataforma de lucha de la clase media. Desde los primeros días comienza la sorda pugna contra la regencia. La junta empezó denominándose "soberana" sin reconocer otros límites que los que ella misma se impusiera. Cuando se trató de convocar al congreso nacional, se presentaron tres proyectos que revelaban los distintos puntos de vista. El de Iturbide proponía una cámara única con representación proporcional a la importancia de las clases —lo que daría predominio a los grupos privilegiados— y elección directa, lo que eliminaría el papel elector de los ayuntamientos. El de la regencia coincidía con el anterior en la separación de clases y en la eliminación de la intervención electoral de los ayuntamientos, pero difería por proponer dos cámaras: una alta, formada por clero, ejército y diputaciones, y una baja, de ciudadanos. El proyecto de la mayoría de la junta, al contrario, pedía una sola cámara sin separación de clases ni representación proporcional, y elección indirecta, lo que de hecho la entregaría a los cabildos que controlaban las elecciones, dando el triunfo a los abogados y al clero bajo y medio. El proyecto adoptado se acercaba fundamentalmente a este último. Aunque aceptaba la representación por clases, no admitía que fuera proporcional, como quería Iturbide, y dejaba a los cabildos la función de las juntas electorales.

El 24 de febrero de 1822 se instaló el congreso constituyente. Gracias a la convocatoria aprobada, quedó dominado por la clase media. Sin infringir el orden legal, la revolución infiltraba en él su arma más poderosa. Así lo reconoció *Iturbide* cuando, después de su derrota, situó en la elección del congreso su primer error político. Desde la primera sesión votó por unanimidad que en él residía la soberanía. De hecho, actuó como soberano, tomándose por fundamento real de la nación. Podía dudarse, por ende, de las bases en que se sustentaba el régimen iturbidista. El partido de Iturbide notó de inmediato el movimiento. "Vése...convertida la soberanía de la nación en título y consiguientemente en propiedad del congreso, cuando por la mayor ficción política apenas se le puede considerar comunicada su presentación." Para los iturbidistas, en efecto, el fundamento de la nueva nación era el Plan de Iguala, base de la independencia, y —añadía Iturbide—

"desde entonces mi voz, por una exigencia forzosa y esencial del acto, se constituyó en órgano único de la voluntad general de los habitantes de este imperio". Existía, pues, una doble pretensión a la representación de la soberanía. Por una parte, el poder ejecutivo presume de tener la delegación de la voluntad general, basado en el movimiento que lo llevó al triunfo. Por la otra, el poder legislativo se proclama único soberano. El equilibrio inestable de esta situación tenía que desembocar en una lucha abierta. con la consecuente eliminación de uno de los dos pretendidos poderes soberanos.

La lucha del congreso se enlaza con el movimiento insurgente. Iturbide posterga a los antiguos revolucionarios y olvida encomiar sus méritos. Por eso se reúnen para conspirar contra el gobierno. Los antiguos temas de batalla vuelven: ataques a los europeos cuya expulsión piden; temor al despotismo personificado ahora en Iturbide; recelos contra el alto clero; propaganda de las ideas liberales. Actuando por su cuenta, la clase media ha encontrado su maquinaria de agitación en las logias masónicas que cada vez adquieren mayor fuerza. Su principal enemigo ha cambiado también; ahora es principalmente el alto clero y el ejército. Contra el clero, el congreso impedía el retorno de los jesuitas y no ocultaba su intención de regular las temporalidades eclesiásticas. Contra la nobleza, intentaba suprimir los mayorazgos. Pero el principal punto de fricción era en realidad el ejército, que constituía un enorme cuerpo que absorbía casi todo el erario. En 1821 estaba formado por 68 mil soldados, más del doble del que tenía doce años antes. El presupuesto nacional para el año de 1822 era de 11 millones, de los cuales cerca de 10 se destinaban al ejército y la marina. El congreso intentaba reducirlo, rebajar las soldadas y separar los mandos militares de los civiles. Iturbide defendía, en cambio, las prerrogativas de su cuerpo, "la clase más distinguida, más benemérita, más necesaria del Estado". Exageraba los peligros exteriores para mantenerlo en pie, e intentaba extender su poder proponiendo incluso la formación de tribunales militares para juzgar delitos políticos. Ante la oposición del congreso, una fracción del ejército preparaba un golpe de estado. La esperanza de que un miembro de la familia reinante española aceptara la corona de México, ofrecimiento hecho en los tratados de Córdoba, se había frustrado definitivamente; en efecto, las cortes españolas habían declarado en el mes de febrero nulos los tratados y despedido a los diputados mexicanos. El día 18 de mayo un tumulto, en que participaban ejército y plebe, pidió la corona para Agustín I. El congreso, ausentes muchos diputados, bajo fuerte presión los otros, se vio obligado a confirmar la designación. Por fin, el 21 de julio de 1822 Iturbide era coronado emperador de México. Las perspectivas del nuevo "imperio" no eran halagüeñas. Nacía rodeado de tan serias dificultades, que podía preverse su pronto fin. La más importante era la crisis financiera. La considerable reducción de impuestos y alcabalas condujo a una baja alarmante de los ingresos del Estado, que apenas tenía suficiente para cubrir los sueldos del ejército y de los empleados públicos. Por otra parte, las sangrías causadas por los envíos continuos de dinero a la metrópoli en años anteriores y la destrucción de minas y haciendas por la lucha civil, había descapitalizado al país. A esto se añadía la fuga de capitales causada por la emigración de los españoles y el descenso del comercio exterior. El tesoro público se encontraba exhausto y no se presentaban perspectivas de mejoramiento. Para hacer frente a la situación, el gobierno prohibió la salida de capitales fuera del país y tuvo que recurrir a contribuciones y a préstamos forzosos, lo que no dejó de causar descontento entre comerciantes y propietarios.

Con la elevación de Iturbide al trono, la oposición entre éste y los liberales no podía menos de exacerbarse. En Michoacán se organiza un complot para establecer la república. Los conspiradores se entienden con algunos diputados. La ocasión es excelente para iniciar la represión contra el congreso. Iturbide manda detener a quince diputados, entre ellos Bustamante y Teresa de Mier, y trata de reducir el número de delegados. Ante la resistencia del congreso, Iturbide lo disuelve el 31 de octubre. En su lugar nombra una junta integrada por 45 diputados partidarios suyos. Más tarde, Iturbide justificó la disolución del congreso por considerar "utópica" su actitud. Las ideas liberales y el gobierno republicano podrían ser buenos en teoría —sostuvo—, pero no eran adaptables a las circunstancias del país. Su proyecto político era abstracto y no correspondía a la realidad de México. El movimiento iturbidista, en cambio, pretendía adecuar las instituciones políticas al orden social existente. De allí la necesidad de mantener la monarquía y un ejecutivo fuerte, mientras el pueblo no alcanzara el grado de madurez necesario para gobernarse a sí mismo. Para el futuro pensaba Iturbide en una constitución moderada, que respetara las preminencias sociales existentes y se adaptara a la realidad del país. Así, mientras los antiguos insurgentes pretendían reformar la realidad elevándola a la altura de sus proyectos, los iturbidistas querían adaptar el orden político a una realidad social dada: dos actitudes contrarias que revelan intereses sociales diferentes. Pero la supresión del congreso era un golpe poco político. Parecía justificar las acusaciones de "despotismo" contra el emperador y socavaba las bases de su legitimidad. Si obligaba a los liberales a optar por la lucha abierta, tampoco añadía a la popularidad, fuertemente dañada, de Iturbide. El emperador se iba quedando solo. Tenía que guardarse de una doble oposición: la de los liberales dispuestos a luchar por la república, y la de los antiguos borbonistas que aún soñaban con una restauración de la dinastía española. Y ambos se unirán contra el imperio criollo.

En Veracruz, el 1o. de enero de 1823, Antonio López de Santa Anna se subleva, lanzando un proyecto republicano. Se van uniendo al movimiento antiguos insurgentes, como Guadalupe Victoria, Guerrero y Nicolás Bravo. Después, los borbonistas hacen lo propio. El general Echávarri, enviado para combatir a los rebeldes, se suma a ellos. Pronto, muchas ciudades abrazan el movimiento. El 19 de marzo de 1823 acaba el efímero imperio: Iturbide abdica la corona y parte poco después al exilio. La caída de Iturbide marca un triunfo de la clase media liberal. El congreso, restablecido, proclamó el derecho de constituir la nación en la forma que más le conviniera: se anunciaba la república. Mientras se establecía la constitución adecuada, el gobierno quedó confiado a un triunvirato, formado por dos antiguos insurgentes, Guadalupe Victoria y Nicolás Bravo, y un antiguo iturbidista, el general Pedro Celestino Negrete. Pero, para alcanzar el gobierno, los primeros ya no se basaban en el pueblo, sino en su alianza con una fracción del ejército. Porque el poder real aún estaba en las manos de los grupos privilegiados: la Iglesia y el ejército, ante todo. Muchos años de lucha serán necesarios para transformar la realidad social en que descansaban sus privilegios: años de desdicha, que habrán de conducir, al fin, a la ansiada reforma.

Del barroco a la ilustración

Jorge Alberto Manrique

El mundo barroco

El fenómeno quizá central del siglo barroco novohispano, como
fenómeno de cultura, en el que se enmarcan las diferentes actitudes de los hombres de Nueva España, es el que se ha llamado
fenómeno del *criollismo*. Criollo, en principio, es el hijo de europeo
nacido en América; pero, como bien ha visto Edmundo O'Gorman, el concepto de criollo pronto rebasa esa connotación accidental del nacimiento y cualquiera otra racial, para referirse a un
hecho de conciencia. En efecto, criollo es no sólo el hijo de europeo, sino el hijo, nieto o bisnieto de ese hijo; por eso mismo el
criollo puede no tener ciento por ciento de sangre europea; criollo
también puede ser quien no precisamente haya nacido aquí, pero
se haya sentido asimilado a los aquí nacidos; en fin, un nacido
americano puede eventualmente no ser criollo, según su comportamiento. El concepto, pues, no se limita sólo a esa endeble circunstancia del nacimiento, sino que se refiere a un hecho de cultura, de actitud y de conciencia. Criollo es el que se siente novohispano, americano, y que por tanto no se siente europeo; pero
eso que tan rápidamente se dice, entraña no pocas complicaciones
en sus entretelas.

El concepto de criollo, por principio de cuentas, no se da solo,
sino en pareja con otro, el de gachupín. Podría decirse que es la
presencia del gachupín, del español advenedizo, lo primero que
hace al criollo consciente de su ser diverso. Al calor de ese pique,
de esa inquina irreductible, el criollo va de alguna manera for-
jando su propio ser. Ya para los fines del siglo xvi el antagonismo puede advertirse con toda claridad. En 1589 el dominico
Agustín Dávila Padilla se queja en su *Historia y discurso de la*

Provincia de N. P. Santo Domingo... de las "cargazones de gachupines que año con año vienen de Europa", y les achaca los males que padece la tierra. En 1604 Baltazar Dorantes de Carranza, hijo de uno de los compañeros de Cabeza de Vaca, recoge un soneto anónimo por demás explícito:

> Viene de España por la mar salobre
> a nuestro mexicano domicilio
> un hombre tosco, sin ningún auxilio,
> de salud falto y de dinero pobre.
>
> Y luego que caudal y ánimo cobre
> le aplican en su bárbaro concilio,
> otros como él, de César y Virgilio
> las dos coronas de laurel y robre.
>
> Y el otro, que agujetas y alfileres
> vendía por las calles, ya es un conde
> en calidad, y en cantidad un Fúcar;
>
> Y abomina después del lugar donde
> adquirió estimación, gusto y haberes
> ¡Y tiraba la jábega en San Lúcar!

Este advenedizo, pues, rudo y pobre, ayudado por sus congéneres, se levanta con lo mejor del país, y todavía reniega de él: razón de sobra para el resentimiento. Y Terrazas, el poeta épico, se queja de que la tierra es más pródiga con los gachupines que con los criollos:

> Madrastra nos has sido rigurosa
> y dulce madre pía a los extraños.

Queja que quizá sigue resonando en el mexicano de nuestros días.

En esta situación conflictiva no pocas veces los novohispanos se entregan a vituperar la propia tierra que aman, porque les resulta ingrata; Dorantes tiene desfogues virulentísimos, como su imprecación a las Indias: "tráfago de behetría"; y la poesía recoge no pocas de estas lamentaciones:

> Minas sin plata, sin verdad mineros,
> mercaderes por ella codiciosos
> caballeros de serlo deseosos:
> con toda presunción bodegoneros

En realidad eso no es producto sino de una situación de incertidumbre en que vivía para los fines del siglo XVI y los principios del XVII Nueva España, cuando por la disminución vertical de la población, la nueva política regalista que limitaba las encomiendas, el fracaso mismo de la encomienda y mil otras circunstancias, la tierra pasaba por una indudable crisis: crisis material y crisis espiritual. Terminaba un "proyecto de vida" para Nueva España, el que la había imaginado república teocrática y señorial, dominada por frailes y encomenderos; y todavía no se definía el nuevo proyecto de vida, el de la nueva España.

Para el criollo el problema se plantea en términos verdaderamente profundos, ontológicos. Se trata de algo que atañe a su propio ser. Este hombre que ya no se siente europeo, que detesta al gachupín, no puede, sin embargo, dejar de sentirse de alguna manera español. Pero su modelo a seguir no puede ser otro que Europa. *Es* y al mismo tiempo *no es* europeo. ¿Quién es? —¿Quién soy? es la pregunta atenaceante. Y el criollo novohispano es precisamente ese hombre en busca de un nombre y un rostro. Sin un sustento preciso y definido, buscará incansablemente en qué apoyarse; moverá cielo y tierra para justificarse como alguien en el mundo, cuando Europa, a su vez, se empeñará en negarle un rostro. Necesitado de un apoyo, acudirá a todos los expedientes posibles para proporcionárselo. La cultura novohispana de ese "segundo proyecto de vida" está constituida justamente por tal preocupación: la cultura *es* esa búsqueda. En pos de respuestas acudió al pasado indígena para exaltarlo, transfigurarlo en un equivalente de las tradiciones culturales europeas: ese criollo que a fin de cuentas distaba mucho de ser indio. Acudió a la alabanza de la tierra: la más pródiga, la más templada, la más hermosa. Acudió a sus ingenios, a los que encontró supremos. Acudió al arte y produjo —para él— "octavas maravillosas", que en efecto maravillas fueron. Acudió a la religión, dando muestras de piedad nunca antes vistas, buscando sin éxito santos patrones, exaltando imágenes milagrosas, consiguiendo por fin la satisfacción en la Guadalupana. Se aferró a ciertos modos de ser, costumbres, usos, actitudes que por reconocer ya como propios retuvo porque representaban algo sólido para él, pues su mayor preocupación era el sentirse en el aire. Para afianzarse, en fin, tuvo que sentirse orgulloso de la gente, de la tierra, de las obras. Y expresó ese orgullo. Por casi dos siglos la expresión orgullosa es la expresión natural —y necesaria— de la Nueva España. Ya desde la tercera década del siglo XVII aparece definido lo que Edmundo O'Gorman ha llamado "el sueño de la Nueva España", sueño que duraría casi dos siglos; más allá de lo "objetivo", Nueva España sueña lo que quiere ser: de tanto querer serlo, de alguna manera lo es. Proyecto de vida éste, en donde lo fáctico trata de alcanzar en desenfrenada carrera lo imaginado. La imagen soñada como modelo concreto que se impone a lo real, y lo real distorsionado por esa imagen. La manera normal en que tal actitud se expresa es la *metáfora,* y la metáfora, expresión alterada de lo real, a fuerza de ser dicha y oída, repetida, admitida como moneda corriente, adquiere la categoría de una verdad. En monstruosa y hermosa paradoja, la nueva Nueva España, ésta del segundo proyecto de vida, la Nueva España barroca *es* una inmensa y desdibujada metáfora.

Ya desde temprano ese espíritu chocarrero que fue Mateo Rosas de Oquendo, viajero empedernido, en mucho asimilable al criollo —y quizá por eso en posibilidad de captar claramente el fenómeno—, se burlaba de la suficiencia del novohispano e invocaba a España:

> Castiga a este reino loco
> que con tres chiquisapotes
> quiere competir contigo
> y usurparte tus blasones.
> Quiere darnos a entender
> que no hay casas en el orbe
> como son las mexicanas,
> y así quiere que se adoren...

Pero a él mismo le sale lo criollo cuando abandona a México: "Queda a Dios, ciudad insigne / que el corazón se me parte". Bernardo de Balbuena, en su *Grandeza Mexicana,* publicada en 1603, largo poema laudatorio de la ciudad famosa, no inicia, pero sí lleva a una primera culminación la apología de lo propio:

> México al mundo por igual divide,
> y como a un sol la tierra se le inclina
> y en toda ella parece que preside.
> . . . .
>
> ¿Quién goza juntas tantas excelencias,
> tantos tesoros, tantas hermosuras,
> y en tantos grados tantas eminencias?

Pero debemos entender que para él la metáfora funciona todavía como metáfora en sentido estricto. Cierto, Balbuena admiraba la ciudad; cierto, la amaba; cierto, la sabía importante. Y como buen criollo tenía esa necesidad de exaltar lo novohispano. Mas cuando en su poema encuentra que el comercio de Luca, de Florencia o de Milán no se le igualan; que ni Virgilio ni Homero superan a los poetas mexicanos, que Atenas no conoció tal cantidad de filósofos ni tal calidad de sabios; que sus pintores igualan a Apeles y Parrasio; sabemos que es una hipérbole, un modo superlativo de expresar las cosas, un modo poético, en fin. Pero después, a fuerza de repetir la imagen, de fatigar la hipérbole, ésta acabará teniendo un sentido de verdad.

La cultura criolla

La cultura manierista y barroca novohispana se nutre de mitos, como toda cultura, pero con una fruición exaltada. Para el novohispano el mito es una necesidad compulsiva, porque le otorgará la raigambre de que se siente ayuno. Así, se lanza a buscarlos, recrearlos y glosarlos. Es el criollo el gran inventor de mitos y su gran gozador. Los primeros grandes cronistas, llámense Motolinía, Zorita, Tovar o Sahagún, los grandes recolectores de los despojos del pasado prehispánico, habían seguido el impulso de rescatar algo destinado a perderse o habían hecho acopio de material útil a la tarea de la evangelización. Ofrecían un repertorio riquísimo. Los escritores del siglo XVII se servirán de él, pero con fines diferentes: para estructurarlo en algo coherente, capaz de presentar un cuadro heroico del pasado anterior a la conquista. Tal es el caso de cronistas de órdenes religiosas, como los franciscanos Mendieta y Torquemada, los agustinos Grijalva y Basalenque, los dominicos Dávila Padilla y Franco, y de autores que *motu proprio* —en general persiguiendo fines concretos y actuales, pero también revelando actitudes más profundas— se dieron a escribir relaciones, crónicas, historias. En todos ellos los datos de los primeros escritores adquieren nueva vida y se componen dentro de una visión de las cosas que es propia de su cultura. De hecho, criollos instruidos participan de una refinada cultura occidental, poblada de dioses y héroes de la mitología grecolatina y de santos y santas, misterios y milagros cristianos, historias medievales. La habían aprendido en la universidad, en los colegios jesuitas; en las lecturas —ellos, lectores infatigables—; pero le incorporan el rico mundo prehispánico que se empeñan en sentir como propio. Veamos un ejemplo: cuando el deán de la catedral de Puebla, don Juan de la Plaza, decide decorar con frescos su casa manierista terminada en 1585, se elabora un programa (no sabemos si debido a él mismo o a algún culto "familiar") que incluye temas de mitología clásica y simbolismo cristiano, como las sibilas o los *Triunfos* de Petrarca, pero que incluye *también* la mitología prehispánica asociada y combinada a esos símbolos, como lo ha visto Walter Palm. Vemos, pues, cómo la alta cultura criolla asumía como propio el mundo histórico o mitológico anterior a la conquista, y lo incorporaba a la tradición europea: aceptaba el molde occidental, pero lo enriquecía con algo tomado de la propia tierra, y en ese enriquecimiento encontraba su diferencia y su orgullo. La actitud del citado *Dorantes* de Carranza es similar: en su *Relación* incorpora mitos prehispánicos —como el del colibrí o hiutzitzil—, lo que nos muestra que el conocimiento de ellos formaba parte del bagaje de cultura de un mexicano de su tiempo. Y cabe recordar que el conocimiento del náhuatl —aprendido, no mamado— era común entre la gente de letras tal como lo eran el latín y el griego; basten los ejemplos más tardíos de Sor Juana o de Carlos de Sigüenza que escribían indistintamente en latín o en náhuatl.

Importa insistir en que este fenómeno de asunción del pasado prehispánico es un fenómeno culto, que se inicia en un estrato social alto, por criollos instruidos —y muy instruidos—, y que es deliberado y consciente. Otro asunto, no de menos importancia sin duda, si bien le corresponde estudiar más bien a la antropología cultural, es el de las supervivencias prehispánicas en usos, costumbres sociales, modos de comportamiento colectivo o sincretismo religioso. Estas supervivencias "inconscientes" (diría, para diferenciar) permean la sociedad novohispana toda y se infiltran en la clase alta, pero ciertamente difieren en esencia de la voluntad razonada que llevó a unos hombres a estudiar y estructurar el pasado anterior a la conquista como un modo de cimentar su propia personalidad diferente de la del gachupín. Que los mismos hombres que cumplían esta tarea no por eso dejaban —por ejemplo— de combatir el sincretismo religioso: tal el caso del licenciado Pedro Ruiz de Alarcón, hermano del dramaturgo. Quizá dos nombres habría que destacar, primeros en tiempo y primeros en importancia, entre los forjadores de un pasado indígena a la medida de Nueva España; dos criollos eminentes: fray Juan de Torquemada y don Fernando de Alva Ixtlixóchitl. El primero, cronista oficial de los franciscanos, recoge en su voluminosa obra, que no por casualidad se llama *Monarquía indiana,* lo que los anteriores escritores de la orden de los mínimos habían ido recopilando, desde Olmos hasta Mendieta; agrega noticias de los anales franciscanos y de otras fuentes muy diversas y compone con todo ello una gran *summa.* Era ciertamente la suya época de reflexión, y reflexión fueron las grandes crónicas de fines del siglo XVI y principios del XVII. Pero lo importante aquí es que ese fraile instruido, amante del arte (él dirigió la construcción de los grandes y famosos retablos de Santiago Tlatelolco) no se contenta con relatar los hechos de su hermandad, sino que recoge todas las noticias a su alcance sobre la antigüedad indígena e intenta y consigue dar un cuadro completo y amplio de un pasado que entiende glorioso y que implícitamente acepta como suyo. Podría decirse que con él surge, ya no como simple consignación de datos curiosos, ya no como intención arqueológica de salvar datos para la posteridad o detectar peligrosas idolatrías en los neófitos, sino con toda conciencia

Portada de la primera edición de la *Monarquía Indiana*

653

y con un designio bien meditado; que con él surge, digo, la historia antigua de México.

Don Fernando de Alva Ixtlixóchitl se enmarca dentro de los mismos parámetros culturales. Descendiente de conquistador y, por rama femenina de los reyes de Tezcoco, es un criollo culto, procurador y faraute en la real audiencia, sabedor de latines y de historia española, poeta de quilates (ahí, por ejemplo, sus hermosas *liras*, que serían traducción libre de un poema de Nezahualcóyotl), pleitea sin mucho fruto por recuperar los restos de la encomienda de San Juan Teotihuacán, que le venía por línea colateral. Orgulloso de su tatarabuelo Nezahualcóyotl, es el primero que dibuja la figura de ese rey como el "sabio poeta", y el primero que, después de atribuirle poemas, traduce éstos en pulcro y florido romance. Adopta el apellido Alva Ixtlixóchitl, que ninguno de sus abuelos había usado, y este hecho es de por sí revelador. Y después se da a recopilar, ordenar y traducir cuanta información puede todavía recoger acerca del reino tezcocano. Hecho esto, con todo ese material fabrica en su *Historia* el panorama completo del reino de Tezcoco (que desde luego resulta para él el más antiguo y cimentado y el que más títulos posee) tomando como modelo la *Crónica general* de don Alfonso el Sabio, como lo ha advertido Edmundo O'Gorman. ¿Puede imaginarse un caso más claro, más hermoso, más acorde con las necesidades espirituales de su circunstancia que ese sincretismo histórico? De sus títulos para figurar entre los fundadores de la historia de México (la historia "consciente" que México hace de sí mismo) responde su obra: sus materiales fueron después usados sucesivamente por Sigüenza, por Boturini, por Veytia, por Clavijero, y así hasta nuestros días. Téngase en cuenta que ni en el caso de Torquemada ni en el de Ixtlixóchitl importa, para el fenómeno de cultura que se trata de describir aquí, si alteran o no los datos —que eso los modernos estudiosos del pasado prehispánico se encargarán de deslindar—, sino que hay el decidido empeño de hacerse de una historia, como todas, justificadora y sustentadora. A partir de este momento, y por lo que sigue del siglo xvii y durante el xviii, el mundo criollo se ha forjado un pasado remoto a la medida de sus necesidades, y lo seguirá reinventando, cada vez más barrocamente, cada vez más metafóricamente. Con esto pone el cimiento de lo que será su afirmación de lo propio, su perseguir un ser individualizable, que llegará mucho más tarde a convertirse en el

ser nacional. Ya en el mundo barroco del siglo XVII, la historia
indígena se acepta como el pasado "legítimo" de los mexicanos
al mismo título que la historia clásica. Don Carlos de Sigüenza y
Góngora, el gran erudito y poeta, que heredó los papeles de Ixtlixóchitl y que se propuso escribir o escribió y está perdida (no lo
sabemos con certeza) una historia antigua de México, ideó e
hizo los textos para un arco de triunfo a la entrada del virrey marqués de la Laguna, en 1680. Estos arcos solían tener figuras y
textos laudatorios del personaje, o alegorías relativas a su condición de virrey y gobernante. Generalmente los textos apelaban a
la mitología clásica, como el que para el mismo virrey y en la
misma fecha hizo Sor Juana (*Neptuno alegórico, oceáno de colores, simulacro político*..., en que jugaba con el nombre del virrey, la laguna de México y el dios de las aguas). Pero el de don
Carlos, muy intencionalmente, no quiso acudir a ese expediente,
sino que escribió su texto poniendo a los emperadores aztecas como modelo del buen gobernar que debería seguir el marqués de
la Laguna: *Teatro de virtudes políticas advertidas en los monarcas del mexicano imperio.*

> El amor que se debe a la patria —dice el propio Sigüenza en su
> explicación— es causa de que, despreciando las fábulas se haya bus-
> cado idea más plausible con que hermosear esta triunfal portada...
> ...no será desestimado mi asunto cuando en los mexicanos empe-
> radores, que en realidad subsistieron en este emporio celebérrimo de
> la América, hallé sin violencia lo que otros tuvieron necesidad de
> mendigar en las fábulas...

Y ciertamente ese no mendigar en la historia europea, sino hallar
lo necesario en la propia (en la que se sentía como propia) era
el empeño de Sigüenza, como lo era, en la historia y en otros terrenos, el empeño de los demás novohispanos.

El tema es una constante en la cultura nuestra de esa época, y
así lo vemos, más adelante en el siglo, hacia 1688, en la *Loa para
el divino Narciso* de Sor Juana. En un mundo de metáforas a lo
divino, con personajes que son entelequias (América, Occidente,
Celo, Religión), la poetisa, a más de mostrarnos su conocimiento
de los ritos prehispánicos —abrevado en Torquemada—, hace una
hermosa elucubración para mostrar que la religión de los aztecas
en esencia era la "verdadera" religión, y que por eso la evangelización había sido no sólo posible, sino fácil. Los antiguos mexicanos adoraban al Gran Dios de las Semillas, al Señor de los

Mantenimientos, el que hace pródigos los campos; el dios se hace presente en forma de alimento y es comido, pero para acercarse a él es necesario estar limpio... etcétera. Así, pues, en la loa, cuando el Celo ha vencido al Occidente y a la América por las armas ("ya es preciso que me rinda / tu valor, no tu razón"), la Religión interviene para convencer, y advierten los personajes americanos que aunque el demonio haya tergiversado las verdades divinas, en esencia la creencia en el Dios Todopoderoso y las formas de culto se conservaron entre los indios. Evidentemente, más que ser un simple juego alegórico, la loa sorjuaniana tiene la profunda intención de enaltecer a los antiguos mexicanos incluso en el punto más delicado, el religioso: no olvidemos que el timbre de infamia jamás borrado era el de la idolatría; con lo que, de paso, pone en entredicho la gran justificación de la conquista, por lo menos en su aspecto militar y opresor. Así, hace decir a la América ya vencida:

> ...pues aunque lloro cautiva
> mi libertad, ¡mi albedrío
> con libertad más crecida
> adorará mis deidades!

O al Occidente:

> ...y así, aunque cautivo gima,
> ¡no me podrás impedir
> que acá, en mi corazón, diga
> que venero al gran Dios de las Semillas!

Para comprender el marco completo de la cultura de sor Juana Inés —y con ella, de todo su momento histórico— hay que tener presente que esta loa, montada sobre una alegoría acerca de la religión prehispánica, que se inicia con un canto "al modo que se canta el tocotín" (la forma poética popular náhuatl, que la monja mimó también en varios de sus villancicos), donde aparecen indios con plumas, sonajas, mantas y copiles, antecede al auto del *Divino Narciso,* que alegóricamente explica la naturaleza de Cristo —Narciso— enamorado de su imagen —la Naturaleza Humana— por quien muere. El Occidente y Europa, la mitología náhuatl y la grecolatina se unen en el mundo criollo de Nueva España. Y se unen en el centro de la conciencia del tiempo: en lo religioso.

656

La religión

Si la revaloración del pasado prehispánico y su incorporación —una vez cortado a la medida— a la cultura barroca novohispana fue una base necesaria de sustentación, también lo fue, y muy primordialmente, la religión. En un mundo en que perduraron —por la estructura misma del primer siglo de la conquista— tantos elementos de actitudes medievales, remachados en parte por el Concilio de Trento y más presentes en la tradición hispánica, la religión formaba el marco teórico fundamental que justificaba desde la moral hasta la política y que aglutinaba y daba sentido a todo el discurrir de la vida, ya individual, ya colectiva. Así, pues, no había acto válido que no estuviera de alguna manera impregnado de sentido religioso, ni motivo de orgullo que no se fincara en lo mismo. Un hombre podía ser hermoso, fuerte, valeroso, sabio o rico: ninguna de estas virtudes lo sería de veras si a ellas no se agregara, de necesidad, el aspecto religioso. De la misma manera, un mundo, el novohispano, contaba en la medida en que sus virtudes tuvieran una justificación religiosa. De donde resulta que, en busca de motivos de orgullo, el criollo necesitara acudir a ese ámbito.

"El buen árbol se conoce por sus frutos", y por tanto la santidad debía ser garantía de bondad. Un mundo donde, por otra parte, la línea divisoria entre realidad y fantasía resulta tan tenue que fácilmente se desdibuja, aceptaba sin demasiados problemas la presencia de los milagros y lo sobrenatural. El poseer santos locales había sido desde siempre y en todos lados un motivo de justo orgullo (a la vez que tenía un aliciente económico), así, desde los primeros tiempos los cronistas se empeñaron en ver santidades: vaya como ejemplo el de los niños mártires tlaxcaltecas, que Motolinía nos presenta como los protomártires de América. Cuando se hace presente la nueva Nueva España, la del reino de la metáfora, las crónicas abundan hasta la exageración en relatos de las vidas de varones muertos en olor de santidad, cuyas existencias, impolutamente castas, sucesión ininterrumpida de actos piadosos regados con la sangre de los cilicios y adornados con ayunos y penitencias, los hacen parangonables a los mayores beatos que en el mundo hubieran sido. Cuando esto hacen los cronistas, obedecen sin duda a un deseo de glorificación de sus respectivas órdenes, pero también a un deseo de exaltación de su tierra, de esta tierra en que —como dice uno de ellos, el dominico Dávila Padilla— "empezaba a dar frutos la religión"; y desde luego que tal deseo subyacente no significa que no creyeran firmemente lo que asentaban: que es diferente vivir inmerso en el mundo distorsionador de la metáfora a ser un mentido gesticulador. El sentimiento de orgullo es primero, y luego se encuentran las justificaciones necesarias.

Si a donde volvieran los ojos los novohispanos encontraban santidades, en casas particulares, en beaterios, en monasterios o hasta en las mitras (al morir el arzobispo criollo Dávalos, un buen hombre, se escribe una voluminosa biografía que lo dibuja como santo), sin embargo apuntaron firmemente a algunos personajes con el deseo explícito de lograr su canonización. Pero, para desgracia del amor propio criollo, indefectiblemente fracasaron. Quizá era tanta la milagrería en que estaban inmersos que difícilmente se podía distinguir la santidad verdadera. Gregorio López no logró afianzarse hacia la canonización. En veces hubo alguna interferencia concreta, como la de los jesuitas, en el caso del obispo Palafox: sistemáticamente se opusieron a la beatificación de quien había sido su aguerrido enemigo; otras podemos sospechar manos gachupinas, como en la desaparición del cuerpo de fray Martín de Valencia —el jefe de los primeros doce franciscanos— de su reposo en Tlalmanalco, en donde tenía ya un culto bastante extendido. Otros casos son más explícitos: la muy voluminosa biografía de Catalina de San Juan —la "China poblana" escrita por el padre Ramos como el alegato explícito para su canonización, ya aprobada por la Inquisición de México fue prohibida por la española. En fin, la fabricación de un santo mexicano, de que tanta necesidad se tenía, falló indefectiblemente. Sólo hubo uno, san Felipe de Jesús, "protomártir mexicano", beatificado en 1626 junto con los otros dieguinos muertos en Nagasaki; pero de ninguna manera satisfacía esa casi accidental beatificación de alguien prácticamente desconocido a la piedad novohispana, no obstante lo cual se le dedicó una capilla en la catedral de México y se inició la proliferación de historias y leyendas alrededor de su vida, mientras, por otra parte, los españoles se empeñaban en demostrar que no había nacido en México.

Cuando hay una necesidad apremiante, el hombre se las arregla siempre para colmarla. Y nuestros criollos, ayunos de santos propios, encontraron hábilmente la salida en las imágenes milagrosas, que no necesitaban canonización de Roma ni aprobación de Inquisición española. Cristos y Vírgenes, principalmente, pero también otras imágenes, habían ocupado un lugar importante en la época de la evangelización, como un arbitrio más para conmover el alma de los neófitos. El Concilio de Trento, por su parte, y aun pidiendo que se reprimieran los abusos, había avalado y sancionado el culto de reliquias e imágenes en una de sus últimas sesiones. Tales o cuales de ellas, ligadas a algún hecho milagroso, habían ido arraigándose en determinados lugares de la Nueva España. Sobre esta base, la cultura barroca del siglo XVII y del XVIII montaría una formidable máquina de historias y leyendas, de simbolismos y alegorías, que les daría un nuevo aspecto, el que ahora les conocemos todavía. Muchas imágenes se significan por algún milagro portentoso, como el resucitar a un muerto, por ejemplo; otras agregan a ello su aparición, ya ella milagrosa, como la Virgen de la Soledad en Oaxaca, la de San Juan de los Lagos o la de Ocotlán en Tlaxcala. Es importante señalar que buena parte de estas historias —de inspiración guadalupana las más de las veces— hablan acerca de su abandono y del poco aprecio en que se les tuvo primero, hasta que sus cualidades (es decir, el particular interés de la Providencia sobre ellas) las hizo evidentes: hay entonces una especie de "revelación" al pueblo y al clero, y a partir de ese momento empieza su gran culto público y la suma inmensa de sus milagros. Podemos ver en esa forma alegórica una referencia a un hecho real: después de la evangelización se les descuida hasta que las necesidades de la cultura barroca novohispana las redescubren en su nuevo sentido.

De todas estas devociones, una, principalísima, habría de bastar por sí misma para satisfacer el orgullo novohispano en cuanto a la presencia de lo divino en estas tierras: la Virgen de Guadalupe. Ella conjuga las aspiraciones de aquellos mexicanos y las colma sobradamente. No es la primera en tiempo, es verdad, pero sí la que reunió los mayores esfuerzos de escritores y teólogos, y la que de una manera más general atrajo la piedad popular. La historia de la Guadalupana sería a su vez ejemplo de muchas otras historias de imágenes milagrosas, como queda dicho. ¿Por qué ella, más que otras? No es este un libro de preguntas y respuestas, pero debe tomarse en cuenta el hecho de la cercanía de su santuario a la ciudad de México, y lo peculiar de su historia. En otros casos se aparecieron imágenes, pero sólo en éste hubo una aparición de la misma Virgen y después la imagen, como testimonio de tal aparición. A pesar de su excepcionalidad, la Virgen de Guadalupe encaja dentro del esquema general. Tuvo una función en el momento de la evangelización, mantuvo un oscuro culto local, en una pequeña comunidad indígena, y después fue "descubierta" por el mundo criollo y mestizo, que forjó todo un marco de tratados teológico-hermenéuticos a su alrededor. Ésta es la parte del proceso que aquí interesa. Al empezar el auge de la Guadalupana se recordó la disputa sobre la veracidad de la aparición, que ya había sido motivo de informaciones y pareceres desde el siglo XVI; pero desechada la duda, se fue componiendo un cuadro simbólico que cumplía magníficamente las urgencias hagiológicas del momento, satisfacía las necesidades de la Nueva España, y tocaba con singular penetración psicológica las fibras sensibles de todos los estratos de la población. Don Francisco de la Maza ha hablado de "los cuatro evangelistas" de la Guadalupana, y en verdad aquellos escritores, empezando por el mayor de ellos, el padre Sánchez, dieron su forma a la historia que envuelve apariciones e imagen: las cuatro apariciones, la presencia del indio Juan Diego, las rosas en invierno —aunque este país fuera "primavera inmortal"—, la incredulidad de *Zumárraga*, la curación de Juan Bernardino, la tilma con el testimonio divino, el abandono y la "restauración", todo, en fin, corresponde a la sensibilidad barroca, y en ésa su perfecta correspondencia con las urgencias anímicas de tal momento y tal cultura estriba el éxito espléndido que pronto alcanzó —pero hasta éste su redescubrimiento del siglo XVII— la devoción guadalupana. Sánchez y sus seguidores habían adornado la historia de la Virgen de todo lo necesario para su aceptación. Hasta la presencia del indio y el recuerdo épico de la evangelización. México encontraba un sustituto superlativo a los fallidos esfuerzos por canonizar hijos de la tierra. Ahora ya no se necesitaba: la presencia real de la Virgen en este suelo y el testimonio verdadero y presente de una obra divina en la humilde tilma del indio era motivo suficiente de orgullo exaltado. El *"non fecit taliter omni nationi"* que Benedicto XIV aplicara al milagro, tomando su versículo de la escritura, sólo confirmaba lo que ya estaba en la mente de todos. México, por muchas razones, pero sobre todas ellas por ésta, era de veras el ombligo del mundo. Para el siglo XVIII Viera lo expresaría paladinamente:

¡Esta sólo puede llamarse dicha y titular a la América [esto es, Nueva España] de dichosa! ¡Esta sólo es bastante para que se tenga a la América por la mayor parte del mundo, y a ti sola, Ciudad Mexicana, por la mayor del Orbe, pues no se lee de otras naciones en que haya hecho María Santísima aparición tan maravillosa!

Apoyado en tan firme cimiento, el culto guadalupano, de culto local a la región de la ciudad de México, se extendió a culto novohispano, se llevó a las provincias más lejanas, pasó el Pacífico, a las Filipinas y —aunque ya no con éxito— intentó cruzar el Atlántico hacia España y otros países. No hubo iglesia mexicana que no dedicara un altar específico a la Virgen Morena y no pocas ciudades levantaron, ya en el siglo XVIII, santuarios locales para adorarla. La hermenéutica sobre la milagrosa imagen llegó a extremos inimaginables: cada detalle de la pintura sagrada tenía una explicación y un sentido, que indefectiblemente hacía referencia a la realidad mexicana. ¿Puede pensarse algo que pudiera colmar más el sentimiento criollo? De tiempo en tiempo juntas de pintores insignes analizaban el lienzo, e indefectiblemente encontraban que no era, no podía haber sido pintado por manos humanas ¿Engaño? Ciertamente no: cuando el hombre quiere de veras creer algo, lo cree de verdad; y la Nueva España de los siglos XVII y XVIII quería, necesitaba creer en el milagro guadalupano: en ello le iba la vida.

La moral y las costumbres

El ansia de sobresalir, el afán de grandeza de la cultura criolla dentro de la esfera de lo religioso se hace también sentir en la vida personal de aquellos hombres. Lo religioso flotaba en el ambiente y no pocas veces adquiría desproporciones monstruosas. El sentimiento religioso llama a la piedad, y las obras pías eran expresión de ésta. "Limosnas grandes, corazón cristiano", había dicho Balbuena; adelante en el siglo XVIII rezaría del munífico José de la Borda el dicho popular: "Dios dando a Borda y Borda dando a Dios". Así, el patronazgo, institución que prolifera y se desarrolla en el siglo barroco, alcanzaría dimensiones desmesuradas, para mal, tal vez, de la economía novohispana, para bien, sin duda, del arte. Detrás de cada iglesia, de cada convento, de cada hospital, de cada colegio, de cada obra de arte que los adorna, está

Enferma gravem.te el Br. Aparizio, y deja todos sus
bienes al Conv.to de Escapuzalco

Alegoría del sentimiento religioso, según Jiménez

un patrón. Los religiosos, que en el siglo XVI se habían especializado en organizar las comunidades indígenas para levantar los soberbios conventos que pueblan el país, en los siglos siguientes se especializaron en conseguir patrones que pagaran las nuevas fábricas. Ciertamente los patrones no pensaban —como dirían detractores posteriores— que "compraban el paraíso" desembolsando para tales obras, pero sí entendían que ese acto piadoso, como toda buena obra, era en abono de su salvación, a más de acto válido en sí mismo, como alabanza a Dios. Sor Juana cantaría en 1690 al patrón del templo de San Bernardo:

> Templo material, Señor,
> os dedica quien intenta
> que en el templo de su pecho
> tengáis perenne asistencia
> ¡Así sea,
> como el alma lo desea!

Si bien no debe olvidarse, como se insistirá más adelante, que el fenómeno del patronazgo, indisoluble de lo religioso, responde también a otros factores: satisface el orgullo del patrón, que así se señala socialmente y se perpetúa ligando su nombre y su estirpe a una obra perdurable; y satisface, más generalmente, la necesidad de fasto que tiene Nueva España toda. Ricos hombres hubo que dieron su fortuna entera para una de estas obras, y muchos que, sin darla toda, levantaron por sí solos iglesias o colegios riquísimos. Al hacerlo cumplían primordialmente un acto piadoso, pero también alcanzaban prominencia para ellos y para su tierra. Lo desproporcionado del sentimiento religioso no se da sólo, desde luego, en el fenómeno del patronazgo. A menudo también en la práctica de la moral y en los complicados problemas que surgían de la práctica religiosa. Muy a menudo encontramos, en las diferentes facetas de esa esfera, las actitudes desmesuradas que parecen prender sobre todo en Nueva España. Por ejemplo: la reverencia al pan consagrado es común a todo el ámbito católico, pero quizá no encontremos en otras partes tanto como aquí esa reverencia llevada a extremos sorprendentes. Cuando un incendio inesperado redujo a cenizas la puebla de San Ildefonso, en la Mixteca, las llamas consumieron el depósito eucarístico; y hubo junta de sabios para resolver la manera de desagravio, que finalmente fue por procesiones de penitentes. Junta también, y también procesiones penitenciales se resolvieron cuando —según nos relata el malicioso Tomás de Santa María o Tomás Gage— en Portobello, el año de 1637 un ratón se comió la hostia que éste acababa de consagrar, mientras se hincaba para reverenciarla. Una vez, por un milagro, las hostias del copón fueron a parar al hábito de una monja, y ahí mismo, en el coro, la desnudaron y quemaron el hábito.

En el ámbito de lo moral, la castidad era de tal modo estimada, y de tal modo temida su pérdida, que casi no hay biografía de religioso que no nos lo describa como absolutamente limpio de haber tocado a mujer alguna. Se nos cuenta de un filipense que, siendo muchacho, pasaba dentro de su casa sus enfermedades en silencio para evitar que lo tocaran manos femeninas al ponerle remedios, así fuesen las de sus hermanas. O de otro oratoriano que armó un escándalo cuando vio en una iglesia de monjas un relieve de San Lorenzo en el martirio, que a sus ojos resultó "deshonesto" por estar desnudo. El arzobispo Aguiar y Seixas, siempre desproporcionado, desde que se instaló en el palacio arzobispal prohibió, bajo excomunión mayor, que entrara a él ninguna mujer, así fuera afanadora, y decía que, de saber que esa orden hubiera sido violada, mandaría destruir los ladrillos y piedras que hubiese pisado; él, por su parte, no levantaba nunca la vista para mirar a una mujer, hermosa o fea, joven o vieja: cuando tomó posesión del arzobispado tardó meses en presentarse al virrey, por no tener que ver a la virreina. También con accesos moralizadores hubo religiosos que se paraban a la entrada de las casas de comedias para predicar contra los peligros morales de éstas; el mismo arzobispo Aguiar y Seixas trató de impedir, por cuantos medios pudo, las diversiones que le parecían moralmente malas: hasta llegó a pagar el "asiento" o arriendo de las plazas de gallos de la ciudad de México para impedir que se dieran las peleas. Catalina de San Juan, la beata poblana que se intentó canonizar, tenía éxtasis frecuentes y recibió no pocas veces visitas de personajes sagrados; Cristo se le solía presentar desnudo, como en la Resurrección o en el Calvario, y la beata lo echaba de sí —al propio Cristo—, reprendiéndolo por no presentársele debidamente vestido. Los conventos de monjas, donde tras muros y rejas se guardaba la virtud, proliferaban, propiciados por los prelados, pagados por los patrones y protegidos por los virreyes. Cuando no había dinero suficiente o faltaban las necesarias licencias había que conformarse con beaterios, a medio camino entre el club de señoras y el convento. Muy de la época fueron las diversas "casas de recogidas", fundadas por píos ciudadanos o por preocupados obispos: en ellas se guardaban —a veces a la fuerza— mujeres de la vida airada en trance de reformarse, con toda clase de manjares espirituales y un regular pasar material. En fin, para prevenir el mal desde su origen existían los colegios de doncellas, donde muy cuidadas vivían las muchachitas carentes de familia que pudiera atenderlas convenientemente, preparándose para tomar marido o el velo; y en los conventos de monjas se aceptaban regularmente, con el mismo fin, "niñas" que a veces ni profesaban ni se casaban y permanecían ahí, fosilizadas, aunque sin perder aquel nombre.

Así como la pureza y castidad se hacían excesivas en no pocos, la caridad limosnera alcanzaba en otros alardes curiosos, y no sólo por vía del patronazgo. Particulares, religiosos y prelados competían al quién da más. Proliferaban y crecían hospitales —de los que la Nueva España tuvo una cantidad ciertamente muy alta— para los enfermos carentes de familia: incluso especializados, como el de San Hipólito para locos y el del Amor de Dios para enfermedades venéreas (ambos fundaciones del siglo XVI). Muchas instituciones repartían limosnas a día fijo y había cofradías que también lo hacían, o que procuraban entierro decente a quien no tenía en qué caerse muerto. El desorbitado Aguiar y Seixas, no obstante lo elevado de las rentas del arzobispado, las gastó todas en su manía limosnera; cuando murió, dejó, caso ciertamente insólito en un arzobispo, una gran cantidad de deudas; hasta su propia cama había vendido antes de morir. El ilustre don Carlos de Sigüenza, desde su cargo de capellán del Amor de Dios se las arreglaba para dar limosnas en cantidades considerables.

Las formas de mortificación corporal también se hacían exageradas. Cilicios y disciplinas, azotinas públicas, ayunos a agua y totopos, ropas rudas directamente sobre la carne, desvelos, posturas incómodas mantenidas por largo tiempo. Algunos usaban de mortificaciones más desusadas y desaforadas: Catalina de San Juan se ponía chinas en los zapatos para que le lastimaran al caminar y se colgaba de los cabellos; un oratoriano dejaba voluntariamente que le picaran chinches y pulgas, y aun las cultivaba a propósito. Todos esos actos de práctica moral y ascética, como se ve, eran desproporcionados. Como si se tomaran el rábano por las hojas y al pie de la letra las palabras de los predicadores. Sin duda la abundancia y lo insólito de los milagros, y lo desorbitado de las obras pías y penientencias son formas de la religiosidad novohispana, pero tampoco se piense, por eso, en una mayor santidad de esa época y lugar, que fue sin duda tan santa y tan pecadora como cualquier otra, aunque ciertamente mojigata. Tomás Gage, especie de francotirador malévolo, nos habla de las comilonas abundantes y delicadas que los priores solían darse y dar a sus invitados, de la pasión por el juego de naipes o de dados, de la buena vida que había en los conventos. Nos habla de la ligereza de cascos de señoras y doncellas, de las damas de los prelados, de los confesores que encornudaban a los maridos de sus hijas de confesión; de entendimientos entre monjas y monjes, de negocios fraguados en las altas esferas civiles y religiosas, de cómo los párrocos se hacían de dinero extorsionando a los indios de su feligresía; de los vicios y corrupción existente y de cómo se llegaba hasta el asesinato por cumplir un capricho. Gage era de muy mala fe, pero no necesariamente mentiroso; lo que pasa es que la pacata Nueva España fue avara en relaciones que nos contaran de su vida íntima, como si hubiera querido dejar a la posteridad más bien la imagen de la piedad desaforada y borrara toda traza de lo demás. Pero los mismos autores que tanto alaban las virtudes criollas nos dejan entrever también otras cosas. Balbuena, después de enumerar infinidad de pasatiempos de la ciudad de México, en encubierto elogio agrega, al fin clérigo: "Sin otros gustos de diverso trato, / que yo no alcanzo y sé, sino de oídas: / y así los dejo al velo del recato". Las jiras a San Agustín de las Cuevas, a Tacubaya o Santa Anita, en que participaban las mismas virreinas, no pocas veces terminaban en escándalo. Viera, al alabar el Paseo de Chalco se deja ir una exclamación significativa: "¡Oh, si la malicia humana no profanara semejantes parajes que más incitan a bendecir a Dios que a ofenderlo!" La misma existencia de las casas de recogidas nos habla de lo extendido de la prostitución, y muchos piadosos señores novohispanos tuvieron una numerosa descendencia de hijos naturales. Julián Gutiérrez Dávila en sus *Memorias históricas* de la Congregación de San Felipe Neri, al referirse a los tan celebrados y frecuentados baños del Peñón reflexiona: "Muchos no salen como entran de los baños, por no entrar con la cautela precisa". Y suma y sigue: los ejemplos serían interminables. Lo que aquí importa señalar es que, no siendo Nueva España el dechado de virtudes que sus cronistas religiosos quieren presentarnos, sí se movían dentro de ese aire impregnado de religión, visiones extáticas y actitudes piadosas y que la mojigatería, la milagrería y la piedad, cuando se daban, adquirían las formas desorbitadas a que se ha hecho referencia.

Los sermones eran la forma pública más socorrida para reafirmar las virtudes religiosas. En español, en náhualt, en otomí o en las otras lenguas indígenas, el sermón era lazo de unión de la comunidad, reafirmación de las virtudes morales y fustigamiento de las desviaciones. La importancia de la predicación tenía una larga y prestigiosa historia en el mundo cristiano, y en la formación de un sacerdote ocupaba lugar preeminente el adiestramiento para hablar en público. Si los dominicos habían tomado, desde su fundación, el nombre de "Predicadores", los jesuitas, desde su llegada a la Nueva España se habían distinguido por lo brioso de sus prédicas y por la importancia que les concedían. (La prohibición de predicar sin licencia, recuérdese, fue el origen de su enconada disputa con el obispo Palafox.) Y todas las órdenes competían entre sí y con el clero secular por su brillantez en el púlpito. Tener fama de predicador eminente daba a un religioso todas las ventajas, satisfacciones y reconocimiento; incluso podía traerle —como en el caso del célebre Sariñana— una mitra. Los hombres más distinguidos se disputaban el honor de ocupar el púlpito en las grandes iglesias y en las grandes ocasiones: canonización de algún santo, proclamación de un patrón, dedicación de un templo, honras fúnebres por la muerte de reyes, virreyes, personas de la familia real, obispos o prohombres; y desde luego los sermones de Semana Santa. La función primera del sermón, en su forma cotidiana, era la didáctica, pero para las ocasiones señaladas se convertía en pieza literaria de gran importancia, profundamente teológica, que echaba mano de los textos sagrados y de los célebres autores cristianos, que establecía paralelismos, oposiciones, similitudes simbólicas, alegorías, referencias a la virtud de los personajes exaltados, y demás. No en balde la retórica formaba parte indefectible en los *curricula* de todo colegio. El público asistía a oírlos con verdadera fruición. Algunos, los doctos, entendían las sutilezas y las finezas del sermón; otros, los más, iban como quien va a un espectáculo, como quien va a la ópera, de que disfruta sin necesidad de entender todo lo que se dice. Los sermones importantes fatigaban pronto las imprentas y salían a la luz pública, para beneficio de quienes no los habían escuchado, y perpetuidad de autor. Los solos títulos bastan para dar idea de su contenido: *El vice Dios de la tierra a el vice Dios del cielo, oración panegírica en glorias del esclarecido patriarca san Felipe Neri y en debida acción de gracias por la exaltación al solio de san Pedro en el señor Benedicto XIII...*, que pronunció en 1725 Julián Gutiérrez Dávila e imprimió José Bernardo del Hogal.

La vida urbana

Una de las grandes novedades de la cultura del siglo barroco novohispano, que se gesta desde fines del siglo XVI, pero que se define más tarde, es el cambio del campo a la ciudad. El tono de Nueva España del siglo XVI es fundamentalmente rural. La población rural es altísima todavía a raíz de la conquista. La obra de evangelización es una obra que se realiza sobre todo en el campo. Las ciudades antiguas que persisten con una población elevada (Cholula o Tlaxcala, v. gr.) son centros de regiones agrícolas: no tienen una vida en esencia diferente a las comunidades menores. Los conquistadores intentaron —a remedo del viejo señorío europeo— establecer su poder a base de las posesiones de tierras, ya propias, ya encomendadas. El modo de producción es rural y su expresión lógica es la institución económica más importante del siglo XVI: la encomienda. En el siglo barroco el tono de Nueva España vendrá a ser en especial urbano. Cierto, ya en plena mitad del siglo XVI la ciudad de México, por ejemplo, es orgullosa de sí misma e intentará una hegemonía sobre el territorio novohispano; el Cabildo de México sueña con enviar diputados a cortes y quedar así reconocido como cabeza de un reino más de los de la corona de Castilla y Aragón. Pero ese intento fallido es un claro interés de los encomenderos hijos de conquistadores, que hacen y deshacen en el Ayuntamiento. Las cosas cambiarían más adelante, cuando la raza de los encomenderos toca a su fin. La nueva ciudad no responderá más a sus intereses, sino a los de la nueva clase burguesa —o burguesa ennoblecida—, que es ella misma ya producto típico citadino, y quizá a los de hacendados que cosechan granos para consumo de la masa urbana. Es la nueva ciudad donde se definen sus intereses particulares y aun contrarios a los del campo. Es verdad que el campo subsiste con su personalidad propia y con sus estructuras tradicionales; sus comunidades con sus repúblicas de indios, sus gobernadores y sus caciques, y con sus propiedades comunales. Pero si en pleno siglo XVI la ciudad se desdibujaba frente a la vida rural, ahora será el campo el que en cierta forma se desdibujará frente a la vida urbana. De ella tomará cada vez más elementos, y ella se constituirá en su modelo.

La cultura del siglo XVI había tenido un tono rural: ahí, por ejemplo, su soberbia obra, los conventos fortaleza. Para evocarlo podemos retener la imagen de un Motolinía o de un Las Casas, viajeros incansables, inestables hasta la exageración, que están un día en un sitio y poco después en otro, cargando —ellos, escritores— sus pesados legajos a lomo de tameme de un lado para otro. Frente a ellos la imagen de los frailes escritores del paso de ese siglo, o ya francamente del XVII: los Torquemada, Dávila Padilla o Grijalva son hombres asentados, que poco se mueven de sus conventos, donde tienen a mano bibliotecas y archivos, trato y conversación con otros hombres cultos y leídos. La cultura, pues, del siglo barroco tendrá un marcado tono citadino: en vez de conventos fortaleza, producirá catedrales, parroquias, conventos de monjas y capillas; palacios urbanos, colegios, academias, universidad; ceremonias y saraos, poemas y escritos que se leen en reuniones donde se comentan; certámenes poéticos; capillas de música y música profana en los estrados de las casas ricas o en las trajineras que pasean a damas y caballeros hacia Chalco, Jamaica, Santa Anita o Xochimilco. La cultura criolla será urbana principalmente, y por eso mismo refinada, tratada como un objeto precioso. La ciudad, por otra parte, se organiza. El cabildo define sus funciones y su relación con virrey e Iglesia. Los gremios ven expedidas o reformadas sus ordenanzas y establecen todo ese sistema complicadísimo que permite ascender a un aprendiz a los grados de oficial o maestro. Protegiéndose a sí mismos, los gremios son pieza integrante y fundamental del organismo urbano: sus veedores y jueces son simultáneamente oficiales del ayuntamiento; sus cofradías tienen reconocimiento eclesiástico y sitio en la catedral. El abasto de la ciudad —no hay que olvidar que haciendas y estancias producen, ahora en una forma que podríamos llamar de "empresa moderna", para la ciudad— se establece por cauces normales. Se prevén los accidentes y los abusos por medio del pósito y de la alhóndiga. Las regulaciones del ayuntamiento se hacen más y más puntillosas: califican la distribución de agua, la "derezadera" o alineación de las casas, el empedrado, los lugares públicos, como fuentes o paseos, los mercados, las vinaterías y pulquerías, las panaderías —en esa antiquísima lucha por conseguir que los panaderos hagan el pan al peso y precio debidos—, los alguaciles del orden público... y mil y otros aspectos de la vida urbana, que por sí solos permiten apreciar hasta qué punto la ciudad podía calificarse propiamente de tal, por lo completo y complejo de su estructura, más que por el acopio solo de población.

Se estaba gestando toda una cultura citadina que quizá se había iniciado desde los tiempos de Cervantes de Salazar y la fundación de la Universidad —fenómeno citadino— por los mediados del siglo XVI, pero que hacia fines de ese siglo y principios del siguiente tomaría realmente forma. Es la cultura de los criollos, estos refinados en el habla que nos describe el doctor Cárdenas, de trato amable y pasión por los deportes y diversiones que presenta Rosas de Oquendo, de gusto delicado que elogia Arias de Villalobos. Criollos nostálgicos de los tiempos épicos de la conquista y la evangelización, pero que no dejarán, reflexivos como son: que ésa es su cualidad o su defecto mayor, de ver con ojo receloso aquellos tiempos "bárbaros". Frustrado el proyecto de vida señorial y teocrático del siglo XVI, los hombres de la centuria siguiente abandonarán las experiencias que en la cultura había hecho ese siglo y preferirán la modernidad culta del renacimiento en su forma manierista. Para comprender la magnitud del fenómeno baste apuntar aquí que será ese manierismo el que se convertirá en barroco y de las ciudades se extenderá al campo y dará lugar a formas populares que, sin embargo, tendrán por modelo las obras citadinas. Por último, toda una cultura de ciudad, cuyos valores se oponen en buena medida a los del campo, y que terminará imponiéndose y dando el tono a toda la cultura novohispana. Bernardo de Balbuena, que tan característico es de los nuevos tiempos, que había sentido en carne propia el "destierro" en un lugar pequeño y aislado, dirá en su poema:

> Pueblos chicos y cortos todo es brega,
> chisme, murmuración, conseja, cuento,
> mentira, envidia y lo que aquí se llega.
>
> Allá goce su plata el avariento
> si el cielo se la dio, a poder de ayunos,
> y ponga en adorarla su contento
> . . . .

> que yo en México estoy a mi contento,
> adonde si hay salud en cuerpo y alma
> ninguna cosa falta al pensamiento /

Y si el agustino fray Miguel de Guevara llegó a las más altas cimas de la poesía mística en su retirado convento de Michoacán, no es esa su poesía de ninguna manera reflejo de su alrededor, sino recuerdo del ámbito de ciudad en que se había cultivado.

El criollo de la ciudad, refinado y orgulloso, resiente en su interior una tacha que mucho le agravia: su carácter, en general advenedizo. La raza de los conquistadores desapareció prácticamente del mapa, como víctima de una maldición por sus excesos, **tal como llegaron a pensarlo los escritores de principios del siglo** XVII. Dorantes de Carranza puede listar sin dificultad los pocos descendientes que en su tiempo había de conquistadores o primeros pobladores. Mayorazgos y títulos del siglo XVI perduraron también pocos, a veces aliados a nobleza rancia venida de España, tal el caso de los Guerrero o de los condes de Santiago. De modo que el grueso de los ricos citadinos era de origen más bien oscuro; criollos cuyos padres habían sido muy ricos, pero cuyos abuelos vivieron en la inopia. Fue característico de Nueva España que los linajes surgieran y desaparecieran con igual facilidad. Así, esos hombres, ya de por sí inseguros en su condición de ser o no ser europeos, agregaban a ésa la inseguridad de su propia y personal condición. Y como consecuencia hay un ansia de caballería y señorío. Apenas tienen el dinero suficiente instituirán mayorazgos y comprarán títulos de nobleza; adquirirán tierras con el dinero habido en otros quehaceres, siguiendo el viejo dictado de "no hay señor sin tierra"; y apegándose al lema de "dar es señorío, recibir es servidumbre", pondrán sus caudales al servicio de las obras pías y serán grandes limosneros y patrones de templos, como se ha explicado antes. El mismo refinamiento en la cultura puede entenderse en parte como el deseo de ser alguien, en aquellos que sentían íntimamente una carencia en su individualidad. Un soneto anónimo de principios del siglo XVII expresa ese problema:

> Minas sin plata, sin verdad mineros,
> mercaderes por ella codiciosos,
> caballeros de serlo deseosos:
> con toda presunción bodegoneros

Una vez más, para contrarrestar sus inseguridades, el novohispano llevará adelante ese esfuerzo grandioso por conseguir que la realidad se conforme a sus sueños e ideales. Será el patrono munífico de templos y conventos, el despilfarrador desmedido en fiestas y saraos, o el asceta desproporcionado, o el hombre de mil cortesías y puntos de honor, preocupado por un problema de preeminencia tanto como por la suerte de sus caudales; o será el estudioso empedernido que pasará noches en claro en un afán neurótico de cultura. Hará del todo de la vida urbana ("origen y grandeza de edificios, caballos, calles, trato, cumplimiento, letras, virtudes, variedad de oficios") una verdadera obra de arte: lo que se manifiesta desde un platillo suculento o una mascarada hasta la construcción de una catedral.

Universidad, colegios y estudiantes

La Universidad mexicana, segunda de América por fecha de la cédula que le dio origen en 1551, primera por la fecha de apertura de sus cursos en 1553, responde desde su erección a lo que ya podríamos llamar una incipiente necesidad criolla, que se va acentuando a medida que la conciencia criolla misma se define y adquiere sus formas propias de manifestarse, hacia los finales del siglo XVI y especialmente a partir del XVII. La vida de la *Academia Mexicanensis* está en todo y por todo ligada a la misma ciudad de México, incluso en su afán de preeminencia y de jurisdicción territorial, y se convierte en una de sus expresiones más propias. La idea de crear una universidad viene de la necesidad de tener en Nueva España un centro de educación superior, donde se formen los letrados o los médicos necesarios a la tierra, y ésa es su función más obvia. Pero aparte de ésa estrictamente académica y que se justifica y entiende por sí misma, la Universidad cumple otras funciones muy en consonancia con las necesidades anímicas de Nueva España. Las generaciones que ya se pueden calificar de indudablemente criollas tienen, como se ha dicho, un carácter o tono reflexivo (que tan diferente las hace de sus batalladores y activísimos abuelos), sus miembros son hombres que, necesitados de justificarse como alguien en el mundo, tienen el prurito de la cultura, y la Universidad será el abrevadero de que se sienten tan apremiados. Para el nuevo novohispano, que finca su orgullo, entre otras cosas y a falta de otras cosas, en su refinamiento y en sus letras, la Universidad resulta una institución indispensable; el ambiente criollo y citadino no podría entenderse sin la presencia de ese foco de donde irradian todas las luces y de ese estrado en donde se escenifican los brillantes actos académicos (desde las defensas de tesis hasta las repeticiones de lecciones, pasando por las oposiciones y las tomas de posesión de cátedra), los coloridos certámenes poéticos o las representaciones teatrales.

Más todavía, la Universidad no sólo es elemento fundamental en un decorado indispensable a la vida novohispana, sino que tiene otra función de la mayor importancia: es un factor de dignificación social. El miembro de la Academia, sobre todo el graduado, pertenece por ese solo hecho a una comunidad equiparable en casi todos sus aspectos a una orden de caballería; como se mostrará más adelante, se entiende la existencia de una hidalguía de las letras, de donde resulta que el universitario, por serlo, es "alguien". Un grado universitario da preeminencia social, y ésta no es nada despreciable, sino todo lo contrario, en una sociedad como aquélla, y entre nuestros criollos, "caballeros de serlo deseosos". Desde el punto de vista social la función de la Universidad va todavía más lejos: en una sociedad estratificada en forma relativamente estática, ella constituye la única puerta —con la carrera eclesiástica, que en tanto se le asimila— para un ascenso social de las clases bajas. A pesar de la "criollización" de la Universidad, y a pesar de la aparición de requisitos como la limpieza de sangre para matricularse, ésta no dejó nunca de ser el instrumento mágico capaz de convertir en caballero a un indio, un mestizo y —aunque con más dificultad— a un mulato.

La primera preocupación educativa a raíz de la Conquista se enfocó hacia los indios: capilla de San José de los Naturales, colegio de Tiripitío, colegio de Santa Cruz de Tlatelolco; o aun a los mestizos: colegio de San Juan de Letrán (1529). Pero desde que se hacen gestiones para la Universidad, la idea de Zumárraga, de don Antonio de Mendoza y sobre todo de la Ciudad es la de atender a los españoles nacidos en México. La cédula misma de fundación habla de "una Universidad de todas ciencias en donde los naturales e hijos de los españoles fuesen instruidos en las cosas de nuestra santa fe católica y en las demás facultades...", y en ninguna de las otras fundaciones se había citado a los hijos de españoles. Si al momento de la fundación casi la única justificación para crear tales Estudios Generales era la de instruir criollos, dada la presencia de otras instituciones de enseñanza ya existentes, a medida que avanzó el tiempo las proporciones se invirtieron. Así fue: el desarrollo de la Universidad va en razón contraria a la decadencia del benemérito colegio de la Santa Cruz; cierto, las pestes y las dificultades económicas dieron al traste con ese seminario, pero también el cambio de tono de Nueva España, que se definía cada vez más como criollo: la puntilla vino a ser el Tercer Concilio Mexicano de 1585, al rechazar definitivamente la creación de un clero vernáculo; Santa Cruz de Tlatelolco no tenía ya razón de ser. "Estudio es ayuntamiento de maestros o de escolares que es hecho en algún lugar con voluntad e entendimiento de aprender los saberes", definía Alfonso el Sabio a la Universidad. De esa tradición medieval deriva directamente la de México, tanto más cuanto que se le dieron por primeras constituciones las de Salamanca. De ahí un elemento importantísimo de autonomía y de gobierno colegiado con participación estudiantil. Pero esa reunión de maestros y alumnos juntos para defenderse y ayudarse se había combinado también desde la Edad Media con una instancia eclesiástica: a cambio de gozar del apoyo papal, las universidades habían aceptado una especie de fusión con las escuelas episcopales —a las que habían desplazado—, que se traducía en que el cancelario (que otorgaba precisamente los grados) era el maestrescuela, canónigo de la catedral. En el caso de México eso tiene un peso particular dada la existencia del regio patronato indiano. Y además, no se trataba aquí de una institución nacida espontáneamente y luego amparada por el rey, la ciudad o la iglesia, sino de una nacida expresamente de cédula real y bajo el patronazgo real: "manu regia conditae", reza la orla de su sello. Real y Pontificia, toda la vida institucional de la Academia Mexicana está así marcada por un difícil equilibrio —roto a veces— entre el "ayuntamiento de maestros y escolares" y la "conducción de mano real", entre la autonomía y los fueros universitarios, y la presencia del poder civil y eclesiástico.

Como las constituciones salmantinas no eran en todo aplicables a la situación de Nueva España, desde un principio el virrey Velasco expidió ordenanzas que las completaban o las modificaban. A partir de entonces la Universidad vivió un vaivén continuo de constituciones y ordenanzas de corta vigencia, abrogadas unas por las siguientes, afectadas todas por la interferencia del virrey —vicepatrono— o directamente por cédulas reales. De una manera u otra, todas revelan las situaciones particulares por las que iba atravesando la vida de la institución y sus relaciones con el poder público: constituciones del oidor Farfán (1580), estatutos del arzobispo Moya de Contreras (1588), del rector Villanueva y Zapata (1589), del procurador Juan de Castilla (1596), del virrey Cerralbo (1626), del virrey Cadereyta (1637), hasta estabilizarse con las constituciones del visitador obispo Palafox, de 1645, confirmadas por el claustro en 1649, pero que no se aplicaron sino por empeño del marqués de Mancera en 1668. Unas tienden más a mantener la autonomía de gobierno, otras a lo contrario; corrigen, unas, vicios de la práctica particular del momento en que fueron expedidas, se hacen flexibles a la vista de la situación real; varias, entre ellas las de Palafox, cierran los cargos administrativos a los religiosos de las órdenes monásticas: la lucha de los obispos y del clero secular contra los frailes se da por doquiera. Acordes con su tiempo, las constituciones entran en los más mínimos detalles de la vida universitaria, hasta indicar, por ejemplo, el tipo de la carta del banquete que debe ofrecer un graduado. La representación de la Universidad se materializa en el rector, su cabeza visible; electo por el claustro de conciliarios, a más de

ESTATVTOS,
Y
CONSTITVCIONES
REALES.

DE LA IMPERIAL,
Y
REGIA VNIVERSIDAD
DE
MEXICO.

Portada de la primera edición de las constituciones de la Universidad de Palafox, 1688 las funciones de representación, de gobierno académico y presidencia de los claustros tiene incluso jurisdicción civil y criminal, pues los universitarios gozan de fuero y no pueden ser juzgados por los tribunales ordinarios. Es electo cada año y el cargo puede caer incluso, en principio, en un estudiante, aunque algunas constituciones exigían que no fuese casado, o que tuviera más de 30 años, o que no fuese oidor o funcionario —para evitar la ingerencia del poder civil— u otras restricciones. Por algún tiempo se estableció la alternancia anual entre un seglar y un religioso. Los órganos fundamentales de la Universidad, sin embargo, que están por encima del rector mismo son los claustros. El claustro de diputados, formado sobre todo por maestros, se ocupa de la administración y organización; el claustro de consiliarios, constituido básicamente por estudiantes (a pesar de que las instituciones palafoxianas redujeron a tres los estudiantes, entre sus ocho miembros) se ocupa de la dotación de cátedras y la elección de rector. En fin, el claustro pleno es la máxima autoridad; está constituido por la totalidad de los miembros de la universidad, maestros y alumnos, egresados y aun incorporados; aunque no se reúne regularmente, decide sobre las cosas fundamentales de la Universidad, como la aprobación de constituciones, apertura de cátedras nuevas, y demás. A veces se opuso frontalmente a la intromisión del vicepatrono cuando la consideró atentatoria a los principios fundamentales de la Academia.

Junto a este gobierno colegiado, está un grupo de funcionarios estables, que llevan adelante la administración cotidiana: los encabeza el secretario perpetuo y casi hereditario (la meritísima familia De la Plaza ocupó mucho tiempo el cargo) y el último escalón lo ocupan los bedeles, cuya función y personalidad era ciertamente mucho más importante que la de los bedeles actuales. Aparte, como queda dicho, ajeno a toda elección, está el cancelario o sigilario, guardián del sello de la Universidad, único capaz de otorgar grados y legalizar documentos. Es, de oficio, un canónigo de la catedral, el maestrescuela: su cargo por tanto es vitalicio y es proveído por el rey directamente o presentado a éste por el virrey. Representa, como es claro, la ingerencia del poder episcopal, como vigilante y garante de los actos universitarios. El virrey, como vicepatrono, tiene derecho legal a intervenir en los asuntos de la Universidad, ya para dirimir problemas difíciles, para informarse de la marcha de los asuntos, o para reorganizar la institución si lo juzga necesario. Él provee el dinero de las arcas reales con que se pagan maestros y funcionarios o se hacen obras en el recinto universitario. Valido de esa circunstancia, no pocas veces trata de interferir en la vida universitaria más de lo debido, por ejemplo imponiendo catedráticos. La Universidad a veces tiene que ceder, otras, como la célebre oposición del claustro al marqués de Villena y duque de Escalona, se defiende para conservar sus fueros y prerrogativas y el derecho a regirse por sí misma. En ocasiones especiales el rey envía exprofeso a un visitador con la comisión precisa de ver por la Universidad.

En principio el curriculum de la Academia Mexicana responde al viejo modelo medieval del *trivium* y el *cuadrivium,* esto es, las tres facultades "menores" (básicamente instrumentales) y las cuatro "mayores" (que dan acceso al saber en su sentido superior). Sin embargo, esa disposición es más un recuerdo que una realidad actuante; desde su inicio la Universidad de México modificó el antiguo esquema. Para el siglo XVII las facultades eran teología, cánones, leyes, medicina y artes, a las que había que agregar gramática, retórica y lenguas indígenas, y no dejó de haber novedades en la creación de cátedras, como la aparición de las de anatomía y cirugía, o más tarde la de matemáticas y astrología (que detentaría muchos años, hasta el de su muerte en 1700, el famoso Carlos de Sigüenza y Góngora). Para mediados del siglo XVIII, y por empeño del rector Boye de Cisneros, se aprobó, aunque nunca funcionó realmente la cátedra de lenguas orientales. La enseñanza se basaba en la explicación y comentario de textos clásicos de cada cátedra (las constituciones especificaban los textos que podían ser usados) y en el ejercicio continuo de exposiciones y réplicas públicas. Es decir, consistía en la trasmisión y comprensión de un saber sancionado, que constituía el corazón de la cultura, y en el adiestramiento en la discusión, que a más de útil para la profundización de los textos, preparaba para el foro, la prédica o la especulación.

Los maestros, si bien estaban mal pagados —como siempre en todo tiempo y lugar—, gozaban de una categoría social envidiable, y de prerrogativas especiales según avanzaban en la categoría universitaria. Todos eran exentos de la jurisdicción de los tribunales normales y exentos del pago de tributo, tenían derecho a las vacaciones anuales entre septiembre y octubre (ampliables treinta días más) y podían confiar su cátedra a un sustituto los dos meses últimos de cada año. Del mal pago se consolaban con el derecho de usar las togas, birretes, becas y demás insignias que les correspondían y, más sustanciosamente todavía, con la esperanza de jubilarse. En efecto, la jubilación después de veinte años continuos de cátedra era una prerrogativa verdaderamente excepcional para el tiempo; el jubilado no sólo recibía su sueldo, sino que continuaba recibiendo los honores y seguía ocupando dentro de la Universidad y fuera de ella el lugar que le correspondía desde que era catedrático. El otro término del "ayuntamiento" que constituye la Universidad son los estudiantes. Se reclutan especialmente entre una burguesía media deseosa de ascender en prestigio, los vástagos de una clase enriquecida por el comercio que tiene deseos de refinarse, y los hijos segundones de títulos y mayorazgos que, sabedores de que tendrán sólo migajas de herencia, se aprestan a hacer una carrera eclesiástica esperanzados en que el nombre familiar se las haga más llana. Aunque también tienen acceso los indios venidos de colegios (su derecho a la Universidad siempre fue confirmado en las constituciones), los mestizos del colegio de San Juan de Letrán y otros, que acuden a diversos artilugios para salvar el problema de la limpieza de sangre, contando más bien con la complacencia de los funcionarios, que con un "reputado por español" les abren las puertas; los mulatos o zambos más difícilmente consiguen la matrícula. Ésta, la inscripción aceptada, es un sésamo ábrete. Por ella y sólo por ella un joven pertenece a la Universidad y goza de las exenciones y fueros correspondientes; adquiere derechos o ingresa, previa novatada, a esa hermandad estudiantil que tan fácilmente desdibuja la extracción social originaria. No paga tributo y está bajo la jurisdicción civil y criminal del rector, con exclusión de cualquiera otra. Tiene el derecho de acceder al claustro de consiliarios (que sólo la constitución palafoxiana limitó un tanto) y por lo tanto qué ver con la elección de rector y la creación de cátedras. Para la provisión de éstas el estudiante es elemento clave, pues en las oposiciones es su voto el que decide qué candidato debe pasar a propietario. Tan apetecible es la situación del estudiante, y tan importantes para la Universidad, que diversas constituciones, para reprimir abusos, señalan en qué casos se debe cancelar la matrícula: cuando no demostrara su asistencia a las lecciones o cuando rebasara el tiempo límite para terminar los estudios del grado. Así se prevenía en parte la existencia de "cuadrilleros" (algo similar a lo que ahora llamaríamos porristas), que vendían su voto u organizaban escándalos al momento de votar en los claustros o en la provisión de cátedras, también llamados en la jerga estudiantil de entonces "catedreros". Poseedores de fuero, dedicados a una actividad no "normal" dentro de la comunidad citadina, miembros de una especie de hermandad vaga, alejados muchos de sus hogares (pues de provincia venían a estudiar a México), más bien pobres que ricos, aunque esa pobreza "no es tanta que no coma" —que diría Cervantes— si bien tengan que "andar a la sopa" (es decir, comer de sobras), amantes de fandangos y mascaradas, orgullosos de todos modos de su condición, los estudiantes son —y lo habían sido desde la Edad Media— una especie de desajustados en el organismo social, vistos alternativamente con simpatía o desconfianza por la comunidad citadina. No pocas veces entran en conflicto con las autoridades civiles, y aun a veces se forman verdaderos motines estudiantiles que desafían a los alguaciles, como el muy importante de 1677.

Muchos estudiantes vivían en colegios, relacionados muy estrechamente con la Universidad, aunque no siempre el mismo tipo de relación. El tradicional colegio universitario medieval, tipo los de Oxford, el de Irlandeses en Salamanca o el de Santa Cruz en Valladolid, es una institución destinada a dar asistencia a estudiantes foráneos. En México los hubo en ese estricto sentido, como el de Comendadores de San Ramón Nonato para michoacanos que estudiaran en México, fundado en 1628. Pero los hay de otros estilos, entendidos sobre todo como casas de estudios. Tal el caso del de Santa Cruz de Tlatelolco —cuya pronta decadencia lo relega a un papel ínfimo—, o el de mestizos de San Juan de Letrán, fundados antes que la Universidad y que se incorporan a ella. Más surgirían después, muchos importantísimos, como los jesuitas de San Pedro y San Pablo y San Idelfonso, o el Seminario Tridentino, o el dominico de Porta Coeli; y desde luego los importantísimos foráneos, como el de San Nicolás de Valladolid, el dominico de San Luis de Puebla (que tuvo pretensiones de Universidad) y los numerosos colegios jesuitas diseminados por Nueva España, amén de las casas de estudio en los conventos de las órdenes monásticas. La presencia sobre todo de los colegios jesuitas puso en crisis las relaciones con la Universidad, crisis de la que saldría el establecimiento de un estatuto definitivo. Los jesuitas, educadores por vocación y por mandato de sus reglas, poseedores de un método moderno de enseñanza que se basaba principalmente en el sistema de emulación y en la preparación de una muy sólida base en artes, eminentemente humanista, tuvieron grandísimo éxito en sus colegios y amenazaban dejar, hacia el último cuarto del siglo XVI, hambrienta de alumnos a una Universidad que todavía no acababa de consolidarse. Asustada ésta hizo valer unos fueros todavía no suficientemente definidos en ese aspecto, pero desde entonces confirmados por cédulas reales: la Universidad de México tenía en las Indias Septentrionales la misma preeminencia de las grandes universidades españolas y europeas, nadie más que ella estaba facultada para otorgar grados, y ningún estudiante podía aspirar a ellos si no había estudiado en ella misma o en un colegio incorporado; la incorporación suponía no sólo que los grados debían recibirse en la Academia Real y Pontificia, sino que diversos actos públicos debían presentarse ahí —para los colegios de la Ciudad de México— y aun que ciertas cátedras tenían forzosamente que cursarse en la misma *alma mater*. Esto daba unidad al sistema de educación superior, ligaba estrechamente los colegios con la Academia y los sometía todos a ella. De la regla no escaparon ni el Seminario Tridentino ni aun el orgulloso Colegio Mayor de Santa María de Todos los Santos, o Colegio de Santos, único colegio mayor de la Nueva España (mayor no únicamente por la calidad de su enseñanza, sino porque en él sólo el rector era elegido por los colegiales), que, fundado en 1573, llegó a tener más preeminencias que los colegios mayores de España; pero éstas fueron dentro de la Universidad y no ajenas a ella. La jurisdicción territorial de la Universidad de México se extendía a todas las Indias Septentrionales e incluso a Filipinas, mientras no se fundaron las universidades, ahijadas suyas, de Manila (1648), Guatemala (1676) y Guadalajara (1774), ésta ahijada no muy deseada por México, y esa jurisdicción no sólo se refería a subordinar a ella cualquier institución de educación superior, sino también a la necesidad de incorporársele (revalidar estudios, diríamos ahora) que tenía todo graduado de otra universidad que residiera en ese ámbito y quisiera ejercer. Los colegios tenían, pues, una situación entre autónoma y dependiente de la Academia Mexicana; aun los que fueron —y fueron los más— centros de enseñanza, no dejaron de ser residencia de estudiantes. Éstos eran "colegiales" que gozaban de una beca instituida por el fundador o un benefactor, "familiares" si trabajaban en el colegio a cambio de la asistencia, "porcionistas" si pagaban por estar internos en él, y "golondrinas" si eran medio internos.

La más visible e importante expresión "física" de la Universidad era el otorgamiento de grados, y no por casualidad, sino con un sentido muy claro de lo que esto significaba. Si el grado de Bachiller suponía sólo el término de una escala de estudios, en cualquiera de las facultades, y por lo tanto, aunque riguroso como examen no estaba rodeado de ceremonias mayores, los grados de licenciado y especialmente de doctor concedían honor y reconocimiento y hacían acceder al que los poseía a una situación de distinción dentro de la sociedad. No sólo los requisitos a cumplir eran numerosos y complicados, las "propinas", "guantes" y demás gastos, cuantiosos (aunque a los aspirantes pobres se les podían reducir o eximir), sino que el acto todo estaba rodeado de gran solemnidad y boato y se llevaba a cabo a lo largo de varios días. Licenciados y doctores recibían el grado en la catedral (en la sala capitular los primeros, en la capilla mayor los segundos) de manos del maestrescuela-cancelario; las ceremonias constaban de discusiones públicas o secretas, fijación de temas, procesiones, mascaradas y demás, todo estatuido por las constituciones. El doctorado hacía de hecho entrar al nuevo doctor a una verdadera "caballería de las letras", pues como caballero no pechaba y poseía escudo de armas. La ceremonia misma de otorgamiento del grado máximo es una transposición de la ceremonia por la que se arma un caballero: ósculo de paz (signo de hermanad), imposición de anillo (matrimonio con la sabiduría) entrega de libro (escudo simbólico), ceñir de espada y de espuelas (como caballero de la milicia espiritual) y en fin colocación del birrete. Todavía más, en el acto se incluía el "vejamen", poema chusco contra la propia persona del doctorando, que contrasta con la solemnidad de todo lo demás, pero que tiene el sentido claro de una iniciación. En todo y por todo se trata de un hombre que, por su esfuerzo, accede a una situación de privilegio. La Universidad, al hacer posible tal cosa, cumplía una función de la mayor importancia, más allá de la estrictamente académica.

Las iglesias catedrales

La catedral es el edificio citadino por excelencia. Símbolo religioso y símbolo civil, es la obra que compendia lo que la ciudad era, y expresión de su orgullo. Así lo había sido en la Edad Media europea y así vino a serlo en la Nueva España del siglo XVII. La secuela de las primeras grandes catedrales mexicanas se escalona a lo largo de esta centuria, a partir de la dedicación de la de Mérida en 1598, la de Guadalajara en 1618, y las dos más importantes: Puebla en 1649 y México en 1667. Iniciadas todas ellas en el siglo anterior, permanecen sin excepción como obras casi utópicas, sueños inalcanzables de grandeza, con sus obras que avanzan penosamente o de plano detenidas lustros y decenios. Las coge a medio camino la actitud depresiva de la crisis novohispana de finales del XVI y principios del XVII; sólo Mérida podrá ver cerradas sus bóvedas en los últimos años del siglo de la conquista: las demás deberán esperar las intensas campañas de trabajo de un siglo barroco en que vuelve a renacer la esperanza, se configura la actitud vital del mundo criollo y se asienta firmemente la ciudad como elemento rector de la vida de Nueva España. Será ese mismo siglo barroco el que las vestirá suntuosamente con

Fachada de la catedral de Mérida

retablos,[1] coros de canónigos,[2] órganos, cipreses[3] —y el siglo XIX se ocuparía de desvestirlas a muchas de ellas— estableciendo un armonioso contrapunto entre sus estructuras renacentistas manieristas[4] y las formas fastuosas del nuevo estilo. La catedral es por razón natural obra de amplio aliento y planeada a largo plazo, que procede normalmente por yuxtaposiciones. La mayor parte de ellas, aunque dedicadas en el siglo XVII y desde entonces abiertas al culto, seguirán construyéndose durante toda esa centuria y recibirán su último toque hasta el setecientos o incluso (ya en época neoclásica) en los primeros años del XIX. Otras —Morelia, Oaxaca, Chihuahua, Durango— iniciadas ya en el siglo XVII se terminan en el siglo XVIII.

La catedral es, en principio, la sede episcopal, donde está la silla del obispo; pero fue siendo, con el tiempo, mucho más que eso. El obispo se rodeó de un colegio de presbíteros auxiliares con diversas funciones: los canónigos, que llegaron a tener una máxima influencia en la obra material de la iglesia sede. El obispo reside siempre en una ciudad importante, de tal modo que el edificio catedralicio es también expresión de la urbe. Aquí, dado el Regio Patronato, el rey es patrón de la iglesia y el virrey su vicepatrón; de donde resulta una liga mucho más estrecha entre el brazo secular y el brazo religioso; la catedral se construye a costa de las rentas reales. Así, viene a ser expresión no sólo de una estructura religiosa y urbana, sino también del poder civil. El

[1] *Retablo*: estructura arquitectónica, generalmente de madera dorada, que se levanta sobre el muro en que se apoya el altar. Contiene pinturas o esculturas, o ambas.

[2] *Coro de canónigos*: sitio dentro de la catedral, donde asisten los canónigos para ciertos oficios. Tiene una sillería, por lo normal muy rica, y otros ornamentos, como el facistol en que se apoyan los grandes libros de coro.

[3] *Ciprés*: estructura arquitectónica exenta, que se encuentra tras el altar mayor. Suele estar en catedrales, y más bien por excepción en otras iglesias. La denominación de "ciprés" es mexicana; corresponde a lo que se llama generalmente baldaquino, pero no se encuentra sobre el altar sino atrás de éste.

[4] *Manierismo*: estilo artístico que aparece en el siglo XVI, en Italia, después del alto Renacimiento. Para unos puede considerarse como la última fase del Renacimiento, para otros debe tenerse por estilo aparte, pues aunque utilice buena parte de las formas renacentistas, se sirve de ellas con un sentido ya académico, ya más libre y tenso. Estrictamente todo el Renacimiento artístico fuera de Italia debe tenerse como manierismo.

hecho de que la gran actividad constructiva de las catedrales se sitúe para nosotros en el siglo XVII y se prolongue hacia el XVIII, no es, pues, de ninguna manera accidental. Corresponde en todo y por todo a la nueva situación que se planteaba en la Nueva España de entonces. Al paso que los sueños señoriales tan acariciados después de la Conquista fueron desdibujándose definitivamente, la ciudad fue ganando la partida frente al campo; la mayor actividad arquitectónica del siglo XVI había sido rural, pero ahora se desplazará a las ciudades. La actividad industrial se asienta con la organización de los gremios, ahora ya dotados de ordenanzas y estrechamente ligados al ayuntamiento y controlados por él, y con una indispensable organización paralela, la cofradía, que los liga también de cerca a la Iglesia. La primera nobleza criolla y una burguesía cada vez más definida y con aspiraciones muy concretas, que se expresa sobre todo en los cabildos municipales, necesita también lucir al lado de las autoridades civiles, los tribunales y las "religiones". De toda esta nueva situación es manifestación brillante la catedral: ahí cada quien tiene su sitio jerárquicamente establecido, cada quien encuentra satisfacción a sus afanes de contar de alguna manera dentro del todo social. No es, pues, una casualidad que el siglo XVI haya podido pasársela entre iglesias mayores provisionales, algunas asaz modestas, y proyectos sobre los que se acumulan multitud de pareceres contradictorios que entorpecen las decisiones. La más decente de esas iglesias provisionales fue sin duda la de México-Temistitán, remozada a fondo en 1585 para el trascendental Tercer Concilio Mexicano, ya en los albores de la nueva situación, y que no dejaba de ser una bien modesta construcción comparada ya no sólo con lo que después fueron los edificios catedralicios, sino hasta con los orgullosos conventos de las órdenes mendicantes, sus contemporáneos. Si Francisco Cervantes de Salazar se quejaba en 1554 de la modestia de esa iglesia, es que le resultaba difícil advertir que era lógico que así fuese, cuando el obispo tenía apenas el poder de trabajar en el corto espacio que las soberbias órdenes le dejaban, entre exención y exención, entre privilegio y privilegio; cuando los intereses rurales de los encomenderos se imponían sobre la organización propiamente citadina; cuando Audiencia y virrey podían apenas pendoleárselas entre presiones monásticas y pretensiones señoriales; cuando la ciudad no tenía todavía una estructura coherente y firme.

684

La catedral no es, desde luego, una iglesia más; ni sólo una iglesia de mayores dimensiones que las otras. Da albergue y manifiesta ese todo social coherente y asentado que es la ciudad, con su pretensión de hegemonía sobre el reino entero. Es el lugar del obispo, que tiene su sitio en el presbiterio[5] y su trono en el coro de canónigos. Ese mismo coro de canónigos y la sala capitular[6] son asiento y expresión del poder religioso colegiado que es el cabildo episcopal. El presbiterio recibe al virrey, a los tribunales, al ayuntamiento y a otros oficiales reales. Los prohombres de la ciudad tienen acomodo cerca de ellos, en la nave mayor, donde también se colocan las órdenes monacales durante las fiestas en que deben acudir a la iglesia madre. El rey mismo tiene simbólicamente su lugar en esa creación mexicana de las catedrales que es el "altar de los reyes".[7] Y a los gremios y cofradías pertenecen las capillas, donde rinden culto a sus santos patronos particulares y despliegan su orgullo gremial rehaciendo con el menor pretexto el ornamento de retablos, esculturas, pinturas, yeserías,[8] oros y platas. Cada una de las que ahora se llamarían "fuerzas vivas" de la ciudad —y aun las menos vivas, la plebe más informe y confusa— tiene, pues, su sitio en el gran edificio. Además, una serie de locales para servicios tan complejos, que van desde la gran sacristía, sacristías menores, archivos, dependencias, bodegas e incluso con funciones tan particulares como el "chocolatero de los señores canónigos" con que contaba la metropolitana de México. Y todas esas complejas funciones no se cumplen en la catedral escuetamente, sino con el decoro necesario. Cuando se puede, con grandeza y con arte. En sus partes y en el todo el edificio manifiesta el orgullo de cada uno de los cuerpos sociales que en ella están representados y de toda la comunidad citadina. Por eso se manifiesta arrogante al exterior, con portadas y torres (indispensables, puesto que las campanas son las voces de la ciudad y los campanarios su punto de referencia), y al interior con retablos, sillerías, imágenes talladas, pinturas, relicarios, custodias y demás platería y

[5] *Presbiterio*: estrado amplio, al que se accede por gradas, en el que se encuentra el altar.
[6] *Sala capitular*: sala de juntas propia del capítulo o cabildo de canónigos.
[7] *Altar de los Reyes*: altar que ocupa el ábside en las catedrales mexicanas. Suele presentar imágenes de santos reyes o santas reinas.
[8] *Yesería*: decoración en estuco, que se aplica a muros, pilastras y bóvedas. Es muy común que se cubra de color, con partes doradas.

orfebrería del servicio religioso; capillas de música, escogidas y costosas; por último, hay una necesidad de dignificar las funciones de la iglesia mayor, que va hasta el afán de hermosear un lavabo o un reclinatorio.

Para el siglo xvi estaban prácticamente terminadas las catedrales europeas, con excepción de España. España vio durante esa centuria terminar su serie de catedrales, especialmente en aquellos territorios que hasta más tarde habían resistido el empuje de la reconquista —empezando por la mismísima Granada—, o en donde alguna causa específica lo había hecho necesario, como Segovia, donde la guerra de los comuneros había destruido la antigua sede. Las catedrales mexicanas (y con ellas las otras americanas) vienen a ser la continuación de ese empuje constructivo. Como se ha dicho, corresponden en su terminación al siglo siguiente y responden a una situación concreta y peculiar dentro de la propia historia novohispana. Las sedes episcopales españolas del xvi siguieron uno de dos partidos: o se hicieron íntegramente góticas[9] (en un gótico ya "fuera de época" y de alguna manera tocado por el sentido renacentista de las proporciones, como en Segovia o la nueva de Salamanca), o se hicieron con intención renacentista, como la de Granada y las otras —Murcia, Málaga, Jaén— que dependen de la mano o del influjo de Diego de Siloee. Pero en este último caso, por más que se usara un repertorio formal renacentista-manierista, la planta y el alzado resultan un compromiso entre esa intención "moderna" y las necesidades tradicionales del edificio catedralicio. Esto último es lo que acontece con las catedrales mexicanas, pero con la diferencia de que, siendo posteriores, en ellas la tensión entre las estructuras tradicionales de origen medieval y los afanes manieristas es todavía mayor. Para cumplir las funciones señaladas, como expresión viva del cuerpo social citadino en todos sus estratos, la catedral debe tener una nave mayor que aloje el presbiterio, con el altar mayor, y el coro de canónigos; naves laterales que permitan las procesiones interiores y el tránsito despejado a las capillas y a las otras dependencias sin entorpecer la celebración de los oficios; sobre esas naves de tránsito se deben abrir las capillas o (cuando menos) asentarse los altares particulares. Al exterior, como queda dicho, debe

[9] *Gótico*: estilo artístico que aparece en Europa en el siglo xiii y es desplazado por el Renacimiento.

por fuerza ostentar las torres campanarias. Los edificios góticos, de tres, cinco o siete naves, con capillas laterales, girola[10] y deambulatorio[11] fueron inventados para cumplir esas funciones. La arquitectura renacentista a la italiana había buscado los espacios unitarios y sencillos, aprehensibles de un solo golpe de vista, en contra de la arquitectura "discursiva" medieval; la sencillez de elementos en lugar de la complicación. He aquí que los constructores de las catedrales mexicanas se encontraban con el deseo de hacer edificios manieristas, modernos, pero necesitaban que cumplieran las necesidades tradicionales de una catedral. Además, estaban limitados por las posibilidades técnicas que les ofrecía una mano de obra de alarifes, albañiles y picapedreros formados en los talleres tradicionales del tardo gótico. Así, pues, nuestras catedrales ofrecen diversas soluciones, pero todas ellas revelan el compromiso entre tres elementos: el afán de modernidad (que se expresa en un repertorio formal renacentista manierista), la estructura tradicional capaz de cubrir las necesidades funcionales y las posibilidades reales de construir el edificio deseado.

Hacia 1570 se introduce firmemente en Nueva España el manierismo, modalidad renacentista que consiste, por lo pronto, en la aplicación de las normas descubiertas por los grandes artistas del alto Renacimiento. Viene protegido por el mundo oficial, ya civil, ya religioso, y es aceptado por los círculos de criollos cultos citadinos que se ufanan de estar al día. No es el manierismo un estilo que se trasmita (o que sólo se trasmita) según los modos tradicionales, de taller a taller, de artesano a artesano, sino que buena parte se aprende en los libros: los tratados en que tan prolífera fue la Italia de la segunda mitad del siglo XVI, muchos de los cuales sabemos llegaron a Nueva España; como de cierto también sabemos que algunos artistas se formaron aquí en la nueva modalidad básicamente leyendo tales tratados, como es el caso de Claudio de Arciniega. La aceptación y la entrega entusiasta al manierismo es un fenómeno citadino primero, justo porque se trata de una modalidad esencialmente culta (no se puede hacer manierismo con buenas intenciones, sino sólo con el conocimiento de

[10] *Girola*: Serie de capillas pequeñas en el ábside de la catedral gótica.

[11] *Deambulatorio*: en las iglesias góticas el pasaje atrás del altar mayor, que comunica las naves laterales y permite el acceso libre a las capillas de la girola.

las reglas, los cánones, los sistemas de proporciones, la teoría); pero convive durante por lo menos treinta años con la arquitectura plateresca,[12] con resabios góticos y mudéjares, que había sido hasta entonces la expresión propia de la obra evangelizadora. Los soberbios conventos fortaleza se habían construido con esa amalgama estilística frailuna, y se seguirían construyendo en ella hasta finales del xvi. Sólo en el siglo siguiente, cuando la ciudad ha ganado la partida al campo, cuando la autoridad episcopal empieza a ganar la partida a las órdenes misioneras y cuando al gobierno civil le es posible moverse desahogadamente por la falta de resistencia del frustrado señorío rural; sólo entonces el manierismo, expresión de este nuevo estado de cosas, triunfará definitivamente. El manierismo, a su vez, irá de las ciudades al campo, formará escuelas regionales y llegará a dar origen, incluso, a un arte ingenuo popular, todo esto en el transcurso de los siglos xvii y xviii. Importa señalar que el arte monacal del siglo xvi se verá cercenado al morir ese siglo; al contrario, Nueva España, desde ahí hasta la llegada brutal del neoclásico (a finales del siglo xviii), ofrece una solución de continuidad. El barroco, con todas sus novedades y todas sus modalidades temporales y regionales, se construyó como una modificación continua y paulatina sobre la base de las formas más puras del Renacimiento que ponía en obra el manierismo .

Cuando se trató ya en serio de hacer nuestras catedrales, edificios oficiales y cultos si los hay, lógico era que se acudiera a la modernidad y corrección del manierismo. Por eso, aunque iniciadas muchas de ellas en el siglo xvi, no conservan elementos platerescos, aunque sí recuerdan en la planta y en el alzado muchas soluciones góticas.

La manera más lógica de cumplir la función tradicional del edificio catedralicio, pero dándole un sentido manierista, era la de conservar las naves longitudinales si bien simplificando la planta y los elementos constructivos y usando en éstos el repertorio renaciente. Eso es lo que hizo Juan Miguel de Agüero, el arquitecto más visible de la catedral de Mérida. Su planta se reduce a un rectángulo cuyos lados mayores no lo son mucho más que los menores; en él inscribe tres naves, mayor la central pero

---

[12] *Plateresco*: estilo propio de la España del siglo xvi, que combina elementos renacentistas con otros góticos y mudéjares. En México es de ejecución muy libre y se prolonga hasta fines de ese siglo.

todas a la misma altura, lo que aumenta aún la sensación de unidad; no hay girola sino un simplísimo testero[13] plano, ni capillas que rompan la idea del espacio unitario. Las naves se separan entre sí por colosales columnas dóricas, que eliminan la complicación del tradicional pilar compuesto.[14] La nave mayor forma crucero[15] con otra de igual anchura, y en la intersección de ambas se levanta una cúpula[16] sin tambor,[17] que por cierto no sólo es un elemento típicamente renacentista, sino la primera cúpula construida de este lado del Atlántico. Las bóvedas ofrecen una curiosa solución: se mantienen con nervaduras[18] (expediente de estabilidad necesario), pero lejos de cortar góticamente en ángulos agudos, las nervaduras ofrecen dibujos ortogonales y aparentan formar casetones[19] renacentistas; casetones también, no fingidos sino reales esta vez, exornan la cúpula que en esto remeda al Panteón romano. Solución de compromiso, pero muy consciente de parte del alarife Agüero, la de Mérida muestra sin duda que la idea renacentista manierista se impone sobre el expediente gótico, aunque no lo puede desechar totalmente. Resuelta con un rasgo de genio, es sin duda la catedral donde más presente se palpa el espíritu del nuevo estilo, en México, en América y en España.

Solución similar a la meridana es la catedral de Guadalajara, cuyo arquitecto más aparente es Martín Casillas. También ahí se levantan las tres naves a la misma altura (lo que acarrea igualmente el defecto de la poca iluminación a la parte central, acentuado aquí todavía más por la carencia de cúpula). Inspirado en

[13] *Testero*: el fondo de la nave mayor.
[14] *Pilar compuesto*: el que está formado por la unión de varios pilares o columnas. Normalmente es un pilar cuadrado al que se adosan columnas o pilastras en cada uno de sus lados.
[15] *Crucero*: lugar en que la nave longitudinal es interceptada por otra transversal, más corta. Se llama también crucero a la corta nave transversal.
[16] *Cúpula*: bóveda que afecta aproximadamente la forma de media esfera y cubre un espacio cuadrado, generalmente el crucero. En México la cúpula suele ser de base octagonal.
[17] *Tambor*: muro circular u octagonal que suele servir de base a la cúpula y presenta ventanas.
[18] *Nervaduras*: costillas o nervios, de piedra generalmente, que arman y sostienen una bóveda. Suelen cortarse diagonalmente. Son recurso constructivo propio del estilo gótico.
[19] *Casetones*: recuadros con molduras, rehundidos, que decoran una bóveda o el intradós de un arco. Son ornamento del Renacimiento, que éste tomó de la antigüedad romana.

la solución de Siloee para Granada, Casillas utiliza los pilares compuestos tradicionales para separar unas naves de otras, pero sirviéndose de elementos renacentistas; en consecuencia, sus columnas dóricas —adosadas a pilares cuadrados— tienen altísimas basas y muy anchos trozos de entablamento,[20] que les permiten conservar la proporción clásica, dar la altura requerida y ser suficientemente estables. La techumbre se resuelve por simples bóvedas góticas de nervaduras, que contradicen el sentido moderno de los pilares. Cogido en la misma situación de compromiso que Agüero en Mérida, el arquitecto de Guadalajara acudió a un expediente parecido pero menos hábil. El sentido acusadamente longitudinal de la planta, la carencia de crucero con cúpula y la poca imaginación en la solución de la cubierta de nervaduras hacen de Guadalajara una catedral que se inclina más hacia la tradición medieval que hacia la manierista (mientras que en Mérida es lo manierista lo que gana la partida). Al exterior se manifiesta con finas portadas de un manierismo avanzado, pero las actuales torres —que sustituyeron a las que se desplomaron en el siglo pasado— hacen todavía más confuso el carácter del edificio.

Sin duda las catedrales más importantes de Nueva España son las hermanas de México y Puebla. También ellas están cogidas en la encrucijada de usar un lenguaje formal manierista aplicado a las funciones tradicionales, pero logran soluciones tan talentosas y atinadas que se convierten con pleno derecho en la pauta de los edificios episcopales posteriores; más allá del ámbito mexicano, constituyen un expediente ejemplar en la historia de las grandes construcciones religiosas. Ha podido establecerse que los autores de las plantas fueron Claudio de Arciniega (el más importante arquitecto de la segunda mitad del siglo XVI mexicano) para México, y Francisco Becerra para Puebla, pero no se sabe en qué medida el alzado que finalmente se siguió se deba a ellos. En Puebla parece evidente que, fuera de la planta, no se trabajó sobre el proyecto de Becerra, si atendemos a las catedrales de Lima y el Cuzco, planeadas por él mismo, y que nada tienen que ver con el alzado poblano; en todo caso, parece que —habida cuenta de las diferencias menores— su obra se inspiró en la mexicana, aun-

---

[20] *Entablamento*: conjunto de elementos horizontales que apoyan sobre columnas o pilastras. Consta de arquitrave, friso y cornisa. Así como las columnas, su proporción y sus ornamentos están cuidadosamente codificados en los tratados de arquitectura clásica.

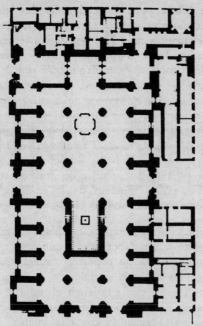

Planta de la catedral de Puebla

que el obispo Palafox pudo dedicarla casi veinte años antes que
ésta. En México trabajaron entre muchos otros el Martín Casillas
de Guadalajara, y Juan Miguel de Agüero de Mérida, y ya en
el siglo XVII Juan Gómez de Trasmonte, a quien se deben tal vez
las bóvedas de las naves, pero salvo esto último no sabemos qué
de lo construido se debe a cada quien.

Tómese el ejemplo de México, y hágase cuenta de que la estructura toda se debe a *Arciniega* (aunque esto no sea nada seguro). *Arciniega* plantea un edificio de cinco naves: mayor, dos
procesionales y dos de capillas, con crucero embebido en el rectángulo de la planta y con una capilla absidal (la capilla de los
reyes, invención suya) que recuerda, simplificándola, la girola gótica. La nave central es mayor en altura que las procesionales, y
éstas que las de capillas, lo que permite claristorios[21] escalonados

---

[21] *Claristorio*: muro con ventanas, que salva la diferencia de alturas
entre una nave y otra, y permite una iluminación abundante, de donde
su nombre.

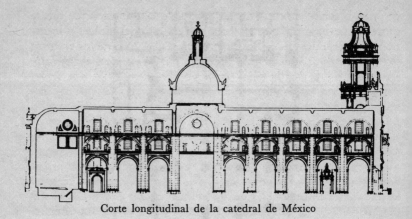

Corte longitudinal de la catedral de México

que propician una mejor iluminación. Para detener los empujes de naves tan altas se usan botareles[22] que los van transmitiendo hasta los muros divisorios de capilla a capilla, que resultan contrafuertes embebidos.[23] Hacia la fachada se señalan seis grandes estribos[24]: contrafuertes que contienen el empuje longitudinal de los arcos. Hasta aquí, un edificio que sigue prácticamente en todo la estructura gótica; México (y con ella Puebla) es en principio una catedral mucho más gotizante que Mérida o aun Guadalajara. Al tomar ese partido Arciniega cubre magníficamente las complejas necesidades funcionales, y ha resuelto los problemas de estabilidad e iluminación siguiendo un expediente probado infinitas veces. Pero él es —como el resto de los artistas cultos que trabajan entonces en México, como su huésped y amigo el pintor Simón Perines—, un apasionado de las formas del renacimiento manierista: de hecho, introdujo el manierismo en México con el Túmulo Imperial de las exequias de Carlos V. Así, consigue en toda aquella estructura un sentido renacentista; para ello da a su planta una sencillez y amplitud de proporciones que corresponden a las nuevas ideas espaciales y que en vano se buscarían en los edificios medievales; proyecta, muy renacentistamente, una gran cúpula en

[22] *Botarel*: arco que liga el arranque de una bóveda con el contrafuerte, cuando éste se encuentra separado. Es propio de la arquitectura gótica.

[23] *Contrafuerte embebido*: el que no es visible desde el exterior.

[24] *Estribo*: contrafuerte. Se suele llamar así al que está adosado a una fachada.

692

el vasto crucero; acorta a lo indispensable la diferencia de altura entre las naves; hace que los botareles no resulten visibles e incorpora los contrafuertes en la construcción. Con todos estos recursos logra un espacio mucho más unitario, que es el ideal manierista. Imagina cuatro campanarios (aunque finalmente sólo dos se levantarían) en las esquinas del ancho rectángulo en que se inscribe la iglesia, lo que afirmaría aún más la simetría, manifestando una cúpula casi central flanqueada por cuatro torres, a semejanza del proyecto de Bramante para San Pedro del Vaticano, que tal vez lo inspiró. Al interior utiliza también el pilar compuesto que le ofrecía la tradición medieval, pero con columnas de orden dórico; ni sigue la solución de Mérida (cuyas columnas colosales habrían sido imposibles en un edificio de las proporciones del de México) ni la de Guadalajara, sino que con mayor libertad alarga desmesuradamente el fuste de esas columnas y las adorna con profundas estrías, todo lo cual contrarresta la posible impresión de pesantez y agrega movimiento al alzado. Ciertamente Arciniega había pensado en cubiertas de nervaduras, a falta de alarife capaz de levantarlas "modernas", y así llegaron a hacerse las del ábside, sala capitular y sacristía y algunas capillas, aunque el trazo de sus lacerías[25] más sabe a renacimiento que a gótico; ya en el siglo XVII se cambió el plan (quizá por Juan Gómez de Trasmonte) para cubrir la nave mayor con bóveda de lunetos,[26] las procesionales con bóvedas vahídas[27] y las capillas de artista:[28] todas soluciones manieristas que terminan magníficamente y con mayor unidad el interior. Tenemos, pues, un espacio compartimentado (lo que todavía se subraya por la situación exenta del altar mayor y la colocación del coro en la nave central, y que la vestimenta barroca se encargaría de recalcar), pero a la vez simplificado y dignificado por el aliento manierista. A partir de los mismos presupuestos de compromiso de las catedrales anteriores, los arquitectos de la catedral de México (y otro tanto puede decirse de

[25] *Lacería*: decoración a base de líneas. Es muy frecuente en la ornamentación mudéjar. Se decía también lazo o lacería a las nervaduras góticas cuando formaban figuras complicadas.
[26] *Bóveda de lunetos*: la que es semicilíndrica (de cañón) y presenta entradas laterales (lunetos), que dejan lugar para abrir ventanas.
[27] *Bóveda vahída*: la que es un casquete esférico muy bajo o poco peraltado. Se llama también bóveda de pañuelo.
[28] *Capilla de arista*: la que resulta de la intersección de dos bóvedas de cañón y presenta dos aristas que se cortan transversalmente.

Puebla), lograron un equilibrio desde el punto de vista estructural y espacial que uno está tentado a llamar perfecto en esa circunstancia: como expresión de la comunidad citadina en todos sus órdenes, y de los ideales espirituales y artísticos del mundo criollo del siglo XVII.

La creación de un arte nuevo

A más de la importancia que las catedrales tuvieron como fenómeno social y como monumento capaz de expresar una situación histórica, en lo material y en lo espiritual, son particularmente importantes dentro de lo que podría llamarse la historia interna de los estilos artísticos y de las modalidades artísticas regionales. Dentro del fenómeno capital de la difusión de las formas en un ámbito al fin y al cabo bastante cerrado y entregado a sus propias posibilidades, como fue Nueva España hasta la aparición del neoclásico, aquellos monumentos ocupan un sitio clave. Mucho se ha discutido hasta qué punto puede hablarse de un barroco mexicano, cuyas categorías sean diferentes de las del barroco europeo y particularmente español. Se acude siempre a la influencia indígena —una especie de supervivencia agazapada a pesar de la conquista, la evangelización, la aculturización, la destrucción general de las tradiciones prehispánicas— para explicar (más bien para postular *a priori*) la existencia de un barroco nuestro. El hecho es que si en el mismo siglo XVI no es tan fácil mostrar palpablemente cuál es con precisión la influencia de las formas indias en el arte "tequitqui"[29] (el de las cruces de atrio, de los relieves de Calpan o Huejotzingo, de los frescos de los conventos, y demás), y quizá sea más correcto entender ese arte recio y que se siente tan lejano del occidental por un fenómeno de "malentendimiento" de las formas propuestas como modelo; si en el mismo siglo XVI, pues, resulta poco menos que imposible reconocer, ya atendiendo a las formas mismas, cuál es la influencia prehispánica, en el XVII esa tarea es de hecho imposible. Las tradiciones artísticas indígenas habían sido tronchadas y un siglo de colonia había creado de seguro una nueva tradición artística y artesanal

---

[29] *Tequitqui*: denominación propuesta por *Moreno Villa* para el arte en el que se cree distinguir la mano de obra indígena. La práctica ha hecho que sólo se utilice para calificar obras del siglo XVI.

aun en las comunidades más estrictamente indígenas. Esa tradición se fundaba en los modelos occidentales. Pero no es menos cierto que las obras de arte de ese siglo XVII novohispano, y del siguiente, son expresión propia y verdadera de una situación social e histórica que no era precisamente la de la España contemporánea, aunque tuviera muchas cosas en común con ella. Se ha visto cómo las catedrales manifiestan lo que son las comunidades que las crearon. Una catedral mexicana no podría verse sin extrañeza en un sitio que no fuera el que la sustenta, porque estaría obviamente fuera de lugar. Y lo que se dice de las catedrales se puede decir en general de la arquitectura, la escultura y la pintura.

Todo el arte posterior a la conquista se inspira, por principio, en los modelos europeos. No nos ocupemos por ahora del magnífico y complejo arte conventual, rural, del siglo XVI; atengámonos a ese otro estilo, el renacimiento manierista, que es acogido por el mundo oficial y la clase criolla culta desde los últimos decenios del XVI y que para el siglo siguiente desplazará definitivamente la experiencia artística evangelizadora. Como queda dicho, es un arte culto, libresco, que puede calificarse de "internacional". Establecido en Nueva España, ese nuevo estilo que se corresponde con el nuevo estado de cosas, tiende, como siempre lo hace un estilo, a cambiar: que el movimiento continuo es esencial al proceso artístico como lo es al proceso histórico. El manierismo, tal como era puesto en práctica por los artistas, los artesanos, los talleres, en el seno de los gremios novohispanos, corta de alguna manera sus ligas con Europa, en tanto que aquí se establecen esos centros citadinos suficientemente fuertes para tener una vida propia. La enseñanza se hace de maestro a discípulo, aun de padre a hijo, en el ambiente de oficiales y aprendices que cultivan un mismo repertorio de formas. Y es ahí, en ese caldo de cultivo relativamente autónomo, que responde a una clientela con un gusto formado y definido, en donde el manierismo por sí mismo empieza a modificarse —como no podía ser— y a ir de la preocupación por aplicar con cuidado las normas establecidas a la preocupación por encontrar nuevas salidas, nuevas soluciones.

Por otra parte, es característico de una situación como la de los criollos novohispanos, de inseguridad espiritual y de necesidad inminente de encontrar y definir su personalidad, el aferrarse a formas de vida (entre ellas las artísticas) ya definidas y aceptadas como propias. Justo la inseguridad existencial lleva a esos hom-

695

bres a cogerse de puntos de apoyo firmes: lo probado y sentido nuestro. Se ha dicho que una sociedad colonial es por razón natural conservadora, y la novohispana lo es en muchos sentidos. Así, pues, mientras por su propia fuerza interna el manierismo tiende a cambiar, en razón de esta otra fuerza conservadora hay una tendencia a mantener invariables ciertas formas, ciertos modos, ciertos procederes. Esto hace que el barroco novohispano, a pesar de sus extraordinarios desarrollos que se suceden en el siglo XVII y en el XVIII, mantenga invariables determinadas soluciones estructurales, determinados esquemas decorativos que se habían asentado desde el momento manierista. Todavía más, debatiéndose entre sus propias fuerzas contradictorias, una que pide cambio, otra que lo rechaza, el arte de Nueva España está sujeto también a una solicitación exterior: las novedades artísticas que se planteaban en la Europa de su tiempo y que pasaban a América. Europa no dejó nunca de ser el modelo teórico que se trata de igualar (y aun sobrepasar, por lo cual el concepto mismo de modelo queda en duda). El bombardeo de novedades es continuo, no pocas veces traídas por artistas que pasan ya formados de España a Nueva España. Pero las novedades encajan con dificultad, sin embargo. La importación de pinturas, por ejemplo, es muy reducida, y las nuevas formas penetran por la vía indirecta e incompleta de los grabados en lámina; la importación de escultura es muy reducida en el siglo XVII; los arquitectos que vienen tienen que servirse de una mano de obra local, con costumbres y usos inveterados, y a ella tienen que someterse; y los arquitectos, pintores o escultores por sobre todo, de condescender con un público de comanditarios que tiene un gusto formado y unas costumbres aceptadas, que intuitivamente entienden en forma tácita que el arte al que están acostumbrados los expresa de manera cabal. De ahí, pues, que las novedades formales europeas resientan en Nueva España un proceso de adaptación que de alguna manera las desfigura o las configura. Además, existe todavía un fenómeno que interfiere: lo que he llamado "malentendimiento de las formas". De hecho, toda forma propuesta en el ambiente local está fuera de su contexto y su funcionamiento no se entiende de modo completo, el medio novohispano se resiste a aceptarlas (y de ahí que aparezcan tan tarde), pero cuando las acepta es con un sentido diferente al que tenían en España. Así sucedió, por ejemplo, con el tenebrismo[30] de la pintura española, que llega aquí y en vez de producir, como podría esperarse, un cambio completo, se incorpora a las tradiciones manieristas locales, como una opción parcial que se acepta con límites; así sucedió también, en otro orden de cosas y con otro sentido, con la famosa pilastra estípite[31] tan característica de nuestro barroco a partir de 1730: vino de Europa, de Borromini, Churriguera, Hurtado y Balbás —que la trajo para los grandes altares de la catedral de México—, pero mientras allá fue un expediente limitado, generalmente usado en combinación con otras formas de apoyo, aquí se entendió como *la forma* de apoyo por excelencia, y ella determina, como elemento fundamental, toda una época muy bien definida de nuestro barroco.

Así, pues, en el arte que se va creando en la Nueva España de los siglos XVII y XVIII participan esas tres fuerzas contradictorias y a la vez formadoras: la actitud conservadora que tiende a no desprenderse de lo que considera propio, la propia inercia del movimiento que se crea en tal estilo autónomamente, y la solicitación exterior de innovaciones. El resultado corresponde absolutamente a la sociedad novohispana de la que es manifestación refinada: también ella tiene en su seno la fuerza conservadora característica, precisamente, de una sociedad colonial; obedece a un impulso de cambio propio de toda sociedad y que depende del proceso histórico de una Nueva España, que ciertamente presenta un cuadro de características específicas; y en fin, su movimiento no es de ninguna manera ajeno al movimiento histórico de la Europa contemporánea, que no deja de ser el modelo perenne. Dentro de este marco, la catedral resulta un elemento clave. Edificio monumental, que acoge en su seno una gama amplísima de obras de arte y que representa la suma de los mejores esfuerzos de una comunidad, goza de un prestigio inmenso, que ninguna otra obra tiene. Lógicamente, en el proceso de "distribución" en el territorio novohispano de las novedades artísticas y aun cons-

[30] *Tenebrismo*: modo de pintar, propio de la época barroca, en que se contrastan grandes zonas muy oscuras de los cuadros, con otras fuertemente iluminadas. Iniciado por Caravaggio en Roma, es muy frecuente en la pintura española del siglo XVII (Ribera, Ribalta, Zurbarán).

[31] *Estípite*: pilastra seccionada, que presenta como elemento distintivo una pirámide cuadrangular invertida. Aunque fue usada en época manierista, reaparece con más fuerza en época barroca. En México la pilastra estípite es característica del siglo XVIII.

tructivas, es piedra fundamental. A la catedral se va a leer, a aprender y a conocer lo mejor. Viera, en su *Breve relación de... la ciudad de México* (1777) nos habla de cómo los oficiales iban a dibujar las formas que Lorenzo Rodríguez había erigido en el sagrario de la catedral metropolitana, para aplicarlas después en sus obras; lo que Viera relata no se hacía indudablemente sólo en su tiempo, sino que venía haciéndose desde que la catedral estaba en proceso de construcción; y otro tanto pasaba con las demás iglesias episcopales. De tal modo que la iglesia mayor es, por su gran prestigio, el punto de donde irradia la distribución de las modalidades artísticas. Lo es la metropolitana por lo que toca al territorio todo de Nueva España, y lo son las otras sedes episcopales para las regiones cuyo centro son. La aceptación general de las formas manieristas depende sin duda del hecho de que fueron aplicadas en las catedrales, y el desarrollo y difusión posterior del estilo barroco tiene que ver con ello. Muy posiblemente la entrega tan entusiasta y general al barroco estípite del siglo XVIII en la Nueva España no habría sido un fenómeno de tan grandes proporciones de no haber sido en la catedral de México donde hiciera su aparición magnífica y triunfal, en los retablos del Perdón y de los Reyes y en el gran ciprés, por obra de Jerónimo de Balbás, y al exterior en el Sagrario por obra de Lorenzo Rodríguez. El hecho de que las catedrales mexicanas del siglo XVIII sigan básicamente el plan de planta rectangular, naves a diferente altura y crucero con cúpula, que establecía el precedente de México, no es ajeno a este fenómeno. Y muchos desarrollos locales pueden entenderse por la influencia de las obras insignes, sean precisamente catedralicias o no; la catedral de Guadalajara, como queda dicho, cubrió su alzado manierista con bóvedas de nervadura de ascendencia gótica, y por eso la región jaliscience continuó en otros edificios el uso de bóvedas similares, en época y en estilos ya muy lejanos del siglo XVI; en aquella región hasta el siglo XVIII y en época plenamente barroca encontramos nervaduras góticas (aunque a veces ya no funcionen constructivamente y sean sólo decorativas): el prestigio de la catedral seguía ejerciendo su influjo. Otro caso del mismo tipo es el de la influencia que las magníficas torres manieristas de la catedral de Puebla —quizá las más sabiamente resueltas que existan en su época, a ambos lados del océano— hicieron sentir en la región poblana, cuyos campanarios son muchas veces una "glosa" barroquizada de la lectura del modelo insigne; tal es el caso de San Francisco de Puebla.

Así, pues, el proceso de difusión radial de estilos, formas y soluciones particulares, aunado al hecho de que el barroco, por su misma razón de ser, es un estilo muy poco sujeto a normas, propició la aparición y el desarrollo de modalidades locales. La decoración interior de yeserías y exterior de azulejos distingue a una extensa región, con su centro en Puebla, y que alcanza a hacerse sentir aun en Oaxaca. Las formas abigarradas y menudas de la estupenda fachada de la parroquia (ahora catedral) de Zacatecas dan el tono a toda una zona, que llega hasta Aguascalientes. La iglesia de San Juan de los Lagos está presente en otras muchas de la región de los Altos jaliscienses. La recia arquitectura de Oaxaca toma su modelo en la iglesia todavía manierista de Santo Domingo y en la ya barroca de la Soledad. Hacia el siglo XVIII los finos edificios queretanos proporcionaron magníficos modelos —a veces superados— a toda la región del Bajío, mientras la Compañía de Guanajuato, más tarde, sería el ejemplo que determinaría el barroco estípite de esa región.

El gran arte monástico, sobre todo el del siglo XVI, muere con ese siglo. Con él mueren las soluciones arquitectónicas originales, nacidas de las necesidades mismas del proceso de evangelización, que dan un carácter tan peculiar a los conventos mexicanos. Muere también el mundo de formas constructivas y decorativas que le era propio: enmarcadas en el estilo plateresco, con más o menos resabios del tardío gótico español (gótico isabelino o de los Reyes Católicos), con formas de la tradición mudéjar, y con los elementos renacentistas tomados de Italia y más o menos alterados al ser incluidos en un contexto que no les correspondía en principio, hasta llegar a esa creación particular del plateresco que es la columna abalaustrada o candelabro. En los últimos treinta años de ese siglo XVI había hecho su entrada en Nueva España, auspiciado por los medios oficiales (virreyes, cabildos civiles y eclesiásticos) y acogido con entusiasmo por los nuevos criollos cultivados, el Renacimiento en su forma manierista. Es en las ciudades donde se recibe el nuevo estilo culto con ardor: en esas ciudades de tono criollo, que tomaban cada vez mayor preeminencia, y donde se estaba fraguando la idea de lo que sería la Nueva

Columnas clásicas con fuste liso en el Túmulo imperial de Carlos V,
de Claudio de Arciniega

España de los siglos siguientes. La presencia del nuevo estilo nos
habla de los grandes cambios que estaban sucediendo en el país,
donde una idea, un proyecto de vida de la Nueva España tocaba
a su fin (la Nueva España monástica y señorial) y se empezaba
a vislumbrar un nuevo proyecto de vida, el del "sueño de la
Nueva España". Pero nos habla también de que si el México rural, evangélico y señorial menguaba a ojos vistas, el otro, el México criollo citadino todavía no ganaba la partida: de ahí que
convivan, por unos buenos treinta años (los últimos del xvi), el
manierismo renacentista en las ciudades y en el mundo oficial, y
el arte monástico de corte plateresco del campo. Dos mundos de
hecho ajenos, por más que a veces puedan tocarse e influirse mutuamente.

Al final en el paso entre un siglo y otro, cuando el cambio de
situación es ya un hecho, el arte monástico de las formas pla-
terescas queda decapitado, cortado para siempre de toda solución
de continuidad. Triunfará, con el nuevo estado de cosas, ese manierismo renacentista que ya se había instalado desde antes en las
ciudades y en las obras oficiales.

La forma manierista del Renacimiento aplica en principio
las normas artísticas que habían establecido los grandes artistas
del alto Renacimiento, con las cuales habían creído llegar a la
perfecta creación artística. Por eso no es un arte improvisado, sino
uno de enterados y cultos, de artistas más que de artesanos, que

Columnas tritóstila y salomónica, según González Galván

han abrevado en los tratados que tanto proliferaron entonces. Pintores como Simón Perines o Baltazar de Echave Orio, arquitectos como Claudio de Arciniega, Martín Casillas o Juan Miguel de Agüero, escultores como Francisco Requena, que trabajan entre los últimos treinta años del siglo XVI y los primeros del XVII, son el modelo de ese tipo de artista, sabedor de sus cánones y seguro en la aplicación de ellos; de verdad se trata de artistas que bien podían haber producido sus obras en un país europeo: el manierismo, por razón de su carácter canónico, es un estilo "internacional" (como lo será, mucho más tarde, el neoclásico). El manierismo se afincó en una "nueva" Nueva España que había cortado con la monástica y señorial: será esa modalidad estilística la que irá transformándose, a pasos, más que a saltos, para llegar a ser el espléndido primer barroco, el salomónico, que florece en la segunda mitad del siglo XVII mexicano y alcanza hasta los treinta primeros años del siglo siguiente; el que después se convertirá en en el barroco estípite dieciochesco y aun en el último barroco, el "neóstilo". El mismo manierismo, al irse transformando, dará lugar a los estilos regionales, y aun a formas francamente populares pero que tienen su origen en aquel antecedente culto. Y lo que se dice de la arquitectura puede también predicarse de la pintura y la escultura, sus artes compañeras.

Por otra parte, si bien el manierismo va cambiando por el hecho mismo de ser el estilo entronizado cuando Nueva España adquiere un rostro que prácticamente será el mismo por dos siglos, y por el sentido conservador de una sociedad colonial, dejará establecidas ciertas soluciones, usos, costumbres, que se perpetuarán

701

en el país, a pesar de la voluntad de cambio. Marcará el gusto de los nuevos comanditarios —que seguirán siéndolo por mucho tiempo— de modo que éstos asegurarán una continuidad: el gusto de una clase no se modifica violentamente mientras la situación de esa clase no se altere en lo fundamental y mientras sus ideales básicos se mantengan. Así vemos que, entregado a los delirios de la riqueza decorativa, de la fastuosidad y de lo dramático, el barroco nuestro no abandona algunos principios heredados del manierismo, como son, en arquitectura, la planta de cruz latina, la cubierta de bóveda con lunetos, el gusto por la imprescindible cúpula en el crucero, la integración de las torres a las fachadas, la separación tajante entre las partes "activas" del edificio (aquellas que reciben toda la decoración) y partes "pasivas" (las que dejan ver la crudeza de la obra material); y desde luego la división manierista de fachadas y retablos en la retícula que forman las calles y los cuerpos. Es curioso ver, e importante hacer notar, cómo incluso cuando los artistas europeos pasan a Nueva España, se ven obligados —por más grávidos de novedades que vengan— a plegarse a esos esquemas hechos ya tan novohispanos, a aceptar un gusto establecido y orgulloso. Y también importa señalar cómo esas novedades venidas de Europa, ya traídas por los propios artistas que cruzaban el Atlántico, ya conocidas por grabados, cuando —después de muchas resistencias— eran asumidas en el medio mexicano, lo eran de una manera curiosa: incorporadas a las tradiciones dadas del arte novohispano y las propias novedades que éstas generaban, y sacadas de su contexto y obligadas a encajar en otro, "malentendidas" por quienes las aplicaban, funcionan aquí de manera diversa a como lo hacen en las obras europeas cuyo modelo fue teóricamente seguido.

La arquitectura

En el manierismo hay dos momentos reconocibles: uno que podría llamarse primer manierismo, que es el preocupado por aplicar estrictamente las reglas de los tratados, en lo que Manuel Toussaint calificó de "Renacimiento purista"; en él se incluyen obras como la basílica de Tecali o la catedral de Mérida, en arquitectura; las obras del Maestro de Santa Cecilia o de Simón Perines, en pintura; la escultura de Requena para el retablo de Huejotzingo,

  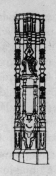

Columna neóstila   Pilastra estípite   Interestípite

o el Cristo de los Conquistadores. Pero el mismo deseo de aplicar
las reglas de un arte que aquellos hombres creen que ha alcanzado
la perfección, hace entrar al propio concepto de perfección en
crisis; se busca lógicamente una salida y ésta no puede ser sino
la alteración de las normas, si bien una alteración más bien tímida
todavía, esporádica y resultante de expedientes individuales, y no
la alteración sistemática y necesaria del barroco: es lo que podría
llamarse "manierismo avanzado", y que se encuentra, por ejemplo,
en las portadas norte de la catedral de México (que han sido
calificadas de herrerianas:[32] pero el herreriano no es sino una
manera del manierismo) que buscan deliberadamente un claroscuro muy destacado; o en la portada de la catedral de Guadalajara,
que juega muy intencionalmente con el desequilibrio de los cuerpos arquitectónicos; o en la pintura de Baltazar de Echave Orio,
"el Viejo", que busca composiciones muy dinámicas, emplea espacios muy amplios y se sirve del contraste expresivo de luces y
sombras; o en las soberbias esculturas del retablo de Xochimilco,
que se dan libremente al gesto vívido y grandilocuente o se concentran en una intensidad expresiva casi metafísica, (como sucede
con la Concepción, que ocupa la parte central del retablo, obra
maestra si las hay). El paso siguiente es ya francamente barroco,
y como tal procura la violación de la norma como su misma razón de ser. El barroco, ya dramático, ya fastuoso, trata de conmover al espectador, porque tal conmoción de los sentidos produce

[32] *Herreriano*: el estilo arquitectónico geométrico y carente de decoración, que Juan de Herrera aplicó por primera vez en el Escorial. Es una
forma de manierismo.

703

efectos espirituales de elevación. Crea el desconcierto para provocar el pasmo y la admiración. Es teatral por excelencia y, como el teatro, "engaña" al sujeto que lo contempla, que a su vez acepta el juego de sentirse engañado como fuente de goce y camino a más altos fines. Se sabe necesario e inútil a la vez: "vano artificio del cuidado" lo llamaría sor *Juana;* y ciertamente perecedero ("es cadáver, es polvo, es sombra, es nada...", diría también la monja), pero esa convicción no lo detiene en su afán entusiasta y desaforado.

Por ese camino, el barroco arquitectónico se dio a la tarea paciente e imaginativa de destruir sistemáticamente los principios clásicos del manierismo. Fue cada vez agregando decoración y elementos contrastantes, pero, principalmente, se dedicó a destruir el elemento central de la arquitectura clásica: el apoyo, sea éste columna o pilar. Así, empezó, en una época incipiente que hay que situar un poco antes y alrededor de 1640, a mover las estrías de las correctas columnas, en forma de zig-zag o con leves ondulaciones, y con eso consiguió imbuir en los rígidos fustes un ligero movimiento a base del todavía medido manejo de luz y sombra. Después utilizó estrías zigzagueantes pero horizontales en el primer tercio de las columnas, anulando así su sentido primigenio de verticalidad sustentante. Más tarde o a la vez se cubre todo el fuste con un relieve geométrico o de follaje. El ataque a la columna continúa, marcando el proceso del barroco. El primer tercio de ella aparece después recubierto de follaje, y finalmente se implanta la columna llamada *salomónica,* que alcanzó una inmensa boga y caracteriza el primer esplendor del barroco mexicano. Se trata de una columna cuyo fuste se tuerce en espiral; Bernini, el arquitecto romano, la usó —el primero después del Renacimiento— en el baldaquino de San Pedro de Roma, y otros arquitectos italianos la usan también esporádicamente; fray Francisco Rizzi escribió en España un tratado en que proponía todo un "orden salomónico"; en México se empieza, tímidamente, por decorar el fuste de las columnas con una guirnalda en espiral, como en Santa Teresa la Antigua de México; después será todo el fuste de la columna el que se torcerá, siempre adornado de pámpanos o de guirnaldas, como en las portadas de la catedral metropolitana o en los retablos de sus capillas (San Pedro, Los Ángeles); el fenómeno se haría general, y la columna en tirabuzón, tan negadora de la esencia original de ese elemento arquitectónico, proliferaría en fachadas y retablos: para fines del siglo XVII y principios del XVIII su uso será general en Nueva España. Tratando de ir todavía más lejos en el ataque a la columna se buscarán expedientes inusitados: su fuste se divide en tercios y se utilizan soluciones diferentes para cada uno de ellos (como en el Tercer Orden de Tlaxcala), se vacía el centro del fuste y quedan sólo, de la columna, las guirnaldas que envuelven a un núcleo ya inexistente (como en el retablo de San José de Amecameca), se recubre de angelillos el fuste torcido (como en Tonanzintla y Libres), o de toda la columna no queda sino un chorro de riquísima hojarasca, como sucede en la soberbia portada de la catedral de Zacatecas. La columna originaria no es sino un recuerdo lejanísimo; en su lugar está el elemento salomónico que a base de transformarla la ha negado. De la regla clásica, el barroco, transformándola, no ha dejado sino un esqueleto incognoscible: de hecho ha creado una nueva regla, que es la negación misma de lo que el Renacimiento había creído que era la perfección.

Si el uso de la columna salomónica es el más general, otras soluciones se emplearon, que llevan el mismo fin de atacar la integridad del apoyo. En la región poblana la decoración interior de yeserías abate las pilastras contra el muro y las cubre de hojarasca, con lo que éstas pierden su verticalidad y simplicidad original y se desdibujan entre la fastuosidad de tanta riqueza formal. Ahí mismo, al exterior y ya hacia el siglo XVIII, se recubren columnas y pilastras con el azulejo que tanto color y movimiento presta a las construcciones de la región; los resultados son similares: el apoyo pierde su aspecto rígido y se integra, anulándose, a toda la superficie decorativa. En otras regiones, como en Morelia, se utiliza la pilastra cajeada o tablereada, que interrumpe también la verticalidad de ese elemento y lo introduce en un juego muy barroco de luces y sombras. En los apoyos —elemento principalísimo de toda arquitectura— puede verse más que en otros casos el desarrollo del barroco y su negación sistemática de las reglas clásicas. Pero no sólo ahí se manifiesta el barroco arquitectónico. Los frontones se rompen y se enroscan, los arquitraves se resaltan y rehunden, en busca de efectos de claroscuro; las fachadas y los retablos adelantan o retroceden algunas de sus calles, desplegándose en forma de biombos, como en el retablo mayor de Santo Domingo de Puebla o en la soberbia fachada de la Soledad de Oaxaca (1690); se busca la colocación teatral de las

705

imágenes, el falso equilibrio de las estructuras, y sobre todo, la decoración de tarjas[33] y elementos vegetales, animales o humanos (o divinos), desarrollada a partir de los parcos modelos manieristas, y cobra una especie de vida propia que cada vez se manifiesta más rica, más espectacular; cada vez cubre más partes del retablo o de la fachada y acaba por invadirlo todo. La catedral de Zacatecas o la de Aguascalientes o los retablos de Meztitlán, Tlalmanalco, Ozumba o Libres, son grandes paños que vibran, por efecto de ese menudo follaje, al menor golpe de luz.

El proceso de ataque a los apoyos clásicos, que tan bien marca el andar de ese estilo que de la manera más propia expresó el orgullo de la Nueva España, recibe un nuevo empuje en el siglo XVIII, con el barroco estípite. No será ahora la columna, sino la pilastra la que se alterará brutalmente para conseguir el efecto de novedad, riqueza y levitación tan caro al barroco. Estípite se llamó y se llama a una pilastra que consta fundamentalmente de una pirámide cuadrangular invertida (lo que le presta de por sí un sentido atelúrico de elevación y de sorpresivo falso equilibrio), a la que en la forma mexicana se agregan cubos, cuerpos bulbosos, trozos verticales, separados todos entre sí por angostamientos, hasta llegar al capitel, generalmente corintio. Elemento de ascendencia muy antigua, fue usado de modo esporádico por el manierismo y después por el barroco italiano (Borromini en el palacio de Propaganda Fide de Roma, 1667); también en España lo usa así José Benito Churriguera desde muy a fines del siglo XVII, en Madrid y Salamanca —de ahí el nombre de "churrigueresco", dado también a esta modalidad del barroco—, mientras Hurtado lo emplea en Sevilla. En México lo estiliza Jerónimo de Balbás, primero en los grandes altares de la catedral metropolitana (el del Perdón, el ciprés y el de Los Reyes) iniciados en 1717 y terminados hacia 1735, mientras Felipe Ureña los emplea en la iglesia carmelita de Toluca. Lorenzo Rodríguez los lleva al exterior en las magníficas fachadas del Sagrario Metropolitano (1749-1762). Lo importante es que en Nueva España, en razón de los fenómenos a que ya me he referido, a saber, la resistencia primera de la sociedad colonial por aceptar unas formas, pero su pasión en ejecutarlas una vez aceptadas, el malentendimiento de los modelos, y la difusión a partir de obras insignes, en razón de esos fenómenos el estípite

[33] *Tarjas*: marcos ornamentados.

adquiere un carácter de necesidad que no tuvo nunca ni en Italia ni en España (ni aun en la misma Andalucía): se convierte en *el* elemento necesario de toda obra barroca durante más de tres décadas. El auge del estípite coincide, por otra parte, con una situación bonancible de Nueva España hacia el segundo tercio del siglo xviii: crecimiento de la población, apertura de nuevas minas y descubrimiento de muchas de las más célebres vetas de mineral rico, nutrida producción agrícola de las haciendas proveedoras —que se liga estrechamente con el fenómeno anterior—, proliferación de obrajes de textiles, vidrio, loza, beneficio de cueros y demás; seguridad relativa de las comunidades indígenas y multiplicación de ranchos (remedo modesto de la hacienda). Así se explica que, floreciente entre 1740 y 1775, el barroco estípite pudo cubrir prácticamente la totalidad del territorio novohispano y dejó muchas de las obras más insignes que aquellos siglos produjeron. Irradió desde México hasta las zonas más rehacias a aceptarlo, como Oaxaca o Yucatán, Michoacán o Veracruz, y avanzó hasta las misiones del norte —si bien con realizaciones modestas—, en los actuales estados ya no mexicanos de Texas, Nuevo México o California. La expresión normal del mexicano de mediados del siglo xviii fue el barroco estípite: ahí plasmó su orgullo, su necesidad connatural de afirmación propia, su religiosidad mística y sensual a la vez; para las órdenes religiosas, la muestra de su poder, para los ricos ennoblecidos su ansia de reconocimiento social, para las comunidades su orgullo local, para los caciques la manifestación de su preeminencia, para los gremios en crisis el deseo de seguir mostrándose fuertes y unidos.

Si es el estípite el elemento clave, que hace reconocible una modalidad barroca y aun le presta su nombre, no es la única novedad de ese barroco dieciochesco. El estípite viene acompañado de otras formas nuevas: el gusto por la línea mixta, la presencia de claraboyas, las guardamalletas (o sea, el remedo en madera o piedra de colgaduras de tela), roleos gruesos o potentes, un follaje a base de talla angulosa, en lugar de las formas bulbosas y redondeadas de la modalidad salomónica. El barroco estípite, como siempre todo barroco, produjo modalidades regionales; puede hablarse de una escuela poblana, otra del Bajío, otra potosina. Manifestándose a veces en obras tan delirantes en su decoración como el Sagrario Metropolitano, la iglesia jesuita de San Francisco Javier de Tepozotlán, San Francisco de San Miguel el Grande, el santuario de Ocotlán, Guadalupe de Aguascalientes, y tantas y tantas otras, el barroco estípite, a pesar de sus grandes desarrollos mantiene de la tradición mexicana inaugurada en el manierismo ciertos esquemas: sólo muy al final empieza a abandonar la retícula de cuerpos y calles que llevaba una vigencia de siglo y medio, no altera sustancialmente la vieja planta manierista de la cruz latina, en las edificaciones, retiene la antigua división de zonas pasivas y zonas activas, conserva la preeminencia de las torres integradas a la fachada, en juego contrapuntístico con la cúpula azulejada del crucero. Es decir, como buena modalidad mexicana, se atiene a una tradición dada; como la propia sociedad que lo produce y lo consume, muestra un rostro diferente, pero sigue siendo esencialmente la misma.

El barroco estípite representa, de hecho, el máximo desarrollo posible en un sentido. Después de esa pilastra etérea y contradictoria, no había ya más que hacer en la vía del ataque al apoyo clásico. O mejor: sí había algo más; lo único posible era eliminar definitivamente el apoyo. Y esto fue lo que se hizo. Entre dos estípites, ahí donde según las normas clásicas debía estar un nicho que albergara una imagen, había surgido, ya con Lorenzo Rodríguez en el Sagrario, un elemento nuevo: el "interestípite", con la función de avivar una zona tradicionalmente pasiva: la novedad que ofrece es que, albergando una imagen (que por lo regular se colocaba en el intercolumnio), sin embargo el interestípite presenta formas decorativas extraordinariamente vivas, y se prolonga hacia abajo con una especie de basa, y hacia arriba, hasta el entablamiento, con una especie de capitel. Ese elemento, en la fase final del barroco estípite (que hay que colocar hacia 1765-1775) estaba llamado a un gran cambio: crece y se desarrolla a tal punto, que invade al propio estípite y lo suplanta. La pilastra de la pirámide invertida desaparece, y con ella desaparece en la práctica todo rastro de lo que había sido el apoyo, columna o pilastra, en la arquitectura. El interestípite así crecido —que se suele llamar "pilastra-nicho"— es lo único que conserva un trasunto de recuerdo de los elementos verticales, pero de hecho los retablos y las fachadas han perdido su sentido arquitectónico y permanecen como inmensos muebles hechos para lucir una fastuosa decoración. Así sucede, por ejemplo, con los retablos de La Enseñanza de México, de la capilla del Rosario de Azcapotzalco, la monumental fachada de Lagos de Moreno, la de San Diego de Guanajuato o la del Señor del Encino de Aguascalientes. Se ha llamado a esa etapa postrera del barroco estípite con el nombre, que indudablemente le conviene, de barroco *disolvente*. Todavía el barroco de México tendría y aprovecharía brillantemente una última opción, más allá de ese momento en que, disuelto para siempre el apoyo en un sinnúmero de formas decorativas que literalmente se lo tragaron, parecía que no quedaba más camino por delante sino la repetición o la muerte. Coincidiendo en tiempo con los últimos momentos de un proceso en que el barroco parece que ha ido tan lejos que se devora a sí mismo, surgen unos hombres clarividentes que entienden el problema planteado como prácticamente irresoluble, y advierten que no hay más salida que volver de alguna manera al apoyo clásico. Por eso tal opción postrera del barroco se ha confundido —absurdamente— con los inicios del neoclásico. Pero hombres como Francisco Guerrero y Torres o Felipe Cleere vuelven al uso de columnas y pilastras si bien con un sentido eminentemente barroco y sin desatender ni desaprovechar todos los progresos que tal estilo había hecho en México. Se trata de la restauración de la columna después de la tiranía del estípite, de la época nueva de la columna o la época de la columna nueva: del *neóstilo*. Entre 1770 y 1790, empalmando por una parte con los últimos estertores del barroco disolvente y por otra con los inicios verdaderos del neoclásico, el país se cubre de edificios neóstilos. Obras tan insignes y alabadas como la capilla del Pocito de la Villa de Guadalupe (de Guerrero y Torres), la fachada de la Enseñanza de México, el camarín de San Diego de Aguascalientes o la fachada de Guadalupe de San Luis Potosí (de Cleere) pertenecen a esta última modalidad de nuestro barroco. En todas ellas se abandona el estípite y se vuelve a la columna y la pilastra, aunque no siempre con sentido clásico (a veces es la columna salomónica o decorada en su fuste), pero en todas ellas se utilizan los recursos de un estilo que se había forjado durante más de ciento cincuenta años, a saber: línea mixta, guardamalletas, follaje anguloso, claraboyas, el uso de azulejo para agregar una nota colorida, e incluso la animación de los intercolumnios por el seudo interestípide. En otros sentidos el neóstilo va más lejos que todas las anteriores experiencias barrocas mexicanas: por primera vez se decide a romper la tradicional retícula —impuesta desde comienzos del siglo XVII, en época manierista— que divide ordenadamente retablos y fachadas en cuerpos y calles; por primera vez busca

709

nuevas soluciones a las plantas y los alzados, abandonando la eterna cruz latina que también desde el manierismo era obligada en Nueva España. El Pocito, La Enseñanza o el camarín de San Diego de Aguascalientes son muestra de esa preocupación novedosa y presentan plantas con soluciones muy espectaculares, muy barrocas ciertamente, pero que no tenían antecedentes entre nosotros.

La última opción del barroco, el neóstilo, responde como estilo sin duda a la situación de la Nueva España que lo sustenta. El gran "sueño de la Nueva España" se vive todavía en esa época: se vivirá *hasta* esa época. Entregados todavía a ese optimismo delirante que había sido el apoyo ontológico del país criollo a partir del siglo XVII, confiados en la naturaleza excelente de la tierra y en la bondad de sus hijos, ciertos, por el espaldarazo guadalupano (no por casualidad el Pocito y Guadalupe de San Luis son neóstilos), de que éste era el ombligo del mundo, algunos espíritus alerta advertían una necesidad de reformas: el reformismo jesuita —que se ha mal identificado con la Ilustración—, o el de Bartolache. Y la necesidad de modificar rumbos también se hace sentir en los estilos. Por otra parte es todavía una Nueva España bonancible y con población en aumento constante, y por eso se explica la vigencia que el neóstilo alcanzó: incluso algunas poblaciones, como Jalapa, tienen su época de oro por esos años, y en consecuencia se construyen en la modalidad neóstila. Después, sólo después, con el convencimiento de que el sueño novohispano había sido una mentira, vendría la desconfianza y el pesimismo sobre lo que había sido y era el país: su expresión sería la Ilustración mexicana, el estilo que la representa, el neoclásico. La única salida considerada posible era un cambio radical —no una reforma— capaz de invertir todos los términos y ponernos "a la altura de los tiempos": la Independencia. El neóstilo, la última carta del barroco mexicano, es, pues, también la última carta del proyecto novohispano de vida.

La pintura

Con el maestro de Santa Cecilia y Simón Perines, primero, y luego con Baltazar de Echave Orio, y seguramente con otros pintores que trabajaron a fines del XVI, cuyos nombres conservamos (Andrés de la Concha, Francisco Franco, Francisco Zumaya), pero

710

cuya obra está mal identificada y mal conocida, se implanta en Nueva España una tradición pictórica manierista de muy alta calidad, que rompe y abandona definitivamente la espléndida tradición de frescos de los conventos. Sólo en casos esporádicos ambos fenómenos se tocan: frescos manieristas "cultos" en Tetela del Volcán, frescos ejecutados según un programa alegórico-mitológico muy sabio, muy de cultura manierista, en la casa del deán *De* la Plaza en Puebla (que se conservan) y en la iglesia de los Remedios (de los que no tenemos sino acuciosas descripciones). La obra de estos maestros es de primer orden y podría fácilmente encontrarse en la Italia o en la Flandes de esa época. Los varios cuadros del flamenco Martín de Vos que pasaron entonces a Nueva España y tan estudiados fueron por los pintores locales no desentonan de un estilo que se practicaba aquí lo mismo que en Europa. Pero esos maestros, asentados en la tierra cuando los cambios de Nueva España (el desarrollo de la ciudad y la aparición de una clase criolla con pretensiones de alta cultura) abrían un amplio mercado a su producción, formaron talleres, grupos de discípulos que sembraron una nueva planta. Se rompe así el cordón umbilical de la dependencia europea. De esos hogares —el taller es un hogar, aun en el sentido familiar: los aprendices y oficiales hacen vida familiar con el maestro, cortejan a sus hijas, cuando pasa lo que tiene que pasar se casan con ellas y así se forman las dinastías de pintores, los Echave, los Juárez—, de esos hogares surgen las bases de una tradición que, modificándose, constituiría el tronco de la pintura mexicana. El manierismo fijó ciertos modos, ciertas costumbres en el pintar, que no se abandonaban fácilmente y que —como en el resto de las artes novohispanas— dejaron un sustrato reconocible en todo lo que después fue la pintura colonial. Más todavía, formó un gusto definido en su clientela. Cortada del tronco europeo, obedeció a sus propias necesidades de cambio; cierto, Europa era el punto de referencia y el modelo teórico, pero el conocimiento de los cambios de estilo llegaba parcialmente, a través de la obra grabada de los artistas trasatlánticos y era por fuerza (aunque no fuera más que en el color) modificado en la práctica. Gran parte de la pintura colonial mexicana surge de los grabados en metal, de los que hubo gran comercio y colecciones de los cuales estaban en todos los talleres, pero eso no resta su personalidad ni su individualidad a la pintura mexicana que los usaba como repertorio utilizable. Hubo, aunque

711

más bien en forma limitada, importación de obras y venida de artistas ya formados, y tal hecho, aunque modificó el curso de la pintura novohispana, debió de quedar inscrito dentro de su decurso propio, por el fenómeno del malentendimiento de los modelos y porque no era posible modificar de la noche a la mañana el gusto ya encauzado de los comanditarios.

Una generación todavía manierista que trabaja en México en los primeros treinta años del siglo XVII afirma por una parte los modos de los primeros maestros y por otra inicia desarrollos propios; es verdaderamente la generación crucial, que determinaría el proceso subsiguiente; en ella están el pródigo Luis Juárez, que sigue al viejo Echave pero deriva a éxtasis sentimentales, a arrobadoras entradas de gloria con muchedumbre de ángeles evanescentes (*San Ildefonso, Santa Catalina, Ascensión de Querétaro*); Baltazar de Echave Ibía, el joven o el segundo, que fluctúa entre un rancio hieratismo y el gusto por los paisajes amables tras sus medias figuras; Alonso López de Herrera, el divino Herrera, pintor vigoroso si los hay (*San Ildefonso* de Santo Domingo, la *Asunción*) pero capaz también de refinamientos sentimentales en sus *Divinos Rostros*. La generación siguiente, que trabaja hacia mediados del XVII, recibe ya el fuerte influjo de la escuela española, especialmente de Zurbarán. Sebastián Arteaga pinta estupendos cuadros tenebristas a la altura de lo mejor de la pintura zurbaraniana (la *Incredulidad de Santo Tomás*), y otro tanto hace Pedro Ramírez (*Lágrimas de San Pedro*). José Juárez, pintor de primerísima fila, Sánchez Salmerón y el ecléctico Echave Rioja (el más joven o el tercero) asumen el tenebrismo (la *Adoración* de Juárez, el *Entierro* de Echave), pero incorporándolo a su viejo bagaje como un recurso más: en veces se muestran mucho más cercanos a la línea manierista (los *Santos Justo y Pastor,* de Juárez) o revelan en sus composiciones una influencia de Rubens más patente que en España (la *Fe* de Echave en la catedral de Puebla). Los mismos Arteaga y Ramírez terminan asimilándose al contexto novohispano en obras posteriores. Después, otros pintores, como Rodríguez Carnero, atienden a una u otra manera según las necesidades del sitio al que dedican sus obras.

En los últimos veinte años del siglo XVII tiene lugar lo que se ha considerado la más personal época de la pintura novohispana. y sus cabezas indudables son Cristóbal de Villalpando y Juan Correa. Pintura muchas veces fastuosa, de composiciones complejas pero básicamente estáticas, de tonalidades cálidas, que se sirve del claroscuro con medida y que no exagera los efectos dramáticos, es la que más se corresponde con el esplendor del barroco salomónico. Ambos pintores y sus seguidores emprendieron tareas de mucho aliento, como los grandes murales de la sacristía de la catedral de México, la cúpula del altar de los reyes de Puebla, la *Historia de San Ignacio* de Tepozotlán. Su fama fue grande y sus talleres produjeron suficiente para mandar obra, no sólo al ámbito novohispano, sino a la capitanía de Guatemala y aun al virreinato del Perú. A ellos les sigue, en las primeras décadas del siglo XVIII, la generación de los Rodríguez Juárez, Juan y Nicolás, que recogen esa tradición pero han perdido algo del carácter fuerte y de la solidez de sus maestros, como en la *Asunción* y la *Adoración,* de Juan, en el retablo de los reyes de México; sin embargo a veces brillan a gran altura *(San Ignacio* en la catedral de Puebla o *Santa Isabel* de Azcapotzalco, de Juan, v. gr.).

Las solemnes, severas y majestuosas esculturas de Requena para el retablo de Huejotzingo; o las del de Xochimilco, más destinadas a conmover, más preocupadas de la expresión que del decoro: y las muchas otras, restos de retablos destruidos, que se conservan, de autor no identificado (entre ellas la Santa Ana con la Virgen de Santa Mónica de Puebla), sentaron las bases del manierismo en la escultura, y en consecuencia determinaron —mucho más que la anterior escultura "tequitqui"— el decurso de ese arte en México. La España de Felipe II, muertos Berruguete y Rojas, no tenía en la península escultores que con facilidad igualaran la calidad de éstos. Contemporáneamente se asienta la tradición de los Cristos de caña (prohibida en ocasiones, viva siempre), que es el caso más extremo en que se aúnan la sabiduría culta del artífice con una técnica prehispánica adaptada a las nuevas necesidades. La tradición atribuía ya en el siglo XVII a Matías de la Cerda esta simbiosis. Cristos como el de los Conquistadores o el de Chalma son obras manieristas de primer orden, ejecutadas en esa técnica peculiar. A lo largo del siglo XVII la escultura, enriquecida con los recursos dramáticos o fastuosos que le proporcionaba el barroco, no abandonó el sentido de dignidad que le venía de esa tradición ya hecha propia; incluso conservó de ella el gusto del

713

estofado,[34] que en España decae en el siglo xvii y que en México, al contrario, se conserva viva hasta fines del siglo xviii.

Cuando el barroco arquitectónico requirió casi sin excepción de relieves que ocuparan la parte central de sus fachadas, la escultura recurrió a un curioso expediente: el de trasladar a esa técnica peculiar que es el relieve (que participa de los problemas escultóricos de tres dimensiones y de los pictóricos de dos) los grabados mismos que servían de inspiración a los pintores. Así proliferaron las obras y a veces alcanzaron grandes alturas, como en el relieve de San Agustín de México, en los de la Encarnación de la misma ciudad, los de la catedral metropolitana —de inspiración rubeniana—, o el de la Soledad de Oaxaca. Entrado el siglo xviii, el gusto del relieve en la fachada tiende a disminuir, al ser desplazado por la claraboya mixtilínea, y en verdad eso se traduce en un relativo abandono de la buena escuela. Cuando las fachadas del avanzado xviii utilizan relieves, aun si son arquitectónicamente tan de primer orden como Santa Prisca de Taxco o San Felipe Neri de México, aquél tiene sólo validez en el conjunto, y muy poca en sí mismo: parece que por norma fueron obra de canteros y no propiamente de escultores.

El influjo de Martínez Montañés y de Gregorio Fernández —los dos nombres más distinguidos de la imaginería española del siglo xvii— no son determinantes en México. Nuestros entalladores, regidos por las viejas ordenanzas del siglo xvi y acordes con el gusto local formado, siguen a menudo los propios desarrollos del manierismo doméstico, y que se llevan por dos vías principales. Conservando en general el "decoro", la prestancia y la elegancia renacentista tardía, buscan un efecto de fastuosidad deslumbrante; es lo que puede verse, por ejemplo, en los arcángeles de la capilla de San Miguel de la catedral mexicana, que desarrollan el San Miguel de Xochimilco. O bien se preocupan por acentuar el efecto expresivo por la vía dramática, como en el San Juan de Dios del museo de Tepozotlán o en esa obra extraordinaria que es el San Francisco del Tercer Orden de Tlaxcala. También el dramatismo violento, tan característico de los Cristos, lejano ya del decoro de los manieristas, y que se acentúa hacia el siglo xviii, con posturas retorcidas, exhibición de costillas, colgajos de carne, llagas amoratadas: expresión muchas veces del pasmo popular ante el

---

[34] *Estofado*: tratamiento dado a los ropajes de las imágenes de madera, que combina dorado de hoja con colores.

Crucificado, ante quien inconscientemente repetía —y repite-- el equivalente del poema del agustino michoacano Guevara, "... muéveme el verte / clavado en una cruz y escarnecido, / muéveme el ver tu cuerpo tan herido".

Parroquias, santuarios y conventos de monjas

La gran obra artística —arquitectónica, pictórica, escultórica— del siglo XVI mexicano habían sido los soberbios conventos. En el siglo XVII (aunque en realidad el proceso se inicie un poco antes) las grandes obras serán citadinas: la catedral, primero, y después las parroquias, los conventos de monjas. En el medio rural también cambia el panorama; en el siglo XVII no se construye *ex novo* ningún convento rural de órdenes regulares, pocos son los que se rehacen, aquellos que por una u otra razón se conservaron con funciones curales; pero lo normal es encontrar la nueva parroquia, menos grandiosa pero airosa y rica, frente al viejo monasterio; muchas veces la parroquia en funciones y el monasterio en ruinas, abandonado desde aquel siglo. Un recorrido por la región de Puebla y Tlaxcala, v. gr., es muy ilustrativo en este sentido: en Tepeyanco, en Acatzingo, la parroquia viva y el convento en ruinas; en Cholula, en San Martín Texmelucan, en Tepeaca, el convento vegeta frente a la pujante parroquia. Esto es la expresión material de un estado de cosas a que nos hemos ya referido: la lucha terrible que se lleva entre los obispos, abanderados del regalismo y del tridentinismo y las órdenes de regulares por el control religioso de Nueva España. En la lucha intervinieron, como invitados tardíos, los jesuitas que nada habían tenido que ver con el asunto de la evangelización, pero que eran amantes apasionados de las exenciones y en la gran obra educativa y social que emprendieron deseaban tener las manos libres. Fueron ellos los que sacaron la cara en el grave conflicto que puede tenerse como la culminación de las dificultades entre prelados y frailes: el que los enfrentó al obispo de Puebla, don Juan de Palafox y Mendoza, en 1649.

Palafox, obispo ilustre si los hubo, no sólo por sus letras sino por su actividad administrativa y su papel como promotor y animador de obras, que lo llevó a fundar y levantar hospitales, escuelas y bibliotecas, estaba dispuesto a imponer su fuerza sobre las órdenes. A él se debe el haber arrancado la función de curas de almas a las órdenes en su obispado. Quiso, igualmente, que la predicación no se hiciera sino bajo su estricta licencia, y esto fue la gota de agua que derramó el vaso. Los jesuitas y sus aliados levantaron contra él acusaciones, injurias y excomuniones, que Palafox contestó con igual rudeza; alzaron en su contra a los estudiantes en manifestación pública, y al final el obispo tuvo que huir disfrazado y esconderse en el campo para salvar el pellejo. La sibilina decisión real daba la razón a Palafox, pero lo retiraba del obispado y lo castigaba en una mínima catedral de la Península. El obispo apenas tuvo tiempo de ver consagrada su catedral (que encontró casi en cimientos y que en nueve años construyó) en donde dejó preparada su modesta tumba vacía. Pero a pesar de que en el pleito de Puebla el obispo llevara la peor parte, la suerte estaba echada. La misma rudeza de ese incidente puede entenderse como la patada de un ahogado. La preeminencia de la estructura episcopal sobre las órdenes fue ya un hecho, si bien no impidió, de ninguna manera, la persistencia del poder, la riqueza y la influencia de éstas: pero en lo sucesivo se hicieron presentes de manera más sutil. En el medio rural, sobre todo, la presencia constante de la parroquia activa frente al convento mortecino es la prueba física del nuevo estado de cosas. En el campo o en la ciudad, pero sobre todo en aquél, a partir del siglo XVII, pero más en el XVIII, aparece un nuevo tipo de edificio religioso: el santuario. La religiosidad católica de la época requería la intercesión de los santos, el culto a las reliquias y a las imágenes, y las formas colectivas de adoración, y el Concilio de Trento había sido muy explícito en ese sentido. En México no había santos prácticamente, las pocas reliquias las atesoraban las catedrales o las órdenes en sus iglesias matrices; pero había abundancia de imágenes aparecidas milagrosamente y milagreras ellas mismas, que habían sido un recurso en el proceso de evangelización. En el siglo XVII se resucitan esas imágenes, pero con nuevo sentido, como queda señalado. En Trento se había dicho (sesión XXI) "que se saca mucho fruto de las sagradas imágenes... porque recuerdan al pueblo los beneficios y dones..., y porque se expone a los ojos de los fieles los saludables ejemplos de los santos". Además, las imágenes milagrosas y el culto colectivo de festividades y peregrinaciones llenaba un afán competitivo y de orgullo de las comunidades (y más generalmente colmaba el orgullo novohispano), y de paso dejaba evidentes beneficios económicos, tanto a la comunidad como a los gestores del culto. Si bien esos gestores fueron en ocasiones párrocos seculares, la mayoría de los casos puede considerarse como el "desquite" de las órdenes que, faltas de indios que evangelizar y desposeídas de exenciones y prerrogativas curales, encontraron una función rural que las justificaba plenamente y mantenía su prestigio. Y en general los grandes promotores de esos cultos populares fueron los frailes, que trabajaban también *pro domo sua,* lo que se expresa plásticamente en los santuarios, asociados a la imagen titular.

Muchos fueron los intentos por estatuir esos cultos e imágenes, aunque no todos cuajaron. Unos lograron una resonancia local limitada. Algunas veces un culto iniciado se cortó repentinamente, por prohibición episcopal o por hechos todavía más bruscos; en general fue el caso de los pretendidos santos, como ya queda dicho: el culto del obispo Palafox y el de Catalina de San Juan (la China Poblana) se truncaron por orden de la Inquisición, el de fray Martín de Valencia por la misteriosa desaparición del cuerpo del santo. Sin cuerpo de delito no hay delito, y sin cuerpo de santo no hay santo. En fin, otros cuajaron plena, definitiva, totalmente: siguen hasta nuestros días colmando una necesidad popular, no sólo religiosa, sino social y aun nacional. Los conocemos todos: la Virgen de Guadalupe, la Virgen de San Juan de los Lagos, el Santo Señor de Chalma, la Virgen de Zapopan, Nuestra Señora de Ocotlán... y tantos y tantos otros. Tal culto, aparte de los hábitos de participación colectiva y de las funciones económicas y sociales que significó, produjo soberbias obras de arte. El santuario es normalmente una iglesia de una sola nave, con crucero y cúpula en éste y cubierta de bóveda de lunetos, que desde la época manierista se había adoptado aun para las iglesias conventuales y las parroquias. Integra las torres a su fachada y tiene, tras el altar mayor, un recinto especial —por lo regular de planta octogonal— que es el camarín: muy ricamente exornado, es ahí donde se arregla y viste a la imagen y donde ésta reside, a través del nicho-puerta del altar mayor, la mayor parte del tiempo; hacia la iglesia aparece al culto general sólo en fechas señaladas, y de ella sale tan sólo cuando se necesita hacer rogativas por alguna desgracia pública. Desde mediados del siglo XVII y durante todo el siguiente, los santuarios proliferaron a lo largo y a lo ancho de Nueva España: los estilos que les corresponden son, pues, variadísimos: desde la pesadez de la Soledad de Oaxaca a la esbeltez de San Juan de los Lagos, al colorido de Ocotlán. Otro recurso para albergar a imágenes eminentes que pertenecían a una iglesia importante y que necesitaba cubrir otras funciones, fue la de construir capillas *ex profeso,* que resultan más ricas y suntuosas —y aun a veces más grandes— que la iglesia a la que se añaden: la capilla del Rosario o la de Jesús Nazareno en Puebla, la de Tlacolula en Oaxaca, la del Señor de Santa Teresa en México o la del Rosario en Azcapotzalco.

El convento de monjas es una creación típica del siglo xvii (por más que las primeras fundaciones se remonten al anterior) y muy característica del desarrollo urbano. En efecto, la necesidad de que las mujeres que no se casen se acojan al convento para no perderse, es una necesidad que impone la vida citadina; ahí también residen las hijas de poseedores de fuertes capitales que, encandilados por la idea de fundar mayorazgos, no quieren dispensarlos en dotes ni herencias para yernos. Y sobre todo, no cumpliendo las monjas prácticamente ninguna función social (por excepción la enseñanza elemental), no tienen más recurso para sostenerse que la caridad pública y las donaciones: y ambas no se pueden dar en un grado importante sino en grandes concentraciones de población. Puede decirse que más que por el número de parroquias o el de palacios, la importancia de una ciudad se mide por el número de conventos de monjas. La monja entra al convento casi niña y no sale de él ni muerta, puesto que ahí se entierra en el pudridero y va al final a parar al osario. En la clausura recibe los sacramentos y allí asiste a la misa. Pero salvo en muy pocos conventos de observancia muy estricta, no hace vida en común sino en el coro; tiene su propia celda como un pequeño apartamento donde vive, lee si tiene interés, recibe visitas de monjas y come. Como muchas veces es persona de alcurnia o de dinero y no está en el convento precisamente por vocación, trata de tener las mayores comodidades: algunas de estas celdas individuales fueron apartamentos fastuosos y se compraban, vendían y heredaban. Las autoridades religiosas insisten de continuo —sin éxito— en que es falta de modestia que cada monja tenga más de cinco criadas. Cuando se trata de elegir priora, no pocas veces hay dificultades y aun pleitos, y el partido de las perdidosas, si es suficientemente rico, puede salir a fundar otro convento. Nunca salen las monjas del convento, pero se comunican al exterior en el locutorio, a través de él mantienen relaciones y amistades, intercambian regalos, y no pocas tienen sus amantes, caballeros muy decentes que las cortejan a través de las rejas.

Para cumplir esas funciones, el edificio del convento requiere ciertas características. Alrededor de patios se organizan las celdas, sin seguir un plan muy estricto, puesto que el capricho de una monja rica puede introducir modificaciones importantes. La parte central es la iglesia, abierta al público, pero a la cual asisten las monjas desde dos coros, alto y bajo, que se separan de la parte pública del templo por rejas, picos, celosías y velos: ellas pueden ver, pero no ser vistas. Por ello las iglesias de monjas con una sola nave, con crucero de brazos muy cortos(apenas para justificar la cúpula), un solo campanario, y necesariamente con el eje paralelo a la calle, puesto que las puertas al público se abren lateralmente para permitir que en los pies de la iglesia se alberguen los espaciosos y ricos coros. La iglesia de monjas tiene, además de lo que cualquier otra iglesia, ese lugar específico, donde se explaya el arte barroco en rejas, celosías, abanicos,[35] cratículas,[36] retablos de coro, y demás. Regina, La Concepción o San Lorenzo en México; Santa Rosa y Santa Clara en Querétaro, La Santísima o Santa Catarina en Puebla, Las Rosas y las Monjas en Morelia, son algunos de los ejemplos de esta arquitectura peculiar, muchas veces fastuosa en grado superlativo.

La música

Una sociedad orgullosa, refinada, inmersa en la religión, tan dada a los regocijos públicos y privados como era la sociedad barroca novohispana, tenía que manifestarse muy a menudo en la música. La elevación mística —sobre todo una en que los sentidos tenían tanta parte— necesitaba de la gran música. La cohesión de los grupos sociales, incluso los más desposeídos, requería de ella. Muchos sentimientos, no pocas veces reprimidos en un mundo como aquél, encontraban una vía de escape en la música. El refina-

[35] *Abanico*: en la arquitectura religiosa, el semicírculo de madera tallada y calada que iba encima de la reja del coro alto de la iglesia de monjas.

[36] *Cratícula*: pequeña ventana a un lado de la reja del coro bajo, en una iglesia de monjas, por la cual recibían las religiosas la comunión.

miento de una educación que hiciera a los criollos sentirse más valiosos incluía la música, aun para el sexo femenino comúnmente iletrado. El orgullo de una catedral, de un convento, de la casa de un prohombre o de una aldea, se expresaba muchas veces por la magnificencia de sus capillas de música. De las catedrales y los palacios a los jacales, la música, en una infinidad de formas que iban desde la majestuosa polifonía y el órgano de ochenta mixturas, hasta el canto individual acompañado de un instrumento, se hacía presente en todas ocasiones. Desde aquel Ortiz el nahuatlato que puso escuela de danzar y tañer casi al día siguiente de la conquista, y desde el anciano fray Juan de Haro o Caro, que empezó a enseñar el canto llano y el órgano al lado de fray Pedro de Gante en la capilla de San José de los Naturales, la música profana y la religiosa se desarrollaron en grande. Para finales del siglo XVI cronistas y viajeros coinciden en exaltar la gran afición a la música y la gran perfección que alcanzaba. No se ponen de acuerdo los musicólogos sobre si la pavana, danza que tanto apasionó a Europa desde la segunda mitad del siglo XVI y que se prolongaría como forma musical hasta el XVIII, es de origen mexicano; pero de lo que no se tiene duda es de que la música y la danza cortesanas eran practicadas con fruición por los criollos desde fines del siglo de la conquista.

> Es un mancebo galán,
> talle corto y calza larga,
> de oro y brocado se viste,
> aforrado en finas martas.
> Valiente, sabio, discreto,
> tañe, baila, danza y canta...

Así describe Rosas de Oquendo a un criollo joven (que, entre paréntesis, no es en su *Romance a México* otro que el que se llama Interés).

Motolinía ya alababa la rapidez con que los indios aprendían los instrumentos europeos y las formas de música polifónica, y nos cuenta de aquel indio tlaxcalteca que compuso la primera misa. La música fue un elemento importante en la tarea de evangelización y en pueblos y aldeas quedó su simiente. El cronista agustino Grijalva habla con admiración, a principios del siglo siguiente, de las capillas de música de viento que mantenían los conventos de su orden (que hacen evocar a los coros venecianos de los Gabrielli). Durante el virreinato de Enríquez, hacia 1570, la proliferación de músicos en los pueblos era tal, que hubo de dar disposiciones para que se redujeran (cierto: los músicos y cantores que servían en las iglesias estaban exentos de otros servicios, y por ése recibían sueldo; ¿influiría esa circunstancia en el auge musical popular?); y otras disposiciones de los concilios mexicanos tratan de contener la invasión de elementos populares y cortesanos en la música de iglesia. Aquel Tomás Gage, insidioso al escribir, pero agudo observador, nos deja entre sorprendido y escandalizado unos de los testimonios más explícitos del primer tercio del siglo xvii acerca de la pasión novohispana por la música; más importante si pensamos que viene de alguien que pasó sus primeros años en la Inglaterra de los músicos isabelinos y los siguientes en la España donde resonaban todavía Cabezón y Vitoria. Desde que pone pie en Veracruz es deleitado por el prior que tañe exquisitamente vihuela y mandolina en su rica celda; chirimías, trompetas, sacabuches y atabales lo reciben y lo despiden, junto con sus compañeros, en los pueblos de indios; en México, Oaxaca, Chiapa o Guatemala se extasía con las magníficas capillas de las catedrales; critica que en pueblos ya entonces pequeños, como Huejotzingo, los frailes mantuvieran costosas orquestas; y encuentra ocasión de soltar algo de veneno anticatólico al relatar la habilidad excelsa —y a sus ojos no muy moral— de las doncellas y damas criollas en tañer y cantar, o de tantas monjas que tras las rejas de los locutorios cultivaban corazones por arte de la música. Ya acercándose al final del siglo xvii, el viajero del *Giro del mondo*, Gemelli Carrieri, que venía de la Nápoles de Scarlatti, encuentra también insuperable la música mexicana. Los libros de los cabildos catedralicios, apenas estudiados por investigadores como Saldívar y Jesús Estrada, permiten ver que el mantener una rica capilla musical, tanto por la calidad de los instrumentos como por la pericia de los ejecutantes y la solvencia de los maestros de capilla, fue una preocupación constante. Muestra de ello son los altos sueldos que devengaban, los artilugios para evitar que fueran a otra catedral que les ofreciera más apetitosa remuneración, y el cuidado para que cumplieran las muchas obligaciones del cargo. Entre ellas estaba, además de componer y de concertar la capilla, incluso la de enseñar, aun a ese apéndice populachero de la capilla que era la "chirimía" (esto es, el conjunto musical donde predominaban las chirimías). La elección de maestro de capilla de una catedral —cargo vitalicio— era un acontecimiento en toda Nueva España; al estar el puesto vacío, se nombraba un tribunal calificador y se ponían edictos en las principales ciudades del reino para convocar a los maestros músicos; se seguía un complicadísimo examen de oposición, que duraba varios días, y que incluía teoría, ejecución y diversas pruebas de composición, hasta llegar a dos motetes y un villancico.

A más de la enseñanza de la música en los conventos de frailes, y de que las capillas musicales de las catedrales funcionaban también como "escoleta", hubo colegios especializados, como el de Corpus Christi en la ciudad de México o el de Santa Rosa en Morelia. Los maestros particulares también cumplían una importante función. Las complicadas teorías musicales de la época dividían a los conocedores en bandos que adherían ya a uno, ya a otro tratadista. Burgoa informa de un indio oaxaqueño que había escrito un tratado; la curiosidad incansable de sor Juana Inés la llevó a echar su cuarto a espadas, y compuso un tratado de teoría musical, perdido, que ella misma llamó *Caracol,* porque rechazaba las teorías "circulares" de la armonía en boga. A un nivel teórico menor, los tratados o métodos para aprender a tañer un instrumento o componer para él fueron necesariamente muy solicitados; se leían frecuentemente los de maestros europeos como Torres Martínez o Antonio Soler; del siglo XVIII se tiene noticia de métodos mexicanos de Juan José Padilla (1733), del Marqués de San Cayetano (1794) y de Vicente Gómez (1789), entre otros. Por último la construcción de instrumentos también fue una actividad muy extendida. Se hacían desde los propios de la música popular, de factura tosca, hasta instrumentos de gran calidad, órganos, clavicordios, clavicémbalos, espinetas; los instrumentos de arco, del tololoche al violín; fagotes, chirimías, trompetas, sacabuches, y demás; para los últimos años del siglo XVIII empezaron a construirse también pianofortes.

A pesar de los testimonios de la muy importante actividad musical novohispana, profana y religiosa, culta y popular, mucho de la música misma se ha perdido, y lo que se conserva apenas ha sido objeto de estudios aislados, y muy pocas veces de ejecución: no tenemos todavía los análisis que nos puedan hacer saber su verdadera importancia, en su conjunto, como creación. En México no se imprimió música, sino que se conservaba manuscrita (los archivos guardan música impresa europea sólo a partir de los finales del siglo XVIII). La música popular ni siquiera solía escribirse; la cortesana se perdió cuando nuevos tiempos hicieron inútil la antigua. Y aun los archivos de catedrales, conventos, parroquias donde más se conservaron las obras, tuvieron purgas temporales, desde época colonial, para deshacerse de la música que ya no se tocaba. Reconstruir, pues, el desarrollo de la música novohispana no puede hacerse, por ahora, sino a grandes rasgos.

Aunque la personalidad artística de algunos compositores es relativamente conocida, como la fina polifonía de Hernando Franco (1532-1585), los brillantes dobles coros del poblano Gutiérrez de Padilla (1595-1664) o la debilidad por el "tono tercero" de Juan de Lienas (principios del siglo XVII), no se tiene una visión suficientemente clara del conjunto para poder decir si hubo lo que podría llamarse con precisión una "escuela mexicana", y cuáles serían sus características. Parece que algunas de las novedades de la música europea del siglo XVII se introducen aquí con cierto retraso, como el contrapunto instrumental (por más que éste se dé temprano en los villancicos), si bien se tocaban normalmente obras de maestros europeos, desde Palestrina hasta Haydn ¿podría hablarse de un "tiempo propio" de la música novohispana, como el que existe en otras artes? El siglo XVII y el XVIII están dominados por las grandes composiciones polifónicas de cuatro a once voces de Franco, Padilla, Lienas, de Francisco López y Capillas, del prolífico y excelente Antonio de Salazar, que orquestó villancicos de Juana Inés de la Cruz, o Juan Matías, indio que fue maestro de la capilla de la catedral de Oaxaca. Como queda dicho, el contrapunto instrumental se empleaba en los villancicos. De la misma manera que en la Europa renacentista y barroca hay un continuo ir y venir de la música culta a la popular, aquí ocurre especialmente en ese fenómeno popular religioso que fue el villancico. Así como los poetas no desdeñaban seguir formas populares para esas alabanzas festivas, los músicos tampoco desdeñaban componer música para ellos (incluso estaba entre las obligaciones de los maestros de capilla), y ahí se movían con una libertad mucho mayor de la que podían tener en la gravedad de las composiciones para los oficios. Muchas veces las letras de las composiciones están en idiomas indios (náhuatl especialmente) o en la lengua champurrada de los negros y mulatos, y la música también imitaba, "a lo culto" las formas musicales caras a esos grupos sociales.

Ya en los principios del siglo XVIII se hace sentir una influencia más directamente italiana, con un énfasis decidido en lo melódico sobre la estructura polifónica o contrapuntística: el más importante compositor de ese momento, sin embargo, es un músico que nunca había salido del país: Manuel Zumaya, que desde 1708 había compuesto el "melodrama" (¿ópera?) del *Rodrigo*, y luego escribió la que se suele tener por primera ópera mexicana (aunque hay noticias de oratorios del siglo xvii), esto es, la *Parténope*, que en 1711 se representó en el Palacio Real para celebrar los años de Felipe V, y cuya música no se conoce. Introduce en la iglesia las dulzuras melódicas de la música de corte, con sus "arias sacras", pero aunque usando las nuevas formas de armonía, conserva aquella solidez y "decoro" de la primera música contrapuntística. La tendencia a la música melódica de aire galante se acentúa al seguir el siglo; asimismo parece que la personalidad que había conservado la música novohispana se desdibuja; también aquí se siente el reflejo de la manía de los Borbones españoles, que importaron constantemente músicos italianos: Tollis de Rocca, ante el descontento de muchos, se hizo cargo de la capilla catedralicia, y en época del arzobispo Rubio y Salinas se aprobó "importar de Nápoles cuatro mancebos capones". En fin, el gran músico que ocupa los más altos cargos a mediados del siglo es el italiano Ignacio Jerusalem; es significativo que éste procediera de medios muy ajenos a los religiosos, pues había llegado a México con la compañía del Coliseo; sus composiciones, muy ricas de inventiva, revelan su formación italiana; parece haber sido un gran virtuoso del violín, pero siempre tuvo problemas con el cabildo y fracasó en los exámenes más de una vez, porque no dominaba la sólida teoría ni era muy versado en las formas tradicionales: todo nos habla del cambio de los tiempos.

En todo caso, si el siglo xviii es galante aun en México, y esto se revela en la música, y si ésta, aquí y en el mundo ganaba en riqueza instrumental lo que perdía en solidez y grandeza, la Nueva España conservó siempre su pasión por la música y una rica tradición. Recordemos que sería un mexicano radicado en Cádiz quien encargaría a Haydn los cuartetos de *Las siete palabras*: y esa elección nos habla de un gusto muy bien formado, que quizá sólo se explica por la tradición que lo sustenta.

El mundo ilustrado

Puede afirmarse que el "siglo barroco" no termina en Nueva España con la llegada de la centuria decimoctava, sino que se prolonga en ésta, y no sólo al comenzar, sino que la ocupa en la mayor parte de su desarrollo. Culturalmente hablando, la Nueva España del siglo XVIII representa sobre todo el mismo espíritu del siglo anterior, y si bien busca pronto caminos nuevos, éstos parecen significar sólo necesidades formales y retóricas (inscritas en la contextura más intrínseca de lo barroco, que es movimiento continuo) y no afectar capas más profundas. No ha faltado quien hable de un "rococó mexicano", pero lo cierto es que ni la frivolidad, ni la "galantería" ni el aleteo sensual que apasionaron el gusto europeo dieciochesco, tanto como para afectar incluso al "gran arte" religioso, pudieron asentarse en Nueva España. Ese espíritu juguetón rozó apenas la vida novohispana, y aunque alguna huella dejó, no es bastante para revelar cambios consistentes ni en las costumbres ni en las actitudes. Las formas artísticas resintieron su influjo, pero fue más la parte de ellas que siguió siendo fiel a sí misma; las modas cambiaron, pero no se sabe que los sillones Luis XV hayan desplazado a las sólidas poltronas tradicionales.

El racionalismo, el otro gran presente del siglo europeo de las luces, no se hace sentir en México sino muy adelante en el siglo, muy poco a poco y en forma bien tamizada, de tal modo que es el irracionalismo barroco el que domina, invicto todavía, los más de los cien años que aquí se examinan. Andando el tiempo, sin embargo, y al paso que las innovaciones retóricas se lanzaban a una búsqueda desaforada de soluciones imposibles, pueden advertirse ya cambios que revelan alteraciones más o menos profundas en el organismo social novohispano; más todavía, que muestran la aparición de una conciencia de la necesidad de modificaciones más allá de las puramente retóricas y formales; y aun, en muchos casos, la conciencia de un valor propio que se define otra vez —como en el inicio del criollismo— a la defensiva. A la defensiva del desprecio, del olvido o del franco ataque de una Europa que propone, con más fuerza que nunca, sus valores como los únicos posibles. Son prolegómenos del vuelco mucho más violento que daría Nueva España a fines del XVIII, de orden muy diferente, y que haría que el país adquiriera un rostro muy otro que aquél con el que había iniciado la centuria y con el que había vivido siglo y medio.

La arquitectura

La fisonomía de las ciudades y de los pueblos novohispanos no se altera sensiblemente con el paso del seiscientos al setecientos. En los edificios más notables, las iglesias, sigue campeando en fachadas y en interiores el mismo "barroco salomónico", a base de columnas helicoidales, o las diversas variantes de la columna decorada en su fuste, a que los mexicanos estaban acostumbrados desde hacía treinta o cuarenta años. Columnas barrocas, acompañadas de otros elementos decorativos de follaje plano y redondeado, se ordenaban según la tradicional retícula de cuerpos y calles heredadas del manierismo, y ocupaban sus acostumbrados lugares en retablos y portadas de iglesias que, fieles también a la tradición, mostraban su planta de cruz latina, su o sus torres integradas a la fachada, y su cúpula en el crucero. Sin embargo, los mayores logros del "barroco salomónico" se colocan en las primeras décadas del siglo XVIII más que en las últimas del XVII. Puede advertirse entonces una más grande riqueza decorativa y las mayores torturas infligidas a la columna para olvidarse definitivamente de su sequedad, su sencillez y su racionalidad clásicas, calidades que el hombre barroco veía justamente como defectos.

Aparte Zacatecas, que no fue construida como catedral, sino como parroquia, del siglo XVIII son algunas de las grandes catedrales mexicanas, como Oaxaca y Valladolid (Morelia). Muy diferentes entre sí, una y otra responden a su propia tradición local. En Oaxaca se sigue y se exagera —hasta convertirla en un canon propio— la aceptada estructura achaparrada que la necesidad había ido imponiendo en esa zona de temblores; las proporciones de su fachada llegan a ser apaisadas, las torres enanas, un conato de cúpula sin tambor, y esa finísima talla en piedra blanda, capaz de quitar al edificio todo rasgo de austeridad. En la de Morelia (construida sobre proyectos de Barocio) se acusa la elevación, lo piramidal, lo airoso; y se afirma la tradición local de usar en las fachadas unas pilastras muy poco resaltadas, "cajeadas" o "tablereadas" que se llaman cuando en su fuste se encuadran molduras. En las catedrales o en otros edificios se afirma, en las primeras décadas del siglo xviii, una serie de modalidades regionales del barroco, que le darán en el ámbito de la Nueva España su carácter uno y vario.

El año de 1718 llega a México Jerónimo de Balbás y emprende el trabajo de dotar a la catedral metropolitana de tres grandes altares: el del Perdón, el ciprés y el retablo de los Reyes. Se suele considerar que a partir de ese momento se inicia en México la modalidad barroca propia de mediados del siglo xviii: el *barroco estípite* o *churrigueresco*.

La pintura y la escultura

La pintura del siglo xviii mexicano se abre con la obra madura de la generación de Juan Correa, Cristóbal de Villalpando y Luis Berrueccs, que parte de la obra zurbaranista de mediados del siglo anterior, pero se enriquece y barroquiza principalmente a base de aceptar la influencia de Rubens; es la pintura que mejor se corresponde con el barroco salomónico. Pronto, una generación siguiente, la de los Rodríguez Juárez (Juan y Nicolás), nietos de José Juárez y bisnietos de Luis Juárez, se abriría a un colorido más dulce y amable y a un dibujo más ágil; es decir, empezaría a recibir el influjo de la pintura galante europea, aunque notablemente tamizado, como puede advertirse en *La adoración de los Reyes* y la *Asunción* que Juan pintó para el retablo de los Reyes de la catedral de México, o la *Anunciación a Santa Isabel* que Nicolás pintó para la iglesia en Azcapotzalco.

La ligereza y la soltura de dibujo, la amabilidad del colorido, se hacen sentir con mucha más fuerza en la pintura más típicamente dieciochesca de artistas que conocieron en su época un éxito rotundo, como son José de Ibarra, y más joven que él, Miguel Cabrera, a quienes habría que agregar a José Vallejo y José de Alcíbar. Se ha dicho mucho que ellos marcan la "decadencia" de la pintura en Nueva España, y aun se ha dado por explicación que, ante la necesidad volumétrica de los retablos estípites, la pintura habría sido desplazada de ellos y en consecuencia su importancia como gran arte habría disminuido. Pero si bien es cierto que en muchos casos la pintura desaparece de los retablos, no lo es menos que se aloja, en inmensos cuadros, en otras partes de las iglesias y en las sacristías, y en cuadros de menores dimensiones es adquirida por una aristocracia y una burguesía crecientemente enriquecidas; tan es así que ni aun los talleres más importantes del XVII, como los de José Juárez o Villalpando, produjeron tanto como los talleres de Ibarra, Cabrera y Vallejo. De hecho, aún podría decirse que en el dieciocho la pintura adquiere una autonomía que no había conocido antes, cuando estuvo sujeta a la armonía de conjunto de los retablos. Por otra parte, si bien es cierto que los cuadros del XVIII carecen de la fuerza y del carácter de los del XVII, es porque responden a la necesidad de otras cualidades: lo espectacular, lo fastuoso, lo sorprendente, lo arrebatado. En esas cualidades los pintores citados y otros contemporáneos suyos son excelentes; y su adecuación con el gusto de la época queda clara si se considera la inmensa fama que alcanzaron: a Miguel Cabrera se le tuvo por no menos que Rafael, y en su propio tiempo empezaron a falsificarse obras suyas. La crítica posterior lo ha rebajado a menudo, de Rafael a *fa presto* o pintor de brocha rápida, con indudable injusticia. Sus grandes composiciones (Santa Prisca de Taxco, Tepozotlán, Guadalupe de Zacatecas) siguen siendo espectaculares, ejecutadas con garbo y maestría; y no fue ajeno a la capacidad de la concentración, como lo muestran algunos magníficos retratos, tal el de sor Josefa Agustina Dolores.

Aparte de la pintura de gran aparato, es el retrato un género en el que suele sobresalir el siglo XVIII, ya con los pintores citados, ya con otros, como Joaquín de Vega, Ignacio Barreda, Páes, Torres o Jerónimo de Zendejas, e incluso con artistas anónimos, como el autor de la *Monja hermosa* de Santa Rosa de Querétaro. Todo acorde con el espíritu de una sociedad bonancible, sensiblemente aburguesada y ansiosa de afirmar su prestigio local. También en el XVIII aparecen otros géneros, como el costumbrista (anónimos de *La plaza mayor de México,* biombo de *La fiesta de toros, Puesto de frutas*) y el bodegón, género en que Pérez de Aguilar dejó una obra extraordinaria.

La escultura del siglo XVIII busca lo sorprendente y lo novedoso. Tiende a abandonar, en cambio, el sentido realista que informa a mucha de la del siglo anterior; la vertiente dramática se acentuará especialmente en los Cristos —y sobre todo en los de factura más o menos popular—, cada vez más trágicos, cada vez más sangrantes, más desencajados, más conmovedores. Mucha imaginería exaltará el movimiento, los ropajes al aire, los gestos teatrales, la actitud extática. Esas posturas de actor "sobreactuado" parecen ser las únicas capaces de conseguir que la escultura se *vea* entre el mare mágnum formal de los grandes retablos estípites o disolventes. Por esa vía, cuando la pintura abandona los retablos es sustituida, en ocasiones, no por una imagen, sino por grupos escultóricos completos, como sucede en los sorprendentes retablos de San Agustín de Salamanca. Pero llegó un momento en que tal competencia de exaltaciones resultó imposible; coincidiendo con el barroco disolvente la escultura, dando la batalla por perdida, empezó a buscar un nuevo reposo: sucede entonces que en los más desaforados retablos sea la escultura el único punto de reposo que el ojo pueda encontrar, como en los altares del Rosario de Azcapotzalco. Solución ésta mucho más digna que la escultura meramente complementaria, que también existió, donde se tallan sólo cabezas, manos y pies, y el resto es "de vestir", con ropa normal o encolándola para dar movimientos a los pliegues. Dentro de la corriente de escultura reposada, de muy fina ejecución y dada a apelar a sensibilidades candorosas por la hermosura de los rostros o la amabilidad de las actitudes, cabe colocar a escultores que alcanzaron gran renombre, como los Cora de Puebla o Perrusquía de Querétaro.

La nueva filosofía

Con la época barroca se había iniciado lo que O'Gorman ha llamado "el sueño de la Nueva España". Necesitada de afirmarse y hacerse un lugar en el mundo, la cultura barroca había conseguido el ideal de crear en América otra Europa, pero una Europa "americana", propia y orgullosa. Desengañada de la posibilidad de aprehender la realidad, se había dado al mundo y al estilo barroco: el estilo de las apariencias engañosas. Europea en tanto que seguía considerando a Europa como la fuente teórica de todo modelo posible, la cultura criolla es americana y diferente en la medida que se aferra a una tradición —del pasado prehispánico a la hagiografía local y a la persistencia atemporal de modos estilísticos— y la exalta. Para el mexicano barroco del siglo XVIII su tierra representa una superación de los valores europeos, y se regodea creyéndolo. Allá podrá haber siete maravillas, pero la octava se da en América, o las octavas, pues con harta frecuencia se emplea ese epíteto para las obras nuestras. "Los cielos han contemplado a América con rostro gozoso y agradable, boca sonriente y alegres ojos", según frase que se citaba con gusto. Tan tarde como 1777 pudo Juan de Viera escribir su *Breve, compendiosa narración de la ciudad de México* y ponderar "...que se tenga a la América como la mayor parte del mundo, y a ti sola, Ciudad Mexicana, por la mayor del orbe...". La autocontemplación y la satisfacción de lo propio están a la orden del día. En ese bello sueño novohispano, sin embargo, se presenta una molesta pesadilla durante el siglo XVIII. Los hombres de la Ilustración europea, curiosos por definición, empiezan a mostrar un inusitado interés por América. Esto sucede cuando la cultura europea —la ilustrada precisamente— se presenta con más fuerza que en otras ocasiones como la única posible. El resultado es una serie de obras, de diversas calidades, y sobre diversas materias en que nuestro continente aparece con una luz muy poco favorable. No estaba la América española tan aislada como para no enterarse de la calumnia, y pronto dio airada respuesta. Es lo que se ha llamado "la disputa del Nuevo Mundo". Baste decir que muchas de las importantes creaciones culturales del México del siglo XVIII se hacen al calor de la polémica, desde la *Historia antigua de México,* de Clavijero, a la *Biblioteca mexicana* de Eguiara y Eguren, o la más tardía *Biblioteca americana* de Beristáin. Pero la disputa, sin embargo, había sembrado algo de duda. Por otra parte, se empezaba a sentir que algo cojeaba en la exaltada y continua autocontemplación. Muchos mexicanos, sin perder la seguridad de que su tierra era el ombligo del mundo, veían la necesidad de informarse mejor, de despabilarse, de ponerse al día. De la misma manera que algunos sintieron que las formas del barroco más tradicional no podían llevarse más lejos, pues estaban agotadas, y sintieron la necesidad de volver (con el neóstilo) a la columna, y de revisar los viejos tratados de arquitectura, para rescatar el mismo estilo barroco del marasmo, así en otros órdenes hubo el impulso de renovarse para salvar la cultura barroca.

Un brillante grupo de jesuitas muestra, primero que otros, los signos de esa actitud. Realizan su obra en México o en Italia, después de la expulsión de la Compañía en 1767. Muchos de ellos sienten un indudable apego a su patria, visible aún en los temas de sus obras, que en buena parte a ella se refieren. "Yo cedo, por Tacuba, pueblo inmundo, / Roma, famosa capital del mundo", diría uno de ellos, Maneiro. Se les ha visto como punta de lanza de un nacionalismo creciente: son más bien un hito, matizado de acuerdo con su época, de un fenómeno ya presente en el siglo barroco. También se ha querido ver en ellos a representantes de una Ilustración mexicana, de un enciclopedismo propio, con más ligereza que fundamento, puesto que siguen siendo hombres fundamentalmente barrocos.

La Compañía de Jesús había mantenido siempre en sus estudios una tradición clásica y humanista ejemplar, y produjo muy buenos "latinos", pero esa tradición se renueva y pule con la poesía latina de Landívar (su *Rusticatio mexicana*) y especialmente con la de Diego José Abad (*De Deo Deoque Homine Heroica*). La historiografía se renueva con Francisco Javier Alegre y Francisco Javier Clavijero por lo que toca a la crónica de la Compañía, y con el segundo por lo que toca a la historia antigua de México. Alegre, Clavijero, Abad, Rafael Campoy, Agustín Castro y Luis Maneiro participan en la renovación de la filosofía —en la cátedra y con sus *Cursos filosóficos*— consistente en una mejor lectura de los textos tradicionales, una nueva preocupación metodológica, y el comentario e incorporación de ideas de autores como Descartes, Leibniz, Malebranche, Newton o Franklin. Pedro José Márquez se aventura a aplicar los métodos de la arqueología artística neoclásica a *Dos monumentos de las antigüedades mexicanas* (Tajín y Xochicalco) y hasta escribir un tratado de estética: *De lo bello en general*.

Fuera del ámbito jesuita otros responden a la misma solicitación del espíritu de su época. José Mariano de Echeverría y Veytia copia los papeles dejados por Sigüenza y Boturini; y a partir de ellos emprende su *Historia antigua*. El filipense Benito Díaz de Gamarra en sus *Elementos de filosofía moderna* se muestra como el más avanzado de los filósofos de su época, critica la filosofía peripatética y propone otra más elástica y nueva, donde la física y la ciencia experimental ocupan un sitio preponderante. Ignacio Bartolache y José Antonio Alzate, ya francamente picados de las ideas ilustradas, continúan esa senda, el primero en las especulaciones teóricas y de matemáticas puras, el segundo con una preocupación muy práctica de la utilidad de la ciencia. A ellos hay que agregar un grupo de hombres de ciencia muy capaces y enterados, que renuevan el ambiente mexicano, como Velázquez de León, Andrés del Río, José Mociño, Manuel Guridi y Alcocer, y otros.

Muchos de ellos han resentido el influjo de la Ilustración, cuyos aires han soplado en alguna forma en la Nueva España, como lo sentiría Humboldt al visitar México en los primeros años del siglo XIX: por eso hace el conocido elogio de la ciencia mexicana, a la que considera por encima de cualquier otra del continente. Sin embargo, es difícil decir hasta qué punto puede realmente llamárseles ilustrados. Monelisa Pérez Marchand encontró en los papeles de la Inquisición que en la mayor parte del siglo XVIII las dificultades con el Santo Oficio eran sólo por pelillos teológicos o por disputas agrias entre órdenes religiosas o diferentes corrientes escolásticas; apenas muy avanzado el siglo se advierten signos de que las ideas enciclopedistas peligrosas penetran en la Nueva España.

Lo que puede llamarse "Ilustración mexicana" no está representada por aquellos hombres que defendían las cualidades y valores morales de su patria barroca, ni por los que intentaban una renovación filosófica, ni quizá aún por quienes estaban al día en cuestiones científicas, sino por otros que, haciendo eso o sin hacerlo, dejaron de ver con beneplácito la realidad mexicana y empezaron a criticarla violentamente. No hubo en el México de finales del siglo XVIII ateos, deístas, enemigos de la Iglesia o racionalistas puros (actitudes que califican la Ilustración), pero sí hombres que coinciden en la actitud crítica de la sociedad donde viven. Son los hombres que producen el "despertar" del "sueño de la Nueva España". Ya no creen en los valores propios, sino que se empeñan en destruirlos. "Se habría usted de morir de risa si oyera a muchos pobrecitos americanos, que no han dado un paso por el mundo ni en carruajes de papel, decir públicamente y a boca llena que no hay otro México...", dice el interlocutor de un diálogo de Fernández de Lizardi; y el mismo Lizardi escribió el *Periquillo Sarniento* para criticar la sociedad mexicana. "Lampiños en la Historia, calvos en las Bellas Artes, desmolados en el estilo, chatos en la invención y éticos consumados en el mal gusto, producen obras apócrifas, estrafalarias, duras, desatinadas y en un todo apreciables...", diría, a su vez, en son de chunga, Fran-

Fachada de la iglesia del Carmen de Celaya

cisco Eduardo Tresguerras refiriéndose a sus compatriotas. Los ilustrados niegan todo valor a la cultura barroca, la ven con pesimismo y sólo esperan que el americano —en cuyas cualidades intrínsecas creen— pueda con mejor educación y bajo otras circunstancias ponerse a la altura de los tiempos.

La negación de lo barroco en términos de arte se da con el *neoclasicismo*. Por más que el estilo neoclásico se introduzca con apoyo oficial, es indudable que responde a las necesidades de los ilustrados. Frente a la academia de pintura que en 1759 crearan Cabrera, Vallejo y otros, entendida como cenáculo de artistas importantes, la Real Academia de las Tres Nobles Artes de San Carlos de la Nueva España que promoviera el grabador Gerónimo Antonio Gil y que abriría sus puertas en 1782 (primera en su género de este lado del Atlántico), tiene una decidida dirección didáctica y encauzadora del gusto general. Profesores suyos o maestros "incorporados" son los que implantarán en México el neoclásico, que vuelve a apegarse a los viejos cánones de los tratadistas, que se inspira a menudo en modelos franceses, y que pretende ser un arte racional (aunque en México no siempre lo consiguió: se ha dicho que muchas obras de nuestro neoclásico pasarían por obras barrocas en Italia). Por ajeno que fuera a la tradición local, el neoclasicismo dejó obras de gran calidad. Al jalapeño José Damián Ortiz de Castro se debe la feliz terminación de las torres de la catedral de México, a Manuel Tolsá —venido como profesor a la Academia— el gran palacio de Minería, el del marqués del Apartado y el del conde de Buenavista; a Constanzó la fábrica de tabacos (la Ciudadela), a Paz y Castera la iglesia de Loreto; a Tresguerras la iglesia del Carmen de Celaya y las Teresas de Querétaro, y diversas indefinidas obras en la región del Bajío, donde lo siguieron muchos discípulos menores. En escultura se hace notar excelente el mismo Tolsá, con la imagen ecuestre de Carlos IV, la Purísima de la Profesa o las esculturas del reloj de catedral; y en pintura destaca, sin genio pero con oficio, Rafael Ximeno y Planes.

Nueva España termina el siglo XVIII con un evidente deseo de cambio y de modernidad, que significaban Ilustración y neoclasicismo. Al tomar ese partido, que era quizá el único que podía tomar, daba la espalda a los esplendores de la cultura barroca. Jugando la carta de la modernidad, dejaba en prendas el mundo barroco, que hasta ese momento había sido lo mejor de sí mismo: quizá lo único verdaderamente identificable como propio.

Otros títulos de Historia

▶ Jan Bazant

Los bienes de la Iglesia en México. Aspectos económicos y sociales de la revolución liberal (1856-1885)

2a. ed., 1977   364 pp.

¿En qué consistió realmente la desamortización y la nacionalización de los bienes de la Iglesia? ¿Intervinieron en ello intereses particulares? ¿Cuál fue la magnitud y el resultado del traslado de la propiedad? Para contestar estas preguntas y otras más, el autor pasó varios años investigando en archivos de la capital y de seis estados de la República.

▶ Jan Bazant

Cinco haciendas mexicanas. Tres siglos de vida rural en San Luis Potosí (1600-1910)

2a. ed., 1980   299 pp.

Mediante el estudio de cinco haciendas del estado de San Luis Potosí, el autor descubre el verdadero significado económico y social de este tipo de propiedad a lo largo de tres siglos.

▶ Carmen Blázquez

Miguel Lerdo de Tejada: un liberal veracruzano en la política nacional

1a. ed., 1978   201 pp.

La presidencia de la República era una de sus metas, y su punto de apoyo la facción pura. Su influencia política lo enfrentó primero a Ocampo, a quien desplazó del gabinete juarista, y después al propio Juárez, al que si bien en cierta forma logró influir no pudo arrebatarle la primera magistratura.

▶ Ivie E. Cadenhead Jr.

Benito Juárez y su época. Ensayo histórico sobre su importancia

Traducción de Josefina Anaya; editado con la OEA

1a. ed., 1975   185 pp

¿Hasta qué punto puede influir un hombre en el curso de la historia, y hasta qué punto crea la época el medio propicio para su grandeza?

▶ Ramón Iglesia

Cronistas e historiadores de la Conquista de México

1a. reimp., 1980   295 pp.

Hernán Cortés, Pedro Mártir, Gonzalo Fernández de Oviedo y Francisco López de Gómara. Buscar en la obra histórica al hombre que la ha escrito, he aquí el propósito de este libro.

▶ Berta Ulloa

La revolución intervenida. Relaciones diplomáticas entre México y Estados Unidos (1910-1914)

2a. ed., 1976   451 pp.

La autora ha estudiado, con implacable objetividad, los antecedentes, la intriga y el desenlace de la intervención norteamericana que secuestró el puerto de Veracruz por algún tiempo. Utiliza fuentes primarias de procedencia mexicana, norteamericana y española, desconocidas hasta ahora.

▶ Daniel Ulloa

Los predicadores divididos

1a. ed., 1977   329 pp.

¿Por qué y para qué había dominicos en México? ¿Qué sentido tenía una orden religiosa medieval con características europeas en el mundo latinoamericano? ¿Por qué de los dominicos en México sólo quedaron ruinas de iglesias y conventos? ¿Qué herencia recibieron los dominicos mexicanos de la vida y de la obra de los primeros que vinieron de Europa a nuestras tierras? Esta es una crónica que nos ayudará a comprender buena parte de la historia de la religión en la sociedad novohispana.

▶ Josefina Zoraida Vázquez

Nacionalismo y educación en México

1a. reimp., 1979   331 pp.

Con el propósito de hacer del mosaico novohispano una nación mexicana, el Estado ha utilizado de manera sobresaliente la educación pública y, dentro de ella, la enseñanza de la historia patria. Esta obra se ocupa de las modalidades que ha asumido la enseñanza nacionalista, tan fundamental para el gobierno de México y tan poco estudiada.

▶ Josefina Z. Vázquez, Richard B. Morris, Edmundo O'Gorman, Hugh M. Hamill Jr., Elías Trabulse, Luis Villoro, Ernesto Lemoine, Nettie Lee Benson, María del Carmen Velázquez, Manuel Calvillo, Charles A. Hale, Moisés González Navarro, Beatriz Ruiz Gaytán, Juan Ortega, Andrés Lira, Alvaro Matute, John Womack, Stanley Ross y Eugenia Meyer

Dos revoluciones. México y los Estados Unidos
Editado con Fomento Cultural Banamex y American Historical Association; textos en español y en inglés.

1a. ed., 1976   222 pp.

No podemos afirmar que haya paralelos en la historia, a pesar de que muchos así lo sintieron durante la década de los treinta, cuando actuaban Roosevelt y Cárdenas. La historia de cada país tiene características singulares, irrepetibles, pero parte de la singularidad de México está en ser un país subdesarrollado, vecino del país más poderoso del planeta; por tanto, es natural que lo que sucede en éste resuene en el sur.

▶ María del Carmen Velázquez
Establecimiento y pérdida del Septentrión de Nueva España

1a. ed., 1974   260 pp.

El lugar, norte o Septentrión de México; época, siglos XVI-XIX. ¿Qué errores tan graves cometió en su política la joven República que no supo conservar lo que obtuvo de España? ¿Por qué los tejanos no se sintieron unidos al resto del país? ¿Cómo se explica la guerra con Estados Unidos? Estas son, entre muchas, preguntas que obtienen amplia respuesta en este trabajo.

▶ James W. Wilkie, Michael C. Meyer y Edna Monzón de Wilkie (eds.)

Contemporary Mexico. Papers of the IV International Congress of Mexican History

1a. ed., 1976   858 pp.

Editado en inglés y español. Los trabajos aquí reunidos se agrupan en 11 apartados: el legado del pasado; población, espacio y migración; élites y masas; la reforma agraria; la iglesia y el ejército; política; posición política y económica de México y los Estados Unidos; los chicanos; educación y vida cultural; periodización, y estudios sobre México.

▶ Silvio Zavala

El servicio personal de los indios en el Perú
(T. I, extractos del siglo XVI; T. II, extractos del siglo XVII; T. III, extractos del siglo XVIII)

T. I, 1a. ed., 1978   251 pp.
T. II, 1a. ed., 1979   299 pp.
T. III, 1a. ed., 1980   360 pp.

El autor consultó en archivos y publicaciones de España y del Nuevo Mundo una serie de documentos que tratan de la mita peruana; ahora, extractados y ordenados cronológicamente, los ofrece en esta obra.

Historia de la Revolución Mexicana

Historia de la Revolución Mexicana
II. Periodo 1914-1917

▶ Berta Ulloa

La revolución escindida (T. 4)

1a. ed., 1979   178 pp.

La escisión de noviembre de 1914, con la caracterización de sus principales personajes; el establecimiento del gobierno de Venustiano Carranza en Veracruz; las sucesivas ocupaciones de la ciudad de México por parte de las facciones revolucionarias, y los problemas internos e internacionales que acarrearon, y la continua presencia amenazadora de los Estados Unidos.

▶ Berta Ulloa

La encrucijada de 1915 *(T. 5)*

1a. ed., 1979   267 pp.

Las diversas rutas que pudo seguir la Revolución Mexicana durante los seis primeros meses de 1915, y el camino que finalmente tomó en la segunda mitad de ese mismo año. Los dominios de Carranza en Veracruz y los de Emiliano Zapata y Francisco Villa, con sus diferentes enfoques políticos y económicos, y sus diferentes metas sociales. Y la victoria de los carrancistas.

III. Periodo 1917-1924

▶ Alvaro Matute

La carrera del caudillo *(T. 8)*

1a. ed., 1980   201 pp.

Las causas del enfrentamiento entre Venustiano Carranza y Alvaro Obregón, y el gobierno provisional de Adolfo de la Huerta, fundamental para que Obregón llegara sin contratiempos a su meta.

IV. Periodo 1924-1928

▶ Enrique Krauze, con la colaboración de Jean Meyer y Cayetano Reyes

La reconstrucción económica *(T. 10)*

1a. reimp. 1981   323 pp.

La obra económica y las luchas políticas del presidente Plutarco Elías Calles (1924-1928), y sus repercusiones sobre los grupos de la élite urbana, burocrática, sindical y militar. Todo se juega y decide dentro del círculo cerrado de estas élites, ya que no es posible hablar de un ensanchamiento de la participación política.

▶ Jean Meyer, con la colaboración de Enrique Krauze y Cayetano Reyes

Estado y sociedad con Calles *(T. 11)*

1a. reimp., 1981   371 pp.

Las realizaciones y las luchas de un Estado nacionalista que aceleró su crecimiento entre 1924 y 1928; la historia que se escribe es tan consciente y decidida como fue consciente y decididamente impuesta por el grupo en el poder a la gran mayoría de los mexicanos.

V. Periodo 1928-1934

▶ Lorenzo Meyer, con la colaboración de Rafael Segovia y Alejandra Lajous

Los inicios de la institucionalización. La política del maximato *(T. 12)*

1a. reimp., 1981   314 pp.

La situación política de México entre 1928 y 1934. En este período se constituyó el sistema de dominación que consolidó el triunfo del grupo revolucionario y evitó las crisis del pasado; se creó el Partido Nacional Revolucionario y Plutarco Elías Calles se convirtió en el "jefe máximo" de la revolución.

▶ Lorenzo Meyer

El conflicto social y los gobiernos del maximato *(T. 13)*

1a. reimp., 1981   335 pp.

Los procesos locales, los problemas económicos y las estructuras sociales entre 1928 y 1934. Las luchas obreras como resultado de las reivindicaciones económicas y de la búsqueda de posiciones de los trabajadores organizados frente al gobierno. Y el debate en torno a la naturaleza y el futuro de la reforma agraria.

VI. Periodo 1934-1940

▶ Luis González

Los artífices del cardenismo *(T. 14)*

1a. ed., 1979   271 pp.

El texto prescinde de la narración de los hechos, se queda en el mero retrato de los hacedores; dibuja a las volandas al pueblo mexicano de los años treinta, a media docena de instituciones y a las tres minorías rectoras que participaron en la edificación del cardenismo. Al final, se ilustra la trayectoria juvenil de Cárdenas, quien al llegar a la presidencia había ya recorrido 39 años muy significativos de su vida.

▶ Alicia Hernández Chávez
La mecánica cardenista (T. 16)
1a. ed., 1979   236 pp.

Las circunstancias en las que se desarrolló el gobierno de Lázaro Cárdenas; los grupos y fuerzas políticas de mayor relieve a su llegada a la presidencia; las reacciones que había dentro del ejército; en qué condiciones surgió la CTM; el dilema agrario; la creación del PRM, y por último, por qué fue Manuel Avila Camacho el sucesor.

▶ Victoria Lerner
La educación socialista (T. 17)
1a. ed., 1979   199 pp.

La evolución de la idea y la práctica de la educación socialista, sus primeros pasos, los conflictos que la convirtieron en una realidad y los que ella suscitó, y sus implicaciones actuales.

VII. Periodo 1940-1952

▶ Luis Medina
Del cardenismo al avilacamachismo (T. 18)
1a. ed., 1978   410 pp.

Los seis años que correspondieron al período gubernamental del presidente Manuel Avila Camacho. Las razones por las que se lo seleccionó y las fuerzas que lo apoyaron para suceder a Lázaro Cárdenas; el enfrentamiento de los grupos y corrientes políticas durante su gestión, y las acciones de Avila Camacho que tendieron a modificar políticas heredadas del cardenismo.

▶ Blanca Torres Ramírez
México en la Segunda Guerra Mundial (T. 19)
1a. ed., 1979   380 pp.

Las relaciones internacionales de México y el desarrollo de su economía durante el sexenio que corre de 1940 a 1946. Fundamentalmente se trata de establecer las consecuencias de la Segunda Guerra Mundial en México.

▶ Luis Medina

Civilismo y modernización del autoritarismo (T. 20)

1a. ed., 1979   205 pp.

Personaje controvertido, Miguel Alemán sobresale en la historia política mexicana por ser el primer presidente que propone un proyecto nacional, claro y completo: llevar adelante tanto la democratización política como el crecimiento económico acelerado. De este proyecto tendría éxito relativo el aspecto económico, pero no así el político.

VIII. Periodo 1952-1960

▶ Olga Pellicer de Brody y José Luis Reyna

El afianzamiento de la estabilidad política (T. 22)

1a. reimp., 1981   222 pp.

Análisis del período de los años cincuenta, en que se empezó a gestar el llamado "desarrollo estabilizador" y a "apretarse" notablemente el sistema político mexicano.

▶ Olga Pellicer de Brody y Esteban L. Mancilla

El entendimiento con los Estados Unidos y la gestación del desarrollo estabilizador (T. 23)

1a. reimp., 1981   298 pp.

Los altibajos de las exportaciones mexicanas y la importancia que adquiría de nuevo el capital extranjero; el aumento notable de los trabajadores que emigraban a los Estados Unidos; el perfeccionamiento de la cordialidad mexicano-norteamericana; la etapa del desarrollo estabilizador, y la amenaza del estancamiento.